DICIONÁRIO DE REGIMES DE SUBSTANTIVOS E ADJETIVOS

OUTRAS OBRAS DO AUTOR PUBLICADAS PELA EDITORA GLOBO

Dicionário de sinônimos e antônimos da língua portuguesa
Dicionário brasileiro Globo
Dicionário de verbos e regimes
Dicionário brasileiro contemporâneo

FRANCISCO FERNANDES

DICIONÁRIO DE REGIMES DE SUBSTANTIVOS E ADJETIVOS

Mais de 1.800 substantivos e 2.100 adjetivos
com cerca de 9.000 regimes

26ª edição
3ª reimpressão

EDITORA GLOBO

EDITORA GLOBO S.A.
Avenida Jaguaré, 1485
CEP 05346-902 - Tel.: 3767-7000, São Paulo, SP
e-mail: atendimento@edglobo.com.br

Impressão e acabamento:
Prol Editora Gráfica

3ª reimpressão, 2011

CIP-Brasil. Catalogação-na-fonte – Câmara Brasileira do Livro, SP

Fernandes, Francisco, 1900-1965
Dicionário de regimes de substantivos e adjetivos / Francisco Fernandes. – 26. ed. de acordo com a Ortografia Oficial Brasileira. – São Paulo : Globo, 2001.
"Mais de 1.800 substantivos e 2.100 adjetivos com cerca de 9.000 regimes".

ISBN 85-250-2442-2

1. Português – Adjetivos – Regências – Dicionários 2. Português – Substantivos – Regência – Dicionários I. Título.

87-0462 CDD -469.31

Índices para catálogo sistemático
1. Adjetivos : Regimes : Dicionários : Português 469.31
2. Regimes de adjetivos e substantivos : Dicionários : Português 469.31
3. Regimes de substantivos e adjetivos : Dicionários : Português 469.31
4. Substantivos : Regimes : Dicionários : Português 469.31

À memória de
ALEXANDRINO FERNANDES,
meu pai,
é dedicado este livro
F. F.

DICIONÁRIO DE REGIMES DE SUBSTANTIVOS E ADJETIVOS

A

Abafado — *com, de, em, entre, por, sob:*
"A criança vinha abafada *com* pesadas roupas de lã."
"Horizonte abafado *de* nuvens, *de* montes." (Morais.) "E no chão ressequido, abafado *de* erva brava, afora umas campainhas modestas, espetavam-se ao abandono algumas cruzes de ferro." (Manoel Ribeiro, *A Planície Heróica,* 52.)
"Só à noite, fatigado, tem tempo para debruçar-se um minuto sobre o berço e contemplar o filho que dorme, pálido, abafado *nas* rendas." (C. Neto, *apud* L. Freire.) "Essa meada, afogada em água e abafada *em* cinza, é metida em panelas de ferro." (Antero de Figueiredo, *Jornadas em Portugal,* 114.) "Arrastava-se, curvado, abafado *num* cachenê e *num* paletó cor de pinhão." (Eça, *O Primo Basílio,* 142.)
"É que o seu ouvido bebe.... não sei que som de piano, lá longe, lento e abafado *entre* os arvoredos." (Fialho de Almeida, *Os Gatos,* 70.)
"Lançou-se a chorar aos braços da irmã, que lhe não respondia, abafada *pel*as lágrimas." (Camilo, *As Três Irmãs,* 125.) "Foi a consciência que lhe veio à garganta, mas para ser logo abafada *por* uma adulteração da verdade." (Rui, *Colunas de Fogo,* 135.) "As vozes da natureza, abafadas *pel*o estrépido de nossa labuta, se iam distinguindo em continuada oração." (Afrânio Peixoto, *A Esfinge,* 280.) "Coisas já agora inúteis, obsoletas, abafadas *pel*a evolução de outros predomínios na vitalização humana." (Camilo, *Boêmia de Espírito,* 226.)
"Foi um Sardoeira quem lhe descobriu o gênio abafado *sob* espessas camadas de ciência." (C. Neto, *Treva,* 7.)

Abaixado — *a, sobre:*
"Alma sórdida, abaixada *a* torpezas e deleitações criminosas." (Cf. Morais, *abaixar.*)
"Com a vista abaixada *sobre* o livro, parecia alheio ao resto do mundo."

Abaixamento — *a:*
"O abaixamento *a* exercícios baixos é caminho para a humildade." (Morais.)

Abalável — *em:*
"Nunca fui abalável *em* meus propósitos."

Abalado — *a, com, de, por:*
"Alma abalada *a* sentimentos e lágrimas." (Morais.)
"Achei-o muito abalado *com* a notícia da morte da rainha." (Aulete.) "— Vê? disse o Campos, abalado *com* as palavras do irmão de seu protetor." (Aluísio Azevedo, *Casa de Pensão,* 163.)
"Olhos abalados *d*a luz." (Morais.)
"Abaladas *pel*o cataclismo da guerra, as camadas superficiais de uma nacionalidade cindiam-se." (E. da Cunha, *Os Sertões,* 489.) "Não faço agora acerca do gás uma dissertação, porque me sinto abalado *pel*a memória das seguintes palavras que a misteriosa mulher me disse." (Camilo, *Cenas da Foz,* 152.) "A aparição de Clermont agitou-lhe o coração, abalado *pel*a esperança." (Camilo, *Livro Negro,* 101.)

Abalizado — *em:*
"Dando esperanças de sair abalizado *na* virtude." (Bernardes, *apud* Aulete.) "Homem virtuoso e abalizado *em* saber, doutrina." (Morais.)

Abalo — *com, em:*
"Pensei que experimentaria um grande abalo *com* o acontecimento." (Ciro dos Anjos, *O Amanuense Belmiro,* 195.)
"Antecipava créditos, que o bondoso pai pagou, até o momento que se viu em risco de sofrer um abalo *na* fortuna." (Camilo, *Mistérios de Lisboa,* II, 73.)

Abalroamento — *com, de, entre:*
"Não foi possível evitar o abalroamento *com* o cargueiro."
"Causou grande prejuízo o abalroamento *d*os dois navios."
"O abalroamento *entre* as duas barcas não teve graves conseqüências."

Abancado — *a, em torno de:*
"Abancado *a* uma mesa rústica, estalando sob os pés as folhas secas." (C. Neto, *apud* L. Freire.)
"Matutos conversavam, abancados *em torno de* mesas toscas." (Afrânio Peixoto, *A Esfinge,* 297.)

Abandonado — *a, de, em, por:*
"Quando, daí a cinqüenta e nove anos, os sarcófagos de Saint-Denis se abriram outra

vez, para agasalhar os despojos mortais, já pútridos também, do sucessor do grande rei, abandonado, como este, *a* um séquito de pajens." (Rui, *Coletânea Literária*, 318.) "Abandonada *aos* partidos, *à* discórdia, *à* maledicência." (Idem, *apud* L. Freire.)

"Abandonado *da* tropa, *dos* áulicos e *dos* fâmulos, teve de fugir." (C. Neto, *Imortalidade*, 184.) "Quando a pobrezinha estiver para aí, abandonada *da* família, e você, seu Dom Juan de meia tigela de cama, com uma roda de pau no costado, veremos se eu entendo." (Graciliano Ramos, *Caetés*, 249.) "Abandonado *da* fé, revestira-me de flamantes crenças filosóficas." (Ricardo Jorge, *Sermões dum Leigo*, 84.) "Morreu abandonado *de* todos, como acontece em geral aos ingratos." (Pacheco e Lameira, *Gramática da Língua Portuguesa*, 655.) "Sou filho bastardo, porque o Conde de Viso, abandonado *de* sua mulher, que fizera vítima, esqueceu a desonra do abandono, fazendo uma vítima nova." (Camilo, *Livro Negro*, 234.)

"Deixaram as casas tais como estavam, a comida abandonada *nas* mesas." (Rui, *apud* L. Freire.)

"Abandonada *pelos* seus protetores naturais *ao* fadário de contaminações, que a devia degradar." (Rui, *Campanha Presidencial*, 56.) "Morreu, coitado, abandonado *pela* mulher." (Afrânio Peixoto, *A Esfinge*, 235.)

Abandono — *a, de; a, em:*

"Caiu... num ansioso desejo de morte, que continuamente pedia a Deus, apesar dos seus princípios de resignação, e abandono *à* vontade divina." (Camilo, *A Neta do Arcediago*, 163.)

"Abandono voluntário *do* lar conjugal." (*Cód. Civ. Bras.*, art. 317.)

"Crianças deixadas *ao* abandono."

"Perderá por ato judicial o pátrio poder o pai, ou mãe que o deixar (o filho) *em* abandono." (*Cód. Civ. Bras.*, art. 394.)

Abarbado — *com, de, por:*

"Estou abarbado *com* trabalho." (Aulete.) "Pois olha, talvez ainda hoje te vejas abarbado *com* eles." (Herculano, *apud* L. Freire.)

"Quem te vir assim abarbada *de* projetos de ganhar dinheiro, há de cuidar que estás devorada de ambição." (Camilo, *As Três Irmãs*, 63.)

"Quando se via abarbado *por* qualquer dificuldade, costumava dizer..." (João Ribeiro, *Curiosidades Verbais*, 34.)

Abarcado — *com, de, por:*

"Vasto panorama abarcado *com* a vista."

"O mundo universo abarcado *de* três discípulos do Senhor." (Lucena, *apud* Morais.)

"Terra abarcada *pelo* mar."

Abarreirado — *por:*

"As ravinas, recortando-se em gânglios estagnados, dividiram-se em açudes abarreirados *pelas* muralhas que trancavam os vales." (E. da Cunha, *Os Sertões*, 57.)

Abarrotado — *com, de:*

"As naus.... iam já abarrotadas *com* a carga." (Dic. de Morais.)

"Mais de seiscentos carros eleitorais, abarrotados *de* votantes." (João F. Lisboa, *apud* L. Freire.) "Eu não pensava em outra coisa senão no Banco, via-o abarrotado *de* moedas de ouro, cheio de maços de cédulas." (C. Neto, *A Cidade Maravilhosa*, 110.) "Amâncio ria-se, abarrotado *de* intenções." (Al. Azevedo, *Casa de Pensão*, 133.)

Abastado — *de:*

"Viviam abastados *de* bens da terra." (Fr. L. de Sousa, *apud* Fr. D. Vieira.) "São no paço abastados *de* tudo." (Morais.)

Abastança — *em:*

"A casa que tinha o número indicado no anúncio era de bonita aparência e indicava certa abastança *nos* haveres de quem lá morasse." (M. de Assis, *Contos Fluminenses*, 8.)

Abastecido — *de, por:*

"A mesa de Elias abastecida *de* carne." (Vieira, *Sermões*, IV, 121.) "Tribunal Revolucionário, abastecido *de* vítimas *pela* suspeita, orientado pela delação, nulificado na defesa." (Rui, *Colunas de Fogo*, 198.)

"Vinha (a expedição) adstrita a uma direção única e abastecida *por* um comboio único." (E. da Cunha, *Os Sertões*, 395.)

Abatido — *a, de, em, por:*

"Abatido *ao* cativeiro." (Morais.) "É de crer que o movessem à compaixão os dois fidalgos seus conterrâneos abatidos *a* tamanha miséria." (Camilo, *Perfil do Marquês de Pombal*, 71.) "O contrário exatamente se dava com Pretinha que, abatida *ao* peso dos anos, desiludida e experimentada nas falsidades da vida, ... acabrunhava-se ao pensar naquela segunda ausência." (Abilio Barreto, *A Noiva do Tropeiro*, 50.)

"Abatidos *de* um dia inteiro de viagem, os expedicionários, deslembrados da luta, iam sob o anelo exclusivo dos pousos apetecidos." (E. da Cunha, *Os Sertões*, 317.)

"A gente ia abatida *nas* caravelas." (Aulete.) "Formando pela última vez juntos, os companheiros abatidos *na* batalha." (E. da Cunha, *Os Sertões*, 30.)

"Os soldados, abatidos *pelo* contragolpe de inexplicável revés, ... invadidos de terror sobrenatural." (Idem, *ibidem*, 347.)

Abatimento — *de, em:*

"Abatimento *da* autoridade da Sé Apostólica." (Dic. de Morais.) "Abatimento *de* preço." (Fr. D. Vieira.)

"Em vez de rejeitar a coisa, redibindo o contrato, pode o adquirente reclamar abatimento *no* preço." (Rui, *Parecer*, 379.) "De repente tudo se apaziguava por uma resolução, de abatimento *na* oferta, de vantagem na procura.'' (Afrânio Peixoto, *A Esfinge,* 294.)

Abdicação — *de, em favor de:*

''Absoluta e generosa renúncia a todo o capricho, perfeita e completa abdicação *de* toda a vontade própria.'' (Garrett, *Viagens na Minha Terra,* I, 114.) ''Todo o preço da abolição, por inestimável que seja, não vale esta abdicação *da* verdade histórica.'' (Rui, *Queda do Império,* I, 182.) ''Levaram-na para o castelo da ilha de Lockleven, onde assinou um ato de abdicação, *em favor de* seu filhinho.'' (*Maravilhas do Conhecimento Humano,* I, 139.)

Abeberado — *em:*

''Prados úmidos, abeberados *em* água às lascas, lisa e brilhante, como a prata das salvas.'' (Antero de Figueiredo, *Jornada em Portugal,* 17.)

Abeirado — *a, de:*

''Pela estrada, abeirada *à* casa, passavam mulheres e meninos.'' (Domingos Olímpio, *apud* L. Freire.)

''Uma vez abeirados *da* palhoça, os viandantes arriaram as mochilas.''

Abençoado — *de, em, por:*

''Os justos são abençoados *de* Deus.''

''Sua família foi sempre considerada entre as melhores, das muitas em que esta terra, abençoada *em* talentos e glórias, é pródiga....'' (Afrânio Peixoto, *A Esfinge,* 243.)

''O médico morreu pobre mas abençoado *por* todos.''

Aberração — *de:*

''Aberração *da* inteligência, aberração *do* dever.'' (Fr. D. Vieira.)

Aberrado — *de:*

''Degenerado, aberrado *das* qualidades de origem.'' (L. Freire, *abastardado.*)

Aberto — *a, ante, com, contra, de, em, entre, para, por, sobre:*

''Um coração aberto *a* excelentes sentimentos, um espírito acessível às idéias mais progressistas.'' (Rui, *Queda do Império,* I, LXVIII.) ''Uma alma aberta *à* compaixão, *à* malevolência.'' (Aulete.) ''Viram, ali mesmo, os barris abertos *a* machado, e inutilizado o contrabando sacrílego.'' (E. da Cunha, *Os Sertões,* 193.) ''Por uma escada de mão trepamos ao sexto (andar), que era um cubículo aberto *a*os quatro ventos.'' (Mário Barreto, *Cartas Persas,* 89.) ''Uma civilização de caráter cristão e de espírito aberto *ao* bafejo das idéias nobres e humanas.'' (*Maravilhas do Conhecimento Humano,* I, 191.)

''A vista que me caía sobre o tomo de Antônio Vieira, ainda aberto *ante* mim, de onde, momentos antes, copiara aquele excerto.'' (Rui, *Réplica,* 432.)

''Levávamos os pés abertos *com* mil cutiladas.'' (Dic. de Fr. D. Vieira.)

''Jamais desertou da barricada,.... defendendo vigilantemente a brecha aberta *contra* os assaltos dos adversários.'' (João Gave, *Os Vivos e os Mortos,* 22.)

''Janela velha, aberta *de* frestas.'' ''Paulo tinha os olhos cheios de espanto e a boca levemente aberta *de* pasmo.'' (Afrânio Peixoto, *A Esfinge,* 243.)

''E vendo a mãe, carinhosa, desveladamente inclinada sobre o pai, avançou, com o rosto aberto *em* sorriso.'' (C. Neto, *Miragem,* 27.) ''E a rachadura sangrava, como uma ferida aberta *no* flanco da serra.'' (J. Américo de Almeida, *O Boqueirão,* 194.) ''Tinha o corpo aberto *em* feridas.'' ''Troncos derrubados, com as raízes rebentando de fundas brocas abertas *na* barranca.'' (C. Neto, *Treva,* 48.)

''Trilha estreita, aberta *entre* a vegetação mofina e garranchenta do tabuleiro.'' (Gastão Cruls, *Ao Embalo da Rede,* 13.)

''Choupanas paupérrimas, portas abertas *para* o caminho, surgiram em vários trechos.'' (E. da Cunha, *Os Sertões,* 480.) ''No jornalismo ainda não havia mercados abertos *para* as secretarias, os esconderijos policiais e as verbas escusas do orçamento.'' (Rui, *Campanha Presidencial,* 68.) ''Tivera os sentidos abertos *para* a emoção e até *para* o êxtase.'' (Afrânio Peixoto, *A Esfinge,* 269.)

''Seria indiferente à sorte dos princípios e ao caráter geral da administração o nome do primeiro organizador no período aberto *pelo* naufrágio do gabinete de 10 de março.'' (Rui, *Colunas de Fogo,* 27.) ''Graças a essa evasiva, aberta *pela* piedade do adversário, ou *pelos* hábitos de camaradagem naturais,.... o verbo do presidente do Conselho foi duro e provocador.'' (Idem, *Queda do Império,* II, 391.)

''O céu, amplo pálio de seda azul aberto *sobre* a ridente paisagem daquele abençoado trato de terra.'' (Gastão Cruls, *Ao Embalo da Rede,* 173.)

Abespinhado — *com, contra:*

''O rapaz ficou meio abespinhado *com* os colegas.''

''Não sei por que é que andas tão abespinhado *contra* mim.''

Abespinhamento — *com, contra:*

''Seu abespinhamento *com* o noivo foi passageiro.''

''Não compreendo seu abespinhamento *contra* o diretor.''

Abismado — *em, por:*

''O prelado conservava o rosto inclinado, e parecia abismado *nas* suas reflexões.'' (Rebelo da Silva, *Contos e Lendas,* 274.) ''E ei-lo abismado .... *na*quela música de brumas.'' (Fialho de Almeida, *Os Gatos,* 52.) ''Os marechais despedem-se do duque, abismados *em* reflexões disparatadas.'' (Camilo, *Livro Negro,* 205.)

"Uma noite, Amâncio ficou abismado *por* lhe ouvir falar na compra de um chalé nas Laranjeiras." (Al. Azevedo, *Casa de Pensão,* 230.)

Abjuração — *de:*

"Foram verdadeiras e de coração as abjurações que *de* seus erros fizeram estes prelados." (Aulete.) "Essa indireta abjuração *dos* afetos mais puros e santos." (Herculano, *apud* L. Freire.)

Abnegação — *de:*

"Mostrou assim a mais completa abnegação *das* coisas temporais." (Aulete.) "Abnegação *de* si mesmo." (Vieira, *Sermões,* X, 417.)

Abocanhado — *de, por:*

"Quantos corpos eram encontrados nos algares, bicados dos corvos, abocanhados *das* feras." (C. Neto, *apud* L. Freire.)

"Nome abocanhado *pela* raiva dos crimes descobertos." (Rui, *apud* L. Freire.)

Abominável — *a:*

"Crime abominável *a* todos." "O porco é muito abominável *aos* mouros." (Dic. de Morais.)

Abonação — *de, em:*

"Os seus atos constituem mais que suficiente abonação *do* seu procedimento futuro." (Aulete.)

"O fiador assinou a abonação *no* arrendamento." (Idem.)

Abonado — *com, por:*

"Frase abonada.... *com* um exemplo de Almeida Garrett." (Mário Barreto, *Novíssimos Estudos,* 223.) "O estatuto prussiano faz particular apreço de uma biografia escolar, ... que o candidato é obrigado a apresentar, abonada *com* o testemunho dos pais ou mestres." (Rui, *Queda do Império,* I, 414.)

"A construção era abonada *por* excelentes arquitetos." (Aulete.) "De mim direi que o não encontrei nunca (o termo) abonado *por* escritores conhecidos." (Mário Barreto, *Através do Dicionário e da Gramática,* 215.)

Abonador — *a, de:*

"Apresentou um abonador *à* sua dívida." (Aulete.)

"Seu passado constitui excelente abonador *de* seus atos futuros."

Abonatório — *de:*

"Pode também ver, pelo menos, o 'Boletim da Sociedade de Geografia' , ... onde vem um documento antigo, abonatório *da* forma "Sintra!" (C. de Figueiredo, *Falar e Escrever,* II, 288.)

Abono — *de:*

"Em abono *da* expressão 'viável' invocou o exemplo italiano." (Rui, *Réplica,* 352.) "Em testemunho e abono *da* nossa santa fé." (Dic. de Fr. D. Vieira.)

Abordoado — *a, em:*

"Segundo o crítico abordoado *ao* parecer de Soares Barbosa, 'asneou' Camões dando ao infinitivo a forma pessoal." (Mário Barreto, *Através do Dicionário e da Gramática,* 199.) "Não sei se terá forças para vir até cá abordoado *ao* cajado." (C. Neto, *apud* L. Freire.)

"E ela (a velha) abordoada *num* cajado retorcido e enverrugado como ela." (Garrett, *O Arco de Sant'Ana,* 159.) "Um pobre velho soldado, as barbas brancas de neve, *em* uma espada abordoado." (Dic. de Fr. D. Vieira.)

Aborrecido — *a, com, de, por:*

"Gente aborrecida *aos* moradores." (Dic. de Morais.)

"O Sr. ficou aborrecido *com* o que eu disse?" (Medeiros e Albuquerque, *Quando Eu Era Vivo,* 29.) "E um abraço desmanchava a compostura correta do Dr. Passos, todo obsequioso, no íntimo aborrecido *com* esses tratos sem cerimônia." (Afrânio Peixoto, *A Esfinge,* 81.)

"Perguntei-lhe se já estava aborrecida *de* mim." (M. de Assis, *Dom Casmurro,* 319.) "— João Valério, interrompeu Luísa com voz trêmula, eu não creio que esteja aborrecido *de* mim e procure um pretexto para se afastar." (Graciliano Ramos, *Caetés,* 243.) "Um dos dois, aborrecido *de* repartir com o outro o que sozinho podia desfrutar, matou o seu companheiro." (Mário Barreto, *Cartas Persas,* 23.)

"Tenho hoje ódio a esse homem, porque me vejo amada de todas as pessoas e aborrecida *por* ele." (Camilo, *A Neta do Arcediago,* 83.)

Aborrecimento — *a, de, por:*

"Tomou grande aborrecimento *ao* jogo." (Aulete.) "O meu aborrecimento *à* cama." (Mário Barreto, *Fatos da Língua,* 24.) "Mais tarde, quando nos separamos, fiquei pensando no aborrecimento que Luísa tem *ao* Neves." (Graciliano Ramos, *Caetés,* 234.)

"Nada o distrai, tem aborrecimento *de* tudo."

"Horror, aborrecimento *pelos* ingleses." (Fr. D. Vieira, *Anglofobia.*)

Aborrecível — *a:*

"Assunto aborrecível *a* todos." "Aborrecível *a* Deus." (Dic. de Morais.) "Pode ser que a música em demasia doce e mística daqueles outros condiscípulos fosse aborrecível *ao* seu gênio essencialmente trágico." (M. de Assis, *apud* Sousa da Silveira, *Lições de Português,* 285.)

Abotoado — *de:*

"Simão Bacamarte recebeu-o com a alegria própria de um sábio, uma alegria abotoada *de* circunspeção até o pescoço." (M. de Assis, *O Alienista,* 19.)

Abraçado — *a, com, de, em, por:*

"Criara o processo da suspensão de garantias; abraçado tenazmente *à* Constituição, afogava-a." (E. da Cunha, *Os Sertões,* 292.)

"Chorava abraçada *ao* cadáver de sua mãe." (Camilo, *apud* L. Freire.) "Joana, abraçada *ao* filho, soluçava quando Tibúrcio entrou no quarto." (C. Neto, *Treva,* 140.)

"Crendo ter nos braços quem amava, abraçado me achei *c'um* duro monte." (Camões, *Os Lusíadas,* V, 65.) "Era Pirunga abraçado *com* Xinane que tinha ido, alta noite, furtar o aipim que havia plantado." (J. Américo de Almeida, *A Bagaceira,* 42.)

"Oh, que grande e profundo conselho, digno de ser abraçado *de* todos os que tiverem fé e entendimento!" (Vieira, *Sermões,* I, 104.)

"Ficou abraçada *em* mim, com a face pousada sobre o meu ombro." (Camilo, *Mistérios de Lisboa,* I, 50.)

"Um deles (sertanejos), abraçado *pela* esposa e a filha, no momento em que a porta da choupana se escancarou, estrondada em lascas, atirou-as rudemente de si." (E. da Cunha, *Os Sertões,* 553.) "Saiu da Escola laureada e abraçada *por* todos os professores e condiscípulos." (C. Neto, *A Cidade Maravilhosa,* 9.)

Abrandado — *com, por:*

"Repreensão abrandada *com* carinhos."

"Todavia, um tanto abrandado *pelo* prodígio, ... sentiu-se o castelão vexado." (C. Neto, *Imortalidade,* 60.)

Abrangido — *por:*

"E a terra, aquela incomparável terra que mesmo quando abrangida *pelas* secas, desnuda e empobrecida, ainda lhe sustenta os rebanhos." (E. da Cunha, *Os Sertões,* 219.)

Abrasado — *de, em, por:*

"Vinha com as faces abrasadas *da* corrida." (Aulete.) "A pobrezinha, abrasada também *de* amor, queria respirar o ar da noite." (Taunay, *Inocência,* 148.)

"Ficou sem cor e abrasado *em* ciúmes." (Dic. de Morais.) "Rosto abrasado *na* cor." (Encicl. Port.) "Os animais mesmos, abrasados *nessa* atmosfera em que a vida se queima rapidamente, desvairam, arquejam, bebem a largos haustos o ambiente ignificado." (Rui, *Queda do Império,* I, 149.) "Ardia abrasado *em* fé, enlevado em ascese, e chorava, quando avistou, no fundo da caverna, uma austera figura." (C. Neto, *Imortalidade,* 322.)

"A terra ardia, abrasada *pelo* calor tropical."

Abraseado — *de, em:*

"Com o rosto abraseado *de* raiva." (Aulete.)

"Arde a carne da terra, abraseada *em* desejos." (Martins Fontes, *apud* L. Freire.) "Mais para espanto e censura é que o austero filósofo Sá de Miranda, abraseado *na* mesma fragna de rancor canibal à moirisma escrevesse deste teor ao infante D. Luís." (Camilo, *Boêmia de Espírito,* 204.)

Abrenunciação — *de:*

"E entretanto se descuidam dos pontos lhanos e substanciais do Evangelho, que são a abrenunciação *de* tudo." (Bernardes, *apud* Aulete.)

Abrigado — *a, com, de, em, sob:*

"O Brasil não pode medrar senão abrigado *à* sombra protetora do trono." (J. Francisco Lisboa, *apud* L. Freire.)

"Vinha abrigado *com* uma capa impermeável."

"Abrigado *do* sol, *dos* ventos." "— Vamos ao jardim, que ela deve lá estar abrigada *da* chuva." (Camilo, *O Bem e o Mal,* 90.)

"Abrigados *no* paiol, ... pelas frinchas do madeirame assentaram as armas e faziam um estrago terrível." (Afonso Arinos, *Pelo Sertão,* 75.)

"Saloios passavam, amodorrados sobre o albardão, bamboleando as pernas, abrigados *sob* os vastos guarda-sóis escarlates." (Eça, *O Primo Basílio,* 169.)

Abrigo — *a, contra, de, para:*

"Tomara então me dissessem se, no tocante a indelicadezas do escrever, pode sempre a autoridade clássica servir de abrigo *a* modernos escritores." (Rui, *Réplica,* 73.)

"Quando as folhas caem, não têm (as flores) mais abrigo *contra* o sol." (Gustavo Barroso, *Terra de Sol,* 40.) "Então, o abrigo passou a ser *contra* o frio e o vento." (João Ribeiro, *Curiosidades Verbais,* 39.)

"Este penedo côncavo e sombrio .... nos dá abrigo *do* sol." (Camões, *apud* Fr. D. Vieira.)

"Chamam os homens brio e dignidade a uns obstáculos frágeis e efêmeros em que procuram abrigo *para* suas vontades vacilantes ou pusilânimes." (Afrânio Peixoto, *A Esfinge,* 376.)

Abrilhantado — *com, por:*

"Festa abrilhantada *com* a presença de altas autoridades."

"E a auréola de um poder abrilhantado *por* vassalos reais." (Porto Alegre, *apud* L. Freire.)

Ab-rogação — *de:*

"A administração reputa conveniente a ab-rogação total *da* lei." (Rui, *Cartas de Inglaterra,* 370.)

Abroquelado — *a, com, por:*

"Abroquelado *à* sua inteireza de caráter, pôde resistir."

"Abroquelado *com* o escudo da religião, o povo sofreu resignado a dura prova." "O homem, abroquelado *com* a impunidade, desfraldando a bandeira da natureza em bruto, arpoou as suas preias no próprio tálamo conjugal." (Camilo, *Boêmia do Espírito,* 161.)

"Quando a invasão dos franceses, abroquelada *pelo* terror e *pelos* fantasmas ensangüentados que a precediam, infestou o Porto, o negociante fugiu com sua mulher e três meninas.'' (Camilo, *As Três Irmãs,* 21.)

Abrumado — *com, de, em, por:*

''Horizonte abrumado *com* o perpassar de nuvens negras.''

''Coração abrumado *de* nostalgia.''

''Tarde abrumada *em* névoas crepusculares.''

''As serras pareciam abrumadas *pelo* cair da tarde.''

Absolutismo — *de:*

''O absolutismo do poder real estabeleceu-se na Europa central e meridional a partir dos fins do século XV.'' *(Encicl. Port.).*

Absolvido — *de, por:*

''Pecador absolvido *de* toda a culpa.'' ''Não sabemos se ele foi ou não absolvido *d*essa acusação.'' (*Maravilhas do Conhecimento Humano,* II, 47.) ''Branca ouvia-me tranqüila, revelava a sã consciência de quem é absolvido *de* um crime.'' (Camilo, *Livro Negro,* 165.)

''Réu absolvido *pelo* júri.''

Absorção — *de, em, por:*

''É nociva a absorção *do* álcool.''

''Não se chegou a sugerir a absorção *do* ministério da Marinha *no* da Guerra.'' (Rui, *Cartas de Inglaterra,* 190.)

''O que devemos temer é a absorção *das* forças individuais *pelo* poder.'' *(Enciclopédia e Dicionário Internacional.)* ''Pensou que na absorção *pela* morte encontraria refúgio para escapar à tenacidade do desespero.'' (Afrânio Peixoto, *A Esfinge,* 204.)

Absorto — *ante, em:*

''Os da expedição anterior acreditavam, atônitos e absortos *ante* o milagre estupendo, ter visto, ressurectos, dois ou três cabecilhas.'' (E. da Cunha, *Os Sertões,* 348.)

''Minha mãe, absorta *em* uma adoração, estendia o braço esquerdo na direção da minha boca, como impondo-me silêncio.'' (Camilo, *Mistérios de Lisboa,* I, 111.) ''Perguntou ao filho, ainda absorto *num* silêncio mui significativo....'' (Idem, *A Neta do Arcediago,* 36.)

Absorvido — *em, por:*

''Aluviões de escória européia absorvidos constantemente *nos* reservatórios onde se elabora aquela sociedade em formação.'' (Rui, *Cartas de Inglaterra,* 347.) ''Tenho estado ocupadíssimo. Ocupadíssimo! Inteiramente absorvido *na* compilação de certos documentos que me eram indispensáveis.'' (Eça, *O Primo Basílio,* 272.) ''Infelizes, que, sempre absorvidos *nas* terrenas coisas, não contemplastes nunca atentamente as do Céu.'' (Mário Barreto, *Cartas Persas,* 36.) ''O Duque de Cliton, absorvido *no* turbilhão de conjeturas em que o deixaram as revelações incompletas da duquesa, procurava aquietar as suas idéiais.'' (Camilo, *Livro Negro,* 84.)

''— Desculpe-me, que eu estou todo absorvido *pela* minha mágoa.'' (Camilo, *O Bem e o Mal,* 93.) ''Não parava um instante, andando da cozinha para a sala, toda absorvida *pela* arrumação da casa.'' (Guilhermino Cesar, *Sul,* 179.) ''Rodolfo, absorvido *por* esses novos enlevos, não permaneceria tal qual desejava aquele amigo exclusivista.'' (Luiz Viana Filho, *A Vida de Rui Barbosa,* 81.)

Absorvimento — *em:*

''A alma estava embebida e com algum absorvimento *no* objeto contemplado.'' (Bernardes, *apud* Fr. D. Vieira.)

Abstêmio — *de:*

''Não se pode ser mais abstêmio *de* palavras.'' (Camilo, *apud* L. Freire.)

Abstenção — *de:*

''Abstenção *do* álcool, *do* fumo.'' ''Termo de abstenção *da* herança.'' (Morais.)

Abstinência — *de, em:*

''Abstinência *de* alimentos.'' (Morais.) ''Em certos dias fazemos abstinência *de* carne.'' (Dic. de Fr. D. Vieira.)

''Abstinência *nos* prazeres.''

Abstinente — *de, em:*

''*D*os vícios da carne eram abstinentes.'' (Vieira, *apud* Morais.)

''Abstinente *nos* prazeres.'' (Constâncio.)

Abstração — *de:*

''Muita abstração *dos* negócios do século.'' (Bernardes, *apud* Fr. D. Vieira.)

Abstraído — *de, em:*

''Abstraído *da* conversação.'' (Morais.) ''Parecia abstraído *das* carinhosas perguntas do pai.'' (Camilo, *apud* L. Freire.)

''Nos últimos anos da sua vida, tão abstraída estava *no* fito das revoluções, que nem da sua própria limpeza curava.'' (Camilo, *Cenas da Foz,* 99.) ''Ninguém se exímia ao tributo de uma boa gargalhada, salvo Ernesto Gassiot, que algumas vezes se esquecia de rir, de abstraído que era *na* contemplação de Flávia.'' (Idem, *A Enjeitada,* 144.)

Abstrato — *em:*

''Luiz fazia-se estranho a elas, fingindo-se abstrato *em* cismadoras tristezas.'' (Camilo, *A Neta do Arcediago,* 109.) ''Este (duque) abstrato *nas* lucubrações históricas noturnas, não podia sindicar os atos contemporâneos de sua mulher.'' (Camilo, *Livro Negro,* 195.)

Abundância — *de, em; com, em:*

''Abundância *de* mantimentos, *de* palavras.'' (Morais.)

''Região notável por sua abundância *em* madeiras e pedras preciosas.''

''Tinha duas filhas que pediam pão, e choravam pelo pai e pela abundância *com* que tinham sido criadas." (Camilo, *apud* Mário Barreto, *Através do Dicionário e da Gramática,* 249.)

"Tinha cabras e ovelhas *em* abundância."

Abundante — *de, em:*

"Os que antes estavam abundantes *de* bens, assalariaram-se para terem pão." (Pe. A. Pereira, *1.º Reis,* 2, 5.) "Um vale abundante *de* águas." (Morais.) "E quem são os que têm uma vida bem escura, um doer bem íntimo, um desterro bem abundante *de* suplícios?" (Camilo, *Livro Negro,* VII.)

"Abundante *de* frutos ou *em* frutos." (E. Carneiro Ribeiro, *Serões Gramaticais,* 675.) "E' uma das falsidades abundantes *na* defesa da convenção sanitária." (Rui, *Colunas de Fogo,* 101.)

Abundoso — *de, em:*

"Terra mui abundosa *de* ouro." (J. Sandoval de Figueiredo, *Vícios de Linguagem,* 26.) "Abundoso *em* ouro." (Dic. de Morais.)

Abuso — *contra, de:*

"O contemporâneo labora, a esse respeito, em engano, confundindo o abuso *contra* o direito com a negação do direito." (Rui, *Queda do Império,* I, 423.)

"Desde que do abuso *de* autoridade resulte prejuízo para terceiro, ... se estabelece a responsabilidade do Estado." (A. Monteiro Lopes, *Novo Dicionário Jurídico Brasileiro,* 5.)

Acabado — *por:*

"Maria Preta, conquanto acabada *pelas* aflições e sofrimentos daqueles dias horríveis, não cabia em si de contente, por ver a sua filhinha de criação salva." (Abílio Barreto, *A Noiva do Tropeiro,* 56.)

Acabrunhado — *de, em, por:*

"Estou acabrunhado *de* dor, *de* miséria e *de* afrontas." (Mário Barreto, *Cartas Persas,* 163.) "Acabrunhados *de* males desde o seu nascimento, ... teriam perecido todos eles miseravelmente." (Idem, *ibidem,* 237.)

"Direito no corpo, mas acabrunhado *no* espírito." (Camilo, *Mistérios de Lisboa,* I, 228.)

"Deixaram-se ficar de pé, um ao lado do outro, ambos acabrunhados *pela* grandeza daquela desgraça." (Taunay, *Inocência,* 213.) "Acabrunhado (o rei) *por* uma pobreza que num simples particular seria intolerável." (Mário Barreto, *Cartas Persas,* 77.)

Acalcanhado — *de, por:*

"Posto que reles de figura, ... acalcanhado *dos* maus tratos de nascença, armava em faia." (Aquilino Ribeiro, *A Batalha sem Fim,* 79.)

"Essa fascinação angélica e minoração de angústias, que o homem, acalcanhado *pelo* mal, só a Deus pede e ao médico." (Ricardo Jorge, *Sermões dum Leigo,* 26.)

"Um amigo da arraia-miúda, onde estava a fraqueza acalcanhada *pela* força." (Camilo, *Boêmia de Espírito,* 343.)

Acalentado — *com, por:*

"Acalentado *com* essas palavras, adormeceu."

"Adormecia, acalentado *pela* benfazeja idéia de que um filho sem pai conhecido, também podia ser um homem conhecido de todo o mundo." (Camilo, *Mistérios de Lisboa,* I, 18.) "O nonagenário adormeceu acalentado *pelas* palavras amoráveis dos seus, e acordou no Senhor." (Idem, *A Enjeitada,* 147.)

Acalmado — *com, por:*

"Acalmada *com* o que acabava de ouvir, a multidão dispersou-se."

"Por fim adormeceu, acalmado *pela* ação do remédio." "Acalmado aquele ímpeto, *por* falta de alimento, fica tudo debaixo de espessa camada de cinzas." (Taunay, *apud* L. Freire.)

Acalorado — *em, por:*

"Quando cheguei a Paris, achei-os acalorados *na* mais mesquinha disputa que imaginar-se pode." (Mário Barreto, *Cartas Persas,* 74.)

"Debate acalorado *pela* exaltação dos ânimos."

Acamado — *de, em, sobre:*

"O Sol aparecia sempre, ora em manchas de ouro sobre o chão úmido, acamado *de* folhas, ou à volta dos troncos, em espiras de ouro." (C. Neto, *Treva,* 93.)

"O gado demora nos felizes rincões, onde ainda existem uns restos de secas pastagens acamadas *nas* abas das serrotas." (Gustavo Barroso, *Terra de Sol,* 21.)

"Durante muitas horas, no meio do denso nevoeiro acamado *sobre* as encostas, ... os cavaleiros que seguiam o Duque de Cantábria não ousaram quebrar-lhe o doloroso silêncio." (Herculano, *Eurico,* 164.)

Acamaradado — *com, para:*

"Batidas que eu, então, fazia às árvores, só ou acamaradado *com* condiscípulos meus." (C. Neto, *apud* L. Freire.) "Nossos primitivos antepassados sentiam-se um tanto acamaradados *com* os fantasmas de seus parentes e amigos falecidos." (*Maravilhas do Conhecimento Humano,* I, 307.)

"Os sarracenos rapaces, que cruzavam aquelas solidões acamaradados *para* o assalto às caravanas." (Idem, *ibidem.*)

Acanhado — *com:*

"O capitão de Goa sempre estava acanhado *com* a presença do governador." (Dic. de Morais.)

Acanhamento — *com, de, em:*

"Deixe de acanhamento *com* sua tia."

"Acanhamento *de* espírito." "Teve acanhamento *de* contar-lhe o sucedido."

"Não tenha acanhamento *em* dizer-me toda a verdade."

Acantoado — *em:*
"Rui de Nelas, acantoado sempre *no* seu solar de Pinhel, recebera a infausta nova da queda de sua irmã." (Camilo, *O Bem e o Mal,* 186.)

Ação — *contra, em, entre, sobre:*
'Aconselharam-no que intentasse ação judiciária *contra* os sócios." (Camilo, *apud* Mário Barreto, *Fatos da Língua,* 191.)
"Essas diferenças .... não correspondem a uma ação direta do árabe *no* português." (Júlio Nogueira, *O Exame de Português,* 112.)
"E' uma ação diplomática *entre* potências." (E. da Cunha, *Os Sertões,* 222.)
"Ácido obtido pela ação do anidrido acético .... *sobre* a glicocola." (L. Freire, *acetúrico.*)

Acareação — *com, de, entre:*
"Teresinha fez um movimento para evitar a acareação *com* os soldados." (Domingos Olímpio, *Luzia-Homem,* 176.) "Acareação da testemunha *com* o réu." (Morais.)
"Na acareação *de* autor e réu, perguntado o primeiro se reconhecia em Casemiro Betancur o sujeito que o espancara, o fidalgo respondeu ...." (Camilo, *O Bem e o Mal,* 192.)
"O tribunal julgou necessária a acareação *de* algumas testemunhas." (Aulete.)
"O juiz .... procederá à acareação das testemunhas *entre* si ou *com* as partes." (Dic. de Fr. D. Vieira.)

Acareado — *com:*
"O réu, ao ver-se acareado *com* a testemunha, confessou o delito."

Acariciado – *com, por:*
"Acariciada *com* palavras meigas, a criança logo se lhe afeiçoou."
"A moça esquivava-se, modesta, mas atingida nessa vaidade que as mulheres preferem acariciada *pelas* outras." (Afrânio Peixoto, *A Esfinge,* 123.) "A velha sentou-se, acariciada *pela* filha, que lhe endireitou as dobras da saia e o lenço da cabeça." (Domingos Olímpio, *Luzia-Homem,* 114.)

Acaroado — *a, com:*
"Dois armários de ébano liso, acaroados *às* paredes." (Sousa Monteiro, *apud* L. Freire.) "Cilício acaroado *ao* corpo nu." (Morais.)
"De bruços, ou acaroado *com* os travesseiros, em mudos paroxismos de dores." (E. da Cunha, *Os Sertões,* 506.)

Acasalação — *com:*
"Tentar a acasalação de um indivíduo *com* outro de espécie diferente."

Acatado — *de, em, por:*
"Viveu sempre estimado e acatado *de* todos."
"Tinha um círculo vasto de relações e era acatada e querida *na* sociedade." (Afrânio Peixoto, *A Esfinge,* 121.)
"Os numerosos helenismos, acatados *por* todos, são de pura ciência.... francesa." (João Ribeiro, *Curiosidades Verbais,* 99.) "Foram senhores do Amparo pelo prestígio político que decorria dessas vantagens, acatadas *pelo* medo ou *pelas* conveniências." (Afrânio Peixoto, *A Esfinge,* 252.)

Acatamento — *a:*
"Obediência e acatamento que *ao* santo concílio tem." (Dic. de Morais.) "Viscondes portugueses de carregação, a que se juntou o patriarcado republicano da finança e da política, em solidariedade e acatamento *a* um chefe e *a* um amigo, agora valorizado pelos milhões do genro...." (Afrânio Peixoto, *A Esfinge,* 334.) "Pode alguém .... acreditar que fosse o acatamento *ao* princípio das especialidades a consideração inspiradora do ato que nomeou o Dr. Cruls?" (Rui, *Queda do Império,* I, 318.)

Acato — *a:*
"Frase habitual das filhas dominadas pelo acato *às* vontades e deliberações do pai." (Mário Sete, *Os Azevedos do Poço,* 42.)

Acaudilhado — *por:*
"Chegava a 'Sociedade da Manta', acaudilhada *por* Guilherme Lira, em número de vinte e tantos bravos, armados de refes e clavinas." (Camilo, *O Bem e o Mal,* 152.)

Acautelado — *contra, de, em:*
"Está sempre acautelado *contra* os exploradores do povo."
"Sua família se acha hoje acautelada *das* surpresas desagradáveis que uma duvidosa situação financeira poderia trazer."
"Vultosas quantias encontram-se acauteladas *em* bancos estrangeiros."

Aceitável — *em, para:*
"Excluímos dessa relação os matizes .... oriundo das modas e provavelmente aceitáveis *nos* vocabulários vindouros." (João Ribeiro, *Curiosidades Verbais,* 46.)
"A construção é aceitável *para* o mais pechoso purista." (Mário Barreto, *Através do Dicionário e da Gramática,* 44.)

Aceito — *a, como, de, em, por:*
"E a causa aceita *aos* deuses não pode ser mal vista de Catão." (Rui, *Cartas de Inglaterra,* 233.) "Só me falece ser *a* vós aceito." (Camões, *Os Lusíadas,* X, 155.)
"Reconhecido e aceito *como* representante do governo." (L. Freire, *acreditado.*) "E' um belo e galhardo vagabundo, que cativa os outros ladrões com a história de suas proezas, sendo por eles aceito *como* seu novo chefe." (*Maravilhas do Conhecimento Humano,* II, 50.)
"Oração, obra *de* Deus mui aceita." (Dic. de Morais.)
"Era um homem muito bem aceito *em* todas as casas." (Aulete.)

''O chefe do Pedregulho já reclama prorrogação da quarentena, aceita *por* ele *como* prazo bastante para a canalização provisória.'' (Rui, *Queda do Império,* II, 67.) ''Informadas (as propostas) favoravelmente, aceitas *pelos* ministros e louvadas pela imprensa.'' (Afrânio Peixoto, *A Esfinge,* 151.)

Aceleração — *de, em:*

''A aceleração *da* marcha do comboio ia produzindo um descarrilamento.'' (Aulete.)

''Não perdendo (os ministros) ensejo de estimular o pessoal a maior aceleração *no* trabalho.'' (Rui, *Colunas de Fogo,* 84.)

Acendido — *em, por:*

''Todo acendido *no* amor de Deus.'' (Aulete.) ''Acendido *em* sanha; acendido *em* amor.'' (Dic. de Morais.) ''O mar acendido *em* fogos de artifício.'' (Camões, *Lusíadas,* II, 91.)

"Guerra acendida *pela* má política." (Idem.)

Acepção — *de; com, em:*

''Os franceses receberam a palavra de tornaviagem, com a nova acepção, adquirida além-Mancha, *de* tudo o que constitui o bem-estar material.'' (Mário Barreto, *Através do Dicionário e da Gramática,* 68.)

———

''Está (a palavra ''abdicar'') no dicionário de C. de Figueiredo *com* as acepções de: renunciar, abandonar (um cargo), ceder.'' (J. Sandoval de Figueiredo, *Vícios de Linguagem,* 20.)

''Vogava outrora o 'fazer um cavalo' *na* acepção de ensiná-lo.'' (Rui, *Réplica* n.º 306.) ''Nunca a gestação de uma câmara foi mais administrativa e policial, *na* acepção rigorosa deste qualificativo.'' (Idem, *Colunas de Fogo,* 28.)

Acercamento — *a, de:*

''Não é conveniente o acercamento *a* pessoas desconhecidas.''

''Seu acercamento *da* moça não agradou aos pais desta.''

Acerto — *de, em:*

''Supunha eu, entretanto, que o acerto *da* virgulação se houvesse de aferir pelo da colocação das vírgulas.'' (Rui, *Réplica,* 439.) ''Brilhava nela (conversação) pelo acerto e profundidade *de* suas reflexões.'' (Mário Barreto, *Cartas Persas,* IX.)

''Não acontecia o mesmo ao vereador Galvão, cujo acerto *na* objeção feita, e cuja moderação na resposta dada às invectivas dos colegas mostrava da parte dele um cérebro bem organizado.'' (M. de Assis, *Papéis Avulsos,* 76.)

Aceso — *com, de, em, por:*

''Aceso *com* razões que ouviu.'' (Dic. de Morais.)

''Vibrou-lhe um olhar aceso *de* ira.'' ''Aceso *do* espírito de concupiscência.'' (Dic. de Morais.)

''Afinal deu o sim, cobriu o rosto, e acesa *em* pejo desapareceu.'' (Rebelo da Silva, *Contos e Lendas,* 115.) ''A eloqüência tonitruosa dos demagogos, acesa *em* semear a selvajaria no solo preparado para a paz liberal.'' (Rui, *Queda do Império,* I, 203.)

''Ânimo aceso *pelas* provocações do adversário.'' (Aulete.) ''O acesso era a renúncia delicada de Branca; mas o amor, aceso *pelo* orgulho, venceu a generosidade.'' (Camilo, *Livro Negro,* 105.)

Acessão — *a:*

''Depois da sua acessão *ao* trono.'' (Aulete.)

Acessibilidade — *a:*

''Basta, em geral, a ação imensamente intensa da opinião e a acessibilidade, cada vez mais sensível, do governo *à* influência dela.'' (Rui, *Queda do Império,* I, 255.)

Acessível — *a, para, por:*

''Acessível *a* todos; acessível *aos* empenhos, *aos* pedidos.'' (E. Carneiro Ribeiro, *Serões Gramaticais,* 674.) ''As honras são mais acessíveis *à* granjearia e ambição do que *à* virtude e merecimento.'' (Morais.) ''A minha (impressão) era a de ter estado em contato com um coração aberto *a* excelentes sentimentos, um espírito acessível *às* idéias mais progressistas.'' (Rui, *Queda do Império,* I, LXVIII.)

''Os familiares de um valido têm o rei mais acessível *para* as suas pretensões.'' (Bernardes, *apud* Morais.)

''Enfim a torre. Como fixar-lhe agora a configuração irregular, acessível do lado da terra *por* uma espécie de porta....?'' (Fialho de Almeida, *Os Gatos,* 190.)

Acesso — *a, com, de, em, para:*

''Nossas deprecações acharam acesso *ao* vosso conspecto divino.'' (Vieira, *apud* Fr. D. Vieira.) ''Sabia-se que ele imperava sobre extensa zona, dificultando o acesso *à* cidadela em que se entocara.'' (E. da Cunha, *Os Sertões,* 226.) ''Os turcos haviam capturado Jerusalém e não queriam permitir o acesso *dos* cristãos *ao* Santo Sepulcro.'' (*Maravilhas do Conhecimento Humano,* I, 44.)

''Acesso *com* alguma mulher.'' (Morais.)

''Vinham-lhe às vezes acessos *de* febre, ânsias, e ficava de cama semanas e semanas.'' (C. Neto, *Miragem,* 11.) ''Para facilitar o acesso *dos* pecadores, se metia (Jesus) com os pecadores.'' (Bernardes, *apud* Morais.)

''Ficaram lazarados esses homens, para já não merecer acesso *em* convívio de patriotas?'' (Rui, *Queda do Império,* I, 164.)

''Acesso do sol *para* o equador.'' (Morais.) ''Em todos os cursos dágua da borda oriental, o acesso *para* o interior seguia ao arrepio das correntes.'' (E. da Cunha, *Os Sertões,* 83.)

Achacado — *a, de:*

''As anemias políticas são habitualmente achacadas *a* essas alucinações.'' (Rui, *Colunas de Fogo,* 145.)

''Teu tio é um homem achacado *de* moléstias; qualquer dia bate a bota.'' (M. de Assis, *Contos Fluminenses,* 52.) ''A princípio — muito achacado *de* feridas, coitadinho!'' (Aluísio Azevedo, *Casa de Pensão,* 31.)

Achegado — *a, de:*

''E beijava-os sofregamente, ajoelhando-se neste lanço, com as mãos postas e os dedos achegados *à* boca.'' (Camilo, *A Enjeitada,* 250.) ''Lília dormia tranqüilamente, com a pequenita achegada *ao* seio.'' (C. Neto, *Imortalidade,* 274.) ''As casas dos vaqueiros, elevadas sobre barrotes, sempre achegadas *a* touceiras de buritis graciosos.'' (C. Neto, *Treva,* 82.)

''Ao vê-lo tão achegado *da* casa, pergunteilhe se morava ali.'' ''Capote achegado *do* pescoço.'' ''Peregrina, posto o almoço na mesa, sentou-se no seu lugar de costume, que era um banquinho tosco achegado *do* escano.'' (Camilo, *O Bem e o Mal,* 53.)

Achegamento — *a:*

''Seu achegamento *à*quela moça começa a despertar comentários.''

Acidente — *de:*

''Aos próprios operários contemplados no âmbito das suas disposições não assegura a reparação dos acidentes *do* trabalho.'' (Rui, *Campanha Presidencial,* 137.) ''Apresentou o primeiro projeto sobre acidentes *do* trabalho.'' (Medeiros e Albuquerque, *Quando Eu Era Vivo,* 14.)

Acirrado - *contra, em, por:*

''Acirrado *contra* a beleza da moça, não perdia ocasião de fazer-lhe alusões ferinas.''

''Não estará o general cada vez mais acirrado *nas* suas repugnâncias?'' (Alberto Rangel, *Fura-Mundo,* 278.)

''D. Francisco Manuel, acirrado *pelo* ciúme, descurou as vigilâncias com que se houvera até à certeza de ser atraiçoado.'' (Camilo, *Boêmia de Espírito,* 123.)

Acirramento — *contra:*

''E' notório seu acirramento *contra* quase todos os colegas.''

Aclamado — *como, por:*

''Citávamos a opinião de Lieber.... aclamado *como* o maior dos filósofos políticos nos Estados Unidos.'' (Rui, *Queda do Império,* I, 362.)

''Ao ver-se em Londres, aclamado *pela* turba, ... fugia dos nevoeiros londrinos para as paragens da luz.'' (João Grave, *Os Vivos e os Mortos,* 222.)

Aclarado — *de, por:*

''Rosto emagrecido e pálido, aclarado *de* olhos grandes e negros, cheios de tristeza soberana e profunda.'' (E. da Cunha, *Os Sertões,* 523.)

''O cimo da cordilheira resplendia, aclarado *pelos* primeiros raios do sol.''

Aclimado— *a, em:*

''Homem aclimado *aos* usos palacianos.''

''Plantas européias aclimadas *no* Brasil.''

Acobertado — *com, de, em, por:*

''Acobertado *com* um pseudônimo.'' (Fr. D. Vieira.)

''Cavaleiros acobertados *de* malha.'' (Constâncio.) ''O infante a cavalo, todo acobertado *de* malha.'' (Dic. de Morais.)

''O mistério, enfim, acobertado *no* silêncio de dezesseis anos, era o que faltava naquele homem para inculcar-se prestigiosamente a D. Ângela de Lima.'' (Camilo, *Mistérios de Lisboa,* II, 5.)

''Fugiu acobertado *pelo* véu da noite.''

Acocorado — *em, em torno de, entre, junto a, por entre, sobre:*

''Terminavam na Sé, assistindo ao ofício das Trevas, acocorados, como carvões de Goia, *nos* degraus sombrios dos altares laterais da velha catedral.'' (Antero de Figueiredo, *Jornadas em Portugal,* 62.) ''Macacos trajando à corte, acocorados *em* berlindas de carnaval.'' (Fialho de Almeida, *Os Gatos,* 86.)

''Acocorados *em torno das* fogueiras, dilacerando carnes apenas sapecadas.'' (E. da Cunha, *Os Sertões,* 284.)

''Acocorada *entre* as beatas suas amigas, era costume seu cantar muitas vezes esta quadra.'' (Camilo, *Cenas da Foz,* 100.)

''Uns acocorados *junto ao* fogo e tiritando de maleitas.'' (E. da Cunha, *Os Sertões,* 526.)

''Surgiu um grupo de inimigos, que o esperavam acocorados *por entre* o denso matapasto.'' (Idem, *ibidem,* 157.)

''Alguns assentados em tamboretes ou tocos de paus, outros acocorados *sobre* os calcanhares.'' (Veiga Miranda, *A Eterna Canção,* 10.)

Açodado — *de, em, por:*

''Açodado *da* justiça; açodado *do* inimigo.'' (João Ribeiro.) ''Alma débil de melancolia, ou açodada *de* arrebatamentos vãos.'' (Antero de Figueiredo, *Jornadas em Portugal,* 4.)

''Açodados *no* encalço de etimologias e coisas.'' (C. de Figueiredo, *Falar e Escrever,* II, 267.)

''Os mastins, açodados *pelos* couteiros, corriam velozes.''

Açodamento — *de, em:*

''Os nossos, com o açodamento *de* dar vaivém à porta....'' (J. de Barros, *apud* Fr. D. Vieira.)

''Agora, pelo açodamento, sem exemplo, *na* liquidação do assunto, pela iminência da eleição do congresso, ... o mal de que, há três anos, nos buscamos descartar, reviveria carregado das mais sérias circunstâncias agravantes.'' (Rui, *Cartas Políticas e Literárias*, 141.)

Acogulado — *de:*

''Quando já estava cheio e acogulado *de* louça um forno Minton, subitamente o cofre estanca-se e os acionistas debandam.'' (Fialho de Almeida, *Os Gatos*, 273.) ''As ruas, os largos por onde ele ia, ficavam acogulados *de* gente.'' (Aluísio Azevedo, *Casa de Pensão*, 311.) ''As travessas passavam fumegantes, acoguladas *de* enormes viandas.'' (C. Neto, *Treva*, 76.)

Acoitado — *em:*

''Acoitado, por misericórdia da coroa, *em* edifícios particulares.'' (Rui, *Queda do Império*, I, 300.)

Açoitado — *com, de, por:*

''Açoitado *com* varas de oliveira.''

''Coração açoitado *de* desgostos, *de* aflições.'' (Morais.)

''Alma açoitada *pelos* vendavais das grandes paixões.'' (Luiz Viana Filho. *A Vida de Rui Barbosa*, 284.) ''Metralhadas (as famílias) no verão pelas chuvas desabridas, açoitadas no inverno *pelo* frio vento que varejava por entre as frinchas.'' (Veiga Miranda, *A Eterna Canção*, 9.)

Acolhedor — *a:*

''Recebida (a folia) em todas as casas, abertas e acolhedoras *ao* Divino Espírito Santo.'' (Afrânio Peixoto, *Bugrinha*, 290.)

Acolhido — *a, com, dentro de, em, por:*

''Acolhido *a* lugar seguro.'' ''Acolhido *à* sombra da religião.''

''Reza a história que esta apóstrofe foi acolhida *com* estrondosos aplausos.'' (Rui, *Queda do Império*, I, 113.) ''Alfredo, acolhido *com* urbanas expressões da viúva, ... falava pouquíssimo.'' (Camilo, *A Enjeitada*, 25.) ''A indiscreta duquesa se denunciara excluindo de sua casa uma senhora ornamento da sociedade de Paris, e acolhida *com* respeito *nos* salões do imperador.'' (Camilo, *Livro Negro*, 194.)

''Juras nascidas d'alma e *dentro d'*alma acolhidas.'' (Castilho, *Amor e Melancolia*, 113.)

''Acolhido *em* casa de algum poderoso.'' (Morais.)

''Os visitantes foram alegremente acolhidos *pelo* fazendeiro.''

Acolhimento — *a, de, em, por parte de:*

''O acolhimento *aos* visitantes não foi muito cordial.''

''Tão depressa percebeu o insólito acolhimento *dos* retirantes, Lúcio não se teve em si: picado de curiosidade, foi direito aonde eles estavam.'' (J. Américo de Almeida, *A Bagaceira*, 18.) ''Nele achou bom acolhimento *de* sua pessoa.'' (Dic. de Morais.) ''A religião oferecia-lhe seguro acolhimento *das* lutas mundanas.'' (Aulete.)

''O rei teve bom acolhimento *em* todas as povoações por onde passou.'' (Idem.)

''Conseguiu belíssimo acolhimento mesmo *por parte dos* que parecia deverem ser-lhe adversos.'' (Idem.)

Acometido — *de, por:*

''Acometido *de* uma vertigem, caiu pesadamente no chão.''

''Os sertanejos de surpresa acometidos *por* uma carga, fugiram sem replicar.'' (E. da Cunha, *Os Sertões*, 386.) ''De súbito, é acometida *por* um pensamento que lhe fez subir à face todo o sangue agitado por um prazer estranho.'' (Camilo, *Livro Negro*, 20.)

Acometimento — *de:*

''E bem mostraram no acometimento *deste* feito quem depois haviam de ser.'' (João de Barros, cit. de Fr. D. Vieira.)

Acomodação — *a, com:*

''Acomodação de sentido *a* algumas palavras; de razões *a* um tema.'' (Morais.)

''Sua acomodação *com* a parte contrária pôs fim à demanda.''

Acomodado — *a, com, em, por:*

''Combateu as locuções bárbaras e a introdução de palavras ou construções não acomodadas *às* leis do idioma.'' (Mário Barreto, *Através do Dicionário e da Gramática*, 165.) ''As vistas, acomodadas em princípio *ao* acervo de pardieiros compactos em torno da praça, se iludiam, avolumando-a desproporcionadamente.'' (E. da Cunha, *Os Sertões*, 544.)

''Filosofia acomodada *com* os prazeres da vida.''

''Modinhas cantadas ao som da viola de três cordas pelos companheiros de Cirino, acomodados *no* rancho.'' (Taunay, *Inocência*, 102.) ''Os três reis, já acomodados *nos* seus dromedários, esperavam que o astro se movesse.'' (C. Neto, *A Cidade Maravilhosa*, 95.)

''As visitas, bem acomodadas *pelo* lavrador, passaram uma esplêndida noite.''

Acompadrado — *com:*

''Os turdetanos daquelas partes, tão acompadrados *com* os de Cartago.'' (Dic. de Fr. D. Vieira.) ''Tivemos, em março de 1897, a demagogia acompadrada *com* a autoridade.'' (Rui, *Colunas de Fogo*, 167.)

Acompanhado — *de, por:*

''Às portas o recebe acompanhado *das* ninfas.'' (Camões, *Os Lusíadas*, VI, 14.) ''Os verbos pessoais, ao tomar a forma impessoal nas terceiras pessoas do singular acompanhadas *do* pronome 'se', conservam o regime que lhes é próprio.'' (Mário Barreto, *Através do Dicionário e da Gramática*, 152.) ''Voltou daí a pouco, acompanhado *de* um médico.'' (Camilo, *A Enjeitada,* 14.) ''Vinte e quatro horas depois da sua chegada, a duquesa saíra, acompanhada *de* duas criadas.'' (Camilo, *Livro Negro,* 94.)

''O presidente compareceu à solenidade, acompanhado *pelos* ministros.'' ''Um português de apelido Vale disparou no Rio de Janeiro um tiro de revólver contra a carruagem do imperador Pedro II, quando este saía do teatro Sant'Ana, acompanhado *pela* princesa herdeira.'' (Fialho de Almeida, *Os Gatos,* 31.) ''Lúcia beijou-o de novo, e deseu enfim ao primeiro andar, acompanhada *pelo* Sabino, que já estava a sua disposição.'' (Al. Azevedo, *Casa de Pensão,* 198.)

Acompanhamento — *a, de:*

''Matilhas impacientes, cujos saltos e latidos formavam condigno acompanhamento *aos* alaridos dos caçadores.'' (Rebelo da Silva, *Contos e Lendas,* 116.)

''Cantou uma ária com acompanhamento *de* piano.'' (Aulete.) ''Neste somenos soavam já próximas as vozes dos cavaleiros do acompanhamento *de* el-rei.'' (Rebelo da Silva, *Contos e Lendas,* 207.)

Aconchegado — *a, de, em:*

''Sorria feliz e pagava com excessos de ternura os carinhos do seu donzel, trazendo-o sempre aconchegado *ao* colo farto, a dizer-lhe blandícias.'' (C. Neto, *Treva,* 11.) ''Pequena vila de casas aconchegadas umas *às* outras, como ovelhas em curral.'' (Antero de Figueiredo, *Jornadas em Portugal,* 76.)

''Estava rígido e frio, tendo aconchegado *do* peito um crucifixo de prata.'' (E. da Cunha, *Os Sertões,* 551.) ''Acabada a esmola, Flávia lá estava aconchegadinha *dum* combro de bouça.'' (Camilo, *A Enjeitada,* 109.)

''Este, aconchegado *no* conforto de um comboio especial, vai aventurar os últimos restos da sua saúde destruída às endemias reinantes em Ouro Preto.'' (Rui, *Colunas de Fogo,* 6.) ''Remígia, ... muito aconchegada *no* mantel velho, rezava o seu interminável rosário pelas almas.'' (Aquilino Ribeiro, *A Batalha sem Fim,* 49.)

Aconchego — *a, contra:*

''Falta-lhe o aconchego *a* um peito carinhoso.''

''O aconchego *contra* o coração materno deu-lhe novas forças.''

Acondicionado — *a:*

''Assentou em criar uma enfermaria acondicionada *às* exigências peculiares à natureza desse sofrimento.'' (Rui, *Queda do Império,* I, 25.)

Acondicionamento — *a, de:*

''Sem o seu acondicionamento *a* essas cláusulas, não assinarei o contrato.''

''Procedeu ao acondicionamento *dos* seus livros.'' (Aulete.)

Aconselhado — *a, em, por:*

''Aconselhado *a* procurar mais benigno clima, foi viver numa cidade do interior.''

''Última novidade farmacêutica aconselhada *no* tratamento dos cancerosos.'' (Gastão Cruls, *Ao Embalo da Rede,* 51.)

''O maior flagelo capaz de assolar o país é esse príncipe, aconselhado *por* tal ministro.'' (Rui, *Queda do Império, I,* 113.) ''A filha de Jaquelina, aconselhada *por* sua mãe, não quis outras provas além das palavras do conde.'' (Camilo, *A Enjeitada,* 199.)

Aconselhável — *a, em:*

''Tal processo não me parece aconselhável *a* um homem de sua têmpera.''

''E' o único remédio aconselhável *neste* caso.''

Acontecido — *a, com:*

''Auxiliando-o com o exemplo congênere de igual dissabor, acontecido, pela mesma causa, *a* um dos maiores estadistas do império.'' (Rui, *Colunas de Fogo,* 102.)

''Somente agora vim a saber do fato acontecido *com* ele.''

Acordado — *de, em, por:*

''Acordado *de* um sonho lindo.'' ''Acordado *d*aquele delírio de um ano, achou-se só, e refugiou-se em Inglaterra, onde encontrou honrosas informações da sua bravura.'' (Camilo, *Livro Negro,* 61.)

''Depois de acordados *no* que se havia de fazer, voltaram a seus postos.''

''Não é bem já culto, mas um velho afeto enternecido, alguma coisa do respeito acordado *pelo* nome do patrão.'' (Fialho de Almeida, *Os Gatos,* 159.) ''Como se os mortos nos recontros terríveis, acordados nas campas *pelo* hálito embalsamado duma primavera estranha, regressassem à vida.'' (João Grave, *Os Vivos e os Mortos,* 116.) ''Correu ao leito onde a menina chorava acordada *pela* rija pancada.'' (Camilo, *O Bem e o Mal,* 150.)

Acordante — *com:*

''Desejos acordantes *com* a lei, *com* a boa razão.'' (Morais.)

Acorde — *acerca de, com, em:*

''Já estavam acordes *acerca do* dote, e tudo se passara sem nenhum incidente.'' (Mário Barreto, *Cartas Persas,* 155.)

''As passadas monótonas dos vigias ao longo dos adarves formavam um concerto acorde *com* o aspecto melancólico do céu e da terra.'' (Herculano, *Eurico,* 127.) ''Primamos nesse gênero, acorde *com* o nosso temperamento nacional, de passionalidade subjetiva, de vaguidade estésica.'' (Ricardo Jorge. *Sermões dum Leigo,* 190.)

"Lá chegavam informes acordes todos *no* assegurar que os sertanejos se aparelhavam para a luta." (E. da Cunha, *Os Sertões,* 305.) "As opiniões, dissentindo em minúcias, firmaram-se acordes *no* pensamento da investida em grandes massas." (Idem, *ibidem,* 448.)

Acordo — *acerca de, com, em, entre, no tocante a, sobre:*

"E .... recomendei ao procurador fiscal da tesouraria da Fazenda que diligenciasse, com a maior brevidade, chegar a acordo com os proprietários, *acerca do* preço por que estivessem dispostos a cedê-los ...." (Rui, *Obras,* vol. XVI, pág. 229.)

"Estar de acordo *com* alguém." (Morais.) "Seria aumentar consideravelmente os vocabulários, o que não está de acordo *com* os princípios dominantes da linguagem." (Júlio Nogueira, *O Exame de Português,* 157.)

"Ficar de acordo *em* alguma coisa." (Aulete.) "Estávamos, portanto, de acordo *nos* princípios. Onde o não estávamos era *na* aplicação." (Rui, *Réplica,* 567.)

"Nogueira, moderado, desejava um acordo *entre* vencedores e vencidos." (Graciliano Ramos, *S. Bernardo,* 240.) "Se tal acordo se der *entre* o passado fidalgo e o presente moço — *entre* o sábio que a fixou, o povo que a desdobrou e a vida moderna que a agitou — o gênio da língua ficará íntegro." (Antero de Figueiredo, *Jornadas em Portugal,* 48.)

"Nem todos os gramáticos estão de acordo *no tocante a*os preceitos que a regulam." (Rui, *Réplica,* 456.)

"Não existe ainda perfeito acordo *entre* os autores *sobre* a maneira de nomear as ciências que têm seus domínios na linguagem." (Júlio Nogueira, *O Exame de Português,* 13.)

Acoroçoado — *a, com, por:*

"Acoroçoado *a* prosseguir na empresa."

"Acoroçoado *com* os aplausos, empreendeu e realizou novos trabalhos."

"Acoroçoado *pelo* apoio de tão irrecusável mestre, mais confiadamente que nunca pronunciamos de novo o nosso antigo juízo." (Rui, *Queda do Império,* I, 323.)

Acoroçoamento — *a:*

"E' imperdoável o acoroçoamento *à* prática de ações condenáveis."

Acorrentado — *a:*

"Muito antes de ser (a criança) acorrentada *à* insípida ocupação de aprender como gastar e ajuntar dinheiro ...." (*Maravilhas do Conhecimento Humano,* I, 19.)

Acossado — *de, por:*

"Acossado *de* tentações, *de* ambições." (Dic. de Morais.) "A corte vive no meio dos seus guardas, sempre tremendo, acossada sempre *dos* espectros do medo." (Rui, *Colunas de Fogo.* 145.) "Desciam todos os dias, do interior, bandos de retirantes, acossados *de* fome." (Afrânio Peixoto, *A Esfinge,* 253.)

"Os pássaros que foram acossados *pela* seca voltaram como por encanto." (Gustavo Barroso, *Terra de Sol,* 42.) "Quando nos sentimos acossados *pela* curiosidade e perseguidos pelo terror, na escuridão de ignorância, batemos desesperadamente à porta de bronze do Mistério." (Coelho Neto, *A Cidade Maravilhosa,* 117.)

Acostado — *a, em:*

"Acostado *à* parede, *a* alguém." (Morais.) "Ficaríamos acostados *à* gente do meu padrinho José Frederico, que é rico e bom para os pobres." (D. Olímpio, *Luzia-Homem,* 19.)

"Acostado *na* fé, apoiado na religião."

Acostamento — *a, em:*

"Acostamento *ao* muro; acostamento *ao* parecer de alguém."

"Teria caído, sem o acostamento *na* parede."

Acostumado — *a, com:*

"Acostumado *aos* reveses da sorte." (E. Carneiro Ribeiro, *Serões Gramaticais,* 674.) "Estava acostumado *a* curar, com toda a atenção, destas coisas." (Rui, *Queda do Império,* I, 140.) "Acostumado *à* fala castiça." (Mário Barreto, *Cartas Persas,* XXII.)

"Quem não estivesse acostumado *com* ele podia acaso sentir-se mal, não sabendo por onde lhe pegasse." (Machado de Assis, *Dom Casmurro,* 186.)

Acotovelado — *por:*

"Atravessando a feira, acotovelado *pelos* viandantes apressados, Paulo já não sentia o presente, desviado para longe, para os seus sonhos passados." (Afrânio Peixoto, *A Esfinge,* 296.)

Acotovelamento — *com:*

"Naquela esquina é impossível evitar acotovelamento *com* os transeuntes."

Acre — *de:*

"Esta fruta é muito acre *de* gosto."

Acreditado — *com, em, entre:*

"Acreditado *com* alguém." (Morais.)

"Quase todos (termos) autorizados com os escritores portugueses mais acreditados *nestas* ciências e artes." (Morais, *Dicionário,* Prefácio.) "Dentro de três anos era o que vimos: — rico, muito acreditado e seguro *na* praça." (Aluísio Azevedo, *Casa de Pensão,* 22.)

"Estes dois homens eram mui acreditados *entre* os nossos, por se mostrarem seus amigos." (Dic. de Fr. D. Vieira.)

Acrescentado — *a, com, de, em, por:*

"Dogmas e cerimônias acrescentadas *ao* culto popular."

"Biblioteca acrescentada *com* preciosos donativos."

"Exército acrescentado *de* mais tropas." (Morais.)

"Acrescentado *em* bens da fortuna." (Fr. D. Vieira.)

"Longínquas histórias e casos que ele ouviu, dobados pelo tempo e sempre acrescentados *de* pontos *pela* imaginação das gentes maravilhadas." (Antero de Figueiredo, *Jornadas em Portugal,* 44.) "Foi excessivamente acrescentada *por* vários grandes reis da casa de Aviz." (Fialho de Almeida, *Os Gatos,* 190.)

Acrescentamento — *a, de*:

"Os acrescentamentos *à* casa ainda não terminaram."

"El-rei o galardoou com acrescentamento *de* honra." (Dic. de Morais.) "O acrescentamento *da* riqueza transtornou-lhe o juízo." (Aulete.)

Acrescento — *de*:

"Daí poderia resultar acrescento *de* reputação a quem quer que fosse." (Ricardo Jorge, *Sermões dum Leigo,* 290.)

Acrescido — *a, de, em, por*:

"Tais gastos, acrescidos *a*os anteriores, vieram comprometer-lhe o já exíguo patrimônio."

"As tropas confluíam do extremo norte e do extremo sul, acrescidas *d*os corpos policiais de S. Paulo, Pará e Amazonas." (E. da Cunha, *Os Sertões,* 502.) "À sua arte mareiam vícios da escola setecentista, acrescidos *do* imperfeito conhecimento que tinha do francês." (Aquilino Ribeiro, *apud* Mário Barreto, *Através do Dicionário e da Gramática,* 183.)

"Vão (as lições) melhoradas no estilo, corrigidas na doutrina, enriquecida na documentação e acrescidas (mas só levemente) *na* matéria." (Souza da Silveira, *Lições de Português,* 11.) "A raça indomável dos Viriatos e Cides, acrescida *em* sua nativa força *pela*s proclamações dos frades." (Camilo, *A Enjeitada,* 126.)

"A serra .... alteia-se, ao longe, acrescida a altitude *pela*s várzeas deprimidas em torno." (E. da Cunha, *Os Sertões,* 253.) "Acrescida (a fazenda) *por* ele mediante várias artes e tranquibérnias." (Aquilino Ribeiro, *A Batalha sem Fim,* 105.)

Acrescimento — *a, de*:

"O acrescimento de Portugal *à* Espanha." (Dic. de Morais.)

"Com o acrescimento *de* mais alguns cruzeiros, ficará completa a soma necessária."

Acréscimo — *a, de*:

"E, como acréscimo *à* sua humilhação, era obrigado a usar um uniforme especial." (*Maravilhas do Conhecimento Humano,* II, 105.)

"Tem este nome o acréscimo *de* um elemento *ao* fim do vocábulo." (Júlio Nogueira, *O Exame de Português,* 77.)

Acrimônia — *contra*:

"Na acrimônia que nutria *contra* ele, desde o dia do tênis, não lhe perdoava mesmo os pequenos pecados." (Afrânio Peixoto, *A Esfinge,* 78.)

Acuado — *de, por*:

"Acuado *de* dois cães de fila, teve de retroceder."

"O arrieiro roncou como um barrão acuado *pela* cachorrada." (Afonso Arinos, *Pelo Sertão,* 28.) "Acuado *pela* surriada vexatória, fraqueava." (J. Américo de Almeida, *A Bagaceira,* 31.)

Açulado — *contra, por*:

"As proezas da capoeiragem policial, açulada *contra* o povo." (Rui, *Queda do Império,* I, 346.) "Tiveram de recuar diante do mar açulado *contra* eles." (Herman Lima, *Outros Céus, Outros Mares,* 180.)

"Iras açuladas *pela* ignorância."

Açulamento — *contra*:

"O açulamento dos cães *contra* a caça."

Acumulação — *com, de*:

"Acumulação de um cargo *com* outro."

"É vedada a acumulação *de* cargos públicos remunerados."

Acumulado — *a, com, de, por, sobre*:

"Cargo acumulado *a* outro ou *com* outro."

"Prato acumulado *de* finas iguarias."

"O rancor longamente acumulado *por* anteriores insucessos, exigia revides fulminantes." (E. da Cunha, *Os Sertões,* 451.)

"Pedras acumuladas *sobre* pedras."

Acurvado — *a, debaixo de, por, sob, sobre*:

"Acurvado *ao* peso dos anos e dos desgostos."

"Acurvado *debaixo do* peso dos respeitos humanos." (Dic. de Morais.)

"Acurvada (a velha) *pelo* sofrimento e *pela* idade, ... constrangia os corações mais duros." (E. da Cunha, *Os Sertões,* 569.) "Restaurou a nobre altivez de sua majestade. acurvada *pelo* aviltamento." (Camilo, *Mistérios de Lisboa,* I, 66.)

"Mil e tantos homens penetrando, quase em cambaleios, torturados de sede, acurvados *sob* as armas, em pleno território inimigo." (E. da Cunha, *Os Sertões,* 316.)

"Acurvado *sobre* a campa." "O cangaceiro .... acurvado *sobre* o cavalo vagaroso, perquirindo com os olhos vivos a sombra densa e quieta dos matos." (Gustavo Barroso, *Terra de Sol,* 121.)

Acusação — *a, contra, de, sobre*:

"Ensamblou-lhes todas as acusações *a* mim num só mosaico." (Rui, *Esfola da Calúnia,* 136.) "Este silêncio só de per si é uma pungente acusação *à* filha." (Camilo, *A Neta do Arcediago,* 77.) "Vozes roufenhas precisam então diabolicamente as acusações *aos* magistrados.'' (Fialho de Almeida, *Os Gatos,* 205.)

''Juntai a isso a fraqueza do poder federal sobre as desordens locais, as acusações insistentes *contra* a influência dos sindicatos na vida legislativa.'' (Rui, *Cartas de Inglaterra,* 349.) ''Escrevera .... uma acusação *contra* o Conde de Oeiras sobre os desfalques que a fazenda real estava sofrendo.'' (Camilo, *O Perfil do Marquês de Pombal,* 62.)

''Pedir perdão com palavra .... e de acusação *de* si mesmo.'' (Dic. de Fr. D. Vieira.)

''Os liberais atiraram graves acusações *sobre* o Imperador.'' (Luiz Viana Filho, *A Vida de Rui Barbosa,* 63.)

Acusado — *de, em, por*:

''Acusado *de* ter envenenado a esposa.'' (Afrânio Peixoto, *A Esfinge,* 336.) ''Acusado *de* cair em incorreções e descuidos de linguagem, ... Camilo, que era polemista insigne, agüentou-se rijamente na peleja.'' (Mário Barreto, *Através do Dicionário e da Gramática,* 137.) ''Acusado *de* inconfidência e sepultado nos cárceres de uma fortaleza.'' (Camilo, *O Perfil do Marquês de Pombal,* 116.)

''Acusado *em* juízo.'' (Fr. D. Vieira.)

''No manolho de cabeças atirado aos provedores do cadafalso, vão de envolta com Danton meia dúzia de concussionários, acusados *pelas* suas dilapidações.'' (Rui, *Colunas de Fogo,* 67.)

Acusável — *de, perante*:

''Funcionário acusável *de* desonesto.''

''Ato acusável *perante* a consciência.'' (Aulete.)

Adaptabilidade — *a*:

''É admirável sua adaptabilidade *a* qualquer situação.''

Adaptação — *a*:

''Verdadeiros neologismos .... justificados pela sua utilidade e boa adaptação *às* formas portuguesas.'' (Rui, *Réplica,* 568.) ''Libertou-os da adaptação penosíssima *a* um estádio social superior.'' (E. da Cunha, *Os Sertões,* 111.) ''Foi menos uma moda e mais uma adaptação à comodidade.'' (João Ribeiro, *Curiosidades Verbais,* 92.)

Adaptado — *a*:

''Discurso adaptado *ao* assunto.'' (E. Carneiro Ribeiro, *Serões Gramaticais,* 674.) ''Foi o que lhe disse a razão do mundo, formada pelo mundo, adaptada *às* conveniências vigentes da sociedade.'' (Camilo, *Cenas da Foz,* 189.)

Adaptável — *a*:

''Providências adaptáveis *a* caso tão urgente.'' (Morais.) ''Temperamento mais adaptável *à* vida conjugal.'' (Mário Sete, *Os Azevedos do Poço,* 13.) ''Caráter de dormência pouco adaptável *à* energia de ação que a literatura dramática reclama.'' (Fialho de Almeida, *Os Gatos,* 125.)

Adelgaçado — *de, em, por*:

''Adelgaçado *de* magreza extrema, um curiboca velho, meio desnudo, revestido de esparadrapos, forcejava por disparar uma lazarina antiga.'' (E. da Cunha, *Os Sertões,* 553.)

''Adelgaçados *na* magreira cômica, cresciam, como se o vento os levasse.'' (J. Américo de Almeida, *A Bagaceira,* 9.)

''Mulato espigado, magríssimo, adelgaçado *pelos* jejuns.'' (E. da Cunha, *Os Sertões,* 202.)

Adendo — *a*:

''Creio que Thiers subscreveria o adendo *à* sua observação.'' (Rui, *Cartas de Inglaterra,* XVI.)

Adepto — *de*:

''Nem os adeptos *da* etimologia, nem os *da* fônica, nem os *da* transação arrazoada entre as origens e a prosódia corrente lograram firmar coisa alguma.'' (Rui, *Réplica,* 436.) ''Com certeza são esses adeptos *do* nome sem inteligência do sistema, os que lhe fazem o mais irreparável dano.'' (Idem, *Colunas de Fogo,* 191.)

Adequabilidade — *a*:

''Confrontando agora, na sua adequabilidade *ao* particular de que se trata, os dois nomes, o que se me oferece nos lexicólogos é que ....'' (Rui, *Réplica,* 451.)

Adequado — *a, com, para*:

''Medicação adequada *à* enfermidade.'' (E. Carneiro Ribeiro, *Serões Gramaticais,* 674.) ''Lógica e gramaticalmente essa era a preposição adequada *à* regência do verbo.'' (Rui, *Réplica,* 155.) ''As leis devem ser adequadas *ao* povo para que são feitas.'' (Mário Barreto, *Cartas Persas,* XXXII.) ''Cruzaram-se os penetrantes risos adequados *ao* fato.'' (Aluísio Azevedo, *Casa de Pensão,* 136.)

''Linguagem adequada *com* o assunto.''

''A (região) mais adequada *para* constituir o poderoso núcleo da futura união.'' (Visconde de Porto Seguro, *História Geral do Brasil.*)

Aderência — *a, com*:

''Os exércitos não se mantêm senão pela mais rígida aderência *a* leis inflexíveis.'' (Rui, *Cartas de Inglaterra,* 17.) ''Minha impressão, pelo contrário, é a de uma notável decisão nos seus contornos e de uma aderência franca, nas suas teorias, *à* pureza da tradição cristã. (Idem, *ibidem,* 103.)

''Sem nenhuma aderência *com* os tecidos fibro-vasculares.'' (L. Freire, vb. *acúleo.*)

Aderente — *a, de*:

''E, quando a mãe morrera e ele, já crescido, abalara para terras novas, vira sem contrariedade o nome materno masculinizado, aderente *ao* seu.'' (Veiga Miranda, *A Eterna Canção,* 14.) ''Estagnados nos tubos, aderentes *à* sua superfície interior, os detritos .... embebem-se pelo solo.'' (Rui, *Queda do Império,* I, 65.)

''Conduziu os fiéis aderentes *da* nova religião ao Estado de Utah.'' (*Maravilhas do Conhecimento Humano,* I, 232.)

Adesão — *a, com:*

''Minha adesão profunda *ao* gabinete de 6 de junho.'' (Rui, *apud* Luiz Viana Filho, *A Vida de Rui Barbosa,* 97.) ''Seria temeridade coligir sentimentos de adesão imediata *à* revolução republicana.'' (Idem, *Queda do Império,* I, 110.) ''No afogo da sua nobre adesão *à* política reinante, não se lembravam de Luís XVIII, nem acreditavam mesmo no direito divino dos reis.'' (Camilo, *Livro Negro,* 104.)

''Adesão e união *com* Deus.'' (Dic. de Morais.)

Adestrado — *em, para, por:*

''Com o padre entraram as criadas e criados de sua confiança, bem adestrados *em* espiarem os atos da senhora.'' (Camilo, *A Enjeitada,* 54.) ''Um dos chefes do reduto era um engenheiro italiano habilíssimo, adestrado talvez *nos* polígonos bravios da Abissínia.'' (E. da Cunha, *Os Sertões,* 367.)

''Cão adestrado *para* caça de antas.'' (C. de Figueiredo, vb. *anteiro.*)

''Dois elefantes adestrados *por* dois índios.'' (J. de Barros, *apud* Fr. D. Vieira.)

Adestramento — *em:*

''É surpreendente o adestramento destas crianças *em* natação.''

Adeus — *a:*

''A primeira (fisionomia) é um adeus *ao* passado; a segunda é uma saudação ao futuro.'' (Camilo, *Livro Negro,* 108.)

Adiantado — *de, em:*

''Chegou adiantado *de* seus companheiros.'' ''Adiantado *em* anos.'' ''Aluno adiantado *em* geografia.''

Adição — *a:*

''A respeito da adição que fazem os italianos de 'altri' *aos* pronomes....'' (Mário Barreto, *Através do Dicionário e da Gramática,* 255.) ''Cada vida humana, que se estende em alcatifa aos seus pés, constitui uma adição gratuita *à* sua.'' (Rui, *Cartas de Inglaterra,* 249.)

Adicionado — *a:*

''A mulher foi a sobrecarga adicionada *à* tremenda tara hereditária que desequilibraria uma vida iniciada sob os melhores auspícios.'' (E. da Cunha, *Os Sertões,* 160.)

Adicional — *a:*

''O ato adicional *à* carta constitucional.'' (Aulete.)

Adido — *a:*

''Um adido *à* legação portuguesa em Paris.'' (Aulete.)

Aditamento — *a:*

''Informações em aditamento *a* outras anteriores.''

Adito — *a:*

''Fernando Peres pertencia a uma das mais poderosas famílias da Galiza e a mais adita *ao* moço soberano de Leão e Castela.'' (Herculano, *O Bobo,* 12.) ''Toda a climatologia .... desponta em qualquer parte adita de preferência *às* causas naturais próximas e particulares.'' (E. da Cunha, *Os Sertões,* 70.)

Adjacente — *a:*

''Atestadas de curiosos, todas as casinhas adjacentes *à* comissão de engenharia formavam a platéia para a contemplação do drama.'' (E. da Cunha, *Os Sertões,* 554.)

Adjudicação — *a:*

''Foi ordenada a adjudicação de todos os bens imóveis *à* viúva.''

Adjudicado — *a:*

''Era mais uma portentosa empresa adjudicada *aos* jesuítas.''

Adjunção — *a:*

''Na adjunção desses sufixos *ao* tema dos nomes dão-se diversos fenômenos.'' (Júlio Nogueira, *O Exame de Português,* 159.) ''Bastaria a adjunção de um simples adjetivo *ao* nome, para excluir a tacha de pleonasmo.'' (Rui, *Réplica,* 292.)

Admiração — *a, de, por:*

''As palavras lhe diz do santo velho que *a* todos foram grande admiração.'' (Camões, *Os Lusíadas,* IV, 76.) ''Admiração exagerada *a* tudo que é inglês.'' (L. Freire, vb. *anglomania.*) ''A Lúcia, que se conservava silenciosa, o secretário Dominguez perguntou se não participava da admiração *às* belezas de sua terra.'' (Afrânio Peixoto, *A Esfinge,* 115.) ''Admiração exagerada *às* coisas brilhantes, no período sonoro.'' (Graciliano Ramos, *Caetés,* 309.)

''Não tivera tempo de olhar para fora, para admiração *de* sua terra.'' (Idem, *ibidem,* 116.)

''O magnífico quadro era a admiração *de* todos.'' (Encicl. Port.)

''Quem há aí no mundo do saber, onde quer que seja, que não professe a mais extrema admiração *pela* ciência e *pela* cultura germânicas?'' (Ricardo Jorge, *Sermões dum Leigo,* 126.) ''Eu não me sinto muito penetrado de admiração *pelas* primeiras providências de modo a considerá-las uma explosão de gênio.'' (Camilo, *Perfil do Marquês de Pombal,* 94.) ''Através dessa ingênua e fervente admiração *pela* França, ... as páginas desse roteiro cintilam em fino espírito de observação.'' (Rui, *Cartas de Inglaterra*, 43.)

"Não lhe conservavam (a Helena) ressentimento pelos transtornos que lhes acarretara. Na verdade só sentiam admiração *por* ela." (*Maravilhas do Conhecimento Humano,* II, 29.)

Admirado — *de, por:*

"Estou admirado *d*isso." (Morais.) "Virtuosos que parecem estar admirados *de* o ser e que uma ação boa a reputam por um prodígio." (Mário Barreto, *Cartas Persas,* 103.) "A sala inteira estava admirada *do* meu topete." (Medeiros e Albuquerque, *Quando Eu Era Vivo,* 39.)

"É um poeta admirado *por* todos." "Não tivera tempo de olhar para fora, para a admiração de sua terra, que era vista e admirada *por* tanta gente." (Afrânio Peixoto, *A Esfinge,* 116.)

Admirável — *de, em:*

"A 5.ª brigada foi admirável *de* disciplina, afrontando-o (ao tiroteio) por duas horas, na posição em que estacara." (E. da Cunha, *Os Sertões,* 412.) "Qualquer das peças abrange apenas o fôlego duma ou duas dúzias de páginas, deliciosas porém como fatura, admiráveis *de* bonomia." (Fialho de Almeida, *Os Gatos,* 234.)

"É um poema admirável *na* singeleza do estilo e *na* harmonia dos versos."

Admissão — *a, em:*

"Pode ser que esta (exclusão) me não houvesse enfraquecido, se não se tivesse cogitado nunca da minha admissão *ao* gabinete." (Rui, *Queda do Império,* I. LI.)

"Arranjara a admissão do afilhado *n*aquele instrumento de instrução." (Taunay, *Inocência,* 27.) "O Conselheiro Dantas, conta esse filho seu, entrara em divergência com o imperador sobre a minha admissão *no* ministério 6 de junho." (Rui, *Queda do Império,* I, XXXIX.)

Admissibilidade — *a, em:*

"A República proclamou a admissibilidade de todos os cidadãos portugueses *às* funções públicas." (*Enciclopédia e Dicionário Internacional.*)

"E' problemática a admissibilidade de estrangeiros *nos* altos cargos públicos."

Admissível — *a, em:*

"E por esta razão não pode ter direito admissível *ao* reino." (Dic. de Fr. D. Vieira.) "As hipotecas .... são admissíveis *a* registo nos termos dos artigos seguintes." (*Cód. Civ. Português,* art. 100.)

"Direito admissível *no* reino." (Morais.) "Terão por isso essas palavras foro de admissíveis *nas* codificações modernas." (Rui, *Réplica,* 178.)

Admitido — *a, em, entre:*

"Princípio revolucionário como o que mais o for, mas princípio admitido *ao* pensamento de um povo, exerce nele império irresistível." (Rui, *Colunas de Fogo,* 17.) "Nem Livingstone, nem Kitchner foram admitidos ainda *a* esse altar vazio." (Alberto Rangel, *Papéis Pintados,* 73.)

"De mim direi que o não encontrei nunca (o vocábulo "invulgar") abonado por escritores conhecidos, nem, apesar da retidão da sua derivação, admitido *nos* dicionários." (Mário Barreto, *Através do Dicionário e da Gramática,* 215.) "Usava palavras não admitidas *no* latim literário." (Souza da Silveira, *Lições de Português,* 36.)

"Todo aquele que o tem (o título) é admitido *entre* a gente fina, sem mais exame." (Mário Barreto, *Cartas Persas,* 117.) "Come as rosas, retoma sua forma humana, e é admitido *entre* os sacerdotes de Ísis." (*Maravilhas do Conhecimento Humano,* II, 51.)

Adoçado — *com, em, por:*

"Comidas umas colheres de farinha de mandioca ou de milho, adoçadas *com* rapadura, estira-se a fio comprido sobre os arreios." (Taunay, *Inocência,* 7.)

"Boca adoçada *em* leite virginal." (Aulete, vb. *amargar.*)

"A ida à sua casa .... dá-me o encontro de amáveis ruas residenciais, adoçada *pela* frescura de parques e jardins." (Herman Lima, *Outros Céus, Outros Mares,* 289.)

Adoção — *de, em, por:*

"Adoção *d*uma idéia: o ato de aceitá-la, de segui-la." (*Encicl. Port.*)

"Pleiteou a adoção de sua obra *nos* estabelecimentos oficiais de ensino."

"A adoção do livro *pela* maioria dos colégios levou o autor a apressar sua reedição."

Adoração — *a, de, por:*

"Daí a adoração que tinham *a* esses animais, tidos como sagrados." (João Ribeiro, *Curiosidades Verbais,* 124.)

"Adoração *da* Cruz." (Aulete.) "Era o devoto que, em adoração *do* Senhor, se transporta, mas não ousa articular palavras comuns dos homens." (Camilo, *A Enjeitada,* 192.)

"Tinha verdadeira adoração *pela* filha." "Uma nobre mocidade afetiva que teve uma constante, uma única adoração a dourá-la: a adoração *pela* música." (João Grave, *Os Vivos e os Mortos,* 237.)

Adorado — *de, em, por:*

"Era uma criança adorada *de* todos."

"Vive com eles Froilão Dias, tipo de padre jovial, casamenteiro, adorado *no* burgo."

"Ficará (Cristo), através de todas as derrocadas e de todas as convulsões, porque é o único nome adorado *por* todas as raças." (João Grave, *Os Vivos e os Mortos,* 187.)

Adormecido — *a, por:*

"Era uma casa grande, senhoril, fechada havia longos anos, adormecida *ao* canto das cigarras e *ao* murmúrio das águas." (Afrânio Peixoto, *A Esfinge,* 49.) "Os ramos mantinham-se imóveis, adormecidos *ao* sol." (C. Neto, *Imortalidade,* 224.)

"Adormecido *pela* música dolente das águas."

Adornado — *com, de:*

"Vinham descendo a ampla escadaria de mármore adornada *com* passadeira de veludo carmesim." (Antero de Figueiredo, *Amor Supremo,* 140.) "Os barretes de veludo, adornados *com* uma pluma ao lado." (Rebelo da Silva, *Contos e Lendas,* 177.)

"Ingente capitel, sempre adornado *de* renovos, *de* flores e *de* frutos." (Porto Alegre, *apud* L. Freire.) "E, no meio daquele mar de cabeças adornadas *de* lenços de cor, listrados e brancos, avultava a pinha das recémvindas, que tentavam ajoelhar." (Herculano, *Lendas e Narrativas,* II, 283.)

Adorno — *de:*

"Mas a modéstia, principal adorno *de* seu espírito, não lhe sofreu confessar outra coisa além de um nobre entusiasmo." (M. de Assis, *Papéis Avulsos,* 21.)

Adotado — *em, para, por, como:*

"A gíria é uma espécie de linguagem metafórica, convencionalmente adotada *em* certos meios sociais." (Júlio Nogueira, *O Exame de Português,* 54.) "Não é bem exato o que o Sr. João Estrela diz ter lido num compêndio adotado *nos* estabelecimentos oficais de ensino." (Mário Barreto, *Através do Dicionário e da Gramática,* 240.)

"Um meio disciplinar adotado *para* alguns dêsses casos é conservar no plural a mesma vogal do feminino." (João Ribeiro, *Curiosidades Verbais,* 115.)

"Ninguém pode ser adotado *por* duas pessoas, salvo se forem marido e mulher." (*Cód. Civ. Brasileiro,* art. 370.) "O relator da comissão dos três cuidou ver a escrita adotada *pela* comissão dos vinte e um e *pela* Câmara dos Deputados." (Rui, *Réplica,* 459.)

"O cristianismo foi adotado *como* religião do estado, em Roma." (*Maravilhas do Conhecimento Humano,* I, 322.)

Adotável — *em, para:*

"Livro adotável *em* qualquer estabelecimento de ensino secundário."

"Dos três pontos de vista adotáveis *para* esse fim, o menos satisfatório, segundo Mr. Balfour, é o naturalista." (Rui, *Cartas de Inglaterra,* 97.)

Adquirido — *em, por:*

"Não era suficiente a pólvora adquirida *nas* vilas próximas." (E. da Cunha, *Os Sertões,* 309.) "Um leve sotaque francês adquirido *no* colégio suíço onde estudara." (Mário Sete, *Os Azevedos do Poço,* 14.) "As riquezas do espírito adquiridas *em* viagens, valem bem a pena de sacrificar-lhes os negros cabelos e as faces rosadas." (Camilo, *Livro Negro,* 158.)

"O fato, sem precedente, da importância internacional adquirida *pelo* Brasil *na* Conferência da Paz." (Rui, *Cartas Políticas e Literárias,* 100.)

Adscrito — *a:*

"Como se à desventurada filha do povo, serva adscrita *ao* gozo dum grande, fosse permitido ler um futuro no sorriso da inocência." (Camilo, *Livro Negro,* 23.) "Foi preciso que Filipe II, herdando de Carlos V o condado adscrito *à* casa de Baviera, pretendesse impor-lhe o catolicismo e a inquisição para que a Holanda entrasse na vida histórica." (Ramalho Ortigão, *Holanda,* 1.)

Adstrito — *a:*

"Esta avançada já ia adstrita *a* um plano de campanha." (E. da Cunha, *Os Sertões,* 237.) "Era o profeta, o emissário das alturas, transfigurado por ilapso estupendo, mas adstrito *a* todas as contingências humanas." (Idem, *ibidem,* 152.)

Adubado — *com, de, por:*

"Aram, com charruas leves, terras escuras adubadas *com* aquelas flores." (Antero de Figueiredo, *Jornadas em Portugal,* 106.) "Falando mau francês, italiano péssimo, e espanhol adubado *com* palavras de galego." (Fialho de Almeida, *Vida Irônica,* 243.)

"Conversações adubadas *do* ar do paço." (Dic. de Morais.) "E os paladares genuinamente portugueses, lá daquelas serranias, se saboreavam de preferência no salutar cozimento de couves adubadas *de* saboroso unto." (Camilo, *O Bem e o Mal,* 49.)

"Iguarias extravagantes adubadas *por* cozinheiros negros."

Adulado — *de, por:*

"Criança muito adulada *dos* pais."

"Barbaria adulada *pelos* sábios e doutos." (Rui, *apud* L. Freire.)

Adulterado — *por:*

"Se deslizamos da verdade, se ela nos chega adulterada *por* artifícios dos interessados, confunda-os o governo com a só contradita, que poderia elucidar o caso a nosso favor." (Rui, *Colunas de Fogo,* 200.)

Adúltero — *a:*

"Mulher .... infiel aos homens, traidora à sua profissão, e adúltera *ao* mesmo Deus." (Vieira, *Sermões,* IX, 9.) "Desde que a república, adúltera *ao* regime legal, convolara às núpcias da força, em busca da salvação." (Rui, *Discursos e Conferências,* 362.)

Advento — *de:*

"O advento *da* república; o advento *dum* reinado." "Já a opinião o averba ao débito de sua alteza, entre as indisposições que poderão embaraçar o advento *de* sua sereníssima consorte.'' (Rui, *Queda do Império,* I, 247.)

Adversário — *de:*

''É espontaneamente adversário *de* ambos.'' (E. da Cunha, *Os Sertões,* 204.)

Adverso — *a, de:*

''Há gente tão adversa *à* simplicidade e *ao* bom-senso....'' (C. de Figueiredo, *Lições Práticas da Língua Portuguesa,* I, 100.) ''A câmara dos lordes, adversa *à* liberdade civil e religiosa, deve ser destruída.'' (Rui, *Queda do Império,* I, 126.)

''Contigo, Itália, falo, já submersa em vícios mil, e *de* ti mesma adversa.'' (Camões, *Os Lusíadas,* VII, 8.)

Advertência — *a, acerca de, contra, para que, sobre:*

''Numa clara advertência *à* monarquia, ele resumiu nessa frase as suas aspirações: 'Primeiro a abolição, nada sem a abolição, tudo pela abolição'.'' (Luiz Viana Filho, *A Vida de Rui Barbosa,* 110.) ''A dor só é fecunda como uma advertência *à* cura.'' (J. Américo de Almeida, *A Bagaceira,* 275.)

''O murmúrio com que, nas altas regiões oficiais, vai sendo acolhida a isenção das nossas advertências *acerca d*as sombras que parece descerem sobre este país.'' (Rui, *Queda do Império,* I, 393.)

''Nela (confiança) hauríssemos alento para a prossecução desse trabalho, recordando à representação nacional as eloqüentes advertências de um dos mais insignes talentos e dos espíritos mais práticos que este país tem produzido, *contra* a nossa indiferença habitual nestes assuntos.'' (Rui, *Reforma do Ensino Primário,* vol. X, tomo I, pág. 178.)

''Amável e inútil advertência *para que,* no futuro, fosse menos extenso.'' (Luiz Viana Filho, *A Vida de Rui Barbosa,* 64.)

''Arrufos.... advertências *sobre* modos de proceder.... hábitos de independência comuns aqui, mas que devem escandalizar na província.'' (Afrânio Peixoto, *A Esfinge,* 345.)

Advertido — *de, em, por:*

''Advertido *do* perigo que o ameaçava, tratou de defender-se.''

''E não fui advertido *em* perguntar o que desejava saber.'' (Dic. de Fr. D. Vieira.) ''Andou advertido *em* abandonar aquela pendência, porque só lhe poderia trazer prejuízos.'' (Aulete.)

''Advertida *pela* Carma padeira, ela lá estaria à janela ou no paredão a esperá-lo, embrulhada no chailinho de lã.'' (Aquilino Ribeiro, *A Batalha sem Fim,* 74.)

Advogado — *contra, de, em:*

''Tornou-se o maior advogado *contra* o totalitarismo.''

''Procura o eleitor no deputado o representante e advogado mais *dos* seus interesses individuais, que *das* suas idéias.'' (Rui, *Queda do Império,* II, 399.)

''Foi ele o incansável advogado *na* causa dos oprimidos.''

Afã — *de, em:*

''Toda aquela fingida indiferença .... se transformou depressa num afã incontido *de* vitória.'' (Luiz Viana Filho, *A Vida de Rui Barbosa,* 77.)

''É visível seu afã *em* agradar a todos os fregueses.''

Afabilidade — *com, para com:*

''É louvável sua afabilidade *com* todos os alunos.'' ''A filha alegrou-se muito ao vê-lo, e ele mostrou-se de uma grande afabilidade *com* a mulher, que lhe retribuiu do mesmo modo.'' (M. de Assis, *Contos Fluminenses,* 140.)

''Nota-se-lhe pouca afabilidade *para com* o enteado.''

Afadigado — *com, de, em:*

''Era tão afadigado *com* seu desejo, que não sabia o modo que nisso pudesse ter.'' (Dic. de Fr. D. Vieira.)

''Chegou o escrito a tempo que Duarte, afadigado *do* insólito passeio de duas léguas, estava ainda ofegante sentado num banco da loja.'' (Camilo, *As Três Irmãs,* 87.)

''Vejo-vos tão afadigado *em* propor vossas razões....'' (Dic. de Morais.)

Afago — *a, para:*

''Nunca se viu um pai tão parco em afagos *aos* filhos.''

''Tinha afagos maternos *para* ela, trajava-a de vestidinhos novos e bonitos.'' (Afrânio Peixoto, *A Esfinge,* 262.)

Afamado — *em, entre, por:*

''É um médico afamado *em* toda a redondeza.''

''Marco Túlio foi afamado *entre* os seus contemporâneos.'' (Latino Coelho, *apud* L. Freire.)

''Monarca afamado *por* suas crueldades.''

Afanado — *em:*

''Afanado *em* terminar o trabalho.''

Afastado — *de, para:*

''Na melhor das hipóteses, por muito tempo estaria afastado *d*as estações de rádio.'' (Gastão Cruls, *História Puxa História,* 125.) ''Magalhães, cujo engenho ficava muito afastado *do* rio Itaípe, do lado da Mata Grande, era um senhor modesto, de quem pouco se falava.'' (Xavier Marques, *As Voltas da Estrada,* 21.)

''Afastado *para* a longínqua Amazônia, não perdeu, entretanto, o contato com a vida e hábitos citadinos.''

Afastamento — *de:*

''O historiador precisa de certo afastamento *dos* quadros que contempla.'' (E. da Cunha, *Os Sertões,* 301.) ''Queixou-se de infinitas coisas, entre as quais do afastamento *de* certas aves, peixes e insetos de seu convívio e sobretudo da carência de mais espaço.'' (Alberto Rangel, *Papéis Pintados*, 127.)

Afável — *a, com, para com:*
''Afável *aos* inimigos.'' (E. Carneiro Ribeiro, *Serões Gramaticais*, 674.) ''Afável *a* todos.'' (Idem, *Tréplica*, 580.)
''Afável *com* todos.'' (Idem, *ibidem*, 580.) ''Afável *com* os inimigos.'' (Idem, *Serões Gramaticais*, 674.)
''Hortência Campos aparecia-lhe então como em verdade era: carinhosa e altiva, afável *para com* todos igualmente, sem dar a nenhum o direito de supor uma preferência.'' (Aluísio Azevedo, *Casa de Pensão*, 71.) ''Afável *para com* os inimigos.'' (Idem, *ibidem*, 674.) ''Afável *para com* todos.'' (Idem, *Tréplica*, 508.)

Afeado — *com, por:*
''Coração afeado *com* más tenções.''
''Rosto de bronze, afeado *pela* pátina das sardas.'' (E. da Cunha, *Os Sertões*, 276.)

Afecção — *de, em:*
''Afecção cutânea *da* extremidade dos membros.'' (L. Freire, voc. *acrodermatite.*)
''Afecção cutânea *na* extremidade dos membros.'' (C. de Figueiredo, voc. *acrodermatite.*)

Afeição — *a, para, para com, por:*
''Não porque *a* um tenha mais afeição que *ao* outro.'' (Palmeirin, *apud* E. Carneiro Ribeiro, *Tréplica*, 580.) ''Neste proceder de Wellington avulta .... um dos muitos exemplos da entusiástica afeição do duque *à* soberana.'' (Rui, *Queda do Império*, I, 254.) ''Sua delicadíssima afeição *a* ela .... provinha agora do halo da virtude com que se trajava essa alma aristocrática e simples.'' (Antero de Figueiredo, *Amor Supremo*, 225.)
''Há exemplos de afeições ferventes do salteador de estradas *para* a mulher que o recebe nos braços.'' (Camilo, *A Neta do Arcediago*, 158.)
''Afeição *para com* os colegas.'' (E. Carneiro Ribeiro, *Serões Gramaticais*, 668.)
''Eu tenho uma grande afeição *por* ele.'' (Mário Barreto, *Através do Dicionário e da Gramática*, 89.) ''A mágoa do Lidador era profunda; porque a sua afeição *por* Egas fora constante e sincera.'' (Herculano, *O Bobo*, 112.) ''Acreditai que não senti ainda uma afeição tão ardente *por* outro homem.'' (Camilo, *Livro Negro*, 165.)

Afeiçoado — *a, com, para, por:*
''Afeiçoado *aos* amigos.'' (E. Carneiro Ribeiro, *Serões Gramaticais*, 674.) ''O velho Macambira, pouco afeiçoado *à* luta, de ''coração mole'', segundo o dizer expressivo dos matutos, mas infernal no gizar tocaias incríveis.'' (E. da Cunha, *Os Sertões*, 201.)
''Afeiçoada *com* este primeiro milagre, e ouvindo a celestial eloqüência de Catarina, cada palavra sua lhe levava à imperatriz um bocado do coração.'' (Vieira, *Sermões*, IX, 122.)
''Pedra mole.... bem afeiçoada *para* se assentar na obra.'' (Gaspar Correia, *Lendas*, I, 639.)
''Pouco depois estava profundamente afeiçoada *pelo* jovem advogado.''

Afeito — *a:*
''Afeito *ao* trabalho.'' (E. Carneiro Ribeiro, *Serões Gramaticais*, 674.) ''Há desses matizes, cujo discrime só alcançam prontamente os espíritos afeitos *à* delicadeza de estudos tais.'' (Rui, *Réplica*, 473.)

Aferido — *em, por, segundo:*
''A ideal tradição romanesca impediu .... que o amador de Natércia, o trovador guerreiro, fosse aferido *no* estalão comum dos bardos.'' (Camilo, *Boêmia do Espírito*, 173.)
''Medidas aferidas *pelo* padrão oficial.'' ''Seria, sobretudo, o meio caseiro e amigável de experimentar aos de sua roda, ao seu espírito de liberalidade aferido *pela* coragem de agüentar a parada ....'' (Alberto Rangel, *Papéis Pintados*, 29.)
''Todas essas orações, aferidas *segundo* a norma estabelecida por Diez, são irrepreensiveis.'' (Rui, *Réplica*, 256.)

Aferrado — *a, em:*
''Aferrado *à* sua opinião.'' (Fr. D. Vieira.) ''Aqueles deputados pertencentes a uma sociedade precocemente amadurecida, ... e por isso muito aferrada *aos* preconceitos, arrepiaram-se horrorizados.'' (L. Viana Filho, *A Vida de Rui Barbosa*, 59.)
''Com os dentes aferrados *na* capa.'' (Dic. de Fr. D. Vieira.) ''A âncora das suas esperanças aferrada *na* pátria celestial.'' (Dic. de Morais.)

Aferro — *a, em:*
''Se idealismo quer dizer cegueira à luz da realidade, aferro *às* idéias absolutas, ... idealistas são, tanto quanto os fanáticos da Revolução Francesa, os que a depreciam por espírito de sistema.'' (Rui, *Colunas de Fogo*, 14.) ''E ali estão com as suas vestes características, os seus hábitos antigos, o seu estranho aferro *às* tradições mais remotas.'' (E. da Cunha, *Os Sertões*, 100.)
''Não compreendo seu aferro *em* levar avante uma empresa tão arriscada.''

Afetação — *de, em:*
''É ridícula, porém, semelhante afetação *de* virtude e recato.'' (Mário Barreto, *Através do Dicionário e da Gramática*, 326.)
''Nota-se-lhe muita afetação *no* falar.''

Afetado — *de, em:*
''Afetado *de* doença mortal.'' (Camilo, *apud* L. Freire.)
''É muito afetado *no* trajar.''

Afetividade — *por:*
"A não ser aí, por essa mesma capacidade de emoção e afetividade *pelas* coisas belas e boas da vida, como André se sentia afastado do pai!" (Gastão Cruls, *História Puxa História,* 261.)

Afeto — *a, a respeito de, para, para com, por:*
"Tens *a* teu tio aquele afeto sincero, que nem sempre se encontra nos sobrinhos dos teus poucos anos." (Mário Barreto, *Através do Dicionário e da Gramática,* 369.) "Cresceu com ela um piedoso afeto e devoção *ao* Rosário." (Fr. Lucas de S. Catarina, *apud* E. Carneiro Ribeiro, *Tréplica,* 583.) "Quis insinuar-lhe o afeto *à* leitura, encarecendo-lhe o prazer da sabedoria." (Camilo, *O Retrato de Ricardina,* 97.)
"Para fundar verdadeira relação, não basta só o afeto de mãe *a respeito do* filho, e o obséquio do filho a respeito da mãe." (Vieira, *Sermões,* IX, 82.)
"Na Inglaterra o cidadão tem na alma, *para* a monarquia, um afeto quase como *para* a família, *para* a liberdade, *para* a terra natal." (Rui, *Discursos e Conferências,* 25.)
"É muito sincero o meu afeto *para com* ela."
"Todos estranham seu afeto *pela* madrasta."

Afetuoso — *com, para, para com:*
"Afetuoso *com* sua família, *com* seus filhos." (E. Carneiro Ribeiro, *Tréplica,* 580.)
"Afetuoso *para* sua família." (Idem, *ibidem,* 580.)
"Afetuoso *para com* todos." (Idem, *Serões Gramaticais,* 674.) "Afetuoso *para com* sua família, *para com* seus filhos." (Idem, *Tréplica,* 580.)

Afiado — *contra, em:*
"S. Fr. Gil e seus frades andavam afiados *contra* sua fraqueza." (Fr. L. de Sousa, *apud* Fr. D. Vieira.) "Afiado *contra* alguém." (Morais.)
"Afiado *na* malícia, maldade." (Idem.) "Afiado *na* malícia." (Aulete.)

Afiançado — *por:*
"Cujo direito, se não à cadeira, pelo menos ao concurso, lhe era afiançado *pela* lei." (Rui, *Queda do Império,* I, 316.) "Relógio afiançado *por* um ano." (Dic. de Morais.)

Afim — *com, de, em:*
"Línguas afins *com* o português."
"Devem ser consideradas línguas afins *do* português as que pertençam à mesma família." (Júlio Nogueira, *O Exame de Português,* 33.) "Talha-se uma patologia nova, fecunda para a clínica e duma larga esfera de aplicações às ciências afins *da* medicina." (Ricardo Jorge, *Sermões dum Leigo,* 22.)
"C e G são letras afins *no* som." (Morais.)

Afinado — *com, por:*
"O violino parece que não está bem afinado *com* a flauta." "Opinião afinada *com* o pensamento popular."
"Entretanto, afinadas *pelo* otimismo oficial, as autoridades receberam os lutadores em triunfo, antes da batalha." (E. da Cunha, *Os Sertões,* 256.) "Pode julgar-se só, enquanto não encontrar uma alma afinada *pela* sua." (Camilo, *A Neta do Arcediago,* 114.)

Afincado — *em, no meio de:*
"Afincado *na* lição, *no* trabalho." "A montaria, bufando, procura um chafariz de compridas lajes de pedra, afincado *no* barranco." (Afonso Arinos, *Pelo Sertão,* 82.)
"A ponta do barrote que o desmoronara estava afincada *no meio dos* escombros." (Idem, *ibidem,* 39.)

Afincamento — *em:*
"É prejudicial à saúde esse exagerado afincamento *no* estudo."

Afinco — *em:*
"Afinco da atenção *em* algum objeto." (Morais.) "A situação atual, onde essa candidatura tem origem, resulta do afinco do Sr. Presidente da República *no* seu erro de dezembro do ano passado." (Rui, *Cartas Políticas e Literárias,* 158.)

Afinidade — *com, de, entre, para, por:*
"A maior afinidade da língua portuguesa, nos dias de hoje, é incontestavelmente *com* o castelhano." (Júlio Nogueira, *O Exame de Português,* 34.) "Procuram-se as afinidades do trono *com* o sentimento público, e acha-se o vácuo." (Rui, *Queda do Império,* I, 263.)
"Afinidade *de* duas línguas; afinidade *de* sons." "Na linha colateral e na afinidade *dos* cônjuges, dispensa-se de minúcias na qualificação de parentesco." (C. de Figueiredo, *Falar e Escrever,* II, 90.)
"Para não ignorar a afinidade *entre* a preposição 'em' e o adjetivo 'implícito', basta advertir-lhe no prefixo 'in'." (Rui, *Réplica,* 411.) "Afinidade *entre* os homens de costumes semelhantes." (Morais.) "A afinidade *entre* 'bens' e 'roupas' é naturalmente explicável." (João Ribeiro, *Curiosidades Verbais,* 90.) "Quanta afinidade *entre* nós! Eis o que me parece um homem verdadeiramente fáustico." (Ciro dos Anjos, *Montanhas,* 123.)
"Que tem afinidade *para* as coisas ácidas." (L. Freire, voc. *acidófilo.*) "Que tem afinidade *para* as cores." (C. de Figueiredo, voc. *acromófilo.*)
"Que tem afinidade *pelas* matérias corantes." (L. Freire, voc. *acromatófalo.*)

Afirmação — *a:*
"Sua afirmação *ao* juiz modificou a situação do acusado."

Afligido — *de:*
"O vereador Galvão, tão cruelmente afligido *de* moderação e eqüidade, teve a felicidade de perder um tio." (M. de Assis, *Papéis Avulsos,* 84.) "Estar ou ser afligido *da* peste, *da* doença." (Dic. de Morais.)

Aflitivo — *para:*
"Correram dias aflitivos *para* o Duque de Clitan." (Camilo, *Livro Negro,* 162.)

Aflito — *com, por:*
"D. Luísa viu-se tão repentinamente aflita *com* um dente, que teve d'ir a correr chumbá-lo." (Eça, *O Primo Basílio,* 346.) "Exclamava, mais aflito *com* os desastres do que orgulhoso dos triunfos: — Cada vez conheço mais as minhas imperfeições." (Ricardo Jorge, *Sermões dum Leigo,* 76.)
"A população do Rio estava aflita *pelo* recrudescimento da febre amarela." (Luiz Viana Filho, *A Vida de Rui Barbosa,* 164.) "Fiquei aflito *por* que chegasse a hora do trabalho." (Ciro dos Anjos, *O Amanuense Belmiro,* 123.)

Afluência — *a:*
"Afluência anormal do sangue *aos* vasos de um órgão." (L. Freire, voc. *congestão.*)

Afluxo — *a, para:*
"Afluxo anormal de sangue *aos* vasos de um órgão." (Aulete, voc. *congestão.*)
"Afluxo anormal de sangue *para* determinado órgão." (Pedro A. Pinto, *Dic. de Termos Médicos,* voc. *congestão.*) "Afluxo de sangue *para* a bexiga." (Aulete, voc. *cistoemia.*)

Afofado — *em, por:*
"Sobem a colinas brandas como se seus pinheiros se quisessem empoleirar para de aí ver melhor e melhor sentir a beleza e a paz dos lameiros afofados *em* matizes verdes." (Antero de Figueiredo, *Jornadas em Portugal,* 103.)
"O cafezal velho esmarria num lançante de morro de terra seca, exausta, afofada *pelas* formigas." (C. Neto, *apud* L. Freire.)

Afogado — *com, de, em, por:*
"Talento afogado *com* a ocupação e negócios." "O mundo afogado *com* um dilúvio." (Vieira, *apud* Morais.)
"A outros cosiam em couro juntamente com serpentes e cães danados, e assim os lançavam ao mar, para que .... primeiro acabassem mordidos e atassalhados dos dentes venenosos, do que afogado *das* ondas." (Vieira, *Sermões,* IX, 48.) "Afogado *de* dívidas, *de* perseguições." (Morais.) "Parecia que a casa estava afogada *de* cruzes familiares." (J. Américo de Almeida, *O Boqueirão,* 62.)
"Afogado *em* negócios." (Morais.) "Rápidas tardes sem crepúsculos, prestes afogadas *na* noite." (E. da Cunha, *Os Sertões,* 45.) "Os olhos castanhos, pequenos e maliciosos, afogados *em* gordura." (Rebelo da Silva, *Contos e Lendas,* 68.)
"Searas afogadas *pelas* ervas daninhas." "Voz afogada *pelos* suspiros."

Afogueado — *de, por:*
"Vendo-o passar, esbelto, afogueado *da* carreira, com o falcão no punho, as donzelas sorriam e coravam." (Rebelo da Silva, *Contos e Lendas,* 21.) "Afogueado *de* amor." (Morais.)
"A alma fundida pelo sol da seca, afogueada *pelas* áscuas do verão, andava farta de tanta solicitude ociosa." (J. Américo de Almeida, *A Bagaceira,* 169.) "Frio finíssimo é barbatão a escanhoar as faces afogueadas *pelas* bebidas quentes do primeiro almoço." (Antero de Figueiredo, *Amor Supremo,* 66.)

Afoitado — *por:*
"O padre era valente; e a moça afoitada *por* ele afrontava o desprezo." (Camilo, *Memórias do Cárcere,* I, 173.)

Afoiteza — *de:*
"Ergueu a sua voz patriótica com a afoiteza *dos* grandes romanos." (Camilo, *Viúva do Enforcado,* II, 61.)

Afortunado — *de, em, para:*
"Leonor de Távora, pouco afortunada *de* bens, tinha vinte anos e formosura que justificava a paixão do marquês." (Camilo, *Perfil do Marquês de Pombal,* 20.)
"Mão de proeiro sutil, afortunado *na* mareagem, devia rotear-lhes o barco." (Rui, *Discursos e Conferências,* 360.)
"Odiava as mulheres, coisa afortunada *para* um soldado e político romano." (*Maravilhas do Conhecimento Humano,* I, 136.)

Afronta — *a, de, para:*
"Disse, e repito, sem incorrer em afronta *ao* mestre." (Rui, *Réplica,* 204.) "Foi uma afronta *à* minha dignidade!" (Aluísio Azevedo, *O Mulato,* 249.)
"Sem pejo do imperador presente e de toda a Alexandria e com afronta *de* todas as escolas da Grécia, confessaram publicamente a falsidade dos deuses e a única divindade *do* crucificado Jesus Cristo." (Vieira, *Sermões,* IX, 119.)
"É uma afronta *para* a família." (Aulete.)

Afrontado — *ante, com, de, por:*
"Pulou a pinhal de bastio eriçado na penumbra, com o seu quê de horda, afrontada *ante* o dilúvio que lhe tolhesse o passo." (Aquilino Ribeiro, *A Batalha sem Fim,* 63.)
"O rosto afrontado *com* o calor." "João de Lima, ainda muito afrontado *com* o caso, sondou-o mostrando impaciência por vê-lo na prática das medidas enérgicas anunciadas." (Xavier Marques, *As Voltas da Estrada,* 81.)
"E como ia afrontada *do* caminho, tão formosa no gesto parecia." (Camões, *Os Lusíadas,* II, 17.) "Afrontado *da* jornada." (Mo-

rais.) "Afrontado *de* se ver vencido nos mesmos mestres de sua crença, ... mandou que ou sacrificassem logo aos ídolos, ou morressem todos a fogo." (Vieira, *Sermões,* IX, 136.)

"Afrontado Maximino *pelo* seu descrédito, e muito mais pela injúria e ignomínia dos seus deuses conhecidos por falsos, ... resolveu barbaramente matar a todos." (Vieira, *Sermões,* IX, 120.)

Afrontador — *de:*

"Hereges desacatadores do seu culto, afrontadores *da* sua fé pura." (Antero de Figueiredo, *Jornadas em Portugal,* 91.)

Afrontoso — *a:*

"Nunca vi, nem concebo, combinação mais abertamente afrontosa *ao* bom princípio, donde se originou a candidatura do atual presidente." (Rui, *Cartas Políticas e Literárias,* 130.) "Sua intermissão seria duplamente afrontosa *às* leis e ao seu camareiro-mor." (Camilo, *Boêmia do Espírito,* 129.) "Uma coisa que me dói é haver aí algum inocente que me considere afrontoso *à* ciência moderna, na pessoa do Sr. Conceição." (Idem, *ibidem,* 445.)

Afrouxamento — *de, em:*

"Afrouxamento *do* ânimo que perdeu o seu vigor." (Morais.)

"Afrouxamento *no* rigor, *na* disciplina."

Afugentado — *de, por:*

"Feras afugentadas *de* seu covil."

"Todos nós pouco mais somos que uns comediantes, movendo-se neste tablado, de que se sumiu quase inteiramente a sinceridade, afugentada *pelo* desânimo, *pela* solidão, *pelo* terror." (Rui, *Colunas de Fogo,* 42.)

Afundado — *em, por:*

"Meio afundada *na* água, seguia a árvore na lenta flutuação." (Alberto Rangel, *Fura-Mundo,* 222.) "O arraial enorme rapidamente diminuíra; e decaíra; e se acaçapara, parecendo ainda mais afundado *na* depressão em que se adensava." (E. da Cunha, *Os Sertões,* 532.)

"Barcos afundados *pelo* temporal."

Agachados — *com:*

"Deixa de agachados *com* esse pé-rapado." (J. Américo de Almeida, *A Bagaceira,* 86.)

Agachamento — *a:*

"É vergonhoso seu agachamento *aos* superiores."

Agarrado — *a, com, em, por:*

"Cardos agarrados *a* pedras ao modo de tentáculos constritores." (E. da Cunha, *Os Sertões,* 254.) "Parece que ele percebeu a minha intenção e, de um salto, já estava agarrado *ao* fio, que arrancou num gesto brusco." (Gastão Cruls, *História Puxa História,* 160.) "Por estar agarrado *à* vida, chegou até a levar ao cemitério dois dos padres que se haviam prendido à esperança de valiosa recordação." (Taunay, *Inocência,* 28.)

"A alface, quando está agarrada *com* o chão." (Dic. de Fr. D. Vieira.) "Em seus momentos de dor, está sempre agarrado *com* Deus."

"E logo, largando as rédeas da mão e os pés dos estribos, foi o cavalo pelos ares, ... ficando o português agarrado *no* ramo." (Dic. de Fr. D. Vieira.)

"Aqui e ali, agarrado *pelos* espinhos que lhe puxavam as vestes, ... colheu o moço uma braçada de rosas." (Afrânio Peixoto, *A Esfinge,* 51.) "O abade trazia-a agarrada *pelo* braço." (Herculano, *Monge de Cister,* I, 21.)

Agarramento — *a, com:*

"Agarramento *ao* dinheiro." "Seu agarramento *à* prima está provocando comentários."

"É assunto de toda a vila o agarramento da professora *com* o jovem advogado."

Agastado — *com, contra, de, pelo:*

"E saí, agastado *com* Madalena." (Graciliano Ramos, *S. Bernardo,* 158.) "Agastado *com* saudades." (Fr. D. Vieira.)

"Está sempre agastado *contra* a mulher e os filhos."

"Venho agastado *da* jornada, e digo-vos, em amizade, que bebia agora com mais gosto uma vez de vinho." (Rebelo da Silva, *Contos e Lendas,* 185.)

"João de Lima, apesar de agastado *pelo* final da conversa, saboreou o dito ciumento do comendador." (Xavier Marques, *As Voltas da Estrada,* 53.)

Agastamento — *com, contra:*

"Durou pouco seu agastamento *com* o empregado."

"É incompreensível o agastamento desse aluno *contra* quase todos os companheiros."

Ágil — *de, em:*

"É um jogador ágil *de* mãos."

"Não me pareces muito ágil *em* esgrima."

Agilidade — *de, em:*

"Agilidade *de* correr e saltar." (Vieira, *apud* Morais.) "Agilidade *de* mãos; agilidade *de* movimentos." (Dic. de Morais.)

"Aquela sua agilidade *no* perceber e discorrer, em que (as mulheres) nos fazem vantagens, é necessário temperá-la com grande cautela." (D. Francisco M. de Melo, *Carta de Guia dos Casados,* 80.)

Agitado — *com, de, em, por:*

"Que tens tu? .... Pareces-me extraordinariamente agitada *com* a vista do cordão!" (Camilo, *As Três Irmãs,* 105.)

"Seu honrado lar tranqüilo era a calma na sua vida de artista, tantas vezes agitada *de* ansiedades, *de* contrariedades." (Antero de Figueiredo, *Amor Supremo,* 217.)

"Os dias sucediam-se agitados *numa* larga movimentação de multidões ruidosas, turbilhonando nas ruas e nas praças." (E. da Cunha, *Os Sertões*, 489.)

"O arroio límpido da sua ventura entrara outra vez no leito donde saíra agitado *pela* tempestade de alguns dias." (Camilo, *Mistérios de Lisboa*, III, 62.) "O sul usa carapuça garrida de cores, agitada *pelo* vento." (Antero de Figueiredo, *Jornadas em Portugal*, 30.)

Aglutinação — *a, com:*

"Aglutinação de um elemento *a* outro."

"Em 'aguardente' houve aglutinação de 'água' *com* 'ardente'."

Aglutinado — *a, com:*

"Vocábulo aglutinado *a* outro ou *com* outro."

Agoniado — *de, por:*

"Os grandes olhos agoniados *de* raiva, as narinas abertas, a boca hiante a remugir fúrias." (Antero de Figueiredo, *Jornadas em Portugal*, 25.) "Famintos e agoniados *de* sede." (E. da Cunha, *Os Sertões*, 482.)

"O rapaz ficou agoniado *por* uma simples brincadeira."

Agraciado — *com:*

"No mesmo dia 2, de dezembro de 1804, ... é agraciado (Montfort) *com* o título de gentil-homem." (Camilo, *Livro Negro*, 75.) .

Agradado — *de:*

"E Lília sorria feliz, como agradada *do* viver agreste." (C. Neto, *Imortalidade*, 264.)

Agradável — *a, de, para:*

"Donde ficou o Santo entendendo ser aquele canto agradável *a* Deus e *aos* santos anjos." (Dic. de Fr. D. Vieira.) "Observou Pinto da Silva, aproveitando mostrar-se agradável *ao* chefe." (Alberto Rangel, *Fura-Mundo*, 18.) "Dá-se que elas são agradáveis *a* outros." (Afrânio Peixoto, *A Esfinge*, 187.)

"Serviço agradável *de* fazer."

"Deu-se uma ocorrência agradável *para* Moisés." (Camilo, *Mistérios de Lisboa*, II, 73.) "A vida na Europa ou no Rio deve ser, de fato, muito agradável *para* os que não têm o que fazer." (Afrânio Peixoto, *A Esfinge*, 227.)

Agradecido — *a, de, por:*

"Já desde muito menina, mostrara-se pouco agradecida *a* carícias." (Camilo, *As Três Irmãs*, 57.) "Lançou bando que todos os súditos do seu império, agradecidos *às* mercês com que os deuses imortais os favoreciam lhes viessem oferecer sacrifício público." (Vieira, *Sermões*, IX, 115.) "De qualquer maneira, estou agradecida *ao* senhor." (Graciliano Ramos, *S. Bernardo*, 115.)

"Por el-rei seu senhor ser um príncipe muito agradecido *de* benefícios." (Dic. de Fr. D. Vieira.)

"Jorge, agradecido *pelos* cuidados dela pela tia Virgínia, pagou-lhe um quarto no hospital." (Eça, *O Primo Basílio*, 90.) "Como não é possível que, quando não amamos a Deus pelo que Ele é em si mesmo, ao menos lhe não sejamos agradecidos *pelo* que é para nós outros?" (Bernardes, *apud* Mário Barreto, *Através do Dicionário e da Gramática*, 254.) "Paulo não soube como responder, senão estendendo-lhe a mão, dando na franqueza do gesto todo o coração agradecido *por* esse carinho diligente." (Afrânio Peixoto, *A Esfinge*, 138.)

Agradecimento — *a, de por:*

"Sempre demonstrou profundo agradecimento *a* seu benfeitor."

"Aos quais ele respondeu dando-lhe agradecimentos *da*quela oferta." (Dic. de Fr. D. Vieira.)

"Faltou-me força para contrariar o pedido de um amigo, a quem tudo se deve em agradecimento *pela* sua obra." (Aires M. M. Filho, no prefácio ao "Dicionário de Verbos e Regimes" de F. Fernandes.) "Aceite, pois, os meus agradecimentos *pela* estimável fineza." (Rui, *Cartas Políticas e Literárias*, 60.)

Agrado — *a, de, para, por:*

"Seu agrado *às* crianças tornou-a estimada de todos."

"Só *do* homem, que é a mais perfeita das vossas obras, não mostrais agrado." (Vieira, cit. da *Encicl. Port.*)

"No semblante de Alfredo Grassiot via Flávia um ar de agrado *para* Carlota, de severidade para Ernesto." (Camilo, *A Enjeitada*, 164.)

"Às mulheres não era permitido fazer qualquer ruído quando comiam, mas os homens deviam demonstrar seu agrado *pela* comida de seu anfitrião, arrotando." (*Maravilhas do Conhecimento Humano*, I, 88.)

Agravado — *de, em, por:*

"Incutia (a parte) nos que a liam o pensamento de uma hecatombe, ulteriormente agravada *de* outras informações." (E. da Cunha, *Os Sertões*, 364.)

"Cortados no salário, agravados *no* trabalho, mortificados no custo da vida." (Rui, *Campanha Presidencial*, 74.)

"Estas novas, porém, baralhavam-na sem número de versões contraditórias agravadas *pelos* interesses inconfessáveis de uma falsa política." (E. da Cunha, *Os Sertões*, 237.) "Ia imbele, arriscado a semelhantes perigos, ainda por cima agravados *pela* intervenção do governo, o qual por todos os modos tentaria botá-lo no fundo de uma enxovia." (Alberto Rangel, *Fura-Mundo*, 192.)

Agravo — *a, de, em:*
"O juiz considerou a frase como um agravo *ao* tribunal." "Era o homem dos mistérios, das surpresas e das idéias extravagantes, seja dito sem agravo *aos* seus pecados." (M. de Assis, *Contos Fluminenses*, 69.)
"Agravo *de* petição." (Aulete.)
"Agravo *no* auto do processo." (Idem.)

Agregação — *a:*
"Sua agregação *ao* exército é muito recente."

Agregado — *a, por:*
"Soldados agregados *a* um corpo." "Viajavam como expressos e pajens ou trabalhavam agregados *aos* misteres da cozinha." (Xavier Marques, *As Voltas da Estrada*, 24.)
"Mobilização formidável impelida e agregada *pela* ação dum ideal nobre." (Ricardo Jorge, cit. de *Encicl. Port.*)

Agressão — *a, contra, de:*
"Não se justifica essa agressão sistemática da oposição *aos* atos do governo."
"Continuam com ininterrupta violência as agressões *contra* mim. (Rui, *Queda do Império*, I, 259.) "Recordaram todas as precedentes agressões que o réu fizera *contra* o autor." (Camilo, *O Bem e o Mal*, 193.)
"Alberto de Magalhães, preparado para evitar qualquer agressão *do* seu facinoroso colega do mar, seguiu o sacerdote." (Camilo, *Mistérios de Lisboa*, II, 216.)

Agressivo — *contra:*
"Eu andava indignado com as perfídias de Nazaré, e não podendo vingar-me dele, mais de uma vez me havia tornado agressivo *contra* o Dr. Castro, que se defendia mal." (Graciliano Ramos, *Caetés*, 258.)

Agrilhoado — *a:*
"O elemento africano de algum modo estacou nos vastos canaviais da costa, agrilhoado *à* terra e determinando cruzamento de todo diverso do que se fazia no recesso das matas." (E. da Cunha, *Os Sertões*, 31.) "Agrilhoado da fome *à* lúgubre corrente." (Guerra Junqueiro, *O Fiel*.)

Aguado — *de:*
"O coronel, com os olhos, súbito, aguado *de* lágrimas, sentou-se com violento esforço." (Camilo, *A Enjeitada*, 15.)

Aguçado — *com, por:*
"Esses discípulos, aguçada a curiosidade *com* as repetidas e animadas descrições das grandes cenas da natureza, num belo dia desertam da casa paterna." (Taunay, *Inocência*, 12.)
"Apetite aguçado *pelo* cheiro das iguarias."

Agudeza — *de, em:*
"Agudeza *de* engenho." (Morais.) "Agudeza *da* enfermidade."
"Tal agudeza *nos* olhos, *no* ouvir...." (Dic. de Morais.)

Agudo — *de:*
"Produzimos todavia .... um preceptista agudo *de* arte, um evangelista da Renascença italiana." (Ricardo Jorge, *Sermões dum Leigo*, 195.)

Aguilhoado — *de, por:*
"D. Martinho, aguilhoado *de* vergonha, não da sua consciência, mas de dois homens que o consideravam corajoso, levantou a voz." (Camilo, *Mistérios de Lisboa*, I, 203.)
"Outros, aguilhoados *pela* sede, mal extinta nas águas impuras das almácegas sertanejas...., batiam afanosamente os desvios." (E. da Cunha, *Os Sertões*, 479.) "E ficaria a prosar sobre o caso, se o Coqueiro, aguilhoado *pela* ausência do almoço, não o arrancasse dali." (Aluísio Azevedo, *Casa de Pensão*, 240.)

Ajaezado — *de:*
"Cinco lacaios de libré verde e galões de prata conduzem outros tantos ginetes à mão, ajaezados *de* arreios cravejados de pedraria." (Camilo, *Perfil do Marquês de Pombal*, 27.) "Aquilão ajaezado *de* negras plumas." (Dic. de Morais.)

Ajeitado — *a, com, para, por:*
"Capa ajeitada *aos* ombros." "Linguagem ajeitado *ao* assunto."
"A criança não parece bem ajeitada *com* o novo traje."
"Ajeitado *para* certos trabalhos." (Fr. D. Vieira.)
"Neste alto, está um rochedo, a pender sobre uma gruta de laje, ajeitada *pela* natureza, e conhecida dos pastores como guarida segura das trovoadas." (Camilo, *O Bem e o Mal*, 59.)

Ajoelhado — *a, ante, em, sobre:*
"E Deus, do seu trono de misericórdia, devia ver com piedade aquelas três mulheres ajoelhadas *à* sua imagem, e rojando a face no chão." (Camilo, *As Três Irmãs*, 290.)
"Ajoelhada *ante* o ministro do sacramento, com tanta humildade e rubor de pejo o fez, que bastaria vê-la assim num painel para amá-la." (Camilo, *As Três Irmãs*, 43.)
"D. Antônia, que eu deixei ajoelhada *no* oratório, seria a única que ouviu os passos cautelosos do padre." (Camilo, *Mistérios de Lisboa*, I, 210.) "Açucena, ajoelhada *no* seu oratório, pedia ao espírito de Bernabé Trigoso que não desamparasse o desgraçado." (Idem, *A Neta do Arcediago*, 103.)
"Ajoelhados *sobre* a rocha." (E. da Cunha, *Os Sertões*, 181.) "Isto que vê.... estou ajoelhado *sobre* a minha sepultura." (Camilo, *Mistérios de Lisboa*, II, 116.)

Ajoujado — *com, de:*
"Monte Maior merecia ser ajoujado *com*

D. Jerônimo Correia.'' (D. Francisco M. de Melo, *Apólogos Dialogais,* 345.) ''Topavam grupos sucessivos de fiéis que seguiam, ajoujados *de* fardos, carregando as mobílias toscas.'' (E. da Cunha, *Os Sertões,* 183.)

Ajuda — *a, de, em:*
''Sua ajuda *aos* dois comerciantes salvou-os da falência.''

''Na minha viva devoção à nossa língua e para vir em ajuda *de* todos os que pensam como eu que é indispensável conhecer o português....'' (Mário Barreto, *Através do Dicionário e da Gramática,* 7.) ''Sozinho, com a ajuda *de* seu cavalo, derrota o inimigo e o persegue até dentro dos muros da cidade.'' (*Maravilhas do Conhecimento Humano,* II, 83.)

''Ele, ajuda certa do maioral *na* guarda do bardo com seu cabresto, ovelhas e cria.'' (Antero de Figueiredo, *Jornadas em Portugal,* 41.)

Ajudado — *com, de, por:*
''Beleza ajudada *com* enfeites.'' (Morais.)
''A vitória de um punhado de paulistas, ajudados *de* Deus, desde que pegasse o rastilho da bernarda, traria ao Brasil a independência para seu filhos.'' (Alberto Rangel, *Fura-Mundo,* 100.) ''Em matéria de léxicons latinos tinha comigo o de Saraiva, que, ajudado *da* minha memória e *dos* meus estudos anteriores, era tudo o que me estava à mão.'' (Rui, *Réplica,* 171.)

''O vaqueiro do S. José, ajudado *pela* ternura paterna, foi, a pouco e pouco, cedendo, e dando a Bugrinha a liberdade ampla que exigia seu temperamento.'' (Afrânio Peixoto, *Bugrinha,* 60.) ''Eis as circunstâncias que, ajudadas *pelos* desvarios da filha de Afonso VI, converteram o reinado num dos mais desastrosos períodos de desordens, de rebeliões e de guerras.'' (Herculano, *O Bobo,* 9.)

Ajuntamento — *a, com:*
''Ó minha santa mãe, abençoai-nos neste último ajuntamento *à* mesa onde o pão era tão amargurado para quem no-lo dava, e tão doce para nós, pobrezinhas, que o recebíamos.'' (Camilo, *As Três Irmãs,* 198.)

''Os vizinhos vivem a reprovar o ajuntamento dela *com* o jovem militar.''

Ajustado — *a, com, entre:*
''Eulália não ouvira as últimas frases daquelas explicações pouco ajustadas *aos* seus quinze anos.'' (Camilo, *As Três Irmãs,* 74.) ''Ajustado *às* máximas da virtude.'' (Morais.)

''Este desenlace era o menos ajustado possível *com* os seus cálculos.'' (Camilo, *Mistérios de Lisboa,* III, 123.) ''Ajustado *com* a razão.'' (Morais.)

''O casamento de sua filha convosco, ajustado *entre* ele e vosso pai, devia ainda tornar mais robusta a amizade inalterável de tantos anos.'' (Herculano, *O Monge de Cister,* I, 26.)

Ajustamento — *a, com, entre:*
''Ajustamento da linguagem *ao* assunto.''
''Ajustamento do enfeite *com* a fazenda.''
''Ajustamento *entre* pareceres diversos.'' (Morais.)

Ajustável — *de:*
''O sertanejo .... reflete, na índole e nos costumes, das outras raças formadoras apenas aqueles atributos mais ajustáveis *à* sua fase social incipiente.'' (E. da Cunha, *Os Sertões,* 112.)

Ajuste — *com, de:*
''Ajuste *de* contas *com* os adversários do 'Método Português'.'' (Dic. de Morais.)

Alagado — *com, de, em, por:*
''O mundo alagado *com* o dilúvio universal.''

''E para além, charnecas alagadas *de* tinta, sem luzes, sem perspectivas.'' (Fialho de Almeida, *Os Gatos,* 71.) ''As adjacências das bocas-de-fogo, alagadas *de* lavas, cinzas e outras matérias vulcânicas.'' (Dic. de Morais.) ''Abriu-se a porta da albergaria, e entrou Brites com a face alagada *de* suor e lágrimas.'' (Camilo, *O Bem e o Mal,* 185.)

''D. Balbina já estava preocupada com a demora e, quando o viu entrar, alagado *em* suor, preveniu-o.'' (C. Neto, *Treva,* 101.)

''Planícies alagadas *pelas* cheias.''

Alanceado — *com, de, em, por:*
''Alma alanceada *com* o espinho do remorso.''

''Peito alanceado *de* mortais agonias.'' (Camilo, *O olho de Vidro,* 140.)

''Era o mesmo Deus descarnado e lívido, alanceado *no* coração, pregado na cruz e exposto no altar.'' (Ramalho Ortigão, *apud* L. Freire.)

''Alanceado impiedosamente *pelos* cavaleiros.''

Alargado — *com:*
''Quando ele surgiu na praça da cidade embarrilado no próprio ádipe, o rosto excessivamente vultuoso e alargado *com* os suplementos do papo e da façoila escarlate, vinha montando um robusto quartau.'' (Xavier Marques, *As Voltas da Estrada,* 23.)

Alarmado — *com:*
''Alarmados *com* o furioso ataque dos animais, deram imediatamente pela traça.'' (C. Neto, *Imortalidade,* 141.) ''Despertaram alarmados *com* o baque de um corpo que, entre medonhos gritos, rolava pela escada do segundo andar.'' (Aluísio Azevedo, *Casa de Pensão,* 204.)

Alastrado — *de, em, por, sobre:*
"Campo *de* moitas alastrado." (Dic. de Morais.)
"Enovelamentos aglomerados a rolar num lago de vermelhão alastrado *em* tiras de púrpuras luminosas." (Antero de Figueiredo, *Jornadas em Portugal,* 96.)
"Epidemia alastrada *por* toda a região."
"Nódoa alastrada *sobre* a superfície."

Albardado — *com:*
"Negrotes albardados *com* roupas usadas dos senhores, choutavam em sendeiros, com os cavalos de sela pelo cabresto." (Xavier Marques, *As Voltas da Estrada,* 16.)

Alcançado — *com, de, em, por:*
"Prateleira alcançada *com* a mão." "Prêmio alcançado *com* uma obra sobre psicologia."
"Alcançado *do* sono." (Morais.)
"Comerciante muito alcançado *em* dívidas."
"Continuou a andar, olhando vagamente para tudo, mas já alcançado *pela* curiosidade alerta das pequenas cidades." (Afrânio Peixoto, *A Esfinge,* 230.) "Lanceiros, gendarmes, lacaios, transeuntes, alcançados todos *pela* ação exterminadora das bombas." (Rui, *Cartas Políticas e Literárias,* 231.)

Alcandorado — *em, sobre:*
"Saia ela, pois, alcandorada *no* seu posto, à larga publicidade." (Rui, *Colunas de Fogo,* 108.) "Não tinha ângulo morto a espingarda do atirador alcandorado *em* suas cimalhas espessas, em que só faltavam planos de fogo de canhoneiras, ou recortes de ameias." (E. da Cunha, *Os Sertões,* 399.)
"Deixa as regiões alpestres, cidades alcandoradas *sobre* serras, refletindo o arrojo incomparável das bandeiras." (Idem, *ibidem,* 100.)

Alcatifado — *de:*
"O chão estava alcatifado *de* flores." (C. Góis, *Sintaxe de Regência,* 96.) "Lançou os olhos para o parque e o viu alcatifado *de* erva daninha e ingrata." (J. F. Lisboa, *apud* L. Freire.)

Alcunhado — *de:*
"Alcunhado *de* ladrão." (Fr. D. Vieira.) "Alcunhadas (as festas) *de* opíparas nos anúncios das companhias de caminhos de ferro." (Fialho de Almeida, *Os Gatos,* 85.)

Alegrado — *por:*
"Felizmente seu último ano de vida foi alegrado *por* estranha alucinação." (*Maravilhas do Conhecimento Humano,* II, 95.)

Alegre — *com, de:*
"Mostrou-se muito alegre *com* a notícia."
"Ficou alegre *de* tornar a ver a cidade natal."

Alegria — *de, em, por:*
"Era a paixão cinegética desperta na demência do cérebro, manifestando-se exteriormente pela selvagem alegria *de* matar." (Gustavo Barroso, *Terra de Sol,* 137.) "Revolvia todas essas caras lembranças, detida e docemente, com a alegria *de* achar ainda dentro de si a criança meiga e sensível que fora...." (Afrânio Peixoto, *A Esfinge,* 272.)
"E que direi eu da sua alegria *no* trabalho? Jamais uma nuvem de enfado, um trejeito de aborrecimento, um visível desejo de repouso!" (Camilo, *As Três Irmãs,* 65.)
"A tua docilidade encheu-me de orgulho e alegria, orgulho por ter tal filho, alegria *por* ver tão galardoados os meus sacrifícios." (Camilo, *Cenas da Foz,* 208.)

Aleive — *contra:*
"Outro aleive *contra* a verdade material dos textos." (Rui, *Réplica,* 460.)

Alento — *a, entre, para:*
"Vê a família sertaneja .... orando pelas almas dos mortos queridos, ou procurando alentos *à* vida tormentosa." (E. da Cunha, *Os Sertões,* 142.)
"Diziam-no as notícias supervenientes da sede das operações, acordes todas no indicarem maior alento *entre* os sitiantes." (E. da Cunha, *Os Sertões,* 530.)
"Acolhe-se ao sombreado retiro, ... entregando-se sem demora ao sono reparador que lhe trará novo alento *para* prosseguir na cansativa jornada." (Taunay, *Inocência,* 7.) "O inimigo ali constrito não tinha mais alentos *para* aventurosas algaras nos caminhos." (E. da Cunha, *Os Sertões,* 541.)

Alfinetada — *em:*
"Uma alfinetada *no* estômago trouxe-o à realidade." (Gustavo Barroso, *A Ronda dos Séculos,* 120.)

Alfinetado — *por:*
"Alfinetado *por* uma dessas interrogações, o meu cérebro já não tinha mais sossego." (Gastão Cruls, *Ao Embalo da Rede,* 129.)

Algoz — *de, para:*
"Os antigos mestres-escolas eram algozes *das* crianças." (Fr. D. Vieira.)
"Os outros têm sido *para* mim algozes." (Camilo, *A Neta do Arcediago,* 101.)

Alheado — *a, de:*
"A glória que ele associava à rude paixão da vingança, trazia-o alheado *a* todas as outras ambições." (Camilo, *Livro Negro,* 64.)
"Começo uma leitura, e passo páginas e páginas inteiras tão alheado *do* texto, como um homem que atravessa uma rua conhecida sem atentar nas casas, indiferente a tudo." (C. Neto, *A Cidade Maravilhosa,* 34.) "Sebastião de Melo, como alheado *de* si, febricitante e extenuado, retirou maquinalmente." (Camilo, *Mistérios de Lisboa,* II, 117.)

Alheamento — *a, de:*

"É estranhável seu alheamento mesmo *a*os negócios que mais de perto lhe interessam." "O rei decretou alheamento *d*o voto do Penaguião em negócios tocantes aos de Sousa." (Camilo, in Dic. de Morais.) "Quero manter-me em completo alheamento *d*os assuntos políticos."

Alheio — *a, de:*

"Alheio *a* tudo." (E. Carneiro Ribeiro, *Serões Gramaticais,* 676.) "E vendo que Luísa parecia alheia *a*o nome, *a*o indivíduo...." (Eça, *O Primo Basílio,* 255.) "Os três primeiros desses artigos se referem a sociedades, secretas, tópico alheio *a*o assunto." (Rui, *Queda do Império,* I, 96.)

"Alheio *de* tudo." (E. Carneiro Ribeiro, *Serões Gramaticais,* 676.) "A espaços, Frei Gaspar desvariava por assuntos alheios *d*a palestra." (Camilo, *A Filha do Regicida,* 51.) "Assentai agora no trono um príncipe sem instrução, tão alheio *d*os interesses como *d*a índole de seus povos." (Rui, *Queda do Império,* I, 113.)

Aliado — *a, com:*

"Aliado *a*o meio, vence-o, esmaga-o, anula-o." (E. da Cunha, *Os Sertões,* 79.) "O minuano, nome de tribo aliada *a*os charruas, o vento que parece vir da região andina...." (João Ribeiro, *Curiosidades Verbais,* 178.)

"Aliado *com* essas duas grandes potências, não poderia jamais ser derrotado." "Eis aqui pôs o inferno, aliado *com* o mundo, todo seu esforço para contrastar a religião cristã." (Bernardes, cit. de Morais.)

Aliança — *a, com, contra, de, entre:*

"Não os escandecia em raptos poéticos essa vulgar e material aliança *de* filhos *a* pais." (Camilo, *Boêmia do Espírito,* 186.)

"O fèudalismo civil não se sustentou senão pela aliança cordial *com* a monarquia." (Rui, *Queda do Império,* I, 162.) "Pergunta-se pelas suas alianças morais *com* a sociedade que o envolve, e encontra-se o enredo." (Idem, *ibidem,* I, 263.) "Revelou-lhes o segredo de sua aliança *com* a mãe de seus filhos." (Camilo, *A Enjeitada,* 132.) "Abjurar as desconhecidas alianças do coração *com* o mundo, e aceitar as que atam o coração ao mundo com o laço da caridade evangélica." (Camilo, *O Bem e o Mal,* 56.)

"A Inglaterra compusera, em Argel, em 1840, a aliança da Europa continental *contra* Luís Filipe." (Rui, *Colunas de Fogo,* 208.)

"A aliança *d*os dois poderes temporal e espiritual tem dado lugar a muitas discussões." (*Enciclopédia e Dicionário Internacional.*) "Uma aliança *de* duas nações contraída para oprimirem a outra é ilegítima." (Mário Barreto, *Cartas Persas,* 199.)

"Aliança *entre* a Argentina, o Brasil e o Chile." "O Eterno proscreve na sua cólera este pecado tão abominável, que rompe toda a aliança *entre* Deus e o homem." (Monte Alverne, *Obras Oratórias,* I, 60.)

Alicerçado — *em:*

"A ditadura baseia-se na histeria; a democracia parece estar alicerçada *n*a razão." (*Maravilhas do Conhecimento Humano,* I, 100.)

Aliciação — *contra, para:*

"Mas o que nunca se imaginara .... é que o Imperador embarcasse em pessoa nas aliciações dos seus conselheiros *contra* a sinceridade do escrutínio." (Rui, *Colunas de Fogo,* 10.)

"A aliciação *para* fins condenáveis é punível por lei."

Aliciado — *por:*

"Os populares entenderam que aquilo era festa. Aliciados *pel*o prazer dos nobres rapazes, acabaram também eles formando um préstito." (Xavier Marques, *As Voltas da Estrada,* 128.)

Alienado — *de:*

"Muitas vezes lhe aconteceu arrebatar-se subitamente, e ficar alienado *de* todos os sentidos." (Dic. de Fr. D. Vieira.)

Alimentação — *com:*

"A alimentação *com* frutas e leite é a mais recomendada pelos médicos."

Alimentado — *a, com, de, em, por:*

"Rudes e amoráveis, alimentados *a* centeio e água de rocha, mostrava dentuça alva de feras." (Aquilino Ribeiro, *Andam Faunos,* 46.)

"Eu o tenho feito com ser homem criado entre incrédulos e alimentado *com* o mau leite dum século que nos ensina a fatal máxima: — é nobre o morrer quando a vida nos desonra." (Camilo, *Livro Negro de Padre Diniz,* 255.)

"Espírito alimentado *de* ódios." "Um tanque alimentado *d*a água de uma fonte." (Dic. de Morais.)

"O governo é a parte mínima do organismo social, hipertrofiada e alimentada *n*os seus vícios *pel*a degenerescência das outras." (Rui, *Queda do Império,* I, 24.)

"Imaginações doentias, ou convenções interesseiras podem .... continuar a ver nas senzalas aluídas símbolos persistentes da opressão, alimentada *pel*o culto do despeito." (Rui, *Queda do Império,* I, 200.) "Num lampadário argênteo, suspenso do teto e constantemente alimentado *por* um azeite virgem, colhido nos olivedos florentinos, fulgura uma chama imperecível." (João Grave, *Os Vivos e os Mortos,* 199.)

Alinhado — *com, em:*
"A régua esteja alinhada *com* a linha." (Dic. de Morais.)
"Alinhados *em* nuvens pardacentas, quais longas serpes coleando iradas." (A. Porto Alegre, *apud* L. Freire.)

Alistado — *a, em, entre:*
"A lei de Lynch, alistada *ao* serviço dos partidos, consumou impunemente, com a notória proteção dos interesses dominantes, uma das mais horrendas cenas de sangue registradas nos anais da nossa ferocidade." (Rui, *Colunas de Fogo,* 167.)
"Era um lavrador de grandes bens, com um filho único, alistado nesse tempo *no* batalhão acadêmico." (Camilo, *As Três Irmãs,* 23.) "Para compor algumas companhias alistadas *no* homicídio, não faltarão janízaros negros, como não faltam janízaros brancos." (Rui, *Queda do Império,* I, 136.)
"Alistado *entre* os voluntários." "Na multidão de sábios, que ilustraram essa antiga civilização egípcia, muitos podem ser alistados *entre* os maiores bruxos de todos os tempos." (*Maravilhas do Conhecimento Humano,* I, 231.)

Alistamento — *em:*
"Seu alistamento *no* exército veio prejudicar-lhe os estudos."

Aliviado — *com, de:*
"Sentiu-se mais aliviado *com* aquela notícia."
"Hoje a política se sente aliviada *de* uma concorrência formidável." (Rui, *Colunas de Fogo,* 117.) "Ou a duquesa se julga aliviada *da* culpa indireta da morte de Lacroze; ou tem esperanças de encontrá-lo um dia para lhe provar que o não esqueceu." (Camilo, *Livro Negro,* 149.)

Alívio — *a, de, para:*
"Era sessenta e duas vezes menos, dez mil contos, o que lhe concediam, para alívio *à* sua fome." (Rui, *Colunas de Fogo,* 205.) "Cinco libras de drogas avariadas e provisãozinha de religião barata, para alívio *aos* cativos." (Idem, *Discursos e Conferências,* 77.)
"O levantar os olhos ao céu é alívio *do* coração." (Dic. de Morais.) "Avezou-se a quebrar o sono, que é grande parte da sustentação da vida, e alívio *de* quem trabalha." (Fr. L. de Sousa, *apud* Mário Barreto, *Através do Dicionário e da Gramática,* 98.) "Bastar-me-á para alívio *de* remorsos o que padeci antes do insulto." (Camilo, *A Enjeitada,* 215.)
"Flávio e Mário eram acordes na adoção desse processo, que se lhes afigurava humano ante a desumanidade de ver infernados num círculo de torturas quantos ainda não lograram da ciência alívio *para* seus males." (Gastão Cruls, *Ao Embalo da Rede,* 41.)

Aljofrado — *de:*
"Romana, sempre roliça, com os cabelos duros de pomada cheirosa, aljofrada *de* empolas de suor adiposo." (Domingos Olímpio, *Luzia-Homem,* 141.)

Almejado — *de:*
"A catástrofe, tão almejada *de* Guilherme Lira, rematava assim na rua." (Camilo, *O Bem e o Mal,* 150.)

Alquebrado — *com, de, por:*
"Frouxo e alquebrado *com* o peso dos anos." (J. F. Lisboa, *apud* L. Freire.)
"Alquebrado *de* forças, pegava no sono para, instantes depois, acordar sobressaltado e cada vez mais abatido." (Taunay, *Inocência,* 119.) "Andavam por ali dispersos, avelhentados, a dizerem missas a tostão, tão alquebrados *de* ânimo, como se já as dissessem por suas próprias almas." (Camilo, *As Três Irmãs,* 283.) "Supondo-a alquebrada *de* coração, veio sentar-se junto dela e cercá-la de galanteios." (Antero de Figueiredo, *Amor Supremo,* 138.)
"Andrade Figueira, ... já alquebrado *pela* idade, esperara de pé durante seis horas para votar em Rui." (Luiz Viana Filho, *A Vida de Rui Barbosa,* 253.)

Alteado — *em, sobre:*
"Alteado *em* reputação, *em* virtude."
"A velha capital com seu aspecto antigo, alteada *sobre* a montanha, ... aparecia-lhes como uma ampliação da terra sertaneja." (E. da Cunha, *Os Sertões,* 370.)

Alteração — *de, em:*
"O estudo das alterações fonéticas *do* português deve partir do latim vulgar." (Júlio Nogueira, *O Exame de Português,* 63.) "A verdade é que basta uma leve alteração *da* idéia para impor novas e diversas alterações da voz." (João Ribeiro, *Curiosidades Verbais,* 114.)
"Houve alteração *nos* fonemas do dativo." (Idem, *ibidem,* 171.) "Deu-se uma notável alteração *nos* sintomas." (Camilo, *A Neta do Arcediago,* 75.) "Há quinze anos que não sinto alteração *nos* meus padecimentos." (Idem, *Mistérios de Lisboa,* 109.)

Alterado — *com, de, por:*
"Alteradas então do reino as gentes *co'* ódio que ocupados os peitos tinha...." (Camões, *Os Lusíadas,* IV, 4.) "Alterados *com* a vitória." (Morais.)
"Alterado *de* paixões, cólera, ira." (Morais.) "Vinham alterados *de* sede e, sem uma palavra, estiravam-se de bruços a beber no córrego." (Aquilino Ribeiro, *Andam Faunos,* 61.)
"Plano alterado *por* circunstâncias imprevistas."

Altercação — *com, entre:*
"Teve uma séria altercação *com* o chefe."

"Houve ligeira altercação *entre* eles." "— Quer V. S. ler, a ocultas de sua esposa, um modelo de altercação, *entre* marido e mulher ....?" (Camilo, *Boêmia do Espírito*, 151.)

Alternado — *com, de, em, por:*

"Tem configuração retangular, ... e panos de espelho alternado *com* almofadas." (Fialho de Almeida, *Os Gatos*, 261.)

"Alternado *de* bens e males." (Constâncio.)

"Negros dias alternados *no* bem e *no* mal." (Morais.)

"Raro será o peito de hòmem, onde não bata apressado o coração, que deixa, na pátria, uma infância com recordações suaves, ou uma adolescência alternada *por* prazeres e amarguras." (Camilo, *A Neta do Arcediago*, 104.)

Altivez — *de:*

"Altivez *de* ânimo." (Morais.)

Alto — *de:*

"Era um rapaz bem apessoado, alto *de* corpo."

Alucinado — *com, de, por:*

"Ficou alucinado *com* o quadro que se lhe deparou."

"É que aos alucinados *do* poder falta quase sempre a toada funesta, mas salutar, do escravo romano junto ao carro do que os padres conscritos tinham julgado digno da maior das recompensas cívicas." (Rui, *Colunas de Fogo*, 182.)

"Seu marido, alucinado *pela* ciência, retirou-se cá de baixo tão alto, que não podia ver a terra onde a mulher vacilava ao pé de um abismo." (Camilo, *A Neta do Arcediago*, 8.) "Alucinado *por* quimeras e *por* idealismos, sem raízes na realidade universal." (João Grave, *Os Vivos e os Mortos*, 71.) "Saiu tonto, alucinado *por* uma visão intolerável..." (Afrânio Peixoto, *A Esfinge*, 388.)

Alugado — *a, por:*

"A casa alugada *aos* estudantes vai ser demolida."

"Tem uma das salas de frente alugada *por* duzentos cruzeiros."

Aluguel — *a:*

"O preço do aluguel *a* você não sofrerá alteração."

Aluído — *por:*

"As portas emperradas e o chão, aluídos *por* túneis de formigueiros, sinalavam longo abandono." (Domingos Olímpio, *Luzia-Homem*, 220.)

Alumiado — *de, em, por:*

"São Jerônimo, alumiado *d*aquela divina luz." (Sá de Miranda, *apud* L. Freire.)

"Alumiado *na* fé." (Dic. de Morais.)

"Há ingênuos painéis de azulejos com doces santos protetores, sempre alumiados *pela* lâmpada de azeite." (Antero de Figueiredo, *Jornadas em Portugal*, 18.) "Tal foi o prudente temor da Samaritana, desconfiando totalmente de poder converter a homens, sendo ela mulher, posto que tão alumiada *por* Cristo." (Vieira, *Sermões*, IX, 149.) "Remirava a janela alumiada *pelo* clarão do candeeiro, ao qual Casimiro estudava até duas horas da manhã." (Camilo, *O Bem e o Mal*, 148.)

Alusão — *a:*

"Numa clara alusão *às* enormes proporções e *à* fama do antagonista, Rui, sublinhou num tom causticante: ...." (Luiz Viana Filho, *A Vida de Rui Barbosa*, 67.) "Nota-se a cada passo uma alusão incisiva *à* bruteza das paragens." (E. da Cunha, *Os Sertões*, 57.)

Alusivo — *a:*

"A parte do discurso alusiva *ao* governo é muito violenta." "Ela relanceou a sacristia. Toda uma parede estava coberta de promessas — braços, pernas, ventres de cera, quadros alusivos *a* milagres." (C. Neto, *Treva*, 126.)

Alvejado — *a, por:*

"Levando às caras dois arcabuzes alvejados *a* tão valoroso peito, o derribaram logo morto." (Dic. de Morais.)

"E ao verem aqueles, que eram de preferência alvejados *pelos* últimos, caírem malferidos, não se comoviam." (E. da Cunha, *Os Sertões*, 353.) "Caindo, surpresos, numa tocaia ao transpor uma baixada, alvejados *por* um tiroteio subitamente partindo do alto, ... fizeram prodígios de equitação e bravura." (Idem, *ibidem*, 436.) "Riu a viúva sem resguardo, mas conteve-se logo, alvejada *por* toda a gente do Garnier, que a mirava impertinentemente." (Afrânio Peixoto, *A Esfinge*, 352.)

Alvitrado — *para, por:*

"Entre todas as reformas alvitradas *para* modificar o regime do escrutínio popular, ninguém cogitou, até hoje, em restaurar a eleição de dois graus." (Rui, *Queda do Império*, I, 425.)

"O expediente alvitrado *pela* maioria não era o melhor, mas foi aceito."

Alvitre — *para:*

"Alvitre *para* criminar e deitar a perder o grão-mestre dos templários." (Dic. de Morais.)

Alvo — *a, de; de, como, por:*

"Atado a uma árvore, serviu de alvo *a* uma nuvem de setas." (Dic. Acad. Lisb.)

"O alvo *das* paixões; o alvo *das* iras do povo." (Morais.)

"Serviu *de* alvo a uma nuvem de setas." (Dic. Acad. Lisb.)

"Os hereges têm tomado este divino sacramento *como* alvo de todas as suas sandices." (Idem.)

"Estava o calafate *por* alvo dos tiros do inimigo." (Dic. de Morais.)

Alvorecido — *de, entre:*

"Contemplava o mar alvorecido *do* astro das noites." (Castilho, in *Encicl. Portuguesa.*)

"Acabando no exílio e na obscuridade um reinado alvorecido *entre* as melhores esperanças." (Rui, *Queda do Império,* I, 216.)

Alvoroçado — *com, de, em, para:*

"Andava a terra alvoroçada *com* os milagres de Cristo." (Paiva, *apud* Morais.)

"Como pode haver tranqüilidade em um ambiente alvoroçado *de* espíritos?" (C. Neto, *A Cidade Maravilhosa,* 72.)

"Fora para o grupo de indivíduos, alvoroçados *n*esse espetáculo, um instante de verdadeiro estupor, quando compreenderam afinal o termo de todas essas cenas." (Alberto Rangel, *Fura-Mundo,* 78.)

"Alvoroçadas *para* a dança, *para* a função." (Morais.)

Alvoroço — *contra, de, em, por:*

"Alvoroço do povo *contra* alguém." (Morais.)

"O coração me quer saltar fora com o alvoroço *da* resposta." (Dic. de Morais.)

"— Beijo as mãos de V. Ex.ª — disse Ladislau, retirando-se com alvoroço tal *de* alegria, que a sua vontade era distanciar-se depressa." (Camilo, *O Bem e o Mal,* 98.)

"Receava que .... houvesse alvoroço *nos* chins." (Dic. Acad. Lisb.)

"Era a família, eram os criados, tudo em alvoroço *por* uma tesoura de unhas, um lápis, ... fosse lá o que fosse." (C. Neto, *A Cidade Maravilhosa,* 66.)

Amabilidade — *a, com, para com, sobre:*

"Agradeça ao Luís a amabilidade *à* sua cara." (Antero de Figueiredo, *Amor Supremo,* 37.)

"Mostrou amabilidade *com* todos."

"Não teve muita amabilidade *para com* a tia."

"Alguns lhe diziam amabilidades *sobre* a sua ausência, lastimada por todo o mundo." (Afrânio Peixoto, *A Esfinge,* 64.)

Amaciado — *com, por:*

"Cabelo amaciado *com* pomadas."

"O canto retardado dos galos, o ruído indistinto da vida que acorda, chegavam amaciados *pela* distância." (Afrânio Peixoto, *A Esfinge,* 220.)

Amado — *de, por:*

"É amado *de* todos." (Constâncio.) "Eu tenho hoje ódio a esse homem, porque me vejo amada *de* todas as pessoas, e aborrecida por ele." (Camilo, *A Neta do Arcediago,* 83.) "Tenho que ir ao templo render graças aos deuses, por meu irmão, que tão amado é *de* meu pai." (Mário Barreto, *Cartas Persas,* 28.)

"Ela se julga amada *por* ambos."

Amaldiçoado — *de, por:*

"Morreu amaldiçoado *de* todos."

"Antes de se separar irremissìvelmente da pátria, amaldiçoada *pelos* seus conterrâneos, ... esse infeliz passou pelos tratos do mais tremendo suplício conhecido na história das torturas morais." (Rui, *Cartas de Inglaterra,* 2.)

Amálgama — *com, de:*

"Amálgama *com* indivíduos de baixa espécie traz sempre más conseqüências."

"Homens de todas as cores, amálgama *de* diversas raças." (E. da Cunha, *Os Sertões,* 332.)

Amalgamado — *a, com:*

"Por figurar no 'a', amalgamado *à* preposição, o artigo feminino." (Rui, *Réplica,* 239.)

"Isso é como escória amalgamada *com* metal precioso."

Amaninhado — *por:*

"Atinge por fim as paragens pouco apetecidas, amaninhadas *pel*as secas, eleitas aos roteiros lentos e penosos." (E. da Cunha, *Os Sertões,* 100.)

Amante — *de:*

"Amante *dos* seus." (E. Carneiro Ribeiro, *Serões Gramaticais,* 674.) "Amante *do* trabalho." (Augusto Moreno, *Lições de Linguagem,* II, 27.) "Nunca fui muito amante *d*esse gênero de espetáculos." (Gastão Cruls, *História Puxa História,* 114.)

Amantético — *de:*

"Eusébio Macário informou o barão de que o padre tinha sido .... um dos amantéticos *de* Troncha." (Camilo, *Eusébio Macário,* 80.)

Amarelecido — *com, de, por:*

"Crônica excelsa, venerável nos coiros arregoados, nos fólios amarelecidos *com* o tempo." (Aquilino Ribeiro, *A Batalha sem Fim,* 102.)

"Ficou amarelecido *de* susto."

"Plantas amarelecidas *pela* seca." "Qual véu de cetim, amarelecido *pel*os anos, a pálida tez, sem sombra de carmim, encareciam a amargura que os olhos confessavam." (Camilo, *Livro Negro,* 96.)

Amarelido — *com, de, por:*

"Papel amarelido *com* o tempo."

"As vizinhas de Luísa deixaram de chamar a Flávia a 'fidalguinha' .... desde que a viram amarelida *de* fome e andrajosa." (Camilo, *A Enjeitada,* 107.)

"A criança, amarelida *pelo* susto, não podia articular palavra."

Amargado — *de, por:*

"A boca amargada *de* fel." (Vieira, *apud* Morais.)

"Vida amargada *pel*os desgostos."

Amargo — *a, de:*
"Mas o governo, dolorosamente surpreendido pela ameaça, amarga *aos* nossos brios, deu a ouvir a linguagem da lei contra a desordem." (Rui, *Cartas de Inglaterra,* 308.) "Comecei a saborear os livros que tão amargos *me* (= *a mim*) tinham sido." (Camilo, *Mistérios de Lisboa,* I, 30.)
"Afrontas amargas *de* sofrer."

Amargurado — *com, de, para, por:*
"Amargurada *com* a morte do pai, abandonou festas e reuniões sociais."
"Eliseu, amargurado *de* medo." (Dic. de Morais.)
"Deve ter sido tão amargurada a tua existência, filha!... E tão amargurada *para* nós ambos!" (Camilo, *Livro Negro,* 32.)
"Espírito amargurado *pela* dúvida."

Amarrado — *a, com, em, por:*
"Mas, amarrado *à* empreitada do Código Civil, eu teria que faltar a todos esses deveres." (Rui, *Cartas Políticas e Literárias,* 122.) "Cada um de nós os desta maruja que labuta na imprensa, amarrados *ao* poste do dever, ... levanta cotidianamente .... o brado implorativo da caridade ao povo e ao poder, aos indivíduos e às forças coletivas." (Idem, *Queda do Império,* I, 185.) "Mas o primeiro, amarrado *ao* livro, desfazia-se em suspiros." (Rebelo da Silva, *Contos e Lendas,* 275.)
"Volviam para o arraial, carregando aos ombros, em toscos pálios de giraus de paus roliços amarrados *com* cipós, os cadáveres dos mártires da Fé." (E. da Cunha, *Os Sertões,* 286.)
"Amarrado *no* pecado." (Morais.) "Amarrado *no* pecado, *nos* vícios." (Constâncio.)
"Dir-lhe-ia que sua filha, amarrada *por* ele *a* um poste de ouro, estava em circunstância de esmolar um bocado de pão." (Camilo, *Mistérios de Lisboa,* I, 113.) "Encontraram a barca amarrada *por* forte grilhão de loquete *ao* tronco dum amieiro." (Aquilino Ribeiro, *A Batalha sem Fim,* 62.)

Amassado — *com, em, por:*
"Comer o pão amassado *com* o suor do rosto." (Dic. de Fr. D. Vieira.) "Amassado *com* uma pilorada de quiri de sucupira." (Alberto Rangel, *Fura-Mundo,* 329.)
"A mesma lama que se espalhava grossa, densa, sob os pés, era vermelha como se fosse amassada *com* a sangueira do gado." (C. Neto, *Treva,* 79.)
"No seu semblante havia um ar de piedade tal, que dir-se-ia amassado *nele* como a bruteza *nas* rochas e a graça *em* certos passarinhos." (Aquilino Ribeiro, *A Batalha sem Fim,* 51.) "Legislavam para uma nacionalidade excepcional que fosse habitada por santos e não por criaturas amassadas *naquela* impura e grosseira argila a que alude o Gênesis." (João Grave, *Os Vivos e os Mortos,* 74.)
"Centenares de páginas amassadas e polidas, fumegantemente *pelas* mãos nervosas do romancista." (Idem, *ibidem,* 107.)

Amatolado — *com:*
"Almas camaradas e amatoladas *com* o diabo." (Dic. de Fr. D. Vieira.)

Amável — *a, com, de, para com:*
"Foi amável *a* todos." (Morais.)
"A corte de Mendonça não adiantava um passo; mas a viúva nunca deixou de ser amável *com* ele." (M. de Assis, *Contos Fluminenses,* 23.)
"O eleito de sua alma era um alferes de cavalaria, amável *de* figura, composto de encantos." (Camilo, *O Bem e o Mal,* 173.)
"Amável *para com* o coronel, indiferente para com o filho, acompanhou-os até à porta e voltou logo para dentro." (Abílio Barreto, *A Noiva do Tropeiro,* 109.) "Ainda que o coronel se mostrasse amável *para com* ele, deliberou manter as suas relações em certo grau de cerimônia." (Gastão Cruls, *Ao Embalo da Rede,* 161.)

Ambição — *de:*
"Mas não deteve cobiça ou ambição *de* riquezas, porque tinha o coração em outros tesouros." (Vieira, *Sermões,* IX, 42.) "Foi nesse momento decisivo que o barbeiro sentiu despontar em si a ambição *do* governo." (M. de Assis, *Papéis Avulsos,* 49.)

Ambicioso — *de:*
"Virgens puríssimas, ... por que fostes tão ambiciosas *de* penas?" (Vieira, *Sermões,* IX, 56.) "Ambiciosa *da* sua vida, meu pai; ambiciosa *do* seu descanso e *da* sua saúde." (Camilo, *As Três Irmãs,* 63.)

Ambigüidade — *de:*
"Ambigüidade de sentido." (Júlio Nogueira, *O Exame de Português,* 141.)

Ameaça — *a, contra:*
"O governo estadual, porém, cerrou a controvérsia levantando o espantalho de uma ameaça *à* soberania do Estado." (E. da Cunha, *Os Sertões,* 246.) "Falando **à** justiça em nome de considerações interessadas, e agitando transparentemente aos olhos da magistratura ameaças *à* sua existência." (Rui, *Cartas de Inglaterra,* 363.)
"Agora o monstro ganhou força e vida próprias e se ergue numa ameaça *contra* o próprio criador." (Erico Verissimo, *Saga,* 125.) "De quando em quando, efetivamente, havia nos clubes e nos jornais rumores de ameaça *contra* o trono." (Fialho de Almeida, *Os Gatos,* 79.)

Ameaçado — *de, em, por:*
"Vendo-se ameaçado *de* morte, abandonou a cidade." "Em casa foi surpreendida e amea-

çada *de* ficar sem modo de vida.'' (Camilo, *A Enjeitada,* 122.) ''Ameaçado, há dias, *de* um acesso de gripe....'' (Rui, *Cartas Políticas e Literárias,* 193.) ''Decidiu-se pela tosse, em concordância com a faculdade de Coimbra, que mandara a ares pátrios o mancebo, ameaçado *de* coisa séria.'' (Camilo, *Boêmia do Espírito,* 124.)

''D. Mariana Alencastre, ameaçada *na* vida, afastou de si D. Francisco Manuel.'' (Camilo, *Boêmia do Espírito,* 124.)

''Insulada (a monarquia) no meio do país e ameaçada precisamente *pel*as classes que, em toda a parte, são a base de estabilidade dos governos.'' (Rui, *Colunas de Fogo,* 33.) ''Para que nas nações ameaçadas *pel*as hordas de guerreiros, que tinham baixado das bandas do Setentrião, houvesse alguma serenidade e alguma confiança.'' (João Grave, *Os Vivos e os Mortos,* 116.)

Amedrontado — *com, de:*

''A criança ficou amedrontada *com* o estampido.''

''Fugindo (a população) amedrontada por igual *d*o jagunço e *d*o soldado.'' (E. da Cunha, *Os Sertões,* 485.)

Amedrontamento — *a, com:*

''Não se deve permitir amedrontamento *a* crianças.''

''O amedrontamento *com* abusões ou mitos é prática condenável.''

Amenizado — *com, por:*

''Vida trabalhosa porém amenizada *com* a harmonia do lar.''

''Costumes amenizados *pel*a civilização.''

Amestrado — *em, para, por:*

''Revela-se aí um braço amestrado *n*as monarquias duras das controvérsias literárias portuguesas.'' (Camilo, *Boêmia do Espírito,* 448.)

''Cavalo amestrado *para* o circo.'' (Dic. de Morais.)

''Recursos que o gênio amestrado *pel*a experiência lhe sugeria.'' (Herculano, *Lendas e Narrativas,* II, 36.)

Amigo — *de:*

''Mas eu me lembro de que Cobden, o maior amigo *d*a paz e *d*a economia, o apóstolo de Manchester....'' (Rui, *Cartas de Inglaterra,* 159.) ''Amigo *d*o alheio.'' (E. Carneiro Ribeiro, *Serões Gramaticais,* 674.)

Amimado — *com, de, por:*

''Acariciado com olhares, amimado *com* sorrisos.''

''Do duque são com festas agasalhados, e *d*as damas servidos e amimados.'' (Camões, *Os Lusíadas,* VI, 57.)

''É o filho mais amimado *pel*a mãe.''

Amizade — *a, com, entre, para com, por:*

''Por que sobretudo pela amizade *a* mim, e não pela devoção ao regime?'' (Rui, *Queda do Império,* I, XLI.) ''Depois vinha também um pouco por amizade *a*o Teodureto, em quem esse sentimento era silencioso.'' (Guilhermino Cesar, *Sul,* 14.)

''Minha amizade *com* ele data de muitos anos.'' ''Travar amizade *com* alguém.'' (Morais.)

''A amizade *entre* pais e filhos, esposos.'' (Aulete.) ''Contudo, a amizade *entre* Rui e Rodolfo continuou a mesma.'' (Luiz Viana Filho, *A Vida de Rui Barbosa,* 43.)

''Sua amizade *para com* o velho professor nunca sofreu a menor alteração.''

''Preferência de gosto por alguma coisa ou de amizade *por* alguém.'' (Aulete, voc. *predileção.*) ''A sua amizade *por* nós.'' (Mário Barreto, *Através do Dicionário e da Gramática,* 89.)

Amofinação — *com:*

''Não queria mais voltar para casa, para que mamãe não tivesse mais amofinação *co*migo.'' (C. Neto, *Miragem,* 101.)

Amolado — *com, de:*

''Não tens motivo para ficar amolado *co*migo.''

''Ultimamente parece que ele anda amolado *d*a vida.''

Amoldado — *a, com:*

''Amoldadas (as leis) igualmente *a*o grau de liberdade possível em cada povo.'' (Mário Barreto, *Cartas Persas,* XXXI.)

''Estilo não amoldado *com* o assunto.''

Amolecido — *com, por:*

''Amolecido *com* as lágrimas de sua mãe.'' (Morais.)

''A mocidade veio às escolas da Europa corrigir os vícios da raça amolecida *pel*os enervamentos do clima.'' (Fialho de Almeida, *Os Gatos,* 35.)

Amolentado — *em, por:*

''Raça amolentada *n*o sibaritismo da cerveja de quartola.'' (Camilo, *Cego de Landim,* 59.)

''Mas o povo da capitania, especialmente as famílias abastadas, amolentadas *pel*o luxo, não parece temer muito a ameaça remota.'' (*Maravilhas do Conhecimento Humano,* I, 155.)

Amolgado — *a, por:*

''Partido amolgado *a* interesses pessoais.''

''Ânimos amolgados *pel*a prepotência.''

Amor — *a, com, de, para, para com, por:*

''Amor *a* seus concidadãos.'' (Mário Barreto, *Através do Dicionário e da Gramática,* 87.) ''O amor de Maria das Dores *à* filha tinha acessos de doidice.'' (Camilo, *Estrelas Funestas,* 87.) ''Amor *a*o trabalho, *à*s letras.'' (E. Carneiro Ribeiro, *Serões Gramaticais,* 669.)

''Falai-me de Sintra, dos amores de Bernardim Ribeiro *com* a ingrata Beatriz.'' (Camilo, *Mistérios de Lisboa,* II, 204.) "Todavia, se os amores *com* Dulce existiam realmente, era essa paixão quem o afastava dela." (Herculano, *O Bobo,* 45.)

"A maior de nossas obrigações patrióticas é igualá-los na independência, na tenacidade, no amor *do* torrão natal." (Rui, *Colunas de Fogo,* 2.) "Acharam-o dócil, e persuadiram-se que lhe tinham inoculado o amor *do* estudo." (Camilo, *A Neta do Arcediago,* 20.) "O amor *do* trabalho, *das* letras." (E. Carneiro Ribeiro, *Serões Gramaticais,* 669.)

"O amor *para* os súditos, o amor *para* os filhos." (Idem, *ibidem,* 671.)

"O amor *para com* a pátria." (Mário Barreto, *Através do Dicionário e da Gramática,* 356.) "O amor de Cristo *para com* S. João não se prova com S. João perguntar o segredo a Cristo, senão com Cristo revelar o segredo a S. João." (Vieira, Sermões, IX, 214.)

"Falava dos encantos de Assunção, confessando o seu profundo amor *por* ela." (Alberto Pimentel, *apud* M. Barreto, *Através do Dicionário e da Gramática,* 89.) "Meu amor *pelos* moços divinizava outrora a mocidade." (Rui, *Coletânea Literária,* 143.) "O amor cego del-rei D. Fernando *pela* mulher de João Lourenço da Cunha, D. Leonor Teles, havia muito que era pasto saboroso da maledicência do povo." (Herculano, *Lendas e Narrativas,* I, 63.) "Irmão pouco afetuoso, mostrava-se agora igualmente incapaz de amor *pela* mulher." (Idem, *História de Portugal,* IV, 153.)

Amorável — *com, para, para com:*

"Amorável *com* os filhos."

"É muito amorável *para* a esposa."

"Amorável *para com* todos."

Amoroso — *com, para, para com:*

"Amoroso *com* sua família." (E. Carneiro Ribeiro, *Tréplica,* 580.)

"Amoroso *para* sua família." (Idem, *ibidem.)*

"Amoroso *para com* todos." (Idem, *Serões Gramaticais,* 674.) "Amoroso *para com* sua família." (Idem, *Tréplica,* 580.)

Amorrinhado — *por:*

"A mulataria prostrava-se amorrinhada *pela* fadiga do aluguel." (J. Américo de Almeida, *A Bagaceira,* 160.)

Amortalhado — *em, por:*

"Amortalhado, sem aromas nem galas, *nos* lençóis onde a morte o colhera." (Rui, *Coletânea Literária,* 318.) "Honra ao que morre amortalhado *em* suas armas e envolto no seu pendão!" (Rebelo da Silva, *Contos e Lendas,* 40.)

"Coração amortalhado *pela* tristeza."

Amortecido — *com, por:*

"Amortecido *com* desmaios." (Cf. Morais.)

"É uma das formas de pessimismo dos povos amortecidos *por* um longo regime de vícios públicos." (Fialho de Almeida, *Os Gatos,* 164.)

Amotinado — *contra, por:*

"Povo amotinado *contra* as autoridades."

"Corpos de tropa amotinados *por* agitadores estrangeiros."

Amparado — *a, com, de, em, por:*

"Amparado *a* uma bengala." "Amparada *à* beleza da filha." (Veiga Miranda, *A Eterna Canção,* 14.)

"O prédio está velho mas não cai, por estar emparado *com* os que lhe ficam ao lado." (Aulete.)

"Prédio amparado *do* vento norte." *(Enciclopédia e Dicionário Internacional.)* "O jardim está amparado *do* vento norte por um alto muro." (Aulete.)

"O morticínio de Canudos foi a embriaguez de um triunfo militar sem freios divinos, ou humanos. Araraquara, o selvagismo da polícia renascente das senzalas, amparada *nos* interesses de facção." (Rui, *Colunas de Fogo,* 168.) "Alfredo Gassiot segurou-se muito e convulsamente amparado *no* pescoço do amigo." (Camilo, *A Enjeitada,* 129.)

"Não descavalgou. Volvia amparado *pelo* Tenente Ávila, para o lugar que deixara, quando foi novamente atingido por outro projetil." (E. da Cunha, *Os Sertões,* 341.) "Na base e em torno da cama, pendem, amparados *por* largas espatas, densos cachos de cocos." (Taunay, *Inocência,* 7.) "Arquejava, sentado no leito e piedosamente amparado *pelos* que o veneravam." (João Grave, *Os Vivos e os Mortos,* 10.)

Amparo — *a, contra, de:*

"Percebia-se que o plano de amparo *aos* fazendeiros não tinha a exatidão anunciada." (Luiz Viana Filho, *A Vida de Rui Barbosa,* 132.)

"O único amparo *contra* essa influência havia de estar na publicidade assegurada aos argumentos da defesa." (Rui, *Cartas de Inglaterra,* 29.)

"Que é que a guerra espera de nós para amparo *das* vítimas a quem os seus traumas deixam ainda com fôlego?" (Ricardo Jorge, *Sermões dum Leigo,* 96.) "Os fidalgos despendiam as suas casas quebrantadas no amparo *das* famílias indigentes." (Camilo, *Perfil do Marquês de Pombal,* 101.)

Ampliação — *a, de:*

"Não seria, em verdade, de exíguo proveito para o gênero humano a ampliação *à* guerra naval dos artigos da convenção de Genebra." (Rui, *Colunas de Fogo,* 86.)

"'Parar o rodeio' é para o gaúcho uma festa *de* que as cavalhadas espetaculosas são uma ampliação." (E. da Cunha, *Os Sertões,* 121.)

Ampliado — *a, em, por:*
"No Massachusetts, por exemplo, em virtude de uma regra tributária, depois ampliada *às* outras colônias da Nova Inglaterra. . . ." (Rui, *Cartas de Inglaterra,* 353.)
"Notavelmente ampliada (a edição) sobretudo *em* textos justificativos da obra." (C. de Figueiredo, *Lições Práticas,* I, 14.)
"Tal incidente, em que incidiam todas as fantasias, assumiu, ampliado *pela* nevrose comum, visos de realidade." (E. da Cunha, *Os Sertões,* 491.)

Amplitude — *de:*
"Há de defender-se, opondo aos seus inimigos o caráter dos seus estadistas, a amplitude *das* suas reformas, a distensibilidade das suas instituições." (Rui, *Queda do Império,* I, 111.)

Amuado — *com, contra, por:*
"Andava amuado *com* a vida; cada dia se prolongavam mais os seus silêncios hostis, roendo as unhas." (Eça, *O Primo Basílio,* 35.)
"Esta apreciação vem em esteio à defesa da nossa polícia, amuada *contra* as manifestações pacíficas, que a mocidade generosa das escolas anuncia em honra da grande revolução." (Rui, *Colunas de Fogo,* 13.)
"Amuado *por* nunca ter de receitar nem um xarope àquele cliente invulnerável às chuvas, aos frios e a todas as temeridades." (Rebelo da Silva, *Contos e Lendas,* 67.)

Analfabeto — *em:*
"Num país, onde, por via de regra, os escribas oficiais são analfabetos *em* matéria política." (Rui, *Queda do Império,* 109.) "Só uma assembléia de analfabetos *n*estas questões poderia controverter essa verdade axiomática." (Idem, *Finanças e Política,* 106.)

Análise — *de, em:*
"A esse tribunal deixarei o pronunciar-se, na questão de inteligibilidade vernácula, entre mim e o meu eminente contraditor, abstendo-me de o acompanhar na análise *das* redações." (Rui, *Réplica,* 508.)
"Análise semelhante se deve fazer *n*os exemplos das seguintes frases." (Augusto Moreno, *Lições de Linguagem,* II, 219.)

Analogia — *com, de, entre:*
"A analogia *com* os verbos em 'ear' alterou alguns verbos em 'iar', que passaram a conjugar-se como aqueles." (Júlio Nogueira, *O Exame de Português,* 181.) "'Automne', que era feminino não há muito, emprega-se agora quase que exclusivamente no masculino por analogia *com* os nomes das outras estações." (Mário Barreto, *Através do Dicionário e da Gramática,* 29.)
"O sentido é um exemplo de curiosa metáfora, encaminhada por analogia *da* palavra 'alagar'." (João Ribeiro, *Curiosidades Verbais,* 79.) "O vb. 'descer', procede de 'decidere' e se, na segunda época da literatura, aparece grafado com 'sc', é . . . . por analogia *de* 'conhecer', 'crescer', 'nascer'." (Mário Barreto, *Através do Dicionário e da Gramática,* 98.)
"Ao ler-se o 'Noventa e Três' de Hugo, nota-se certa analogia *entre* os apelidos dos campônios revoltados da Vendéia e as alcunhas dos cangaceiros." (Gustavo Barroso, *Terra de Sol,* 153.) "Uma curiosidade final, digna de nota, é a afinidade e analogia *entre* 'casaca' e 'casa', ambas envolventes do corpo humano." (João Ribeiro, *Curiosidades Verbais,* 93.)

Análogo — *a:*
"Os exemplos autorizados, e análogos *a* 'gente meia disposta', parecem-me resultar da chamada 'atração sintática'." (C. de Figueiredo, *Lições Práticas,* I, 36.) "A condição de dois adjetivos qualificando um substantivo é análoga *à* de um adjetivo qualificando a dois substantivos." (Rui, *Réplica,* 440.)

Anátema — *contra, sobre:*
"Todo o discurso foi um anátema *contra* o procedimento do ministro." (Aulete.) "Fujo do caminho dos nossos gramáticos filósofos que . . . . fulminam severos anátemas *contra* tudo que se não encaixa nos seus estreitos moldes." (Mário Barreto, *Através do Dicionário e da Gramática,* 155.)
"Não venho aqui lançar anátema *sobre* as grandezas humanas." (Aulete.)

Anavalhado — *de, por:*
"Anavalhado *de* ciúmes." "Como quem se acingia ao desejo de haver na terra da pátria o bastante para lhe agasalhar, em derradeira hospedagem o coração anavalhado *de* angústias." (Camilo, *Boêmia do Espírito,* 127.)
"O fidalgo, bem que anavalhado *pelo* desdém da beata, comia à tripa forra." (Camilo, *A Enjeitada,* 33.)

Anedota — *correlativo a:*
"Citaram-se anedotas *correlativas ao* fato." (Aluísio Azevedo, *Casa de Pensão,* 204.)

Anelado — *por:*
"A salvação estava em Sobral, na cidade formosa e opulenta, o oásis hospitaleiro anelado *pelas* caravanas de pegureiros esquálidos." (Domingos Olímpio, *Luzia-Homem,* 220.)

Anelante — *por:*
"A confiança com que se sentia anelante *por* uma felicidade que não vira a ninguém." (Camilo, *Livro Negro,* 59.)

Anelo — *de, para, por:*
"Procuram-na, há duzentos anos, irrequietos aventureiros ferrotoados pelo anelo *de* espantosas riquezas." (E. da Cunha, *Os Sertões,* 217.) "Deslembrados da luta, iam sob o anelo exclusivo *dos* pousos apetecidos." (Idem, *ibidem,* 317.)
"A morte, que a princípio servia de terror para que o homem não pecasse, agora pode servir de anelo *para* que o homem não peque." (Bernardes, *apud* Fr. D. Vieira.)
"É louvável seu grande anelo *por* fazer feliz aos seus."

Anexação — *a:*
"Em 1580 realizou-se a anexação de Portugal *à* Espanha, sob o domínio do astuto Filipe II." (Aulete.) "Vêm vários judeus austríacos que tiveram de deixar a Áustria depois de sua anexação *ao* Reich." (Erico Verissimo, *Saga,* 106.)

Anexo — *a:*
"Uma freguesia anexa *a* outra." (Morais.) "Dias antes um schrapnell arrojado da Favela .... arrebentava dentro do casario anexo *à* latada das orações." (E. da Cunha, *Os Sertões,* 545.) "É justamente na edição anexa *ao* meu parecer, onde, ao passo que a coluna do meu substitutivo reza 'telefono', a do projeto exara 'telefone'." (Rui, *Réplica,* 459.)

Angustiado — *ante, com, de, em, por:*
"Seja por amor de Deus! — exclamou a Senhora Flora, angustiada *ante* a vista do pobre." (Aquilino Ribeiro, *A Batalha sem Fim,* 51.)
"Ficou profundamente angustiada *com* o que viu."
"Angustiada *de* ver sofrer o filho, rompeu em pranto."
"Angustiado *no* dilema, resolveu abandonar a Europa, que tão cara lhe era." (Camilo, *A Neta do Arcediago,* 137.)
"Tão angustiadas quanto eu, *por* me verem assim nervoso, criavam-me um ambiente em tudo favorável à agravação dos meus males." (Gastão Cruls, *História Puxa História,* 13.) "Arfava-lhe o seio, angustiado *por* mortal compressão." (Domingos Olímpio, *Luzia-Homem,* 84.)

Animação — *a, para:*
"O movimento com que a Inglaterra coroou, em 1846, as suas grandes reformas tributárias, ... era uma reação contra o predomínio da aristocracia territorial e uma verdadeira política de animação *às* indústrias fabris." (Rui, *Relatório do Min. da Fazenda,* pág. 14.)
"Reservasse seu tempo e seus cuidados para sua arte, constantemente, obstinadamente, e para o convívio de alguns íntimos, nos quais acharia a distração eficaz do trabalho e a animação *para* outros empreendimentos." (Afrânio Peixoto, *A Esfinge,* 88.)

Animado — *a, com, de, por:*
"Animado *a* prosseguir nos estudos, partiu para a cidade."
"Estavam todos muito animados *com* a presença do general." (Constâncio.) "Foram de Emanuel remunerados, ... e *com* palavras altas animados." (Camões, *Os Lusíadas,* IV, 83.)
"O próprio edifício, posto que avelhentado e fraco, também parecia animado *d'*espírito guerreiro." (Herculano, *O Bobo,* 37.) "Eu vinha animado *de* um pensamento quando aqui entrei." (Camilo, *Estrelas Propícias,* 114.) "Animados *de* propósitos droláticos." (Fialho de Almeida, *Os Gatos,* 87.)
"Animados todos *pela* ilusão de uma vitória vertiginosamente alcançada." (E. da Cunha, *Os Sertões,* 338.) "Minha mãe, animada *pela* esperança de melhores dias na terra, parecia reaver o viço das faces." (Camilo, *Mistérios de Lisboa,* I, 65.) "Entretanto o velho, animado *pelo* regozijo público, continuou a galhofar." (Idem, *A Enjeitada,* 144.)

Ânimo — *de, para, para com:*
"Não teve ânimo *de* o fazer, e ali ficou cativo, humilde, de todo vencido, receando dar um passo." (C. Neto, *Imortalidade,* 234.) "Condoa-se de seu pai, que já não tem ânimo *de* ouvir pronunciar o nome de um filho que perdeu com o seu amor." (Camilo, *A Neta do Arcediago,* 30.) "Entretanto, não me sinto com ânimo *de* prosseguir." (C. Neto, *Imortalidade,* 45.)
"Não teve a Samaritana confiança para crer, nem ânimo *para* esperar que eles se persuadissem só pelo que ela lhes dissesse." (Vieira, *Sermões,* IX, 148.) "Proença não tinha ânimo *para* encarar o suspeito Cunha nesse último grau da infância." (Camilo, *A Neta do Arcediago,* 144.) "Não respondeu o escultor, nem teve ânimo *para* uma incivilidade, cortando o assunto." (Afrânio Peixoto, *A Esfinge,* 381.)
"Contai em tudo com o bom ânimo d'elrei *para convosco* e, se precisardes em alguma coisa da minha pouquidade, contai igualmente comigo." (Herculano, *O Monge de Cister,* II, 18.)

Animosidade — *contra:*
"Todos notam sua animosidade *contra* o padrasto." "A animosidade *contra* os senhores e proprietários rurais alastra; os nossos adversários recorrem ao patético, exploram a credulidade e o sentimentalismo do povo." (Xavier Marques, *As Voltas da Estrada,* 121.)

Animoso — *em:*
"Constante, animoso *no* sofrimento." (Aulete, voc. *resignar.*)

Aninhado — *a, contra, em:*
"Aninhados *a* um canto, ... entretinham-se em fosquinhas de bem-querer." (Aquilino Ribeiro, *Terras do Demo,* I, 50.)
"A pequenada doente aninhada *contra* as suas saias." (Eça, *apud* L. Freire.)
"Um grilo, aninhado *no* canto da parede, começava sua cristalina escada sem fim." (Afrânio Peixoto, *Bugrinha,* 56.)

Aniquilação — *de:*
"Os ensinos mútuos são .... desbarate do tempo e das forças, aniquilação *da* vontade." (Castilho, *Outono,* I, 34.) "Aniquilação *de* cabedais, aniquilação *de* um reino." (Dic. de Morais.)

Aniquilado — *por:*
"Todo o seu esforço aniquilado *pelo* clima arrítmico, perturbador dos valores, regulador inconstante dos destinos da região." (J. Américo de Almeida, *A Bagaceira,* 51.) "Observou que a sua penúria era maior, que os déspotas *por* ele aniquilados ressuscitavam, oprimindo mais duramente." (João Grave, *Os Vivos e os Mortos,* 138.)

Anojado — *de, por:*
"A gente vinha mui anojada *do* mar." (Morais.) "Mas V.ª Exc.ª está anojado como eu *d*esta sangueira." (Camilo, *Perfil do Marquês de Pombal,* 39.)
"Mulheres anojadas *por* morte de maridos e filhos." (Fernão M. Pinto, *apud* Fr. D. Vieira.)

Anomalia — *de, em:*
"Anomalia *dos* planetas." (Morais.)
"Anomalia *no* desenvolvimento da cabeça." (C. de Figueiredo, voc. *anomocefalia.*)

Anotação — *a, sobre:*
"Percorri as suas anotações *ao* nosso Código Comercial." (Rui, *Cartas Políticas e Literárias,* 57.) "Castilho .... deixou-nos umas interessantes anotações *ao* 'Dicionário' de Morais." (Mário Barreto, *Através do Dicionário e da Gramática,* 88.)
"É uma glosa e comentário às anotações que escrevi *sobre* a moeda primitiva da nossa civilização." (João Ribeiro, *Curiosidades Verbais,* 136.)

Anseio — *de:*
"O anseio *de* liberdade era grande, especialmente depois que a intolerância dos calvinistas holandeses levou-os a perseguir os moradores católicos." (*Maravilhas do Conhecimento Humano,* I, 156.)

Ânsia — *de, por:*
"E, pela sua ânsia *de* perfeição, pelo seu amor à palavra justa e expressão definitiva, não são poetas os gramáticos?" (Mário Barreto, *Através do Dicionário e da Gramática,* 186.) "Um crioulinho soltava a criação de penas e era uma barafunda de aves em ânsia *de* liberdade." (João Ribeiro, *Curiosidades Verbais,* 21.) "Tinha a ânsia *de* retomá-la, só se corre para o que foge." (J. Américo de Almeida, *A Bagaceira,* 220.)
"Manteve sempre acesa no coração a ânsia *pela* autonomia política de seu país." "Eu estava em ânsias *por* saber se estes homens eram ladrões." (Camilo, *Cenas da Foz,* 144.)

Ansioso — *de, para, por:*
"Almas ansiosas *de* ver o céu." (Rebelo da Silva, *Contos e Lendas,* 274.) "Estará ela ansiosa *da* tua chegada....?" (Camilo, *A Neta do Arcediago,* 148.)
"Depois, diante do auditório ansioso *para* ouvir as notas de cada qual, o Dr. Abílio chamou Rui." (Luiz Viana Filho, *A Vida de Rui Barbosa,* 11.) "Estou particularmente ansioso *para* ler qualquer história em torno dum homem que viva próximo da terra e das coisas simples e tranqüilas." (Erico Verissimo, *Saga,* 145.)
"Sinto-me ansioso *por* a ter junto de mim." (Mário Barreto, *Através do Dicionário e da Gramática,* 391.) "Calculavam os efeitos daquela dilação ante a opinião pública ansiosa *por* um desenlace." (E. da Cunha, *Os Sertões,* 375.) — Com elipse da preposição: "Estava ansioso que ele viesse." (J. Sandoval de Figueiredo, *Vícios de Linguagem,* 45.) "Já achava o Elisiário à minha espera, à porta, ansioso que eu chegasse." (M. de Assis, *Páginas Recolhidas,* 47.)

Antagonismo — *a, com, de, entre:*
"Babujando-me com o aleive de não sei que antagonismo *aos* seus direitos. de não sei que incompatibilidade com a sua causa." (Rui, *Campanha Presidencial,* 119.)
"O regime desértico ali se firmou então, em flagrante antagonismo *com* as disposições geográficas." (E. da Cunha, *Os Sertões,* 20.) "Nunca encarei a ciência como a sistematização do antagonismo *com* o espírito." (Rui, *Cartas de Inglaterra,* 395.) "O (partido) conservador, o liberal e o republicano, *com* todos os quais se achava, declarada e notoriamente, em antagonismo." (Rui, *Queda do Império,* I, XI.)
"Rebaixa a questão social a uma luta de apetites, e intenta dar-lhe por solução o que não poderá deixar de exacerbá-la: o antagonismo *das* classes." (Rui, *Campanha Presidencial,* 124.) "O antagonismo *das* funções do cérebro e do estômago." (Fr. D. Vieira.)
"Por que e com que vantagem então iríamos estabelecer um tal antagonismo *entre* o uso jurídico e o senso comum, *entre* a fraseologia das leis e a de todo o mundo?" (Rui, *Réplica,* 513.) "Não pode haver senão antagonismo *entre* o berço de uma república gerada sem crueldades republicanas .... e o laboratório do regicídio." (Idem, *Colunas de Fogo,* 59.)

Antecipação — *a, de, sobre:*

"Foi muito censurada sua antecipação *aos* convidados de honra."

"A defesa marítima .... requer uma longa antecipação *de* trabalhos, uma aturada preparação técnica." (Rui, *Cartas de Inglaterra,* 162.) "Era um programa em fatos, uma antecipação austera *dos* benefícios da transformação anunciada." (Idem, *Queda do Império,* I, 91.)

"A dívida flutuante é em geral uma antecipação *sobre* a cobrança das contribuições do ano." (Aulete.)

Anteparo — *a, contra:*

"A Serra Geral segue por ali como anteparo *aos* alísios, condensando-os em diluvianos aguaceiros." (E. da Cunha, *Os Sertões,* 8.) "A sublevação de rochas primitivas que se alteiam aos lados, para o norte e para leste, levanta-se como anteparo *aos* ventos regulares." (Idem, *ibidem,* 251.)

"O litoral .... abre os países marítimos aos acometimentos da avidez estrangeira, *contra* a qual não se conhece anteparo decisivo." (Rui, *Cartas de Inglaterra,* 154.) "Quando a mulher assim fala a Deus, a misericórdia divina dá-lhe um anteparo *contra* as injúrias do mundo." (Camilo, *O Bem e o Mal,* 184.)

Anteposição — *a:*

"Não há justificação vernácula, que se enxergue, para anteposição desse 'o' *ao* 'que' nas interrogações." (Rui, *Réplica,* 186.)

Anteposto — *a:*

"Apenas uma divisão .... permanecera firme por algum tempo no alto do Mário, como uma barreira anteposta *à* perseguição inevitável." (E. da Cunha, *Os Sertões,* 349.) "Desde as últimas linhas da passagem trasladada, ali se me oferece a vírgula iterativamente anteposta *à* conjunção." (Rui, *Réplica,* 432.)

Anterior — *a:*

"Ainda existem outros elementos anteriores *à* desinência propriamente dita." (Júlio Nogueira, *O Exame de Português,* 174.)

"Tinha havido poderosos imperadores, grande arte e bela literatura nos remotos dias, anteriores *à* aurora do mundo cristão." (*Maravilhas do Conhecimento Humano,* I, 59.)

Anteriormente — *a:*

"Se as testemunhas e o tabelião insistirem em afirmar a capacidade de Balbina, anteriormente *à* data da doação." (Camilo, *Vulcões de Lama,* 255.)

Antídoto — *contra, de, para:*

"É um excelente antídoto *contra* a mordedura da cobra-de-capelo." (Fr. D. Vieira, voc. *adoli.*)

"A humildade é o antídoto *da* soberba." (Morais.)

"O melhor antídoto *para* o enfado é o trabalho." (Aulete.)

Antigo — *em:*

"Eram mais antigos *na* sua arte." (Dic. de Morais.)

Antiguidade — *em:*

"Nada lhe valeu sua antiguidade *no* cargo."

Antipatia — *a, acerca de, com, contra, de, entre, para, por:*

"Tenho grande antipatia *aos* hipócritas." (Constâncio.) "Nele a alma não correspondia ao corpo, professando por isso decidida antipatia *aos* arremessos, às lançadas e *aos* talhos de montante." (Rebelo da Silva, *Contos e Lendas,* 276.) "Os portugueses tinham grande antipatia *aos* espanhóis." (Aulete.)

"Refiro-me ao gesto correto e perfilado com que usas expender francamente as tuas simpatias ou antipatias *acerca do* corte de um colete, das dimensões de um chapéu." (M. de Assis, *Papéis Avulsos,* 95.)

"A antipatia *com* a mentira." (E. Carneiro Ribeiro, *Serões Gramaticais,* 671.) "O nome de cerval lhe não vem (ao lobo) por descendência dos cervos, senão pela cruel antipatia que tem *com* eles." (Bernardes, *Nova Floresta,* I, 9.)

"É conhecida sua antipatia *contra* o totalitarismo."

"A antipatia *dos* gênios." (Aulete.)

"*Entre* as graças e a velhice há mortal antipatia." (Constâncio.)

"Generalizava-se a convicção de ter a Princesa Isabel influído na escolha dos ministros, e isso, ferindo suscetibilidades, criava antipatias *para* o governo." (Luiz Viana Filho, *A Vida de Rui Barbosa,* 125.)

"Agora se lembrava ou julgava lembrar-se que se tomara de inexplicável antipatia *pelo* sarrafaçal a primeira vez que o vira." (Aquilino Ribeiro, *A Batalha sem Fim,* 80.) "A sua antipatia *por* Juliana parecia dissipada." (Eça, *O Primo Basílio,* 253.) "Rosa doía-se da indiferença, ou, melhor, da antipatia de José Bento *pela* criança." (Camilo, *A Neta do Arcediago,* 25.)

Antipático — *a, com:*

"Um *ao* outro antipáticos." (Augusto Moreno, *Lições de Linguagem,* II, 40.) "Nação insulada em uma forma de governo antipática *aos* Estados circunjacentes." (Rui, *Queda do Império,* I, 251.) "Ao almirante agradava a felicidade da filha, o Câmara não era antipático *a* Lúcia." (Afrânio Peixoto, *A Esfinge,* 124.)

"A virtude é antipática *com* os vícios." (Constâncio.)

Antipatizado — *por:*

"O infeliz, convencido de que era gratuitamente antipatizado *por* toda a província, sepultou-se no seu quarto." (Aluísio Azevedo, *O Mulato,* 125.)

Antípoda — *de:*
"Pedro Lavareda representava o antípoda *de* seu digno sogro e tio." (Rebelo da Silva, *Contos e Lendas,* 68.)

Antônimo — *de:*
"'Forte' é antônimo *de* 'fraco'."

Anuência — *a, em:*
"Na anuência do monarquista *ao* convite republicano está implicitamente selado um pacto inviolável de reconhecimento dos direitos constitucionais da opinião pública." (Rui, *Colunas de Fogo,* 51.) "Não me amastes, Branca de Clermont; mas a vossa anuência *a* um próximo casamento dá-me licença de que eu me suponha menos repugnante hoje à vossa alma." (Camilo, *Livro Negro,* 104.)
"Muito agradeço tua anuência *em* auxiliar-me."

Anulado — *por:*
"Ainda não existia a individualidade do homem de guerra, hoje completamente anulada *pelo* valor fictício a que chamamos disciplina." (Herculano, *O Bobo,* 76.)

Anúncio — *a, de:*
"O anúncio desse fato *ao* povo causou o alvoroço que era de esperar-se."
"Everardo, a tal pedido, estremeceu como se nele sentisse anúncio *de* desgraça." (C. Neto, *Imortalidade,* 293.)

Anuveado — *de:*
"Londres acende os olhos de luz, anuveados *da* melancolia dos nevoeiros em que se achata e dissolve." (Alberto Rangel, *Papéis Pintados,* 85.)

Apadrinhado — *com, de, por:*
"Depois então que se inventou, apadrinhado *com* o nome insigne de Alencar e outros menores o 'dialeto brasileiro', todas as mazelas e corruptelas do idioma que nossos pais nos herdaram cabem na indulgência plenária dessa forma de relaxação e do desprezo da gramática e do gosto." (Rui, *Réplica,* 505.)
"A malícia não está no que usa um vocábulo apadrinhado *de* autores de primeira nota, senão no próprio espírito do que lê." (Mário Barreto, *Cartas Persas,* XXI.)
"Construção apadrinhada *por* bons escritores."

Apaixonado — *com, de, por:*
"Ficou apaixonado *com* a morte do irmão." (Aulete.)
"Diziam os apaixonados *da* liberdade que os libertadores aproavam às praias de Vila do Conde e Viana." (Camilo, *As Três Irmãs,* 244.) "Era necessário que no último ocidente da Europa surgisse .... um povo de homens de imaginação ardente, apaixonados *do* incógnito." (Herculano, *O Bobo,* 12.) "Conto que mo não perdoem os apaixonados *do* dialeto." (Rui, *Réplica,* 59.)
"Apaixonado *por* alguma coisa, *por* alguém." (E. Carneiro Ribeiro, *Serões Gramaticais,* 676.) "Esse grande trabalhador era ao mesmo tempo um mundano, apaixonado *pela* sociedade e *pela* conversação." (Mário Barreto, *Cartas Persas,* VIII.) "É explosão de despeito represado, desde que, há anos, o Luiz Vaz se afastou de Mafalda, apaixonada *por* ele." (Antero de Figueiredo, *Amor Supremo,* 230.)

Apalavrado — *com, para:*
"Muitos fazendeiros, apalavrados *com* o vigário da freguesia, batizavam ingênuos como nascidos antes da lei do ventre livre." (Aluísio Azevedo, *O Mulato,* 281.) "Chegando o tempo de lhe dar estado, apalavrada *com* um fidalgo...." (Dic. de Fr. D. Vieira.)
"Estavam ali dois homens apalavrados *para* servirem de testemunhas." (Aulete.)

Apalermado — *com, de:*
"Ficou apalermado *com* a notícia."
"A velha parecia apalermada *de* júbilo." (Camilo, *A Doida do Candal,* 252.)

Apanhado — *de, em:*
"Apanhado *de* coração, de pouco ânimo." (Morais.)
"Envergonhava-se, como de uma falta, quando apanhado *n*esses êxtases." (Afrânio Peixoto, *A Esfinge,* 260.)

Apaniguado — *a, de, por:*
"Em junho de 1899 o inculcam apaniguado *à* (Companhia) S. Cristóvão." (Rui, *Colunas de Fogo,* 131.)
"Apaniguados *de* Deus." (Morais.)
"Apaniguado *pelos* grandes do paço."

Aparamentado — *com:*
"Montfort, quando o viu ao fundo da sala, aparamentado *com* as insígnias simples de cardeal, foi encontrá-lo, com reverencioso respeito." (Camilo, *Livro Negro,* 65.)

Aparcelado — *de:*
"A eminente escritora logrou ser, em vida tão aparcelada *de* angústias ...." (Camilo, *Boêmia do Espírito,* 151.)

Aparelhado — *a, com, contra, de, para, por:*
"Nasce para ser torre fortíssima de Davi, fornecida e armada de milhares de escudos, tão prontos e aparelhados sempre *à* nossa defesa." (Vieira, *Sermões,* IX, 246.)
"Foi aparelhado *com* todos os utensílios de seu mister." (Aulete.)
"*Contra* eles (frades) tinha sempre um gracejo aparelhado." (Júlio Diniz, *As Pupilas do Senhor Reitor,* 100.)
"O dito barco é .... mal aparelhado *de* tudo." (Dic. de Morais.) "Este período de vida mostra-se, todavia, aparelhado *de* sentimentos dignos." (E. da Cunha, *Os Sertões,* 161.) "Abastecidos e aparelhados apenas *do*

que haviam tomado às anteriores expedições." (Idem, *ibidem*, 499.)

"É verdade que por elas não estamos aparelhados senão *para* uma coisa: *para* ser batidos em todo cometimento militar." (Rui, *Colunas de Fogo*, 213.) "A expressão irisada de mil facetas e aparelhada *para* tudo dizer e mostrar." (Antero de Figueiredo, *Jornadas em Portugal*, 48.) "Dia tão aparelhado *para* a declaração." (Dic. de Morais.)

"Os homens aparelhados *pelos* recursos bélicos da indústria moderna, é que eram materialmente fortes e brutais." (E. da Cunha, *Os Sertões*, 431.)

Aparelho — *de, para:*

"Aparelhos *de* socorrer a fortaleza." (Morais.) "O padrinho .... deixou-lhe .... aparelhos *de* pesca e caça muito valiosos." (Camilo, *Vulcões de Lama*, 13.)

"Os aparelhos *para* dizer missa." (Morais.) "E quando as minas esgotadas lhes demandaram aparelhos *para* a exploração intensiva, tiveram, logo adiante, ... novas paragens opulentas, atraindo-os para o âmago das terras." (E. da Cunha, *Os Sertões*, 218.)

Aparência — *de:*

"Pequenos arbustos .... davam ao lugar a aparência exata *de* algum velho jardim em abandono." (E. da Cunha, *Os Sertões*, 29.)

Aparentado — *a, com:*

"Tribo de índios aparentados *aos* guaicurus." (L. Freire, voc. *abipões*.)

"O vigário era muito da casa das Santiago; dizia-se até aparentado *com* elas." (Aluísio Azevedo, *O Mulato*, 57.) "Tendo necessidade de um adjetivo aparentado *com* 'marfim', fez, caprichosamente, sob a ação dum vocábulo já existente, 'marfíneo'." (Mário Barreto, *Através do Dicionário e da Gramática*, 292.)

Aparente — *em:*

"Pelas circunstâncias, se acentuou ainda mais ao vivo, com traços novos e inauditos, a preocupação de esmero literário, aparente *nos* primeiros elaboradores do projeto." (Rui, *Réplica*, 5.)

Aparição — *a:*

"A aparição improvisa da mãe *a* um filho .... traz consigo um terror santo." (Camilo, *Mistérios de Lisboa*, I, 31.)

Apartado — *de:*

"Por isso é que vive sempre apartada *das* outras, metida com ela, cheia de coisas como se fora uma senhora dona." (Domingos Olímpio, *Luzia-Homem*, 228.)

Apatetado — *com, por:*

"Apatetado *com* o estampido inusitado de sua arma, Lucas não compreendia bem o que se passara." (Godofredo Rangel, *Andorinhas*, 10.)

"Apatetado *pelo* imprevisto da agressão, não fez o menor movimento."

Apatia — *por:*

"Nota-se-lhe invencível apatia *por* todos os seus admiradores."

Apático — *a:*

"Apesar de jovem, é apático *a* tudo e *a* todos."

Apavorado — *com, diante de, por:*

"Apavorado *com* a idéia de perdê-la e sem contar com a piedade dos homens, ... decidiu vender a adaga fosse a quem fosse." (C. Neto, *Imortalidade*, 259.)

"O Sr. Morgan capitalizou a nova empresa em vinte e seis milhões de contos, a despeito do conselho de financistas peritos, que achavam a idéia louca, apavorados *diante do* montante da soma." (*Maravilhas do Conhecimento Humano*, I, 126.)

"Apavorada *pelas* notícias alarmantes, a população abandonou seus lares."

Apegado — *a, com:*

"Apegado *à* sua opinião." (Fr. D. Vieira.) "É rica, não é nada apegada *ao* dinheiro, é capaz de te deixar uma independência!" (Eça, *O Primo Basílio*, 88.)

"As terras apegadas *com* o passal." (Aulete.) "Apegado *com* a costa, *com* a terra, *com* as casas."

Apegamento — *a:*

"Apegamento *ao* dinheiro."

Apego — *a:*

"Os rudes impenitentes, os criminosos retardatários, que tinham a gravíssima culpa de um apego estúpido *às* mais antigas tradições, requeriam corretivo enérgico." (E. da Cunha, *Os Sertões*, 257.) "A consciência dessa revolução não podia estar na obscuridade interior de uma alma como essa, que, a bem do seu apego *ao* governo, procurou desvirtuar, logo nos primeiros resultados, uma reforma pacificadora." (Rui, *Queda do Império*, I, 134.)

Apelação — *de, para:*

"A apelação *da* sentença não deu o resultado que se esperava."

"O advogado não aconselha a apelação *para* o Supremo Tribunal."

Apelidado — *com, de:*

"Apelidada geralmente *com* o mesmo nome antigo de virgem." (João Ribeiro, *Curiosidades Verbais*, 122.)

"Apelidado *de* 'mata-mouros'."

Apelo — *a, para:*

"O apelo *à* mendicidade dos arruinados, ou dos ávidos, não lhe prostituirá o civismo." (Rui, *Colunas de Fogo*, 11.) "Presumiu-se que, ao contato de um apelo *à* dignidade profissional, almas explosivas desfechariam espontaneamente, como uma arma ao estalar do fulminato.'' (Idem, *ibidem*, 178.)

''Desse conflito, em que estavam empenhados vastos interesses regionais, ... não havia apelo senão *para* a toga judiciária.'' (Rui, *Cartas de Inglaterra*, 377.)

Apêndice — *a, de:*

''Pouco mais se ganharia com a marinha, a não ser como simples apêndice *ao* regime do coronelato.'' (Rui, *Cartas de Inglaterra*, 190.) ''Acham-se (os precedentes) coligidos e estudados em um largo apêndice .... *ao* volume dos trabalhos daquela corporação.'' (Idem, *ibidem*, 378.)

''A assembléia geral da 'S. Cristóvão' fez o que devia, resistindo às incitações da paixão ruim de um jornalista que a queria converter em apêndice *do* seu balcão.'' (Idem, *Colunas de Fogo*, 123.)

Apenso — *a:*

''Amuletos extravagantes e obscenos, isolados, apensos *a* animais ou sob a forma mais culta de Terminos, Hortanes e Hermes Casmilhos.'' (Gustavo Barroso, *Terra de Sol*, 62.) ''Dispensei o auxílio oferecido, e retirei-me cosido com a parede, cismando nas belezas apensas *a* uma noite de lua cheia à beira-mar.'' (Camilo, *Cenas da Foz*, 58.)

Apercebido — *de, em, para:*

''Apercebidos *de* armas e mantimentos.'' (Morais.) ''Haviam-na visto chegar (a força) — imponente e terrível — apercebida *de* armas ante as quais eram brincos de criança os clavinotes brutos.'' (E. da Cunha, *Os Sertões*, 355.)

''Um gramático familiarizado, em seara alheia, com o 'Corpus Juris', deve estar bem apercebido *na* sua.'' (Rui, *Réplica*, 298.)

''Apercebido *para* o combate.'' (Constâncio.) ''Apercebido *para* fazer este caminho.'' (Dic. de Morais.) ''Iam apercebidos *para* confortá-lo.'' (Bernardes, *Nova Floresta*, I, 357.)

Apercebimento — *para:*

''Apercebimento *para* peleja, combate.'' (Morais.) ''O apercebimento *para* a guerra pertence só à arte militar.'' (Dic. de Fr. D. Vieira.)

Aperitivo — *para:*

''O sangue de dez mil homens não passa dum simples aperitivo *para* o Moloch insaciável das campanhas.'' (Ricardo Jorge, *Sermões dum Leigo*, 108.)

Aperreado — *com:*

''Evaristo Barroca a mexer política, Padre Atanásio aperreado *com* a instrução.'' (Graciliano Ramos, *Caetés*, 181.)

Apertado — *a, com, de, em, entre, por:*

''A virgem estremeceu, pondo-se vivamente de pé, com a criança apertada *ao* seio.'' (C. Neto, *Imortalidade*, 316.)

''Cidade apertada *com* cerco e outros trabalhos de guerra.'' (Morais.)

''Apertado *da* fome, sede, necessidade, saudade.'' (Morais.) ''Ansiou a luz da manhã, e sentiu-se tanto mais apertado *da* alma, quanto as dez horas se aproximavam.'' (Camilo, *Mistérios de Lisboa*, II, 134.) ''Não tinha querido assistir a esta assembléia, e se retirara para casa, com o coração apertado *de* tristeza.'' (Mário Barreto, *Cartas Persas*, 30.)

''Apertado *no* colete também de couro.'' (E. da Cunha, *Os Sertões*, 118.) ''Apertado *na* farda que raro deixava, o dólman feito para ombros de adolescente frágil agravava-lhe a postura.'' (Idem, *ibidem*, 295.) ''Maravilhou-se a criadinha de se ver afetuosamente tratada e com sua mão apertada *na* da menina.'' (Camilo, *A Enjeitada*, 136.)

''E as águas barrentas, ... ora em estirões calmos, alagoados, ora apertados *entre* rampas graníticas, reboleando-se em corredeiras precipitosas.'' (C. Neto, *A Cidade Maravilhosa*, 15.) ''Apertados *entre* os canaviais da costa e o sertão, *entre* o mar e o deserto, ... perderam todo o aprumo e espírito de revolta, eloqüentíssimo, que ruge em todas as páginas da história do sul.'' (E. da Cunha, *Os Sertões*, 85.)

''Açucena respondia com lágrimas ao confessor, e, apertada *pela* explicação das lágrimas e do silêncio, gritava pela misericórdia divina.'' (Camilo, *A Neta do Arcediago*, 165.) ''Um deles .... trajava um saio negro, comprido e apertado *pela* cintura.'' (Herculano, *O Bobo*, 41.)

Apetecível — *a:*

''Não quis, na sua obra, cinzelar uma 'curiosidade dialética' apetecível unicamente *a* especialistas.'' (Rui, *Cartas de Inglaterra*, 81.)

Apetite — *a, contra, de, para, por:*

''Sem mais bandeira que a do seu apetite *à* presa inimiga.'' (Rui, *Réplica*, 8.)

''Infernais apetites *contra* a natureza desta Santa.'' (F. Galvão, *Sermões*, II, 36.)

''Apetite *de* mando, *de* riquezas.'' ''Privação de apetite *de* líquidos.'' (C. de Figueiredo, voc. *adpsia*.) ''Tinham apenas um olho no meio da fronte e um apetite voraz *de* carne humana.'' (*Maravilhas do Conhecimento Humano*, II, 31.)

''Privação de apetite *para* líquidos.'' (Aulete, voc. *adpsia*.)

''Minava um apetite surdo *pelo* jantar; alguns estômagos resmungavam indiscretamente.'' (Aluísio Azevedo, *O Mulato*, 165.)

Apetitoso — *a:*

''O seu nascimento era sempre um mistério, que a sua vida excêntrica tornava mais apetitoso *à* curiosidade.'' (Camilo, *Livro Negro,* 243.)

Apiedado — *com, de, por:*

''O carcereiro, apiedado *com* a aparente resignação do pirata, arranjava-lhe livros, e dava-lhe para de noite uma candeia.'' (Camilo, *A Neta do Arcediago,* 145.)

''José da Fonseca, comovido e talvez apiedado *do* que ele mesmo chamava 'fraqueza', falou de novo à cunhada na crueldade da sua repulsa.'' (Camilo, *As Três Irmãs,* 167.)

''Mafalda de Sá olhara-a sorridente e apiedada *pela* ver tão irresoluta.'' (Antero de Figueiredo, *Amor Supremo,* 206.)

Apinhado — *ao redor de, à roda de, de, em, junto a:*

''A multidão permanecia apinhada *ao redor do* monumento.'' ''Povo apinhado *ao redor do* alpendre.'' (Herculano, *Lendas e Narrativas,* I, 112.)

''Apinhadas *à roda de*la, as raparigas todas .... desentranhavam-se em patéticas consolações.'' (Aquilino Ribeiro, *Andam Faunos,* 25.)

''Galho apinhado *de* frutas.'' ''Ruas apinhadas *de* gente.'' ''As janelas apinhadas *de* damas podiam comparar-se a alegretes e luxuriantes jardins suspensos.'' (Xavier Marques, *As Voltas da Estrada,* 58.)

''A gente vinha apinhada *nos* batéis.'' (Aulete.)

''O povo estava apinhado *junto à* torre da sé.'' (Herculano, *O Monge de Cister,* I, 40.)

Aplaudido — *de, por:*

''Aplaudido *de* todos, senti-me reanimado para o certame.'' (C. Góis, *Sintaxe de Regência,* 96.) ''E' que estes hereges das leis .... são os aplaudidos *de* letrados, e os reputados por doutos.'' (Vieira, *Sermões,* IX, 165.)

''Vanda, que não tinha pouco antes para quem cantar, cantou a provocante canção da 'Carmem', aplaudida *por* todos.'' (Afrânio Peixoto, *A Esfinge,* 66.) ''Ouvir a sua peça, os seus versos .... aplaudidos freneticamente, pela vigésima vez, *por* uma platéia inteira.'' (Veiga Miranda, *A Eterna Canção,* 79.)

Aplauso — *a, de, para:*

''Estou entre os que mais se desmediram em aplausos *aos* seus primeiros surtos oratórios.'' (Gastão Cruls, *Ao Embalo da Rede,* 78.) ''Os escritores de farsa e de comédia teriam portanto farta monção de aplausos *às* suas obras.'' (Fialho de Almeida, *Os Gatos,* 116.)

''A propósito da legítima expansão dos seus sentimentos em aplauso *de* um mestre venerando, cuja palavra o Ministro da Guerra escutara em silêncio aquiescente.'' (Rui, *Colunas de Fogo,* 23.)

''Nunca teve aplausos *para* essa atitude bifronte, *para* esses tramas do mais perigoso palacianismo.'' (Rui, *Queda do Império,* I, 328.)

Aplicabilidade — *a:*

''Nem a todos, bem vejo, será claramente perceptível, ao primeiro lance d'olhos, a gradação que distingue os adjetivos 'ilícito' e 'ilegítimo' em sua diferente aplicabilidade *às* diferentes idéias com que entendem.'' (Rui, *Réplica,* 473.)

Aplicação — *a, em, para:*

''Aplicação *ao* estudo, *ao* trabalho, *às* letras.'' (E. Carneiro Ribeiro, *Serões Gramaticais,* 671.) ''Poderemos esquecer a aplicação dessas lições *ao* Brasil?'' (Rui, *Cartas de Inglaterra,* 157.)

''Aplicação de rendas *num* vestido.'' ''É preciso mais aplicação *no* estudo.'' ''Esta planta tem aplicação *em* medicina.''

''Aplicação de dinheiro *para* certa despesa.'' (Morais.)

Aplicado — *a, em, para, por, sobre:*

''Aplicado *ao* estudo.'' (E. Carneiro Ribeiro, *Serões Gramaticais,* 674.) ''Aplicada, porém, *ao* emprego da venalidade eleitoral, essa escala do enorme deu-nos o espetáculo da mais monstruosa feira política.'' (Rui, *Colunas de Fogo,* 29.)

''Cataplasma aplicada *numa* inchação.'' ''Dinheiro aplicado *em* obras de caridade.''

''Dinheiro aplicado *para* melhorar a situação da pobreza.''

''Não é preciso insistir sobre esse vocabulário de doestos e impropérios dos povos cultos .... aplicados *pela* indignação e a cólera *contra* o gênero humano.'' (João Ribeiro, *Curiosidades Verbais,* 32.)

''Emplastro aplicado *sobre* a parte doente.''

Aplicável — *a, contra, em:*

''Por que dizer indistintamente 'remição' e 'resgate', vocábulos aplicáveis *a* tantos outros fatos jurídicos diversos....?'' (Rui, *Réplica,* 531.) ''Esse exemplo não é aplicável *à* questão atual.'' (Constâncio.)

''Remédio aplicável *contra* epidemias.'' ''Aplicável *contra* a asma.'' (C. de Figueiredo, voc. *antiasmático.*)

''Medicamentos aplicáveis *em* tumores.''

Apoderado — *de:*

''Sua alma andava apoderada *de* ruins invejas.'' (Aulete.) ''Os nossos já estavam apoderados *d*aquele passo.'' (Dic. de Morais.)

Apodrecido — *de, em, por:*

''Gente apodrecida *de* aciosidade.'' ''Esgotos apodrecidos *do* enxurro da humanidade.'' (Dic. de Morais.)

"Juventude apodrecida *nos* vícios." "Ação reconstituinte, que as lutas ardentes pela democracia vêm exercer numa sociedade apodrecida *na* inércia." (Rui, *Queda do Império*, I, XVII.)
"Sociedade apodrecida *pela* inércia." (Rui, *Queda do Império*, I, 110.)

Apoiado — *a, de encontro a, em, por, sobre:*
"Encontrou a tia Afonsa do Aires, ... com a mão esquerda apoiada *ao* bordão." (Aquilino Ribeiro, *A Batalha sem Fim*, 97.) "Um (estrangeiro), velho, alquebrado e quase cego, caminhando apoiado *ao* ombro do outro, que era um robusto e garboso mancebo." (C. Neto, *A Cidade Maravilhosa*, 49.)
"Apoiada *de encontro a* uma coluna, fechando os olhos para não ver uma imagem interior, teve o pressentimento do lugar para onde ele iria ...." (Afrânio Peixoto, *A Esfinge*, 387.)
"Meia hora depois, a mesma lancha conduzia o israelita e uma dama, que chorava com a face apoiada *no* coração do mancebo." (Camilo, *Mistérios de Lisboa*, II, 83.) "Lúcia se aproximara, silenciosa, apoiada *no* seu braço." (Afrânio Peixoto, *A Esfinge*, 49.) "Os representantes da Inglaterra e da França rejeitaram categoricamente a intervenção de Mr. Brent, que não se mostrava apoiado *em* instruções do seu governo." (Rui, *Cartas de Inglaterra*, 320.)
"Apoiados *por* Prudente de Morais e estimulados por Glicério, ... estavam certos de excluí-lo da lista dos candidatos oficiais." (Luiz Viana Filho, *A Vida de Rui Barbosa*, 201.) "O relevo geral do solo ensinava .... o ataque parcial pela direita firmemente apoiado *pela* artilharia." (E. da Cunha, *Os Sertões*, 333.)
"Estava ela deitada, em um canapé, com um tremó à cabeceira, e o cotovelo apoiado *sobre* o tremó." (Camilo, *Mistérios de Lisboa*, I, 50.) "Originou esses móveis de embutidos, ... de que são tipos os contadores e as cômodas apoiadas *sobre* monstros." (Fialho de Almeida, *Os Gatos*, 310.)

Apoio — *a, de:*
"Aquele eminente chefe conservador encontrou, invariavelmente, no trono o apoio mais firme *à* resistência servil." (Rui, *Queda do Império*, I, 177.)
"Da falta da flexão característica de cada caso resultaria confusão no português moderno, ... se não viesse em apoio *da* clareza o emprego das preposições." (Júlio Nogueira, *O Exame de Português*, 144.) "Em apoio *dessa* atoarda .... não há, em toda a nossa história, um fato, um vislumbre de prova indiciativa." (Rui, *Colunas de Fogo*, 22.)

Apologia — *a, de:*
"Depois de .... tantas iras contra a resistência liberal, de tantas apologias *ao* projeto do governo." (Rui, *Discursos e Trabalhos Parlamentares*, vol. IX, tomo II, pág. 70.)
"Já se lavrou na imprensa da atualidade a apologia *da* perfídia." (Rui, *Campanha Presidencial*, 78.) "Seja qual for o reparo dos que hoje estranham a minha apologia *da* Inglaterra, a verdade é que, no Brasil, fui sempre um dos maiores preconizadores deste país." (Idem, *Cartas de Inglaterra*, 839.)

Apontado — *a, como, para:*
"Senhoras de notável virtude, mais apontadas *à* boa morigeração das educandas do que *à* cultura intelectual de almas feitas para boas filhas e ótimas esposas." (Camilo, *A Enjeitada*, 134.) "A faca apontada *ao* peito da tímida senhora é um dilema: se ela persiste em ficar, o alferes morrerá; se vai para o Brasil, o réu será absolvido." (Camilo, *O Bem e o Mal*, 186.)
"Foi apontado *como* um dos cúmplices."
"Ele é um dos apontados *para* substituto do ministro demissionário."

Apontamento — *de, para, sobre:*
"Tenho apontamento *de* todas as suas despesas."
"Foi impresso em 1763 o método para aprender e estudar a medicina, e ilustrado com apontamentos *para* estabelecer-se uma universidade real." (Camilo, *O Perfil do Marquês de Pombal*, 89.)
"Deixou apontamentos muito interessantes *sobre* sericicultura."

Apoquentação — *com, de:*
"A apoquentação *com* os alunos é prejudicial."
"Por que, pois, sofrer aquela apoquentação *do* estudo?" (Aluísio Azevedo, *apud* L. Freire.)

Apoquentado — *com, por:*
"Vive apoquentado *com* cuidados vãos."
"Ando apoquentado *pelo* mau êxito dos meus negócios." (Aulete.)

Aporrinhado — *com, por:*
"De certo, concordou Mendonça, visivelmente aporrinhado *com* o caboclo." (Graciliano Ramos, *S. Bernardo*, 40.)
"Aquela criança vive aporrinhada *pela* madrasta."

Aposição — *a:*
"Uma ou outra vez, rarissimamente, como que a descuido, se nos oferece, em bons autores, a aposição do artigo indicativo *ao* 'que' interrogativamente empregado." (Rui, *Réplica*, 196.)

Apossado — *de:*
"Apossado iniquamente *dos* senhorios de Carvalhais Ilhavo e Verdemilho, Rui Borges

afeiçoou-se a D. Catarina de Ataíde.'' (Camilo, *Boêmia do Espírito*, 177.)

Aposta — *em, a respeito de:*

''Sua aposta *no* cavalo uruguaio rendeu-lhe vultosa quantia.''

''Deus e o Diabo discutem. Fazem uma aposta *a respeito da* alma do Homem. O Diabo não leva em conta a raça humana.'' (*Maravilhas do Conhecimento Humano*, II, 74.)

Apostado — *a, em:*

''Digam-nos em verdade se há algum país no mundo, do oriente ao ocidente, onde assim se tripudie sobre os restos corruptos dum grande idioma, que todos estão apostados *a* destruir.'' (Ricardo Jorge, *Sermões dum Leigo*, 308.)

''Apostados *em* continuar seus bons propósitos.'' (Vieira, *apud* Morais.)

Apostila — *a:*

''E numa espécie de apostila *à* narrativa, contou a esquecida circunstância de ter rompido inesperadamente pelo tribunal a dentro o fidalgo.'' (Camilo, *O Bem e o Mal*, 206.)

Aposto — *a, para:*

''Já os bois estavam apostos *ao* carro.''

''Assinatura aposta *a* um documento.''

''Na sala de jantar, aposta *para* o festim, estrugiram brados entusiásticos.'' (C. Neto, *apud* L. Freire.) ''Quem há aí, entre a arraia miúda, mais discreto e aposto *para* tais autos que vós?'' (Herculano, *Lendas e Narrativas*, I, 61.)

Apóstrofe — *a, contra:*

''O orador esteve magnífico em sua apóstrofe *à* imagem da Pátria.'' ''Às apóstrofes sarcásticas *a* Deus e aos homens, seguiram-se as gargalhadas.'' (Camilo, *Livro Negro*, 233.)

''A Câmara dos Deputados ressoou em apóstrofes imortais *contra* o despotismo desse regime.'' (Rui, *Queda do Império*, I, 394.) ''Esta sequidão irritou D. Soeiro, que se desentranhou em apóstrofes *contra* a canalha de Pinhel.'' (Camilo, *O Bem e o Mal*, 219.)

Apoteose — *de:*

''A opinião pública fazia a apoteose *de* sua mulher. Caprichosa em aviltá-la, exaltou-a por capricho.'' (Camilo, *Livro Negro*, 92.)

Aprazado — *entre, para:*

''O tempo aprazado *entre* ambos eram quarenta dias.'' (Camilo, *A Enjeitada*, 107.)

''Dias aprazados *para* despachar as partes.'' (Morais.)

Aprazente — *a:*

''Obras aprazentes *a* Deus.'' (Aulete.)

Aprazível — *a, de, em:*

''Conservar esse gabinete, deixá-lo perpetrar contra o abolicionismo todos os arbítrios aprazíveis *à* escravidão .... era desconhecer o primeiro de todos os deveres de um chefe de Estado.'' (Rui, *Queda do Império*, I, 328.) ''A invasão dos ímpios, sendo nociva a toda a nação, tinha sido aprazível *a* seu filho, por lhe dar ensejo a não estudar, e gastar a mãos largas.'' (Camilo, *As Três Irmãs*, 23.) ''Palavras aprazíveis *à* orelha.'' (Morais.)

''Como foi então donoso e aprazível *de* ver-se o reflorir belezas no rosto de Jaquelina, renascidas ao calor de alma e coração felizes!'' (Camilo, *A Enjeitada*, 132.)

''Aprazível *no* trato.'' (Constâncio, voc. *amável*.) ''Era suave na prática e aprazível *na* vista.'' (F. Rodrigues Lobo, *apud* Morais.)

Apreciação — *a respeito de, de, sobre:*

''Inteiramente despercebida me passaria, pois, ... curiosa apreciação do Sr. Afonso Celso *a* meu *respeito*, publicada não sei em que folha daquele Estado.'' (Rui, *Cartas de Inglaterra*, 387.) ''Apreciação *a respeito de* uma obra.''

''Capítulo em que se faz a apreciação crítica *do* meu citado volume.'' (Mário Barreto, *Através do Dicionário e da Gramática*, 127.) ''Força é confessar que são .... excepcionais as inteligências suscetíveis de uma apreciação tão delicada *do* dever.'' (Rui. *Queda do Império*, I, 252.)

''As apreciações da imprensa *sobre* essa obra são acordes em julgá-la de extraordinário valor.''

Apreciado — *de, por:*

''Nesta espécie de livros, os demasiados primores deterioram os escritos, que, pelo comum, são mais apreciados *dos* iliteratos, que *dos* averiguadores de vernaculidade.'' (Camilo, *As Três Irmãs*, 10.)

''É um artista apreciado *por* todos.''

Apreço — *de, para com, por:*

''O pouco apreço que *dele* fazeis, demonstra que vos são incômodos aqueles que vos vigiam.'' (Mário Barreto, *Cartas Persas*, 137.) ''Os militares valentes fazem pouco apreço *da* vida.'' (Constâncio.) ''O estatuto prussiano faz particular apreço *de* uma biografia escolar, que o candidato é obrigado a apresentar.'' (Rui, *Queda do Império*, I, 414.)

''Tem grande apreço *para com* os intelectuais.''

''E como é que o apreço dos nossos antepassados *por* esses toscos instrumentos viria a explicar a nossa estima pela 'Quinta Sinfonia'?'' (Idem, *Cartas de Inglaterra*, 76.)

Apreensão — *de, por:*

''Invadiram-na pela primeira vez as apreensões *da* guerra.'' (E. da Cunha, *Os Sertões*, 329.) ''Passando-se o medo e a apreensão *do* perigo aos mesmos que o causavam.'' (Vieira, *apud* Morais.) ''A apreensão *do* que havia de ser não o deixava sossegar no que era.''

(Fr. Antônio das Chagas, *Obras Espirituais*, II, 62.)
''Começou a invadi-lo séria apreensão *pelo* futuro do filho.''

Apreensivo — *com, de, para, por:*
''Anda muito apreensivo *com* a doença do pai.''
''Mostrou-se muito apreensivo *da* gravidade da situação.''
''É indiscreta a bengala num teatro, como num salão, onde sua presença, tendenciosa, seria apreensiva *para* os desarmados.'' (Afrânio Peixoto, *A Esfinge*, 147.)
''Mais cuidadoso da influência atribuída à casa de Bragança, do que apreensivo *pelas* comoções civis.'' (Rebelo da Silva, *apud* Aulete.)

Aprendiz — *de, em:*
''Aprendiz *de* sapateiro.'' ''Discípulo e aprendiz *da* experiência.'' (Morais.)
''Aprendiz em amores.'' (Constâncio.) ''Sois muito aprendiz *em* diplomacias.'' (Aulete.)

Apresentação — *a:*
''A apresentação do escritor *ao* presidente da Academia foi feita pelo secretário desta.''

Apresentado — *a:*
''Tive a felicidade, balbuciou d'Auvergne como um novel das salas, apresentado *à* mulher que ama em segredo.'' (Camilo, *Livro Negro*, 156.)

Apresentável — *a, em:*
''É pessoa muito distinta, apresentável *à* mais fina sociedade.''
''Moça apresentável *em* qualquer salão.''

Aprimorado — *em:*
''Bastos Leite, sempre aprimorado *no* trato, estava outro, muito menos calmo do que aparentava.'' (Xavier Marques, *As Voltas da Estrada*, 78.)

Apropositado — *a, para:*
''Meios apropositados *aos* fins.''
''Noite apropositada *para* seu intento.'' (Morais.)

Apropriado — *a, para:*
''Os meios chamados cultos .... não são os mais apropriados *à* apreensão de certos fenômenos de linguagem.'' (Augusto Moreno, *Lições de Linguagem*, II, 201.) ''Não vedava as reuniões públicas noutras localidades, apropriadas *a* tal intuito.'' (Rui, *Queda do Império*, I, 125.) ''A proibição de assembléias populares no primeiro desses sítios não vedava as reuniões públicas noutras localidades apropriadas *a* tais intuitos.'' (Rui, *Queda do Império*, I, 125.)
''Esperara quase vinte e cinco anos e pensava ter encontrado a ocasião apropriada *para* o desforço.'' (Luiz Viana Filho, *A Vida de Rui Barbosa*, 200.) ''Meios mui apropriados *para* conseguir o intento.'' (Constâncio.)

Aprovação — *a, de, em:*
''Todavia encontrava um meio de expressar no semblante uma aprovação *aos* conceitos do Pinto.'' (Mário Sete, *Os Azevedos do Poço*, 99.)
''Instrumento de aprovação *do* testamento.'' (Morais.)
''Depois, entre os preceitos regulamentares, se estatui, outrossim, ... a aprovação plena *em* todas as matérias do curso.'' (Rui, *Queda do Império*, I, 267.)

Aprovado — *por:*
''Aceitou-lhe também dois sobrinhos, a quem incumbiu da execução de um regimento que lhes deu, aprovado *pela* câmara.'' (M. de Assis, *Papéis Avulsos*, 11.)

Aproveitado — *em, para, por:*
''As palavras latinas foram apenas aproveitadas *na* hierarquia da Igreja.'' (João Ribeiro, *Curiosidades Verbais*, 107.) ''Decorreram folgadamente cinco meses, aproveitados *em* organizar a cabala entre os Estados.'' (Rui, *Cartas Políticas e Literárias*, 159.)
''Músicas de dança, aproveitadas *pelos* moradores e agregados da fazenda *para* o sapateio e as volteadas que lhes proporcionavam a delícia do melhor dos divertimentos.'' (Alberto Rangel, *Fura-Mundo*, 282.)
''A ignota beleza do vocábulo foi aproveitada *por* um dos nossos poetas.'' (João Ribeiro, *Curiosidades Verbais*, 31.)

Aproveitamento — *de, em:*
''Aproveitamento *dos* terrenos incultos.'' (Constâncio.)
''Aproveitamento *nos* estudos, *nas* virtudes.'' (*Aulete.*)

Aproveitável — *a, contra, em, para:*
''Talentos aproveitáveis *à* república.'' (Constâncio.)
''Se nós soubéssemos de recurso aproveitável *contra* essa instituição republicana, claro está que principiaríamos por desafrontar da sevandilha a nossa testada.'' (Rui, *Colunas de Fogo*, 155.)
''Dando a faculdade ao governo de destacar para o Observatório, depois de formados, os alunos cujas aptidões, durante o curso, os houverem indicado como especialmente aproveitáveis *na* cultura prática da astronomia.'' (Rui, *Queda do Império*, I, 269.)
''Os ingleses não se envergonham de confessar que essa guerra abunda em instrução aproveitável *para* eles.'' (Rui, *Cartas de Inglaterra*, 129.) ''O préstimo daquele funcionário é muito aproveitável *para* assuntos de administração pública.'' (Aulete.) ''Por meio dessa máquina, uma soma de força igual ao esforço conjunto de cinqüenta mil cavalos tornou-se aproveitável *para* executar as imensas tarefas da construção moderna e da moderna locomoção.'' (*Maravilhas do Conhecimento Humano*, I, 282.)

Aproximação — *a, de:*

"Entrincheiramento para facilitar a aproximação *às* praças sitiadas." (C. de Figueiredo, voc. *aproche.*) "Assimilação ou aproximação de um som *a* outro." (Sousa da Silveira, *Lições de Português,* 71.)

"Tirou a aproximação *do* 1.º prêmio da loteria do Natal."

Aproximado — *a, de:*

"É um poeta de valor aproximado *ao* dos maiores do século XIX."

"Importância aproximada *de* cinco mil cruzeiros." "Os Grandes Lagos tomam forma e sobre as planícies vagueia uma horda de animais bastante aproximados *de* sua moderna forma." (*Maravilhas do Conhecimento Humano,* I, 218.)

Aprumado — *em, sobre:*

"Bem aprumado *na* sela." (Antero de Figueiredo, *Amor Supremo,* 68.) "Vê-lo aprumado *nos* castelos, quando entre o rolo da praia e o contrabando o barco se cabreia como cavalo furioso." (Aquilino Ribeiro, *A Batalha sem Fim,* 15.)

"E ali estacou feito um animal fantástico, aprumado *sobre* a ladeira." (E. da Cunha, *Os Sertões,* 31.)

Aptidão — *para:*

"Com raros dotes literários e comprovada aptidão *para* a escultura." (Gastão Cruls, *História Puxa História,* 254.) "Entre os preceitos regulamentares se estatui, outrossim, como cláusula imprescindível de aptidão *para* esses cargos, a aprovação plena em todas as matérias do curso." (Rui, *Queda do Império,* I, 267.) "Num caso é a aptidão *para* viver; no outro, *para* a vida longa." (Idem, *Réplica,* 346.)

Apto — *a, para:*

"Velho, porém robusto por extremo, com forças aptas *ao* pesado remo." (Castro, *Ulisséia,* IV, 27.) "Aptos *a* manejar o enxadão." (Camilo, *O Gênio do Cristianismo,* II, 210.) "O que apenas não é apto *a* qualquer fim ou ofício." (João Ribeiro, *Curiosidades Verbais,* 85.)

"Apto *para* exercer um cargo." (E. Carneiro Ribeiro, *Serões Gramaticais,* 674.) "A organização de um partido fora da república é, portanto, benefício incontestável para a moralização do poder, em um regime intolerante à contradição e tão pouco apto .... *para* fundar a oposição republicana." (Rui, *Cartas de Inglaterra,* XVII.)

Apunhalado — *em, por:*

"Os soldados de Filipe II eram agarrados pelos rins, já metidos na água, já trepados às árvores, mortos a machado pela nuca, ou apunhalados *na* garganta como feras." (R. Ortigão, *Holanda,* 26.)

"Morreram sufocados pela pressão ou apunhalados *pelos* êmulos do roubo." (Camilo, *Luta de Gigantes,* 30.)

Apupado — *de, por:*

"Uma ressalva com que possa atravessar a sociedade sem ser apupado *das* vaias que achincalham o homem pobre." (Camilo, *Mistérios de Lisboa,* I, 115.)

"Esses filósofos, desgraçado arremedo de outros que passaram apupados *pelos* discípulos rirão de V. Ex.ª" (Idem, *ibidem,* 253.)

Apurado — *com, em, para, por:*

"Inteligência apurada *com* o estudo."

"Alma sensível, apurada *na* prática das dedicações." (Alberto Rangel, *Fura-Mundo,* 214.) "Levou o dinheiro apurado *na* venda dos móveis, pertenças dos jesuítas." (Camilo, *Perfil do Marquês de Pombal,* 23.) "Apurado *no* timbre da sua dignidade." (Idem, *Mistérios de Lisboa,* I, 173.)

"Tem os ouvidos apurados *para* o mais ligeiro ruído."

"O dinheiro apurado *pelos* herdeiros não deu para desafogar-lhes a situação."

Apuro — *de, em:*

"É admirável seu apuro *de* linguagem nas menores coisas que escreve." "Escreveu a carta com apuro *de* letra e *de* estilo." (*Grande Enciclopédia Portuguesa e Brasileira.*)

"Não mostra grande apuro *no* trajar." "Vós tendes uma história de infortúnios e uma eloqüência apurada *neles.*" (Camilo, *Livro Negro,* 176.)

Aquartelado — *em:*

"Aquartelado *numa* estalagem daquela cidade." (Camilo, *Cavar em Ruínas,* 27.) "A guarnição de Lisboa subia apenas a dois mil homens, aquartelados *no* castelo." (Rebelo da Silva, *apud* L. Freire.)

Aquecido — *a, com, em, por:*

"A manteiga aquecida *ao* lume perde o sabor." (Constâncio.)

"Corpinho frágil, aquecido *com* o hálito materno." "No pátio ficavam alguns trovistas, num grupo íntimo, aquecido *com* o seu vinho claustral e com as suas musas escandecidas." (Camilo, *Boêmia do Espírito,* 229.)

"Amou e cantou várias damas com a facúndia congenial dos gênios da sua têmpera, aquecidos *no* exemplo contagioso dos mestres." (Camilo, *Perfil do Marquês de Pombal,* 127.)

"Sala adornada e vasta, aquecida *por* caloríferos." (Nuno de Andrade, *apud* L. Freire.)

Aquiescência — *a, em:*

"Uma das circunstâncias que chamam a atenção é a aquiescência do governo italiano *à* pretensão dos Estados Unidos." (Rui, *Colunas de Fogo,* 219.)

"Sua aquiescência *em* comparecer à solenidade causou excelente impressão."

Aquiescente — *a, em:*
"Declarou-se aquiescente *aos* desejos da comissão."
"Ele está aquiescente *em* adiar a viagem."

Arado — *por:*
"Encontrava apenas em Viena aquela fisionomia mais viçosa, menos arada *pelas* lágrimas." (Camilo, *Livro Negro,* 84.)

Arbítrio — *em:*
"Tenho tanto arbítrio *no* mal como o senhor *no* bem, represento o crime ao mesmo tempo que outro representa a virtude." (Camilo, *A Neta do Arcediago,* 100.)

Árbitro — *de, em, entre:*
"Árbitro *da* paz e *da* guerra, *da* vida e *da* fortuna." (Morais.) "Espelhavam-lha a admiração intensa e o respeito absoluto que o tornaram em pouco tempo árbitro incondicional *de* todas as divergências." (E. da Cunha, *Os Sertões,* 163.) "Um brâmane que estava ali perto, e a quem escolhi por árbitro *da* contenda...." (Mário Barreto, *Cartas Persas,* 92.)
"Compôs (Morais) o seu excelente dicionário, que é ainda hoje o árbitro supremo *em* muitas contendas lingüísticas." (Júlio Nogueira, *O Exame de Português,* 33.) "Vencido pelas instantes lamúrias de Proença, quis ser árbitro *na* liberdade do preso." (Camilo, *A Neta do Arcediago,* 145.)
"É o delicado árbitro *entre* homens e nações que perderam a calma." (*Maravilhas do Conhecimento Humano,* I, 320.)

Arborizado — *de:*
"Caminhou às cegas por uns trilhos de cabras, que se aplanavam numa chã, arborizada *de* sobros, onde Padre João regularmente amanhecia com seus livros de teologia moral." (Camilo, *O Bem e o Mal,* 80.)

Arcado — *sob, sobre:*
"Soldados ofegantes e suarentos entravam e saíam intermitentemente, arcados *sob* padiolas." (E. da Cunha, *Os Sertões,* 600.)
"E lá seguem todos, vagarosos, guiados pelo velho solitário ...., cujo corpo franzino, arcado *sobre* o bordão, avançava com andar remorado." (E. da Cunha, *Os Sertões,* 210.)

Ardente — *de, em:*
"Seus olhos, ardentes *de* brilho de uma glória que lhe não cabe no coração, parecem estudar as fisionomias que a rodeiam." (Camilo, *Livro Negro,* 53.)
"Ardente *em* sua cólera, mas sabendo perdoar ou diferir o castigo, segundo convinha a seus interesses." (Mário Barreto, *Cartas Persas,* XXVII.)

Ardido — *de, em:*
"Seus olhos ardidos *da* insônia tentavam cerrar-se para descontar o branco da noitada." (Alberto Rangel, *Fura-Mundo,* 143.)
"Dos dezoito homens da tripulação, marujos portugueses rudes e valentes, ardidos *de* sol, capazes de todas as proezas, unicamente sobravam treze." (Gustavo Barroso, *A Ronda dos Séculos,* 228.)
"Vão juntas umas contra as outras, ardidas *na* mesma fé e *no* mesmo furor." (Antero de Figueiredo, *Jornadas em Portugal,* 98.)

Ardil — *de, para:*
"O jau que levou este ardil *de* cometerem a entrada por aquela parte." (Morais.)
"Não fora senão um ardil *para* combinar com o amante o plano da fuga." (C. Neto, *Imortalidade,* 279.)

Ardor — *de, em, por:*
"O ardor *de* combater; ardor *de* glória." (Morais.)
"Ardor *em* servir a pátria."
"Obtivera satisfazer o ardor *pelo* luxo e *pelos* triunfos." (Herculano, *O Monge de Cister,* II, 145.) "Já nem me lembrava de meus ardores sentimentais *pela* moça." (Ciro dos Anjos, *O Amanuense Belmiro,* 155.)

Argamassado — *com, de:*
"Alicerce argamassado *com* material de boa qualidade."
"Trincheira de mortos argamassada *de* sangue." (E. da Cunha, *Os Sertões,* 360.)

Argüição — *de:*
"Para se esquivarem à argüição *de* terem avós arruinados, começaram por não ter avós." (Camilo, *apud* L. Freire.)

Argüido — *de:*
"Argüido *de* traidor, defendeu-se com firmeza e brilhantismo." "Conseqüência bem argüida *dos* princípios concedidos." (Morais.)

Argumento — *contra, para:*
"Paulo sorriu de que ela achasse argumentos *contra* si própria." (Afrânio Peixoto, *A Esfinge,* 94.)
"Daquelas palavras indecisas tiraram argumentos *para* condená-lo." (Aulete.)

Armadilha — *a, de, para:*
"Uns chamaram-lhe (ao fato) obrigação resultante da ignorância; outros, façanha de mentecapto; outros armadilha *à* fama, e semente lançada à boa-fé para colher cem por um." (Camilo, *As Três Irmãs,* 204.) "Do artifício dos auxílios à lavoura, armadilha *a* essa classe, rótulo para encobrir a coadjuvação às candidaturas oficiais, espera o gabinete plasmar à imagem dos seus interesses a Câmara de 1889." (Rui, *Colunas de Fogo,* 10.)
"Armadilha *de* apanhar caça graúda."
"Armadilha *para* caçar pássaros." (L. Freire, voc. *arapuca.*)

Armado — *a, com, contra, de, em, para, por:*
"Foi um laço ignóbil armado *aos* incautos."

"Três canhoneiras armadas exclusivamente *com* a mais poderosa artilharia raiada." (Rui, *Cartas de Inglaterra,* 193.) "Armado *com* todo o poder e fortaleza de seus exércitos." (Vieira, *Sermões,* IX, 79.) "Dava assim lugar a que Mendonça admirasse os seus belíssimos dedos armados *com* unhas agudíssimas." (M. de Assis, *Contos Fluminenses,* 11.)

"Logo, se o demônio se achava tão fortemente armado *contra* Estanislau, por que o não tenta?" (Vieira, *Sermões,* IX, 84.) "Afonso d'Albuquerque vinha armado *contra* a prudência e sagacidade de Melique." (Dic. de Morais.) "Mas Estêvão ia armado *contra* as objeções do marido." (M. de Assis, *Contos Fluminenses,* 130.)

"Os combatentes, armados *de* velhas espingardas, *de* chuços de vaqueiros, *de* foices e varapaus, perdiam-se no grosso dos fiéis." (E. da Cunha, *Os Sertões,* 232.) "Formidáveis são os princípios dos Stuarts, armados *da* suprema autoridade." (Rui, *Queda do Império,* I, 116.) "Gigantes armados *de* pesadas maças." (C. Neto, *Imortalidade,* 140.)

"Armados *em* guerra; armados *em* cavaleiros de Cristo." (Morais.) "Dividindo-se o país, a benefício dessa vaidade usurpadora, em dois campos inimigos, armados *em* guerra e ensopados em sangue um contra outro." (Rui, *Queda do Império,* II, 121.)

"As espécies não se mostram tão bem armadas *para* a reação vitoriosa." (E. da Cunha, *Os Sertões,* 41.) "De um jato, de um salto, assomara, destacando-se da vasta massa inerte da China, uma nação completamente armada *para* todas as competências da civilização moderna." (Rui, *Cartas de Inglaterra,* 115.) "Estão armados *para* atacar a sua justiça; bom seria que o estivessem os senhores *para* a defender." (Mário Barreto, *Cartas Persas.* 161.)

"Os que a ele se renderam não caíram num laço armado *pela* astúcia ao brio." (Rui, *Colunas de Fogo,* 174.) "E em todas as mensagens .... persistiu, como aspiração exclusiva, o esmagamento dos inimigos da República, armados *pela* caudilhagem monárquica." (E. da Cunha, *Os Sertões,* 366.) "O arco-íris coloria a celagem como um arco de triunfo armado *pelo* sol despeitado com a caligem que o obumbrava." (J. Américo de Almeida, *A Bagaceira,* 178.)

Armistício — *com, entre:*

"O armistício da França *com* a Alemanha trouxe aos ingleses sérios embaraços."

"No dia 24 de junho foi firmado o armistício *entre* a França e a Itália."

Aromatização — *com:*

"Não aprecio a aromatização *com* âmbar."

Arquejante — *de:*

"Era José Fonseca, arquejante *de* cansaço, mas desfigurado pelo júbilo." (Camilo, *As Três Irmãs,* 203.)

Arquitetado — *com, de, por, sobre:*

"Mausoléu arquitetado *com* mármore negro."

"Castelo arquitetado *de* fantasias."

"Tal a tentativa de drama popular, *por* Garrett arquitetada *sobre* uma lenda da adolescência de Nun'Álvares." (Fialho de Almeida, *Os Gatos,* 212.)

Arraigado — *a, em, por:*

"Arraigado *àquelas* coisas que impedem a salvação." (Fr. D. Vieira.)

"É este um idiotismo tão arraigado *no* falar e *no* escrever, que ainda aqueles que mais se esforçam por evitá-lo, uma ou outra vez o cometem." (E. Carneiro Ribeiro, *Serões Gramaticais,* 354.) "Tem, revestindo-lhe as encostas, uma flora de vivacidade inexplicável, arraigada *na* pedra." (E. da Cunha, *Os Sertões,* 254.)

"Domínio arraigado *no* coração *pela* caridade."

Arrancada — *contra, sobre:*

"É, portanto, um recurso pequenino .... adulterar o nosso proceder com as cores de uma arrancada *contra* a atualidade." (Rui, *Colunas de Fogo,* 102.) "Velhíssima cópia das vetustas quadras dos fossados ou arrancadas noturnas, na Península, *contra* os castelos árabes." (E. da Cunha, *Os Sertões,* 130.)

"Arrancada *sobre* o campo inimigo."

Arrancado — *a, de, por:*

"Ângela, a infeliz arrancada *à* desonra, há de também beijar esta mão!" (Camilo, *Mistérios de Lisboa,* I, 107.) "A extinção do elemento servil foi .... uma conquista popular, arrancada *às* vacilações e repugnâncias da regente." (Rui, *Queda do Império,* I, 323.) "Províncias arrancadas *ao* poderio muçulmânico." (João Grave, *Os Vivos e os Mortos,* 252.)

"O quadro é desolador. Casamatas destruídas, árvores arrancadas *do* chão, cadáveres de homens e animais." (Erico Verissimo *Saga,* 136.) "No espaço de três ou quatro semanas, se tanto, viria à luz do sol, arrancado *do* esconderijo .... o tesoiro sem par." (Aquilino Ribeiro, *A Batalha sem Fim,* 66.) "Das ruínas do frontispício da Sé saíam bocados de pano preto arrancados *das* eças." (Alberto Rangel, *Fura-Mundo,* 108.)

"As palavras dele eram poucas, e essas arrancadas *pelas* perguntas da prelada." (Camilo, *Mistérios de Lisboa,* I, 264.)

Arranchado — *à sombra de:*

"Muita vez, arranchado *à sombra de* oiticicas frondosas, oferecera um patacão por uma cuia dágua.'' (Domingos Olímpio, *Luzia-Homem,* 218.)

Arranco — *contra, sobre:*

''Prepararam-se para o grande arranco *contra* o inimigo.''

''Formadas cedo, as colunas dispuseram-se ao último arranco *sobre* o arraial.'' (E. da Cunha, *Os Sertões,* 275.)

Arranhado — *com, de, em, por:*

''Rosto arranhado *com* as unhas.''

''Ele se dizia pago dessas horas de excursão, enlameado embora, ou arranhado *de* espinhos.'' (Afrânio Peixoto, *A Esfinge,* 306.)

''Acharam o pobre irmão .... arranhado *no* rosto.'' (Fr. Luís de Sousa, *História de S. Domingos,* I, 488.)

''Violino arranhado *por* um aprendiz.''

Arras — *a:*

''Do sangue vertido na Bahia em arras *à* realeza .... espera o gabinete plasmar à imagem dos seus interesses.'' (Rui, *Colunas de Fogo,* 10.)

Arrasado — *de, em, por:*

''Francisca saía sempre da grade com os olhos arrasados *de* lágrimas.'' (Camilo, *Mistérios de Lisboa,* I, 261.)

''Olhos arrasados *em* lágrimas.'' (Dic. de Morais.) ''A velha mulata Rosária, arrasada *em* lágrimas e sacudida de soluços.'' (Alberto Rangel, *Fura-Mundo,* 386.)

''Tudo ficou arrasado *pelas* bombas.'' (Constâncio.)

Arrastado — *a, de, em, para, por:*

''A guarnição da peça recuara espavorida, enquanto ela rodava, arrastada *a* braço apresada.'' (E. da Cunha, *Os Sertões,* 276.) ''Deu o rebate do mexerico, ... com que depois o atiçou, em mero dano da pobre companhia, arrastada *à* baixa pela encenação da estralada.'' (Rui, *Colunas de Fogo,* 132.) ''O padre, depois que ela foi arrastada *ao* convento, não voltou à quinta.'' (Camilo, *A Enjeitada,* 129.)

''Arrastados *de* seu desejo.'' (Morais.)

''Vencida e arrastada *no* pó, a outra (coroa) ia abrigar-se do perigo atrás das ameias, mareando-se de lágrimas.'' (Rebelo da Silva, *Contos e Lendas,* 189.) ''Arrastados *na* lama, os vencidos de hoje ressurgem amanhã para a apoteose.'' (Rui, *Colunas de Fogo,* 182.) ''Se o governo soubesse ser enérgico e leal, ... a honra do governo não se veria arrastada *no* lodo.'' (Idem, *Queda do Império,* I, 145.)

''Todo aquele conjunto impressionava e atraía; Estêvão sentia-se cada vez mais arrastado *para* aquele homem, que o procurava e lhe estendia a mão.'' (M. de Assis, *Contos Fluminenses,* 93.)

''Não ouviu bulha? assim a modo de ferros arrastados *pelo* sobrado?'' (Rebelo da Silva, *Contos e Lendas,* 45.) ''Um grupo, arrastado *por* subalternos valentes, arrancara atrevidamente contra a igreja nova.'' (E. da Cunha, *Os Sertões,* 336.) ''Era aí arrastada *por* seu pai, quando o não seguia, silenciosa e humilde, como quem receava desafiar-lhe as iras.'' (Camilo, *Mistérios de Lisboa,* I, 136.)

Arreado — *com, de:*

''Corpo arreado *com* plumagens e colares.''

''Nos dias-santos, a mulher trajava blusa de gorgorão arreada *de* oiro.'' (Aquilino Ribeiro, *A Batalha sem Fim,* 16.) ''Pecos de imaginação, sim; mas arreados *de* fantasias que desdouram o meu próximo, isso nunca.'' (Camilo, *A Neta do Arcediago,* 20.)

Arrebatado — *a, com, de, em, por:*

''Vitória arrebatada *ao* inimigo.'' ''Alma arrebatada *ao* céu.''

''Até onde alcançam os olhos arrebatados *com* o espetáculo das admiráveis oposições deste quadro sem igual.'' (Rebelo da Silva, *apud* Aulete.)

''Falando assim, e arrebatados *de* ardor juvenil, os donzéis atravessavam uma paisagem mais formosa e enlevada.'' (Rebelo da Silva, *Contos e Lendas,* 192.) ''Vencido finalmente, e arrebatado *deste* incêndio, toma Estanislau a pena, e escreve uma terníssima carta à sua segunda Mãe.'' (Vieira, *Sermões,* IX, 91.) ''Os atuais povoados sertanejos se formaram de velhas aldeias de índios, arrebatadas, em 1758, *do* poder dos padres.'' (E. da Cunha, *Os Sertões,* 101.) ''A esse período pertence .... a prisão de dez abolicionistas ali, arrebatados violentamente *de* suas casas, brutalmente espancados.'' (Rui, *Queda do Império,* I, 346.)

''Arrebatado *em* êxtase.'' (Constâncio.) ''Enquanto o meu nobre antagonista, arrebatado *na* onda que vai, com a ciência, para o futuro, esquece naturalmente, no comércio dos idiomas que ela usa preferir, a individualidade, a formosura e a opulência do seu.'' (Rui, *Réplica,* 507.)

''Em breve, céleres, arrebatadas *pelo* vento, enoveladas, ... crepitam as queimadas, inextinguíveis, derramando-se por muitas léguas em roda.'' (E. da Cunha, *Os Sertões,* 487.) ''Depois muitas outras existências úteis e saudosíssimas vimos arrebatadas *pelo* improviso da mesma surpresa, batizada com o mesmo nome, envolvida no mesmo quadro de sintomas devastadores.'' (Rui, *Colunas de Fogo,* 46.) ''Rendido à evidência, caíra de joelhos no chão, e, em delírio, arrebatado *por* asas místicas, enaltecera ao Senhor.'' (Aquilino Ribeiro, *A Batalha sem Fim,* 74.)

Arrebatamento — *com, contra, de, em, por:*

''Peço-lhe mil perdões dos arrebatamentos que tive *com* meu pai.'' (Castilho, *O Avarento,* 284.)

"A faísca elétrica do entusiasmo, recebida nos lances do tribunal, conflagrou ânimos juvenis, em belicoso arrebatamento *contra* polícia e tropa." (Camilo, *O Bem e o Mal*, 197.)

"Num arrebatamento *de* entusiasmo, espichou uma pipa atestada." (Herculano, *apud* Aulete.)

"E caminhou ao longo da ponte, sem denotar arrebatamento *na* serenidade do passo." (Camilo, *O Bem e o Mal*, 143.)

"Arrebatamento duma criança *por* ladrões." (*Grande Enciclopédia Portuguesa e Brasileira*.)

Arredado — *de, para:*

"O pai trouxe-o anos seguidos na escola, arredado *da* vida do mar." (Aquilino Ribeiro, *A Batalha sem Fim*, 18.) "Arredado *do* negócio, mas com o hábito da ordem, o homenzinho às seis da manhã já andava pela casa, a ver uma coisa e outra." (C. Neto, *A Cidade Maravilhosa*, 67.)

"Arredado *para* um canto."

Arredio — *a, de:*

"De gênio atrevido e despreocupado, arredio *a* toda espécie de trabalho, Filipinho estava ao pintar para companheiro do Besouro." (Afonso Arinos, *Pelo Sertão*, 56.)

"Não se sente (Rui) inclinado para nenhuma destas facções, e permanecerá arredio *dos* partidos, solitário, mas vigilante." (Luiz Viana Filho, *A Vida de Rui Barbosa*, 197.)

Arrefecimento — *de, em, para com:*

"O arrefecimento *das* relações entre as duas cortes era muito sensível." (Aulete.)

"Não passou despercebido seu arrefecimento *no* interesse com que acompanhava a narrativa."

"Minha mãe apeou, em uma reconcentração, que parecia arrefecimento *para comigo*. Olhei-a com ar de espanto. Ela compreendeu-me, e chorou." (Camilo, *Mistérios de Lisboa*, I, 233.)

Arregaçado — *em:*

"O busto fino emergindo dos arcos e tufos de um decente merinaque e os cabelos castanhos arregaçados *num* penteado alto, aristocrático, em forma de campânula." (Xavier Marques, *As Voltas da Estrada*, 58.)

Arregoado — *de, por:*

"Esperavam encontrar um cadáver, e viram o seu amigo entalado entre duas rochas, com a face arregoada *de* sangue." (Camilo, *Mistérios de Lisboa*, I, 204.)

"Terreno arregoado *pel*as enxurradas."

Arremedo — *de:*

"Liam com incredulidade os episódios do caso inaudito, inclinadas a verem nessa transplantação quase instantânea das idéias ocidentais um arremedo ingênuo e vão *dos* altos modelos europeus." (Rui, *Cartas de Inglaterra*, 113.) "Esses filósofos, desgraçado arremedo *de* outros que passaram apupados pelos discípulos, rirão de V. Excia." (Camilo, *Mistérios de Lisboa*, I, 252.)

Arremessado — *a, contra, de, em:*

"Carga arremessada *ao* mar."

"Arremessado *contra* a parede."

"Pedras arremessadas *do* cimo dos montes."

"A capela branca, arremessada *na* altura, ... parecia enviar-lhes, de longe, um aceno carinhoso e amigo." (E. da Cunha, *Os Sertões*, 485.)

Arremesso — *contra, sobre:*

"Punhos amolecidos e frouxos pelo multiplicado dos golpes; forças perdidas em arremessos doidos *contra* o vácuo." (E. da Cunha, *Os Sertões*, 77.) "E, três dias mais tarde, o arremesso *contra* o arraial." (Idem, *ibidem*, 300.)

"O arremesso da infantaria *sobre* o inimigo."

Arremetida — *a, contra:*

"Dar uma arremetida *ao* inimigo." (Dic. de Morais.)

"De uma feita, quando já na maromba e em marcha para o rodeio, se danara no mundo (o novilho), obrigando o Joaquim Calumbi a muitas arremetidas *contra* os capoeirões trançados de espinhos." (Gastão Cruls, *Ao Embalo da Rede*, 145.) "O povoado .... ia, a partir daquela data, celebrizar-se como base das operações de todas as arremetidas *contra* Canudos." (E. da Cunha, *Os Sertões*, 251.)

Arrepanhado — *em:*

"E, cruzando os braços, com a face arrepanhada *num* sarcasmo, respondeu-lhe: ...." (Afrânio Peixoto, *A Esfinge*, 249.)

Arrependido — *de:*

"Estava já sinceramente arrependido *de* ter vindo surpreendê-la." (Aluísio Azevedo, *O Mulato*, 143.) "Agora, arrefecia, como arrependido *de* ter corrido." (J. Américo de Almeida, *O Boqueirão*, 118.) "Não tinha o direito de humilhar o prosélito que viesse auxiliá-las (as convicções), arrependido *dos* seus erros." (Rui, *Cartas de Inglaterra*, 389.)

Arrependimento — *de, por:*

"Arrependimento *dos* pecados, *do* crime." (Constâncio.)

"Parece não sentir o menor arrependimento *pelo* mal que fez."

Arrepiado — *com, de, em, por:*

"Ficou arrepiado *com* o que ouviu."

"E embaixo o cacto agressivo esperava-o com os braços erguidos arrepiados *de* espinhos longos como estiletes." (J. Américo de Almeida, *A Bagaceira*, 244.)

"Amélia, sempre incendida, ia consentindo, arrepiada *em* cócegas." (Aluísio Azevedo, *Casa de Pensão*, 225.)

"Paulo fez um movimento de recuo, arrepiados os cabelos do corpo *por* esse rangido desagradável." (Afrânio Peixoto, *A Esfinge*, 303.) "Como era bonito o lago, de águas assim, arrepiadas *pelo* vento!" (Gastão Cruls, *História Puxa História*, 183.)

Arrimado — *a, contra, em, sobre:*

"O mistério com que os antigos fingiram a Vulcano, deus do fogo, manso e arrimado *a* um bordão, é porque só o fogo, entre todos os elementos, necessita de matéria em que sustente." (Vieira, *Sermões*, IX, 191.) "Andava arrimado *a* um bastão, já pendido para o solo que o haveria de receber em breve." (Gustavo Barroso, *Terra de Sol*, 178.)

"Deparou-se-lhe um ébrio arrimado *contra* o muro."

"Foi encontrá-lo arrimado *no* balcão."

"Andava pesadamente com o corpo arrimado *sobre* o bordão."

Arrimo — *a:*

"Só encontram no bastão da mendicância o arrimo *a* seus males de míngua e anciania." (Alberto Rangel, *Papéis Pintados*, 17.)

Arriscado — *para:*

"Rejeitara ofertas vantajosas de transferências para cidades mais alegres, mesmo o canonicato, com que lhe acenaram em certa ocasião arriscada *para* os conservadores." (C. Neto, *Treva*, 74.)

Arrogância — *com, de, para, para com:*

"Tem muita arrogância *com* os pobres e humildes."

"Veja que arrogância *de* maneiras!"

"Voz poderosa na expressão e fraca na tonalidade, onde havia um pouco de súplica e um pouco de arrogância — súplica para Deus e arrogância *para* os homens." (Aluísio Azevedo, *O Homem*, 55.)

"É irritante sua arrogância *para com* todos os empregados."

Arrogante — *com, de, em, para com:*

"Era terrível com os populares, mas *com* os poderosos, arrogante." (Latino Coelho, *apud* E. Carneiro Ribeiro, *Serões Gramaticais*, 653.)

"É muito arrogante *de* maneiras."

"Tão soberba (a estátua) na grandeza, tão arrogante *na* excelência." (*Grande Enciclopédia Portuguesa e Brasileira.*)

"Arrogante *para com* os fracos."

Arrojado — *de, em:*

"É um homem arrojado *de* espírito."

"Arrojado *em* seus empreendimentos." "Arrojado *na* vingança." (Morais.)

Arrojo — *em, para com:*

"Seu arrojo *nos* negócios nem sempre dá bom resultado."

"Quem a esse arrojo se atreve *para com* o poder, não é decerto por fraqueza que não dá um passo adiante." (Rui, *Colunas de Fogo*, 195.)

Arroubado — *de, em:*

"Saí de minha casa, com a fantasia arroubada *de* delícias, e achei-me maquinalmente debaixo dum caramanchão." (Camilo, *Cenas da Foz*, 55.)

"Essa antinomia divina e monstruosa .... seria a imagem de nossa vida, arroubada *em* visões e desprendimentos, mas conduzida em cada momento à mesquinha, original e eterna Necessidade." (Afrânio Peixoto, *A Esfinge*, 136.)

Arroubamento — *de:*

"Num quieto arroubamento *da* alma." (Dic. de Morais.) "Os corações mais fechados a arroubamentos *de* amor sentem-se embrandecer." (Júlio Diniz, *As Pupilas do Sr. Reitor*, 222.)

Arroxeado — *de, por:*

"Ao corpo de D. Polônia, arroxeado *das* pisaduras de arruaça, revestia-o o denodo de Clara Camarão em Porto Calvo." (Alberto Rangel, *Fura-Mundo*, 108.)

"E descobriu-lhe ainda um pouco de tristeza nas unhas arroxeadas *pelo* banho." (J. Américo de Almeida, *A Bagaceira*, 60.)

Arrufado — *com, de:*

"Arrufado *com* alguém." (Morais.)

"Abrindo as asas negras, arrufadas *de* cólera." (C. Neto, *Imortalidade*, 32.)

Arrufo — *com, de, entre:*

"Seu arrufo *com* a namorada passou logo."

"Arrufos *de* namorados." (Constâncio.)

"O arrufo *entre* os noivos durou pouco tempo."

Arruinado — *com, em, por:*

"*Com* semelhantes gastos, em breve estará arruinado."

"Mudara para aquele sobrado de azulejos no Poço, que acabara comprando a um visconde arruinado *no* jogo." (Mário Sete, *Os Azevedos do Poço*, 56.) "Velha nobreza arruinada *em* aventuras e louçania pouco atinente às suas rendas." (Fialho de Almeida, *Os Gatos*, 199.)

"Grandes famílias do Alentejo, arruinadas *pelo* desleixo, hipotecadas nos bancos." (Fialho de Almeida, *Os Gatos*, 263.) "Eu estou com o povo brasileiro, para a renovação da república arruinada *pela* política." (Rui, *Cartas Políticas e Literárias*, 258.)

Arruivascado — *de, por:*

"Com os cabelos arruivascados *do* sol e a cútis denegrida." (Camilo, *A Enjeitada*, 108.)

"Cabeleira arruivascada *pelo* sol."

Articulação — *com, de, entre:*

"Relativo à articulação do acrômio *com* a clavícula." (L. Freire, voc. *acrômio-clavicular.)*

"Articulação *das* peças de um mecanismo."

"Articulação *entre* as partes de um aparelho ou máquina."

Articulado — *com, por:*

"Órgão articulado *com* outro."

"Dessas (afirmações) que já circulam sem rebuço nos círculos políticos, articuladas *por* certos personagens." (Rui, *Cartas Políticas e Literárias,* 140.)

Artifício — *de, para:*

"Dando-lhe as maiores grandezas, ainda busca artifícios *de* lhas dar acrescentadas." (Vieira, *Sermões,* VI, 386.)

"Sabe-se o artifício de Herbert Spencer *para* transpor essa dificuldade." (Rui, *Cartas de Inglaterra,* 92.)

Artigo — *acerca de, a respeito de, sobre:*

"Leia-se o seu artigo *acerca da*quele vocábulo no segundo volume." (Rui, *Réplica,* 170.)

"Escrever um artigo *acerca de, a respeito de* ou *sobre* política internacional."

Artimanha — *contra, para:*

"Outras vezes ficava a ouvir as proezas de caça e de vaquejadas, transes arriscados e artimanhas sutis *contra* feras e bois bravos." (Afrânio Peixoto, *A Esfinge,* 307.)

"Isto é artimanha *para* iludir os incautos."

Arvorado — *em:*

"Qualquer facinoroso arvorado *em* oficial, ainda que sem patente, manda à sua vista flagelar os prisioneiros." (J. Francisco Lisboa, *apud* L. Freire.)

Ascendência — *sobre:*

"A onda germânica inundou o império, e, aceitando a civilização latina, limitou-se a impor os termos militares e heráldicos que conhecia e que eram próprios da sua ascendência *sobre* os povos conquistados." (João Ribeiro, *Curiosidades Verbais,* 102.) "A que transformações não teríamos de assistir, pois, na carta política do mundo .... se (o Japão), apoiado nessa aliança, assumisse ascendência ativa *sobre* a raça amarela." (Rui, *Cartas de Inglaterra,* 118.)

Ascendente — *em, sobre:*

"Esta cláusula, só de per si, exprime o grandioso ascendente da religião *no* espírito do moribundo." (Camilo, *Mistérios de Lisboa,* I, 233.) "A posse inglesa da Índia e o ascendente inglês *na* China constituem uma das bases essenciais a essa preponderância benfazeja." (Rui, *Cartas de Inglaterra,* 118.)

"O sésamo irresistível do seu ascendente *sobre* as burras favorecidas." (Rui, *Colunas de Fogo,* 30.) "Este homem capitaneou soldados com o pulso de um rijo cabo de guerra, e, para adquirir tamanho ascendente *sobre* eles, o seu meio não foi a avidez, mas a disciplina." (Idem, *Cartas de Inglaterra,* 257.)

Ascensão — *a, para, por:*

"Ascensão *ao* monte Branco." (Fr. D. Vieira.) "Seus sintomas iniciais, denunciando os passos de ensaio na luta do governo contra o exército e armada, coincidem com a moléstia do imperador e a ascensão de sua filha *ao* trono." (Rui, *Colunas de Fogo,* 22.)

"Aquelas montanhas vaporosas e negras rasgaram-se d'alto a baixo em fendas semelhantes a algares profundos, e os seus fragmentos informes e cambiantes vacilavam trêmulos em ascensão diagonal *para* as alturas." (Herculano, *Eurico,* 52.) "A ascensão triunfal *para* a luz." (João Grave, *Os Vivos e os Mortos,* 190.)

"A sublevação das rochas primitivas .... torna-se condensador admirável dos escassos vapores que ainda os impregnam (aos ventos), graças ao resfriamento decorrente de uma ascensão repentina *pelos* flancos das serranias." (E. da Cunha, *Os Sertões,* 251.)

Asco — *a, de, por:*

"Ter asco *aos* pobres." (Morais.)

"Remo manifestava o asco *dos* costumes fósseis." (J. Américo de Almeida, *O Boqueirão,* 72.) "Tinham asco *de* pôr os olhos em Lázaro." (Vieira, *apud* Morais.)

"Sinto profundo asco *por* semelhantes meios de combater o adversário." "Infiltrara-lhe na alma com veemente asco *pelo* mundo a prática mais rigorista do beatério." (Aquilino Ribeiro, *Andam Faunos,* 97.)

Asfixiado — *de, em, por:*

"Morreria? — perguntava Flávia quase asfixiada *de* correr." (Camilo, *A Enjeitada,* 239.)

"Asfixiado *numa* agonia arquejante."

"Morreu asfixiado *pelo* ácido carbônico."

Asilo — *contra, de, para:*

"Que farias se pudesses sair desse lugar sagrado, que .... para as tuas companheiras é asilo favorável *contra* as acometidas do vício....?" (Mário Barreto, *Cartas Persas,* 42.)

"Itália foi asilo *das* boas artes perseguidas pelos bárbaros." (Morais.)

"Asilo *para* menores desamparados."

Aspecto — *de; a, debaixo de, em, sob:*

"Os aspectos *dos* astros." (Morais.) "Tinha o aspecto *das* naturezas cálidas." (M. de Assis, *Memórias Póstumas de Brás Cubas,* 175.)

"*Ao* primeiro aspecto agrada-me." (*Grande Enciclopédia Portuguesa e Brasileira.*)

"*Debaixo d*este aspecto, ponto de vista." (Constâncio.) "Mas não o encaram os cristãos (ao casamento) *debaixo d*esse aspecto."

(Mário Barreto, *Cartas Persas*, 245.)
''Nesse tríplice convergir de esforços porque a forma do projeto saísse extremada *no* aspecto vernáculo se nos oferecia, porém, a expressão de que realmente a Câmara lhe tinha a vernaculidade em ponto de honra parlamentar.'' (Rui, *Réplica*, 6.)
''Nesse instante ela nos aparecera *sob* outro aspecto, contrário ao primeiro, e todavia não menos real.'' (Herculano, *O Bobo*, 31.) ''Aprendendo o seu (idioma) profundamente e diretamente dos seus grandes escritores estudados *sob* todos os aspectos, não admira que a crítica ali raro tenha a notar-lhes incorreções.'' (Rui, *Réplica*, 505.)

Aspereza — *com, de, para com:*
''Tem muita aspereza *com* as crianças.''
''Não estranheis a aspereza *da* resposta.'' (Morais.)
''Não posso compreender sua aspereza *para com* a tia.''

Aspergido — *em, de:*
''O resto do sangue é aspergido *nas* cabeças da assembléia.'' (*Maravilhas do Conhecimento Humano*, 328.)
''Daquele batismo das águas aspergidas *da* onda sairia poeta.'' (Camilo, *Memórias do Cárcere*, cit. de Morais.)

Áspero — *a, com, de, em, para, para com:*
''Áspero *ao* gosto, *ao* ouvido.'' (Morais.)
''Áspero *com* os outros.'' (Constâncio.) ''Foi muitas vezes áspero *com* os adversários e tratou-os sem generosidade.'' (Luiz Viana Filho, *A Vida de Rui Barbosa*, 288.)
''Áspero *de* sofrer.'' (Constâncio.) ''Áspero *de* maneiras.''
''*No* mandar áspero, e muito para temer na sua paixão.'' (Morais.) ''Aí tem você por que os brasileiros são inteligentes e ávidos, ásperos *no* ganho, mas desperdiçados na economia.'' (Afrânio Peixoto, *A Esfinge*, 400.)
''Áspero consigo, *para* os outros.'' (Morais.)
''Aquele negociante é muito áspero *para com* os fregueses.''

Aspersão — *com, de, sobre:*
''Nesses dias se faz aspersão *com* água benta.''
''Rezas, aspersões *de* água benta.'' (M. de Assis, *Memórias Póstumas de Brás Cubas*, 131.)
''E lançando-lhe água benta, fez também aspersão *sobre* a corrente em que estavam aprisionados.'' (Bernardes, *apud* Fr. D. Vieira.)

Aspiração — *a, de, para:*
''A aspiração *ao* poder, *às* grandezas.'' (E. Carneiro Ribeiro, *Serões Gramaticais*, 671.) ''Achei sublimidade nessa força d'alma, que o vulgo denomina aspiração *ao* singular.'' (Camilo, *As Três Irmãs*, 16.)
''No uso de uma ou de outra, nunca tive aspiração *de* louros.'' (Rui, *Colunas de Fogo*, 134.) ''Em sua inocência, principiava a balbuciar apenas primeiras e vagas aspirações *de* um sentimento que não sabia definir ainda.'' (Rebelo da Silva, *Contos e Lendas*, 55.)
''Não menos me foi simpático o calor do afeto que consagra à sua língua e à sua nação, que a um passado glorioso ajunta nobres aspirações *para* um brilhante futuro.'' (Mário Barreto, *Através do Dicionário e da Gramática*, 363.) ''Fídias fixou, em plásticas relumbrantes de pureza, a transcendente aspiração do homem *para* o infinito.'' (João Grave, *Os Vivos e os Mortos*, 249.)

Aspirante — *a, de:*
''Aspirante *a* um emprego público; aspirante *a* oficial.'' ''Aqui finalmente se torna a alma toda amorosa, ardente e afetuosa, e aspirante *à* união do divino amor.'' (Bernardes, *apud* Fr. D. Vieira.)
''Aspirante *de* marinha; aspirante *de* piloto.'' (*Grande Enciclopédia Portuguesa e Brasileira.*)

Asqueroso — *a, de:*
''Indivíduo asqueroso *a* quantos o conhecem.''
''Enfermo asqueroso *de* lepra.'' (Morais.)

Assacado — *a, contra:*
''Entre as incorreções assacadas *aos* clássicos avulta a da concorrência de palavras de cuja união, como disse Castilho, se formam para a orelha outras menos convenientes.'' (Mário Barreto, *Através do Dicionário e da Gramática*, 326.) ''Nem sequer deixam transparecer algumas dessas violências assacadas *ao* escrivão da alçada.'' (Camilo, *Perfil do Marquês de Pombal*, 110.)
''Faltas, aleives assacados *contra* alguém.''

Assado — *de, em, por:*
''Tinham os corpos assados *do* sol do deserto.''
''E já tinham à mostra as costas assadas *no* trabalho soalheiro.'' (J. Américo de Almeida, *A Bagaceira*, 37.)
''Criancinhas desnudas, assadas *pelo* calor causticante.''

Assalariado — *por:*
''Miseráveis assalariados *por* outros maiores miseráveis.'' (Antero de Figueiredo, *Jornadas em Portugal*, 66.) ''Um deputado conservador os chamou, na Câmara, de escritores assalariados *pelo* governo.'' (Luiz Viana Filho, *A Vida de Rui Barbosa*, 93.)

Assaltado — *de, por:*
''Foram assaltados *dos* mouros.'' (Morais.) ''Assaltado *de* súbitas alucinações, via, sobre o paço dos reis, ataúdes agoureiros, línguas de flamas misteriosas.'' (E. da Cunha, *Os Sertões*, 141.)

"Se eu me visse assaltado *pela* tentação de escrever a vida oculta de Lisboa, não era capaz de alinhavar dois capítulos com jeito." (Camilo, *Mistérios de Lisboa*, I, 5.) "Parecia assaltado *por* uma legião de insetos, que a mordiam em todas as fibras." (Idem, *ibidem*, III, 34.)

Assalto — *a, contra:*

"Envergaria a cota de algodão para o assalto *às* tabas, empunharia a sirga para a travessia das corredeiras." (Alberto Rangel, *Fura-Mundo*, 197.) "A opinião da maioria golpeava as faculdades de defesa do governo contra emergências graves, e constituía um perverso assalto *aos* direitos do povo." (Rui, *Cartas de Inglaterra*, 377.) "Ficou estarrecido, a premeditar o assalto *ao* tesouro alheio." (Veiga Miranda, *A Eterna Canção*, 74.)

"Anuncia-se, porém, claramente, o assalto à escala vista *contra* as leis." (Rui, *Queda do Império*, I, 83.)

Assanhado — *com, de, em, por:*

"Entre legiões espanholas e guerrilhas assanhadas *com* as primeiras vitórias obtidas." (Camilo, *A Enjeitada*, 125.)

"Não podendo sofrer a fúria dos nossos, já assanhados *dos* danos que recebiam...." (Dic. de Fr. D. Vieira.)

"O rosto da mãe dos amores, assanhado *em* carmim, parecia a face decomposta de uma bacante." (Rebelo da Silva, *apud* Aulete.)

"Entre os desfrutadores do encarne, onde se sacia sempre a matilha de todas as cobiças assanhadas *por* esse malbarato de sangue dos contribuintes, não poucos especuladores aperceberam lautamente de víveres as suas hucharias." (Rui, *Colunas de Fogo*, 9.)

Assediado — *de, por:*

"Os soldados que chegavam da cidade eram logo assediados *de* perguntas." (C. Neto, *Miragem*, 205.)

"Pegali rosnava no aceiro, assediado *por* uma cainçalha agressiva." (J. Américo de Almeida, *A Bagaceira*, 34.)

Assédio — *de:*

"Antevendo uma felicidade que era certa para ele, Soares começou o assédio *da* praça, aliás praça rendida." (M. de Assis, *Contos Fluminenses*, 74.)

Assegurado — *a, com, de, por:*

"Conquista assegurada *aos* árabes pela força de seus exércitos."

"Liberdade assegurada *com* a ordem e *com* a justiça."

"Assegurado *de* que tudo estava em ordem, partiu."

"Reafirmava os seus ideais de liberdade fiscalizada pela imprensa e assegurada *pela* justiça." (Luiz Viana Filho, *A Vida de Rui Barbosa*, 197.)

Assenhoreado — *de:*

"Estranhou tal encontro na profundeza daquela selva, assenhoreada *de* feras." (C. Neto, *Imortalidade*, 206.)

Assentado — *em, sobre:*

"Seu espírito mora conosco e voa em torno do trono assentado *nas* nuvens." (Mário Barreto, *Cartas Persas*, 195.) "Assentado *em* cadeira, banco." (Constâncio.) "Os homens, à porta, alguns assentados *em* tamboretes ou tocos de paus." (Veiga Miranda, *A Eterna Canção*, 10.)

"E, chegando, revoltou a pedra, e estava assentado *sobre* ela." (Pe. A. Pereira, *S. Mateus*, 28, 22.) "Assentadas as bases *sobre* rodas, ficam sendo as rodas bases das bases." (Vieira, *Sermões*, IX, 101.)

Assentamento — *em:*

"Deixou *em* diversos cadernos assentamentos interessantes."

Assente — *em, sobre:*

"Essas leis nem por isso se combalem, quando bem assentes *na* tradição geral do idioma." (Rui, *Réplica*, 93.) "Assente uma vez *nessa* resolução, ergueu-se do leito em que jazia prostrado pelo mais cruel desalento." (Taunay, *Inocência*, 139.)

"Ampla (a igreja), retangular, firmemente assente *sobre* o solo, patenteando nos largos muros grandes blocos dispostos numa amarração perfeita, tinha, com efeito, a feição completa de um baluarte formidável." (E. da Cunha, *Os Sertões*, 329.)

Assentimento — *a, em:*

"Ninguém, portanto, daí em diante, lhe poderia em boa fé, estranhar a mudez, levando-a à conta de timidez moral, ou assentimento *aos* erros do governo." (Rui, *Colunas de Fogo*, 150.)

"Ninguém esperava seu assentimento *nesse* negócio." "Sorriu a viúva, com malícia, da evasiva: não precisava de mais. Tinha assentimento e colaboração *no* plano." (Afrânio Peixoto, *A Esfinge*, 122.)

Assestado — *a, contra, em, para:*

"Encontraram-no com a arma assestada *ao* peito do adversário."

"Artilharia assestada *contra* o inimigo."

"O Barão de Sá, todo ele óculo assestado constantemente *na* heróica rainha de Sabá, realizava em toda a sua plenitude as teorias do portuense acerca dos tolos." (Camilo, *Mistérios de Lisboa*, II, 259.)

"Ficou todo o tempo com a luneta assestada *para* a cantora." "Já ele estava de costas para a cena, de pé, com o binóculo assestado *para* o camarote da direita." (Afrânio Peixoto, *A Esfinge*, 139.)

Assiduidade — *a, em:*

"Além da assiduidade deste *às* recepções do palacete de Cravos, conquistando por mil modos certo grau de intimidade....'' (Veiga Miranda, *A Eterna Canção,* 59.)

''Cumpre ao candidato justificar a assiduidade *em* cursos regularmente freqüentados nos últimos quatro anos.'' (Rui, *Queda do Império,* I, 415.) ''Nos demais países, debaixo de céus muito mais favoráveis .... à assiduidade *nos* grandes trabalhos mentais, comissões desta natureza, constituídas por celebridades universais, sempre trabalharam a tento e devagar.'' (Idem, *Réplica,* 44.)

Assíduo — *a, em:*

''Aluno muito assíduo *ao* estudo.''

''Assíduo *no* cumprimento dos seus deveres.'' (E. Carneiro Ribeiro, *Serões Gramaticais,* 675.) ''Pouco assíduo *na* escola.'' (C. Neto, *A Cidade Maravilhosa,* 7.) ''Algum leitor conspícuo desejaria antes que Mendonça não fosse tão assíduo *na* casa de uma senhora exposta às calúnias do mundo.'' (M. de Assis, *Contos Fluminenses,* 23.)

Assimilação — *a, de, entre:*

''Ao lado da desinência 'gar' , encontra-se 'car' , na qual o 'c' não chegou a mudarse em ''g' , e que se explica em 'mascar' (masticare, mast'car) por assimilação *à* consoante áfona que precede.'' (Mário Barreto, *Através do Dicionário e da Gramática,* 379.) '''Vibera' , tornado 'vibora' , por assimilação da vogal átona da penúltima sílaba *à* consoante labial 'b'.'' (Sousa da Silveira, *Lições de Português,* 71.)

''A assimilação *do* azoto faz-se também pelas plantas.'' *(Grande Enciclopédia Portuguesa e Brasileira.)*

''Uma das curiosidades que mais merecem ser registradas é a da assimilação *entre* a viagem presidencial de 1900 e a czárea de 1896.'' (Rui, *Colunas de Fogo,* 207.)

Assinado — *com, por:*

''As (cartas) que tinham data eram quase todas muito posteriores ao seu nascimento. Apenas duas assinadas *com* a inicial E, posto que sem data.'' (Camilo, *O Bem e o Mal,* 75.)

''Esta certidão foi assinada *por* três famosos tipos.... da ficção: Gulliver, Sindbad e Aladino.'' *(Maravilhas do Conhecimento Humano,* II, 81.)

Assinalação — *com:*

''A assinalação *com* marcos de pedra às vezes traz certa confusão.''

Assinalado — *com, por:*

''Assinalado *com* o ferrete indelével de traidor, havia-se habituado a viver para um sentimento único — a vingança.'' (Herculano, *Eurico,* 102.)

''Assinaladas (as entradas) *pelas* ofensivas militares.'' (Ricardo Jorge, *Passadas de Erradio,* 246.)

Assistência — *a, em, junto a:*

''As leis de assistência *ao* proletariado ainda não são muito eficientes.'' ''Lúcio forcejava interessar o coração de Soledade na sua assistência *aos* moradores.'' (J. Américo de Almeida, *A Bagaceira,* 156.)

''Sua assistência não é *nos* paços reais.''

''A assistência de um médico *junto a* um enfermo.'' (L. Freire.)

Assistente — *a, de, em:*

''Assistente *à* sagração do bispo.'' (Constâncio.)

''Serafins assistentes *do* trono de Deus.'' (Morais.)

''Assistente *em* tal casa, rua.''

Assistido — *de, por:*

''Assim venciam, porque eram assistidos *da* graça de Deus.'' (Vieira, *Sermões,* IX, 52.) ''E por que, se era tão poderoso e assistido *de* Deus, vivia em tamanha penúria?'' (C. Neto, *Imortalidade,* 55.)

''Morreu assistido *pelo* vigário.''

Assoberbado — *com, de, por:*

''Assoberbado *com* trabalho.''

''Assoberbado *de* responsabilidades e preocupações esmagadoras.'' (Rui, *Réplica,* 473.) ''O sertanejo, assoberbado *de* reveses, dobrase afinal.'' (E. da Cunha, *Os Sertões,* 138.)

''Assoberbado (o Brasil) *pela* opulência dos seus latifúndios.'' (Rui, *Cartas Políticas e Literárias,* 101.) ''Este (vilarejo) ali se encosta, assoberbado *pela* majestade da montanha.'' (E. da Cunha, *Os Sertões,* 253.) ''No dia 19 fortificou-se o fugitivo Silveira em Amarante, assoberbado *pelas* forças de Delaborde e Loison.'' (Camilo, *A Enjeitada,* 12.)

Associação — *a, com, de, entre:*

''E só a esses elementos, só a eles, sem associação *a* qualquer partido, ... deve 'A Imprensa' o tornar hoje .... à sua tenda modesta e respeitada.'' (Rui, *Colunas de Fogo,* 188.) ''Admitamos que .... pela associação deles (sons) *à* emoção primitiva, esse fato de audição venha a adquirir de si mesmo uma importância estética independente.'' (Idem, *Cartas de Inglaterra,* 76.)

''Sua associação *com* rapazes vadios arruinou-lhe a vida.''

''Associação *de* duas idéias.'' (Morais.) ''A sua harmonia apresenta-se como a dos grandes conjuntos da natureza: uma associação *de* contrastes, em que as dissonâncias contribuem para o relevo dos efeitos gerais.'' (Rui, *Cartas de Inglaterra,* 221.)

''Na associação vulgar *entre* os dois (termos) há portanto, íntima antilogia, que algumas inadvertências de bons autores não valem a justificar.'' (Rui, *Réplica,* 203.)

Associado — *a, com, em, por:*

''Não minguam espécimes clássicos do subjuntivo associado *à* enunciação de idéias positivas e certas.'' (Rui, *Réplica*, 375.) ''Tão grave matéria é a disciplina do exército, tão melindrosa, tão associada em infinitos pontos *aos* interesses e disposições da classe dirigente, que convém expô-lo o menos possível ao influxo da pressão parlamentar.'' (Idem, *Queda do Império*, I, 225.) ''Associado *a* mim *pelas* mais estreitas relações de confiança, V. Ex.ª acompanhou .... os passos mais íntimos, as crises mais graves do Governo Provisório.'' (Idem, *Cartas Políticas e Literárias*, 51.)

''A banca era regularmente propriedade dum senhor de casa, associado *na* empresa *com* um espanhol.'' (Camilo, *As Três Irmãs*, 72.)

''Ali se encontram, entendem-se pouco e mesclam-se por fim, associados *no* mesmo trabalho.'' (Afonso Arinos, *apud* C. Monteiro, *Antologia Brasileira*, 127.) ''Três irmãos de falada riqueza e sólido conceito, associados *na* poderosa firma.'' (Mário Sete, *Os Azevedos do Poço*, 9.)

Associável — *a:*

''Essa é, da mesma sorte, a preposição vernaculamente associável *a* 'carinho'.'' (Rui, *Réplica*, 356.)

Assolado — *com, de, por:*

''Parecia que os paços eram assolados *com* gritos.'' (Cf. Morais.)

''Tinham de atravessar o deserto de Apaméia, sempre assolado *de* nômades, que assaltavam os viajantes.'' (C. Neto, *Imortalidade*, 190.)

''É o trecho da Bahia mais assolado *pelas* secas.'' (E. da Cunha, *Os Sertões*, 228.) ''Baião Parente e tantos outros tornaram habitável a Bahia, assolada *pelos* tapuios.'' (Alberto Rangel, *Fura-Mundo*, 113.) ''No décimo século, a maior parte da Europa havia sido assolada *por* carestias e pragas.'' *(Maravilhas do Conhecimento Humano*, I, 44.)

Assomado — *a, de, em, por, sobre:*

''Assomado *à* janela, seu vulto parecia agigantado.''

''Assomado *de* ira, *de* cólera.'' (Constâncio.)

''Assomado *no* alto da torre.''

''Viam-se damas assomadas *pelas* janelas.'' (Cf. Morais.)

''Assomado *sobre* as vagas.''

Assombrado — *ante, com, de, por:*

''Assombrados (os sertanejos) *ante* aquela resistência inexplicável.'' (E. da Cunha, *Os Sertões*, 352.) ''Parou assombrada *ante* o cenário majestoso que a pouca distância se lhe adregou.'' (Júlio Ribeiro, *A Carne*, 31.)

''Sítio assombrado *com* árvores bastas e copadas.'' (Morais.) ''Ficou assombrado *com* o quadro que se lhe deparou.''

''Assombrado *da* magnificência dos paços.'' (Fr. Luiz de Sousa, *apud* Morais.) ''Anacleta, que ouvira o brado, vem à cozinha, e encontra o duque pálido e firme, no batente da porta do quarto, como assombrado *de* um raio.'' (Camilo, *Mistérios de Lisboa*, II, 97.) ''Uns olhos espasmódicos de pânico, como se estivessem assombrados *de* si próprios.'' (J. Américo de Almeida, *A Bagaceira*, 10.)

''A mesma solene graça, religiosa e cantante, ... que é o calafrio da Batalha na nervosidade dum poeta assombrado *por* essa incomparável obra-prima.'' (Fialho de Almeida, *Os Gatos*, 281.) ''Assombrada *por* tanto pesadelo, erma e abandonada, a casa do Barro Branco ficou temida e sinistra na imaginação popular.'' (Afrânio Peixoto, *A Esfinge*, 256.)

Assombro — *ante, de:*

''O General Virasoro .... teve ocasião de manifestar a César Dias o seu assombro *ante* a fidelidade dos distritos rurais ao governo assoberbante de Rosas.'' (Rui, *Cartas de Inglaterra*, 329.)

''Declarou, com assombro *do* mundo, que Judas nascera para ser enforcado como ladrão.'' (Vieira, *Sermões*, IX, 239.) ''Arquimedes foi um assombro *de* engenho matemático.'' (Constâncio.) ''Nos sacerdotes que julgam e nos esbirros que arrastam o criminoso, o mesmo assombro *da* blasfêmia ouvida esparvona em contorções e esgares.'' (Fialho de Almeida, *Os Gatos*, 286.)

Assoprado — *de, por:*

''Tudo isto assoprado *dos* ventos e em perpétuo moto.'' (Vieira, *Sermões*, IX, 191.) ''Dois grupos de anjos assoprados *de* face e roliços de membros.'' (Rebelo da Silva, *apud* Aulete.)

''Validos assoprados *pela* fortuna.'' (Vieira, *apud* Aulete.) ''A irritação dos ânimos assoprada *pela* nobreza.'' (Herculano, *Lendas e Narrativas*, I, 67.)

Assunto — *a, de, para; como, por:*

''Isso .... forneceu assunto *a* gordas palestras nas portas dos boticários.'' (Aluísio Azevedo, *O Mulato*, 261.)

''O estudo minucioso desses fenômenos constitui assunto *do* segundo ponto do programa.'' (Júlio Nogueira, *O Exame de Português*, 28.) ''Antônio Conselheiro .... em 1894 fora, no Congresso Estadual da Bahia, assunto *de* calorosa discussão.'' (E. da Cunha, *Os Sertões*, 266.) ''És assunto *de* todas as conversações em Ispaã, e só se fala da tua viagem.'' (Mário Barreto, *Cartas Persas*, 7.)

''Assunto *para* risadas.'' (Fr. D. Vieira.) ''Boa pessoa o coronel, — comentou a cunhada, achando assunto *para* conversa.'' (Afrânio Peixoto, *A Esfinge*, 226.) ''Dificilmente poderia ter escolhido assunto mais sombrio *para* uma novela.'' (*Maravilhas do Conhecimento Humano,* 81.)

''Escolheu *como* assunto da prédica subseqüente o homicídio.'' (E. da Cunha, *Os Sertões,* 213.)

''Uns tomaram *por* assunto a palma, outros a espada.'' (Vieira, *Sermões,* IX, 99.)

Assustado — *com, de, por:*

''A verdade é que, aparentando segurança, eu andava assustado *com* os credores.'' (Graciliano Ramos, *S. Bernardo,* 56.) ''Padre Diniz, assustado *com* a transfiguração do enfermo, passou-lhe a mão pela testa, sondou-lhe o pulso, e chamou-o com sobressalto.'' (Camilo, *Mistérios de Lisboa,* I, 169.) ''Assustados *com* as impiedades contemporâneas e *com* a descrença que envenenou os homens, emigraram para regiões menos acessíveis às ferocidades e aos crimes.'' (João Grave, *Os Vivos e os Mortos,* 299.)

''Diocleciano está assustado *da* sua deliberação.'' (Camilo, *Os Mártires,* II, 235.) ''Felícia safou-se, assustada *dos* berros.'' (Idem, *A Corja,* 172.) ''A duquesa, trêmula e assustada *de* uma surpresa, abriu a carta.'' (Camilo, *Livro Negro,* 150.)

''Alberto, assustado *por* tão improviso destino, pediu a significação deste lance.'' (Camilo, *Mistérios de Lisboa,* II, 221.) ''Maria, assustada *pelas* delongas nas visitas, ocultava as lágrimas.'' (Idem, *As Três Irmãs,* 47.)

Astúcia — *para:*

''Um homem, como Alexandre, não teria astúcia *para* tanto.'' (Domingos Olímpio, *Luzia-Homem.* 90.) ''Ela não tinha astúcia *para* inventar uma história tão bem contada.'' (Idem, *ibidem,* 145.)

Atacado — *de, por:*

''Atacado *de* doença.'' ''Seria que estivesse também atacado *da* laringe?'' (Gastão Cruls, *História Puxa História,* 126.) ''Fingiu-se atacado *do* juízo e, portanto, incapaz de usar armas.'' (*Maravilhas do Conhecimento Humano,* II, 31.) ''E' atacado *de* frente *por* um leão, e pela retaguarda por um crocodilo.'' (Idem, *ibidem,* 82.)

''Armentios e manadas, inopinadamente atacados *pelas* feras que tais brenhas vomitavam, eram dizimados sem que os seus pastores ousassem defendê-los.'' (C. Neto, *Imortalidade,* 190.) ''Atacado *por* uma súbita febre que lhe fez perder a justa noção da medida, ... escreve, num arroubo: ....'' (João Grave, *Os Vivos e os Mortos,* 88.)

Atado — *a, com, de, em, entre, por:*

''Rebatido para sempre à porta *a* que está atado.'' (Mário Barreto, *Cartas Persas,* 71.) ''Não tardou a sair uma preta idosa, mal vestida, trazendo atado *à* cabeça um pano branco de algodão.'' (Taunay, *Inocência,* 32.) ''Não estão atados *ao* voto da profissão.'' (Dic. de Morais.) ''Rente ao andor do milagroso S. Sebastião, atado nu *a* um galho de árvore.'' (Aquilino Ribeiro, *Andam Faunos,* 71.)

''Aqueles trechos estão tão atados uns *com* os outros....'' (Aulete.) ''Tinha as mãos atadas *com* grossas cordas.''

''Atado *de* pés e mãos.''

''Solto na língua e atado *nas* mãos.'' (Dic. de Fr. D. Vieira.) ''Aparecia Sinhá Quina, com uns ovos frescos atados *num* lenço.'' (Mário Sete, *Os Azevedos do Poço,* 71.) ''Chegando à rua, o médico estava completamente enamorado. Madalena tinha-o atado *no* seu carro, e o pobre rapaz nem vontade tinha de quebrar o jugo.'' (M. de Assis, *Contos Fluminenses,* 107.)

''Argumentos *entre* si tão atados, que mal se podem separar uns dos outros.'' (*Grande Enciclopédia Portuguesa e Brasileira.*)

''Estavam atados os cidadãos *por* estranhas e sutis leis.'' (Mário Barreto, *Cartas Persas,* 245.)

Atalhado — *com, de, por:*

''Atalhado *com* a vista de algum objeto.'' (Morais.)

''*Do* que Antônio de Miranda ficou atalhado.'' (Idem.)

''Doença atalhada *por* medicamentos eficazes.'' ''Intimidade atalhada agora *pelo* Demônio da Política.'' (Rui, *Cartas Políticas e Literárias,* 178.)

Atalho — *para:*

''A discrição é atalho *para* fortunas.'' (Constâncio.) ''No tempo dos tiranos cobiçosos, o ser rico era atalho *para* a morte.'' (Dic. de Morais.)

Ataque — *a, contra, de:*

''Duas semanas durava o ataque *à* duna, e a duna parecia, como na véspera, imensa, bronca, inalterável.'' (Aquilino Ribeiro, *A Batalha sem Fim,* 107.) ''Não mais se ouviam ladainhas melancólicas entre os intervalos das fuzilarias; cessavam os ataques atrevidos *às* linhas.'' (E. da Cunha, *Os Sertões,* 522.) ''Celebrizado pela mordacidade dos seus ataques freqüentes *aos* conservadores, recebia os novos colegas, instruindo-os sobre a vida parlamentar.'' (Luiz Viana Filho, *A Vida de Rui Barbosa,* 62.)

''O ataque *contra* o arraial era urgente.'' (E. da Cunha, *Os Sertões,* 448.) ''Não se concebe que ele (crítico) seja quem, as enfraqueça (as idéias) por ataques 'ad hominem' *contra* a individualidade do expositor.'' (Rui, *Cartas de Inglaterra,* 389.) ''Foi implacável o ataque que iniciou *contra* Floriano.'' (Luiz Viana Filho, *A Vida de Rui Barbosa,* 173.)

"Ataque *de* choro." "Isto passa.... um simples ataque *de* nervos." (Aluísio Azevedo, *O Coruja*, 158.)

Atarantado — *com, de, por:*

"Atarantado *com* a algazarra, não sabia o que fazer." "Minha mãe era costureira. Fiz dela uma rainha. Minha mãe sentia-se atarantada *com* o seu novo esplendor." (*Maravilhas do Conhecimento Humano*, I, 81.)

"Atarantado *de* medo, *de* sono."

"Estava ainda um pouco atarantado *pelo* susto."

Atarefado — *com, em:*

"Atarefado *com* pesadíssimo trabalho." (Cf. Morais.) "Atarefado *com* a pintura dos vasos de guerra." (Rui, *Colunas de Fogo*, 198.) "As irmãs Teresa e Júlia Leite, dirigidas pela viscondessa, sempre atarefadas *com* os preparativos do consórcio." (Xavier Marques, *As Voltas da Estrada*, 136.)

"Atarefado .... *em* construir as muralhas de Constantinopla." (Herculano, *apud* Aulete.) "Uma suspeita maligna enverga contra o soldado brasileiro as disposições da camarilha atarefada *em* preparar a sucessão do Conde d'Eu." (Rui, *Colunas de Fogo*, 20.)

Atarracado — *a:*

"Era um caboclinho casmurro, feio, ... com uma enorme cabeça atarracada *aos* ombros." (C. Neto, *A Cidade Maravilhosa*, 6.)

Atassalhado — *de, por:*

"Mordidos e atassalhados *d*os dentes venenosos." (Vieira, *Sermões*, IX, 48.)

"Com o coração intumescido pela dor e a imaginação atassalhada *pel*os mais excruciantes pensamentos, Flávio infernou-se em vida." (Gastão Cruls, *Ao Embalo da Rede*, 48.)

Ataviado — *com, de:*

"Mais de uma vez se referiu ao espetáculo da princesa ataviada *com* as camélias dos quilombos." (Rui, *Queda do Império*, I, 328.) "Ataviada *com* a presenca de uma frota cosmopolita na baía de Guanabara." (Rui, *Colunas de Fogo*, 82.)

"Por aí passeia ataviada *de* diamantes." (Camilo, *O Demônio do Ouro*, I, 148.) "Engalanou-se o vilarejo pobre, transfigurandose, ataviado *de* bandeiras e ramagens." (E. da Cunha, *Os Sertões*, 256.) "Cortez, ataviado *d*uma brilhante cota de malha, entrou na cidade, em meio do clarinar das trombetas." (*Maravilhas do Conhecimento Humano*, I, 68.)

Ateado — *a, com, em, por:*

"O fogo ateado *à* palhoça devorou-a em poucas horas."

"Incêndio ateado *com* uma simples faúlha da locomotiva."

"Ciúme ateado *em* ambos pela mesma rapariga."

"Uma transformação política que cada vez vos cinge de mais perto, ateada como vai *pel*as manobras da colônia do Brasil." (Fialho de Almeida, *Os Gatos*, 87.)

Atemorizado — *com, de, por:*

"Atemorizadas *com* o perigo, quase todas perdemos os sentidos." (Mário Barreto, *Cartas Persas*, 94.) "Atemorizado Pedro *com* tão grande ameaça." (Dic. de Morais.)

"Atemorizado *de* todos e *de* tudo." (Gastão Cruls, *Ao Embalo da Rede*, 50.)

"Uma dúvida horrível surgiu no espírito da velha Albuquerque, esposa e mãe daqueles violentos, sempre atemorizada *por* eles, mas sempre passiva e incapaz de os amansar." (Afrânio Peixoto, *A Esfinge*, 255.)

Atenção — *a, com, para, para com, sobre:*

"No rosto do velho pintava-se profunda atenção, principalmente *às* palavras do mancebo." (Herculano, *O Bobo*, 42.) "Eu não precisava do Brito, mas passei o dinheiro, em atenção *a* serviços prestados anteriormente." (Graciliano Ramos, *S. Bernardo*, 80.) "Este lhe desculpava os maiores excessos, em atenção *à* agudeza das unhas fiscais." (Rebelo da Silva, *Contos e Lendas*, 282.)

"Não merece as atenções que tens *com* ele." "Seria que ela tivesse *com* os outros hóspedes as mesmas atenções?" (Gastão Cruls, *História Puxa História*, 73.)

"Não tendo quem lhes espertasse a atenção *para* este pormenor, nele não tiveram sentido." (Rui, *Réplica*, 19.) "Um dos meus colegas .... chamou-me a atenção *para* o sentido estranho que em certos clássicos se nota com a palavra 'mudar'." (João Ribeiro, *Curiosidades Verbais*, 79.) "D. Alzira recebia-o sempre com mal contida alegria e era pródiga de atenção *para* o hóspede que, por algumas horas, lhe vinha quebrar a monotonia da vida naquele ermo." (Gastão Cruls, *Ao Embalo da Rede*, 162.)

"Príncipe infortunado, cuja felicidade moral e material era sacrificada às suas atenções *para com* sua real senhora." (Rui, *Queda do Império*, I, 117.) "Não é absolutamente líquido se as atenções *para com* Eugênia eram puras." (Camilo, *Mistérios de Lisboa*, III, 63.) "Era extremamente simpático, e tinha *para* comigo inúmeras atenções." (Gastão Cruls, *Ao Embalo da Rede*, 114.)

"Isso poderia, justamente, despertar a atenção *sobre* nós." (Gastão Cruls, *História Puxa História*, 100.)

Atencioso — *a, com, para com:*

"Pouco atenciosa *à* incessante tagarelice de Teresinha, e remordida pela afronta, meditava na turra de Alexandre com o soldado." (Domingos Olímpio, *Luzia-Homem*, 29.)

"Foi muito atencioso *com* as visitas." "Atencioso *com* o pai." (J. Sandoval de Figueiredo, *Vícios de Linguagem*, 63.)

"Gosto de ser atencioso *para com* toda a gente." (Rodrigo de Sá Nogueira, *Questões de Linguagem*, I, 51.) "Atencioso *para com* o pai." (J. Sandoval de Figueiredo, *Vícios de Linguagem*, 63.) "Atencioso *para com* todos." (E. Carneiro Ribeiro, *Serões Gramaticais*, 674.)

Atendido — *com:*

"E, para a gente da Mata Funda, Isidro tornou-se um verdadeiro ídolo, respeitado, adorado, atendido *com* veneração." (C. Neto, *Treva*, 91.)

Atentado — *a, contra:*

"Fugindo o indivíduo à perseguição por crime de morte, entra para o bando; por atentado *ao* pudor ou *à* bolsa, é imediatamente fuzilado." (Gustavo Barroso, *Terra de Sol*, 122.) "Os melhores clássicos nunca admitiriam semelhante atentado *à* sintaxe e *ao* bom-senso." (Rui, *Réplica*, 36.)

"Ainda ontem, telegramas de Macaé acusavam um atentado policial iminente *contra* a tipografia do 'Século'." (Rui, *Queda do Império*, I, 224.) "Como se chegou a perpetrar esse atentado *contra* a verdade material do texto?" (Idem, *Réplica*, 421.)

Atentatório — *de:*

"O aprendizado no estrangeiro, ... além de se dever considerar atentatório *da* competência das faculdades, implica uma imitação a mais." (Ricardo Jorge, *Sermões dum Leigo*, 317.)

Atento — *a, em, para:*

"Atentos *aos* lobos que, pela calada, evitando o clarão das fogueiras, vinham sorrateiramente farejar os cercados." (C. Neto, *Imortalidade*, 110.) "Dia e noite atentos *à* altura das águas, à pressão arterial do plasma traiçoeiro." (Herman Lima, *Outros Céus, Outros Mares*, 179.) "Seus numerosos perseguidores, atentos só *a* alcançá-los, galgam por cima do desgraçado almogaure." (Herculano, *Eurico*, 220.)

"A mãe parecera não ouvir a filha. Tinha o ouvido atento *noutra* parte." (Camilo, *A Enjeitada*, 169.) "Alheio às circunstâncias da luta, examinou-o, de revés, atento *nos* seus perseguidores." (J. Américo de Almeida, *A Bagaceira*, 202.)

"Vendo-o (ao rei) imóvel e atento *para* aquele lugar, todos os olhos para lá se volveram." (Herculano, *O Monge de Cister*, II, 261.)

Atenuante — *a, de:*

"Seja isto, se não justificativa, ao menos atenuante *à* minha censura, em que não insisto." (Rui, *Réplica*, 287.)

"As atenuantes *de* um delito."

Aterrado — *com, de, por:*

"Ficou aterrado *com* a grosseria do rapaz."

"Surpreendida e como aterrada *da*quela riqueza, escorrida de uma cornucópia fantástica, indagara a moça onde tudo isso fora colhido e se ainda haveria mais." (Alberto Rangel, *Fura-Mundo*, 320.) "Eugênia, aterrada *do* silêncio com que Alberto a tomara nos braços, ... pressentiu uma grande desventura." (Camilo, *Mistérios de Lisboa*, III, 24.) "Jaquelina arfava em convulsões de aflita e como aterrada *do* semblante cadavérico de seu marido." (Idem, *A Enjeitada*, 221.)

"O país, embora aterrado *pel*as violências do governo, tinha a impressão de não estar completamente desamparado." (Luiz Viana Filho, *A Vida de Rui Barbosa*, 176.) "Os raros moradores, ... aterrados *pel*as novas alarmantes, haviam abalado para o norte." (E. da Cunha, *Os Sertões*, 229.)

Aterrorizado — *por:*

"Viviam todos com suas mulheres e filhos, constantemente aterrorizados *pel*os seus turbulentos vizinhos." (*Maravilhas do Conhecimento Humano*, I, 31.)

Atestado — *de:*

"Capanga atestada *de* balas." (E. da Cunha, *Os Sertões*, 309.) "Atestadas *de* curiosos, todas as casinhas adjacentes à comissão de engenharia formavam a platéia enorme para a contemplação do drama." (Idem, *ibidem*, 554.) "Carregadores paravam na corrida, com os balaiões e gamelas de suinã atestados *de* miunças." (Alberto Rangel, *Fura-Mundo*, 60.)

Ateu — *em:*

"Não quer isto dizer que fosse ateu *em* religião, política e poesia." (M. de Assis, *Contos Fluminenses*, 46.)

Atido — *a:*

"Farto de gozos e atido *à* prudência." (C. Neto, *A Cidade Maravilhosa*, 51.) "Ela e filhos viveram atidos *ao* esforço mal remediado do artista Gassiot." (Camilo, *A Enjeitada*, 133.)

Atilado — *em, para:*

"Foi atilado *na* pureza da língua." (Dic. de Morais.) "Atilado *na* galanteria." (Constâncio.)

"Diziam-no atilado *para* o comércio e amigo do Brasil." (Aluísio Azevedo, *O Mulato*, 17.)

Atinente — *a:*

"Atinente *à* instrução." (E. Carneiro Ribeiro, *Serões Gramaticais*, 675.) "Apresentaram-lhe vários alvitres atinentes *a* rodearem de maiores resguardos a investida." (E. da Cunha, *Os Sertões*, 319.) "Velha nobreza arruinada em aventuras e louçania pouco atinente *às* suas rendas." (Fialho de Almeida, *Os Gatos*, 199.)

Atingido — *em, por:*

"A moça esquivava-se, modesta, mas atingida *nessa* vaidade que as mulheres preferem acariciada pelas outras." (Afrânio Peixoto, *A Esfinge*, 123.)

"Atingido *por* uma bala."

Atirado — *a, contra, em, para, sobre:*

"No manolho de cabeças atirado *aos* provedores do cadafalso, vão de envolta com a de Danton meia dúzia de concussionários." (Rui, *Colunas de Fogo*, 67.)

"O cavaleiro foi atirado *contra* o muro."

"Atirado *no* chão, o embrulho se desfez logo." "É muito atirado *em* negócios."

"Atirado (Dreyfus) *para* o desterro da ilha do Diabo, como vendido aos alemães." (João Grave, *Os Vivos e os Mortos*, 30.)

"Atirado *sobre* os espinhos."

Atitude — *com, para com:*

"Dulce, cuja atitude *com* o noivo era cada vez mais fria, a pretexto de tudo procurava passar temporadas no Rio." (Gastão Cruls, *História Puxa História*, 11.)

"Não podemos deixar de negá-lo hoje, e com mais força ao presidente atual, cuja elevação ao governo resultou dessa nossa atitude *para com* o seu antecessor." (Rui, *Cartas Políticas e Literárias*, 141.) "Outro costume característico dos hindus encontra-se na atitude dos homens *para com* as mulheres." (*Maravilhas do Conhecimento Humano*, I, 11.)

Atividade — *de, em:*

"A atividade *dos* trabalhos" (Aulete.)

"São chamados a comandar os nossos batalhões, atropeladamente recrutados, retribuindo ao governo em atividade *na* consumação desse seu empenho, os benesses com que ele profusamente os mimoseia." (Rui, *Colunas de Fogo*, 21.)

Ativo — *em:*

"Deixamos para a anotação de agora, sem sair do mesmo tema, o valor semântico das letras, tomadas como simples elementos infinitesimais, quase inconscientes, e todavia ativos *na* interpretação das idéias." (João Ribeiro, *Curiosidades Verbais*, 113.)

Ato — *contra, de, para com, relativo a:*

"Pôs termo à crise, como se sabe, a farsa da exoneração do magistrado imprudente, anunciada ao exército como ato de severidade *contra* o transgressor." (Rui, *Queda do Império*, I, 145.) "O conjunto dos seus atos *contra* o exército e a armada converge todo ele a caracterizar a monarquia como insulada no meio do país." (Idem, *Colunas de Fogo*, 33.)

"Ato *de* justiça; ato *de* legítima defesa."

"Todos os meus atos, *para com* ele, reviam acatamento, lealdade e devoção." (Rui, *Queda do Império*, I, LXIII.)

"Um dos votos .... era o de que o ato do parlamento, *relativo à* extradição, lhe abrisse acesso aos réus de assassínio." (Rui, *Colunas de Fogo*, 221.) "Aí está por que houve quem cuidasse que a nossa crítica ao ato do governo *relativo ao* Dr. Cruls envolvia depreciação do merecimento científico deste bom servidor do Estado." (Idem, *Queda do Império*, I, 315.)

Atochado — *de, em:*

"Mesmo que houvesse a botija atochada *de* moedas, não seria dele." (Mário Sete, *Os Azevedos do Poço*, 40.) "Carro atochado *de* lenha."

"Rolha atochada *na* garrafa; coroa atochada *na* cabeça."

Atolado — *em:*

"Atoladas (as barracas) *na* areia ou boiando sobre matacões como jangadas em pleno mar." (Aquilino Ribeiro, *A Batalha sem Fim*, 34.) "Atolado *em* vaidades, atolado *em* vícios." (Constâncio.) "Almas atoladas *no* charco da calúnia." (Camilo, *A Enjeitada*, 90.)

Atônito — *com, de, por:*

"Ficou atônito *com* o que lhe contaram."

"Para nos deixar não certos mas atônitos *do* divino poder." (Lucena, *apud* Morais.) "O abade estava atônito *do* que via, e algum tanto pensativo na sua segurança pessoal." (Camilo, *As Três Irmãs*, 91.) "É toda uma família que desce a receber o enterro, atônita *da* mistura de grotesco e de trágico que ele repercute." (Fialho de Almeida, *Os Gatos*, 66.)

"As nações da raça branca, atônitas *pela* violência da revolução, liam com incredulidade os episódios do caso inaudito." (Rui, *Cartas de Inglaterra*, 113.) "Muitos, por fim, atônitos *pelo* inconceptível de um fuzilamento em plaino escampo e limpo." (E. de Cunha, *Os Sertões*, 461.)

Atordoado — *com, de, por:*

"E o mísero, atordoado *com* estas idéias, tomou as mãos da filha, falou-lhe com humildade." (Aluísio Azevedo, *O Homem*, 27.) "Fiquei atordoado *com* estes gritos, e quase que me ia engasgando." (Camilo, *Mistérios de Lisboa*, I, 78.)

"Atordoados *de* vigílias e desvelos." (Dic. de Morais.) "Duas noites antes, retirara atordoado *da* repulsa." (Camilo, *Mistérios de Lisboa*, III, 135.)

"Tão certo como nos acharmos aqui no mais elegante e civilizado salão do Rio, atordoados *pela* vitrola do vizinho." (C. Neto, *A Cidade Maravilhosa*, 72.) "Açucena entrou na sala atordoada *por* estas palavras." (Camilo, *A Neta do Arcediago*, 77.) "Já me viste levado em braços de patrulhas atordoado *pela* virulência?" (Idem, *A Enjeitada*, 212.)

Atormentado — *com, de, em, por, por causa de:*

"Atormentado *com* a água que o navio fazia." (Dic. de Morais.) "Atormentado *com* perseguições, atormentado *com* trabalhos, cuidados." (Constâncio.)

"Conhecendo o Santo Padre, pelo Espírito Santo, que era aquele leproso atormentado *do* demônio." (Dic. de Fr. D. Vieira.)

"Atormentado *no* espírito." (Dic. de Morais.) "Padre Diniz, com a alma atormentada *no* marulho das idéias excruciantes, ... cruzava os braços diante do espetáculo, que se lhe afigurava um sonho." (Camilo, *Mistérios de Lisboa,* II, 35.)

"Atormentado *pelos* receios do desfecho da luta em que lhe era forçoso entrar, tinha-se revolvido toda a noite no seu leito, sem poder dormir." (Herculano, *O Bobo,* 74.) "E morria atormentado *por* mais vinte mil fantasmas." (Camilo, *Mistérios de Lisboa,* III, 75.)

"Parece-te bom andar teu irmão perdido do juízo e teu pai atormentado *por causa da* tua amiga?" (Camilo, *A Enjeitada,* 173.)

Atracação — *a:*

"A atracação *ao* cais foi rápida."

Atracado — *a, com:*

"Navio atracado *ao* cais." "Atracado *ao* in-fólio com os Termos de Fiança, tossia, assoando-se com estrondo." (Alberto Rangel, *Fura-Mundo,* 29.)

"Uma nau atracada *com* outra." (Constâncio.) "Atracado *com* uma trouxa descomunal." (Herculano, *apud* L. Freire.)

Atração — *a, de, entre, para, por, sobre; sob:*

"Estas dificuldades .... tornavam as fazendas de criação, dispersas em torno das freguesias recém-formadas, poderosos centros de atração, *à* raça mestiça." (E. da Cunha, *Os Sertões,* 105.)

"Não seria primeira vez que se deixassem assim arrastar numa piara pelos fluidos de diversa natureza, sintomáticos da atração perversa *de* ver sofrer seu semelhante." (Alberto Rangel, *Fura-Mundo,* 85.) "A atração irreprimível *da* luta." (E. da Cunha, *Os Sertões,* 315.)

"Assim julgando, a atração *entre* essas duas criaturas caberia na lista dos mais sublimados." (Alberto Rangel, *Fura-Mundo,* 268.)

"Quando a fraqueza do indivíduo se sente desarmada ante a fatalidade dos destinos do seu tempo, uma atração invencível *para* a obscuridade, um enjôo mortal da luta .... se apodera das índoles mais nobres." (Rui, *Colunas de Fogo,* 116.) "Entre os gramáticos latinos e gregos se fala na atração do sujeito *para* o caso do relativo, na atração do pronome para o gênero e número do predicado." (Idem, *Réplica,* 153.)

"Sinto uma atração mórbida *pelo* perigo." (Erico Verissimo, *Saga,* 79.) "Sentia atrações *por* essa pátria, quase tão desconhecida para ele como o seu próprio nascimento misterioso." (Aluísio Azevedo, *O Mulato,* 79.) "Encontrava o Brás e Querubina absorvidos na atração de um *pelo* outro." (Alberto Rangel, *Fura-Mundo,* 261.)

"O 'a' tônico exerceu a atração *sobre* o 'u'." (Júlio Nogueira, *O Exame de Português,* 177.) "Os habitantes viram, de pronto, que um contingente tão diminuto tinha o valor negativo de exercer maior atração *sobre* a horda invasora." (E. da Cunha, *Os Sertões,* 227.)

"A tropa, a marche-marche, prosseguia, agora, *sob* a atração irreprimível da luta." (E. da Cunha, *Os Sertões,* 325.)

Atraente — *de:*

"Corpos atraentes *do* ferro, *da* luz." (Morais.)

Atraído — *a, para, por:*

"Atraído *ao* partido." (Constâncio.)

"Sente-se, de vez em quando, atraído o espírito do jornalista *para* uma dessas clareiras." (Rui, *Colunas de Fogo,* 215.) "Atraída *para* Helvídio Serra, preferindo-o entre as dezenas de admiradores." (Veiga Miranda, *A Eterna Canção,* 161.)

"Atraído *pelos* espaços da terra natal, librado no seu fadejo errante." (Alberto Rangel, *Fura-Mundo,* 190.) "Atraídos uns *pela* graça picante da atriz, outros *pelo* paradoxo literário de certos diálogos." (Fialho de Almeida, *Os Gatos,* 120.) "Lúcio voltou-se afinal, atraído *pelo* barulho da dança." (J. Américo de Almeida, *A Bagaceira,* 81.)

Atrapalhação — *com:*

"Todos se riram de sua atrapalhação *com* as luvas."

Atrapalhado — *com:*

"*Com* essa resposta ficou atrapalhado." Morais.) "Enfiou a linha na agulha; estava muito atrapalhada *com* o adaptar e alinhavar peças já cortadas." (Domingos Olímpio *Luzia-Homem,* 137.)

Atrasado — *em:*

"Atrasado *nos* estudos." (Morais.) "Estais muito atrasado *na* moderna psicologia do coração humano." (Camilo, *Mistérios de Lisboa,* III, 99.) "Sobre possível escolha ministerial no próximo governo, anda atrasado *em* suas antecipações." (Afrânio Peixoto, *A Esfinge,* 110.)

Atraso — *em:*
"Atraso *nos* estudos, atraso *nas* letras, ciências, artes." (Constâncio.) "Aquele insucesso do negócio foi um grande atraso *na* sua vida." (Dic. de Morais.)

Atrativo — *de, para, por:*
"Palavras atrativas *de* benevolência e conciliadoras de reverência." (Morais.) "Virtudes atrativas *dos* corações." (Constâncio.)
"Grande atrativo é *para* o mal a esperança de não ter castigo." (Dic. de Morais.)
"Eu sentia em mim uma paixão entusiástica pelo estudo, sentia um atrativo irresistível *pela* ciência; tinha a vontade heróica do trabalho." (Rui, *Coletânea Literária,* 135.)

Atravancado — *com, de, por:*
"Sala atravancada *com* os móveis em desordem."
"Seus portos estavam sempre atravancados *de* navios." (C. Neto, *A Cidade Maravilhosa,* 74.) "Ao lado arrima-se-lhes o amplo telheiro da casa de farinha, atravancado *de* aviamentos." (Gustavo Barroso, *Terra de Sol,* 191.)
"A rua permanecia atravancada *pelos* soldados." "Na rua, atravancada *por* enormes e pesados carros toscos, arrastados por muitas juntas de bois magros." (Domingos Olímpio, *Luzia-Homem,* 125.)

Atravessado — *a, com, de, em, por, sobre:*
"A garrucha de dois canos atravessada *à* cinta." (E. da Cunha, *Os Sertões,* 309.)
"O corpo atravessado *com* lança." (Constâncio.) "Andar atravessado *com* alguém." (Morais.)
"Pés disformes pela inchação, atravessado *de* espinhos." (E. da Cunha, *Os Sertões,* 506.) "Atravessado *de* dores, infortúnios." (Constâncio.) "Viu caírem alguns de seus ajudantes, atravessados *dos* pelouros de tão desprezível milícia." (Camilo, *A Enjeitada,* 12.)
"Ter espinha ou alguma coisa atravessada *na* garganta." (Constâncio.) "Respondeu Flávia, sentindo-se, súbito, atravessada *no* peito por uma dor." (Camilo, *A Enjeitada,* 166.)
"A irmã de Miguel Carlos, quando procurava arrastá-lo dali, caiu atravessada *por* uma bala." (E. da Cunha, *Os Sertões,* 156.) "Deteve-se na (ferida) do braço esquerdo, atravessado *por* uma bala." (Camilo, *A Enjeitada,* 14.) "A sociedade decidiu que um homem atravessado *por* um florete fica menos injuriado que outro que sofre uma bofetada." (Camilo, *Boêmia do Espírito,* 68.)
"O outro (braço) ficara atravessado *sobre* o peito." (Camilo, *Mistérios de Lisboa,* I, 220.)

Atreito — *a, de:*
"Atreito *aos* vícios." (Constâncio.) "Era (o gesto) uma redundância capaz de surpreender. Dispensava-a o soldado atreito *à* tarefa." (E. da Cunha, *Os Sertões,* 565.) "E fugiu-lhe da vista, deixando-a preocupada, embora a soubesse nervosa, atreita *a* esquisitices e mudando de pensar como o vento." (Aquilino Ribeiro, *Andam Faunos,* 107.)
"Esmerilham com unha confessoral os pecados mortais mais atreitos *deste* modo de vida." (Ricardo Jorge, *Sermões dum Leigo,* 54.)

Atrelado — *a:*
"Havia quase quatro anos fizera ele esse mesmo percurso, atrelado *à* expedição de Teotônio José Zuzarte." (Alberto Rangel, *Fura-Mundo,* 180.)

Atrevido — *com, em:*
"Foi muito atrevido *comigo.*"
"E você foi muito atrevida *em* dar conselhos onde não a chamam." (Rebelo da Silva, *Contos e Lendas,* 78.)

Atrevimento — *com, contra, de, em, para:*
"Que atrevimento *com* a pobre mulher!"
"É muito atrevimento *contra* opinião tão abalizada!"
"Teve o atrevimento *de* me desmentir." (Constâncio.)
"Atrevimento *em* tratar de letras sagradas." (Dic. de Morais.)
"Este foi o respeito por que o demônio não teve atrevimento *para* tentar a Estanislau na pureza." (Vieira, *Sermões,* IX, 84.)

Atribuição — *a:*
"A atribuição desse fato *ao* inspetor não tem fundamento."

Atribuído — *a:*
"Prêmio atribuido *ao* melhor aluno." "Qualificando-a (a lei) como exorbitante dos poderes atribuídos *ao* congresso." (Rui, *Cartas de Inglaterra,* 379.)

Atribuível — *a:*
"Tristeza atribuível *à* ausência do filho."

Atribulação — *com:*
"Vive numa constante atribulação *com* os netos."

Atribulado — *com:*
"Atribulado *com* os sorrisos de quatro petimetres que me estavam ao lado, quis dar-me uma compostura geral ao corpo para os encarar com sobrecenho." (Camilo, *Cenas da Foz,* 46.)

Atrito — *com, entre:*
"Na pensão tudo respirava um ar carregado de cuidados, a começar por D. Balbina, mulher sem filhos, em atritos permanentes *com* o marido." (Guilhermino Cesar, *Sul,* 53.)
"Houve um ligeiro atrito *entre* os dois sócios."

Atropelado — *com, de, por:*
"Ando atropelado *com* as brigas da cidade." (Afrânio Peixoto, *Bugrinha,* 172.)

"Atropelado *dos* mares e *dos* ventos." (Morais.)
"Atropelado *por* inimigos, *por* um rival poderoso." (Constâncio.)

Atropelamento — *por:*
"Reina uma epidemia de atropelamentos *por* automóveis mal guiados." (Ricardo Jorge, *Canhenho dum Vagabundo*, 23.)

Atroz — *a, para:*
"Resvalou a dissonâncias amiudadas, muitas delas atrozes *ao* ouvido." (Rui, *Réplica*, 43.)
"Foi *para* ele profundamente atroz aquela separação."

Atufado — *em:*
"O marçano pôs a vista pela primeira vez no vulto do doente seu vizinho, atufado *em* roupas até às orelhas." (Fialho de Almeida, *Cidade do Vício*, 48.)

Atulhado – *com, de:*
"Mala atulhada *com* roupa."
"Barcos atulhados *de* gente." (Constâncio.) "Este corpo tem quarenta cabeças, todas atulhadas *de* figuras, metáforas e antíteses." (Mário Barreto, *Cartas Persas*, 159.) "Banca de jacarandá, envernizada e maciça, atulhada *de* despachos." (Alberto Rangel, *Fura-Mundo*, 48.)

Aturdido — *com, de, por:*
"Aturdidas *com* a violência da tempestade, ... decidiram deter-se, achegando-se à copa de uma árvore que rumorejava estrondosamente." (C. Neto, *Imortalidade*, 258.) "Aturdidos ficaram Sofia e o conde *com* a narração de Misseno." (Pe. Teodoro de Almeida, *O Feliz Independente*, I, 14.) "Poucos dias depois, é a tranqüila senhora outra vez aturdida *com* a nova de que o casamento se faria." (Camilo, *Perfil do Marquês de Pombal*, 68.)
"Aturdido *do* que ouvi." (Constâncio.) "Desci com a cabeça aturdida *de* suspeitas." (Camilo, *Mistérios de Lisboa*, II, 172.)
"Aturdido *pela* arrogância daquele olhar, se retirava tartamudeando." (Camilo, *apud* Aulete, vb. *tartamudear.)*

Audácia — *de:*
"Teve a audácia *de* perguntar-me qual era o médico que mais serviços fizera à medicina." (Camilo, *Livro Negro*, 153.) "Ainda era pouco para pagar a audácia *de* haver conspurcado a nobreza de Augusta Leite." (Xavier Marques, *As Voltas da Estrada*, 96.)

Audiência — *com:*
"Em S. Cristóvão, semanalmente, reunia um grupo de literatos, e isso lhe proporcionava prazer bem maior do que audiências *com* os ministros." (Luiz Viana Filho, *A Vida de Rui Barbosa*, 127.)

Aumentado — *a, com, de, em, por:*
"Seria humilhação a mais, aumentada *a* uma grande dor." (Afrânio Peixoto, *A Esfinge*, 200.)
"A contribuição pessoal foi aumentada *com* quarenta por cento adicionais." (Aulete.)
"O patrimônio comum acha-se aumentado *de* novos e vultosos donativos."
"Esforcei-me por honrar nossa pátria, e creio que a deixei aumentada *em* consideração no estrangeiro." (Rui, *apud* Luiz Viana Filho, *A Vida de Rui Barbosa*, 237.) "Logo que subiu ao trono, mudou seu nome para *Augusto*, que significa *venerável* (literalmente, aumentado *em* poder e em glória)." *(Maravilhas do Conhecimento Humano*, I, 36.)
"E para Petrópolis partiram os noivos, ... não sem deixar aos que ficaram na planície a fadiga que nos traz sempre a alegria dos outros, e agora precisamente aumentada *por* alguma inveja dele, *por* muita inveja dela." (Afrânio Peixoto, *A Esfinge*, 335.)

Aureolado — *com, de:*
"Documento aureolado *com* o formoso nome de 'rescrito de paz'." (Rui, *Colunas de Fogo*, 83.)
"Só à falta de um nome pomposo e aureolado *de* fulgores sinistros em que pudesse encarnar a idéia do bem, a Democracia .... adotou um marquês." (Camilo, *Perfil do Marquês de Pombal*, X.)

Ausência — *a, de:*
"Ato de relevar as faltas, não descontando os dias de ausência *ao* trabalho." (L. Freire, voc. *abono*.)
"Sua ausência *da* reunião prejudicou o andamento dos trabalhos."

Ausente — *a, de, em:*
"E, ausente sempre *à* realidade, perguntou ao Luiz por que divertiam tanto os amores do Sales." (Afrânio Peixoto, *A Esfinge*, 328.)
"Ausente *dos* seus." (E. Carneiro Ribeiro, *Serões Gramaticais*, 643.) "Ausente *da* memória." (Aulete.)
"Essa resolução foi adotada em sessão plena do tribunal, havendo comparecido então o juiz Jackson, ausente, por moléstia, *na* assentada de 8 de abril." (Rui, *Cartas de Inglaterra*, 372.)

Auspícios — *para:*
"São maus auspícios *para* quem se casa; mas enquanto a mim, o amor está entre as cortinas do tálamo, desde que os poetas o fizeram fugir do coração com as bombardas métricas." (Camilo, *Livro Negro*, 120.)

Austeridade — *com, de, para com:*
"Sua excessiva austeridade *com* os filhos é prejudicial."
"Nunca lhe perdoaram a instransigência das suas idéias, a austeridade *dos* seus cos-

tumes." (Antero de Figueiredo, *Amor Supremo*, 114.)

"Não é aconselhável tamanha austeridade *para com* os alunos."

Austero — *com, para, para com:*

"Austero *com* os filhos."

"Sociedade austera *para* uns, tolerante para outros." (Camilo, *Cenas da Foz*, 189.)

"Austero *para com* todos."

Autoridade — *com, em, sobre:*

"Perdi *com* ela toda a minha autoridade, e obrigou-me desde então a condescendências que mil vezes me puseram em risco de morrer." (Mário Barreto, *Cartas Persas*, 15.)

"Autoridade suprema *em* assuntos de linguagem." (Júlio Nogueira, *O Exame de Português*, 119.) "Ninguém teve mais autoridade *nas* assembléias republicanas." (Rui, *Colunas de Fogo*, 119.) "Da mesma opinião é outra autoridade *na* nossa língua — o ilustre professor Sr. Dr. José Leite de Vasconcelos." (Mário Barreto, *Através do Dicionário e da Gramática*, 88.)

"A câmara .... entregou nas mãos de Rosas .... a autoridade *sobre* todas as leis." (Rui, *Cartas de Inglaterra*, 328.) "Datam do lusco-fusco do segundo reinado as primeiras comoções que vieram pôr em dúvida a autoridade moral da monarquia *sobre* o espírito do soldado brasileiro." (Idem, *Queda do Império*, I, 143.)

Autorizado — *a, com, para, por:*

"Estamos autorizados *a* declarar que os presos políticos .... não se acham incomunicáveis." (*Apud* Rui, *Colunas de Fogo*, 199.)

"Quase todos (os termos) autorizados *com* os escritores portugueses mais acreditados." (Morais, *Dicionário*, prefácio.)

"Ser autorizado *para* falar numa assembléia." (C. de Figueiredo, vb. *ter*.) "Ficando o metropolitano autorizado *para* fazer a escolha onde o bispo se opusesse a esta providência." (Herculano, *História da Inquisição*, I, 87.)

"A todas as regras, pois, concernentes à inserção dos pronomes oblíquos haverá sempre meio de contrapor alguns exemplos autorizados *por* bons escritores." (Rui, *Réplica*, 93.) "Está autorizada (a concordância) *por* escritores eminentes." (Mário Barreto, *Através do Dicionário e da Gramática*, 199.) "Não surpreendeu por isso que João de Lima, o mais autorizado *pela* idade e a experiência, negasse redondamente as vantagens da liberdade e do trabalho livre." (Xavier Marques, *As Voltas da Estrada*, 38.)

Auxiliado — *com, contra, de, em, por:*

"Tratamento auxiliado *com* rigorosa dieta."

"Fortemente auxiliado *contra* o inimigo, pôde vencê-lo rapidamente."

"Auxiliado *dos* amigos, pôde levar a cabo seus disígnios." "Auxiliado *de* Deus."

"Foi muito auxiliado *em* seus negócios."

"Afinal, auxiliado *pela* lua, divisou em distância o vulto sinistro." (Aluísio Azevedo, *O Mulato*, 237.) "Passadas duas horas, o médico auxiliado *pelo* boticário do mosteiro entrou à presença do enfermo." (Camilo, *A Enjeitada*, 15.)

Auxiliar — *de, para:*

"Foi preciso arranjar alguns trabalhadores como auxiliares *dos* já existentes, a fim de terminar o serviço no prazo combinado."

"O dicionário é um grande auxiliar *para* o estudo de uma língua."

Auxílio — *a, contra, de, para, por parte de:*

"Traçara um vasto plano de auxílios *à* lavoura, e antevira a nação próspera e calma." (Luiz Viana Filho, *A Vida de Rui Barbosa*, 132.)

"Logo que chegou a Esparta, induziu os chefes daquela cidade a enviar uma expedição à Sicília, como auxílio *contra* a esquadra ateniense." (*Maravilhas do Conhecimento Humano*, I, 26.)

"O auxílio *da* medicina, *dos* conselhos." (Constâncio.)

"Não lhe faltou auxílio *para* realizar seus projetos."

"Este dispositivo, além de lhes altear o ânimo, pela certeza de um auxílio pronto *por parte das* (unidades) .... evitava o alastramento do pânico." (E. da Cunha, *Os Sertões*, 263.)

Avançado — *em:*

"Avançado *em* idade." (Morais.)

Avanço — *em:*

"Os avanços *na* fama e glória militar de seu tio." (Dic. de Morais.)

Avantajado — *a, em:*

"São as grandezas do céu tão avantajadas *às* da terra...." (Bernardes, *apud* Morais.)

"Avantajado *na* virtude." (Constâncio.) "Meus honrados colegas, tão avantajados *a* mim *no* conhecimento destas noções." (Rui, *Cartas Políticas e Literárias*, 107.)

Avarento — *de, em:*

"Avarento *dos* seus primeiros sonhos metrificados, ninguém lhos conheceu." (Camilo, *Mistérios de Lisboa*, III, 67.) "O avarento *do* ouro e o *da* glória caminham ambos por estrada desimpedida." (Idem, *A Neta do Arcediago*, 37.)

"Avarento *no* louvor, *em* louvar." (Constâncio.)

Avariado — *em:*

"Ao meu espírito avariado *nas* tempestades." (Camilo, *Livro Negro*, VI.)

Avaro — *a, de:*
"Não sabemos se romperão hoje o (bloqueio) dos corações lapidificados numa política sem ideal, avara *às* exigências da bondade, e pródiga às da corrupção." (Rui, *Colunas de Fogo,* 205.)
"Avaro *de* palavras, *de* louvor." (Constâncio.) "Pródigo de dinheiro, avaro *de* privança." "Eu seria, pois, como o avarento, porque sou realmente avaro *d*esses tesouros de lágrimas que se escondem no coração dos outros." (Camilo, *Livro Negro,* IX.)

Avassalado — *a:*
"Nem todos os povos da Europa estão avassalados *a*os seus príncipes." (Mário Barreto, *Cartas Persas,* 216.)

Avelhentado — *de, por:*
"Vivia o mutilado general com sua família, uma senhora avelhentada *de* mortificações e dois filhos." (Camilo, *A Enjeitada,* 127.)
"Avelhentado *pel*os desgostos."

Avença — *com, entre:*
"E defendemos a todos os procuradores avença *com* os pontos." (Dic. de Fr. D. Vieira.) "Eu nunca andei em boas avenças *com* a religião de meus pais." (Camilo, *apud* L. Freire.)
"Nem entre os (mestres) do gramaticar, entidades aliás nem sempre *entre* si de boa avença, encontrará guarida a proposição do mestre." (Rui, *Réplica,* 410.)

Avergoado — *de, por:*
"Ali sobre a barranca agreste, avergoada *de* algares, se alteava .... imensa lajem presa entre duas outras." (E. da Cunha, *Os Sertões,* 273.)
"Tem-se a imagem real de uma montanha, que desmorona, avergoada *pel*as tormentas." (E. da Cunha, *Os Sertões,* 394.)

Averiguação — *de, sobre:*
"Averiguação *d*a verdade, *d*as circunstâncias do caso." (Constâncio.) "O empregado, sabedor do desígnio, entrou em averiguações *d*a naturalidade e filiação da dançarina." (Camilo, *A Enjeitada,* 118.)
"Poderia apenas apresentar minhas averiguações *sobre* quatro mataduras duma égua em que viera, graças à benevolência prestante do meu abade." (Camilo, *Cenas da Foz,* 44.)

Avermelhado — *com, de, por:*
"Lábios avermelhados *com* carmim."
"Tipo do povo, alto, seco, avermelhado *d*o álcool." (Fialho de Almeida, *Os Gatos,* 45.)
"Rostos suarentos, avermelhados *pelo* calor."

Aversão — *a, em, para, por:*
"Tendo aversão *a* hipócritas, *a* caluniadores." (Constâncio.) "Se lhe não turvasse a vista a sua inveterada antipatia e aversão *ao* ilustre jornalista ...., está-me cá a parecer que algumas das acusações que contra ele formulou o censor, não estariam no libelo." (Mário Barreto, *Através do Dicionário e da Gramática,* 178.)
"Sinto aversão *em* entrar neste quarto."
" A natureza colocou no íntimo do nosso coração um atrativo para os prazeres e uma aversão *para* os trabalhos." (Morais, voc. *atrativo.*)
"Minas só teria aversão *por* essa figura clássica da ditadura inchada e retórica." (Rui, *Colunas de Fogo,* 60.) "A sua recusa não tinha por ponto de partida nenhum outro amor; também não era resultado de aversão que tivesse *pelo* seu pretendente." (M. de Assis, *Contos Fluminenses,* 156.)

Avesso — *a, de, em:*
"Sou avesso *a* descrições: muitas vezes o tenho dito." (Camilo, *Estrelas Propícias,* 12.) "Tal forma, embora muito usada entre nós, é absolutamente avessa *à* índole da lingua portuguesa." (C. de Figueiredo, *Falar e Escrever,* II, 306.)
"Sucessos avessos *das* esperanças." (Morais.)
"Avesso *em* gênio, caráter."

Avezado — *a:*
"Avezado *a* comer a certas horas." (Constâncio.) "O padre companheiro, como é avezado *a* caminhar muito e comer pouco, não sente o que outrem padece." (Fr. Luís de Sousa, *apud* Mário Barreto, *Através do Dicionário e da Gramática,* 98.) "Enquanto a mim, que não estou avezado *a* esta azáfama ...., enraiveço-me às vezes como um cristão." (Idem, *Cartas Persas,* 48.)

Avidez — *de, por:*
"Avidez *de* lucros, *de* riquezas." "O ácido sulfúrico tem grande avidez *de* água." (L. Freire.)
"Entra a mutilar aos pedaços o território chinês, irresistente como um cadáver entregue às aves de presa, com tão contagiosa avidez *por* ela, que até a Áustria, a Bélgica e a Dinamarca reclamam a sua bicada nos despojos." (Rui, *Colunas de Fogo,* 77.)

Ávido — *de, por:*
"Uma vizinhança a postos, ávida *de* mexericos." (Eça, *O Primo Basílio,* 52.) "Uma oficialidade moça, ávida *de* renome, anelando perigos." (E. da Cunha, *Os Sertões,* 453.) "Nesse instante, Mme. Brizard e Amelinha invadiam-lhe o quarto, ávidas *de* informações." (Aluísio Azevedo, *Casa de Pensão,* 167.)
"Não censuro tanto os ávidos *por* dominar." (Rui, *Discursos e Conferências,* 382.)

Aviltado — *de:*
"O comum dos adultérios é a retaliação, o despique da mulher que a si se despreza por-

que se vê aviltada *do* marido.'' (Camilo, *Boêmia do Espírito*, 164.)

Aviltante — *para:*

''Não me lembra quem foi o informador desta inexatidão que etnologicamente nada importa; mas que é aviltante, pelos modos, *para* a vetusta Trancoso.'' (Camilo, *Boêmia do Espírito*, 449.)

Avincado — *de, por:*

''Desviavam os olhos da fixidez de um fidalgo quase sexagenário, que as não desfitava com a fronte avincada *de* ciúmes do Príncipe D. José.'' (Camilo, *Perfil do Marquês de Pombal*, 19.)

''Testa avincada *por* fundas rugas.''

Avindo — *com, em:*

''Mal avindos uns *com* os outros.'' (Dic. de Fr. D. Vieira.)

''Finalmente avindos ambos *n*este propósito....'' (Dic. de Morais.)

Avisado — *contra, de, sobre:*

''A população já está avisada *contra* a exploração dos gananciosos.''

''Foi ter à casa do Professor Felicíssimo que, já avisado *d*a sua visita, o esperava com muita afabilidade.'' (Gastão Cruls, *Ao Embalo da Rede*, 88.)

''Avisado *sobre* o que devia fazer, saiu.''

Aviso — *a, acerca de, de, para:*

''Se um tiroteio das guardas da frente se constitui, na campanha, aviso salutar *a*o resto dos lutadores, naquelas circunstâncias anormais era um perigo.'' (E. da Cunha, *Os Sertões*, 263.)

''Em toda a parte onde exista a obrigação de aviso prévio *à* autoridade policial *acerca d*as reuniões populares, essa obrigação existe por expressa disposição legislativa.'' (Rui, *Queda do Império*, I, 105.)

''As estrelas cintilavam diamantinas, o que, para os conhecedores, era aviso infalível *de* geada.'' (C. Neto, *A Cidade Maravilhosa*, 103.)

''O exército recebeu aviso *para* marchar.''

Avivado — *a, com, de, por:*

''Todas as esquecidas histórias em que a neve é motivo de tragédia ou de beleza, ressurgem-me de súbito na memória, avivadas *à* imprevista visão.'' (Herman Lima, *Outros Céus, Outros Mares*, 181.)

''As palavras avivadas *com* o sal da malícia juvenil, pintavam a ditosa ignorância do mundo.'' (Rebelo da Silva, *Contos e Lendas*, 178.)

''A boca não pequena, mas engraçada, animava a rosto e dava-lhe expressão agradável, avivada *de* constante jovialidade.'' (Rebelo da Silva, *Contos e Lendas*, 14.) ''É que de parte a parte estavam as mesmas astúcias, avivadas *d*os mesmos ódios.'' (E. da Cunha, *Os Sertões*, 584.)

''Saudades avivadas *pel*a recordação do passado.''

Aviventado — *com, por:*

''Imaginação aviventada *com* a filosofia.''

''Quer se lhe dilatassem os pulmões aviventados *por* aspirações de contentamento, quer resistisse ainda a derradeira fibra de vida tenacíssima...'' (Camilo, *A Enjeitada*, 143.)

Avolumado — *com, em, entre, por:*

''Avolumada *com* a presa de outra nau.'' (Dic. de Morais.)

''Esquiva (a língua portuguesa) no diálogo curto, avolumada *n*o discurso lento.'' (Antero de Figueiredo, *Jornadas em Portugal*, 47.)

''Afluindo (as águas) em regatos já avolumados *entre* as quebradas, concentrando-se tumultuariamente em ribeirões correntosos.'' (E. da Cunha, *Os Sertões*, 37.)

''A nova, avolumada *pel*os que a espalhavam, romanceada de numerosos episódios, destruíra as últimas vacilações.'' (E. da Cunha, *Os Sertões*, 305.)

Avultado — *com, de:*

''Fealdade avultada *com* o desleixo.''

''Se havia alguma diferença no infante, era estar um pouco mais avultado *de* corpo.'' (Dic. de Fr. D. Vieira.)

Azado — *para:*

''Gracejo tão azado *para* destruir preconceitos.'' (Camilo, *Livro Negro*, 163.) ''A conveniência não é arma azada *para* vencer a resistência de minha cunhada.'' (Camilo, *As Três Irmãs*, 64.)

Azáfama — *entre, em:*

''Grande azáfama *entre* os lacaios e moços de estrebaria.'' (Xavier Marques, *As Voltas da Estrada*, 142.)

''Preparativos de festa, uma azáfama *n*as criadas.'' (Dic. de Morais.)

Azafamado — *com:*

''E saíram para Vila Cova, onde Brásia, azafamada *com* o jantar, e duplamente ditosa com o segundo casamento, dava ares de não ter o miolo fixo.'' (Camilo, *O Bem e o Mal*, 102.)

Azar — *a, com:*

''Ter azar *a* ou *com* alguém ou *a* alguma coisa.'' (Aulete.)

Azedado — *com, por:*

''Massa azedada *com* fermento de cerveja.''

''Conduz-me a um cubículo de convento e lá me dá umas sopas não azedadas *pel*as lágrimas da vergonha.'' (Camilo, *A Enjeitada*, 173.)

Azedo — *de, em:*

''Azedo *de* condição.'' (Fr. D. Vieira.)

''Orador mais grave em louvar, mais azedo *em* vituperar.'' (Dic. de Morais.) ''Rui, sempre azedo *n*as suas paixões, trocara as frases candentes por um tom paternal.'' (Luiz Viana Filho, *A Vida de Rui Barbosa*, 286.)

Azedume — *contra:*

''Quando lhe tocou a impopularidade, soube atravessá-la sem turvação de ânimo, nem azedume *contra* os homens.'' (Rui, *Colunas de Fogo*, 117.)

Aziumado — *de, por:*

''Explosindo arrotos aziumados *de* salpicão.'' (Camilo, *Eusébio Macário*, 28.)

''Ânimos aziumados *por* intrigas.'' ''Estômago aziumado *por* iguarias muito condimentadas.''

Azo — *a, de, para:*

''Nem faltarão às guerras vindouras pretextos tão sólidos quanto os que deram azo *à* atual.'' (Rui, *apud* L. Freire.) ''Deu azo *a* que o Marquês de Alegrete matasse o boi com o garrochão.'' (Camilo, *Perfil do Marquês de Pombal*, 29.)

''Procurei azo *de* falar com Fonseca.'' (Camilo, *As Três Irmãs*, 167.)

''Nunca teve azo *para* se queixar dele.''

Azoado — *com, de, por:*

''Retirei-me azoado *com* a gelada recepção que me fez.'' (Camilo, *Mistérios de Lisboa*, I, 162.)

''Azoado *do* crânio e mal composto da fisionomia.'' (Camilo, *apud* L. Freire.)

''Azoado *pela* algazarra do quarto vizinho, não pôde continuar o estudo.''

Azoinado — *com, por:*

''Azoinados *com* o rebentar daquele 'só pode' , que estribilha mais de cem vezes por toda a extensão do projeto.'' (Rui, *Réplica*, 73.)

''Tinha a cabeça azoinada *pelo* espocar dos foguetes.'' ''Depois, azoinado *pela* gentalha que se reunia em torno dele, saltou para a almofada.'' (Al. Azevedo, *Casa de Pensão*, 278.)

Azulado — *de:*

''Tempo claro, o campo azulado *de* orvalho e as buracicas altas, isoladas, quase nuas *de* folhagem.'' (Xavier Marques, *As Voltas da Estrada*, 131.)

B

Babado — *de, por:*
"Ficou babado *de* orgulho quando lhe elogiaram o filho."
"Anda todo babado *pela* caixeirinha." "Quando soube que êle estava todo babado *pela* Luzia-Homem, desembuchou e contou tudo." (Domingos Olímpio, *Luzia-Homem,* 142.)

Babujado — *com, de:*
"A criança ficou babujada *com* a sopa."
"Apertando ao peito as imagens babujadas *de* saliva, mulheres alucinadas tombavam escabujando nas contorsões violentas da histeria." (E. da Cunha, *Os Sertões,* 203.)

Bacharel — *em, por:*
"O noivo é um bacharel *em* direito."
"Bacharel *pela* Faculdade de Direito de São Paulo."

Bafejado — *de, por:*
"Bafejado *da* fortuna." (Constâncio.) "Jesus no presépio, desamparado dos homens e bafejado *dos* animais." (Vieira, *Sermões,* II, 156.)
"Edição patrocinada pela benevolência dos mestres e dos estudiosos e bafejada *pelo* favor do público." (Mário Barreto, *Através do Dicionário e da Gramática,* 138.) "Se a vergonha lhe tingisse as faces, deveria esconder o rosto; porque essa vermelhidão seria bafejada *por* um dito de torpeza." (Herculano, *O Bobo,* 32.)

Baile — *a:*
"A Guarda Nacional anuncia, para a noite de 1.º de março vindouro, um baile *aos* oficiais do exército e da armada." (Rui, *Colunas de Fogo,* 32.)

Baixo — *de:*
"Baixo *de* corpo, *de* pernas." "Baixo *de* espírito, *de* sentimentos." (Constâncio.) "Olhos negros e pestanudos, baixos *de* acanhamento." (Gustavo Barroso, *Terra de Sol,* 66.)

Bajulação — *a:*
"Diante do príncipe consorte oscilam hoje os turíbulos da bajulação *a* Sua Alteza, que dirige o incenso dos que esperam, dos que agradecem, dos que temem." (Rui, *Queda do Império,* I, 248.)

Balançado — *por:*
"Só ouvia o crepitar das folhas balançadas *pela* viração e o zizio dos insetos ao sol." (Coelho Neto, *Treva,* 134.)

Balanço — *de, em, sobre:*
"Todos os comerciantes são obrigados a organizar um balanço *de* seu ativo e passivo."
"Depois do balanço *nas* parcas economias, Rui verificou serem insuficientes para viajar." (Luiz Viana Filho, *A Vida de Rui Barbosa,* 45.)
"Depois de um balanço *sobre* as probabilidades de triunfo dos liberais nos vários distritos da Bahia, o partido resolveu indicar Rui como candidato." (Luiz Viana Filho, *A Vida de Rui Barbosa,* 107.)

Balbuciado — *por:*
"Não tínhamos senão o assunto grandioso, apenas balbuciado *por* poetas sentimentalistas." (Camilo, *Boêmia do Espírito,* 224.)

Baldado — *contra, por:*
"*Contra* a justiça de Deus é baldada a misericórdia dos homens." (Camilo, *A Enjeitada,* 99.)
"A vingança, baldada *por* um homem superior que o destino lhe deparara, só poderia desvanecer-se por influência religiosa." (Camilo, *Mistérios de Lisboa,* III, 122.)

Baldo — *a, de, em:*
"Baldo *a* um naipe." (Constâncio.) "Baldo *a* ouros." (Morais.)
"Baldos *de* recursos para se alongarem das rancharias, agitam-se, então, nos folguedos costumeiros." (E. da Cunha, *Os Sertões,* 130.) "Teria de estagnar nesses portos, baldos *de* comunicações fáceis." (Rui, *Cartas de Inglaterra,* 178.)
"Baldo a ouros ou *em* ouros." (Morais.) "Porventura disse eu coisa que o autorizasse a me julgar baldo *em* idéias tão elementares?" (Rui, *Réplica,* 80.)

Balofo — *de:*
"Balofo *de* carnes e *de* espíritos, um quê de atrasado mental, com umas conversas ingênuas." (Mário Sete, *Os Azevedos do Poço,* 57.)

Baluarte — *contra:*
"E' o baluarte das nossas liberdades orgânicas *contra* as conspirações que as ameaçarem." (Rui, *Colunas de Fogo*, 25.)

Bambo — *de:*
"Já anda meio bambo *das* pernas o pobre velho." "Chegou bamba *de* sono e ficou no meio da sala, indecisa." (J. Américo de Almeida, *A Bagaceira*, 67.)

Bandeado — *em:*
"Acho mais venerável a crença de um sebastianista, que o cepticismo dos políticos bandeados *em* todas as facções que lhes pagam as consciências com dinheiro do Estado." (Camilo, *Boêmia do Espírito*, 66.)

Banhado — *de, em, por:*
"Banhado *de* sangue." (Morais.) "Ângela tinha a face banhada *de* lágrimas." (Camilo, *Mistérios de Lisboa*, I, 120.)
"Volvendo o rosto já sereno e santo, toda banhada *em* riso e alegria." (Camões, *Os Lusíadas*", IX, 82.) "Ficara longo tempo a rezar, banhada *em* lágrimas, os olhos injetados, os lábios trêmulos." (Aluísio Azevedo, *O Homem*, 51.) "Laura, banhada *em* lágrimas, apertou ao peito Sebastião." (Camilo, *Livro Negro*, 20.)
"Ignorava a importância capital das funções ofensivas e defensivas da força naval na existência dos países banhados *pelo* mar." (Rui, *Cartas de Inglaterra*, 124.)

Banido — *de:*
"Foi banido *de* todas as sociedades e conversações." (Constâncio.)

Barbarizado — *por:*
"As eleições, barbarizadas *pela* guarda sinistra da herdeira presuntiva, seriam, então, luta de morte contra a lavoura, o partido republicano e o partido liberal." (Rui, *Queda do Império*, II, 28.)

Bárbaro — *com, para com:*
"Fui bárbaro *comigo* mesmo, entrando aqui; mas a desventura tem mil rodeios por onde me encaminha a tudo que me aumenta o desgôsto da vida." (Camilo, *Estrelas Propícias*, 27.)
"Bárbaro *para com* os escravos."

Barreira — *a, contra:*
"O Marechal Floriano destacou-o armado de poderes discricionários para Santa Catarina, como uma barreira *à* conflagração que se reanimara no sul." (E. da Cunha, *Os Sertões*, 299.)
"Atanagildo cria que o mosteiro seria sempre inexpugnável barreira *contra* a violência e a cobiça dos árabes." (Herculano, *Eurico*, 124.) "Sabiam detestar a ditadura; porque lhe tinham provado a amarga experiência. A nova carta da república está cheia de barreiras *contra* ela." (Rui, *Queda do Império*, II, 54.)

Base — *a, de:*
"Estabelece princípios que vão servir de base *à* regular apreciação das belezas universais." (Liberato Bittencourt, *Duas Dezenas de Imortais*, I, 36.) "Antes me parece que, como base *à* revisão por que vai passar nesta casa do Congresso, nos merecem toda a estima e respeito." (Rui, *Réplica*, 37.)
"A riqueza de sua irmã pareceu a base *da* sua muita felicidade." (Camilo, *As Três Irmãs*, 49.) "Faltava-lhe esse aprumo e compleição inteiriça que no soldado são a base *da* coragem." (E. da Cunha, *Os Sertões*, 295.) "As reminiscências das bruxarias africanas e indígenas formam a base *de* todas as feitiçarias onde as européias aparecem apagadamente." (Gustavo Barroso, *Terra de Sol*, 156.)

Baseado — *em, sobre:*
"Resultados seguros, baseados *em* observações generalizadas." (Júlio Nogueira, *O Exame de Português*, 98.) "Este sem-número de palavras baseadas exclusivamente *no* latim faz com que não possamos conhecer devidamente o nosso idioma." (Mário Barreto, *Através do Dicionário e da Gramática*, 293.)
"Constituição baseada *sobre* princípios democráticos."

Bastante — *a, para:*
"Deixava seu advogado no Brasil o honrado Antônio d'Azevedo, com um ordenado bastante *às* suas despesas." (Camilo, *Estrelas Propícias*, 139.) "Se não pudesse regar todo, regasse metade, um terço, um quarto, um quinto, salvasse ao menos cereal bastante *à* nova sementeira." (Gustavo Barroso, *Terra de Sol*, 175.)
"Mas seria isso bastante *para* o salvar e salvar a infanta?" (Herculano, *O Bobo*, 52.) "Com o talento que possuía, chegaria a impor-se, a criar um nome e, se não a fortuna, ao menos o conforto, o que já é bastante *para* quem tem glória." (Afrânio Peixoto, *A Esfinge*, 87.) "A este respeito eu tinha em mim forças bastantes *para* repelir idéias más." (M. de Assis, *Contos Fluminenses*, 197.)

Batalha — *com, contra, entre, por:*
"Na batalha de Catarina *com* os filósofos, ela era uma e eles cinqüenta." (Vieira, *Sermões, IX*, 137.) "Rui de Nelas, humilhado pela consciência na batalha *com* o orgulho, escrevia ao procurador, mandando-o que fosse ao paço episcopal e encarecidamente solicitasse o pôr pedra sobre o processo contra o padre." (Camilo, *O Bem e o Mal*, 116.)
"Na trágica batalha *contra* Báquides e Álcimo não defendeu ao grande Macabeu a sua espada." (Vieira, *Sermões*, IX, 99.)
"Batalha *entre* a ambição e a inteireza, *entre* o dever e a cobiça." (Constâncio.) "Houve no céu *entre* os anjos aquela grande batalha que sabeis." (Vieira, *Sermões*, IX, 44.)
"Travou-se a grande batalha *pelo* domínio dos mares."

Batida — *a, por:*

"Numa alacridade feroz de monteiros no último lance de uma batida *a* javardos." (E. da Cunha, *Os Sertões,* 273.) "E' para alguma batida *às* raposas?" (Aquilino Ribeiro, *A Batalha sem Fim,* 57.)

"No dia seguinte, eu e mais uns companheiros, logo cedinho, demos uma batida *por* tudo isto." (Gastão Cruls, *Ao Embalo da Rede,* 23.)

Batido — *com, de, por:*

"O muro, o navio batido *com* a artilharia." (Constâncio.) "Depois de seco, o feijão é batido *com* varas flexíveis."

"Pedra batida *das* ondas." (Constâncio.) "Espalhavam-se, tontos, alarmados, batidos *de* descargas envolventes, partidas das esperas, adrede predispostas aos lados." (E. da Cunha, *Os Sertões,* 435.) "São (as casas) sempre edificadas numa elevação de terreno, batidas *do* vento e *do* sol." (Gustavo Barroso, *Terra de Sol,* 191.)

"Batidos *pelo* português, *pelo* negro e *pelo* tupi coligados, refluindo ante o número, os indômitos cairiris encontraram proteção naquele colo duro de terra." (E. da Cunha, *Os Sertões,* 106.) "Batidas (as peanhas) *pelas* vibrações do ar revolto daquelas baforadas de patriotismo e vinho, cambaleavam." (Camilo, *A Enjeitada,* 11.) "O navio batido *pelo* vento e *pelas* ondas." (Constâncio.)

Batizado — *com, por:*

"As armas de fogo foram batizadas *com* os nomes terríficos do falcão, falconete, e do animal fabuloso basilisco, que matava só com o olhar." (João Ribeiro, *Curiosidades Verbais,* 11.) "Batizada *com* o mesmo nome, envolvida no mesmo quadro de sintomas." (Rui, *Colunas de Fogo,* 46.)

"Criança batizada *pelo* arcebispo."

Bêbedo — *com, de:*

"Forjei essa história da brasileira e quando, ao fim da sermonata, o vi bêbedo de todo *com* os aplausos e a sua imensurável vaidade joguei-lhe o laço." (Aquilino Ribeiro, *Andam Faunas,* 19.)

"Bêbedo *de* amor, *de* júbilo." (Constâncio.) "Par bêbedo *de* perfumes, que profanava o pudor da alameda aromal." (J. Américo de Almeida, *A Bagaceira,* 64.)

Bebido — *com, em, por:*

"Quedaram-lhe laivos, a lordose, sobretudo, da cultura bebida *com* os padres." (Aquilino Ribeiro, *A Batalha sem Fim,* 38.)

"Sua pintura, sobre bebida toda *na* vida atual, qualquer que seja o assunto dos seus quadros, ainda daquela prefere somente as coisas que lhe sejam absolutamente familiares e cotidianas." (Fialho de Almeida, *Os Gatos,* 154.)

"Por muita água que chova, logo é bebida *pela* terra fofa e sequiosa." (Constâncio.)

Beneficência — *para com:*

"Ninguém deixa de reconhecer sua beneficência *para com* a pobreza."

Beneficiado — *com, de, por:*

"Bairro beneficiado *com* diversos melhoramentos."

"Catedral grandemente beneficiada *daquele* rei." (Dic. de Fr. D. Vieira.) "Beneficiado *da* sé patriarcal." (Aulete.)

"Uma dançarina, enjeitada, desvalida, e beneficiada *por* uma família caritativa, lhe pagara com a ingratidão." (Camilo, *A Enjeitada,* 206.)

Benefício — *a, de, para; a, em:*

"E esse serviço é, simultaneamente, um benefício *ao* país." (Rui, *Colunas de Fogo,* 51.)

"Ordenava, depois destas homílias, penitências que de ordinário redundavam em benefício *das* localidades." (E. da Cunha, *Os Sertões,* 173.) "Nos artigos daquele papel não existe, em benefício *do* Brasil, vantagem absolutamente nenhuma." (Rui, *Colunas de Fogo,* 94.)

"A organização de um partido fora da República é, portanto, benefício incontestável *para* a moralização do poder." (Rui, *Cartas de Inglaterra,* XVII.)

"Aconselham a imprudência gravíssima de organizar em permanência essa insurreição, *a* benefício *do* cetro." (Rui, *Queda do Império,* I, 138.) "O gravame das tarifas protecionistas onerou por muitos anos os estados meridionais, *a* benefício *dos* pensionistas do norte." (Idem, *Cartas de Inglaterra,* 361.)

"Antes que esse ajuste começasse a produzir os seus efeitos *em* benefício meu ...." (Idem, *Colunas de Fogo,* 127.) "Acreditando na eficácia do sangue *em* benefício dos que o derramam ...." (Idem, *Queda do Império,* I, 132.) "Defendê-lo-emos amanhã *em* benefício *de* todas as opiniões, ainda as mais adversas ao nosso credo pessoal." (Rui, *Queda do Império,* I, XXIII.)

Benéfico — *a, para:*

"Clima benéfico *aos* que sofrem doenças pulmonares."

"Homem benéfico *para* os pobres."

Benemerência — *de, para com:*

"Quaisquer que sejam as benemerências *de* um príncipe em certo lapso de tempo, o reconhecimento não o absolverá, se.... se entregar a uma política indigna dos aplausos populares." (Rui, *Queda do Império,* I, 192.)

"E' admirável sua benemerência *para com* os órfãos."

Benemérito — *a, de:*

"Viemos para trabalhos, senhora viscondessa, e o mais sofredor é o mais benemérito *aos* olhos do Altíssimo."

"Fatos que tornaram tais dias beneméritos *da* nossa consagração." (J. Veríssimo, *Educação Nacional,* 14.) "O Dicionário de Figueiredo é dos melhores que temos e só por si basta a granjear-lhe o título de benemérito *das* letras portuguesas." (Mário Barreto, *Através do Dicionário e da Gramática,* 291.)

Beneplácito — *em:*

"Inspire-se do grande nome de seus avós, ... para que as flores da virtude, que começam a murchar na grinalda inocente de sua filha, possam reverdecer com o seu perdão, e com o seu beneplácito *neste* casamento." (Camilo, *Mistérios de Lisboa,* I, 126.)

Benevolência — *com, de, em relação a, para, para com:*

"Usar de benevolência *com* alguém." (J. Sandoval de Figueiredo, *Vícios de Linguagem,* 73.)

"Espero que tenhais a benevolência *de* me atender."

"A benemérita redação da "Gazeta de Notícias" .... distinguiu-nos, ontem, com um largo artigo de crítica severa, envolvida em finezas, que lhe honram a urbanidade, e expressões de admiração, que põem em contraste a sua tantas vezes provada benevolência *em relação a* nós com a injustiça atual desta censura." (Rui, *Queda do Império,* I, 297.)

"De repente supus que a escola poderia trazer-me a benevolência do governador *para* certos favores que eu tencionava solicitar." (Graciliano Ramos, *S. Bernardo,* 55.) "Voltará um dia a Portugal, cheio de benevolência *para* o seu próximo." (Camilo, *A Neta do Arcediago,* 102.)

"A alta consideração com que agora mesmo me obsequia dá-me um sinal mais da sua benevolência *para* comigo." (Rui, *Cartas Políticas e Literárias,* 157.) "Estigmatizando a deliberação funesta, chegamos *para com* os responsáveis ao extremo da benevolência num acusador." (Idem, *Colunas de Fogo,* 101.)

Benevolente — *com, para com:*

"Foi sempre muito benevolente *com*igo."

"E' um homem benevolente *para com* todos."

Benévolo — *com, em, para com:*

"Professor benévolo *com* os alunos."

"Como poderíamos ser mais benévolos *no* apreciar dessas medidas?" (Rui, *Queda do Império,* I, 277.)

"Rigoroso com os filhos, benévolo *para com* os estranhos."

Benfazejo — *a:*

"Não foi a concentração do poder político na realeza um progresso benfazejo *às* nações contra a barbaria do feudalismo?" (Rui, *Queda do Império,* I, 194.)

Benfeitor — *de:*

"Deus tudo concederá a Padre Diniz, ao benfeitor *de* tantos infelizes." (Camilo, *Mistérios de Lisboa,* II, 166.) "Tu foste realmente o benfeitor *do* gênero humano." (Rui, *Colunas de Fogo,* 231.)

Benignidade — *com, em, para com:*

"Não tem muita benignidade *com* as crianças."

"Aqui, entretanto, onde a benignidade *nos* ânimos, a brandura nos costumes, o temor salutar da legalidade contiveram a revolução na alma dos prejudicados...." (Rui, *Queda do Império,* I, 206.)

"Benignidade *para com* os humildes."

Benigno — *com, para, para com:*

"Benigno *com* todos." (E. Carneiro Ribeiro, *Serões Gramaticais,* 654.) "Oh! as consciências têm sido tão benignas *com* este govêrno!" (Rui, *Queda do Império,* I, 147.)

"Benigno *para* todos." (E. Carneiro Ribeiro, *Serões Gramaticais,* 654.) "Benigno *para* os seus." (Idem, *ibidem,* 674.)

"Benigno *para com* os seus." (E. Carneiro Ribeiro, *Serões Gramaticais,* 674.) "Benigno *para com* todos." (Idem, *ibidem,* 654.)

Benquisto — *a, com, de, em:*

"Esta circunstância tornava-o mais benquisto *aos* condiscípulos."

"Benquisto *com* o chefe, *com* os colegas."

"Benquisto *de* todos. " (Carlos Góis, *Sintaxe de Regência,* 96.) "Conhecera-o mestre de lugre na carreira do Porto para a Bahia, estimadíssimo dos superiores, benquisto *dos* subalternos." (Aquilino Ribeiro, *A Batalha sem Fim,* 6.)

"Clinicava o Dr. Bernardo intensamente por toda aquela zona, tornando-se benquisto quer *nos* solares endinheirados ou fidalgos, quer *nas* habitações remediadas." (Mário Sete, *Os Azevedos do Poço,* 74.)

Bestificado — *por:*

"Privados de memória, bestificados *pela* carência de carinhos, anestesiados pelo contínuo sofrer, eram esses pequeninos mendigos gravetos de uma floresta morta." (Domingos Olímpio, *Luzia-Homem,* 126.)

Besuntado — *com, de:*

"Besuntado *com* manteiga."

"Lábios besuntados *de* tinta." "Tem a fechadura besuntada *de* azeite." (Constâncio.)

Birra — *a, com, de, por:*

"Tem birra *ao* buzinar dos automóveis."

"Tomar birra *com* alguém." (Fr. D. Vieira.)

"Ter birra *com* alguém." (Aulete.)

"De maneira que ele tem birra *de* nós." (Gil Vicente, *apud* Fr. D. Vieira.)

"Até já nem queria saber das amigas; tomara-se de birra *pela* Eufrásia, e não pagava uma só das visitas que lhe faziam.'' (Aluísio Azevedo, *O Mulato,* 137.)

Blasfêmia — *contra:*

''Ajuntando a isto muitas outras blasfêmias *contra* a pureza.'' (Dic. de Fr. D. Vieira.)

Blindado — *contra, de, por:*

''Alma blindada *contra* o vício.'' ''Blindada *contra* os sentimentos de um miserável João Valério, com certeza erguera os ombros: ''Deixá-lo. Pobre diabo.'' (Graciliano Ramos, *Caetés,* 118.)

''Lúcio estivera todo esse tempo sentado, sereno, blindado *da* calma reavida.'' (J. Américo de Almeida, *A Bagaceira,* 269.) ''Era pior que uma cidadela inscrita em polígonos ou blindada *de* casamatas espessas.''(E. da Cunha, *Os Sertões,* 335.) ''Um bom-senso sólido, blindado *da* frieza que o libertava de quaisquer perturbações, fizera que ele apanhasse, de um lance, as exigências reais da luta.'' (Idem, *ibidem.* 507.)

''Não se lhe entibia, porém, o ânimo blindado *pela* fortaleza tranqüila dos apóstolos.'' (E. da Cunha, *Os Sertões,* 208.)

Bloqueio — *a, contra, de:*

''Em junho do ano subseqüente, com a república democrática de Lamartine, cessava de todo o bloqueio *aos* portos argentinos.'' (Rui, *Cartas de Inglaterra,* 318.)

''A guerra prosseguia — uma guerra que procurava apertar o bloqueio *contra* o inimigo e romper o cerco que o inimigo se esforçava por impor.'' (Ernesto Vinhais, *História da II Guerra Mundial,* I, 88.)

''O controle naval britânico do Mediterrâneo, e o tangível efeito deste sobre o reforço do bloqueio *da* Itália, faziam com que a Inglaterra fosse um objetivo ardentemente desejado.'' (Idem, *ibidem,* 194.)

Boa-vontade — *para com, por:*

''Apesar de sua boa-vontade *para com* o rapaz, não lhe conseguiu um emprego.''

''O ministro demonstrou boa-vontade *pelo* meu caso.''

Bom — *a, com, de, em, para, para com:*

''O ar da noite não é bom *aos* saudáveis, quanto mais *aos* doentes ....'' (Camilo, *Mistérios de Lisboa,* I, 108.)

''Devota e caritativa com os pobres de pão, não o era menos com os mendigos de consolações. *Com*igo foi quase sempre boa.'' (Camilo, *Mistérios de Lisboa,* I, 24.)

''Bom *de* beber, *de* comer; caminho bom *de* andar.'' (Morais.) ''A usina não permitia que o povo ocupasse um pedaço de terra que fosse boa *de* cana.'' (J. Lins do Rego, *Usina.* 73.)

''Você foi muito bom *em* me atender tão depressa.''

''Alberto.... sê sempre bom *para* esta menina.'' (Camilo, *Mistérios de Lisboa,* II, 233.) ''Sérgio é muito bom *para* mim.'' (Afrânio Peixoto, *A Esfinge,* 267.) ''Madeira boa *para* construção de navios.'' (Constâncio.) ''Isto é bom *para* mim, que nasci cá, e por todas essas pedras e árvores tenho cobrado um afeto de solitário.'' (Camilo, *O Bem e o Mal,* 103.)

''Foi sempre bom *para com* os empregados.''

Bondade — *com, de, em, para, para com:*

''Sua excessiva bondade *com* os netos prejudica-os.''

''Tenha a bondade *de* esperar.'' (Constâncio.) ''Pois, senhor, tenha a bondade *de* dividir esta quantia em duas quantias iguais.'' (Camilo, *Mistérios de Lisboa,* II, 182.)

''Abusei da sua bondade *em* ouvir a pobre Laura.... Mas que há de fazer-se deste menino?'' (Camilo, *Livro Negro,* 19.)

''Sempre mostrou muita bondade *para* todos.''

''E' de uma grande bondade *para com* os pobres.'' ''Agradeceu muito a Maria toda aquela sua bondade *para com* ele, despediu-se às pressas, montou de novo a sua ''ruana'' e partiu a galope.'' (Abílio Barreto, *A Noiva do Tropeiro,* 83.)

Bondoso — *com, para, para com:*

''Homem bondoso *com* os pobres, *para* os pobres, ou *para com* os pobres.''

Bordado — *a, com, de:*

''Passa o pálio com o seu dossel negro bordado *a* estrelas de prata.'' (Antero de Figueiredo, *Jornadas em Portugal,* 72.) ''Um farto casacão de veludo preto, e um boné do mesmo veludo, bordado *a* ouro, com as armas de Cliton na copa.'' (Camilo, *Livro Negro,* 211.)

''Vestido bordado *com* fios de prata.''

''Rio bordado *de* arvoredo, *de* louras areias.'' (Constâncio.) ''Nuvens bordadas *de* ouro.'' (Morais.)

Borrifado — *com, de, por:*

''Flores borrifadas *com* o orvalho da noite.''

''Na verdade, toda a árvore sangrava. Toda borrifada *de* sangue fresco, numa palpitação de carne viva.'' (J. Américo de Almeida, *A Bagaceira,* 148.)

''A infeliz tiritava, e limpava com a manta a face borrifada *pela* chuva.'' (Camilo, *Mistérios de Lisboa,* 108.) ''No último domingo de setembro, já os campos, borrifados *pela* névoa, se cobriam da penugem rubra dos centeais nascentes.'' (Aquilino Ribeiro, *Andam Faunos,* 69.)

Bossa — *de, para:*

''Este homem não tem a bossa *do* negócio.'' (Fr. D. Vieira.) ''O brasileiro não tinha e ainda não tem a bossa *das* viagens.'' (Escragnole Dória, *apud* Teschauer.)

''Ter bossa *para* alguma coisa.'' (Fr. D. Vieira.) ''Tem bossa *para* a música.''

Brado — *a, contra:*

''A imprensa, em seus brados *ao* governo, nada mais pede do que moralização e justiça.''

"Nós vínhamos reecoar aqui os brados patrióticos do Senado *contra* a política escravizada do governo." (Rui, *Conferências*, 168.) "Mal proferira estas duras palavras, romperam os vereadores em altos brados *contra* a audácia e a insensatez do colega." (M. de Assis, *Papéis Avulsos*, 76.)

Branco — *de:*
"Está branco *de* medo." (Fr. D. Vieira.) "O pobre homem, apavorado, branco *de* medo, os braços trêmulos numa súplica que os lívidos lábios mal balbuciavam, apeou-se." (Gustavo Barroso, *Terra de Sol*, 149.)

Brando — *com, de:*
"Arrogante com os fortes, brando *com* os humildes."
"E' mui brando *de* gênio." (Constâncio.)

Brandura — *com, de, em, para com:*
"Use sempre brandura *com* as crianças."
"Sua brandura *de* maneiras torna-o estimado de todos." "Que brandura *de* olhar! Parece que há nestes olhos uma lágrima que nunca se enxuga!" (Camilo, *Livro Negro*, 41.)
"A benignidade nos ânimos, a brandura *nos* costumes, o temor salutar da legalidade contiveram a revolução na alma dos prejudicados." (Rui, *Queda do Império*, I, 206.)
"Religião .... da caridade e brandura *para com* todos os homens." (Rui, *Cartas de Inglaterra*, 400.)

Breve — *em:*
"Serei breve e exato *na* minha narração." (Fr. D. Vieira.)

Brevidade — *de, em:*
"A brevidade *da* vida, *do* caminho, jornada." (Morais.)
"Eu só me poderia haver de outro modo se a tarefa, de que me pretende incumbir, não estivesse manifestamente subordinada à cláusula de brevidade *na* execução." (Rui, *Cartas Políticas e Literárias*, 128.) "Encarecia em termos aflitos os seus escrúpulos e remorsos, pedindo a máxima brevidade *no* levantamento da suspensão, e retirada do novo vigário." (Camilo, *O Bem e o Mal*, 117.)

Briga — *com, entre:*
"Sua briga *com* o colega causou má impressão." "Andar de brigas *com* alguém." (Morais.)
"A maneira por que é aproveitada a lenda histórica, na cena da briga *entre* o armeiro e Nun'Álvares." (Fialho de Almeida, *Os Gatos*, 215.)

Brilhante — *de:*
"Múltiplas expressões risonhas ou graves, arrebatadas ou calmas, brilhantes *de* luz alegre ou carregadas de sombras dramáticas." (Antero de Figueiredo, *Amor Supremo*, 98.)

Broqueado — *a, de:*
"Peitos broqueados *a* bala ou sarjados a faca." (E. da Cunha, *Os Sertões*, 506.)
"Broqueada *de* infinitas cavidades (a terra) tangenciando-se em bordas de quinas vivas." (E. da Cunha, *ob. cit.*, 535.)

Brutal — *com, de:*
"Indivíduo brutal *com* toda gente."
"Era de estatura mais que mediana, ombros quadrados, loiro, dum loiro esmaecido de palha na eira, brutal *de* modos e seco." (Aquilino Ribeiro, *A Batalha sem Fim*, 15.)

Brutalidade — *com, para com:*
"E' irritante tamanha brutalidade *com* as crianças."
"Observe a brutalidade desse empregado *para com* os fregueses."

Bruto — *com, para com:*
"Bruto *com* todos, ou *para com* todos."

Busca — *de:*
"Tentar o aviltamento do exército brasileiro, arremessando-o em matilhas de sangue contra os escravos pacificamente esparsos nas serranias paulistas à busca *da* liberdade." (Rui, *Queda do Império*, I, 177.)

C

Cabala — *para:*
"A expedição contra Inglaterra fora uma cabala política *para* contrariar as intenções de Bonaparte, suspeitas ao conselho dos quinhentos." (Camilo, *Livro Negro,* 74.)

Cabedal — *de, em:*
"Fazer cabedal *das* promessas de alguém." (Constâncio.)
"Fazer cabedal *em* alguém." (Constâncio.) "Nosso remédio esteja em nos desenganar que *em* ninguém se pode fazer cabedal senão *em* Deus." (Dic. de Fr. D. Vieira.)

Cabida — *em:*
"Tenho cabida *em* casa do ministro." (Constâncio.) "Este sucesso .... pode, cremos nós, sem ofensa das pias orelhas dos críticos, ter cabida *na* gravíssima biografia do nosso Dom Bibas." (Herculano, *O Bobo,* 47.)

Cabo — *de:*
"Ideava vinte projetos, cada qual mais impossível, sem chegar ao cabo *de* algum." (M. de Assis, *Contos Fluminenses,* 68.)

Cachimônia — *de:*
"Ferreira poetou: "com que a morte de longe m'ameaçava", tendo a cachimônia *de* assinalar ele mesmo a sinalefa, de que presentemente recuariam os menos cuidadosos versejadores." (Rui, *Réplica,* 99.)

Caçoada — *com:*
"Deixe de caçoada *com* os velhos."

Caído — *a, de, em, para, por, sobre:*
"Oficiais carregados em redes, chapéus caídos *aos* olhos, surdos ao tropel da cavalgata." (E. da Cunha, *Os Sertões,* 526.)
"E a cadeia desses pequenos monstros espirala .... numa fúria de viver febricitante, e apenas ritmada pelo tling-tling das gotas caídas *da* folhagem." (Fialho de Almeida, *Os Gatos,* 50.) "À cata de uma blusa velha, de uma bolacha caída *do* bolso dos soldados." (E. da Cunha, *Os Sertões,* 569.)
"A natureza imóvel, caída *num* grande espasmo, sem uma flor sobre as ramagens nuas, sem um bater de asas nos ares quietos e serenos." (E. da Cunha, *Os Sertões,* 320.)
"A aba do chapéu caída *para* a frente."
"De fato, Zumba e Joca não se inclinavam ao matrimônio e, principalmente, o segundo era caído *pelas* cômicas." (Mário Sete, *Os Azevedos do Poço,* 13.)
"A cabeça molemente caída *sobre* o peito, a fumar cigarros um atrás do outro, num aborrecimento invencível." (Aluízio Azevedo, *O Mulato,* 268.) "E a caatanduva, mato doente, da etimologia indígena, dolorosamente caída *sobre* o seu terrível leito de espinhos!" (E. da Cunha, *Os Sertões,* 44.)

Calafetação — *com:*
"A calafetação *com* estopa é a mais comum nas embarcações."

Calafetado — *com, de:*
"A janela tinha as fendas calafetadas *com* pedaços de jornais."
"Frestas calafetadas *de* trapos."

Calcado — *a, em, por:*
"Leis calcadas *aos* pés, direitos cerceados ou suprimidos."
"A alma do sertanejo é calcada *na* alma do sertão." (Gustavo Barroso, *Terra de Sol,* 177.)
"Arrastadas (as mulheres) pelos cabelos, atiradas ao chão e calcadas *pelo* tacão dos coturnos." (E. da Cunha, *Os Sertões,* 464.)

Calçado — *a, com, de:*
"À medida que o desconjuntado veículo entrava no povoado, rodando, aos trancos, estrondosamente, nas angulosas vielas calçadas *a* pedregulho." (C. Neto, *apud* L. Freire.)
"Ruas calçadas *com* paralelepípedo."
"Depois, resoluta, punha no estribo de aço o seu pequenino pé calçado *de* bota alta." (Antero de Figueiredo, *Amor Supremo.* 168.)

Calçamento — *com:*
"O calçamento *com* paralelepípedos é o mais aconselhável para ruas."

Calculado — *em, para, por, sobre:*
"As imagens eram calculadas *nos* seus efeitos e a técnica dos versos tinha a sólida elasticidade dos vigamentos de aço." (Afrânio Peixoto, *A Esfinge,* 183.) "O número das vítimas foi calculado *em* 28."
"Viram-na outras levar, firme, sobre a cabeça, uma enorme jarra d'água, que valia três potes, de peso calculado *para* a força normal

de um homem robusto.'' (Domingos Olímpio, *Luzia-Homem,* 6.)

''O mérito de seus amigos era calculado *pelos* serviços que lhe prestavam.''

''Diz-se dos direitos aduaneiros, quando calculados *sobre* o preço corrente dos gêneros.'' (Aulete.)

Cálculo — *de, sobre:*

''Importunavam-no os intrusos, cortando-lhe o fio dos cálculos *da* colheita ou de alguma cisma transitória.'' (J. Américo de Almeida, *A Bagaceira,* 16.)

''Como poderia o idealista impetuoso fazer cálculos *sobre* a conveniência duma atitude?'' (Luiz Viana Filho, *A Vida de Rui Barbosa,* 48.) ''Como pai, fez os seus cálculos *sobre* a humildade da filha, e não os alterava por motivo nenhum....'' (Camilo, *Mistérios de Lisboa,* I, 258.)

Caldeado — *com:*

''Espírito de fraude caldeado *com* desavergonhamento.'' (Constâncio.)

Caldeamento — *com:*

''O caldeamento de uma raça *com* outra mais forte.''

Calejado — *em, por:*

''Mãos calejadas *nos* serviços mais grosseiros.'' ''Calejado *nos* trabalhos.'' (Morais.)

''Alma calejada *pelo* sofrimento.''

Calma — *para:*

''Não acredito nesse amor cauteloso e metódico, ... que tem calma *para* medir todas as conveniências.'' (Aluísio Azevedo, *Casa de Pensão,* 185.)

Calor — *por:*

''Lisboa, que procurava apenas esta mágoa, para justificar o calor do Sanches *por* questão ridícula de mais um, menos um ministro no país, afirmou: ....'' (Afrânio Peixoto, *A Esfinge,* 212.)

Calúnia — *contra:*

''Quebram com a lousa as mentirosas inscrições que a lisonja ao vencedor e calúnia *contra* o vencido tinham lavrado no mármore.'' (Rebelo da Silva, *Contos e Lendas,* 323.)

Caluniado — *com, de, em, por:*

''E' (o amor) tão diferente disso que anda por aí caluniado *com* esse nome!....'' (Afrânio Peixoto, *A Esfinge,* 326.)

''Serão louvados de Deus os que agora são caluniados *dos* homens.'' (Vieira, *Sermões,* IX, 26.)

''Um lente honesto, caluniado *na* sua preleção por um aluno, forçava-o a declarar o punível abuso da calúnia e castigava-o severamente com as penas ordinárias do código.'' (Camilo, *Boêmia do Espírito,* 287.)

''Almas generosas, caluniadas *pelo* eterno fermento de ambição, gestador de todas as torpezas.'' (Fialho de Almeida, *Os Gatos,* 210.)

Camarada — *de:*

''Você nunca foi camarada *de* ninguém.''

Camaradagem — *com, entre:*

''Fazemos camaradagem *com* um francês alto, encurvado e anguloso.'' (Erico Verissimo, *Saga,* 31.) ''De bizarra camaradagem *com* um boneco, larvada de recriminações por fantasias inconseqüentes.'' (Veiga Miranda, *A Eterna Canção,* 158.) ''Nos seus tempos escolares, Omar travou íntima camaradagem *com* dois outros jovens persas.'' (*Maravilhas do Conhecimento Humano,* II, 61.)

''Nunca houve grande camaradagem *entre* eles.''

Cambiado — *em, por:*

''Dinheiro brasileiro cambiado *em* libras, ou *por* dólares.''

Câmbio — *com:*

''O câmbio *com* os países europeus tem sofrido grandes oscilações.''

Caminhada — *por:*

''O vigário recomeçou a sua meiga narrativa messiânica, descrevendo os trabalhos de Jesus, as suas caminhadas *por* sóis ardentes, através dos desertos.'' (C. Neto, *Treva,* 124.)

Caminho — *de, em, para:*

''Não tens ouvido dizer ao teu mestre que a peregrinação trabalhosa neste mundo é o caminho suave *do* céu?'' (Camilo, *Mistérios de Lisboa,* 110.) ''O caminho *da* virtude, *da* perdição.'' (Morais.)

''Galileu e Pascal rasgaram novos caminhos *na* aplicação da matemática *ao* movimento dos corpos.'' (*Maravilhas do Conhecimento Humano,* I, 234.)

''Foram os pioneiros que prepararam o caminho *para* os pósteros.'' (*Maravilhas do Conhecimento Humano,* I, 162.) ''Duarte Pereira era freqüente no caminho de sua casa *para* a de Joaquim Luís.'' (Camilo, *As Três Irmãs,* 33.)

Campanha — *contra, por, pró:*

''Mas fique certo o Proteu da simulação que não há de vencer a campanha *contra* mim.'' (Rui, *Colunas de Fogo,* 132.) ''Bastaria apontarmos a famosa campanha das ruas, em 1884, *contra* a Câmara dos Lordes.'' (Idem, *Queda do Império,* I, 126.)

''Cresce de vulto a campanha *pela* alfabetização do país.''

''Campanha *pró* paz.''

Campo — *de:*

''A questão da telepatia abre novo e fascinante campo *de* pesquisas.'' (*Maravilhas do Conhecimento Humano,* I, 290.)

Cancerado — *de, por:*

''Não se julgue porém o autor destas notas cancerado *de* pessimismos ao ponto de negar os definitivos sucessos de muitos ramos do trabalho português.'' (Fialho de Almeida, *Os Gatos,* 299.)

''Mulheres canceradas *pelo* sentimentalismo.'' (Camilo, *apud* C. de Figueiredo.)

Candidato — *a:*

''Antes de ser candidato *à* presidência, pensou em aproveitar o seu prestígio de vários modos.'' (Medeiros e Albuquerque, *Quando Eu Era Vivo,* 175.) ''Realmente, ao reunirem-se os liberais, para escolherem os seus candidatos *à* Assembléia Provincial da Bahia, foi (Rui) um dos indicados.'' (Luiz Viana Filho, *A Vida de Rui Barbosa,* 58.)

Candidatura — *a:*

''Sua candidatura *à* presidência da República tem sido bem recebida em todos os Estados.''

Candura — *com:*

''A tua candura *com* essa criança surpreende-me.'' (Camilo, *Livro Negro,* 40.)

Cansado — *com, de, em, por:*

''Vida cansada *com* tamanho sofrimento.''

''Cansado *de* estudar, *de* ouvir, *de* velar.'' (E. Carneiro Ribeiro, *Serões Gramaticais,* 671.) ''Que sucedeu afinal a esse Felicíssimo? — interpelou Chico Aureliano, cansado *dos* rodeios do Margarida.'' (Veiga Miranda, *A Eterna Canção,* 20.)

''Lançar-me fora deste globo em que me vejo cansado *em* um giro de infortúnio.'' (Camilo, *Mistérios de Lisboa,* I, 83.)

''Era uma necessidade visual da retina, cansada *pela* monotonia.'' (Gustavo Barroso, *Terra de Sol,* 195.)

Canseira — *acerca de:*

''Sou o perseguidor inexorável do pobre médico! Cuidando que o folgava de estudiosas canseiras *acerca dos* cabelos hereditários, aumento-lhe a inquietação do espírito.'' (Camilo, *Livro Negro,* 170.)

Capacidade — *de, para:*

''A aptidão imperativa de um código, a sua capacidade *de* inspirar a criaturas inteligentes o sentimento de submissão.'' (Rui, *Cartas de Inglaterra,* 69.) ''A alma, gasta por expansões vulgares, pelo prazer quotidiano, perdera a capacidade *das* grandes sensações.'' (J. Américo de Almeida, *O Boqueirão,* 195.) ''Haviam refinado a abstinência disciplinadora, na guerra, ostentando uma capacidade *de* resistência incomparável.'' (E. da Cunha, *Os Sertões,* 437.)

''Quanto maior for a capacidade do pesquisador *para* surpreender essa identidade de estrutura, tanto mais avultará a sua lista.'' (Júlio Nogueira, *O Exame de Português.* 37.) ''Sim, não falo em capacidade *para* administrar. Deixemos isto de parte.'' (Graciliano Ramos, *Caetés,* 103.)

Capaz — *de, para:*

''Há de mostrar-se (a monarquia) tão compatível com a democracia, tão capaz *da* liberdade, quanto a república, se não quer que esta acabe varrendo-a do continente republicano.'' (Rui, *Queda do Império,* I, 111.) ''Torna-se de novo a alma capaz *de* receber impressões que a alegrem, e sente secreta satisfação.'' (Mário Barreto, *Cartas Persas,* 69.) ''Verdugos capazes *dum* infanticídio, se necessário fosse.'' (Camilo, *A Enjeitada,* 129.)

''Casa capaz *para* receber tão grandes hóspedes.'' (Morais.) ''Nesta reincidência os médicos certificaram estar capaz Sua Majestade *para* as relações da coroa com o parlamento, mediante o uso do grande selo.'' (Rui, *Queda do Império,* II, 523.)

''Ora, este acontecimento — capital *na* história da campanha — e de que parecia decorrer o seu termo imediato, contra o que era de esperar, aviventou a insurreição.'' (E. da Cunha, *Os Sertões,* 551.)

Capital — *em:*

Capitaneado — *por:*

''Alguns milhares de paisanos conservaram-se em armas, capitaneados *pelo* guerrilheiro Charrette.'' (Camilo, *Livro Negro,* 61.)

Capitulação — *ante:*

''Logo, a exoneração do ministério Cotegipe e a lei 13 de maio foram dois atos de capitulação *ante* a força.'' (Rui, *Queda do Império,* I, 352.)

Capitulado — *em:*

''E' um réu, um criminoso em delito claramente capitulado *no* código criminal.'' (Rui, *Queda do Império,* II, 168.)

Capítulo — *acerca de, contra, sobre:*

''Num capítulo *acerca da* harmonia do estilo e *das* regras que devem observar-se e *dos* defeitos que importa evitar, merece a pena do traslado a seguinte página.'' (Mário Barreto, *Através do Dicionário e da Gramática,* 326.)

''Na 'Estatística Social' há um capítulo inteiro *contra* a ingerência do poder na esfera da instrução pública.'' (Rui, *Colunas de Fogo,* 43.)

''Nas 'Novas Reflexões' de Cândido de Figueiredo há um capítulo *sobre* a voz dos animais.'' (Mário Barreto, *Através do Dicionário e da Gramática,* 302.) ''Sou o primeiro a não saber bem onde ponha neste livro um capítulo *sobre* hipnotismo e ocultismo.'' (Medeiros e Albuquerque, *Quando Eu Era Vivo,* 122.)

Capricho — *em, por:*

''Todos embirram com seu excessivo capricho *em* pentear-se.''

''Amava a mãe, tinha um capricho *por* Miss Dollar, gostava de boa música, e lia romances.'' (M. de Assis, *Contos Fluminenses,* 24.)

Caprichoso — *em:*
"Luís Campos era homem ativo, caprichoso *no* serviço de que se encarregava e extremamente suscetível em pontos de honra." (Aluísio Azevedo, *Casa de Pensão,* 20.) "E' muito caprichoso *no* trajar."

Característica — *de:*
"Madame Blavatsky ensinou a doutrina da reencarnação como a principal característica *de* seu credo teosófico." (*Maravilhas do Conhecimento Humano,* I, 327.)

Característico — *de:*
"E mais longe desaparecem sob acervos de blocos, com a imagem perfeita desses 'mares de pedra' tão característicos *d*os lugares onde imperam os regimes excessivos." (E. da Cunha, *Os Sertões,* 16.)

Caracterização — *com:*
"A caracterização *com* drogas ordinárias estraga a pele."

Caracterizado — *em, por:*
"Esta fase da nossa vida, que esperamos em Deus se consolidará, assegurando-nos lugar definitivo no jornalismo brasileiro, está de antemão caracterizada *n*a antecedente." (Rui, *Colunas de Fogo,* 189.)
"Grupam-se (os substantivos) em cinco declinações, caracterizadas *pel*a terminação do genitivo do singular." (Sousa da Silveira, *Lições de Português,* 42.)

Carcomido — *de, por:*
"O rolo de uma onda rejeitou-a morta contra um lapedo carcomido *de* cavernas sombras a gotejar o lodo da babugem." (Camilo, *apud* L. Freire.)
"A estrebaria viera abaixo com as traves carcomidas, impunemente, *pel*o cupim roaz." (J. Américo de Almeida, *A Bagaceira,* 54.)

Carecedor — *de:*
"Levara Balbina, por preceito dos médicos, que a supunham gravemente enferma de tristeza, e carecedora *de* ação." (Camilo, *apud* L. Freire.)

Carecente — *de:*
"Carecente *de* proteção." (E. Carneiro Ribeiro, *Serões Gramaticais,* 673.) "Carecente *de* tino para calcular as conseqüências de suas deliberações, a Regência .... alienara do trono a confiança do elemento conservador." (Rui, *Queda do Império,* I, 326.)

Carecido — *de:*
"Mostrava-lhe cartas de sua mãe louvando-a da boa ação que praticara, tomando como amiga uma criatura tão carecida *d*o amparo que sua indigna mãe lhe não dera." (Camilo, *A Enjeitada,* 138.) "Ele, às vezes, já se fazia mais doente e mais carecido *de* cuidados, só para desfrutar os mimos da enfermeira." (Aluísio Azevedo, *Casa de Pensão,* 182.)

Carência — *de:*
"Carência *de* sustento." (Morais.) "Barcos de guerra, aparelhados assim, dificilmente poderão prestar serviços, já por carência *de* solidez, já pelo caráter do seu material precipitadamente suprido." (Rui, *Cartas de Inglaterra,* 166.)

Carestia — *de:*
"Eu não poderia exigir que ele me pagasse alguns serviços de amizade, ... com a mãe doente às costas, neste tempo de seca e carestia *de* tudo." (Domingos Olímpio, *Luzia-Homem,* 123.)

Carícia — *a:*
"Hoje, apesar das carícias reanimadoras do meu prezado Visconde Benalcanfor *à* Poesia imortal, ela, vacilante entre a ode científica e a charada, é natural que descambe bandalhonamente e de ver na tabuleta do 103 e mais lojas de quinquilharias e comestíveis." (Camilo, *Boêmia de Espírito,* 209.)

Caricioso — *com, para, para com:*
"Cariciosa *com* os filhos." "Foram mais cariciosos *com* os filhos da velhice." (Dic. de Fr. D. Vieira.)
"Nunca tão cariciosa fora a criancinha *para* ambos, passando em beijos do colo de uma para o da outra." (Camilo, *As Três Irmãs,* 201.)
"Caricioso *para com* os netos."

Caridade — *com, de, para com:*
"Conheço-o da campanha dos Açores, e da sua caridade *com* os emigrados lá, em Londres, e em toda a parte onde havia famintos." (Camilo, *As Três Irmãs,* 263.) "Quem quer que é, não limitou ainda a sua caridade *com* o Sr. Luiz da Cunha." (Idem, *A Neta do Arcediago,* 98.) "O que mais avultava nela era uma viva e desvelada caridade *com* os pobres." (*Apud* E. Carneiro Ribeiro, *Tréplica,* 582.)
"Fizeram-lhe a caridade *de* o pôr na rua sem ter mais que a camisa do corpo." (Fr. D. Vieira.)
"Se tal baboseira me saísse advertidamente da pena devia o meu ilustre mestre, por caridade *para co*migo e as letras pátrias, exigir a minha aposentadoria literária." (Rui, *Réplica,* 59.) "Falamos à vista de papéis, que a caridade *para com* os oprimidos nos não permitem dar à estampa." (Idem, *Colunas de Fogo,* 195.) "Vão pedir ao coração do sacerdote esse conforto de esperança, que Jesus Cristo legou aos representantes de sua caridade *para com* a samaritana." (Camilo, *Mistérios de Lisboa,* I, 125.)

Caridoso — *com, para com:*
"Caridoso *com* os pobres." (E. Carneiro Ribeiro, *Serões Gramaticais,* 653.)
"Caridoso *para com* os pobres." (Idem, *Tréplica,* 580.)

Carimbado — *com, de, por:*
"O meio oficialmente carimbado *com* a nota de desonesto há de vir, com os outros de honestidade não menos evidente." (Rui, *Colunas de Fogo*, 106.)
"Governo nefando, carimbado *de* todos os estigmas." "Desvelado o segredo da sua concubinagem, foi expulsa afrontosamente dos círculos também falsamente carimbados *de* honestidade, e fugiu para Londres." (Camilo, *Boêmia do Espírito*, VII.)
"O envelope não foi carimbado *pelo* funcionário postal."

Carinho — *com, para, para com, por:*
"Carinho *com* as crianças." "Carinho *com* os pais." (E. Carneiro Ribeiro, *Serões Gramaticais*, 671.)
"Carinho dos filhos *para* os pais." (Idem, *ibidem*, 671.)
"E' grande seu carinho *para com* a avozinha." "Carinho dos filhos *para com* os pais." (E. Carneiro Ribeiro, *ob. cit.*, 671.) "Quanto mais era maltratada, tanto mais se extremava em carinhos, afetos e dedicação *para com* a filhinha de seu amo." (Abílio Barreto, *A Noiva do Tropeiro*, 42.)
"Doía-lhe aquela falta de entusiasmo, aquele nenhum carinho *por* ela, que tanto se desvelava em merecê-lo." (Aluísio Azevedo, *O Mulato*, 129.) "Meu carinho habitual *por* ele (idioma) naturalmente me levava a encarar com cuidado esta face do assunto." (Rui, *Réplica*, 165.)

Carinhoso — *com, em, para, para com:*
"Carinhoso *com* seus filhos." (E. Carneiro Ribeiro, *Tréplica*, 580.)
"Carinhoso *nas* palavras." (Morais, voc. *acariciativo*.)
"Por mais carinhoso que eu fosse *para* ti, os carinhos não enfraqueciam o respeito que me tinhas." (Camilo, *As Três Irmãs*, 36.) "Esta ama é carinhosa *para* os meninos." (Morais.) "Fora desses repentes ele era bom, compreensivo, carinhoso *para* ela." (Guilhermino Cesar, *Sul*, 209.)
"Carinhoso *para com* todos." (E. Carneiro Ribeiro, *Serões Gramaticais*, 674.) "Carinhoso *para com* seus filhos." (Idem, *Tréplica*, 580.)

Caritativo — *com, para com:*
"Devota, e caritativa *com* os pobres de pão, não o era menos com os mendigos de consolações." (Camilo, *Mistérios de Lisboa*, I, 24.)
"Alma caritativa *para com* os necessitados."

Caro — *a, de:*
"Luís era tanto mais caro *a* seu pai, quanto a sua inteligência, com pequeno esforço, aproveitava nas irregulares lições dos mestres sofredores." (Camilo, *A Neta do Arcediago*, 16.) "Simplicidade amável tão cara *ao* nosso santo profeta." (Mário Barreto, *Cartas Persas*, 220.) "Nessas imagens caras *aos* patriotas brasileiros não há sangue." (Rui, *Colunas de Fogo*, 60.)
"O desmoronamento sucessivo de todas essas grandezas, levantadas no ar, e tão caras *de* adquirir, abrangeu o fatal período de ruína." (Rebelo da Silva, *Contos e Lendas*, 173.)

Caroável — *a, de:*
"A bravura do julgamento desassombrado, muitas vezes perigosa, contra a covardia dos áulicos, sempre caroável *aos* mandões." (Ronald de Carvalho, *Pequena História da Literatura Brasileira*, 122.)
"Bom será que ela seja caroável *da* criação de marrecos e galinhas, e outros 'lances caseiríssimos', ao modo de falar de D. Francisco Manuel de Melo." (Camilo, *Boêmia de Espírito*, 168.)

Carreado — *a, em, para, por:*
"Dificuldades carreadas *ao* governo *pelos* atos precipitados de alguns ministros."
"Certo nervosismo .... ia-se apoderando dos grupos carreados *na* mesma torrente." (Alberto Rangel, *Fura-Mundo*, 87.)
"Era grande o movimento de cereais carreados *para* o celeiro."

Carregado — *a, com, de, em, por:*
"E' um cipo retangular de metro e tanto, carregado *ao* dorso de quatro leões heráldicos." (Fialho de Almeida, *Os Gatos*, 277.)
"Arma carregada *com* cartuchos de festim."
"Um preto, carregado *de* fardos, roçou por ele." (Camilo, *Mistérios de Lisboa*, I, 7.) "Almoçaram cedo e saíram, ele na frente, o companheiro atrás, tocando duas bestas carregadas *de* bruacas." (Afrânio Peixoto, *A Esfinge*, 288.) "Carregado *de* anos, *de* serviços, *de* trabalhos." (E. Carneiro Ribeiro, *Serões Gramaticais*, 674.)
"Oficiais carregados *em* redes, chapéus caídos aos olhos, surdos ao tropel da cavalgata." (E. da Cunha, *Os Sertões*, 526.) "Carregado *na* catadura." (Morais.)
"Ela chegava à boca da noite, no seu palanquim carregado *por* dois escravos." (Aluísio Azevedo, *O Mulato*, 78.)

Carta — *a, acerca de, para:*
"Tudo quanto tão prolixamente refere o Pe. Antônio Vieira na carta *ao* seu provincial não passa de uma comédia, de que são curiosos incidentes todas essas idas e vindas." (J. Francisco Lisboa, *Vida do Padre Antônio Vieira*, 174.)
"Quando Vaz Caminha escreveu a famosa carta *acerca do* descobrimento do Brasil, disse que os índios eram pardos." (João Ribeiro, *Curiosidades Verbais*, 49.)
"Essa distração literária, lavrou-a S. Exc.ª a propósito da minha carta *para* o "Jornal do Commercio" *acerca do* livro de Mr. Balfour." (Rui, *Cartas de Inglaterra*, 387.) "Em todas

as cartas *para* sua mulher, o conde incluía uma *para* mim.'' (Camilo, *Mistérios de Lisboa*, II, 22.)

Casa — *para:*

''A estes nada lhes falta. Não pensam em casa *para* morar nem no pão de cada dia; têm a senzala e a ração.'' (Xavier Marques, *As Voltas da Estrada*, 38.)

Casado — *a, com:*

''Vê-se o resto da selvageria que o sangue índio, casado *ao* negro, deixou na alma, torva dos mestiços.'' (Gustavo Barroso, *Terra de Sol*, 65.)

''Era americana, e, embora casada *com* diplomata, dispensava na intimidade o protocolo e as conveniências.'' (Afrânio Peixoto, *A Esfinge*, 43.) ''Ora esta! se eu via uma filha de meu marido casada *com* um estrangeiro!'' (Camilo, *A Enjeitada*, 35.)

Casamento — *com, entre:*

''Pode ser, pode, minha filha, mas afaz-te a pensar que o teu casamento *com* um rapaz de dezenove anos tem de trazer estes infalíveis resultados.'' (Camilo, *As Três Irmãs*, 40.) ''O seu casamento *com* Branca não era uma traição a um amigo, por isso que nem ao menos o conhecia.'' (Camilo, *Livro Negro*, 163.)

''Um casamento *entre* duas pessoas habituadas a não proverem com o trabalho às suas precisões, é uma desgraça.'' (Camilo, *A Neta do Arcediago*, 40.)

Caso — *de, para:*

''Parecera a certas pessoas, menos inclinadas aos rigores da intolerância, que a culpa de haver furtado a pupila do Governador não seria caso *de* maior castigo.'' (Alberto Rangel, *Fura-Mundo*, 62.)

''Você não imagina como isso me diverte! — Seria antes caso *para* vergonha....'' (Afrânio Peixoto, *A Esfinge*, 393.)

Castigado — *com, de, para, por:*

''Por se escusar de ser instrumento da vexação da pátria, fora *com* aquele desprezo castigado.'' (F. M. de Melo, *apud* Fr. D. Vieira.)

''Tão castigados *da* nossa artilharia.'' (J. de Barros, *apud* Constâncio.) ''Tenho o corpo castigado *do* trabalho.'' (Aulete.)

''Mãos castigadas *para* não receber peitas.'' (Moráis.)

''Impossível dormir sob a ameaça dos canhões dos franquistas e ao mesmo tempo castigados *por* estes parasitas repugnantes.'' (Erico Verissimo, *Saga*, 83.)

Castigo — *de; em, para, por:*

''Andamos atormentado no espírito, e assombrado do castigo *de* suas palavras.'' (Dic. de Morais.) ''Finalmente, no terceiro círculo, observamos o castigo *dos* traidores, os mais desprezíveis de todos os humanos.'' (*Maravilhas do Conhecimento Humano*, II, 53.)

''Dentro da lei, realmente, não acho o que alvitrar como castigo *para* o ousado.'' (Xavier Marques, *As Voltas da Estrada*, 79.)

''Depois de uma vez visto o sepulcro de Iria, o escondeu Deus aos olhos dos homens, *em* castigo e restituição *da* ofensa que tinham feito ao mesmo Deus.'' (Vieira, *Sermões*, IX, 28.) ''Durante os anos que estive enclausurada *em* castigo *de* amar seu filho.'' (Camilo, *Livro de Consolação*, 140.)

''O seu casamento pode-se dizer que quem o teceu foi o acaso. E, *para* castigo de sua timidez, de sua hesitação, à revelia de sua escolha.'' (Mário Sete, *Os Azevedos do Poço*, 14.)

''Mar onde Netuno *por* castigo lhe deu prisão contínua.'' (J. Corte Real, *apud* Fr. D. Vieira.)

Cata — *a, de; a, em:*

''E' o que me dei ao trabalho de apurar, dando uma cata *às* versões sucessivas do projeto.'' (Rui, *Réplica*, 13.) ''Fossem dar uma cata *a* essas naus.'' (Fr. D. Vieira.)

''Foi o padre-mestre em cata *de* Jerônima.'' (Camilo, *As Três Irmãs*, 219.)

''Não sarapinta o estilo com fantasias japonesas, nem anda *à* cata *de* temas para frases ouriçadas, arrepeladas, pintorizadas.'' (Camilo, *apud* L. Freire.)

''Reprofundando a mina, *em* cata *do* tesouro fugitivo.'' (E. da Cunha, *Os Sertões*, 136.) ''Parece ver-se terrível leão dos livros santos, rodeando, *em* cata *de* novas presas, todo o gênero humano.'' (Rui, *Campanha Presidencial*, 102.)

Catalogado — *em:*

''Caquetismo é uma doença ainda não catalogada *nas* ciências médicas.'' (Camilo, *Boêmia do Espírito*, 405.)

Cativo — *a, de, por:*

''A pobreza cativa *à* liberdade do engenho na ocupação do necessário.'' (Dic. de Morais.) ''Coração, alma cativa *a* outra pessoa.'' (Constâncio.)

''Um encanto de mais para a minha alma, ali cativa *do* espetáculo mais grandioso que o acaso podia deparar a um espírito de poeta.'' (Camilo, *Cenas da Foz*, 127.) ''Se eu o vejo cativo *duma* portuguesa, coronel!'' (Idem, *A Enjeitada*, 30.) ''Devorada de dúvidas, cativa *de* mil credores, coberta de farrapos que já não se disfarçam.'' (Rui, *Colunas de Fogo*, 3.)

''E como procedo eu, o seu advogado, o instrumento *a* ela cativo *pelos* vínculos do pacto rebuçado na ata de fevereiro?'' (Rui, *Colunas de Fogo*, 131.) ''As duas senhoras profetizavam que ele voltaria cativo *por* alguma carioca.'' (Aluísio Azevedo, *Casa de Pensão*, 120.)

Causa — *a, de, para:*
"O ser necessária a nota a poucos, não é causa *a* rirem dela os muitos que a dispensam." (Camilo, *As Três Irmãs,* 58.) "Mas o ministro mostrou-se muito sentido de que o serventuário existente não tivesse dado causa *a* ser demitido." (Idem, *Estrelas Propícias,* 95.)
"A mais terrível (onda) que podiam experimentar os navegadores e era quase sempre a causa *de* naufrágios." (João Ribeiro, *Curiosidades Verbais,* 169.) "A proibição do divórcio não é a causa única *da* despovoação dos países cristãos." (Mário Barreto, *Cartas Persas,* 246.) "Outra causa *de* arcaização é uma espécie de preferência que se manifesta em relação a certas palavras." (Júlio Nogueira, *O Exame de Português,* 57.)
"Ainda que não houvesse culpa para se lhe tirar o ofício, havia causa *para* se não lho fiar." (Vieira, *Sermões,* IX, 14.) "Há várias causas *para* que as palavras saiam da circulação e fiquem arquivadas na língua de certa época." (Júlio Nogueira, *O Exame de Português,* 57.) "Não vejo causa *para* medo; mas se hás de viver inquieta, mudemos, filha." (Camilo, *O Bem e o Mal,* 128.)

Causticado — *de:*
"Não se te importe que ela conheça este segundo sujeito; mas tão-somente do 'Cosinheiro dos cosinheiros', que ele deu à estampa com outros poetas causticados *da* inspiração satânica de Baudelaire." (Camilo, *Boêmia do Espírito,* 168.)

Cautela — *com, contra, em:*
"E' preciso cautela *com* semelhantes doutrinas." (Camilo, *apud* Augusto Moreno, *Lições de Linguagem,* II, 12.)
"Agora inventou a cautela outras cautelas *contra* esta boa política." (F. Manuel de Melo, *apud* Fr. D. Vieira.)
"Tinha o sobrinho grandes cautelas *em* desviá-la dos locais que lhe despertassem memórias do cunhado e das irmãs." (Camilo, *As Três Irmãs,* 296.)

Cauteloso — *com:*
"Acudia a senhora Flora a erguer os tarecos do lar intermitente, cautelosa *com* os amigos do alheio, que são bastos nas terras da fome." (Aquilino Ribeiro, *A Batalha sem Fim,* 39.)

Cauterizado — *a, de:*
"Ferida cauterizada *a* ferro."
"Com a boca cheia de Deus e a consciência cauterizada *de* interesses mundanos." (Rui, *Cartas de Inglaterra,* 400.)

Cavado — *em:*
"Partiu, dirigindo-se para a várzea, por uma estreita senda, cavada *no* solo, ladeada de cisqueiros." (Domingos Olímpio, *Luzia-Homem,* 154.) "O caminho, uma trilha sinuosa, partia da porteira em aclive acidentado, ora liso, direito, chão, ora cavado *em* barrocas." (Coelho Neto, *Treva,* 92.)

Cego — *a, com, de, em, para, por:*
"Só o hábito, na opinião do autor, nos pode tornar cegos *à* singularidade dessa consonância entre espíritos que se harmonizam em torno de uma conclusão importante." (Rui, *Cartas de Inglaterra,* 68.) "O que eles vêem, é que estão sós e desamparados, vítimas de um poder surdo aos que imploram, cego *aos* que padecem." (Idem, *ibidem,* 99.)
"Indivíduos enfatuados, cegos *com* o fumo dos incensos mentirosos, *com* a lisonja dos interesseiros."
"Garcia desviou-se quase cego *de* dor." (Rebelo da Silva, *Contos e Lendas,* 106.) "José saiu do quarto, cego *de* cólera, *de* vergonha e remorso." (Aluísio Azevedo, *O Mulato,* 59.) "Custódia, cega *de* lágrimas, desandou vagarosamente, cogitando, no turvamento de sua grande angústia, em atirar-se ao primeiro poço em que pudesse morrer." (Camilo, *A Enjeitada,* 75.)
"Jerônima não era surda, muda e cega *em* amor, como o filósofo-romancista a qualificaria." (Camilo, *As Três Irmãs,* 65.) "Andar cego *em* alguma coisa." (Constâncio.)
"Os olhos dele, empanados pela cogitação, subiam do livro ao teto e baixavam do teto ao livro, cegos *para* a realidade interior, videntes para os profundos trabalhos mentais." (M. de Assis, *Papéis Avulsos,* 46.)
"Entendimento cego *pela* incredulidade." "Suposição era gratuita e filha mesmo de um espírito cego *pelo* amor como o de Mendonça." (M. de Assis, *Contos Fluminenses,* 32.)

Cegueira — *a, de, para, por:*
"Se idealismo quer dizer cegueira *à* luz da realidade, aferro às idéias absolutas, que a experiência não verifica, idealistas são, tanto quanto os fanáticos da Revolução Francesa, os que a depreciam por espírito de sistema." (Rui, *Colunas de Fogo,* 14.)
"Não há exemplo tão insigne de cegueira *dos* princípios na iminência das revoluções mais claramente anunciadas." (Rui, *Colunas de Fogo,* 17.)
"Cegueira *para* certas cores." (L. Freire, voc. *acromatopsia.*)
"Incidiu este desastre com o máximo fervor da sua apaixonada cegueira *pela* moça." (Rebelo da Silva, *apud* Mário Barreto, *Novíssimos Estudos da Língua Portuguesa,* 99.)

Celebrado — *com, de, em, por:*
"O centenário do poeta foi celebrado *com* uma edição completa de suas obras."
"Nasceram para si e para a república, e por isso são os mais beneméritos do gênero humano e celebrados *da* fama." (Vieira, *Sermões,* IX, 167.)

"Feito celebrado *em* poemas imorredouros." "Um curso onde sobram alunos inteligentes, alguns já celebrados *em* gazetas, candidatos à imortalidade, e muitíssimos distintos dos condiscípulos cretinizados." (Camilo, *Boêmia do Espírito,* 318.)

"Seu triunfo foi celebrado entusiasticamente *pelos* companheiros de armas."

Célebre — *em, por:*

"Não deve esse descender do vilão Danúbio, tão célebre *na* história, *pela* liberdade com que falou no senado, na opressão de sua pátria." (F. M. de Melo, *Apólogos Dialogais,* 182.)

"Era um boêmio desregrado, que vivia na calaçaria dos cafés e botequins e se tornara célebre *pela* sua maledicência." (Medeiros e Albuquerque, *Quando Eu Era Vivo,* 245.)

Célere — *em:*

"*Homo villosus* lhe chama e pelos tópicos que enumera, nu, coberto de grenha, célere *na* corrida, arteiro na emboscada, ... bem condiz com o animalejo que habita estas paragens." (Aquilino Ribeiro, *Andam Faunos,* 91.)

Censor — *de:*

"Censor *do* nosso trabalho." (Morais.) "Frase que não saiu doutra pena senão da do censor *dos* nossos pecados." (Mário Barreto, *Através do Dicionário e da Gramática,* 154.)

Censura — *a:*

"E' o que se me fez na aleivosa censura *à* redação do substitutivo." (Rui, *Réplica,* 430.) "Esperava despertar-lhe o brio com os tópicos de uma sentimental censura *aos* seus rasos instintos." (Camilo, *A Neta do Arcediago,* 23.) "Estomagou-se o fidalgo e destemperou em censuras acres *à* imprudência do hóspede." (Idem, *A Enjeitada,* 37.)

Cercado — *com, de, por:*

"Praça cercada *com* tropas de cavalaria e infantaria."

"Vivemos cercados *de* homens mais fortes que nós e que nos podem prejudicar de mil maneiras diversas." (Mário Barreto, *Cartas Persas,* 177.) "Já lá estava Lúcia, cercada *de* uma multidão de rapazes." (Afrânio Peixoto, *A Esfinge,* 76.) "Em volta da casa, toda cercada *de* trepadeiras floridas, com uma latada de maracujás à frente, era um contínuo bezoar de abelhas." (C. Neto, *Cidade Maravilhosa,* 22.)

"Atingia o mais alto posto da tropa, cercado *pela* estima dos companheiros." (Luiz Viana Filho, *A Vida de Rui Barbosa,* 125.)

Cerceado — *em, por:*

"Cerceada (a imprensa) *nas* aspirações, constrangida aos expedientes, adstrita a todas as parcimônias da economia, vegeta na rotina, atrofia a sua missão." (Rui, *Colunas de Fogo,* 187.)

"Esperanças cerceadas *pela* foice da morte."

Cerco — *a, contra, de:*

"O cerco *à* fortaleza durou quatro semanas."

"Vês o Conde D. Pedro, que sustenta dois cercos *contra* toda a Barbaria?" (Camões, *Os Lusíadas,* VIII, 38.)

"A peste .... obrigou os castelhanos a levantar o cerco *de* Lisboa." (Ricardo Jorge, *Sermões dum Leigo,* 102.)

"Faziam-se estas cerimônias *aos* mortos ilustres na Caldéia, na Grécia e em Roma." (Camilo, *Boêmia de Espírito,* 441.)

Cerimônia — *a, entre:*

"Chega a meter-me raiva tamanha cerimônia *entre* pobres diabos, que não têm onde caírem mortos, quanto mais vivos." (Domingos Olímpio, *Luzia-Homem,* 206.)

Cerimonioso — *com:*

"Marat, cerimonioso *com* mulheres quando a salvação pública o exigia, não saiu do banho, em que refrigerava os ardores da lepra." (Camilo, *Livro Negro,* 93.)

Cerrado — *a, com, de, em, por:*

"Clubes aristocráticos, cerrados *ao* vulgo." (Herman Lima, *Outros Céus, Outros Mares,* 299.) "As janelas estavam cerradas *ao* sol faiscante." (Eça, *O Primo Basílio,* 161.)

"O mar estava cerrado *com* os temporais." (Fr. D. Vieira.) "Os companheiros, cerrados *com* ele, pareciam empenhados em insuflarem-lhe uma nova alma para alguma grande tentativa." (Camilo, *Mistérios de Lisboa,* 201.)

"Lugar cerrado *d'*arvoredo." (Morais.) "Era ao entardecer, em brenha cerrada *de* silvas." (Aquilino Ribeiro, *A Batalha sem Fim,* 72.)

"Tão cerrado *na* sua linguagem." (Fr. L. de Sousa, *apud* Aulete.) "Era o braço que se movia; mas a alma não o mandava. Essa, retraíra-se, como cerrada *num* túmulo de aflições." (Camilo, *Livro Negro,* 217.)

"Padre Diniz, com o coração cheio de amargura e os lábios cerrados *pela* compaixão que tinha de minha mãe, calou a vil reputação em que a pobre senhora estava sendo conceituada." (Camilo, *Mistérios de Lisboa,* I, 150.) "Teresinha foi ter ao sopé da encosta íngreme cerrada *pelos* rochedos." (Domingos Olímpio, *Luzia-Homem,* 209.)

Certeiro — *a, em:*

"Suas alusões saem certeiras *ao* alvo a que se destinam."

"Atirador certeiro *na* pontaria." "Contou que o não feriram; mas supunha ele ter sido mais certeiro *na* pontaria." (Camilo, *O Bem e o Mal,* 182.)

Certeza — *de, em:*

"Felismina, imóvel, parecia esperar-me como se tivesse a certeza *da* minha ida." (Camilo, *Cenas da Foz,* 150.) "Assegura-lhe, com a escolha do lugar, da ocasião e das condições do encontro, a certeza *do* triunfo.'' (Rui, *Cartas de Inglaterra*, 172.)

''Não há nenhuma certeza *nas* coisas do mundo.'' (Fr. D. Vieira.)

Certo — *com, de, em, para:*

''Caixilho certo *com* o vidro; vidro certo *com* o caixilho.'' (Constâncio.)

''Estou certo *do* que me dizeis.'' (Morais.) ''O carcereiro tão certo estava *da* condenação, que não ousou mesmo concluir a frase da esperança em Deus.'' (Camilo, *O Bem e o Mal*, 192.)

''Homem certo *no* que promete.'' (Constâncio.) ''Justo nas inflexões, certo *nas* pausas, expressivo na mímica.'' (Antero de Figueiredo, *Amor Supremo*, 198.)

''Tem a mão certa *para* o tempero.'' (Aulete.)

Cevado — *com, de, em:*

''Ódios cevados cada dia *com* mexericos e novas injúrias.'' (Dic. de Morais.) ''Espingarda .... cevada *com* chumbo grosso.'' (E. da Cunha, *Os Sertões*, 185.)

''O soldado faminto, cevada a cartucheira *de* balas, perdia-se nas chapadas, premunindo-se de resguardos como se fossem à caça de leões.'' (E. da Cunha, *Os Sertões*, 434.)

''Espadas cevadas *no* sangue destes mouros.'' (J. de Barros, *apud* Constâncio.) ''Cevado *em* regalos, *em* prazeres.'' (Fr. D. Vieira.)

Chamado — *a, para, por:*

''Chamado *a* juízo; chamado *à* corte.'' (Constâncio.) ''Luta desabrida com a fatalidade irreparável devia ser a desses homens chamados *a* remediar infortúnios, como se depara nos quadros desses dias de angústia!'' (Camilo, *Perfil do Marquês de Pombal*, 100.)

''Imagens e visões .... vinham de longe, chamadas *para* o presente, vivas e frescas.'' (Afrânio Peixoto, *A Esfinge*, 269.) ''Fui chamado *para* ver um doente.'' (Constâncio.)

''No espaço que nos rodeia gravitam, chamados *pela* nossa saudade, espíritos queridos que o nosso coração não esquece.'' (Antero de Figueiredo, *Jornadas em Portugal*, 13.) ''E deixou a bagaceira chamado *pelo* senhor de engenho *para* ajustar uma empreitada.'' (J. Américo de Almeida, *A Bagaceira*, 113.) ''Chamado *pela* amenidade do sítio; chamado *pela* esperança de glória.'' (Constâncio.)

Chamamento — *a, de, para:*

''Seu chamamento repentino *ao* Rio, preocupou os arrais políticos.''

''Cerrou os ouvidos da sua alma ao chamamento *do* Senhor.'' (Camilo, *apud* L. Freire.)

''O chamamento destes irmãos *para* o céu vem perto.'' (Bernardes, *apud* Fr. D. Vieira.)

Chamejante — *de:*

''Era uma alma heróica e chamejante *das* paixões mais generosas.'' (Rui, *Cartas de Inglaterra*, 235.)

Chefe — *de, em:*

''Os chefes *da* conjuração.'' (Morais.)

''Príncipe na imprensa, mestre da tribuna, chefe *nos* partidos, reunia em si todas as condições para ter ocupado, na administração do país, sob as formas atuais, um dos primeiros lugares.'' (Rui, *Colunas de Fogo*, 117.)

Chegada — *a, de:*

''Sebastião de Melo, com as súplicas da penitente nos ouvidos e no coração, aligeirou quanto pode a sua chegada *a* Lisboa.'' (Camilo, *Mistérios de Lisboa*, II, 121.) ''À sua chegada *a* Lisboa, ... o Imperador do Brasil não viu à roda de si senão personagens de caráter oficial.'' (Fialho de Almeida, *Os Gatos*, 77.) ''Já disse que desejava ver a chegada do emigrado *a* sua casa.'' (Camilo, *As Três Irmãs*, 245.)

''Sua chegada *dos* Estados Unidos está marcada para o mês de outubro.''

Chegado — *a, de, em, para:*

''Se o meu correspondente quer exemplos mais chegados *a* nossos tempos, aqui os tem.'' (Mário Barreto, *Através do Dicionário e da Gramática*, 106.) ''Eu tinha adormecido sobre um canapé, chegado *ao* leito de minha mãe.'' (Camilo, *Mistérios de Lisboa*, I, 210.) ''Malfeitores chegados *a* poderosos.'' (Morais.)

''Quando, dias atrás, encontrara o Câmara, chegado *de* S. Paulo, conhecera-lhe, entre as meias palavras, uma confidência e uma missão.''

''Chegado *em* parentesco.'' (Dic. de Morais.) ''Embaixadores muito chegados *em* sangue *às* casas dos reis.'' (F. Manuel de Melo, *apud* Fr. D. Vieira.)

''Quininha não tinha nem um tico de soberbia. Pelo contrário, chegada *para* todos, gostando dos pobres.'' (Mário Sete, *Os Azevedos do Poço*, 31.)

Cheio — *com, de:*

''Todos pensavam que estaria radiante, cheia *com* a fortuna do marido.'' (J. Lins do Rego, *Usina*, 100.)

''As figuras humanas semelham bonecos cheios *de* farelo.'' (Rui, *Cartas de Inglaterra*, 296.) ''O teatro cheio *de* espectadores.'' (Constâncio.) ''D. Balbina, ... amuada e cheia *de* apreensões, andara pela casa a recriminar a imprudência.'' (C. Neto, *Treva*, 104.) ''Alvo e rosado, cheio *de* faces, e com as madeixas castanho-claras .... fugindo-lhe em anéis soltos por baixo do gorro.'' (Rebelo da Silva, *Contos e Lendas*, 178.)

Cheiro — *a, de:*

"Um suave cheiro *a* lilá branco; um intenso cheiro *a* queimado." (Mário Barreto, *Através do Dicionário e da Gramática,* 398.) "Nos corredores dessas casas piedosas tudo era cheiro *a* flores e *a* cera." (Antero de Figueiredo, *Jornadas em Portugal,* 61.) "Um cheiro *a* alho e *a* fermentações crônicas." (J. Américo de Almeida, *A Bagaceira,* 81.)

"Que cheiro *de* jasmim!" "Casos extraordinários que ouvira contar de pessoas da sua família, que foram monjas, algumas tão boazinhas, justas e sofredoras, que morreram em cheiro *de* santidade." (Antero de Figueiredo, *Amor Supremo,* 176.)

Choque — *com, de, entre:*

"O choque de um corpo *com* outro."

"Este encontro e choque *d*as mesmas sílabas é mais comum do que se julga." (Mário Barreto, *Através do Dicionário e da Gramática,* 319.)

"Choque *entre* dois navios." (L. Freire, voc. *abalroação.*)

Chumbado — *a, em:*

"Vendo-o daí tinha-se a certeza dolorosa que ele ficaria pisando o lodo abjeto, chumbado *à* irremovível miséria." (Afrânio Peixoto, *A Esfinge,* 136.) "Estavam chumbados *às* trincheiras. Fazia-se mister que ali permanecessem, para expiação suprema, no próprio local dos seus crimes." (E. da Cunha, *Os Sertões,* 551.)

"Seus pés pareciam chumbados *no* pavimento."

Ciência — *de:*

"O filósofo francês Descartes deixou grande nome na ciência *d*a geometria analítica." (*Maravilhas do Conhecimento Humano,* I, 234.) "Daquele dia até o século XIX, a ciência *de* construir pontes adiantou-se a passos rápidos." (Idem, 297.)

Ciente — *de:*

"Os principais chefes dos corpos, porém, bem que cientes *de* um diagnóstico, que implicava seriamente a firmeza e as responsabilidades do comando geral, ... ferraram-se, cautelosos e tímidos, à menor deliberação a respeito." (E. da Cunha, *Os Sertões,* 303.)

Cilada — *a:*

"Não seria essa conferência uma cilada *a*o espírito liberal de nosso tempo?" (Rui, *Colunas de Fogo,* 85.)

Cimentado — *a, com, por:*

"As arestas dos fragmentos, onde persistem ainda cimentados *a*o quartzo os cristais de feldspato, são novos atestados desses efeitos físicos e mecânicos." (E. da Cunha, *Os Sertões,* 16.)

"União cimentada *com* sangue."

"Amizade cimentada *por* uma longa convivência." "Paz cimentada *por* alianças." (Encicl. Port.)

Cindido — *de, em, por:*

"Conversas travadas em toda a linha, virguladas de tinidos de armas, cindidas *de* risos joviais mal sofreados." (E. da Cunha, *Os Sertões,* 239.) "De modo que em tais veredas, cindidas *de* boqueirões e envesgando pelos morros, passasse aquela artilharia." (Idem, *ibidem,* 379.)

"Para um meio literário cindido *em* igrejinhas, ... a posição do arrivista exige mil cautelas." (Veiga Miranda, *A Eterna Canção,* 66.)

"Águas cindidas *pel*a proa de barcos arrogantes."

Cingido — *a, com, de, por:*

"Cingido *à* opinião de outrem; cingido *à* letra da lei." (Constâncio.) "Camisola de meia cingida *a*os rins." (Aquilino Ribeiro, *A Batalha sem Fim,* 41.)

"Bem cingido *com* a porta, Melo demorou-se alguns minutos." (Camilo, *Mistérios de Lisboa,* II, 131.)

"Era o lugar sagrado, cingido *de* montanhas, onde não penetraria a ação do governo maldito." (E. da Cunha, *Os Sertões,* 183.) "Beatas de vestidos azuis cingidos *de* cordas de linho." (Idem, *ibidem,* 202.) "Canal cingido *de* fortalezas." (Morais.)

"Carlota, obedecendo a impulsos de muito afeto, abraçou-a e reteve-a cingida *pel*a cintura, com a face ajustada à sua." (Camilo, *A Enjeitada,* 137.)

Cintado — *com:*

"A um canto do fundo havia uma boceta de veludo carmesim com o epistolário amoroso, massetes de cartas cintadas *com* fitas cetinosas." (Camilo, *Boêmia do Espírito,* 20.)

Cintilante — *de:*

"Estava presente um mulato bem trajado, com os dedos cintilantes *de* pedras e uma grossa cadeia de ouro no pescoço." (Camilo, *A Neta do Arcediago,* 141.)

Cioso — *de:*

"Cioso *de* seu poder, *de* sua autoridade." (E. Carneiro Ribeiro, *Serões Gramaticais,* 674.) "Tão sôfrego e cioso *d*aquela honra." (Constâncio.) "Ciosa *de* amizades boas." (Mário Sete, *Os Azevedos do Poço,* 67.) "Coroas de rosas, com que o deus festivo dos amores a enfeita, cioso *de* ter nos seus altares o pouco deste mundo que merece e desculpa a idolatria." (Camilo, *O Bem e o Mal,* 57.)

Circuitado — *de, por:*

"O bocado mais extenso fica a poente .... circuitado todo *de* parapeito." (Fialho de Almeida, *Os Gatos,* 191.) "Certo ninguém lhe pode enxergar geométricas linhas de cortinas ou parapeitos bojando em redentes circuitados *de* fossos.'' (E. da Cunha, *Os Sertões*, 268.)

''Casa sombria, circuitada *pelas* copas dos arvoredos.''

Circulado — *de, por:*

''De sorte que, em ali chegando, os invasores seriam inteiramente circulados *de* balas.'' (E. da Cunha, *Os Sertões*, 536.) ''Anel circulado *de* brilhantes.'' (Morais.)

''Baqueou logo (o alferes), circulado *pelos* soldados, a cutiladas.'' (E. da Cunha, *Os Sertões*, 553.)

Circundado — *de, por:*

''Presa numa dessas voltas via-se depressão maior, circundada *de* colinas.'' (E. da Cunha, *Os Sertões*, 25.) ''Almofadas de lilá tênue, circundadas *de* elegantíssimas bordaduras.'' (Fialho de Almeida, *Os Gatos*, 261.)

''Casa circundada *por* castanheiros seculares.''

Circunjacente — *a:*

''As pesquisas de Fred Hartt, de fato, estabelecem, nas terras circunjacentes *a* Paulo Afonso, a existência de inegáveis bacias cretáceas.'' (E. da Cunha, *Os Sertões*, 19.) ''Sem nos delongarmos demais, resumamos às terras circunjacentes *a* Canudos a exemplificação deste fato de linguagem, que tão bem traduz uma vicissitude histórica.'' (Idem, *ibidem*, 106.)

Circunscrito — *a:*

''O seu uso ficou sempre circunscrito *aos* escritores e eruditos.'' (Augusto Moreno, *Lições de Linguagem, II*, 102.) ''O número de homens aproveitáveis em qualquer emergência dada está circunscrito *ao* da população afeita ao mar.'' (Rui, *Cartas de Inglaterra*, 181.) ''As pessoas que têm a sua alegria circunscrita *ao* curto espaço da sua casa, não devem vir meditar nos lugares em que o espírito carece de voar às raias do infinito.'' (Camilo, *O Bem e o Mal*, 109.)

Circunstância — *de:*

''Pois não foi honroso para ti deixá-la em circunstâncias *de* ser arrebatada por qualquer homem, se ela foi uma tua companheira, digna de ser a mestra deste menino.'' (Camilo, *Livro Negro*, 41.)

Circunstante — *a, em:*

''Entre estes se destacava, pela sua inferioridade, um pequeno barco de vela, o menor dos circunstantes *à* tremenda batalha.'' (Rui, *Cartas de Inglaterra*, 110.)

''Eram tais as suas vozes, que as ouviam não só os anjos no céu, senão também os circunstantes *na* terra.'' (Vieira, *Sermões*, IX, 62.)

Circunvalado — *de, por:*

''Cidade circunvalada *de* trincheiras.''

''Canudos, assim circunvalado quase todo *pelo* Vasa-Barris, embatia ao sul contra as vertentes da Favela.'' (E. da Cunha, *Os Sertões*, 187.)

Circunvizinho — *a:*

''Partes circunvizinhas *à* parte dolorosa.'' (Morais.)

Cisma — *com, de:*

''Nós aqui temos muita cisma *com* as pessoas que têm os olhos azuis, como o xexéu.'' (Gastão Cruls, *Ao Embalo da Rede*, 21.)

''Sempre tive cisma *dessas* pessoas que nunca olham os outros de frente.''

Ciúme — *de:*

''Aqui e além uns caprichinhos d'amor mui passageiros, um desejo por este, uns ciúmes *daquele*.'' (Fialho de Almeida, *Os Gatos*, 231.) ''Pompeu e César tinham tal ciúme *da* primazia....'' (Dic. de Morais.)

Ciumento — *de:*

''Era mesmo muito ciumento *das* suas atribuições.'' (Medeiros e Albuquerque, *Quando Eu Era Vivo*, 141.)

Clamor — *a, contra, por:*

''Um clamor *a* Deus, implorando a sua justiça, o seu auxílio.'' (Constâncio.)

''Natural é que tais revelações excitem cóleras e clamores, entre os republicanos convencidos, *contra* os adeptos insistentes do regime extinto.'' (Rui, *Cartas Políticas e Literárias*, 98.) ''Nos círculos comerciais e financeiros levantou-se verdadeiro clamor *contra* as inesperadas transformações.'' (Luiz Viana Filho, *A Vida de Rui Barbosa*, 141.)

''Compreendemos o clamor *pela* execução de espiões e traidores.'' (Rui, *Cartas de Inglaterra*, 4.)

Clareza — *de, em:*

''A clareza *das* águas.'' (Morais.) ''A clareza *do* discurso.'' (Constâncio.)

''Onde se não distingue bem entre a (noção) da clareza *no* estilo e a do alinho na frase.'' (Rui, *Réplica*, 503.)

Claro — *em, para com:*

''Foi muito claro *em* sua exposição.''

''Nesta mesma oposição e contrariedade consistiu a sua maior glória, clara e escura juntamente: .... na terra, escura para com os homens, e no céu clara *para com* Deus.'' (Vieira, *Sermões*, IX, 25.)

Classificação — *em:*

''Sua classificação *em* terceiro lugar provocou veementes protestos.''

Classificado — *como, em:*

''Estêvão queria fugir à hipótese de ser classificado *como* tolo ou como sensual.'' (M. de Assis, *Contos Fluminenses*, 110.)

''Traçou o plano, cuja execução foi cometida, por insinuações de Inglaterra, ao jovem Benoit de Monfort, cuja valentia era classificada *em* fanatismo ou desprezo da vida.'' (Camilo, *Livro Negro,* 63.)

Clausura — *em:*

''Sua clausura *n*aquele sombrio convento abrevia-lhe a vida.''

Clemência — *com, para, para com:*

''Tende clemência *com* estes desgraçados.'' ''Cândida palma que levaria nas mãos lívidas quando fôsse a enterrar, toda branca, achando demasiada, quase uma pouca-vergonha, a clemência *de* Deus e *d*os homens *com* as tricanas devassas.'' (C. Neto, *Treva,* 5.)

''Perdão, clemência *para* meu pai, Senhor.''

''A clemência de Deus *para com* os pecadores arrependidos.''

Clemente — *com, para, para com:*

''Clemente *com* alguém, *para* alguém ou *para com* alguém.''

Coabitação — *com:*

''Sua coabitação *com* ela durou apenas seis meses.''

Coadjuvação — *a:*

''Rótulo para encobrir a coadjuvação *à*s candidaturas oficiais.'' (Rui, *Colunas de Fogo,* 10.)

Coado — *em, por:*

''Essências coadas *em* finos cristais.''

''Dardejou sobre o escultor um olhar coado *pel*o cristal luzidio do monóculo.'' (Afrânio Peixoto, *A Esfinge,* 144.)

Coadunável — *com:*

''A virtude nunca poderá ser coadunável *com* a hipocrisia.''

Coagido — *a, por:*

''Foi, portanto, com um sofisma que o sr. Ministro da Justiça abriu a consciência aos oficiais que se julgaram coagidos *pel*o brado da lealdade *a* entregar os seus cúmplices, ou confessar a conspiração.'' (Rui, *Colunas de Fogo,* 177.)

''Ao terminar um ano de cárcere, solicitou perdão de Gonçalo Borges, que, voluntário ou coagido *por* empenhos, lhe perdoou.'' (Camilo, *Boêmia do Espírito,* 181.)

Coalhado — *de:*

''Cidades que foram centros de comércio, sempre agitadas, com os seus campos coalhados *de* gado, as suas feiras concorridas.'' (C. Neto, *Treva,* 49.) ''O Sol dardejava, a pino, intensa luz sobre o largo da feira, coalhado *de* gente.'' (Domingos Olímpio, *Luzia-Homem,* 130.)

Coberto — *com, de, por:*

''Ontem desceu Deus coberto *com* a vestidura de nossa humanidade.'' (Vieira, *Sermões,* IX, 222.) ''Jesus tem a cabeça coberta *com* o manto; Judas aproxima-lhe da face os beiços trêmulos, e com uma das mãos segura a bolsa de dinheiro.'' (Fialho de Almeida, *Os Gatos,* 284.)

''Paredes cobertas *de* negras estantes do soalho ao teto.'' (Antero de Figueiredo, *Amor Supremo,* 106.) ''As músicas executavam a Marselhesa, enquanto o nome de Lorde Salisbury era coberto *de* surriadas e assovios.'' (Rui, *Queda do Império,* I, 126.) ''Sem bonés ou barretinas, cobertos *de* chapéus de couro, figuravam famílias de retirantes demandando em atropelo o litoral, fustigados pela seca.'' (E. da Cunha, *Os Sertões,* 484.)

''Depois, vão-se-lhes lançando as sementes, logo cobertas *por* um jacto de terra.'' (Gustavo Barroso, *Terra de Sol,* 62.) ''Os retratos da família estavam cobertos *por* um vasto crepe.'' (Aluísio Azevedo, *O Mulato,* 204.) ''Coberto *pelo* sombreiro de enormes abas flexíveis, e tendo à cinta, rebrilhando, presas pela guaiaca, a pistola e a faca — é (o gaúcho) um vitorioso jovial e forte.'' (E. da Cunha, *Os Sertões,* 118.)

Cobertura — *com:*

''A cobertura *com* telhas vãs é a mais comum nas casas dos arraiais.''

Cobiça — *de:*

''A cobiça *d*o proveito, que espera do contrato lusitano, o faz obedecer.'' (Camões, *Os Lusíadas,* VIII, 77.) ''Cobiça *de* dinheiro.'' (Morais.)

Cobiçoso — *de:*

''Cobiçoso *de* glórias.'' ''Cobiçoso *de* ganhar.'' (E. Carneiro Ribeiro, *Serões Gramaticais,* 674.) ''Não menos cobiçoso *de* honra e fama.'' (Camões, *Os Lusíadas,* IV, 81.)

Coerência — *com, de, em, entre:*

''Coerência das obras *com* as palavras.'' (Constâncio.)

''Não há expositor que não repare na coerência *d*este texto.'' (Vieira, *Sermões,* V. 77.) ''O primeiro dos golpes desfechados recai sobre a coerência *d*a nossa posição.'' (Rui, *Queda do Império,* I, 298.)

''O meio, reagindo por sua vez, amparou-o, corrigindo-o, fazendo-o estabelecer encadeamento nunca destruído nas mais exageradas concepções, certa ordem no próprio desvario, coerência indestrutível *em* todos os atos e disciplinas.'' (E. da Cunha, *Os Sertões,* 150.)

''Não há coerência *entre* suas palavras e seus atos.''

Coerente — *a, com, em:*

''Aquela alma falava desejando, e falava muito coerente *ao* seu desejo.'' (Vieira, *Sermões,* IX, 81.)

''Coerente *com* a missão a que se devotara, ordenava, depois destas homilias, penitências que de ordinário redundavam em benefício das localidades.'' (E. da Cunha, *Os Sertões,* 173.) ''Queria vê-lo coerente *con*sigo mesmo, meu amigo!'' (Camilo, *Estrelas Propícias,* 144.) ''Alguns, coerentes *com* a opinião anterior dos libe-

rais em relação aos adversários, julgavam incompatível o candidato." (Luiz Viana Filho, *A Vida de Rui Barbosa*, 62.)
"Não andar coerente *con*sigo *no* que diz, *nas* obras." (Constâncio.) "Era coerente *n*isto *com* os políticos nacionais." (Afrânio Peixoto, *A Esfinge*, 99.) "Coerente *em* suas demonstrações de apreço ao Glicério, suprimiu, também, nesse dia, o famoso anteparo de papelão." (Ciro dos Anjos, *O Amanuense Belmiro*, 107.)

Coesão — *a, de, em:*
"Rui voltou-se para ele com a pia intenção de lhe experimentar com uma punhada a força de coesão dos dentes *à*s queixadas." (Herculano, *O Monge de Cister*, II, 107.)
"A coesão *d*os elementos de um governo."
"Atualmente, entre nós, a arte de cozinhar e comer degrada-se, como tudo o mais, por falta de coesão *n*os gostos do público." (Fialho de Almeida, *Os Gatos*, 169.)

Coetâneo — *a, de:*
"Consta ser a arquitetura militar coetânea *a*o princípio do mundo." (Dic. de Fr. D. Vieira.)
"A voz dos oradores ignorava todos os opróbrios ao pariato inglês, a inviolável instituição coetânea *d*o trono e base secular da monarquia britânica." (Rui, *Queda do Império*, I, 126.) "Ninguém presumirá que eu considere Calvino coevo de Voltaire, ou Damião de Góis coetâneo *de* Couriere." (Camilo, *Boêmia do Espírito*, 191.)

Coevo — *a, de:*
"Por toda a parte, na Europa coeva *a*os sucessos de 1789, a expugnação da Bastilha passou como o 'símbolo da queda do antigo regime'." (Rui, *Colunas de Fogo*, 14.) "O catálogo .... foi escrito em tempos de Ptolomeu e dos setenta coevos *a* Alexandre Magno." (Vieira, *Sermões*, X, 392.)
"Os coevos *d*a guerra de Tróia." (Constâncio.) "Em nenhum escrito coevo *d*o reinado de D. José se encontra este glorioso nome." (Camilo, *Perfil do Marquês de Pombal*, 90.)

Coexistência — *com:*
"Os arianos negavam a coexistência do Velho Divino *com* seu Pai." (Fr. D. Vieira.)

Cogulado — *de:*
"Poucos segundos depois, estava a rua coagulada *de* soldados, e muitas vozes diziam que o assassino tinha fugido com os acadêmicos."

Coincidência — *com, de, em:*
"A coincidência de um fato *com* outro."
"A coincidência *de* dois pensamentos." (*Grande Enciclopédia Portuguesa e Brasileira.*)
"Povos distintos coincidem na maneira de conceber as coisas. E' notável a coincidência *n*as frases feitas e *n*os provérbios." (Mário Barreto, *Através do Dicionário e da Gramática*, 334.)

Co-interessado — *em:*
"Os banqueiros presenteados pelo ministério, co-interessado *n*a política mercantil que o absorve, são chamados a comandar os nossos batalhões." (Rui, *Colunas de Fogo*, 21.)
"Mancomunação em que se sonhou figuraren várias potências européias como co-interessadas *no* processo de Dreyfus." (Idem, *Cartas de Inglaterra*, 20.)

Coisa — *a respeito de, com, de, por, relativa a, sobre:*
"E tenho mais alguma coisa que dizer *a respeito d*o assunto." (Augusto Moreno, *Lições de Linguagem*, II, 199.)
"Simão falava dos filhos, do mais moço, da filha que tinha tanta coisa *com* ele." (J. Lins do Rego, *Usina*, 13.)
"Era um espírito privilegiado na ciência das coisas *de* governo." (Rui, *Cartas de Inglaterra*, XIII.) "E' alguma coisa *de* dispersivo e dissolvente." (E. da Cunha, *Os Sertões*, 109.)
"O pai dela não se falava, tinha mesmo uma coisa *pel*o Juca." (J. Lins do Rego, *Usina*, 65.)
"Incumbi-lhe várias coisas *relativas à* igreja, e parti." (Herculano, *O Monge de Cister*, I, 31.)
"Como o assunto é interessante, alguma coisa mais direi *sobre* ele na próxima lição." (Augusto Moreno, *Lições de Linguagem*, II, 199.)

Colaboração — *com, em:*
"Fausto Barreto organizou sua "Antologia Nacional" de colaboração *com* Carlos de Laet."
"Ficou demonstrada a colaboração de vários políticos franceses *com* o governo da Alemanha."
"Era a colaboração dos Estados *n*uma questão que interessava não já à Baía, mas ao país inteiro." (E. da Cunha, *Os Sertões*, 246.) "Tinha assentimento e colaboração *no* plano que havia uma semana lhe tomava o juízo." (Afrânio Peixoto, *A Esfinge*, 122.) "Censurei, com rispidez, a Celso sua colaboração *em* tal ignomínia." (Veiga Miranda, *A Eterna Canção*, 134.)

Colaborador — *de:*
"Eu fui um dos colaboradores *d*a reforma ortográfica." (C. de Figueiredo, *Lições Práticas*, I, 90.) "A preocupação de esmero literário, aparente nos primeiros colaboradores *d*o projeto." (Rui, *Réplica*, 5.) "Obtive de um amigo, colaborador *d*essa reforma, que ele encaixasse aí a supressão da cadeira." (Medeiros e Albuquerque, *Quando Eu Era Vivo*, 169.)

Colado — *a, em:*
"Sempre desconfiados, entram de noite, um a um, colados *à*s paredes." (Antero de Figueiredo, *Jornadas em Portugal*, 83.) "Colado *a*o dorso deste (cavalo), confundindo-se com ele, graças à pressão dos jarretes firmes, realiza a criação bizarra de um centauro bronco." (E.

da Cunha, *Os Sertões,* 116.) "Miquelina escutava ansiada a descrição por miúdo das feições de Flávia, com os cabelos dela, úmidos de lágrimas, colados *aos* lábios." (Camilo, *A Enjeitada,* 57.)

"À cabeceira do leito pendia da parede uma imagem da Imaculada Conceição, oleografia lustrosa colada *num* cartão." (Manuel Ribeiro, *A Planície Heróica,* 25.) "A menina soluçava com os lábios colados *na* mão do pai, cobrindo-lha de lágrimas." (Camilo, *Cenas da Foz,* 171.)

Cólera — *com, contra, por:*

"Celebravam a grandeza dos deuses, o seu favor sempre propício ao homem que os implora, e a sua inevitável cólera *com* o que os não teme." (Mário Barreto, *Cartas Persas,* 26.)

"Teve uma crise de cólera *contra* o esperanto, que ele declarava, do alto da sua filáucia conselheiral, uma coisa perfeitamente estúpida." (Medeiros e Albuquerque, *Quando Eu Era Vivo,* 166.) "Ante o anúncio da sua exoneração a opinião pública se encheu de cólera *contra* a corte." (Rui, *Queda do Império,* I, 257.) "A cólera *contra* Cecília subiu-lhe de novo." (Ferreira de Castro, *A Tempestade,* 21.)

"Afastou-se numa irritação de cólera *por* aquela impertinência perversa, mas logo o laivo de uma ironia escorreu, num desdém amargo." (Afrânio Peixoto, *A Esfinge,* 200.)

Colérico — *com, contra:*

"Nessas ocasiões ficava colérico até *com* os filhos."

"Exasperado, colérico *contra* todos e *contra* tudo, saiu arrebatadamente."

Colhido — *a, de, em, por:*

"A rede lá estava colhida *a* um canto, e peles de onça mosqueavam o soalho encardido, onde apareciam remendos." (C. Neto, *Treva,* 75.)

"Frutas colhidas *de* seu pomar." "Estes são os resultados colhidos *de* más doutrinas." "Doutrina colhida *dos* livros." (Morais.)

"Não me repreendam por pedir aos jornais a sua valiosa contribuição. Com as citações de passagens *nel*es colhidas proponho-me demonstrar a sanção do uso." (Mário Barreto, *Através do Dicionário e da Gramática,* 214.) "De sorte que, seguindo pelos caminhos ou abandonando-os, os antagonistas seriam sempre colhidos *num*a rede de balas." (E. da Cunha, *Os Sertões,* 308.)

"Esses exemplos não foram colhidos *pelo* autor."

Coligação — *com, contra:*

"Procura sempre coligação *com* indivíduos suspeitos."

"A coligação da França e Itália *contra* a Áustria." (Dic. de Fr. D. Vieira.)

Coligado — *com, contra, para, por:*

"Coligados *com* a melhor nobreza deste reino." (Morais.) "Miquelina, coligada *com* a ama que a criara, sabia tudo da despenseira do morgado." (Camilo, *A Enjeitada,* 37.)

"Estavam todos coligados *contra* ele." (Mário Barreto, *Cartas Persas,* 50.) "Não sei a que atribuí-lo, mas parece que tudo está coligado *contra* mim." (Idem, *ibidem,* 112.)

"Foi quando lhe apareceu o tio Juca e os parentes todos coligados *para* enfrentar a São Félix." (J. Lins do Rego, *Usina,* 59.)

"Duas famílias coligadas *por* parentesco." (*Grande Enciclopédia Portuguesa e Brasileira.*)

Colisão — *com, de, entre:*

"A Prússia, em colisão *com* um dos mínimos estados europeus, experimentou o valor inestimável da superioridade naval nos conflitos entre nações banhadas pelo mar." (Rui, *Cartas de Inglaterra,* 135.) "Então parece tornar-se visível o anteparo das colunas ascendentes, que determinam o fenômeno, na colisão formidável *com* o nordeste." (E. da Cunha, *Os Sertões,* 36.)

"Colisão *de* dois veículos; colisão *de* idéias." "Esses humanitários sempre deram melhores ministros de religião do que ministros de Estado, porque nos casos de colisão *de* interesses, para eles prevalece o interesse da humanidade." (Xavier Marques, *As Voltas da Estrada,* 120.)

"Colisão *entre* dois navios." (L. Freire, voc. *abalroamento.*) "Não há, portanto, colisão *entre* os dois "ós" fortes, cujo choque determina a cacofonia." (Rui, *Réplica,* 45.)

Colocado — *a, ante, com, contra, de, depois de, em, por, sem, sob, sobre:*

"Colocado *ao* lado, *de* lado; colocado *sob* seu poder; colocado *sobre* a cabeça, *em* sua passagem, *contra* si, *pelos* caminhos, *pel*as estradas; colocado *ante* ele, *depois* dele, *com* ele ou *sem* ele." (E. Carneiro Ribeiro, *Serões Gramaticais,* 676.)

Colóquio — *com, entre:*

"Entrando, porém, em colóquio tranqüilo *com* a sua consciência, entendeu que era o homem mais feliz do globo." (Camilo, *Mistérios de Lisboa,* III, 135.) "Felismina apareceria mais tarde, certa de não ser importunada no seu colóquio *com* as estrelas." (Idem, *Cenas da Foz,* 143.) "Parecia Miss Joice desprendida, num colóquio silencioso *com* as estrelas." (Afrânio Peixoto, *A Esfinge,* 47.)

"O colóquio *entre* eles durou mais de duas horas."

Colorido — *a, com, de, por:*

"Grande coragem foi a desse homem que tantos quadros, coloridos *a* sangue e lágrimas, deixou de si, como herança aos que desesperam." (Camilo, *Livro Negro,* V.)

"Argumento colorido *com* alguns traços de fantasia." "Revivem (as flores) enseivadas com o suor da tua angústia, coloridas *com* o teu sangue, envenenando-te com o filtro mágico inebriante, que destila emanações de fragrância suavíssima." (Domingos Olímpio, *Luzia-Homem*, 140.)

"Não me perdoava tal pensamento, por mais colorido *de* felicidade que lho apresentasse." (Camilo, *Mistérios de Lisboa*, I, 98.)

"E a cena maravilhosa, fortemente colorida *pela* imaginação popular, fêz-se quase uma compensação à enormidade do revés." (E. da Cunha, *Os Sertões*, 365.)

Combalido — *de, por:*

"Ao meio da encosta, já combalido *de* tantas e tão grandes emoções, tombou por terra, sem forças." (João Ribeiro, *Floresta de Exemplos*, 210.) "Combalidos *da* refrega e famintos desde a véspera, tiveram apenas abrandada a sêde na água impura da lagoa." (E. da Cunha, *Os Sertões*, 275.)

"Vai esterilizar o coração no amor do dinheiro, para depois lho oferecer, combalido *pela* úlcera das mercâncias ambiciosas." (Camilo, *Mistérios de Lisboa*, I, 94.) "Organizações combalidas *pela* alternativa persistente de exaltações impulsivas e apatias enervadoras." (E. da Cunha, *Os Sertões*, 78.)

Combate — *a, com, contra, entre, por:*

"Sistemática no seu combate *aos* elementos republicanos, a opinião monarquista, entre nós, expia hoje a cooperação com que serviu neste regime às facções violentas." (Rui, *Discursos e Conferências*, 359.) "E que fosse omisso o sermonário, como as virtudes no agiológio são invariavelmente excelsas e na mesma irrefragável o combate *ao* pecado, o panegírico estava em regra com uma substituição de nomes." (Aquilino Ribeiro, *Andam Faunos*, 103.)

"Não conhece os horrores da seca e os combates cruentos *com* a terra árida e exsicada." (E. da Cunha, *Os Sertões*, 117.) "As máximas, que forjara na cama, durante o período da cura, não lhe serviam de auxílio nenhum nesses combates *com* o senso íntimo." (Camilo, *A Neta do Arcediago*, 91.) "O eterno combate *com* o meio envolvente desenvolve-lhe a inteligência e a coragem." (Gustavo Barroso, *Terra de Sol*, 167.)

"O patriota volta ao seu posto de combate *contra* a fôrça, *contra* a prevaricação, *contra* a incapacidade, *contra* o despotismo, *pela* lei, *pela* ciência, *pelo* povo, *pelo* país sacrificados." (Rui, *Colunas de Fogo*, 113.)

"A luta da antiga sociedade com a nova, o combate *entre* a decrepidez das velhas instituições e a energia das gerações nascentes." (Rui, *Colunas de Fogo*, 145.)

Combatido — *com, de, em, por:*

"Fortaleza combatida *com* muitos canhões."

"O navio combatido *dos* mares." (Constâncio.) "Só, desamparada e combatida *de* todas as partes." (Vieira, *Sermões*, IX, 18.) "Os corações combatidos *de* perplexidades." (Dic. de Morais.)

"Apesar de combatido *em* suas pretensões, não desistiu."

"As transformações a que aqui se alude .... são combatidas *pelos* preceptores." (Mário Barreto, *Através do Dicionário e da Gramática*, 126.) "A medida .... foi vigorosamente combatida, não só *pelos* republicanos, senão também *pelos* deputados democráticos dos estados orientais." (Rui, *Cartas de Inglaterra*, 355.)

Combinação — *com, de:*

"Sal produzido pela combinação do ácido aconítico *com* uma base." (C. de Figueiredo, voc. *aconitato*.) "A água é uma combinação do oxigênio *com* o hidrogênio." (Fr. D. Vieira.)

"O discurso foi uma hábil combinação *de* carinho e indignação." (Luiz Viana Filho, *A Vida de Rui Barbosa*, 171.) "Por esta combinação *de* desgraças perdi todos os meus bens." (Fr. D. Vieira.)

Combinado — *a, com, mediante:*

"Para declarar os paulistas incursos nos artigos tais e tais, combinados *a* outros, das Ordenações manuelinas, afonsinas e filipinas." (Alberto Rangel, *Fura-Mundo*, 154.)

"Uma substância combinada *com* outra quimicamente." (Constâncio.) "Agora entendereis o mistério de uma grande implicância, que se acha em um milagre combinado *com* o outro." (Vieira, *Sermões*, IX, 83.)

"Verdades e fatos avulsos, decorados a força, sem conexão entre si, combinados apenas *mediante* processos d'arte, são como objetos inúteis, amontoados num armário." (Rui, *Queda do Império*, I, 342.)

Começo — *de:*

"A invenção da escrita foi um dos primeiros marcos da história. Assinalou o começo *da* verdadeira civilização." (*Maravilhas do Conhecimento Humano*, II, 1.)

Comedido — *em:*

"Comedido *nos* gestos, *nas* palavras."

Comedimento — *em:*

"Não tinham unção, nem sequer comedimento *nos* gestos." (Manuel Ribeiro, *O Deserto*, 32.)

Comemoração — *de:*

"«Te-Deum» mandado celebrar pelos liberais, como uma espécie de protesto religioso contra as usurpações da monarquia, em comemoração *do* juramento da carta constitucional." (Rui, *Colunas de Fogo*, 7.)

Comemorativo — *de:*
"Nesse dia de dor, comemorativo *do* derrame do sangue de Cristo." (Antero de Figueiredo, *Jornadas em Portugal,* 63.) "Medalha comemorativa *dos* meus serviços em Haia." (Rui, *Campanha Presidencial,* 98.)

Comentário — *a, de, sobre:*
"E' absolutamente preciso que estudemos a história da língua para que os nossos comentários *aos* textos de autores dos séculos XVI, XVII e XVIII não sejam insuficientes ou errôneos." (Mário Barreto, *Através do Dicionário e da Gramática,* 357.) "Do meu comentário *ao* art. 204 torna atrás, de um surto, o eminente professor à minha exposição preliminar." (Rui, *Réplica,* 160.) "E' uma glosa e comentário *às* anotações que escrevi sobre a moeda primitiva da nossa civilização." (João Ribeiro, *Curiosidades Verbais,* 136.)
"Está o comentário *de* suas palavras." (Afrânio Peixoto, *A Esfinge,* 359.) "Escrever os comentários *da* sua glória." (Dic. de Morais.)
"Paulo ficou silencioso, fingindo atenção, por polidez, a ouvir comentários irônicos ou espirituosos *sobre* os sucessos "du monde", isto é, da pequena sociedade que se formava nos chás, nas visitas." (Afrânio Peixoto, *A Esfinge,* 31.) "Tampouco poderei haver da tradição oral aqueles seus luminosos comentários *sobre* a vida, a economia doméstica." (Fialho de Almeida, *Os Gatos,* 175.)

Comércio — *com, de, entre:*
"Ter comércio *com* alguém." (Constâncio.) "Do seu assíduo comércio *com* os historiadores latinos conservou palavras, imagens e metáforas tomadas ao vivo da frase latina." (Mário Barreto, *Cartas Persas,* XXIX.)
"Esquece naturalmente, no comércio *dos* idiomas que ela usa preferir, a individualidade, a formosura e a opulência do seu." (Rui, *Réplica,* 507.) "Era (Fr. L. de Sousa) íntimo no comércio *das* musas." (Garrett, *Frei Luiz de Sousa,* 207.) "O comércio *de* vender cargos militares, mediante sua privança com o filho do rei, comandante geral das forças de terra." (Rui, *Queda do Império,* II, 255.)
"A facilidade de caminho fez de Tróia o entreposto da atividade e do comércio *entre* os dois mundos antigos." (Afrânio Peixoto, *A Esfinge,* 22.)

Cometido — *a, por:*
"Entre essas duas versões vai um abismo; porquanto a primeira vedaria o matrimônio civil, ao passo que a segunda o autoriza, distinguindo o pacto humano da santificação divina, como fatos separados e cometidos, portanto, *a* autoridades diversas." (Rui, *Queda do Império,* II, 47.)
"A feição essencialmente odiosa dessa lei consistia, pois, na crueldade, com que estendia a pena de morte a delitos de gradações diversas, tornando-a comum a todos os crimes de violência cometidos *pelo* cativo contra seus superiores legais." (Rui, *Q. do Império,* II, 212.)

Comício — *acerca de:*
"A turba consultada nos comícios *acerca de* qualquer assunto elevado é a mais esquálida exibição de imbecilidade a que, neste mundo, se pode assistir." (Rui, *Cartas de Inglaterra,* 225.)

Comido — *de, por:*
"País comido *de* dívidas, roubado e escarnecido pelos seus aliados." (Fialho de Almeida, *Os Gatos,* 94.)
"E, em vez de comerem, eram comidos *pela* própria fome, numa autofagia erosiva." (J. Américo de Almeida, *A Bagaceira,* 10.) "O casario, comido *pela* neblina, diluía-se mais, ao passo que avançavam." (Alberto Rangel, *Fura-Mundo,* 174.)

Cominado — *a:*
"Quando uma reforma declarou impuníveis certas ações, que as leis anteriores consideravam como delitos, ou diminuiu grandemente o castigo cominado *a* certos delitos por leis anteriores, repugna consentir-se em que subsistam condenações pronunciadas num estado legal de coisas, que a nova legislação declara injusto ou excessivo." (Rui, *Queda do Império,* II, 191.)

Comiseração — *com, de, para com, por:*
"E' infinita a comiseração divina *com* os pecadores."
"A comiseração *dos* infelizes é um dos mais nobres sentimentos, e, por isso, um dos mais raros." (T. Silva Brandão, *Sintaxe,* 19.)
"Abrasados nessa paixão ardente e excitados da comiseração *para com* tantas vítimas, acabam por querer que se deixe consumar um crime social." (Rui, *Cartas Políticas e Literárias,* 228.) "Esta comiseração *para com* ele." (Fr. D. Vieira.)
"Nessas imprecações, entretanto, se sente a comiseração *pelos* desvarios de uma irmã que se transvia." (Rui, *Cartas de Inglaterra,* 237.) "O meu fraco é uma sincera comiseração *por* todas as instituições e por todos os homens condenados que, não podendo ser perfeitamente bons, praticaram fatalmente parte do mal que fizeram." (Camilo, *Boêmia do Espírito,* 36.)

Comovido — *com, de, por:*
"Como dar-vos a ver, senhores, quanto me sinto comovido *com* esta distinção grandiosa ....?" (Rui, *Campanha Presidencial,* 59.) "Perguntou Josefa, comovida *com* a narração do marido." (Aluísio Azevedo, *O Mulato,* 231.) "Essa variedade é a que apresento hoje, comovido *com* a triste sorte dos leitores." (João Ribeiro, *Curiosidades Verbais,* 7.)

"Fortalecida pelas razões de Jerônima, e comovida *dos* secretos infortúnios de seu cunhado, ativou Eulália os aprestes para a saída." (Camilo, *As Três Irmãs,* 200.) "E a duquesa vive? — perguntou Eugênia, visivelmente comovida *do* infortúnio de tal mulher." (Idem, *Mistérios de Lisboa,* II, 244.)

"Que diríamos, então, da nacionalidade que, comovida *por* um ato de clemência, *por* um rasgo de generosidade no chefe do Estado, lhe penhorasse para sempre a obediência e os direitos....?" (Rui, *Queda do Império,* I, 190.) "Disse Proença, sentindo eriçarem-se-lhe os cabelos, comovido *pela* religiosidade do ato." (Camilo, *Cenas da Foz,* 225.)

Compadecido — *ante, de:*

"Vozes femininas, compadecidas, talvez pela primeira vez, *ante* a solidão daquele espírito, levaram-lhe o conforto de perguntas insistentes." (Veiga Miranda, *A Eterna Canção,* 83.)

"Viram-o, dois meses depois, sair de Coimbra, sem estender a mão aos amigos, compadecidos *do* seu infortúnio." (Camilo, *A Neta do Arcediago,* 9.) "Retiraram compadecidos *da* sensibilidade da pobre senhora, que tão outra era do que devia esperar-se de seus princípios." (Idem, *Mistérios de Lisboa,* II, 70.)

Compadrio — *com, entre:*

"Não desejo compadrio *com* semelhante gente."

"Compadrio *entre* dois gatunos."

Compaixão — *de, para, para com, por:*

"Faze-me ter compaixão *de* mim mesmo, e corar da pergunta que te vou fazer." (Mário Barreto, *Cartas Persas,* 35.) "Cá fora do convento é que vai correr-se o pano dum ato muito de dores e compaixão *da* reclusa." (Camilo, *A Enjeitada,* 85.) "Talvez compaixão *do* desgraçado fidalgo." (Idem, *Mistérios de Lisboa,* II, 48.)

"Caí de joelhos, e com as mãos erguidas pedi a Deus compaixão *para* minha mãe." (Camilo, *Mistérios de Lisboa,* I, 40.)

"Insinuava-se que novas agonias aguardavam o velho soberano, e corriam de boca em boca expressões de compaixão *para com* a Duquesa de York." (Rui, *Queda do Império,* II, 254.)

"Sem compaixão *pelos* incômodos e calafrios de um servidor leal, o mandava cobrir de ferro, e oferecer o corpo aos tratos da armadura." (Rebelo da Silva, *Contos e Lendas,* 277.) "Desde a meninice, o coração de Augusta cultivava secreta compaixão *pelos* escravos." (Xavier Marques, *As Voltas da Estrada,* 133.)

Companheiro — *de, em:*

"Era uma criança mansa e inteligente, sua constante companheira *de* brinquedos." (Afrânio Peixoto, *A Esfinge,* 261.) "O companheiro predileto *do* filho é um grande vagabundo."

"Companheiro *nos* furtos, crimes." (Dic. de Morais.) "Companheiro *na* boa e má fortuna." (Constâncio.)

Comparação — *a, com, de, entre:*

Aventureiros devorados de uma fome que legitima quaisquer princípios, quando a vida é o mais que pode perder-se em comparação *ao* muito que pode ganhar-se." (Camilo, *Mistérios de Lisboa,* I, 249.)

"Apreciando-se os fenômenos em comparação *com* os das línguas congêneres." (Júlio Nogueira, *O Exame de Português,* 37.) "Uma expressão singular .... que era o desalento que lhe gerava no espírito a desanimadora comparação das suas ações *com* as do Supliciado do Calvário, ao qual tomara por modelo e que jurara imitar." (Herculano, *Lendas e Narrativas,* II, 125.) "Pareceu-me baixa a comparação de um homem *com* um pássaro." (Camilo, *Mistérios de Lisboa,* I, 21.)

"Em comparação *d*aquele infortúnio, entretanto, qualquer desses conchavos loios é uma montanha de vergonha." (Rui, *Queda do Império,* I, 241.) "O' cuidado que sempre nos devera trazer atônitos e pasmados, em comparação *do* qual todos os outros em que tão divertido andamos importam nada!" (Vieira, *Sermões,* IX, 250.)

"Exprimia-se a comparação *entre* orações com o comparativo sintético 'melhor' seguido da preposição 'de'." (Júlio Nogueira, *O Exame de Português,* 37.) "Estabelecia comparação *entre* as regalias do amor de Raimundo e as vergonhas que dele pudessem resultar." (Aluísio Azevedo, *O Mulato,* 261.) "A comparação, em suma, que cada um faz, *entre* o que existe e o que poderia existir." (Rui, *Colunas de Fogo,* 145.)

Comparado — *a, com, entre:*

"Não é nada a França comparada *à* antiga Gália de que fala Júlio César." (Mário Barreto, *Cartas Persas,* 234.) "O vocabulário é mesquinho e paupérrimo comparado *aos* infinitos recursos do espírito." (João Ribeiro, *Curiosidades Verbais,* 94.) "Mas que era esta procissão comparada *a* outra, também de Endoenças, muito mais antiga ....!" (Antero de Figueiredo, *Jornadas em Portugal,* 72.)

"A cena política é acanhada, e ocupa um plano inferior, comparada *com* outras alturas do nosso destino." (Rui, *Cartas de Inglaterra,* 54.) "Isso mesmo se deve julgar sobre a morte da nossa santa, comparada *com* as suas infâmias." (Vieira, *Sermões,* IX, 23.)

"As duas existências, comparadas *entre* si, afiguram-se-nos o mito de duas almas." (Camilo, *A Neta do Arcediago,* 87.)

Comparável — *a, com:*

"Crítica, épica, estética paraguaias, onde buscardes terreno comparável *a* esse para os vossos futuros ensaios?" (Rui, *Cartas de In-*

glaterra, 245.) "Estamos assistindo a um combate comparável *ao* que, segundo a mitologia, provocaram os titãs, filhos da Terra, contra Zeus e o Olimpo." (C. Neto, *Cidade Maravilhosa,* 69.) "A mulher que acaba de falar, com um timbre de voz só comparável *ao* seu canto, era um milagre de formosura." (Camilo, *Cenas da Foz,* 133.)

"E' um escritor moderno, comparável *com* os melhores clássicos do século XIX."

Comparecimento — *a, em:*

"Foi exigido seu comparecimento *à* sessão."

"Empresta-se grande importância ao comparecimento do ministro *na* reunião de hoje."

Comparte — *de, em:*

"Os homens, compartes *de* tais empresas, tinham-lhe o ar de aventureiros do infinito em desafio de Deus." (Alberto Rangel, *Fura-Mundo,* 190.)

"Terão, portanto, convindo na falência da situação contratual, *em* que eram compartes." (Rui, *Conferência de Buenos Aires,* de 14-7-1916.)

Compassivo — *com, para, para com, por:*

"Compassivo *com* os desgraçados."

"E' um coração compassivo *para* as desventuras alheias."

"Alma compassiva *para com* os que sofrem."

"Paulo ficou interdito diante daquela mágoa, compassivo *pelo* amigo e vexado pela parte que atribuía ao irmão." (Afrânio Peixoto, *A Esfinge,* 233.)

Compatibilidade — *com, em, entre:*

"A compatibilidade do vício *com* a virtude é absolutamente impossível."

"Não há compatibilidade *em* a justiça e a leviandade." (Fr. D. Vieira.) "Não há compatibilidade alguma *em* ser um homem religioso e hipócrita." (Morais.)

"Não há compatibilidade *entre* as funções de acusador e de juiz." (Constâncio.)

Compatível — *a, com:*

"A pouca saúde e as raras férias de trabalho útil não me permitem gozar folgadamente a vadiagem literária compatível e precisa *a* umas sabatinas de chalaça com o Sr. Conceição." (Camilo, *Boêmia de Espírito,* 418.)

"A fusão entre eles operou-se em circunstâncias mais compatíveis *com* os elementos inferiores." (E. da Cunha, *Os Sertões,* 111.) "Vedar-lhe a única recreação compatível *com* o seu gênio irrequieto, privá-lo dessa existência livre." (J. Américo de Almeida, *A Bagaceira,* 129.) "Há de (a monarquia) mostrar-se tão compatível *com* a democracia, tão capaz da liberdade, quanto a república, se não quer que esta acabe varrendo-a do continente republicano." (Rui, *Queda do Império,* I, 111.)

Compelido — *a, com, de, por:*

"A exemplo de bola arremessada que em meio do percurso fosse compelida *a* traçar uma curva que a trouxesse ao ponto de partida." (Augusto Moreno, *Lições de Linguagem,* II, 96.) "Compelido *ao* serviço militar." (Constâncio.)

"Compelido *com* exemplo." (Dic. de Morais.)

"Compelido *de* alguma necessidade." (Constâncio.)

"Compelido *pela* força das circunstâncias, cedeu."

Compensação — *a, de, entre:*

"E a cena maravilhosa, fortemente colorida pela imaginação popular, fez-se quase uma compensação *à* enormidade do revés." (E. da Cunha, *Os Sertões,* 365.) "Era, com efeito, contraproducente compensação *a* tão luxuosos gastos de combates, de reveses e de milhares de vidas, o apresamento daquela caqueirada humana." (Idem, *ibidem,* 606.)

"Nem por isso se davam mal, porque o marido em compensação *da* tolerância de sua esposa não lhe negava nada, e todos os caprichos dela eram de pronto satisfeitos." (M. de Assis, *Contos Fluminenses,* 140.) "Em compensação *dos* benefícios que dele recebi." (Morais.) "Recebi vinte moedas em compensação *do* gado que me levou." (Constâncio.)

"E' uma permuta entre duas indignidades, uma compensação *entre* duas espoliações, um equilíbrio entre duas tiranias." (Rui, *Queda do Império,* I, 191.)

Compensado — *com, de:*

"Compensados *com* largas mercês d'el-rei."

"Por bem compensados nos dávamos *de* tudo." (Rui, *Colunas de Fogo,* 185.)

Competência — *com, de, em, entre, para:*

"Andavam em competência as honras *com* a pessoa em quem se acumulam." (Dic. de Morais.) "Os servos e os libertos, em competência *com* os homens livres e nobres, corriam a rodear os pendões da independência da pátria." (Herculano, *Eurico,* 80.) "Era a criatura de Lúcifer em competência *com* as criaturas de Deus." (Camilo, *A Neta do Arcediago,* 120.)

"Para esta posição falece aos catedráticos dos cursos superiores a competência, que ninguém lhes poderá, todavia, desconhecer, *de* acompanhar os exames secundários, e aquilatar-lhes o valor." (Rui, *Queda do Império,* I, 437.)

"Anos, muitos anos antes disso, já da minha competência *nestes* assuntos algum apreço fazia ele." (Rui, *Réplica,* 246.) "Mostra (a azáfama) a ingênua idéia, em que se acham os nossos constitucionalistas, de que as maiorias parlamentares podem, com o seu voto, impor veto à competência judiciária *neste* assunto." (Idem, *Cartas de Inglaterra,* 336.)

"Vão (os trabalhos) acumulando um tesouro de experiência e ciência para a nação que tiver a boa fortuna de vir por derradeiro nesta competência *entre* as melhores *pela* codificação do direito civil." (Rui, *Cartas Políticas e Literárias*, 108.)

"O famigerado regulamento .... veio confirmar a essas autoridades a competência *para* exercer as atribuições que, acerca das sociedades secretas e "ajuntamentos ilícitos", competiam aos juízes de paz." (Rui, *Queda do Império*, I, 93.) "Da última dessas increpações não me resta espaço, nem me assiste competência *para* escrever." (Idem, *Cartas de Inglaterra*, 102.)

Competente — *em, para:*

"Muito competentes (os prefeitos) *em* vários ramos do saber humano, mas não conseguindo divisar nos assuntos pedagógicos a sua verdadeira importância." (Medeiros e Albuquerque, *Quando Eu Era Vivo*, 183.) "Primeiro mostre-se o higienista competente *na* higiene, para ensaiar depois a autoridade nos algarismos." (Rui, *Colunas de Fogo*, 105.)

"E' um funcionário muito competente *para* o cargo." "Competente *para* julgar questões de história literária e lingüística." (Fr. D. Vieira.)

Competição — *com, entre:*

"Entrar em competição *com* alguém." "A competição de um clube *com* outro."

"Numa época em que as competições eram contínuas *entre* povos e reis, vinte e três cidades .... juntaram-se para a defesa ou para a ruína comum." (Afrânio Peixoto, *A Esfinge*, 23.)

Complacência — *com, de, em, para, para com:*

"Teve muita complacência *com* o empregado."

"Espero que tenhais a complacência *de* ouvir-me até ao fim."

"Responderia com o seguinte capítulo, se o leitor me desse ares de sua complacência *em* ouvi-lo." (Camilo, *Estrelas Propícias*, 10.)

"Ter complacência *para* alguém."

"De modo que, no critério deste senhor, a minha complacência *para com* ele me constituía, ainda em cima, devedor seu." (Rui, *Colunas de Fogo*, 135.) "Não me é dado esperar que tenham essa complacência *para com* os seus contraditores." (Idem, *Cartas Políticas e Literárias*, 195.)

Complacente — *com, para com:*

"Uma publicidade complacente *com* os seus erros e os seus excessos têm para com o delírio do seu poderio a solicitude piedosa dos bons filhos de Noé." (Rui, *Colunas de Fogo*, 198.)

"Complacente *para com* todos."

Complemento — *a, de:*

"Complemento *às* disposições de um projeto ou lei." (L. Freire, voc. *aditivo*.) "A seca não o apavora. E' um complemento *à* sua vida tormentosa, emoldurando-a em cenários tremendos." (E. da Cunha, *Os Sertões*, 133.)

"O complemento *do* ângulo é o que se deve acrescentar ao ângulo agudo para ter 90 graus." (Morais.)

Complicado — *com, em:*

"Uma doença complicada *com* outra; negócio complicado *com* outros." (Morais.)

"Andou complicado *naquele* caso do abalroamento do "Baía", disseram o diabo dele." (Mário Sete, *Os Azevedos do Poço*, 60.) "Circundava-a uma natureza de contrastes, toda complicada *em* curvas violentas." (J. Américo de Almeida, *A Bagaceira*, 117.)

Composição — *com, entre:*

"E crede que assim fareis a melhor composição *com* os da aldeia." (Xavier Marques, *Pindorama*, 132.)

"Conseguiu-se finalmente uma composição *entre* as partes litigantes."

Composto — *de:*

"Teu pai era todo composto *de* bondade e probidade." (Constâncio.) "O senado, alma e cabeça da cidade, corpo admirável composto *de* homens de Estado, de homens de guerra, de diplomatas e de jurisconsultos." (Mário Barreto, *Cartas Persas*, XIX.) "Se além dessas prendas, — únicas dignas da preocupação de um sábio — D. Evarista era mal composta *de* feições, longe de lastimá-lo, agradecia-o a Deus, porquanto não corria o risco de preterir os interesses da ciência na contemplação exclusiva, miúda e vulgar da consorte." (M. de Assis, *Papéis Avulsos*, 2.)

Comprado — *a, com, por:*

"Gêneros comprados *a* negociantes sem escrúpulos."

"Os tesouros de que fala ninguém os alcança de graça, senão comprados, e comprados *com* tudo quanto possui." (Vieira, *Sermões*, IX, 175.) "Contei-lhe os meus passados projetos de riqueza, fantasiei-lhe um belo futuro, comprado *com* ouro." (Camilo, *Mistérios de Lisboa*, I, 98.)

"O ministro, comprado *por* bom dinheiro, nomeou-o bispo." (Fr. D. Vieira.)

Compreendido — *em, entre:*

"*Neste* número estão compreendidas as páginas da introdução." (Fr. D. Vieira.) "Compreendido *numa* acusação." (Idem.)

"No espaço compreendido *entre* esta calçada e a cidadela ficava o castelo." (Alberto Pimentel, *apud Encicl. Portuguesa*.)

Compreensão — *entre:*

"Isto significará mais estreitos liames comerciais e sociais entre as nações. Significará uma melhor compreensão *entre* homem e homem. Será um passo definitivo na direção da paz universal.'' (*Maravilhas do Conhecimento Humano,* 297.)

Compreensível — *a:*
''E' uma questão compreensível *a* qualquer inteligência.''

Compressão — *em:*
''Hoje é completa e assente em amplos materiais a certeza histórica da compressão exercida *nos* padres do concílio, que não dispôs de um momento de liberdade.'' (Rui, *Queda do Império,* II, 39.)

Comprimido — *de, em, entre, por:*
''O coração comprimido *de* despeito.'' (Herculano, *apud* Aulete.)
''Mágoa e dor comprimida *no* coração.''
''Povo comprimido *entre* a Europa e o Atlântico.'' (Afrânio Peixoto, *A Esfinge,* 397.) ''Trecho de invernadas comprimido *entre* duas espessas florestas virgens.'' (Veiga Miranda, *A Eterna Canção,* 7.)
''Que farão os livres-pensadores em Portugal, comprimidos *por* uma política estúpida, *por* uma opinião pública ignorante?'' (Fr. D. Vieira.) ''Ouviram o arquejar estertoroso do peito comprimido *pelo* derreamento das costas.'' (Camilo, *O Bem e o Mal,* 151.)

Comprometido — *a, com, em, para:*
''O partido liberal estava comprometido *a* acabar com os últimos restos dessa máquina de violência eleitoral.'' (Rui, *Colunas de Fogo,* 31.) ''A custo, porém, se dispersaram, comprometidos *a* reunirem-se no saimento de Guilherme Lira.'' (Camilo, *O Bem e o Mal,* 197.)
''Estava comprometido *com* a prima *para* aquela valsa.'' (C. Neto, *Água de Juventa,* 296.)
''João está comprometido *num* crime de moeda falsa.'' (Fr. D. Vieira.) ''Fora também ver com os próprios olhos as condições de um engenho um tanto comprometido *nas* suas relações de dinheiro *com* os comissários de açúcar.'' (Mário Sete, *Os Azevedos do Poço,* 14.)

Compromisso — *com, de, entre, para com:*
''A seleção natural, em tal meio, opera-se à custa de compromissos graves *com* as funções centrais.'' (E. da Cunha, *Os Sertões,* 79.) ''O heroísmo era-lhes, agora, obrigatório. A coragem, a bravura retransida de sobressaltos, um compromisso sério *com* o terror.'' (Idem, *ibidem,* 425.)
''Tomou o compromisso *de* pagar todas as dívidas do pai.''
''Desse misto de correntes diversas originou-se, por vezes, um compromisso ou transação *entre* vencedores e vencidos.'' (João Ribeiro, *Curiosidades Verbais,* 102.)
''Esses assumiram *para com* a sua honra um compromisso, que está por saldar-se: a eliminação progressiva das instituições servis.'' (Rui, *Discursos e Conferências,* 201.) ''Entre a tribuna jornalística e a tribuna parlamentar a diferença não é a favor da primeira, mas da segunda, que exerce uma delegação, e tem compromissos positivos *para com* o país.'' (Rui, *Queda do Império,* II, 316.)

Comum — *a, com, de, em, entre, para:*
''Não podemos capitular levianamente de peregrinismos certas expressões só porque são comuns *a* algumas línguas românicas ou *a* todas.'' (Augusto Moreno, *Lições de Linguagem,* II, 216.) ''As ruas são comuns *a* todos.'' (Morais.) ''O sentimento do amor é comum *a* todos os homens.'' (Fr. D. Vieira.) ''E' coisa comum *a* todos nós confundir cheiro com gosto.'' (*Maravilhas do Conhecimento Humano,* I, 264.) ''Daí o interesse, comum *a* todo bom cidadão, em não os deixar desvirtuar pelas conveniências que os caluniam.'' (Rui, *Queda do Império,* I, 159.)
''O Brasil de agora e de amanhã teria apenas de comum *com* o passado o meio e o aspecto móvel das gentes que se sucedem nele.'' (Afrânio Peixoto, *A Esfinge,* 205.) ''Na alma alumiada do céu, há luz perene, há enlevos de saudades de lá, que não tem nada comum *com* o enojo da vida.'' (Camilo, *As Três Irmãs,* 295.) ''Três quartas partes do seu vocabulário e quase toda a sua síntaxe nos são comuns *com* a época dos Britos e Barros.'' (Rui, *Réplica,* 447.)
''O litoral, porém, fronteira do oceano, campo comum *de* todos os povos navegadores, abre os países marítimos aos cometimentos da avidez estrangeira.'' (Rui, *Cartas de Inglaterra,* 154.) ''A compaixão é um sentimento comum *dos* corações bem formados.'' ''Substantivo comum *de* dois.''
''Agora envida quanto em si cabe, por me despir das qualidades mais comuns *no* comum dos escritores.'' (Rui, *Réplica,* 11.) ''Esta alteração moral é comum *nos* meninos que são alvo de complacências excessivas.'' (Mário Barreto, *Através do Dicionário e da Gramática,* 99.)
''A liberdade de reunião e a de cometer crimes em turbamulta nas ruas têm tanto de comum *entre* si, quanto o uso do fogo com o privilégio de incendiar.'' (Rui, *Queda do Império,* I, 124.) ''Que haverá de comum *entre* a Viscondessa de Namur e minha mulher?!'' (Camilo, *Livro Negro,* 187.)
''Era muito comum *para* um rapaz dos antigos tempos recitar de cor um poema épico inteiro.'' (*Maravilhas do Conhecimento Humano,* II, 2.)

Comunhão — *com, de, em, entre:*
''Obras que nos põem em comunhão *com* a civilização antiga.''
''Comunhão *de* sentimentos, *de* idéias.''

"Singelo e formoso padrão das duas artes, a do escrever e a do imprimir, no qual se contempla com orgulho a comunhão *das* duas nacionalidades *num* grande idioma, igualmente próprio de ambas." (Rui, *Queda do Império,* I, 92.)

"Comunhão *entre* a vida passada e a futura."

Comunicação — *a, com, de, entre, para:*

"A comunicação do fato *à* autoridade foi feito com atraso." "O sábio leu uma comunicação *à* Academia das Ciências." (*Encicl. Portuguesa e Brasileira.*)

"Três oficiais privados rigorosamente de qualquer comunicação *com* os amigos." (Rui, *Colunas de Fogo,* 199.) "Apresentam rebentos sadios, rijos, atrevidos, por onde a força nutritiva se renova peia comunicação *com* a vida exterior." (Idem, *Queda do Império,* I, 301.) "Proibira, cominando severas penas aos infratores, quaisquer comunicações daquela parte dos sertões *com* o sul." (E. da Cunha, *Os Sertões,* 105.)

"Deixando o trato e comunicação *das* gentes, e indo-se viver aos desertos." (Vieira, *Sermões,* IX, 51.)

"Não és tu o centro onde vão parar o céu e a terra, e o ponto de comunicação *entre* o abismo e o empíreo?" (Mário Barreto, *Cartas Persas,* 34.) "Esta gravidade dos asiáticos procede da pouca comunicação que *entre* eles há." (Idem, *ibidem,* 70.)

"Esse beco é a única comunicação *para* o largo da Sé."

Comunicável — *a, com, entre:*

"O saber e a virtude são bens comunicáveis *a* todos." (Constâncio.)

"Corredor comunicável *com* a sala de jantar."

"Os dois quartos são comunicáveis *entre* si."

Comutação — *em, por:*

"Comutação do degredo *em* multa." (Morais.)

"Fazendo comutação de umas (mercadorias) *por* outras. (Dic. de Morais.)

Comutado — *em:*

"Descanso nunca teve (François Villon.) A última olhadela que lhe pomos é em Paris, numa tarde nevoenta. Sua pena de morte foi comutada *em* banimento perpétuo." (*Maravilhas do Conhecimento Humano,* II, 66.)

Concedido — *a:*

"Branca ouviria apenas um remoto ruído do festim. À sua câmara era apenas concedida a entrada *ao* arcebispo, *às* damas, e *ao* médico inseparável." (Camilo, *Livro Negro,* 136.) "Estes aforamentos eram vitalícios e concedidos, como remuneração de serviços, *a* fidalgos pobres." (Idem, *Boêmia do Espírito,* 184.)

Conceito — *de, sobre:*

"Visava uma delinqüência especial, traduzindo-se na inversão completa do conceito *do* crime." (E. da Cunha, *Os Sertões,* 193.) "E' curioso ver como estes homens encaram a vida e a morte, o conceito que têm *do* bem e *do* mal." (Erico Verissimo, *Saga,* 102.)

"Exprimem o seu conceito por meio de resoluções formais, perante o povo, *sobre* assuntos importantes." (Rui, *Queda do Império,* I, 90.)

Concentração — *em, sobre:*

"Concentração do poder *nas* mãos de um monarca." (Constâncio.) "A concentração exclusiva da sua vida particular *nas* afeições domésticas excluem a suspeita das seduções tenebrosas." (Rui, *Cartas de Inglaterra,* 6.)

"Concentração dos raios solares *sobre* uma lente."

Concentrado — *em, sobre:*

"Este fato de a idéia ficar concentrada *na* palavra principal .... tem extensa aplicação aos mais variados casos." (Mário Barreto, *Através do Dicionário e da Gramática,* 219.) "Parecia que *naquele* olhar estava concentrada toda a alma dele." (M. de Assis, *Contos Fluminenses,* 201.)

"Raios concentrados *sobre* uma lente."

Concepção — *de, sobre:*

"A concepção individualista *dos* direitos humanos tem evoluido rapidamente, com os tremendos sucessos deste século." (Rui, *Campanha Presidencial,* 123.) "Erro a que .... foi arrastado por uma superficial concepção *dos* sentimentos de humanidade." (Idem, *Cartas de Inglaterra,* 176.) "São diversas as concepções *do* paraíso de diversos países." (*Maravilhas do Conhecimento Humano,* II, 7.)

"Expor ao governo provisório a minha concepção *sobre* a nova bandeira." (Fialho de Almeida, *Os Gatos,* 80.)

Concernente — *a:*

"Notas e observações concernentes *à* história pátria." (E. Carneiro Ribeiro, *Serões Gramaticais,* 675.) "Havia em grande número avultadas obras de direito, algumas acerca de ciências indutivas, diversas concernentes *a* literatura geral." (Rui, *Cartas de Inglaterra,* 247.) "Cavour, que, nesse ano, obtivera da câmara dos deputados um projeto de lei concernente *ao* Banco Nacional, pelo qual se lhe confiava o serviço do Tesouro, viu cair esse projeto, no senado, em 1853." (Rui, *Queda do Império,* II, 306.)

Concessão — *a:*

"A primeira concessão *à* S. Cristóvão é de setembro ou outubro de 1898." (Rui, *Colunas de Fogo,* 130.) "O amor é aqui um tudo-nada de concessão lírica *ao* clima e *à* raça." (J. Américo de Almeida, *A Bagaceira,* 6.) "Passara, na opinião dos espíritos mais elevados, a era das concessões *à* tendência dissidente.'' (Rui, *Queda do Império,* II, 35.)

Conchavo — *com, entre:*

''Seu conchavo *com* aquele indivíduo foi um desastre.''

''Anunciou ao governo de S. M. I. a existência de conchavos secretos *entre* aquele agitador e os anarquistas do Rio Grande.'' (Rui, *Cartas de Inglaterra,* 317.)

Conchegado — *a, com:*

''Um renque de cajueiros revelhos tão conchegados uns *aos* outros.'' (J. Américo de Almeida, *A Bagaceira,* 56.)

''Longe do alcance do imenso cárcere, se vive mais conchegado *com* a natureza.'' (Castilho, *apud* L. Freire.)

Conciliação — *com, entre:*

''O equilíbrio, a conciliação da individualidade *co'*a solidariedade crescentes, eis o difícil problema das sociedades modernas.'' (Fialho de Almeida, *Os Gatos,* 247.)

''Parece impossível uma conciliação *entre* os litigantes.''

Conciliável — *com:*

''Nem é conciliável *com* a respeitabilidade do trono, ou com os deveres naturais da futura imperatriz, que o chefe de sua casa compareça, querelado, à presença de um tribunal.'' (Rui, *Queda do Império,* II, 239.)

Concordância — *a, com, de, entre:*

''Inflexível domador da terra bruta, ele afetava aborrecer tudo que fosse concordância gratuita *à* insubmissão de remissos.'' (Alberto Rangel, *Fura-Mundo,* 219.)

''Fez uma concordância dos padres *com* as sibilas.'' (Dic. de Morais.) ''A concordância *com* o sujeito é menos freqüente.'' (Mário Barreto, *Através do Dicionário e da Gramática,* 147.) ''Continuava Magda a luta ingrata pela concordância do seu sentimento *com* a sua vontade.'' (Afrânio Peixoto, *A Esfinge,* 140.)

''Sorria o Presidente da concordância *de* entusiasmos das filhas, do filho e até da mulher, que também elogiava a bondade e as atenções do deputado.'' (Afrânio Peixoto, *A Esfinge,* 103.)

''Quando, no texto de um livro, se me deparam vocábulos inexistentes, ou impossíveis, erros de concordância *entre* o artigo e o nome, ou *entre* este e o adjetivo, e assim outras incorreções desta grosseiria, é de eqüidade não as atribuir ao escritor.'' (Rui, *Réplica,* 453.)

Concordante — *com:*

''Palavras concordantes *com* as obras.'' (Fr. D. Vieira.)

Concorde — *a, com, em, entre:*

''Coisa concorde *à* razão.'' (Morais.) — Reg. p. usada.

''Os médicos estão concordes um *com* o outro.''

''Todos estamos concordes *em* que a boa educação falta quase em absoluto entre nós.'' (Mário Barreto, *Através do Dicionário e da Gramática,* 150.) ''Concordes *n*isto, afanaram-se logo em aviar os preparativos.'' (Camilo, *O Bem e o Mal,* 113.) ''Eram concordes *em* dizer que viram entrar em casa do réu o sujeito que matara um homem, e deixara o outro estendido.'' (Idem, ibidem.)

''Como todas as virtudes *entre* si são concordes.'' (Vieira, *Sermões,* I, 379.)

Concórdia — *com, entre:*

''Se os burgueses da sé do Porto e de Coimbra começam a agitar-se, como deixará a rainha de vir a concórdia *com* seu filho?'' (Herculano, *O Bobo,* 57.)

''Exorava-se do Altíssimo a paz e concórdia *entre* os príncipes cristãos.'' (Ricardo Jorge, *Sermões dum Leigo,* 93.)

Concorrência — *a, com, para:*

''Aliado ao meio (o selvagem), vence-o, esmaga-o, anula-o na concorrência formidável *ao* impaludismo, ao hepatismo, às pirexias esgotantes.'' (E. da Cunha, *Os Sertões,* 79.)

''Esse tipo devia vencer e dominar na concorrência *com* os indígenas sem estímulo e *com* os mestiços degenerados de outras dependências.'' (Afrânio Peixoto, *A Esfinge,* 205.)

''Esse administrador, tendo aberto concorrência *para* a iluminação de Manaus, desprezou a proposta Sá.'' (Rui, *Queda do Império,* I, 235.)

Concorrente — *a, de, em:*

''Viam-se libertos daquela multidão inútil, concorrente *aos* escassos recursos que acaso possuíam.'' (E. da Cunha, *Os Sertões,* 605.) ''Que esperança para outros concorrentes *à* mesma espécie de celebridade!'' (Rui, *Cartas de Inglaterra,* 241.) ''Meu credor, que era entre tantos o mais ardiloso concorrente *ao* meu coração, era embolsado de trinta mil francos.'' (Camilo, *Mistérios de Lisboa,* III, 9.)

''Sua eleição foi, porém, o primeiro escândalo acadêmico, porque o concorrente *de* Mário era Domingos Olímpio, cujo romance 'Luzia-Homem' bastava para fazê-lo muito superior a Mário.'' (Medeiros e Albuquerque, *Quando Eu Era Vivo,* 242.)

''Esta forma convém igualmente aos elementos concorrentes *na* gênese do vocábulo.'' (Rui, *Réplica,* 155.)

Concorrido — *por:*

''Era ela quem fazia quase tôdas as despesas com a festa, que atraía gente das mais fundas bibocas, porque a feira era alegre e concorrida *pelos* regatões, que sempre levavam novidades.'' (C. Neto, *Treva,* 74.)

Concubinato — *com:*

"Tinha um parentesco longe com Raul César. Vivia em concubinato *com* uma bastarda branca de João de Lima." (Xavier Marques, *As Voltas da Estrada*, 23.)

Conculcado — *por:*

"Quando este (governo) suprimiu, nesta capital, o direito de reunião, conculcado *pela* polícia e pelo ministério da justiça." (Rui, *Queda do Império*, II, 233.)

Concurso — *a, para:*

"Concurso de gente *a* festas." (Fr. D. Vieira.)

"E' minha intenção entrar no próximo concurso *para* dois lugares de amanuense." (Medeiros e Albuquerque, *Quando Eu Era Vivo*, 54.) "Desde 1886, sendo ministro o senador Junqueira, se acha aberto o concurso *para* essa especialidade." (Rui, *Queda do Império*, I, 269.)

Concussão — *em:*

"Como se há-de crer que o vice-rei chamasse à mesa do despacho um ex-funcionário argüido de concussão *no* exercício da provedoria de Macau....?"

Condecoração — *por:*

"Em condecoração *por* esse rasgo de sinceridade e desinteresse, como procedeu para com ele o Ministro da Guerra?" (Rui, *Queda do Império*, I, 318.)

Condecorado — *com:*

"Condecorado *com* a medalha da Real Sociedade Humanitária do Porto." (Fr. D. Vieira.)

Condenação — *a, de:*

"Condenação *à* morte, *à* prisão perpétua."

"E então se liquidou que o exemplo de Vieira é, ao contrário, uma condenação *d*aquele erro." (Rui, *Réplica*, 36.)

Condenado — *a, como, de, em, por:*

"Que há de fazer a gente, condenada *a* este meu triste ofício?" (Camilo, *A Enjeitada*, 23.) "E' um homem que remiu em Inglaterra a sua vida, Sr. Lima, condenada *a* cárcere perpétuo *por* certas abordagens nas costas da América." (Idem, *Mistérios de Lisboa*, II, 215.)

"Este sujeito, no dia 13 de janeiro de 1759, condenado *como* regicida, foi queimado vivo... em estátua." (Camilo, *Perfil do Marquês de Pombal*, 43.)

"Que fez Iria no meio de tantas calúnias, afrontada, infamada e condenada *de* todos?" (Vieira, *Sermões*, IX, 27.)

"O testemunho é prova condenada *em* psicologia, porque dois indivíduos depõem diferentemente da mesma cena a que assistiram." (Afrânio Peixoto, *A Esfinge*, 156.) "Condenado *em* degredo temporário." (Aulete, vb. *querelar*.)

"Venho da luta do tribunal, onde consegui salvar um inocente condenado *pelas* aparências." (Camilo, *As Três Irmãs*, 55.) "O Coronel Moreira César abeirava-se do objetivo da campanha condenado *pelos* próprios médicos que comandava." (E. da Cunha, *Os Sertões*, 303.)

Condenável — *a:*

"Réu condenável *à* pena máxima."

Condescendência — *a, com, de, em, para, para com:*

"Todos notam sua pronta condescendência *a* tudo quanto lhe pede a filha."

"Levantou os ganchos da escada, e deixou-a pender para o centro da terra, em plena condescendência *com* as leis da gravitação." (Camilo, *A Neta do Arcediago*, 19.) "Um governo fraco e titubeante expiava a sua condescendência *com* as ramificações civis e militares da reação sanguinária que cruentava a metrópole." (Rui, *Colunas de Fogo*, 168.) "Entre a revolta armada e a condescendência *com* as "confabulações amistosas" da polícia, vai ainda um campo imenso." (Idem, *Queda do Império*, I, 103.)

"Tende a condescendência *de* aceitar esta cadeira." (Camilo, *Mistérios de Lisboa*, III, 7.)

"Pedia-lhe segredo e condescendência *na* minha partida." (Camilo, *Mistérios de Lisboa*, I, 93.)

"E como tinha grande condescendência *para* os amorosos, mandou um dia chamar o rapaz imprudente." (Afrânio Peixoto, *A Esfinge*, 330.) "Nada de condescendências *para* tais afrontas. É preciso que saibam que ainda há moralidade nesta terra." (Xavier Marques, *As Voltas da Estrada*, 86.)

"A praxe (na imprensa), invariável até hoje, era a da mais bonacha condescendência de todos *para com* todos." (Rui, *Queda do Império*, I, 400.)

Condescendente — *com, para com:*

"Condescendente *com* todos."

"Condescendente *para com* os principiantes."

Condição — *de, para; com, sob:*

"Essa é a suprema condição *da* vitória e *da* preparação militar." (Rui, *Cartas de Inglaterra*, 182.) "Sinto que V. S.ª não esteja na condição *de* me dar uma satisfação plena." (Camilo, *Mistérios de Lisboa*, I, 123.) "Se o casarse com a enjeitada fosse condição *de* viver, deixava-o casar." (Idem, *A Enjeitada*, 175.)

"Os seus soldados .... estavam nas mais impróprias condições *para* o mais ligeiro recontro." (E. da Cunha, *Os Sertões*, 390.)

"Espero que ouça as condições *com* que lhe ofereço hospedagem." (Camilo, *Mistérios de Lisboa*, I, 11.) "Consentem em sujeitar-se às leis de uma nação rival da sua, *com* a condição

que os cabeleireiros franceses decidam, como legisladores, da forma das cabeleiras estrangeiras.'' (Mário Barreto, *Cartas Persas,* 209.)
''Era natural que o importássemos, mas *sob* a condição de o vestir à portuguesa.'' (C. de Figueiredo, *Falar e Escrever,* II, 279.)

Condigno — *a, com, de:*
''Prêmio condigno *ao* merecimento.'' (Fr. D. Vieira.) ''Mercê condigna *a* seu merecimento.'' (Morais.) ''Castigo condigno *a* seus crimes.'' (Constâncio.) — Reg. p. usada.
''Lisonjeava-o a confiança de Soares, e adivinhava que o rapaz ia comunicar-lhe alguma coisa importante. Para isso assumiu um ar condigno *com* a situação.'' (M. de Assis, *Contos Fluminenses,* 31.)
''Os alvazis perguntavam a el-rei qual seria a pena condigna *d*aquele atentado.'' (Herculano, *apud* L. Freire.) ''Estadeando um aparato condigno *d*os seus apelidos.'' (Camilo, *Novelas do Minho,* II, 28.)

Condoído — *de, por:*
''Condoído *d*os reveses daquele infeliz, contou a Açucena, com sua permissão, os doze meses da vida de Luiz da Cunha, desde as punhaladas até à entrada na cadeia.'' (Camilo, *A Neta do Arcediago,* 95.) ''Custódia, condoída *d*aquele quadro consternador, ... fez calar a voz do coração.'' (Idem, *A Enjeitada,* 69.)
''Condoído também *pela* sorte do infeliz....'' (Gastão Cruls, *Ao Embalo da Rede,* 30.)

Condução — *para:*
''Tu me podes arranjar condução amanhã *para* o Barro Branco?'' (Afrânio Peixoto, *A Esfinge,* 251.)

Conducente — *a, para:*
''Conducente *ao* bem público.'' (E. Carneiro Ribeiro, *Serões Gramaticais,* 675.) ''Meios conducentes *a* obter um resultado.'' (Constâncio.) ''Foi-lhe, porém, mister guardá-los (os trinta contos) como cofre de jóias, sem lhes dar destino conducente *a* aliviar os encargos do marido.'' (Camilo, *Estrelas Propícias,* 192.)
''Os ditames dos sábios dos gentios, conducentes *para* o bom governo.'' (Dic. de Fr. D. Vieira.)

Conduzido — *a, para, por:*
''Arroubada em visões e desprendimentos, mas conduzida em cada momento *à* mesquinha, original e eterna Necessidade.'' (Afrânio Peixoto, *A Esfinge,* 136.)
''Parecia incrível que ela, tão jovem, tão formosa, fosse dali conduzida, *por* nós todos, *para* o cemitério, *para* o túmulo.'' (Veiga Miranda, *A Eterna Canção,* 174.)

Conexão — *com, entre:*
''Essa história tem íntima conexão *com* a precedente.'' ''Alguns de nossos vizinhos são invisíveis, mas estão todos ligados a um destino que tem íntima conexão *com* o nosso.'' (*Maravilhas do Conhecimento Humano,* I, 198.)
''Conexão *entre* as causas e efeitos, *entre* as partes de um sistema, discurso.'' (Morais.) ''Verdades e fatos avulsos, decorados a força, sem conexão *entre* si, ... são como objetos inúteis, amontoados num armário.'' (Rui, *Queda do Império,* I, 342.)

Conexo — *a, com, entre:*
''E' a recusa da extradição, não só para os crimes políticos, senão também para os *a* ele conexos.'' (Rui, *Colunas de Fogo,* 220.)
''A escola de Crotona, conexa intimamente *com* a doutrina pitagórica e a escola cirenaica eram florentíssimas.'' (L. Coelho, *apud Encicl. Port. e Brasileira.*)
''Estes dois fatos são conexos *entre* si.''

Confabulação — *com, entre:*
''Sua confabulação *com* o ministro durou duas horas.''
''Houve longa confabulação *entre* eles.''

Confederação — *com:*
''A Arca da Confederação de Deus *com* o seu povo escolhido.'' (Dic. de Morais.)

Conferência — *com, entre, sobre:*
''Convidado por Benjamim Constant para uma conferência, cujo objeto ignorava, *com* o General Deodoro, compareceu de noite à sua casa.'' (Rui, *Colunas de Fogo,* 177.) ''O Cônego Diogo .... ficara na saleta, à espera daquela conferência de Manuel *com* a filha.'' (Aluísio Azevedo, *O Mulato,* 265.)
''A conferência *entre* o presidente e o ministro foi breve.''
''Críticos de grande voga fazem conferências *sobre* este árido tema.'' (Mário Barreto, *Através do Dicionário e da Gramática,* 7.) ''Tivera *com* o Conde de Oeiras uma longa conferência *sobre* o desgraçado acontecimento.'' (Camilo, *Perfil do Marquês de Pombal,* 7.)

Confiado — *a, com, em, por:*
''Sabíamos estar a causa dos ofendidos confiada *ao* patrocínio de experimentados juristas.'' (Rui, *Colunas de Fogo,* 192.) ''Mas ao menor movimento que fizessem os animais, confiados *à* sua guarda, todo o trabalho daquela manhã seria prejudicado.'' (C. Neto, *Imortalidade,* 28.)
''As crianças eram tão confiadas *com* o curiboca, que até lhe puxavam a barba, híspida e crespa, e ele ria.'' (C. Neto, *Treva,* 59.)
''Esperava ver D. Luiz Vaz, um pouco confiada *em* que ele .... pudesse conversar, enfim, como dantes.'' (Antero de Figueiredo, *Amor Supremo,* 128.) ''Quanto mais aborrecida, tanto mais confiada se mostrava *em* sua duração.'' (Rui, *Queda do Império,* I, 247.)
''Afinal a regência, confiada *pelo* parlamento *ao* herdeiro presuntivo, pôs, debaixo de cer-

tas restrições, a autoridade da coroa nas mãos do príncipe.'' (Rui, *Queda do Império*, II, 525.)

Confiança — *com, de, em, entre, para:*

''Tenho muita confiança *com* ele.'' (Constâncio.) ''Não tem confiança (familiaridade) *com* os vizinhos.'' (Cf. *Grande Encicl. Port e Brasileira.*)

''Teve a confiança *de* me desmentir na minha própria cara.'' (Constâncio.)

''Apenas solicitam dos irmãos restituídos à família comum um pouco mais de confiança *na* lisura do nosso acolhimento.'' (Rui, *Queda do Império*, I, 202.) ''Confiança *em* mim e *em* Deus....'' (Camilo, *Mistério de Lisboa*, III, 202.) ''Sentia-se cheio de coragem para a luta e cheio de confiança *no* seu esforço.'' (Aluísio Azevedo, *O Mulato*, 77.)

''Deve haver suficiente cópia de alimentos, suficiente número de soldados e suficiente grau de confiança *entre* os governantes e o povo.'' (*Maravilhas do Conhecimento Humano*, II, 27.)

''Não teve a Samaritana confiança *para* crer, nem ânimo para esperar que eles se persuadissem.'' (Vieira, *Sermões*, IX, 148.)

Confiante — *em:*

''Um rápido confronto entre a tropa que chegara horas antes, entusiasta e confiante *na* vitória, e a que ali estava, vencida, patenteava-lhe uma solução única — a retirada.'' (E. da Cunha, *Os Sertões*, 346.) ''Outros povos, muito menos confiantes *na* justiça, têm nela apenas um frágil teto de vime artístico para os dias tranqüilos e azuis.'' (Rui, *Cartas de Inglaterra*, 31.)

Confidência — *acerca de:*

''Dias antes, esse nosso amigo se encontrara, em casa de um indivíduo das suas relações, com dois iniciados na *Guarda Negra*, a quem ouviu confidências relevantes *acerca da* instituição isabelista.'' (Rui, *Queda do Império*, II, 322.)

Confinante — *com, de:*

''Países confinante *com* o Brasil.'' ''Nazário foi preso nas terras de Jacutinga confinantes *com* as de Tijucopaba.'' (Xavier Marques, *As Voltas da Estrada*, 90.)

''Palmilharam com hábitos sacerdotais as terras de Jangomá, confinantes *da* Tartária.'' (Camilo, *O Senhor do Paço de Ninães*, 211.)

Confirmação — *de, em:*

''Apelo para o testemunho de V. Exc.ª em confirmação *do* meu depoimento.'' (Rui, *Cartas Políticas e Literárias*, 49.) ''Em confirmação *desta* notável verdade, ... seguiu-se o alegre e triste fim da história do Evangelho.'' (Vieira, *Sermões*, IX, 112.) ''Confirmação *da* notícia.'' (Constâncio.)

''Confirmação de alguém *num* cargo ou posto.''

Confirmado — *em, por:*

''Confirmado *no* posto que ocupa.'' ''Confirmado *em* graça.'' (Fr. D. Vieira.)

''Rotas as notícias e confirmadas *pelo* bilhete de Vossa Excelência, chamei a conselho o meu sargento-mor.'' (Alberto Rangel, *Fura-Mundo*, 50.)

Conflito — *com, de, entre:*

''No debate sobre as causas das vitórias prussianas no último conflito *com* a França, se destaca o aureolado nome de Rénan.'' (Rui, *Cartas de Inglaterra*, VIII.) ''O Marquês de Pombal ficara em Lisboa, retido pelo conflito *com* o embaixador de Espanha.'' (Rebelo da Silva, *Contos e Lendas*, 139.) ''Convidá-lo, sob a invocação da honra, a descumprir o dever, a que a honra o chumbou, é pôr a honra em conflito *com* a honra.'' (Rui, *Colunas de Fogo*, 177.)

''Conflito *de* interesses; conflito *de* paixões.'' (Constâncio.) ''Nem a rainha Vitória, na flor dos seus dezoito anos, ... atravessou imune o conflito *dos* partidos.'' (Rui, *Queda do Império*, I, 117.) ''Pensara que a presença dela lhe daria, numa palavra ou num gesto, a fé que ia perdendo em si mesmo, no conflito *de* sua grande sensibilidade e sua vontade pusilânime.'' (Afrânio Peixoto, *A Esfinge*, 77.)

''Se o Sul contasse marinheiros, como contava soldados, ... mui diverso teria sido o desenlace do conflito *entre* as duas seções da República Norte-americana.'' (Rui, *Cartas de Inglaterra*, 152.) ''A história das duas primeiras gerações da dinastia reinante resume-se num conflito contínuo *entre* a dominação do arbítrio protegido nas alturas do poder e a majestade do direito consagrado nos códigos escritos.'' (Idem, *Queda do Império*, I, 81.)

Confluência — *com, de, para:*

''A confluência do Zêzere *com* o Tejo.'' (Fr. D. Vieira.)

''Mas da confluência *dessas* duas correntes nasceu a política inglêsa.'' (Rui, *Cartas de Inglaterra*, 49.) ''Humana confluência *de* todas as raças e *de* todos os povos.'' (Herman Lima, *Outros Céus, Outros Mares*, 45.) ''Na confluência *do* Madeira e Rio Negro.'' (Morais.)

''Confluência dos nortistas *para* os Estados do sul.''

Confluente — *a, para:*

''Rios confluentes *ao* S. Francisco, ou *para* o S. Francisco.''

Conformação — *com:*

''E' necessário conformação *com* os desígnios da Providência.''

Conformado — *a, com, segundo:*

''Nesses momentos, (a esposa) conformada *aos* temporais da vida, mais o encorajava, envolvendo-o em suave bondade.'' (Luiz Viana

Filho, *A Vida de Rui Barbosa,* 127.) ''E quando, afinal jugulados, eram conduzidos à presença dos chefes militares, iam conformados *ao* destino deplorável.'' (E. da Cunha, *Os Sertões,* 566.)

''Conformados *com* a perda das pessoas que lá têm.'' (Camilo, *As Três Irmãs,* 11.) ''Não nascem (os riscos) da grande propriedade, absolutamente conformada, hoje, *com* a sua nova situação.'' (Rui, *Queda do Império,* I, 200.) ''Deram-lhe 30 anos para tirar e ele ia fazendo a sua tarefa como melhor podia, conformado *com* os dias compridos da sentença.'' (J. Lins do Rego, *Usina,* 12.)

''As coisas devem ser conformadas *segundo* seu fim.'' (Fr. D. Vieira.)

Conforme — *a, com, em, para:*

''Muitas vezes me esforcei por averiguar que governo era mais conforme *à* razão.'' (Mário Barreto, *Cartas Persas,* 172.) ''Não teria a (autoridade) de reformar de golpe uma inveterada tradição da nossa língua, conforme *à* de todas as outras.'' (Rui, *Réplica,* 527.) ''De modo, maneira conforme *aos* usos da terra, *às* leis.'' (Constâncio.)

''E' mais conforme, sim, senhor, *com* o latim.'' (C. de Figueiredo, *Lições Práticas,* I, 83.) ''E' muito conforme *com* a natureza das coisas e *com* o modo de conceber do entendimento humano.'' (Mário Barreto, *Através do Dicionário e da Gramática,* 335.) ''Estar conforme *com* a vontade de Deus.'' (Morais.)

''E também se formos diferentes na afeição, ficaremos conformes *nas* vontades.'' (Dic. de Fr. D. Vieira.)

''O braço mais robusto de Crimilde apenas era o instrumento cego movido por todas as vontades, conformes *para* morrer.'' (Herculano, *Eurico,* 151.)

Como preposição: ''Julgou conforme as leis.'' (Morais.) ''Suspensão por um a três anos, conforme o grau da criminalidade.'' (Rui, *Queda do Império,* I, 99.) ''Assim se refazia sem cessar a república, recebendo em seu seio novas famílias, conforme se destruíam as antigas.'' (Mário Barreto, *Cartas Persas,* 243.)

Conformemente — *a:*

''Viver conformemente *aos* usos da terra.'' (Constâncio.) ''O Governo procedeu conformemente *ao* tratado.'' (Augusto Moreno, *Lições de Linguagem,* II, 26.) ''Depois de 1815, se fizeram de novo conformemente *a* seus princípios todas as tentativas de organização parlamentar.'' (Mário Barreto, *Cartas Persas,* XXXIV.)

Conformidade — *a, com, de, entre; de, em:*

''Conformidade *à* vontade divina, *à* sorte.'' (Constâncio.) ''Conformidade *à* (ou *com* a) lei.'' (Augusto Moreno, *Lições de Linguagem,* II, 27.) ''Depois eu lhe darei horas de alegria com a minha ditosa conformidade *a* tudo que os descontentes chamam infortúnio.'' (Camilo, *Estrelas Propícias,* 85.)

''A conformidade *com* a lei, *com* os bons princípios.'' (E. Carneiro Ribeiro, *Serões Gramaticais,* 671.) ''Esta doutrina tem grande conformidade *com* as máximas dos estóicos.'' (Morais.) ''Parecera ganhar vida nova e mais conformidade *com* a sua governança.'' (Alberto Rangel, *Fura-Mundo,* 143.)

''O justo equilíbrio das idéias, a harmoniosa conformidade *dos* sentimentos é o traço essencial e característico da fisionomia de Montesquieu.'' (Mário Barreto, *Cartas Persas,* X.) ''Estabelecera-se raro entrelaçamento de esforços, e a mais perfeita conformidade *de* vistas volvidas para um objetivo único: reagir à invasão iminente.'' (E. da Cunha, *Os Sertões,* 310.) ''Conformidade *de* pareceres; conformidade *de* votos.'' (Fr. D. Vieira.)

''Não há perfeita conformidade *entre* os pareceres.'' ''Conformidade *entre* o original e a cópia.''

''Os brasileiros que lêem *de* conformidade *com* a escrita, ainda há pouco usual, 'perguntar', reagiram contra a novidade ortográfica.'' (João Ribeiro, *Curiosidades Verbais,* 89.) ''Como, ... *de* conformidade *com* eles, buscássemos .... a demão literária ali começada, para logo se viu negrejar a mais estranha procela, que nunca escurecera por esses horizontes.'' (Rui, *Réplica,* 6.)

''*Em* conformidade *às* ordens recebidas.'' (Fr. D. Vieira.) ''Aferindo tudo por esse padrão, procedida *em* conformidade *com* ele.'' (Herculano, *O Bobo,* 4.) ''Ignoro se procedeu assim *em* conformidade *com* o hábito de abrandar.'' (Graciliano Ramos, *S. Bernardo,* 231.)

Confortado — *com, de, em, por:*

''Aquela pobre mulher, desesperada pela morte do marido, faleceu confortada *com* todos os sacramentos da Igreja.'' (Mário Barreto, *Através do Dicionário e da Gramática,* 68.)

''O povo, confortado *de* religião, mas estalando pelo almoço, expremia-se sôfrego pelas largas portas da matriz.'' (Aluísio Azevedo, *O Mulato,* 324.)

''Minha mãe, reanimada pelo excesso de vida, que tais comoções lhe deram ao espírito, achou-se mais confortada *no* corpo, ou mais esquecida das dores do peito.'' (Camilo, *Mistérios de Lisboa,* I, 216.)

''Confortado *por* um copo de vinho genuíno.'' (Fr. D. Vieira.)

Confraternização — *com, de, entre:*

''Confraternização da tropa *com* o povo.''
''Confraternização *dos* povos.''

"Confraternização *entre* vencedores e vencidos."

Confrontação — *com, de:*

"O juiz, julgando-o necessário, procederá à confrontação de umas *com* outras (testemunhas)." (Fr. D. Vieira, voc. *acareação*).

"Confrontação *d*as testemunhas." (Constâncio.) "Confrontação *de* textos." (Fr. D. Vieira.)

Confrontado — *com:*

"Confrontada a primeira *com* a última das cláusulas grifadas, não há quem não sinta que de "escritos" é que ali se cogita." (Rui, *Réplica*, 519.)

Confronto — *com, de, entre:*

"Estas velhas quadras .... avivavam-lhe, porventura, os últimos traços da vaidade, no confronto vantajoso *com* o santo milagreiro por excelência." (E. da Cunha, *Os Sertões*, 196.) "Falou-se do passado regime monárquico, em confronto *com* a atual balbúrdia republicana." (Antero de Figueiredo, *Amor Supremo*, 31.)

"Nota que, em confronto *d*essa pretensão, se reduzem a insignificância os bloqueios europeus do princípio deste século." (Rui, *Cartas de Inglaterra*, 156.) "Custou-lhe muito, materialmente, acomodar-se àquela nova vida numa casa minguada de tudo em confronto *d*o seu solar, onde tudo sobrava." (Antero de Figueiredo, *Amor Supremo*, 236.)

"Quão incompleto me deixei ser nos meus reparos, justamente por me cingir aos erros mais grados, além de não querer estabelecer confronto *entre* o trabalho do mestre e o da comissão parlamentar." (Rui, *Réplica*, 35.) "Pouco a pouco, porém, sugeria-se-lhe à mente um confronto *entre* aqueles tormentos físicos e a sua enorme dor moral." (Veiga Miranda, *A Eterna Canção*, 80.)

Confundido — *com, em, sob:*

"O perfil de uma montanha longínqua mal se esboça, confundida *com* a desfilada de um exército." (Afonso Arinos, *Pelo Sertão*, 79.) "Em frente, na fumarola do céu, confundidas *com* as estrelas, luziam janelinhas de Monte Real." (Aquilino Ribeiro, *A Batalha sem Fim*, 75.) "Embora zombe de mim a flor dos intelectuais, sinto-me bem, aqui, de me ver confundido *com* o vulgo." (Rui, *Cartas Políticas e Literárias*, 69.)

"Os brasileiros estariam todos confundidos *n*a sua carne inerme e flagelada." (Alberto Rangel, *Fura-Mundo*, 97.) "Lembrava uma necrópole antiga ou então, confundidos todos aqueles tetos e paredes *n*o mesmo esboroamento — uma cata enterroada e enorme." (E. da Cunha, *Os Sertões*, 544.)

"A ferocidade e a cobardia revoluteavam confundidas *sob* o mesmo aspecto." (E. da Cunha, *Os Sertões*, 352.)

Confundível — *com:*

"Este nome é facilmente confundível *com* o outro."

Confusão — *com, de, entre, sobre:*

"O feminino foi contemplado com o plural por confusão *com* a declinação em 'a'." (Júlio Nogueira, *O Exame de Português*, 151.)

"Da confusão *d*os casos resultou ser usado de preferência o acusativo." (Júlio Nogueira, *O Exame de Português*, 137.) "— Quanto a mim, tornou o vigário, só se pode explicar pela confusão *d*as línguas na Torre de Babel, segundo nos conta a Escritura." (M. de Assis, *Papéis Avulsos*, 9.)

"Pela primeira vez se estabelecia esse discrime contra a confusão *entre* os crimes revolucionários e os do terror anti-social." (Rui, *Colunas de Fogo*, 218.)

"Lavra confusão *entre* os gramáticos *sobre* o número dos nossos ditongos orais." (E. Carlos Pereira, *Gramática Expositiva*, 30.)

Confuso — *com, de, em, por:*

"Estou confuso *com* tantos obséquios." (Fr. D. Vieira.)

"Confuso *de* temor, da vida incerto." (Camões, *Os Lusíadas*, VI, 80.) "Cinco minutos depois voltava ele, conduzindo à força quase .... uma saloiazita receosa, toda confusa *d*as gentes avinhadas." (Fialho de Almeida, *Os Gatos*, 54.)

"As tranças, confusas *em* anéis desalinhados, destacavam sobre a alvura da túnica romana." (Camilo, *Livro Negro*, 115.)

"Tomou-lhe o braço e riu para Paulo, ainda enleado e confuso *pel*as revelações que lhe fizera." (Afrânio Peixoto, *A Esfinge*, 384.)

Congelado — *com, de, por:*

"Congelados *com* frio medo." (Camões, *apud* Morais.)

"Tiritantes e congelados *de* susto."

"A freira, congelada *pelo* medo, carecia de forças para acompanhar a família fugitiva." (Camilo, *As Três Irmãs*, 22.)

Congênere — *a, de:*

"A idéia divina, entendida biblicamente, tinha naturalmente que defrontar o filósofo com os assuntos menos congêneres *à* filosofia." (Rui, *Cartas de Inglaterra*, 96.) "Não será (o jornal) um meio de circulação congênere *à* via férrea, ou *à* posta, no transporte das pessoas, valores e novas." (Idem, *Réplica*, 514.)

"A sua vingança, decidiu, seria congênere *da* afronta." (Veiga Miranda, *A Eterna Canção*, 80.)

Congenial — *a, de:*

"Divertimentos congeniais *à* sua idade." (Fr. D. Vieira.)

"Amou e cantou várias damas com a facúndia congenial *d*os gênios da sua têmpera." (Camilo, *Perfil do Marquês de Pombal*, 126.)

Congestionamento — *em:*
"Como consequência disto, as cidades populosas tornaram-se ainda mais populosas e numerosos problemas sociais apareceram, problemas de congestionamento *nos* bairros pobres, de caudilhos políticos, de populações estrangeiras e de greves." (*Maravilhas do Conhecimento Humano,* I, 85.)

Congraçamento — *com:*
"Seu congraçamento *com* o antigo adversário político foi muito comentado."

Congratulação — *por:*
"Apresentei-lhe minhas congratulações *pelo* bom êxito de sua missão."

Congruência — *com, entre:*
"Congruência das palavras *com* as ações."
"Não há congruência *entre* suas idéias."

Congruente — *com:*
"Umas e outras exigem, portanto, que .... vamos buscar-lhes uma última base, congruente *com* elas." (Rui, *Cartas de Inglaterra,* 96.) "Neste romance há apenas episódios que me saíram ajustados e congruentes *com* os traços essenciais da narrativa." (Camilo, *O Regicida,* 7.)

Conhecido — *a, com, como, de, em, por:*
"Que valor pode ter .... essa ata de fevereiro, secreta, a mim impenetrável, conhecida exclusivamente *aos* seus subscritores ....?" (Rui, *Colunas de Fogo,* 130.)
"Leve inchaço resultante de quedas, conhecido *com* o nome de "galo". (João Ribeiro, *Curiosidades Verbais,* 14.)
"Qual a essência desse ensino, conhecido *como Bahaísmo?* Simplesmente isto: que o mundo precisa duma nova fé." (*Maravilhas do Conhecimento Humano,* I, 325.)
"Só pudera ser admirado através dos seus livros, mas cuja fama de orador eloqüente já era conhecida *de* muitos." (Gastão Cruls, *Ao Embalo da Rede,* 83.) "Voz graciosa e lânguida, muito conhecida *do* seu coração." (C. Neto, *A Cidade Maravilhosa,* 86.) "Os tradutores latinos da Bíblia vulgarizaram uma expressão campesina, só conhecida *dos* lavradores." (João Ribeiro, *Curiosidades Verbais,* 38)
"A essa festa comparecera, também, um rapaz, quase formado em medicina, e com o nome elogiosamente conhecido *nos* meios médicos da cidade." (Mário Sete, *Os Azevedos do Poço,* 33.) "Não era menina conhecida *na* sociedade." (Afrânio Peixoto, *A Esfinge,* 372.) "Bom fidalgo, muito conhecido *naqueles* sítios." (Camilo, *Mistérios de Lisboa,* I, 204.)
"As favelas, anônimas ainda na ciência — ignoradas dos sábios, conhecidas demais *pelos* tabaréus...." (E. da Cunha, *Os Sertões,* 41.) "Caranguejos mui conhecidos *dos* outros *por* certo pêlo." (Dic. de Morais.) "Basta considerar o fenômeno conhecido *na* lingüística *por* 'alternância vocálica'." (João Ribeiro, *Curiosidades Verbais,* 113.)

Conhecimento — *a respeito de, com, de, em, sobre:*
"Aos alquimistas devemos muitos dos nossos conhecimentos *a respeito de* tintas, venenos e vidros." (*Maravilhas do Conhecimento Humano,* I, 275.)
"Fazer conhecimento profundo *com* as grandes e velhas árvores." (Antero de Figueiredo, *Jornadas em Portugal,* 45.)
"Tenho profundo conhecimento *da* mulher." (C. Neto, *A Cidade Maravilhosa,* 81.) "Não temos grande conhecimento *da* legislação militar." (Rui, *Colunas de Fogo,* 193.) "Os matutos têm um conhecimento profundo *dessas* marcas de gado." (Gustavo Barroso, *Terra de Sol,* 197.)
"Não poderá fazer consciencioso estudo de textos quem lhe faltam conhecimentos gerais extensíssimos *em* matéria literária, filológica e histórica." (Mário Barreto, *Através do Dicionário e da Gramática,* 298.)
"Manifestando conhecimentos reais *sobre* a anatomia e fisiologia das plantas." (Rui, *Queda do Império,* I, 433.)

Conivência — *com, em:*
"O que se acaba de fazer, portanto, exonerando subalternos, é, por parte do governo, ... a confissão de sua conivência *com* os principais criminosos." (Rui, *Colunas de Fogo,* 236.) "Contrabandos passados de conivência *com* um aladroado ouvidor e um patife capitão-mor." (Gustavo Barroso, *A Ronda dos Séculos,* 228.)
"Não ficou provada sua conivência *nesse* fato."

Conivente — *com, em:*
"Conivente *com* os contrabandistas."
"O padre não era conivente *na* proposta, e evitou o melhor que pôde aceitá-la." (Camilo, *A Neta do Arcediago,* 80.)

Conjetura — *acerca de, a respeito de, sobre:*
"Estabeleceu tranqüilas conjeturas *acerca da* riqueza de Açucena." (Camilo, *A Neta do Arcediago,* 117.)
"Formar conjeturas *a respeito do* dia de amanhã." (Encicl. Port.)
"Os deputados sabiam do convite, e faziam conjeturas *sobre* as razões daquele epílogo inesperado." (Luiz Viana Filho, *A Vida de Rui Barbosa,* 92.) "Vi-me, então, a sós com D. Alzira que, a meia voz, fazia conjeturas *sobre* o assassinato do marido." (Gastão Cruls, *Ao Embalo da Rede,* 167.)

Conjunção — *com, de:*
"A conjunção de Marte *com* a Lua."
"Nos nascimentos humanos fazem grande caso os filhos de Adão da conjunção *do* tempo e

constelação em que nascem.'' (Vieira, *Sermões*, IX, 236.)

Conjunto — *a, à roda de, por:*

''Conjunto *às* colunas de Hércules.'' (Constâncio.)

''Os matutos conjuntos *à roda d*os símbolos sacrossantos, no largo, começaram a ser fuzilados em massa.'' (E. da Cunha, *Os Sertões*, 233.)

''Conjuntos *por* matrimônio; conjuntos *por* parentesco.'' (Constâncio.)

Conjuração — *contra, para:*

''Demos que se tratasse efetivamente de uma conjuração mais ou menos séria *contra* o governo.'' (Rui, *Colunas de Fogo*, 145.)

''Entre si sempre os vejo divididos; e, se acaso concordam algum dia, é só conjuração *para* meu dano.'' (Camões, *apud* Aulete.)

Conjurado — *contra, em, em favor de, para:*

''Os dois, ele e Antônio Rodrigues, o tio e o sobrinho, estão conjurados *contra* nós.'' (Rebelo da Silva, *Contos e Lendas*, 88.)

''Lá estão mancebos franceses da primeira plana, conjurados *n*a defensão da honra nacional.'' (Camilo, *A Enjeitada*, 198.) ''A vida do obscuro criado de certo fidalgo não podia ser tão preciosa quanto a condenação inculca, já mais se o conjurado *n*a morte dele é fidalgo de tanto tomo e por tantos serviços assinalado.'' (Camilo, *Boêmia do Espírito*, 119.)

''Parece que tudo estava conjurado *em favor d*a cegueira.'' (Fr. L. de Sousa, *apud* Aulete.)

''Conjurados *para* depor o governo.''

Conluiado — *com, em, para:*

''Sim senhor! Conluiada *com* o Padilha e tentando afastar os empregados sérios do bom caminho.'' (Graciliano Ramos, *S. Bernardo*, 174.)

''Madrugada de outubro sob a chuva e o vento, e os aspectos trágicos da natureza e dos homens conluiados *n*a mesma conspiração.'' (Fialho de Almeida, *Os Gatos*, 72.)

''Os antiquíssimos estados da Lusitânia e da Ibéria, conluiados *para* a luta da vida.'' (Fialho de Almeida, *Os Gatos*, 108.)

Conluio — *com, contra:*

''Seu conluio *com* o parceiro visava a arruinar o novato.''

''Conluio de duas pessoas *contra* outra.''

Conquistado — *com, por:*

''Depois que foram bem conquistados *com* a fúria da artilharia.'' (Dic. de Morais.)

''Continuaria assim por muitas eras, até que aquelas árvores eretas e firmes, que punham cerco à base da montanha, atingissem o topo, já conquistado *pel*os batedores humildes que as precederam.'' (Afrânio Peixoto, *A Esfinge*, 292.)

Consagração — *a:*

''Consagração de um altar *à* Virgem.''

Consagrado — *a, com, em, por:*

''Um templo consagrado *à* Virgem.'' (Fr. D. Vieira.) ''Partido ostensivamente consagrado *às* reformas liberais.'' (Rui, *Colunas de Fogo*, 20.) ''Acabou ali os seus dias, dividindo a vida em duas partes: uma empregada no estudo, a outra consagrada *às* suas terras, *a*os seus prados e *às* suas vinhas.'' (Mário Barreto, *Cartas Persas*, VIII.)

''E' um dos livros clássicos em direito civil. Pois lá está duas vezes consagrada *com* este uso a locução *vitalidade*.'' (Rui, *Réplica*, 351.)

''São dois disparates morfológicos, mas infelizmente consagrados já *n*a tecnologia musical.'' (C. de Figueiredo, *Falar e Escrever*, II, 260.) ''A teoria oposta, se não foi explicitamente consagrada *n*as convenções de extradição, teve freqüentemente em sua ajuda pelo menos a autoridade tácita de fatos.'' (Rui, *Colunas de Fogo*, 217.) ''A regra universalmente consagrada hoje *em* nosso idioma está, sem exceção, pela próclise nas sentenças negativas.'' (Idem, *Réplica*, 317.)

''Há mais pureza e santidade nesses monturos, que em muitos lares consagrados *por* umas tantas fórmulas sociais.'' (Afrânio Peixoto, *A Esfinge*, 327.)

Consangüíneo — *de:*

''Não me parece que esteja dignamente colocado este fidalgo tão consangüíneo *d*o Sr. D. Luiz.'' (Camilo, *O Regicida*, 218.)

Consangüinidade — *com:*

''Dir-se-ia que de sua consangüinidade próxima *com* o chefe do Estado se não lembrava ele, senão para ser o tipo de virtudes não comuns.'' (Rui, *Cartas Políticas e Literárias*, 156.)

Consciência — *de:*

''O Dr. Bento Varela foi o meu melhor amigo, e eu tenho consciência *de* haver correspondido à sua afeição até aos últimos instantes.'' (M. de Assis, *Contos Fluminenses*, 68.)

Consciente — *de:*

''A mulher agradece, mas não agradece o bastante para tornar Teodureto consciente *d*a sua prodigalidade.'' (Guilhermino Cesar, *Sul*, 7.) ''Ela (nacionalidade) se deve apresentar no futuro, já consciente *d*o seu destino.'' (Afrânio Peixoto, *A Esfinge*, 92.)

Cônscio — *de:*

''Cônscio *d*o crime.'' (E. Carneiro Ribeiro, *Serões Gramaticais*, 673.) ''Cônscio *d*o seu dever.'' (Fr. D. Vieira.) ''Rui de Nelas, cônscio *d*o sucesso, mandou chamar o vigário de S. Julião da Serra, e informou-se.'' (Camilo, *O Bem e o Mal*, 165.)

Consecutivo — *a:*
"Toldado pelas libações no alto do outeiro, consecutivas *a* outras em lugares incertos." (Veiga Miranda, *A Eterna Canção,* 119.) "A reação consecutiva *à* vitória da ditadura florianista arrebatou, entre nós, à marinha até a posse das fortalezas insulares." (Rui, *Cartas de Inglaterra,* 199.)

Conselho — *a respeito de, sobre:*
"Deu excelentes conselhos *a respeito da* maneira de compor e de redigir as leis." (Mário Barreto, *Cartas Persas,* XXXIII.)
"Dava-lhes conselhos *sobre* as maneiras de vencer, resumindo-os nesses quatro itens." (Luiz Viana Filho, *A Vida de Rui Barbosa,* 62.)

Consenso — *a, em:*
"Consultou as inclinações bucólicas da esposa, e recebeu um alegre consenso *à* sua idéia." (Camilo, *apud* L. Freire.)
"E' indispensável seu consenso *nesse* ato."

Consentaneamente — *a:*
"Consentaneamente *à* lei de Deus; consentaneamente *ao* dever." (Constâncio.)

Consentâneo — *a, com:*
"Caminhos consentâneos *ao* serviço real." (Dic. de Morais.) "Na primeira hipótese predomina a idéia de 'inserção', *a* que é mais consentânea a preposição 'em'." (Rui, *Réplica,* 217.)
"Mãos caridosas, porém, o escoimaram (o projeto) de tamanha aspereza, mal consentânea *com* os estilos de legislar de nossos dias." (Rui, *Réplica,* 178.)

Consentimento — *em, para:*
"*N*esse ato é necessário o consentimento do pai ou tutor."
"Nego o meu consentimento *para* tal asneira." (Camilo.) "O homem que pede à opinião pública consentimento *para* amar uma ou outra, é um tolo." (Idem, *A Neta do Arcediago,* 88.)

Conseqüência — *a, de, como, para, em, por:*
"Eu creio no progresso *como* conseqüência necessária *de* nossas condições mesológicas." (Afrânio Peixoto, *A Esfinge,* 395.) "Era a consciência da beleza e da mocidade, consciência que seria louvável se não tivesse *como* conseqüência uma imensa e profunda vaidade." (M. de Assis, *C. Fluminenses,* 134.)
"Corpo estranho articular, forma *em* conseqüência *a* uma lesão patológica." (L. Freire, voc. *artrófito.*) "Começou este período .... sob o ministério Cotegipe, *em* conseqüência *de* infrações palpáveis do direito militar." (Rui, *Colunas de Fogo,* 22.)
"Incalculáveis conseqüências morais, políticas e econômicas *para* o nome, a fortuna e a grandeza do império." (Rui, *Queda do Império,* II, 75.)
"*Por* conseqüência *aos* aconchegos ou preparos do palácio régio, urgia, como complemento, abrir a estrada no torcicolo de despenhadeiros e montes interpostos." (Fialho de Almeida, *Os Gatos,* 191.)

Conseqüente — *a, com, em:*
"E' conseqüente *às* alterações na moeda levantarem-se os preços das coisas." (Dic. de Morais.) "Os sucessos conseqüentes *à* guerra bem mostraram em Inglaterra os funestos resultados do sistema dos empréstimos com juro perpétuo." (Constâncio.)
"Ser conseqüente *consigo* mesmo, *com* os seus princípios, *com* as suas idéias." (Fr. D. Vieira.)
"Suspiravam por um governo forte, enérgico, empreendedor, conseqüente *nos* seus atos." (Latino Coelho, *apud* L. Freire.) "Homem conseqüente *no* seu procedimento." (Fr. D. Vieira.)

Consideração — *a, acerca de, a respeito de, com, de, para com, por, sobre:*
"Consideração *ao* tempo, *ao* estado, *às* circunstâncias." (Constâncio.) "Vou, sim, não *por* consideração *a* ele.... Em respeito a mim mesmo." (Xavier Marques, *As Voltas da Estrada,* 82.)
"São uma série de observações, de reflexões, de considerações *acerca das* mais importantes fases dessa história." (Mário Barreto, *Cartas Persas,* XXIV.)
"Passou a fazer considerações desfavoráveis *a respeito das* qualidades morais do mulato." (Aluísio Azevedo, *O Mulato,* 261.)
"E, sem guardar considerações *com* a minha velhice, obrigam-me de noite, por puros nadas, a levantar-me dez vezes da cama." (Mário Barreto. *Cartas Persas,* 16.) "Por isso ninguém usa de considerações *com* eles e os desprezam a cada instante." (Idem, *ibidem,* 98.) "Não tiveram nenhuma consideração comigo."
"Não foram generosos em lhe perdoar as imperfeições e deficiências em consideração *do* esfôrço titânico .... que empregou o finado vocabularista para livrar delas a sua obra." (Mário Barreto, *Através do Dicionário e da Gramática,* 291.) "Ora, a consideração *desse* abandono em massa do arraial raiava pelo mais exagerado otimismo." (E. da Cunha, *Os Sertões,* 372.)
"Não teve nenhuma consideração *para com* o tio."
"Amava ao menos a decência esse contemptor da liberdade, como o primeiro sinal da consideração *por* si mesmo e a primeira condição, portanto, do respeito a que aspira dos seus semelhantes." (Rui, *Cartas de Inglaterra,* 247.) "Os povos semíticos, caldeus, judeus e árabes, sempre tiveram grande consideração *pelo* número sete." (João Ribeiro, *Curiosidades Verbais,* 166.)
"Vamos fazer considerações *sobre* a corrupção ou melhor — segundo me parece — as mudanças fonéticas." (Sousa da Silveira, *Lições de Português,* 59.) "Considerações *sobre*

as causas da grandeza e da decadência dos romanos.'' (Mário Barreto, *Cartas Persas,* XII.) ''Contou sucessos das suas batalhas, permeando-os de considerações *sobre* a felicidade dos poucos deste mundo que nasceram e morreram em paz com os homens e com a sua consciência.'' (Camilo, *A Enjeitada,* 26.)

Considerado — *como:*

''O Paulo é considerado *como* bom rapaz.'' (Augusto Moreno, *Lições de Linguagem,* II, 105.) ''Com textos de escritores considerados *como* autoridades, vejamos a construção do dito verbo.'' (Mário Barreto, *Através do Dicionário e da Gramática,* 11.)

Consignado — *a, em:*

''Basta uma suspeita, uma palavra do médico argentino consignado *a* cada navio .... para se não verificarem as condições essenciais à livre prática.'' (Rui, *Colunas de Fogo,* 95.)

''Essa contra-significação .... está consignada *em* todos os nossos léxicos de autoridade.'' (Rui, *Réplica,* 511.)

Consoante — *a, com, em:*

''Entre bons escritores não faltam exemplos *a* isto consoantes.'' (Rui, *Réplica,* 155.) ''Nada mais consoante *ao* uso e regra.'' (Idem, *Campanha Presidencial,* 205.) ''Quer, pois, o estranho republicanismo da ''Gazeta'' que a república deva escrever a história, não segundo os fatos, mas consoante *aos* próprios interesses.'' (Idem, *Queda do Império,* I, 360.)

''Linguagem consoante *com* o assunto.''

''Excessos consoantes *no* pretexto, *no* espírito, *no* aspecto, *na* subordinação ao mesmo interesse partidário.'' (Rui, *Discursos e Conferências,* 383.)

Consolação — *a, com, de, para:*

''Que mais quer de mim? Consolações frívolas *ao* seu sofrimento de hoje?'' (Camilo, *Mistérios de Lisboa,* III, 169.) ''Moribunda, as únicas lágrimas que viu, *em* consolação *ds* suas, foram as dele.'' (Camilo, *Livro Negro,* 23.)

''Experimentou grande consolação *com* a notícia do regresso do filho.''

''Nada de títulos que importam nada para consolação *do* desgraçado que lhe pede menos artifício e mais sinceridade.'' (Camilo, *A Enjeitada,* 204.) ''Não sei pedir a Deus consolações *dos* males que os homens me fazem.'' (Idem, *Mistérios de Lisboa,* I, 96.)

''A religião tem consolações *para* todas as amarguras.'' (Camilo, *Mistérios de Lisboa,* II, 123.)

Consolado — *com, de, em, por:*

''Ali são doutrinados em a Fé e consolados *com* pregações.'' (Damião de Góis, *apud Grande Encicl. Portuguesa e Brasileira.*)

''Achou este moço feito frade e já professo, e muito contente e consolado *de* o ser.'' (Fr. L. de Sousa, *apud* Fr. D. Vieira.)

''Atendido em todos os meus desejos, consolado *nos* meus pesares, a coberto do frio, defendido do sol.'' (C. Neto, *apud* L. Freire.)

''Coração ferido, consolado *pela* esperança.''

Consolador — *de, para:*

''Era mais que sublime o seu preceito consolador *dos* aflitos.'' (Camilo, *apud* L. Freire.)

''Por que não se distrai, agora ....? Seria tão consolador *para* o seu espírito....'' (Veiga Miranda, *A Eterna Canção,* 84.)

Consolidado — *em:*

''A liberdade comercial é a política das nações consolidadas *na* opulência *pela* antiguidade da sua riqueza.'' (Rui, *Queda do Império,* II, 95.)

Consolo — *a, de:*

''Não encontra nenhum consolo *a* seus pesares.''

''Passando pelo desgosto de não operar o bem, desfruta, ao menos, o consolo *de* não ter produzido o mal.'' (Rui, *Colunas de Fogo,* 118.) ''A religião é o consolo *dos* que sofrem.''

Consonância — *com, de, entre:*

''Não faz consonância, é verdade, *com* esta explicação o substantivo 'recebedor'.'' (Rui, *Réplica,* 524.) ''Consonância das predições *com* os acontecimentos.'' (Constâncio.)

''Consonância *de* vontades.'' (Constâncio.)

''Só o hábito, na opinião do autor, nos pode tornar cegos à singularidade dessa consonância *entre* espíritos que se harmonizam em torno de uma conclusão tão importante.'' (Rui, *Cartas de Inglaterra,* 68.)

Consonante — *com:*

''Minha voz não é consonante *com* a sua.''

Consórcio — *com, de, entre:*

''A Regência abriu os olhos; sentiu que o consórcio do trono *com* a escravidão já se não podia firmar na grande lavoira.'' (Rui, *Queda do Império,* I, 352.)

''Roma foi a princípio um consórcio *de* gente rústica e pastoril.'' (Barros, *apud* Constâncio.)

''Não é aconselhável o consórcio *entre* parentes muito próximos.''

Conspiração — *contra, para:*

''Classificava entre os delitos políticos a conspiração *contra* a vida dos soberanos.'' (Rui, *Colunas de Fogo,* 217.) ''Encontraram-na (a explicação): os distúrbios sertanejos significavam pródromos de vastíssima conspiração *contra* as instituições recentes.'' (E. da Cunha, *Os Sertões,* 359.)

''Conspiração *para* depor o chefe do governo.'' ''Fizeram uma conspiração *para* impedir o casamento.'' (Encicl. Port.)

Conspirado — *com, contra:*

''Dir-se-ia até que o tempo, conspirado *com* eles, os ajudava a aumentar o pavor dos hóspedes." (Rebelo da Silva, *Contos e Lendas*, 61.)

"Conspirados *contra* o regime."

Conspirador — *contra:*

"Mais de um regime tem atravessado o Sr. A. Figueira: o do Império, que não pouco sofreu da sua severidade, e o da espada, que o teve entre os conspiradores *contra* a sua ditadura." (Rui, *Colunas de Fogo*, 163.)

Conspurcado — *de:*

"No centro, sobre um toro de madeira conspurcada *de* sangue, reluzia um machado à sua espera." (Aluísio Azevedo, *Casa de Pensão*, 237.)

Constância — *em, para:*

"Constância *no* trabalho, *no* amor."

"Por isso a mesma imperatriz teve resolução e constância *para* dali se ir apresentar a Maximino." (Vieira, *Sermões*, IX, 122.)

Constante — *de, em:*

"Bens constantes *de* prédios e apólices."

"Constante *n*esse vezo irreprimível, ... comparava-se, e aos artistas, a moedeiros obcecados." (Afrânio Peixoto, *A Esfinge*, 305.)

Constelado — *de:*

"Consertando as melenas crespas e abrindo a cigarreira de ouro, constelada *de* safiras e diamantes, ofereceu-a com ar azedado a um indivíduo de sobrecasaca preta." (Alberto Rangel, *Papéis Pintados*, 23.)

Consternado — *com, por:*

"Tomo a liberdade, que V. Ex.ª me perdoará, de lhe escrever, cedendo aos desejos dos nossos amigos, consternados *com* a resposta do Dr. Rodrigues Alves à minha carta." (Rui, *Cartas Políticas e Literárias*, 171.)

"A mãe, sob título de consternada *pelo* sucesso da reprovação, disse-lhe claramente que Flávia .... tinha de ser recolhida em algum convento." (Camilo, *A Enjeitada*, 164.)

Constituído — *com, de, por:*

"Destas formas analíticas o português moderno preferiu a constituída *com* o advérbio 'magis'." (Júlio Nogueira, *O Exame de Português*, 135.) "Gênero de sáurios, constituído somente *com* essa espécie." (L. Freire, voc. *acranta*.)

"O exército estava constituído *de* soldados mercenários." (T. Silva Brandão, *Sintaxe*, 21.) "De sorte que, ao fim de algum tempo, a população constituída *d*os mais díspares elementos .... se fez a comunidade homogênea e uniforme." (E. da Cunha, *Os Sertões*, 190.)

"A maioria dos criadores opulentos, que ali se formaram, vinha do sul, constituída *pela* mesma gente entusiasta e enérgica das bandeiras." (E. da Cunha, *Os Sertões*, 97.) "Suponhamos o sujeito nome de coisa, no singular, e o predicativo constituído *por* um substantivo no plural." (Augusto Moreno, *Lições de Linguagem*, II, 53.) "Numa capela superior é que se venera a sagrada relíquia, constituída *por* algumas gotas do sangue de Cristo." (Herman Lima, *Outros Céus, Outros Mares*, 155.)

Constrangido — *a, com, em, por:*

"As consoantes são fonemas produzidos, ou pela fricção do ar, constrangido *a* passar pelo canal formado por dois órgãos fatores do som...." (Sousa da Silveira, *Lições de Português*, 63.) "Cerceada assim nas aspirações, constrangida *a*os expedientes, adstrita a todas as parcimônias da economia, (a imprensa) vegeta na rotina, atrofia a sua missão educadora." (Rui, *Colunas de Fogo*, 187.) "Eu não ignorava que, se o douto filólogo baiano se não achasse constrangido *a* essa improvisação absurda, ... outros seriam os frutos do seu concurso." (Rui, *Réplica*, 12.)

"Constrangido *com* a agonia da morte." (Fr. D. Vieira.)

"Uma alma proteiforme constrangida *em* organização fragílima." (E. da Cunha, *Os Sertões*, 296.)

"Cedeu, constrangido *pel*as circunstâncias."

Constrangimento — *em:*

"À parte certo constrangimento da companhia, *em* fingir tomar-lhe a sério as histórias, tudo lhe era complacência às inovações do espírito de forjador de contos e romances." (Alberto Rangel, *Fura-Mundo*, 37.)

Constrição — *de, em:*

"E eu sentia um enleio, uma constrição *de* alma, que não atinava com os termos comuns duma palestra entre dois primos." (Camilo, *apud* L. Freire.)

"Por vezes faltava-me o ar, tinha uma constrição *na* garganta e saibo a sangue." (C. Neto, *apud* L. Freire.)

Constrito — *em, entre:*

"Formava-se celeremente em atiradores uma companhia, mal destacada da massa de batalhões constritos *na* vereda estreita." (E. da Cunha, *Os Sertões*, 240.)

"Constritos *entre* os companheiros, cento e tantos feridos e estropiados por ali se agitavam ou se arrastavam, torturados de dores e da sede." (E. da Cunha, *Os Sertões*, 345.)

Construído — *com, como, de, por, sobre:*

"Compostos construídos *com* a mesma preposição já incluída neles." (Mário Barreto, *Através do Dicionário e da Gramática*, 213.)

"Também se usa o particípio passivo do verbo de que o nome tem origem, construído *como* atributo do substantivo a que se refere." (Idem, *ibidem*, 48.)

"Casas construídas inteiramente *de* madeira." "O templo contava 18 metros de altura, 120 de extensão e 66 de largo, e era todo construído *de* ouro e mármore branco." (*Maravilhas do Conhecimento Humano*, I, 17.)

"Mais humilde, construída *pelo* molde comum das capelas sertanejas, enfrentava-a a igreja velha." (E. da Cunha, *Os Sertões*, 329.) "Fortaleza construída *sobre* um rochedo."

Consubstanciação — *com, em:*
"Em conseqüência da consubstanciação delas (disposições) *com* a lei de 7 de dezembro." (Rui, *Cartas Políticas e Literárias*, 187.)
"Em nenhum povo foi mais estreita seguramente a união, ou antes a consubstanciação *em* um só corpo entre a sociedade religiosa e a civil do que no povo de Israel." (Latino Coelho, *apud* L. Freire.)

Consubstanciado — *com, em:*
"O sertanejo, ... que de nada se arreceia, consubstanciado, como está, *com* a solidão, pára, relanceia os olhos ao derredor de si." (Taunay, *Inocência*, 9.)
"Os vícios, consubstanciados à força *na* minha organização até aos vinte e cinco anos, ... não me violentei para os expelir." (Camilo, *Mistérios de Lisboa*, I, 246.)

Consulta — *a, a propósito de, sobre:*
"Essas sondagens sucessivas da tolerância popular são, virtualmente, outras tantas consultas *ao* ânimo da nação." (Rui, *Cartas de Inglaterra*, 325.) "Aguarda, paciente, o equinócio da primavera, para definitiva consulta *aos* elementos." (E. da Cunha, *Os Sertões*, 134.)
"Resta-nos responder à terceira e última consulta do Sr. José Silvestre *a propósito das* expressões francesas." (Mário Barreto, *Através do Dicionário e da Gramática*, 308.)
"Fazer consulta *sôbre* alguma pessoa ou coisa." (Morais.)

Consultado — *acerca de, em, por, sobre:*
"Consultado *acerca da* legitimidade da herança, o jurisconsulto negou-se a dar seu parecer."
"Esse clássico (Castilho), o maior dos da nossa língua no século dezenove, consultado especialmente *nesta* controvérsia, respondeu ...." (Rui, *Réplica*, 270.)
"Tomadas essas disposições, nada mais restava aos consultados *pelo* Governador, senão se despedirem reverentemente." (Alberto Rangel, *Fura-Mundo*, 166.) "Vestira o hábito de S. Domingos, era consultado *por* todos os vice-reis, e acompanhava D. Constantino na jornada de Jafanapatão." (Camilo, *Boêmia do Espírito*, 197.)
"Alexandre II, outro papa consultado *sobre* a regularidade de um casamento meramente consensual ...." (Rui, *Queda do Império*, II, 11.) "Tivera sorte nesse mesmo dia, conversando com a senhora Pena, em ser consultada *sobre* as relações mais amáveis ao Martins." (Afrânio Peixoto, *A Esfinge*, 123.) "Seja consultada minha irmã *sobre* a conveniência de ser recebida a um convento sua filha." (Camilo, *A Enjeitada*, 77.)

Consumado — *em:*
"E' sujeito consumado *nas* ciências e se engolfou em tão profundas leituras, que se lhe cansou a vista." (Mário Barreto, *Cartas Persas*, 167.) "E' o Sr. Cruls um profissional consumado *na* sua especialidade, que tem honrado com serviços notáveis." (Rui, *Queda do Império*, I, 266.)

Consumido — *de, em, por:*
"Para de mais alto a precipitar (a monarquia), consumida *de* forças e gasta de brios, no imenso desastre." (Rebelo da Silva, *Contos e Lendas*, 173.) "Na palidez das faces consumidas *de* penitências e isolamentos dessas monjas suas antepassadas, Mafalda admirava os sorrisos de felicidade espiritual que nelas transluziam." (Antero de Figueiredo, *Amor Supremo*, 176.)
"Que posso mais esperar da minha terra, senão a sepultura rasa, muito contente se sobre ela a calúnia der tréguas ao meu afrontado nome, e o esquecimento premiar a minha vida consumida *em* sacrifícios?" (Rui, *Cartas Políticas e Literárias*, 62.) "Ora consumida *em* trabalhos, na produção de uma riqueza que não quinhoavas, ora vitimada em soldados para a glória de triunfos que não compreendias." (Idem, *Queda do Império*, I, 207.)
"Parecia um membro aleijado tolhiço e ainda consumido *pelo* sofrimento." (Afrânio Peixoto, *A Esfinge*, 289.)

Conta — *a, com, de, por:*
"Deus me livre de que, na conta *à* minha consciência, me pudesse eu argüir a mim mesmo da cobardia de emudecer." (Rui, *Réplica*, 4.)
"Hora de conta *com* os trabalhadores, de despacho, centenas de homens levando comida para a casa, fazendo suas contas." (J. Lins do Rego, *Usina*, 117.)
"Fazer a conta *das* despesas." (Morais.) "Não acerto a conta *do* que gastei." (Aulete.) "Já vê que não tenho direito algum de pedir a meu marido contas *do* seu passado." (Camilo, *Livro Negro*, 22.) "E davam conta *da* tarefa, suave ou rude, uns gemendo, outros cantando álacres, numa expansão de alívio." (Domingos Olímpio, *Luzia-Homem*, 3.)
"Ninguém terá o direito de lhe pedir contas *pelo* último ato de sinceridade e energia que pratica, ausentando-se da cena." (Rui, *Colunas de Fogo*, 117.) "Quem o mandou a Portugal pedir-me contas *por* tal sucesso?" (Camilo, *Mistérios de Lisboa*, III, 161.)

Contagiado — *de, por:*
"Contagiado *da* peste; contagiado *de* más doutrinas." "Adversários já contagiados *pelos* hábitos europeus de individualismo e discussão." (Rui, *Cartas de Inglaterra*, 205.) "A

magistratura brasileira conta espíritos não contagiados ainda *por* essa ignorância da sua missão.'' (Idem, *ibidem*, 337.)

Contágio — *com, de:*
''Contágio *com* variolosos é quase sempre fatal.''
''A mais pura, agradável e edificante vida é aquela que mais se aparta do contágio *da* avareza.'' (Camilo, *apud* L. Freire.)

Contaminação — *com, entre:*
''Evite contaminação *com* variolosos.'' ''A contaminação da água potável *com* os germes do tifo.'' (*Grande Enciclopédia Port. e Brasileira.*)
''Há, pois, uma misteriosa contaminação *entre* o som elementar e a idéia.'' (João Ribeiro, *Curiosidades Verbais*, 114.

Contaminado — *com, de, por:*
''Os espíritos ingênuos, ainda não contaminados porventura *com* a praga do realismo político.'' (Latino Coelho, *apud* L. Freire.)
''*Da* herdada corrupção contaminados ficam todos enfim.'' (Bocage, *apud* Aulete.)
''O menino, porém, estava bastante contaminado *pelos* exemplos da família.'' (Luiz Viana Filho, *A Vida de Rui Barbosa*, 11.) ''A palavra foi contaminada *por* um sentido de simples repugnância.'' (João Ribeiro, *Curiosidades Verbais*, 78.) ''As moças da mesma idade, ainda não contaminadas *pelo* vírus pecaminoso, que empestava o ambiente, evitavam-na com maneiras tímidas.'' (Domingos Olímpio, *Luzia-Homem*, 21.)

Contato — *com, de, entre:*
''Sem dar um passo e ter o menor contato *com* o povo, você ficará melhor instalado que ninguém.'' (Gastão Cruls, *História Puxa História*, 152.) ''Ao mesmo tempo ampliam (as plantas) o âmbito das frondes, alargando a superfície de contato *com* o ar.'' (E. da Cunha, *Os Sertões*, 39.) ''Os soldados enfermos, em perene contato *com* o povo, tinham-se, ademais, constituído rudes cronistas dos acontecimentos.'' (Idem, *ibidem*, 494.)
''A idéia da mancha que com o contato *de* um morto se contrai, vem-nos de certa repugnância natural que este nos excita.'' (Mário Barreto, *Cartas Persas*, 35.) ''As palavras portuguesas que recebemos da tradição e do contato *dos* primeiros civilizadores só aparentam certa fidelidade na escrita.'' (João Ribeiro, *Curiosidades Verbais*, 86.) ''Se não suporta o contato *destas* opiniões, o embate destes movimentos, a monarquia não é digna de existir.'' (Rui, *Queda do Império*, I, 111.)
''As aclamações da platéia, o contato *entre* autor e público, tornam-se a forma triunfal por excelência da obra d'Arte.'' (Veiga Miranda, *A Eterna Canção*, 87.) ''O mais que fez foi estudar os pontos de contato *entre* Carlota e Liberata, e viu que eram bustos do mesmo molde.'' (Camilo, *A Neta do Arcediago*, 137.) ''Desde que esse nome (cacofonia) existe, sempre se lhe associou a noção de vizinhança e contato casual *entre* dois ou mais vocábulos sucessivos.'' (Rui, *Réplica*, 242.)

Contemplação — *com, de, para com:*
''Não teve a mínima contemplação *com* o infeliz.''
''Para escapar a essa interpretação desairosa, sacrificou o prazer da conversa e a contemplação *da* moça.'' (M. de Assis, *Contos Fluminenses*, 12.)
''Agradeço-lhe a contemplação que teve *para com* o meu apresentado.''

Contemporaneidade — *com, de, em:*
''A contemporaneidade *de* Rui Barbosa *com* Machado de Assis.''
''Pareceu à esclarecida comentarista de Sá de Miranda que o nome de Camões ligado ao João de Mena indicava contemporaneidade *nos* dois poetas.'' (Camilo, *Boêmia do Espírito*, 191.)

Contemporâneo — *a, de:*
''Contemporâneo *a* Cícero.'' (Constâncio.) ''Contemporâneo *a* estes dois condes.'' (Vieira, *apud* Morais.) — Reg. p. usada.
''Não fora contemporâneo *desses* episódios.'' (Veiga Miranda, *A Eterna Canção*, 39.) ''Os parnasianos foram apenas contemporâneos *do* naturalismo, mas sem lhe seguir doutrinas nem processos.'' (Fialho de Almeida, *Os Gatos*, 242.) ''Contemporâneo *desse*, um outro Messias português, Salomão Malcho, tornara-se lendário.'' (Antero de Figueiredo, *Jornadas em Portugal*, 37.)

Contemporização — *com:*
''Contemporização *com* os vizinhos.'' ''Contemporização *com* o inimigo.''

Contenda — *acerca de, com, entre, por:*
''Teve *com* eles porfiadas contendas *acerca da* barba.'' (Mário Barreto, *Cartas Persas*, 107.)
''Houve ligeira contenda *entre* o gerente e dois empregados.''
''Esta contenda estéril, a que a nação assiste estranha e indiferente, *pelo* posto da nossa magistratura suprema.'' (Rui, *Cartas Políticas e Literárias*, 134.)

Contentamento — *com, de:*
''Resistia às suas lágrimas sem se comover, e sentia contentamento *com* esta espécie de triunfo.'' (Mário Barreto, *Cartas Persas*, 135.)
''José, com geral contentamento *dos* de casa, convalescia prodigiosamente.'' (Aluísio Azevedo, *O Mulato*, 64.) ''As águas pareciam gárrulas e múrmuras, num contentamento *de* liberdade.'' (Afrânio Peixoto, *A Esfinge*, 45.)

Contente — *com, de, em, por:*
''Senhor de infinitos desertos, ainda não contente *com* a imensidade de seus domínios.''

(Rui, *Cartas Políticas e Literárias,* 102.) "Rogério ficou muito contente *com* este estabelecer de nítidas posições ao problema." (Antero de Figueiredo, *Amor Supremo,* 101.) "Riu nos olhos o escultor, contente *com* a notícia, e depois nos lábios, apanhado pela comparação do velho." (Afrânio Peixoto, *A Esfinge,* 137.)

"Não contente *de* me criminar como rebelde à gramática, me argúi, até, de atentar contra a visiva dos leitores." (Rui, *Réplica,* 440.) "Não estás muito contente *de* ver o nosso velhinho ....?" (Camilo, *A Enjeitada,* 146.) "Luíza, muito contente *da* afabilidade de Basílio, pôs-se a rir." (Eça, *O Primo Basílio,* 118.)

"Por contentes deveremos dar-nos *em* emparelhar com a República Argentina." (Rui, *Cartas de Inglaterra,* 178.) "Declarou-se contente *em* saber que possuía propriedade de tamanho valor." (Medeiros e Albuquerque, *Quando Eu Era Vivo,* 119.)

"Estou contente *por* te ver onde desejas estar." (Antero de Figueiredo, *Amor Supremo,* 244.)

Contestação — *a:*

"A contestação *ao* adversário foi fraquíssima."

Contestado — *por:*

"A engenharia particular afirmou essa eficiência, contestada, até então, *pela* engenharia oficial." (Rui, *Queda do Império,* I, 68.)

Contido — *em, por:*

"Noção elementar de harmonia, beleza, perfeição, contida *nestes* termos, diversos como dois mundos: proporção, dimensões." (Afrânio Peixoto, *A Esfinge,* 25.) "Menina sardosa, vestida de chita, com as gadelhas mal contidas *num* puçá de retrós." (Alberto Rangel, *Fura-Mundo,* 92.)

"Estes são os dialetos romanos .... contidos *pelo* ensino oficial da língua." (Sousa da Silveira, *Lições de Português,* 39.) "A massa das águas, então contida *pelos* acidentes mais possantes, ... efluía para leste em escoadouros estreitos." (E. da Cunha, *Os Sertões,* 408.)

Contigüidade — *com, de, entre:*

"A contigüidade de um terreno *com* outro."

"A contigüidade *dos* prédios; contigüidade *dos* sucessos." (Fr. D. Vieira.)

"Constitui-se, toda a gente o sabe, a cacofonia pelo som desagradável, ou pelo vocábulo ora feio, ora risível, ora indecente, que se forma da contigüidade *entre* duas palavras." (Rui, *Réplica,* 491.)

Contíguo — *a, com:*

"A hora aprazada fora a do pôr do sol; o lugar, a galilé contígua *à* sala d'armas." (Herculano, *O Bobo,* 71.) "Esse homem .... entre um povo de costumes contíguos *à* selvageria, matou pouco mais de quarenta homens." (Rui, *Cartas da Inglaterra,* 268.) "Esmoitava os olivedos contíguos *ao* mosteiro." (Camilo, *Mosaico,* 106.)

"Meu terreno é contíguo *com* o dele."

Continência — *em:*

"Continência *nos* prazeres."

Continente — *em:*

"Continente *nos* prazeres; continente *no* beber."

Continuação — *a, de:*

"Entrou pela rua em continuação *à* estrada e fez alto no largo." (E. da Cunha, *Os Sertões,* 230.) "As "Cartas Persas" servem, pois, de continuação *aos* "Caracteres" de La Bruyère." (Mário Barreto, *Cartas Persas,* XI.)

"Continuação *da* guerra, continuação *do* pleito." (Constâncio.)

Continuidade — *de, em:*

"A continuidade *do* mau tempo atrasou a viagem."

"Só na Inglaterra encontrei essa continuidade ininterrupta *na* cultura e no movimento, esta fisionomia geral de satisfação e progresso." (Rui, *Colunas de Fogo,* 37.)

Contração — *com:*

"Há contração da preposição *com* esse artigo, motivo pelo qual é imprescindível o acento." (Rui, *Réplica,* 235.)

Contradição — *a, com, de, em, entre:*

"Era ainda o eterno espírito de contradição *às* ordens recebidas e de imitação aos mais velhos." (Medeiros e Albuquerque, *Quando Eu Era Vivo,* 35.)

"Aquela festa, vária e desordenada, estava em contradição violenta *com* as sensações que ele procurava para o seu espírito." (Afrânio Peixoto, *A Esfinge,* 294.) "Tendes, nesta regra, o único exemplo, na mais sábia das instituições humanas, no qual a prática está em contradição *com* a teoria." (Rui, *Queda do Império,* I, 389.) "O trono é apenas o envoltório, que não pode estar em contradição *com* o organismo interior, sem estalar à pressão de forças irresistíveis." (Rui, *Queda do Império,* I, XXII.)

"Nestes tempos mais padecem os homens na contradição *de* seus juízes, que não *de* suas obras." (D. Francisco M. de Melo, *apud* Fr. D. Vieira.)

"Não havia a mínima contradição *em* todos os conceitos por ele expendidos." "A mais estranha contradição *nos* homens é aquela que se estabelece entre as suas opiniões e os seus interesses." (Dic. de Fr. D. Vieira.)

"Muitas vezes, de mim para comigo, entro .... a matutar sobre esta contradição *entre* os sentimentos com que me aprecia o povo de São Paulo e os com que me desapreciam, geralmente, os seus governos." (Rui, *Campanha Presidencial,* 205.) "A contradição *entre* o instrumento e a empresa denunciaria ao reconhecimento do gênero humano .... a supremacia beneficente do Imperador irradiando solitária na sua generosidade.'' (Rui, *Queda do Império*, I, 14.)

Contraditório — *com:*
''Antes da lei de 13 de maio o imperialismo podia alegar atenuantes; depois dela é contraditório *com* a nova situação do país.'' (Rui, *Queda do Império*, I, 191.)

Contraído — *com, de, diante de, em, para com, por:*
''Aliança contraída *com* príncipes poderosos.'' ''Contraídas segundas núpcias *com* a formosa e santa criatura que se chamara D. Maria Luísa, a qual morrera — diziam — em conseqüência de maus tratos do marido ciumento e grosseirão....'' (Abílio Barreto, *A Noiva do Tropeiro*, 40.)
''São também de indivíduos de origem desconhecida os nomes hebraicos Jonatã, Natã, Mateus, Matias contraído *de* Matatias, e assim Mataniá, todos presentes dados pelo Jeová dos homens.'' (João Ribeiro, *Curiosidades Verbais*, 18.)
''A opinião geral não admitia que se elevasse a cânone de fé a legitimidade das alianças conjugais não contraídas *diante da* Igreja.'' (Rui, *Queda do Império*, II, 42.)
''Não se sabe .... que a solidariedade da abnegação e do perigo, ... contraída *nas* lutas do mar, repele as ingratidões do egoísmo e as perfídias do interesse?'' (Rui, *Cartas de Inglaterra*, 187.) ''Por isso o nosso infinitivo 'ser' vem de 'sedere', com a queda do 'd' intervocálico, do que resultou 'seer' com duas sílabas, contraído depois *em* ser.'' (Sousa da Silveira, *Lições de Português*, 57.) ''A face, contraída *em* horríveis trejeitos, impressionara um passageiro, que o contemplava do beliche, com admiração e interesse.'' (Camilo, *Livro Negro*, 226.)
''Compromisso contraído *para com* a pátria.''
''Compromisso contraído *por* uma companhia de via férrea.'' (Rui, *Cartas Políticas e Literárias*, 242.) ''Os hábitos de condescendência com a dissimulação, contraídos *pelo* espírito público em meio século de autocracia disfarçada nessa sobrecasca de formas constitucionais.'' (Rui, *Queda do Império*, I, 2.)

Contrapeso — *a, de:*
''Infortunado romancista e cuja leitura serve de contrapeso *à* rigidez dos puristas.'' (Mário Barreto, *Através do Dicionário e da Gramática*. 137.) ''Sempre queria ter visto o grande filósofo ressuscitado, mesmo com a beatitude da vida póstuma em contrapeso *à* sabedoria que de cá levou.'' (Ricardo Jorge, *Sermões dum Leigo*, 291.)
''A prudência da mulher era o contrapeso *da* estouvanice do marido.'' (*Grande Encicl. Portuguesa e Brasileira.*)

Contraposição — *a, de, entre:*
''Em contraposição *aos* filósofos que dizem que só o presente se goza e que o passado não é nada, este, pelo contrário, só do passado goza.'' (Mário Barreto, *Cartas Persas*, 99.) ''Em contraposição *à* ordem primitiva, a 3.ª brigada começou a lutar pelo flanco direito.'' (E. da Cunha, *Os Sertões*, 457.)
''Contraposição *de* interesses.'' (Fr. D. Vieira.)
''Não há, portanto, contraposição *entre* os dois demonstrativos.'' (Rui, *Réplica*, 427.)

Contraposto — *a:*
''Este recuo, entretanto, era de todo contraposto *aos* resultados diretos do combate.'' (E. da Cunha, *Os Sertões*, 278.) ''Mistério perenemente contraposto *às* conquistas do nosso orgulho e às maravilhas do nosso progresso.'' (Rui, *Colunas de Fogo*, 35.)

Contrariado — *com, em, por:*
''Ficou muito contrariado *com* a desobediência da filha.'' ''O Campos parecia contrariado *com* a demora — há duas horas que desejava retirar-se.'' (Aluísio Azevedo, *Casa de Pensão*, 133.)
''Cristóvão Colombo foi mui contrariado *em* sua viagem.'' (Constâncio.) ''Mafalda, contrariada *nas* suas enlevadas aspirações, sofreu em silêncio.'' (Antero de Figueiredo, *Amor Supremo*, 165.) ''Os vícios de uma sociedade contrariada *no* seu desenvolvimento e saturada de germens de decomposição.'' (Rui, *Queda do Império*, I, 2.)
''Jerônima, contrariada *pela* interrupção às suas saudades meditativas, contrafez em riso a zanga.'' (Camilo, *As Três Irmãs*, 219.) ''Esta regra se sustenta, bem que contrariada *por* aquele critério.'' (Rui, *Réplica*, 254.) ''Nessa humana e infatigável tarefa, foi (Florence Nightingale) constantemente contrariada *pelas* autoridades militares, que a olhavam como uma perigosa inovadora.'' (*Maravilhas do Conhecimento Humano*, I, 141.)

Contrariedade — *a, com, de:*
''Proibia à ama, aos mestres e ao avô a mais ligeira contrariedade *às* vontades caprichosas do menino.'' (Camilo, *A Neta do Arcediago*, 16.) ''Conheci que esta contrariedade *à* minha generosa paixão me fizera no espírito um grande estrago.'' (Idem, *Mistérios de Lisboa*, I, 92.)
''Teve uma grande contrariedade *com* o mau procedimento do irmão.''
''Contrariedade *de* vontades.'' (Fr. D. Vieira.) ''Contrariedade *das* leis.'' (Constâncio.)

Contrário — *a, de; a, de, em, por:*
''Os fundamentos contrários *à* adoção da primeira militam com a mesma energia contra a admissão do segundo.'' (Rui, *Colunas de Fogo*, 43.) ''Os sucessos foram contrários *aos* seus desejos.'' (Tomaz S. Brandão, *Sintaxe*, 22.)

"Fez o contrário *disso*." (Morais.) "Fez o contrário *do* que disse." (Constâncio.)

"Se *ao* contrário, o sol atravessa abrasadoramente o firmamento claro, estão por terra todas as suas esperanças." (E. da Cunha, *Os Sertões*, 135.)

"*Do* contrário a idéia adere-se ao adjetivo, e o substantivo, sempre que o permitir a clareza, acaba por desaparecer." (Mário Barreto, *Através do Dicionário e da Gramática*, 221.)

"Claro está que não, salvo alegação *em* contrário do escritor." (Rui, *Réplica*, 456.) "Admite-se geralmente agora que, mesmo sob influência hipnótica, um homem nada fará *em* contrário *dos* seus fundamentais princípios de moralidade." (*Maravilhas do Conhecimento Humano*, I, 249.)

"As terras altas não produziram nada, absolutamente nada; as dos vales, *pelo* contrário, foram fertilíssimas." (Mário Barreto, *Cartas Persas*, 21.)

Contraste — *com, de, entre:*

"Surgem heróis, mas a estatura avulta-lhes, maior, pelo contraste *com* o meio." (E. da Cunha, *Os Sertões*, 80.) "A ele consagrou todos os artifícios de uma propaganda infatigável, em contraste absoluto *com* a nossa indiferença." (Rui, *Colunas de Fogo*, 89.) "Num contraste chocante *com* os aplausos calorosos e prolongados dispensados a Floriano, Deodoro atravessara a sala do Congresso entre palmas escassas." (Luiz Viana Filho, *A Vida de Rui Barbosa*, 159.)

"O seu senso-moral deprimido só compreendia a posse deste (céu) pelo contraste *das* agruras suportadas." (E. da Cunha, *Os Sertões*, 191.) "Ao examinar este homem, achava nele tão singular contraste *de* riquezas e pobreza, que não sabia que pensar." (Mário Barreto, *Cartas Persas*, 89.) "Danton é o contraste *deste* sacrifício: é a política do cadafalso servida pela eloqüência de um tribuno e cinismo de um demagogo." (Rui, *Colunas de Fogo*, 60.)

"O contraste *entre* ambos ressalta ao paralelo mais simples." (E. da Cunha, *Os Sertões*, 111.) "Contraste *entre* o conteúdo das duas orações." (Augusto Moreno, *Lições de Linguagem*, II, 138.) "O sentimento popular e a inteligência nacional .... exprobram aos tronos esse contraste *entre* o país legal e a nação viva." (Rui, *Colunas de Fogo*, 13.)

Contrato — *com, de, entre:*

"A autorização da intendência fora adotada em 11 de outubro de 1898, isto é, muito antes do meu primeiro contrato *com* a Companhia." (Rui, *Colunas de Fogo*, 125.)

"O contrato *do* tabaco, *do* sabão, *dos* diamantes." (Morais.)

"Valor desembolsado pelos cofres de uma sociedade comercial na execução de um contrato de honorários *entre* ela e o seu advogado." (Rui, *Colunas de Fogo*, 126.)

Contravenção — *a, de:*

"Uma contravenção *às* leis." (Fr. D. Vieira.)

"Na mesma contravenção *da* verdade incorre o Dr. Clóvis." (Rui, *Réplica*, 19.)

Contribuição — *a, para:*

"Dali irradiaria para o estrangeiro a notícia dos nossos trabalhos, integrando-nos no movimento universal, e fazendo avultar a nossa contribuição *ao* tesouro geral da ciência." (Ricardo Jorge, *Sermões dum Leigo*, 223.)

"Excelentes anotações de Vicente Garcia Diego, em contribuição *para* o léxico etimológico hispânico." (João Ribeiro, *Curiosidades Verbais*, 92.) "Representa (o exemplo) a menor das contribuições *para* a grande obra." (Rui, *Queda do Império*, I, 355.) "E' a primeira fase e a contribuição mais importante *para* o seu sistema orgânico, como a célula nervosa no animal." (Idem, *Cartas de Inglaterra*, 48.)

Contrito — *de, em:*

"Estou repeso e contrito *da* minha audácia." (Camilo, *Abençoadas Lágrimas*, 7.)

"Reuniu-se à tristeza das coisas contritas *na* meditação ou fatigadas, para o repouso, o desejo vencido de não a ter visto." (Afrânio Peixoto, *A Esfinge*, 11.)

Controvérsia — *acerca de, com, entre, sobre:*

"Um exemplo típico é das controvérsias *acerca do* pronome 'se'." (João Ribeiro, *Curiosidades Verbais*, 98.)

"Suplicara em vão para que deixasse a controvérsia *com* os sacerdotes de Jesusalém e ambos voltassem à Galiléia." (Gastão Cruls, *Ao Embalo da Rede*, 35.) "A ereção de capelas, ou paróquias, em suas terras fazia-se sempre através de controvérsias *com* os padres." (E. da Cunha, *Os Sertões*, 104.)

"Negando com esses ares categóricos à lei o arbítrio de intervir nas controvérsias *entre* obreiros e patrões." (Rui, *Campanha Presidencial*, 125.) "Originou larga controvérsia *entre* os padres e o rico sesmeiro precipitado." (E. da Cunha, *Os Sertões*, 103.)

"Controvérsias *sobre* política, *sobre* literatura." "À outra ponta, reacendera-se a controvérsia *sobre* o espírito de imundície que corria à solta pelos andurriais da nave." (Aquilino Ribeiro, *Andam Faunos*, 84.) "Algum leitor grave achará pueril esta circunstância dos olhos verdes e esta controvérsia *sôbre* a qualidade provável deles." (M. de Assis, *Contos Fluminenses*, 13.)

Contubérnio — *com:*

"Não transijais com as situações vencedoras pelo contubérnio do poder *com* o crime, da fraude *com* a autoridade.'' (Rui, *Campanha Presidencial*, 67.)

Contumácia — *em:*

''A contumácia *no* crime, todas as vezes descoberto, lhe inutiliza as intenções refalsadas e o exautora de prometer emendar-se.'' (Camilo, *A Neta do Arcediago*, 127.)

Contumaz — *em:*

''Não bastou o sangue de Iria, nem as águas do Nabão, para lavar a sua infâmia, ainda contumaz *nos* juízos e línguas dos homens.'' (Vieira, *Sermões*, 21.)

Contundido — *com:*

''À primeira carga inesperada, a tropa titubeou entre fugir ou defender-se, e, nesta perplexidade, sofreu o desaire de ser desarmada e contundida *com* as próprias armas.'' (Camilo, *O Bem e o Mal*, 152.)

Convalescente — *de:*

''Ana Rosa era tratada como uma criança convalescente *de* moléstia mortal.'' (Aluísio Azevedo, *O Mulato*, 334.)

Convenção — *com, entre:*

''Sem excetuar a própria Suíça, alistada neste número pela sua convenção *com* a Áustria em 17 de novembro de 1888.'' (Rui, *Colunas de Fogo*, 223.)

''A convenção *entre* os dois países veio beneficiar o comércio de ambos.''

Convencido — *a, com, de:*

''Deixou-o convencido *a* consentir no casamento.''

''Convencido *com* argumentos ponderosos.''

''Mafalda de Sá esperava D. Luís Vaz, um pouco confiada em que ele, já convencido *do* que ela procurara convencê-lo, pudesse conversar, enfim, como dantes.'' (Antero de Figueiredo. *Amor Supremo*, 128.) ''E pôs-se de novo a chorar, soluçando, convencida *de* que não havia salvação.'' (Afrânio Peixoto, *A Esfinge*, 301.)

Convencionado — *entre:*

''Os casamentos eram falados e convencionados *entre* os pais dos noivos sem o plebeu preparatório do namoro.'' (Camilo, *Boêmia do Espírito*, 85.)

Conveniência — *de, entre:*

''Seja consultada minha irmã sobre a conveniência *de* ser imediatamente recolhida a um convento sua filha.'' (Camilo, *A Enjeitada*, 77.) ''Estava muito convicto da força das suas idéias para poder acreditar na conveniência *de* poupar os adversários.'' (Luiz Viana Filho, *A Vida de Rui Barbosa*, 62.)

''Não há perfeita conveniência *entre* as diversas partes desta obra.''

Conveniente — *a, para:*

''Têrmos requeridos pela necessidade, ou que aos literatos pareciam convenientes *à* beleza e propriedade da expressão.'' (Sousa da Silveira, *Lições de Português*, 23.) ''Espero que V. Ex.ª, ao pé desta, me dará o testemunho, que a verdade lhe inspirar, autorizando-me a fazer dele o uso conveniente *à* minha defesa.'' (Rui, *Cartas Políticas e Literárias*, 78.)

''E' arado mui conveniente *para* terras fortes.'' (Constâncio.) ''Porque era conveniente assim, tanto *para* a glória do filho, como *para* a glória da mãe.'' (Vieira, *Sermões*, IX, 91.)

Convênio — *com, entre:*

''Estabelece *com* o patrão desconhecido o mesmo convênio que tem *com* o outro.'' (E. da Cunha, *Os Sertões*, 123.)

''Convênio *entre* duas nações.''

Convergência — *para, sobre:*

''Nada pode desviar a corrente .... da convergência política de Portugal *para* a nação irmã.'' (Fialho de Almeida, *Os Gatos*, 109.) ''Nessa convergência *para* o seio da antiga metrópole .... ali se agremiavam sob o liame de uma aspiração uniforme.'' (E. da Cunha, *Os Sertões*, 502.)

''Ao invés da convergência *sobre* a igreja, as brigadas paravam ou fracionavam-se embitesgando nas vielas.'' (E. da Cunha, *Os Sertões*, 593.)

Convergente — *de, para, sobre:*

''Turmas sucessivas de povoadores convergentes *das* vilas e povoados mais remotos.'' (E. da Cunha, *Os Sertões*, 183.)

''Os batalhões, de um e outro extremo, carregando convergentes *para* um objetivo único, fronteavam-se a breve trecho.'' (E. da Cunha, *Os Sertões*, 333.)

''Eram a vanguarda de ignotas falanges prontas a irromperem, de remanente, em toda a parte, convergentes *sobre* o novo regime.'' (Idem, *ibidem*, 359.)

Conversa — *a respeito de, com, em, entre sobre:*

''A conversa *a respeito da* caçada aos raposos continuou na cabeceira alegre.'' (Antero de Figueiredo, *Amor Supremo*, 36.)

''Dois dias depois da conversa *com* o irmão, Vasconcelos procurou Augusta para tratar francamente do casamento de Adelaide.'' (M. de Assis, *Contos Fluminenses*, 161.) ''Tanto como os conselhos, lhe agradava o fato mesmo da conversa *com* o pai, a sós os dois, passeando seriamente como gente grande.'' (Afrânio Peixoto, *A Esfinge*, 258.)

''Longa e deliciosa conversa *em* assuntos de pintura *com* o Pe. Rui, seu diretor espiritual e artístico.'' (Antero de Figueiredo, *Amor Supremo*, 221.) ''Entretanto o Simões afrouxava lentamente na conversa *com* o outro e caía aos poucos na sua habitual concentração.'' (Aluísio Azevedo, *Casa de Pensão*, 52.)

''Nada transpirou da conversa *entre* os dois.''

"Resolutamente, tomou o propósito de não mais permitir conversas *sobre* o assunto." (Afrânio Peixoto, *A Esfinge*, 341.) "Nossa conversa foi *sobre* assuntos indiferentes. Em um dos intervalos de conversa Emílio levantou-se e foi à janela." (M. de Assis, *Contos Fluminenses*, 201.)

Conversação — *com, entre, sobre:*

"Passava o silêncio das noites em familiaríssima conversação *com* Deus." (Vieira, *Sermões*, IX, 20.)

"Nada se soube da conversação *entre* eles."

"Aquela conversação *sobre* fidalgas que ele não conhecia isolava mais Julião." (Eça, *O Primo Basílio*, 116.) "Padre Diniz encetava uma nova conversação *sobre* qualquer assunto trivial, quando Fr. Baltazar, por um aceno cheio de majestade, lhe impôs silêncio." (Camilo, *Mistérios de Lisboa*, II, 16.)

Conversão — *a, em:*

"Isso assustava o conselheiro Albino, e Pamplona confiava na definitiva conversão de Rui *aos* ideais republicanos." (Luiz Viana Filho, *A Vida de Rui Barbosa*, 21.)

"Conversão da dívida flutuante *em* dívida consolidada." "Conversão da oração infinitiva *em* conjuncional." (Augusto Moreno, *Lições de Linguagem*, II, 120.)

Conversível — *a, em:*

"Todas essas orações, perfeitamente conversíveis *ao* subjuntivo e mais comuns sob essa forma, se dão igualmente bem com as do indicativo." (Rui, *Réplica*, 374.)

"Todas essas orações, aferidas segundo a regra de Diez, são irrepreensíveis, visto que todas são conversíveis *em* sentenças do indicativo." (Rui, *Réplica*, 256.)

Convertido — *a, em, para, por:*

"Convertido *a* melhor vida, convertido *à* fé." (Constâncio.) "A lavoura mesma, toda a grande lavoura, queria que se tratasse da questão servil; e ninguém a imaginou convertida *ao* abolicionismo." (Rui, *Queda do Império*, I, 330.) "Ao mesmo tempo, Bonaparte recebia em Monte-Belo uma confidência escrita, que lhe era ministrada por um nobre emigrado em Londres, convertido *à* espionagem pela promessa de entrar em Londres e reaver os bens confiscados pela república." (Camilo, *Livro Negro*, 63.)

"Quando a terra alta se nos foi mostrando, *em* que foi convertido o grão gigante." (Camões, *Os Lusíadas*, V, 61.) "Convertido o meu corpo *numa* espiga de trigo, *num* verme, *numa* erva, será então obra menos digna da natureza ....?" (Mário Barreto, *Cartas Persas*, 165.)

"Convertidos do mundo *para* Deus." (Morais.)

"Convertidos *à* fé *pela* bondade e pertinácia dos missionários."

Convicção — *acerca de, de, quanto a, sobre:*

"A verdade, porém, é que Alcindo nunca teve convicções profundas *acerca de* coisa alguma." (Medeiros e Albuquerque, *Quando Eu Era Vivo*, 224.)

"O fato não surpreende, desde que se avenha na convicção *de* que não pode haver literatura sem público que vibre dela." (Fialho de Almeida, *Os Gatos*, 237.)

"Desse inquérito imperceptível resultou a sua convicção *quanto ao* alheamento absoluto, em que vivera sempre a viscondessa, da feição literária do marido." (Veiga Miranda, *A Eterna Canção*, 75.)

"Espantei-me, quando a vi passar daquele arroubamento à vivacidade com que há pouco me revelava as suas convicções *sobre* a imortalidade do espírito." (Camilo, *Mistérios de Lisboa*, I, 111.)

Convicto — *de, em:*

"Estava muito convicto *da* força das suas idéias." (Luiz Viana Filho, *A Vida de Rui Barbosa*, 63.) "As três senhoras, convictas *de* que a velha era servida de favores do alto e sempre mais ou menos inspirada, atentavam religiosamente no que ela dizia." (Camilo, *apud* L. Freire.)

"Firmes e convictos *na* sua fé como antigos sacerdotes de Tiro ou de Cartago, oferecendo aos deuses aplacados o sacrifício expiatório da rês humana." (R. Ortigão, *A Holanda*, 2.)

Convidado — *a, para:*

"O suntuoso palácio do Barão de Nova Friburgo abriu-se em 27 de outubro para receber os convidados *ao* casamento." (Luiz Viana Filho, *A Vida de Rui Barbosa*, 83.) "Convidada a assembléia destes (pares), na sessão semestral, *a* reduzir o curso de Michelet e Quinet aos limites naturais ...." (Rui, *Queda do Império*, I, 226.) "Convidado *a* um banquete." (Constâncio.)

"Agrada-nos confessar que o parlamentar convidado *para* gerir a pasta da Justiça, ora ausente desta capital, é uma garantia de êxito para a futura administração." (Afrânio Peixoto, *A Esfinge*, 110.) "Convidado *para* assistir a uma festa." (Constâncio.) "Já estou convidada *para* ser madrinha do segundo filho de Ladislau. Bem vês que ando a cuidar-lhe do enxoval." (Camilo, *O Bem e o Mal*, 215.)

Convidativo — *para:*

"Este rótulo era pouco convidativo *para* estímulo dissolvente de uma péssima situação." (Camilo, *apud* L. Freire.)

Convinhável — *a:*

"Em todas as administrações onde surge uma especulação convinhável *a* eles, lá está, como por disposição providencial, um familiar do presidente do Conselho." (Rui, *Queda do Império*, I, 241.)

Convite — *a, de, para:*
"No hábil convite do governo republicano *ao* preclaro monarquista, na anuência do monarquista ao convite republicano, está implicitamente selado um pacto inviolável." (Rui, *Colunas de Fogo*, 51.) "Esta música é um convite *à* dança."
"O convite *de* ir para Pinhel, com o sogro, seu amigo, entrar no gozo das honras da ilustre família, ostentar a benemerência da sua probidade, ... nenhum destes incitamentos lhe descontava nas dores." (Camilo, *O Bem e o Mal*, 200.)
"Ao outro dia, o fidalgo de Guimarães e seu hóspede receberam convite *para* jantar na quinta de Calvados." (Camilo, *A Enjeitada*, 28.) "Aquela árvore ali junto do caminho, esgalhada, com um ramo torto, ao alcance, pareceu-lhe um convite *para* a liberdade.... Fez um laço com a baeta e enforcou-se." (Afrânio Peixoto, *A Esfinge*, 290.)

Convivência — *com, de, em:*
"Na convivência *com* o padre vigário, aprendi mais do que me ensinaram muitos anos de leitura." (Rebelo da Silva, *Contos e Lendas*, 14.) "A convivência *com* homens que não conheciam os precedentes da sua misantropia, não a procurava." (Camilo, *A Neta do Arcediago*, 16.)
"Acepilhada em corpo e alma na convivência *das* condessas." (Camilo, *A Corja*, 31.) "Atravessando os dias na convivência rude *dos* tropeiros." (E. da Cunha, *Os Sertões*, 530.) "Na convivência *desses* mestres aprendi a não ter preferências abstratas em matéria de formas de governo." (Rui, *Cartas de Inglaterra*, 210.)
"Sem curtir grandes saudades por aquela irmã, sua amiga, franca e delicada, que lhe dera a provar pela primeira vez o suavíssimo prazer da convivência *em* família." (Aluísio Azevedo, *O Mulato*, 128.)

Convívio — *com, de:*
"O convívio *com* a família ou *da* família." (E. Carneiro Ribeiro, *Serões Gramaticais*, 671.)
"Reservasse seu tempo e seus cuidados para sua arte, constantemente, obstinadamente, e para o convívio *de* alguns íntimos." (Afrânio Peixoto, *A Esfinge*, 88.)

Convizinhança — *com:*
"Convizinhança de um prédio *com* outro."

Convizinho — *de:*
"Terras, lugares convizinhos *de* algum ponto." (Fr. D. Vieira.) "Domingos Leite .... acantoou-se no ângulo mais convizinho *da* passagem." (Camilo, *O Regicida*, 46.) "Ali ficaria Augusta não só em sítio mais elevado e mais enxuto que nas margens do Itaípe; ficaria também em terras convizinhas *da* fazenda Novo Mundo." (Xavier Marques, *As Voltas da Estrada*, 104.)

Convocação — *para:*
"Convocação *para* guerra." (Morais.)

Convocado — *a, para, por:*
"Convocado *a* conselho."
"Gente convocada *para* a guerra."
"Acudiu toda a população rural ao pátio da casa grande, debaixo do aguaceiro pesado, convocada *pelo* búzio imperativo." (J. Américo de Almeida, *A Bagaceira*, 177.)

Convulsionado — *de:*
"O senhor padre Jesuíno desceu para a sacristia, vermelho como o estandarte vermelho do Santíssimo, acotovelando na passagem aos paroquianos convulsionados *de* atrição." (Aquilino Ribeiro, *Andam Faunos*, 72.)

Cooperação — *com, em, para:*
"A oeste a frota, em estreita cooperação *com* o exército, assegurou, a duro pelejar, o domínio do Mississípi." (Rui, *Cartas de Inglaterra*, 151.)
"Minha cooperação *nesse* trabalho foi insignificante."
"E' indispensável tua cooperação *para* esta empresa."

Cooperador — *de, em:*
"Cooperador *do* dano; cooperador *da* boa obra." (Morais.)
"Não cogitou que se tratava de homens, os quais, ... sujeitos, pelas exigências excepcionais do cometimento *em* que iam ser cooperadores, a um dispêndio excessivo de forças, não poderiam resistir impunemente à provança." (Rui, *Queda do Império*, I, 442.)

Coordenação — *a, com, de:*
"Coordenação de uma sentença *a* outra."
"Coordenação de uma oração *com* outra."
"Coordenação *das* partes de um discurso."

Coordenado — *a, com:*
"A oração de "leva" é coordenada *à* do verbo anteriormente citado." (Augusto Moreno, *Lições de Linguagem, II*, 134.)
"Linha coordenada *com* outras."

Co-participação — *a:*
"A co-participação do primeiro ministro nessa lesão *à* fazenda mineira é, pois, fato confessado e inquestionável." (Rui, *Queda do Império*, II, 21.)

Corado — *de, por:*
"Achava também graça no picante e inopinado comentário de sua interlocutora, corada *de* pejo." (Alberto Rangel, *Fura-Mundo*, 236.)
"Lúcio não se esquecera de sua beldade matuta, corada *pelo* sol." (J. Américo de Almeida, *A Bagaceira*, 212.)

Coragem — *contra, de, em, para:*
"A coragem foi talvez a principal das qualidades cívicas de Rui .... coragem *contra*

Floriano, coragem *contra* o militarismo, coragem *contra* a hostilidade dos ambientes e dos auditórios.'' (Batista Pereira, *Coletânea Literária*, 112.)

''E alguns espectadores tiveram a coragem singular *de* rir.'' (E. da Cunha, *Os Sertões*, 523.) ''O pequeno nem teve coragem *de* me dizer nada.'' (Gastão Cruls, *Ao Embalo da Rede*, 22.) ''Quem terá coragem *de* lá ir?'' (Camilo, *A Enjeitada*, 14.)

''O Sr. Gassiot, em lhe eu dizendo quem me contesta a posse de Roberta, assombra-se da minha coragem *em* disputar-lha.'' (Camilo, *A Enjeitada*, 31.) ''A mesma coragem *em* todas as respostas. Repara que lhe tiram o retrato, e coloca-se em posição vantajosa para o retratista.'' (Camilo, *Livro Negro*, 54.)

''Serão embalsamadas em livro, quando aparecer um editor de bastante coragem *para* esse empreendimento sagrado.'' (João Ribeiro, *Curiosidades Verbais*, 5.) ''Sentia-se cheio de coragem *para* a luta e cheio de confiança no seu esforço.'' (Aluísio Azevedo, *O Mulato*, 77.) ''Pedirei a Deus que lhe dê coragem *para* o desengano.'' (Camilo, *A Neta do Arcediago*, 71.)

Coroado — *com, de, por:*

''Subiu coroado *com* os lauréis do seu sangue.'' (Vieira, *Sermões*, IX, 222.)

''Era a mãe preta — a noite indormida de sua infância, com a cabeça toda branca, como coroada *de* luar.'' (J. Américo de Almeida, *A Bagaceira*, 216.) ''A fronte coroada *de* palma e louro.'' (Camões, *Os Lusíadas*, IX, 89.) ''E no meio dos tumultos e guerras em que ardia o reino, ele teria visto coroadas *de* bom sucesso as suas diligências.'' (Herculano, *O Bobo*, 10.)

''Formosura coroada *pela* Graça do Céu.'' (Antero de Figueiredo, *Amor Supremo*, 259.)

Correção — *a, de, em:*

''A frase de Machado de Azevedo não é ''uma nota satírica'', como diz. S. Ex.ª, é uma correção judiciosa *aos* malogrados maledicentes.'' (Camilo, *Boêmia do Espírito*, 190.)

''A correção *do* estilo, *do* desenho.'' (Fr. D. Vieira.)

''Dar a essa bagatela ortográfica as honras de emenda solene, é o que só explicaria a superstição absoluta da língua, a idolatria da correção *no* escrever.'' (Rui, *Réplica*, 55.)

Correlação — *com, entre:*

''Não tenho correlação *com* Pedro.'' (Morais.) ''Esse fato não tem a mínima correlação *com* o anterior.''

''Pai e filho têm correlação *entre* si.'' (Morais.)

Correlativo — *de, entre:*

''A palavra 'mulher' é correlativa *de*stoutra 'marido'.'' (Morais.)

'' 'Tio' e 'sobrinho' são têrmos correlativos *entre* si.''

Correlato — *a, com, entre:*

''Têrmo correlato *a* outro ou *com* outro.''

''Coisas correlatas *entre* si.''

Corrente — *de, em:*

''Obra de grande utilidade para os que quiserem pôr-se *ao* corrente *da* reforma portuguesa.'' (Mário Barreto, *Através do Dicionário e da Gramática*, 401.)

''Fizeram-se mais correntes *na* arte de edificar.'' (Morais.) ''Segundo as notícias correntes *na* imprensa européia, ... todo o edifício da acusação assentava em um documento subtraído a uma legação estrangeira.'' (Rui, *Cartas de Inglaterra*, 25.)

Correria — *contra, por:*

''Últimas correrias *contra* a liberdade individual.'' (Rui, *Colunas de Fogo*, 147.)

''A multidão continuava em correrias *pelas* ruas e praças.''

Correspondência — *a, com, contra, de, entre, para, sobre:*

''O moço apertava-lhe as mãos, fitando-a nos olhos claros em procura de correspondência *à* sua emoção.'' (Afrânio Peixoto, *A Esfinge*, 13.)

''Ter uma correspondência *com* alguém.'' (Fr. D. Vieira.) ''A idéia que levarão consigo a outras terras, e de lá transmitirão, na correspondência *com* os seus.'' (Rui, *Colunas de Fogo*, 93.) ''A minha correspondência *com* as cortes estrangeiras.'' (Rui, *Queda do Império*, I, 259.)

''Escrevi para o ''Periódico dos Pobres'', do Porto, uma correspondência *contra* o regedor da minha freguesia.'' (Camilo, *Coração, Cabeça e Estômago*, 140.)

''Não existe correspondência exata *de* sons e letras.'' (Júlio Nogueira, *O Exame de Português*, 111.) ''Correspondência *de* sentimentos, *de* afetos.'' (Constâncio.)

''Nuns (dias) me fere o contraste e a lembrança do céu da minha terra, noutros a correspondência *entre* a natureza e a minha atmosfera interior.'' (Rui, *Colunas de Fogo*, 38.) ''Observa-se a correspondência *entre* o som germânico 'we' e o latino 'gue'.'' (Júlio Nogueira, *O Exame de Português*, 115.)

''Se entre algumas delas (damas) encontrava correspondência *para* um galanteio, não o poupava.'' (Mário Sete, *Os Azevedos do Poço*, 11.)

''Uma correspondência triste *sobre* o serviço interno do estabelecimento marcava-lhe a atividade de cada dia.'' (Luiz Viana Filho, *A Vida de Rui Barbosa*, 37.)

Correspondente — *a, de:*

''O nosso trabalho será comprovado pelo exame dos documentos antigos correspondentes *às* épocas estudadas.'' (Júlio Nogueira, *O*

Exame de Português, 120.) "Não souberam encontrar a fórmula de arte correspondente *às* determinantes sociais que os impulsionam." (Fialho de Almeida, *Os Gatos*, 250.)

"O 'dissimule', a que aludi nas expressões transcritas, ... é a forma correspondente *do* verbo 'dissimular'." (Rui, *Réplica*, 461.)

Corresponsável — *em:*

"Corresponsável, por mal de seus pecados, *na* constituição deste regime, dez anos há que outra coisa não faz senão defendê-lo." (Rui, *Colunas de Fogo*, 152.) "No mesmo erro teria caído eu também, se fosse justo .... haver-me por corresponsável *na* redação do decreto." (Idem, *Réplica*, 473.)

Corretivo — *a, de:*

"O corretivo *à* miséria, que expusemos, seria trocar os exames destacados de preparatórios no exame geral de maturidade." (Rui, *Queda do Império*, I, 335.)

"Os segundos pós foram corretivos *dos* primeiros." (Vieira, *apud* Morais.) "Deste modo a medida única a adotar-se deve consistir no corretivo *destas* disposições naturais." (E. da Cunha, *Os Sertões*, 60.) "Proclamava o corretivo providencial *da* inevitável democracia." (Rui, *Cartas de Inglaterra*, 230.)

Corrida — *a, contra, por:*

"Que tempo excelente para caçada aos raposos e corrida *às* lebres!" (Antero de Figueiredo, *Amor Supremo*, 64.)

"Uma corrida que se fez *contra* os mouros." (Dic. de Morais.)

"Numa digressão jurídica, numa corrida *pelas* questões internacionais, desavista a região que o circunda." (Rui, *Colunas de Fogo*, 215.)

Corrido — *a, de, por:*

"Gente corrida *a* vara, *a* pedra." (Constâncio.)

"Eu estava um pouco enfiado e corrido *deste* mau gosto de discutir às gargalhadas." (Camilo, *Cenas da Foz*, 50.)

"Era uma pobre sertaneja, corrida *pela* seca, que vinha de longe, carregando um filho." (Afrânio Peixoto, *A Esfinge*, 289.)

Corroborado — *por:*

"Esta certeza é corroborada *pelo* fato de não ter a Lua atmosfera como a nossa, ou, se tem, a atmosfera é tão tênue que não torna a vida possível." (*Maravilhas do Conhecimento Humano*, I, 206.)

Corroído — *de, por:*

"Um aparelho litoral revolto, ... riçado de cumiadas e corroído *de* angras." (E. da Cunha, *Os Sertões*, 3.) "A infeliz é a vergôntea dum tronco corroído *de* vermes: serão amaldiçoados os seus frutos." (Camilo, *Livro Negro*, 214.)

"Não será evidente que este organismo está sendo corroído *por* uma enfermidade intestina?" (Rui, *Queda do Império*, I, 276.) ".... para que estalassem as primeiras junturas deste arcabaiço, interiormente corroído, havia muito, *pelos* vícios do governo pessoal." (Rui, *Queda do Império*, I, 144.)

Corrompido — *com, em, por:*

"Juiz corrompido *com* dádivas, peitas." (Constâncio.)

"Sirva de exemplo a expressão 'que é de', corrompida *em* 'cadê'."

"Multidão humana corrompida *pela* escravidão." (Rui, *Queda do Império*, I, 201.)

Cortado — *a, com, de, em, por:*

"O seu trajo, cortado *à* moda da corte de Luiz XV, de veludo preto, fazia realçar a elegância do corpo." (Rebelo da Silva, *Contos e Lendas*, 142.) "Papel cortado *a* faca."

"Cortado *com* a morte da esposa." (Constâncio.) "Cortado *com* a infausta nova." (Idem.)

"Serranias cortadas *de* angusturas, fracionando-se em serrotes de aclives vivos." (E. da Cunha, *Os Sertões*, 408.) "Uma felicidade cortada *de* flagelos." (J. Américo de Almeida, *O Boqueirão*, 193.) "Eu fugi.... — voltou ela com a voz cortada *de* suspiros ansiosos — fugi para não assistir à desventura da minha pobre filha." (Camilo, *A Enjeitada*, 221.) "E um choro cortado *de* lamentos enchia a casa, fazendo alarme nas ruas." (Fialho de Almeida, *A Cidade do Vício*, 53.)

"O desengano quebra o único amparo a que pode encostar-se a mulher cortada *em* todos os laços que a prendem ao mundo." (Camilo, *Mistérios de Lisboa*, I, 185.) "Cortados *no* salário, agravados no trabalho, mortificados no custo da vida." (Rui, *Campanha Presidencial*, 74.) "Transpuseram o Vasa-Barris, cortado *em* cacimbas." (E. da Cunha, *Os Sertões*, 495.)

"E esses burros, cortados *pelo* arrocho e *pela* rabichola, ... nem coices davam quando os cambiteiros lhes enfiavam os dedos dos pés no curvilhão, para montar." (J. Américo de Almeida, *A Bagaceira*, 109.) "Com os pés sangrando, varados de espinhos e cortados *pelas* pedras." (E. da Cunha, *Os Sertões*, 285.)

Cortejado — *por:*

"O que mais sofreu nela foi o orgulho. Ver-se cortejada publicamente *por* um liberto...." (Xavier Marques, *As Voltas da Estrada*, 102.)

Cortejo — *a, de:*

"Pelas audácias do seu cortejo *a* uma dama do palácio régio, alheara de si a estima dos fidalgos que o consideravam." (Camilo, *Boêmia do Espírito*, 190.)

"A miséria com seu cortejo *de* doenças." (Encicl. Port.)

Cortês — *com, para com:*

"Foi muito cortês *com* as visitas."

"E' sempre bondoso e cortês *para com* todos."

Cortesia — *a, com, para com:*

"Este escritor, pródigo de gabos e cortesias *aos* seus colegas, houve-se cavalheirosamente com a princesa." (Camilo, *Boêmia do Espírito,* 262.)

"Como se a cortesia *com* damas não fosse página escrita no mais diamantino do peito desde que abrimos olhos para vê-las." (Camilo, *O Bem e o Mal,* 50.)

"Ter cortesia *com* alguém ou *para com* alguém."

Cortina — *de:*

"Tôdas essas bastardias conspiram contra o desmudamento da nossa verdadeira situação, estendendo sobre ela uma cortina *de* obscuridade." (Rui, *Queda do Império,* I, 3.)

Cosido — *a:*

"Teresinha, apiedada do pobre animal, estacara trêmula e lívida, cosida *aos* rochedos, numa postura de horror." (Domingos Olímpio, *Luzia-Homem,* 211.)

Cotejo — *com, de, entre:*

"Cotejo do original *com* a cópia."

"Cotejo *de* textos." (Fr. D. Vieira.)

"Inevitável era, portanto, o cotejo *entre* as duas construções." (Rui, *Réplica,* 147.)

Couraça — *contra:*

"A coragem é boa couraça *contra* os perigos." (Mário Barreto, *Através do Dicionário e da Gramática,* 205.)

Couraçado — *contra, de:*

"Estou couraçado *contra* os golpes da adversidade." "Estar couraçado *contra* a dor." (Mário Barreto, *Através do Dicionário e da Gramática,* 205.)

"Couraçado *de* resignação, *de* paciência."

Covarde — *ante, com:*

"Mostrar-se covarde *ante* o perigo."

"E' sempre covarde *com* os fracos."

Covardia — *ante, com:*

"Antevejo .... uma tal obediência aos modelos, uma tal covardia *ante* o público...." (Fialho de Almeida, *Os Gatos,* 229.)

"Covardia *com* os desgraçados, *com* os fracos."

Cravado — *em:*

"A amante do Marquês de Luso assistira impassível, de braços cruzados, face de mármore, e os olhos cravados *nos* lábios de cada orador que vociferava maldição contra Marat." (Camilo, *Livro Negro,* 51.)

Cravejado — *de, por:*

"Estava o céu cravejado *de* estrelas, a lua brilhante, a viração perfumada." (Camilo, *A Enjeitada,* 25.) "Conduzem outros tantos ginetes à mão, ajaezados de arreios cravejados *de* pedraria." (Camilo, *Perfil do Marquês de Pombal,* 27.)

"Tirou de um pequeno estojo uma larga rede em fios de pérolas, cravejada de espaço a espaço *por* coruscantes safiras de Cós." (Gastão Cruls, *Ao Embalo da Rede,* 28.)

Crédito — *em, para, sobre:*

"Já devia saber que ela não gozava bons créditos *em* sentido nenhum." (Camilo, *A Enjeitada,* 60.)

"E nesse estrame fui eu encontrá-lo jejuno, sem vintém e sem crédito *para* um pão." (C. Neto, *A Cidade Maravilhosa,* 123.)

"Era esta a mulher que mais servia às suas propensões, e mais crédito adquirira *sobre* o seu reconhecimento." (Camilo, *A Neta do Arcediago,* 89.)

Credor — *de:*

"E' credor *da* estima de todos os homens honrados." (Constâncio.)

Credulidade — *em:*

"Apenas solicitam dos irmãos restituídos à família comum um pouco mais de confiança na lisura do nosso acolhimento e um pouco menos de credulidade *na* linguagem insidiosa dos que os exploram." (Rui, *Queda do Império,* I, 202.)

Crédulo — *em:*

"Alguns, menos crédulos *na* palavra do marquês e que sabiam a história de Teresa dos Anjos, suspeitavam que ele fosse filho do Visconde de Viso." (Camilo, *Livro Negro,* 243.)

Crença — *de, em:*

"Mas a crença *de* que o mundo fosse redondo tinha muito pouca base, até que as viagens revolucionárias de Drake e Magalhães provaram isso, sem mais dúvida." (*Maravilhas do Conhecimento Humano,* I, 215.)

"Estas novas iam mitigar as saudades de José da Fonseca, já então nos Açores, e afervorar-lhe as crenças *na* providência dos bons corações." (Camilo, *As Três Irmãs,* 240.) "O próprio Mill participava da crença carlyleana *na* mediocridade essencial das multidões humanas." (Rui, *Cartas de Inglaterra,* 228.)

Crente — *de, em, que:*

"Ia em meio a terceira noite após aquela em que os crentes *do* Islame tinham parado nas faldas setentrionais das cordilheiras." (Herculano, *Eurico,* 85.) "Estava crente *de* que os bandidos apenas queriam roubar Orlando." (Mário Barreto, *Através do Dicionário e da Gramática,* 150.)

"Estar crente *em* alguma coisa." (Morais.) "O cônego, crente *no* remédio do céu, ... prometeu à sua hóspeda empregar todos os meios possíveis para destruir os obstáculos ao seu casamento." (Camilo, *A Neta do Arcediago,* 68.) "Não sou dos crentes *na* infalibilidade dos homens, por isso mesmo que a não entendem." (Camilo, *Boêmia do Espírito,* 271.)

— Com elipse da preposição: "Falo com a minha pobre morta e estou crente *que* ela me ouve." (Mário Barreto, *Através do Dicionário e da Gramática*, 151.)

Crescido — *de, em:*

"Rio crescido já *de* águas e navegável." (Morais.)

"Crescido *em* anos, trabalhado pelos árduos labores da educação da mocidade." (E. Carneiro Ribeiro, *Ligeiras Observações*, 13.) "Crescido *em* poder, *em* forças." (Constâncio.)

Criado — *com, entre, para, por:*

"Fui criado *com* aquele povo e para que dizer não tenho queixa, não senhor." (J. Lins do Rego, *Usina*, 146.) "Criada *com* todos os melindres da sua linhagem, louvando-se extremamente da branquidão e da bravura dos ascendentes." (Mário Sete, *Os Azevedos do Poço*, 17.)

"Homem criado *entre* incrédulos, e alimentado com o mau leite dum século que nos ensina a fatal máxima: "é nobre o morrer quando a vida nos desonra"." (Camilo, *Livro Negro*, 255.)

"A Companhia é uma milícia ligeira criada *para*, às ordens da Igreja, defender a Igreja." ntero de Figueiredo, *Amor Supremo*, 109.)

"E' ilusão para uso interno, criada *pelo* reclamo de nossa Chancelaria, que tanto sabe descontar na ênfase nacional." (Afrânio Peixoto, *A Esfinge*, 145.) "Que maior estorvo essa fatalidade criada *pela* diferença dos anos!...." (Alberto Rangel, *Fura-Mundo*, 323.)

Crime — *contra, de:*

"Esta convenção é um crime *contra* o Brasil: não pode subsistir!" (Rui, *Colunas de Fogo*, 97.) "Forcejou por obter da Confederação Helvética o assentimento à regra de solidariedade humana, que submete à extradição os crimes de sangue *contra* a pessoa dos chefes de Estado. (Idem, *ibidem*, 217.)

"Um crime *de* morte." (Fr. D. Vieira.) "Redobrariam a penalidade, agravando o crime *de* homicídio." (Camilo, *O Regicida*, 154.)

Crise — *de, em:*

"Sofreu uma violenta crise *de* nervos."

"Os episódios iniciais desta época de entibiamento da ação do poder público sobre as armas correspondem à crise mais aguda *na* moléstia imperial." (Rui, *Queda do Império*, I, 144.)

Crítica — *a, de, em relação a, respeito a:*

"Estas observações não constituem de modo algum crítica *a* uma obra que o ceramista concebeu e realizou dentro duma crise estética." (Fialho de Almeida, *Os Gatos*, 281.) "Houve quem cuidasse que a nossa crítica *ao* ato do governo .... envolvesse depreciação." (Rui, *Queda do Império*, I, 315.) "A estranha e agravosa crítica do mestre *à* redação do art. 199 no meu substitutivo." (Idem, *Réplica*, 430.)

"A crítica *dos* acontecimentos indica que aquilo foi, talvez, uma cilada." (E. da Cunha, *Os Sertões*, 605.) "Não contente de cometer essa inexação ...., dá um passo adiante a crítica *do* substitutivo." (Rui, *Réplica*, 74.)

"Eis o resumo de sua crítica *em relação ao* mais fino cinzelador germânico de jóias de espírito e poesia." (Rui, *Cartas de Inglaterra*, 223.)

"O pretexto, entretanto, ... foi 'o tom áspero e grosseiro de que se revestira' a minha crítica *respeito à* câmara e *à* comissão especial." (Rui, *Réplica*, 39.)

Crítico — *para:*

"Crítico é o momento *para* o partido liberal. O país vai tirar a primeira prova da sinceridade das suas reivindicações." (Rui, *Queda do Império*, II, 244.)

Crivado — *de:*

"As estradas pioravam, crivadas *de* veredas." (E. da Cunha, *Os Sertões*, 265.) "Pirunga observava a almofada vermelha crivada *de* alfinetes." (J. Américo de Almeida, *A Bagaceira*, 249.) "Rosto crivado *de* bexigas." (Morais.)

Cruel — *a, com, em, para, para com:*

"Não era (Sancho) .... tão cruel *às* gentes e molesto, que a cidade queimasse onde vivia." (Camões, *Os Lusíadas*, III, 92.) — Reg. p. usada.

"Resolvamos séria e sinceramente qual dos dois foi mais cruel *com* Iria nesta lastimosa tragédia." (Vieira, *Sermões*, IX, 21.)

"O teu coração é bom; e eu é que fui cruel *em* mortificar-te." (Camilo, *Mistérios de Lisboa*, II, 59.) "Se ele não faz esta exceção, por que a fazes tu, *em* tudo o mais cruel, e só com a boca piedoso?" (Vieira, *Sermões*, IX, 229.)

"Ouvira a outros contar que as mulheres eram assim mesmo, ou que as havia assim, desdenhosas ou cruéis *para* os que amam ou *para* os que as amam." (Afrânio Peixoto, *A Esfinge*, 283.) "O' dia cruel e funesto *para* os profetas!" (Vieira, *Sermões*, IX, 221.)

"Nem por isso vos perdi a afeição, porque sei por experiência que ao menos não seríeis cruel *para com* os vencidos." (Herculano, *O Bobo*, 126.) "Foram cruéis *para com* os índios. Eram rudes e violentos. Mas a obra que realizaram, na descoberta dos sertões e de suas riquezas ocultas, foi uma epopéia magnífica." (*Maravilhas do Conhecimento Humano*, I, 162.)

Crueldade — *com, para com:*

"Deixe de crueldade *com* a criança."

"E' irritante sua crueldade *para com* os animais."

Crueza — *de:*

"Esta terceira condessa parecia querer que a memória das suas antecessoras fosse absolvida, ou então vingá-las da crueza *do* marido." (Camilo, *Boêmia do Espírito*, 122.)

Cruzada — *contra, para:*

"O Sr. Agostinho de Campos, que, com a mais patriótica devoção ao cultivo esmerado da língua nacional, toma parte nas cruzadas *contra* os que a maltratam." (Mário Barreto, *Através do Dicionário e da Gramática*, 235.) "Nova cruzada *contra* os turcos da Palestina." (Antero de Figueiredo, *Jornadas em Portugal*, 86.)

"E' preciso que os holandeses e inglêses estabeleçam na costa uma cruzada severa *para* sufocar aí o Evangelho." (Camilo, *apud* L. Freire.)

Cruzado — *de:*

"Uma clareira abria-se luminosa, com o chão seco, forrado de folhas crepitantes, cruzado *de* raízes gigantescas em vergões que ondulavam." (C. Neto, *Treva*, 95.)

Cruzamento — *com, de, entre:*

"Ainda uma vantagem portuguesa: o cruzamento *com* o negro, exterminando-o nas diluições sucessivas de sangue branco em que o afogará, cessado de vez o tráfico africano." (Afrânio Peixoto, *A Esfinge*, 399.) "Na maioria, o sertanejo resulta do cruzamento do índio *com* o português." (Gustavo Barroso, *Terra de Sol*, 169.)

"O brasileiro provém de cruzamento *de* várias raças."

"E' (o jagunço) um produto histórico expressivo. Nascendo de cruzamento tardio *entre* colaterais, ... resume os atributos essenciais de uns e outros." (E. da Cunha, *Os Sertões*, 219.)

Cubiçoso — *de:*

"E porque ficássemos cubiçosos *de* ter alguma notícia da doutrina, consentiu Titané em ir conosco à casa do bonzo." (C. Neto, *Treva*, 182.)

Cuidado — *com, de, em, para, para com, por:*

"As noites em claro, o cuidado *com* a moagem davam direito ao marido de cair na cama e roncar até tarde." (J. Lins do Rego, *Usina*, 73.) "O silêncio .... não passara despercebido a D. Mariana, suposto que as suas penas fossem de sobra, para se dar cuidado *com* as estranhas." (Camilo, *A Neta do Arcediago*, 108.) "Toma cuidado *com* a revolta das paixões, que são os ferozes marujos destas navegações de descoberta." (M. de Assis, *Contos Fluminenses*, 19.)

"A aplicação constante à guerra, ... o cuidado sempre vigilante *do* aperfeiçoamento em tudo, fizeram dos romanos os primeiros soldados do mundo." (Mário Barreto, *Cartas Persas*, XIX.) "A filha e a governanta multiplicavam-se em gentilezas a cada visita, num cuidado discreto *de* deixar todo o mundo à vontade." (Afrânio Peixoto, *A Esfinge*, 57.) "Apenas faz vaga idéia de imensos territórios que ocupam o mapa da América do Sul, ... sem o menor cuidado *de* exatidão geográfica." (Idem, *ibidem*, 145.)

"E' preciso termos muito cuidado *em* não malbaratar o nosso cabedal." (Mário Barreto, *Cartas Persas*, 114.) "Onde se não distingue bem entre a (noção) da clareza no estilo e a do alinho na frase, nem entre a do rigor no classicismo e a do cuidado *na* observância gramatical." (Rui, *Réplica*, 503.) "Terei todo o cuidado *em* que nesta casa não entrem vítimas." (Camilo, *A Enjeitada*, 188.)

"Peço-lhe o máximo cuidado *para* esse caso." "— De maneira que os seus cuidados são todos *para* a ciência?" (M. de Assis, *Contos Fluminenses*, 92.)

"A duquesa estimou esta resolução, que não ousava aconselhar-lhe, porque temia comprometer a sua dignidade, lembrando a Lacroze que a sociedade poderia reparar nos seus assíduos cuidados *para com* ela." (Camilo, *Livro Negro*, 181.)

"Jorge, agradecido pelos cuidados dela *pela* Virgínia, pagou-lhe um quarto no hospital." (Eça, *O Primo Basílio*, 90.) "Que tem, Sra. condessa? .... Cuidados *por* seu filho?" (Camilo, *Mistérios de Lisboa*, II, 6.)

Cuidadoso — *com, de, em:*

"E' aluno muito cuidadoso *com* seus livros." "Cuidadoso *de*, cuidadoso *com* ou *em*." (Carlos Góis, *Sintaxe de Regência*, 98.)

"Se teu marido, passado um ano, se mostrar pouco cuidadoso *de* ti, não lhe lembres os seus deveres." (Camilo, *As Três Irmãs*, 39.) "Muito cuidadoso *da* própria pessoa, tinha a vaidade de pintar os bigodes e o cabelo." (Medeiros e Albuquerque, *Quando Eu Era Vivo*, 239.) "Às vezes lhe fazia êle a grandíssima injúria de supor que sua prima não era mais cuidadosa *de* sua dignidade." (Camilo, *A Enjeitada*, 133.) "À tarde, estava o duque em casa de D'Auvergne, cuidadoso *da* contrariedade que o privara do baile." (Camilo, *Livro Negro*, 185.)

"Cuidadoso *em* tudo o que se lhe confia." (E. Carneiro Ribeiro, *Serões Gramaticais*, 675.) "Cuidadoso *de* alguma coisa, cuidadoso *em* fazer alguma coisa."

Culpa — *de, em, para:*

"Ter culpa *de* alguma coisa." (Constâncio.) "De quem as culpas *de* tanta miséria afrontosa?" (Ricardo Jorge, *Sermões dum Leigo*, 294.)

"Os dicionários não têm grande culpa *no* registro de tais perversidades." (João Ribeiro, *Curiosidades Verbais*, 82.) "O senhor não tem culpa *nos* meus infortúnios." (Camilo, *A Neta do Arcediago*, 166.) "O pobre rapaz não tem absolutamente a menor culpa *em* tudo isto." (Aluísio Azevedo, *O Homem*, 28.)

"Em homem infamado, ainda que não houvesse culpa *para* se lhe tirar o ofício, havia causa para se lho não fiar.'' (Vieira, *Sermões*, IX, 15.)

Culpado — *de, em, para com:*

''Ele não era culpado *de* nada.'' (J. Lins do Rego, *Usina*, 149.) ''E' como se dum modo obscuro e inexplicável ele fosse um tanto culpado *d*aquela morte.'' (Erico Verissimo, *Saga*, 84.) ''Remo fugiu, como se fosse culpado *de* ter dado pela mão a virgem sertaneja a um estrangeiro.'' (J. Américo de Almeida, *O Boqueirão*, 209.)

''Sem desgarrarmos uma só vez do assunto para insinuações contra a pessoa do culpado *n*este erro monstruoso.'' (Rui, *Colunas de Fogo*, 109.) ''Sentia-se muito culpado *em* ter sido o próprio a detê-lo em casa.'' (Aluísio Azevedo, *O Homem*, 27.)

''Culpado *para com* Deus.'' (Constâncio.)

Cultivado — *em:*

''Precisava de uma outra alma, porque a de Napoleão era pouca para as vertigens da glória: encontrou-a no Visconde de Armagnac, mais cultivada que a sua *em* dotes da inteligência.'' (Camilo, *Livro Negro*, 77.)

Culto — *a, de, por:*

''Culto *a* Deus, *a*os santos.''

''Adquirira nas obras destes grandes historiadores o culto *da* eloqüência, *da* virtude.'' (Mário Barreto, *Cartas Persas*, XII.) ''O culto *d*os mortos é impressionador. Nos lugares remotos, longe dos povoados, inumam-nos à beira das estradas, para que não fiquem de todo ao abandono.'' (E. da Cunha, *Os Sertões*, 142.) ''Discípulo amado de Camilo, tinha o culto *da* boa linguagem.'' (Mário Barreto, *Através do Dicionário e da Gramática*, 315.)

''Associara-a (a imprensa) ao seu forte culto *pel*a liberdade.'' (Luiz Viana Filho, *A Vida de Rui Barbosa*, 120.) ''Eles tinham superexagerado a superstição servil do culto exterior *pel*a república até à decretação de um 'ritual republicano'.'' (Rui, *Discursos e Conferências*, 338.) ''Gonçalves Dias, porém, filho de português, de quem herdou o amor à língua vernácula e o culto *pel*o passado, diz ''à pressa'', no singular.'' (Mário Barreto, *Através do Dicionário e da Gramática*, 24.)

Cultuado — *como:*

''Confúcio foi ateu. Agora é cultuado *como* deus. Mais de 60 000 animais lhe são sacrificados todos os anos.'' (*Maravilhas do Conhecimento Humano*, I, 318.)

Cúmplice — *de, em, para:*

''Se ao menos não falasse no nome de Estêvão, este poderia desculpar a vaidadezinha do escritor. Mas o nome ali estava como cúmplice *da* obra.'' (M. de Assis, *Contos Fluminenses*, 126.) ''A teimosia da polícia em tornar o assassino cúmplice *d*uma conspiração republicana.'' (Fialho de Almeida, *Os Gatos*, 39.) ''Levavam a eterna cúmplice *d*as horas ociosas dos matutos.'' (E. da Cunha, *Os Sertões*, 193.)

''Não era cúmplice *em* qualquer contrato ignominioso.'' (Camilo, *As Três Irmãs*, 142.) ''Um dos cúmplices *n*o atentado .... fugira para Roma.'' (Rui, *Colunas de Fogo*, 219.)

''O escravo encontrou, portanto, no próprio povo um cúmplice *para* suas fugas.'' (*Maravilhas do Conhecimento Humano*, I, 188.)

Cumplicidade — *com, de, em:*

''Nessa cumplicidade infame do ocidente *com* a barbaria oriental, o papel decisivo coube à França e à Rússia.'' (Rui, *Colunas de Fogo*, 209.)

''Na sua tal ou qual cumplicidade *de* parceiro *n*os dissabores do marido de D. Mariana de Alencastre, a sua intermissão seria duplamente afrontosa às leis e ao seu camareiro-mor.'' (Camilo, *Boêmia do Espírito*, 129.)

''Perscrutarão depois qual o motivo por que, acusadas de cumplicidade *n*estes roubos de tantos milhares de contos, as fábricas de lanifício não protestam contra eles.'' (Fialho de Almeida, *Os Gatos*, 304.) ''Seria levado a imaginar a cumplicidade da viscondessa *em* todo o plano infame.'' (Veiga Miranda, *A Eterna Canção*, 77.)

Cumpridor — *de:*

''Cumpridores *de* nossa palavra.'' (Dic. de Morais.)

Cumprimento — *a:*

''E essa primeira mensagem eram os cumprimentos da rainha inglesa Vitória *a* seus primos americanos, do outro lado do Atlântico.'' (*Maravilhas do Conhecimento Humano*, I, 287.)

Cúpido — *de:*

''Cúpido *de* glórias, *de* riquezas.''

Curado — *com:*

''Garantiu-lhe que ele regressaria curado *com* aqueles ares, *com* aquelas águas, *com* o favor da milagrosa Senhora.'' (C. Neto, *Treva*, 85.)

Curiosidade — *de, em, em relação a, por:*

''Curiosidade *de* saber, *de* ver.'' (Constâncio.) ''Paulo tinha apenas curiosidade *de* saber quem era.'' (Afrânio Peixoto, *A Esfinge*, 297.) ''E à revolta contra o obstáculo, sobreveio intensa curiosidade *de* ver a mocinha, *de* saber quem era.'' (Domingos Olímpio, *Luzia-Homem*, 210.)

''Gritava-se de ponta a ponta de rua, com muito mais curiosidade *em* dizer do que *em* saber.'' (J. Américo de Almeida, *A Bagaceira*, 265.)

''Ribeiro continuou sem manifestar curiosidade *em relação ao* objeto da visita.'' (Xavier Marques, *As Voltas da Estrada*, 85.)

"No seu espírito há por exemplo uma curiosidade vivíssima *pelo* entrecho." (Fialho de Almeida, *Os Gatos*, 116.)

Curioso — *a, de:*

"E' um espécime curioso *aos* investigadores."

"Era de fato filósofo amável, curioso *da* natureza." (Afrânio Peixoto, *A Esfinge*, 184.) "Fiquei curioso *d*aquele encontro. Se não era tempo de mangaba, que é que estaria fazendo por aqui aquela mulher?" (Gastão Cruls, *Ao Embalo da Rede*, 18.) "Fiquei pasmada, e curiosa *de* saber quem era o tal sujeito." (Calo, *Estrelas Propícias*, 43.)

Curtido — *de, em:*

"E' toda a sociedade portuguesa do século XV, com os seus navegadores curtidos *de* sol, os seus homens de luta e de trabalho." (Herman Lima, *Outros Céus, Outros Mares*, 203.) "Os aparelhos do navio curtidos *do* sol." (Dic. de Morais.) "O rígido velho, curtido *de* preconceitos e fechado o coração nas resoluções inabaláveis, como num túmulo, não podia conciliar o sono." (Domingos Olímpio, *Luzia-Homem*, 223.)

"Reputava-o sábio, mas curtido *no* espírito de lições amargas da experiência." (Camilo, *Mistérios de Lisboa*, II, 14.)

Curto — *de, em, para:*

"Curto *de* vista." (Constâncio.) "Curto *d*as pernas."

"Tão longa na virtude como curta *na* vida." (Dic. de Fr. D. Vieira.)

"O tempo é curto *para* tanto trabalho; este espaço é curto *para* ruas de jardim." (Morais.)

Curvado — *a, com, de, para, por, sob, sobre:*

"Curvado *ao* peso dos desgostos."

"Curvado *com* a carga." (Constâncio.) "Curvado *com* o peso dos anos." (Idem.)

"Homem ainda moço e curvado já *d*os desgostos."

"Esta (infanta), na sua cadeira de espaldas, escutava Fernando Peres, que, ... curvado *para* ela por detrás do espaldar, com aspecto carregado, parecia dirigir-lhe de quando em quando palavras breves e veementes." (Herculano, *O Bobo*, 40.) "O freteiro, ... meio curvado *para* a lua da sela, fumava cachimbo." (Gustavo Barroso, *Terra de Sol*, 130.)

"Moitas de sarandis, curvadas *pelo* esforço das águas e num balancear contínuo, produzem doce marulho." (Taunay, *Inocência*, 186.)

"Carregadores negros, curvados *sob* o peso dos caixões."

"Quando vi o conde curvado *sobre* o livro, ... pé ante pé aproximei-me de Ângela, e entreguei-lhe uma carta." (Camilo, *Mistérios de Lisboa*, I, 139.) "Os trabalhadores curvados *sobre* as enxadas formavam um magote de corcundas infatigáveis." (J. Américo de Almeida, *A Bagaceira*, 33.)

Custoso — *a, de:*

"Fazendo, pela segunda vez, ao país e à República, o sacrifício de conceder ao governo a medida de ordem constitucional mais custosa *aos* meus sentimentos liberais." (Rui, *Cartas Políticas e Literárias*, 67.)

"Doença mui custosa *de* curar." (Constâncio.)

D

Dado — *a, com, como, contra, em, por:*

"Dado *aos* prazeres." (E. Carneiro Ribeiro, *Serões Gramaticais,* 674.) "Foram (os volumes) quase uma revelação, ainda para as pessoas especialmente dadas *ao* estudo das questões marítimas." (Rui, *Cartas de Inglaterra,* 153.) "Fiel, respeitador, mas dado *a* beber." (Mário Sete, *Os Azevedos do Poço,* 89.)

"É um bom rapaz, muito dado *com* todos os colegas."

"É o caso da loba que amamenta os fundadores de Roma, o pica-pau dado *como* o criador dos Picenos." (João Ribeiro, *Curiosidades Verbais,* 126.)

"Não é capricho: é batalha dada *contra* a soberba: havemos de amolgá-la com a brandura." (Camilo, *O Bem e o Mal,* 137.)

"Modesta (a língua portuguesa) no aspecto, dada *no* trato, grave no som." (Antero de Figueiredo, *Jornadas em Portugal,* 46.)

"Eram providências dadas *pela* viúva." (Camilo, *A Enjeitada,* 101.)

Danado — *contra, para:*

"Luísa ficara danada *contra* ela por lhe ter fugido." (Camilo, *A Enjeitada,* 117.)

"Esse Dodô é um diabo! Ô sujeitinho danada *p'ra* imitar!...." (Galeão Coutinho, *Memórias de Simão, o Caolho,* 47.)

Dano — *a, de:*

"Bairros onde o menor estorvo à atividade do trânsito representaria dano considerável *a* interesses da população." (Rui, *Queda do Império,* I, 125.)

"Nem nos consta abusasse jamais do seu valimento e da sua importância política em dano *d*os pequenos e humildes." (Herculano, *O Bobo,* 26.) "Ele não contesta que os estados agrícolas do sul e oeste se locupletariam em dano *d*os centros fabris de leste e do norte." (Rui, *Cartas de Inglaterra,* 361.)

Danoso — *a, para:*

"Diziam-lhe alguns facciosos da província, eivados de idéias livres, que o derribarse trono e altar não seria grandemente danoso *ao* ex-frade." (Camilo, *As Três Irmãs,* 229.)

"Monte temeroso, para o choro necessário, *para* a vida mui danoso." (Dic. de Fr. D. Vieira.)

Datado — *de, em:*

"Tenho a satisfação de acusar e agradecer a comunicação de V. Ex.ª, datada *de* 4 do corrente." (Rui, *Correspondência,* 185.) "E outras (cartas) mais de folga, datadas *do* convento de Viana do Minho, onde o humilde príncipe da igreja se fora a descansar." (Camilo, *O Bem e o Mal,* 65.)

"De uma carta de Corumbá, datada *em* 12 de março, ... extraímos a seguinte passagem: ...." (Rui, *Queda do Império,* I, 477.) "Tenho uma carta dele, datada *em* Alexandria." (Camilo, *Livro Negro,* 133.)

Debate — *com, entre, sôbre:*

"Um deputado esquerdista teve acalorado debate *com* o líder da maioria."

"Assuntos de filosofia e arte, de arte e religião — matéria do debate *entre* Rogério e o Pe. Silveira." (Antero de Figueiredo, *Amor Supremo,* 106.)

"Ao longo debate *sobre* a necessidade de modificar-se ou não a lei eleitoral, sucedera quase geral assentimento à adoção do sistema direto." (Luiz Viana Filho, *A Vida de Rui Barbosa,* 69.) "A nossa idéia .... é das que têm, pelo menos, o grande merecimento de suscitar debate *sobre* uma questão de vida e morte para a capital do Império." (Rui, *Queda do Império,* I, 454.)

Debatido — *com:*

"Leis particulares, trabalhos públicos, o envio de uma expedição à Sicília, a ereção de uma nova estátua de Zeus, deviam ser debatidos *com* a mais brutal franqueza, por homens de partidos e ambições opostas." (*Maravilhas do Conhecimento Humano,* I, 20.)

Débil — *de:*

"Débil *do* juízo." (Constâncio.)

Debilitado — *com, por:*

"Na carne enfraquecida e debilitada *com* as penitências se criam e crescem os mais robustos espíritos." (Vieira, *Sermões,* IX, 51.)

"O reino debilitado *pelas* guerras." (Constâncio.) "Os mais fracos, debilitados *pela* idade ou *pelo* sofrimento, carregavam areia e água." (Domingos Olímpio, *Luzia-Homem,* 3.)

Debique — *com:*

"Não admito debiques *comigo.*"

Débito — *com, para com:*

"Ainda estou em débito *com* ele."

"O débito da colônia *para com* a metrópole, que a criou de suas entranhas, é nalguma coisa sagrado, como o vínculo que une o filho *à* autoridade materna." (Rui, *Queda do Império,* I, 193.)

Debruado — *a, de, por:*

"Roupa debruada *a* ouro."

"Os bordos das órbitas muito salientes contribuíam muito para que o brilho dos olhos negros e grandes luzisse mais na escuridade das cavernas, debruadas sempre *de* um anel bastante escuro para destacar da cor geral de azeitona." (Camilo, *A Neta do Arcediago,* 6.)

"A placa de esmeralda do terraço debruado *por* uma grade de mármore florida em estátuas brancas." (Herman Lima, *Outros Céus, Outros Mares,* 244.)

Debruçado — *a, em, para, sobre:*

"Mulheres debruçadas *às* rótulas, conversavam com a malandragem." (C. Neto, *Miragem,* 197.) "Os olhos da Micas Olaia esqueceram-se de chorar; e, desbruçadas *ao* balcão, as faces das raparigas envergonhavam os cravos rubicundos." (Aquilino Ribeiro, *Andam Faunos,* 29.)

"Quando o trem partiu, Alberto, debruçado *na* janela de um vagão, não se esqueceu de gritar-lhe: ...." (Afrânio Peixoto, *A Esfinge,* 104.) "Ana Rosa, já em trajos de passeio, os esperava para sair, toda debruçada *no* parapeito da janela." (Aluísio Azevedo, *O Mulato,* 38.) "Era ela, debruçada *no* peitoril da janela." (Camilo, *Cenas da Foz,* 138.)

"Sebastião estava debruçado *para* a rua, quando .... passos vagarosos cortaram o silêncio fresco." (Eça, *O Primo Basílio,* 142.)

"Debruçado *sobre* uma caixa, que arranjava, com os cabelos em anéis à fronte, cantarolava baixinho." (C. Neto, *A Cidade Maravilhosa,* 14.) "A civilização antiga, quase toda debruçada *sobre* o Mediterrâneo, se estendia no sentido dos paralelos." (João Ribeiro, *Curiosidades Verbais,* 60.) "As ruínas, que vemos hoje debruçadas *sobre* o rio, contam, aos que sabem interrogá-las, mais de uma página da epopéia portuguesa." (Rebelo da Silva, *Contos e Lendas,* 64.)

Debulhado — *em:*

"Os ouvintes abraçaram-no em tropel debulhados *em* lágrimas." (Camilo, *O Bem e o Mal,* 115.)

Decência — *de, em:*

"Decência *de* linguagem, *de* modos."

"Mal sensíveis à cacofonia, muitas vezes também nada o era à decência *na* linguagem." (Rui, *Réplica,* 73.)

Decepção — *de:*

"Partira do Barro Branco mais triste ainda, com uma raiva e uma decepção *de* si mesmo, de ter sido tão fraco e tão refletido." (Afrânio Peixoto, *A Esfinge,* 264.)

Decidido — *a, para:*

"Os mexicanos estavam decididos *a* dar uma lição aos homens de Young." (*Maravilhas do Conhecimento Humano,* I, 121.)

"— E o Caipira, vendo que eu estava decidido *para* o que desse e viesse, murchou." (Domingos Olímpio, *Luzia-Homem,* 35.)

Decisão — *em, sobre:*

"Minha impressão, pelo contrário, é a de uma notável decisão *nos* seus contornos." (Rui, *Cartas de Inglaterra,* 102.)

"Não se pode tomar de improviso decisão *sobre* assunto de tamanha gravidade."

Decisivo — *quanto a:*

"Este texto é decisivo *quanto à* sua intenção, desde que despesa equivale a pagamento, isto é, relação do Tesouro com os seus credores." (Rui, *Queda do Império,* II, 154.)

Declaração — *a, de, para:*

"Sua declaração *à* moça deixou-a emocionada."

"Declaração *de* guerra." "Declaração *de* bens."

"Há mesmo alguns, em quem as manifestações de ateísmo são antes superficiais declarações *para* provocar o espanto dos que os ouvem." (Medeiros e Albuquerque, *Quando Eu Era Vivo,* 47.)

Declinação — *para:*

"Cor branca com declinação *para* pálida." (Morais.) "Neste ponto o terreno apresenta acentuada declinação *para* o norte."

Decoro — *a:*

"Recebeu talvez uma gargalhada, quando pedia compaixão, e hoje, por decoro *a* si próprio, dá-se a espetáculo de riso." (Camilo, *Livro Negro,* 159.)

Decoroso — *a, para:*

"Não ignorava ele que era mais decoroso *ao* governo mandá-lo chamar; o receio, porém, de que o alienista não obedecesse, obrigou-o a parecer tolerante e moderado." (M. de Assis, *Papéis Avulsos,* 57.)

"Decoroso *para* alguém." (Epifânio Dias, *Sintaxe Histórica Portuguêsa,* 123.)

Dedicação — *a, por:*

"Ficara em algumas brigadas, dominando a indisciplina emergente, a dedicação pessoal *aos* comandantes." (E. da Cunha, *Os Sertões,* 440.) "E com isso fazia antes de tudo, ressaltar a sua própria dedicação *ao* mineiro.'' (Guilhermino Cesar, *Sul,* 55.) ''Lembrar-se-ia o velho Dantas, a quem o ligava uma afeição filial, da sua dedicação *ao* partido?'' (Luiz Viana Filho, *A Vida de Rui Barbosa,* 91.)

''O saber amiúde de ti é necessário para que não esfriem a minha coragem, nem a minha dedicação *pela* pátria.'' (Arnaldo Gama, *O Sargento-mor de Vilar,* I, 115.) ''Caxias é, no Brasil, o tipo do soldado perfeito. Sua dedicação *pelos* seus soldados é proverbial.'' *(Maravilhas do Conhecimento Humano,* I, 185.)

Dedicado — *a:*

''Dedicado *aos* amigos.'' (E. Carneiro Ribeiro, *Serões Gramaticais,* 674.) ''A fé de ofício deste oficial é pura como o seu caráter viril, isento e dedicado *ao* dever.'' (Rui, *Queda do Império,* I, 267.) ''Uma alma cheia de bondade e dedicado *à* família.'' (Mário Sete, *Os Azevedos do Poço,* 82.)

Defendido — *contra, de, por:*

''Paragem defendida *contra* o vento.'' (João Ribeiro.)

''Logo verás subir da terra espinhal tão cerrado, que ficarás defendido *de* todos e *de* tudo.'' (C. Neto, *apud* L. Freire.)

''A vila fechada, de poucos fogos, é inteiramente defendida *por* fossos, barbacãs.'' (Antero de Figueiredo, *Jornadas em Portugal,* 76.) ''Varrida (a cidadela) pelos canhoneios, rota pelos assaltos, devorada pelos incêndios e defendida *por* uma guarnição única.'' (E. da Cunha, *Os Sertões,* 539.)

Defensão — *de:*

''Defensão *da* pureza e lealdade deste reino.'' (Dic. de Morais.) ''Escrevendo três livros em defensão *do* catolicismo e apologia do concílio calcedoniano.'' (Rui, *Réplica,* 171.)

Deferência — *a, para com:*

''Anuí ao pedido por deferência *a* você.''

''Mostrou muita deferência *para com* o antigo mestre.''

Deferente — *com, para com:*

''É sempre deferente *com* todos ou *para com* todos.''

Deferimento — *a:*

''Pôs termo à crise, como se sabe, a farsa da exoneração do magistrado, ... comunicada a este como deferimento amistoso *aos* seus desejos.'' (Rui, *Queda do Império,* I, 145.)

Defesa — *a, contra, de:*

''Na defesa *à* revisão do ''Código Civil'' arrebanha escritores, para assentar o direito à ênclise.'' (Rui, *Réplica,* 315.) ''Na minha defesa *aos* espoliados de 1892 e *aos* oprimidos de 1895, não há nada que o exército não aplaudisse.'' (Idem, *Discursos e Conferências,* 325.)

''Tinha tido a idéia de constituir com excativos, que se diziam agradecidos à Princesa Isabel, uma guarda de defesa *contra* os republicanos.'' (Medeiros e Albuquerque, *Quando Eu Era Vivo,* 69.) ''Neste patrimônio de .... defesas passivas e ativas *contra* a prepotência do número, da riqueza ou da autoridade, ninguém, neste mundo, tem o direito de tocar.'' (Rui, *Colunas de Fogo,* 190.) ''As defesas fixas, assim *contra* as agressões do mar, como *contra* as de terra, são simples apoios e coadjuvantes à ação dos exércitos e das frotas.'' (Idem, *Cartas de Inglaterra,* 191.)

''O estado da fôrça facultava-lhe ainda uma defesa frouxa *daquela* posição.'' (E. da Cunha, *Os Sertões,* 440.) ''Diziam os realistas que a defesa *do* fidalgo lhe devia ter custado a maior parte da sua casa.'' (Camilo, *As Três Irmãs,* 277.)

Defeso — *a, de:*

''As criadas não ousavam chamá-la, porque *lhes* (*a* elas) era defeso .... bater a uma porta de um quarto.'' (Camilo, *Mistérios de Lisboa,* II, 83.)

''O que se acolhe à Igreja .... fica defeso *das* penas.'' (Dic. de Morais.)

Deficiência — *de, em:*

''Deficiência *de* pigmentação *nos* tecidos.'' (Pedro A. Pinto, *Dicionário de Termos Médicos,* pal. *acromatose.*)

''Houve grande deficiência *nas* somas que se esperavam recolher.'' (Morais.)

Deformidade — *de:*

''— Isto será deformidade *de* organização; mas dureza de alma não é, minha senhora.'' (Camilo, *O Bem e o Mal,* 211.)

Defraudado — *de, em:*

''A Sé de Braga defraudada *dos* ossos de seu Senhor.'' (Fr. L. de Sousa, *apud* Morais.)

''A posteridade seria defraudada *nos* quilates dum grande espírito.'' (Ricardo Jorge, *Sermões dum Leigo,* 19.)

Degradação — *de:*

''Cada um desses assaltos criminosos à propaganda republicana é um triunfo para a república, é uma degradação *da* dinastia.'' (Rui, *Queda do Império,* II, 80.)

Degradado — *de, por:*

''Degradado *das* Ordens.'' (Morais.)

''Vendo-se claramente na miséria a que havia descido, degradado *pelo* despeito, ... achou-se feio e vil. (Afrânio Peixoto, *A Esfinge,* 341.)

Degradante — *para:*

''Incitamento pueril e degradante *para* uma verdadeira inteligência.'' (Fr. D. Vieira, voc. *acessit.*)

Deitado — *a, em, para, sobre:*
"Deitado *a* perder." (Constâncio.) "Capa deitada *às* costas."
"Os lagartos .... gostam de se aquentar ao sol de meio-dia, deitados *nos* folhiços." (Gustavo Barroso, *Terra de Sol,* 75.) "Meio deitada *na* sua rede, mais branca do que de costume, pelo contraste com o vestido preto." (Veiga Miranda, *A Eterna Canção,* 18.)
"Com as abas do paletó deitadas *para* trás." (Eça, *O Primo Basílio,* 56.)
"Em falso nos estribos, e meio deitado *sobre* o corpo do corcel, não cessava de acenar com o esquisito gorro." (Rebelo da Silva, *Contos e Lendas,* 179.) "Ali era a permanente residência do francês, deitado *sobre* o leito, com a face voltada à janela." (Camilo, *A Enjeitada,* 19.)

Deixado — *a, de, por:*
"Os legados de seu marido foram cumpridos, à exceção da esmola deixada *a* Eugênia, sua criada." (Camilo, *Mistérios de Lisboa,* II, 12.)
"Estava muito deixado *dos* hábitos antigos." (Constâncio.)
"Tamanho fardo evidentemente excede as possibilidades razoáveis de execução dentro dos limites de tempo deixados *a* um membro do Congresso *pelas* obrigações parlamentares." (Rui, *Cartas Políticas e Literárias,* 127.) "O gerúndio .... na forma do ablativo tomou .... o lugar deixado *pelo* particípio presente." (Sousa da Silveira, *Lições de Português,* 54.)

Delação — *a:*
"Delação de um crime, de uma conspiração *às* autoridades."

Delatado — *a:*
"— Que se há de concluir? Que Littré foi um caráter honesto, acamaradando-se com a viúva na difamação de A. Comte, e que Poey é um torpe revelando os opróbrios do hierofante do positivismo, delatados *à* posteridade por uma esposa chorosa." (Camilo, *Boêmia do Espírito,* 422.)

Deleite — *com:*
"Aquela visita veio interromper seu deleite *com* a leitura."

Deleitado — *em:*
"Quando segues pelas estradas, deleitado o coração *n*alguma rememorança de amor e páras à sombra de oliveiras estéreis, olhando o rasar das ceifas ...." (Alberto Rangel, *Papéis Pintados,* 12.)

Deliberação — *acerca de, de, em, sobre:*
"Converter a deliberação *acerca da* candidatura presidencial em meio decisivo de atuar sobre a eleição do Congresso e a verificação dos poderes." (Rui, *Cartas Políticas e Literárias,* 130.)
"Ia com deliberação *de* o matar." (Morais.)
"O princípio que recusa ao chefe de Estado o direito da iniciativa ou deliberação *na* escolha do seu sucessor." (Rui, *Cartas Políticas e Literárias,* 141.)
"A deliberação *sobre* esse caso não pode ser precipitada."

Deliberado — *a:*
"Estamos deliberados *a* substituir os três princípios da divisa republicana." (Rui, *Queda do Império,* I, 205.)

Delicadeza — *com, de, para, para com:*
"Faltar-se-ia, seriamente, à delicadeza *com* o escritor?" (Rui, *Réplica,* 19.)
"A linguagem da mulher em toda a parte confunde-se com a das crianças pela delicadeza *da* expressão e pela doçura da prosódia." (João Ribeiro, *Curiosidades Verbais,* 53.) "O que eu queria era merecer-lhe a delicadeza *de* não rir quando eu falar seriamente." (Camilo, *Mistérios de Lisboa,* I, 193.)
"Tito Lívio era *para* todos de uma delicadeza infinita." (Medeiros e Albuquerque, *Quando Eu Era Vivo,* 55.)
"Argüindo-nos de "meia alucinação", o amigo, neste deslize dos seus hábitos de delicadeza *para conosco,* entregou à exploração dos nossos detratores uma injustiça sem o mínimo vislumbre de atenuante." (Rui, *Queda do Império,* I, 349.)

Delicado — *com, de, para, para com:*
"Outro dia ainda fora delicado *com* a mulher." (Guilhermino Cesar, *Sul,* 165.) "Serei delicado *com* o filho, como o fui *com* a mãe." (Camilo, *Cenas da Foz,* 215.) "— Não citeis provas de estima. Tenho sido *convosco* delicado, e mais nada. A amizade, qual eu a sinto, significa-se com outras provas." (Camilo, *Livro Negro,* 176.)
"Alta como sua mãe, mais flexível que ela, mais delicada *de* mão." (Camilo, *A Neta do Arcediago,* 27.)
"Foi muito delicado *para* todos."
"Mostrou-se pouco delicado *para com* o hóspede."

Deliciado — *com:*
"Ordena que sirvam o jantar. O rei sente-se deliciado *com* a comida." (*Maravilhas do Conhecimento Humano,* II, 57.)

Delido — *em:*
"Flores do coração, que, ainda afogadas e delidas *na* raiz por abundância de lágrimas, expiram sempre olores de inocência." (Camilo, *Boêmia do Espírito,* 149.)

Delírio — *por:*
"Minha amiga, que mais respeitos pode tributar um homem a sua mulher? Até os teus delírios *por* Lacroze respeitei." (Camilo, *Livro Negro,* 142.)

Delito — *contra:*
"Delito *contra* a liberdade de cultos." "Assenta na lista dos delitos do glorioso romancista português *contra* a vernaculidade êste da preposição 'por'; 'um imenso desprezo pela vida'." (Mário Barreto, *Através do Dicionário e da Gramática,* 88.)

Delonga — *em:*
"Maria, assustada pelas delongas *nas* visitas, ocultava as lágrimas, sem poder nem querer ocultar a saudade." (Camilo, *As Três Irmãs,* 47.)

Demasia — *em:*
"Demasia *no* comer, *no* beber."

Demissão — *de:*
"Apresentou sua demissão *do* cargo que ocupava."

Demonstração — *a, contra:*
"Cuidando que fosse demonstração política *ao* deputado, esgueirei-me, mal pude, a um trem de praça." (Fialho de Almeida, *Os Gatos,* 140.)
"Ensaiou a política, ali, uma demonstração 'redentorista' *contra* a conferência republicana." (Rui, *Queda do Império,* I, 131.)

Demora — *de, em:*
"Açucena não despregava os olhos dos lábios dele, e achava insofrível a demora *das* informações que lhe prometera." (Camilo, *A Neta do Arcediago,* 71.)
"A demora de Carlota *em* Espanha procedia de se não poderem apartar dela os corações de seus tios." (Camilo, *A Enjeitada,* 135.) "Casos desta ordem não admitem demora *na* solução." (Rui, *Cartas Políticas e Literárias,* 40.)

Denegrido — *com, de, por:*
"Cabelo denegrido *com* tinturas."
"Aparecia com o rosto lívido da fome e os membros denegridos *do* queimar e gear dos agostos e janeiros horrendos dos enjeitadinhos." (Camilo, *A Enjeitada,* 132.)
"Paredes rotas e denegridas *pelo* incêndio." (Rebelo da Silva, *Contos e Lendas,* 258.) "— Eu, sem de modo algum querer tentar o pundonor do sr. conselheiro, perguntarei se a opinião pública ilibou o conde denegrido *pela* calúnia." (Camilo, *Boêmia do Espírito,* 69.)

Denodado — *em:*
"Nenhuma nacionalidade moderna .... arremessou jamais sôbre o inimigo fôrças proporcionalmente tão numerosas, tão disciplinadas, tão bem municiadas, tão denodadas *no* fogo." (Rui, *Queda do Império,* I, 205.)

Dentro — *de, em:*
"Os godos renegados e os muçulmanos, que os seguem de perto, se precipitam dentro *do* mosteiro." (Herculano, *Eurico,* 145.) "Dentro *de* um vaso, *da* fortaleza." (Morais.)
"É dentro *nestas* raias que a lei de 3 de dezembro e o reg. de 2 de fevereiro fixam, em relação a este aspecto, o seu papel." (Rui, *Queda do Império,* I, 97.) "Os interesses materiais da nação movem-se de redor deles, ou, por melhor dizermos, dentro *neles.*" (Idem, *ibidem,* 223.) "Uma vez o cristão ouviu dentro *em* sua alma o soluço de Iracema." (J. de Alencar, *Iracema,* 101.)

Denúncia — *a, contra, de:*
"Bando do Pavor .... permitido pelo alto clero talvez (quem sabe?), com o fim de, à falta de denúncias *à* Inquisição, ser ele, uma vez no ano, o pelourinho andante das mais escondidas vergonhas." (Antero de Figueiredo, *Jornadas em Portugal,* 69.)
"As suas alegações importam na denúncia mais tremenda *contra* a administração atual." (Rui, *Colunas de Fogo,* 195.)
"Denúncia *de* contrabando; denúncia *de* conspiração." (Constâncio.)

Dependência — *com, de, entre, para, para com:*
"Limitava-se, pois, o meu papel ao do advogado na sua banca, sem .... a mais indireta dependência *com* a minha situação política de senador." (Rui, *Colunas de Fogo,* 125.)
"No português, igualmente, o atributo não está sob a dependência *de* preposições." (Júlio Nogueira, *O Exame de Português,* 139.) "O seu intuito era casar com sua parenta, logo que se restabelecesse a paz, e ele, com os salários de sua patente, pudesse sustentar família, sem dependência *de* seu pai." (Camilo, *A Enjeitada,* 20.) "As sociedades não secretas .... se podem constituir livremente, sem a mínima dependência *do* Estado." (Rui, *Queda do Império,* I, 105.)
"A relação da dependência, porém, *entre* os dois nomes não está expressa." (Mário Barreto, *Através do Dicionário e da Gramática,* 65.) "Acabariam (as controvérsias), em última análise, renovando a questão de essência já vencida, atenta a dependência natural *entre* a significação dos preceitos legislativos e a expressão que os molda." (Rui, *Réplica,* 56.)
"Se a dependência do cognoscível *para* o incognoscível não nos embaraça em um caso, não se pode atinar motivo para que nos enleie no outro." (Rui, *Cartas de Inglaterra,* 94.)
"As verdades científicas imediatas, vizinhas contíguas dessoutras, não se ressentirão da sua íntima dependência *para com* elas?" (Rui, *Cartas de Inglaterra,* 92.) "O verbo do infinito não pode eximir-se da dependência em que está *para com* o verbo principal." (Júlio Ribeiro, *Gramática da Língua Portuguesa,* 277.)

Dependente — *de, entre:*
"Dependente *de* alguém ou *de* alguma coisa." (Cf. Constâncio.)
"As virtudes são *entre* si dependentes, como os fuzis de uma cadeia." (Morais.)

Dependurado — *de, em, entre:*
"Lanternão de azeite de carrapateira, dependurado *de* uma vara, clareava bastante o homem." (Alberto Rangel, *Fura-Mundo,* 205.)
"Nas casas baixas, dos homens de criação, há dependuradas *nas* paredes caiadas, lorigas, escudos, pespontos, capelos e sapatos de ferro." (Antero de Figueiredo, *Jornadas em Portugal,* 78.)
"De uma gaiola, dependurada *entre* as janelas desse lado, chilreava um sabiá." (Aluísio Azevedo, *O Mulato,* 16.)

Depois — *de, que:*
"Depois *de* alguns instantes, alevantou-se de novo e encaminhou-se para o roble." (Herculano, *Eurico,* 236.) "Depois *da* república veio o consulado." (Constâncio.)
"Depois *que* no mundo foi conhecido aquele nome sagrado ...." (Vieira, *Sermões,* IX, 182.) "Depois *que* isso aconteceu." (Constâncio.) "Depois *que* se sentara, ficou abraçada em mim, com a face pousada sobre o meu ombro." (Camilo, *Mistérios de Lisboa,* I, 50.)

Deportação — *para:*
"Para "reprimir a ociosidade", basta a capoeiragem policial, o recrutamento, as deportações *para* Mato Grosso e, de quando em quando, uma sangria salutar na plebe liberal." (Rui, *Queda do Império,* II, 274.)

Depositário — *de:*
"Depositário *dos* meus segredos." (Morais.)

Depósito — *em:*
"Depósito *em* bancos de pequeno capital é arriscado."

Depravação — *de:*
"Depravação *do* gosto, *do* apetite." (Fr. D. Vieira.) "Depravação *dos* costumes." (Constâncio.)

Depressivo — *de:*
"E, com o louvável intuito de ressalvar o poderoso orador desse suposto aleive histórico e depressivo *da* nossa dignidade, o 'Correio da Noite' restaura as locuções genuínas do Sr. Castelar." (Camilo, *Boêmia do Espírito,* 31.)

Deputação — *a:*
"Deputado *às* cortes." (Constâncio.) "Deputação *à* assembléia legislativa."

Deputado — *a, em, por:*
"Deputação *às* cortes." (Constâncio.) "Deputado *ao* congresso."
"Esta senhora é irmã do Sr. Lopes Mendes, deputado *na* legislatura passada." (Camilo, *Perfil do Marquês de Pombal,* 55.)
"Santos e Campinas .... tiveram, o mês passado, uma graciosa visita do príncipe con sorte, deputado *em* caridosa embaixada *pela* família real."
"Deputado *por* Buenos Aires." (Rui, *Queda do Império,* II, 37.)

Derivativo — *a, de:*
"A vítima procura iludir instintivamente o próprio mal, buscando muitas vezes o crime como um derivativo *à* loucura." (E. da Cunha, *Os Sertões,* 300.) "O banditismo franco impôs-se-lhes como derivativo *à* vida desmandada." (Idem, *ibidem,* 218.)
"Ele (contraste) desenvolve-se a despeito delas (instituições), ... como um derivativo incurável *da* enfermidade humana, *da* nossa eterna insuficiência." (Rui, *Colunas de Fogo,* 35.)

Derradeiro — *a, em:*
"Foi o derradeiro *a* sair ou *em* sair."

Derramado — *em, por, sobre:*
"Vinho derramado *no* chão."
"Sabia que os árabes, derramados já *pela* Galécia, não tardariam a envolver na torrente das suas assolações a antiga cidade romana." (Herculano, *Eurico,* 162.) "Só o sangue desse atrevidaço, derramado *por* suas mãos honradas e trementes, lavaria o opróbrio." (Alberto Rangel, *Fura-Mundo,* 72.)
"Em frente, derramado *sobre* colinas .... aparecia Canudos, deserto e mudo, como uma tapera antiga." (E. da Cunha, *Os Sertões,* 496.)

Derreado — *com, em, por:*
"Derreado *com* pancadas." (Constâncio.)
"Passava, derreada *no* braço do marido, a Lili do Amaral." (Afrânio Peixoto, *A Esfinge,* 325.) "Caíra em prostração, derreado *na* cadeira e com as pernas estendidas." (Aluísio Azevedo, *O Mulato,* 183.)
"Derreado *pelo* golpe fulminante, gemeu com o som de uma pancada no coração." (J. Américo de Almeida, *A Bagaceira,* 237.) "Este pó .... me enfarinha mais do que moço de moleiro derreado *pelas* sacas." (Rebelo da Silva, *Contos e Lendas,* 182.)

Derrengado — *com:*
"— Como é que foi contar a história do dinheiro e dos cortes de vestido dados por ele, e agora anda toda derrengada *com* o Crapiúna?" (Domingos Olímpio, *Luzia-Homem,* 143.)

Derretido — *de, em, para, por:*
"São os homens mais dispostos que no mundo há para morrerem derretidos *de* amor debaixo das janelas das suas amadas." (Mário Barreto, *Cartas Persas,* 168.)
"Derretido *no* falar; derretido *em* amor." (Constâncio.)

"A negra dançava sempre, cirandava pela sala, derretida *para* os homens." (Herman Lima, *Garimpos,* 37.)

"Mulheres o que querem é ver os homens derretidos *por* elas." (Taunay, *Inocência,* 206.)

Derriço — *com, entre:*

"Está num derriço forte *com* a caixeirinha."

"O derriço *entre* eles vai durar pouco."

Derrogação — *a, de:*

"Tais derrogações *à* regra se verificam, de ordinário, quando o ato .... não costuma formar hábito, predileção, ofício, estado especial, ou intensidade." (Rui, *Réplica,* 524.)

"As mais dolorosas características morais, as mais sensíveis derrogações *da* condição humana." (Rui, *Campanha Presidencial,* 138.)

Derrotado — *com, por:*

"O governo era duas vezes derrotado .... *com* a eleição do Sr. Rodrigues Peixoto e do Sr. Joaquim Nabuco." (Rui, *Queda do Império,* I, 351.)

"Derrotados *pelas* forças legalistas, os revoltosos dispersaram-se."

Derrubado — *a, por, sobre:*

"O velho ainda lá estava na mesma atitude, com a cabeça derrubada *ao* peito." (J. de Alencar, *Iracema,* 81.)

"Árvores gigantescas derrubadas *pelo* vento."

"O reverendo, ... com as faces afogueadas e o barretinho de seda preta derrubado *sobre* a orelha esquerda, não oferecia decerto a imagem dos piedosos e extenuados monges." (Rebelo da Silva, *Contos e Lendas,* 81.)

Desabafo — *com, contra:*

"Após o desabafo *com* ele, sentiu-se mais calmo."

"Foi tremenda a cólera do velho e lhe inspirou, depois de cruéis desabafos *contra* os escravos, um desígnio sinistro." (Afrânio Peixoto, *A Esfinge,* 154.)

Desábito — *de:*

"Eis o a que reduz a eloqüência e a arte da palavra, ainda nos merecimentos mais bem dotados pela natureza, o exclusivismo absorvente dos negócios, o cotidiano exercício da improvisação, o meio vulgar das grandes assembléias, o desábito *das* letras." (Rui, *Réplica,* 47.)

Desabono — *de:*

"Falar em desabono *de* alguém." (Constâncio.) "Atenda a que não disse nada em desabono *dele.*" (Rebelo da Silva, *apud* L. Freire.)

Desabrido — *com, de, por:*

"Mostrar-se sério, desabrido, áspero ou severo *com* alguém." (Aulete, vb. *secar.*)

"Desabrido *de* cólera, bateu numa cantoneira com tanta força, que tirou meia canada de sangue da testeira." (Alberto Rangel, *Fura-Mundo,* 352.)

"O Prior do Crato acompanhou el-rei, posto que algum tanto desabrido *por* certas paixões. (Dic. de Morais.)

Desabrimento — *com, para com:*

"Desabrimento *com* os amigos, parentes." (Constâncio.)

"Os desabrimentos de nossos avós *para com* ele." (Castilho, *apud* E. Carneiro Ribeiro, *Tréplica,* 585.)

Desacato — *a, sobre:*

"Todos censuraram seu injusto desacato *ao* chefe."

"É o desacato brutal, frenético, tresvairado às leis constitucionais, o domínio do capricho administrativo, nu, infrene, espumante *sobre* a ruína das instituições." (Rui, *Queda do Império,* II, 166.)

Desacompanhado — *de:*

"O útil desacompanhado *do* agradável aproveita menos." (Constâncio.) "Pedia recomendasse a seu irmão que lhe não escrevesse pelo correio nem a visitasse desacompanhado *de* Carlota." (Camilo, *A Enjeitada,* 197.)

Desacorçoado — *de:*

"Por fim, desacorçoado *da* eficácia do Espírito Santo, ou da sua disposição a iluminar os padres, o sínodo apelou para um debate extraconciliar entre os teólogos consultores." (Rui, *Queda do Império,* II, 44.)

Desacorde — *com, de:*

"É possível que uma mulher, arrogando-se os direitos sacrílegos da revolta, desarcordes *com* os de sua fraqueza, alcance afrontar a base mesma da segurança pública....?" (Alberto Rangel, *Fura-Mundo,* 111.)

"Opiniões desacordes *de* outras."

Desacordo — *com, em, entre:*

"Benjamim Constant, um pouco em desacordo *com* Deodoro *em* questões do Ministério da Guerra, pedira licença e viera também, com a família, para esse hotel." (Medeiros e Albuquerque, *Quando Eu Era Vivo,* 88.) "Sinto estar em desacordo *com* o articulista *n*este e *n*outros pontos." (Mário Barreto, *Através do Dicionário e da Gramática,* 203.)

"Há completo desacordo *entre* as duas opiniões."

Desacostumado — *a, de:*

"Desacostumado *a* ser repreendido." (Constâncio.) "Turcos desacostumados *a* ser vencidos." (Dic. de Morais.) — Reg. p. usada.

"Que poderia fazer para ganhar, além da ração, algum dinheiro, uma criatura franzina, desacostumada *a* esforços musculares, e, por cúmulo de males, aberta dos peitos?"

"Desacostumado *de* ter vontade própria, ... mais uma vez cedeu da sua resolução." (Herculano, *Lendas e Narrativas,* I, 123.) "Trabalhando anos seguidos no escuro da mina, ..., os animais estão irremediavelmente desacostumados *da* luz." (Guilhermino Cesar, *Sul,* 74.)

Desafio — *a, de, para:*

"É mister que Sua Majestade .... retire à escravidão o apoio do trono, a cuja sombra exclusivamente ela vive, em desafio *à* vontade manifestíssima do país." (Rui, *Queda do Império,* I, 303.)

"Deve remontar ao Egito essa aptidão generosa para múmias em desafio *da* imortalidade." (João Ribeiro, *Curiosidades Verbais,* 4.)

"Desafio *para* bater-se em duelo; desafio *para* lutar."

Desafogado — *de:*

"Chora um pouco, perfeitamente desafogada *da* opressão que os médicos mais hábeis denominam cefalalgia." (Camilo, *Livro Negro,* 109.)

Desafogo — *a, de:*

"Dar desafogo *à* dor." (Aulete.) "Dar, ter desafogo *à* dor, *à* ira." (Constâncio.)

"Desafogo *da* doença." (Morais.)

Desaforo — *de:*

"Perdôo-te, senhor meu sobrinho, o desaforo *de* vires à minha presença." (Alberto Rangel, *Fura-Mundo,* 325.)

Desafronta — *a, de:*

"Tudo quanto a efervescência monárquica do amigo particular do genro pôde fazer em desafronta *à* majestade do sogro imperial, foi recusar a oferta da ceia." (Fialho de Almeida, *Os Gatos,* 33.)

"O povo das demais cidades entendeu também deliberar na altura da situação gravíssima, apoiando todos os atos de energia cívica que praticasse o governo pela desafronta *do* exército." (E. da Cunha, *Os Sertões,* 366.) "Eu folgo bem de que seja um senhor de engenho quem proceda assim em dasafronta *da* nossa classe." (Xavier Marques, *As Voltas da Estrada,* 107.) "A canalha matava por vingança pessoal, e não por desafronta *de* Jesus Cristo." (Camilo, *Boêmia do Espírito,* 49.)

Desagradável — *a, de, para:*

"Som desagradável *ao* ouvido." "Poucas situações poderiam ser mais desagradáveis *a* Rui do que ver Paranaguá dirigindo o ministério." (Luiz Viana Filho, *A Vida de Rui Barbosa,* 80.)

"Missão desagradável *de* cumprir."

"Que coisa mais desagradável *para* os três, se ele viesse a saber ....!" (Gastão Cruls, *História Puxa História,* 70.)

Desagradecido — *a:*

"Mal que, desagradecido e indiferente *à* obra heróica do saneador da nossa metrópole, deixa estragar-se a inestimável conquista de Osvaldo Cruz." (Rui, *Campanha Presidencial,* 64.)

Desagrado — *a, de, para com:*

"Mostrar desagrado *aos* adversários políticos."

"Pedem-lhe que respeite as suas posições, e não as coloquem em desagrado *do* mundo." (Camilo, *Cenas da Foz,* 157.) "O pecado venial é desagrado *de* Deus." (Morais.)

"Todos notaram seu desagrado *para com* o jornalista."

Desagravo — *a, de:*

"Por um desagravo *à* memória do doador." (Veiga Miranda, *A Eterna Canção,* 91.)

"O meu ódio, grande, entranhado e único na minha vida, ao Marquês de Pombal, não procede de afeto ao padre nem do desagravo *da* religião." (Camilo, *Perfil do Marquês de Pombal,* VIII.) "Certos autores, muito nossos conhecidos, aos quais não castigue Deus em desagravo *de* suas vítimas." (Rebelo da Silva, *Contos e Lendas,* 9.)

Desagregação — *de:*

"Quantos milhões de anos dura esta lida, qual o processo infinitesimal desta desagregação *de* rochas?" (Herman Lima, *Outros Céus, Outros Mares,* 302.) "A desagregação *das* partículas de um corpo." (Fr. D. Vieira.)

Desagregado — *de:*

"A pátria, desagregada *dos* seus fundamentos, rolou, esfarelando-se nos boatos." (C. Neto, *apud* L. Freire.)

Desaire — *de, em:*

"O antigo milagre dos peixes que emergiam para ouvir o taumaturgo de Pádua podem explicar o sucesso, sem desaire *dos* admiradores do mais preeminente vulto da oratória sacra portuguesa." (Camilo, *Boêmia do Espírito,* 213.) "Sem desaire *da* nossa pátria, devemos confessar que nós, os portugueses, temos em amor uma certa gravidade que toca a extrema do aborrecimento." (Camilo, *Estrelas Propícias,* 52.)

"Desaire *na* honra, *no* nome."

Desairoso — *a:*

"Sempre se teve esse gênero de ecos pelos mais desairosos *à* harmonia do escrever." (Rui, *Réplica,* 96.)

Desajudado — *de:*

"Jerônima .... ajudava o pai na escrituração, e lançava os borrões ao livro-mestre, para seu pai, desajudado *de* guarda-livros, por economia, não perder horas da noite em vigílias.'' (Camilo, *As Três Irmãs,* 58.) ''Para gosto somente, desajudado *dos* sentidos do olfato, da vista e do tato, não há diferença entre cebolas e maçãs.'' (*Maravilhas do Conhecimento Humano,* I, 264.)

Desalentado — *com:*

''Ficou desalentado *com* o resultado dos últimos negócios.''

Desalinho — *de, em:*

''Em desalinho tal, que dava anúncio do desalinho *da* alma.'' (Filinto Elísio, *apud* Fr. D. Vieira.)

''Notava-se um desalinho *no* seu vestido, se bem que de pronto se conhecia que era o desprezo e não o mau gosto que presidia àquele desarranjo.'' (Camilo, *Mistérios de Lisboa,* I, 85.)

Desalumiado — *de:*

''Homem desalumiado *de* instrução.'' (E. Carneiro Ribeiro, *Serões Gramaticais,* 674.)

Desambição — *de:*

''Desambição *de* riquezas, *de* fama.''

Desambicioso — *de:*

''É completamente desambicioso *de* glórias.''

Desamor — *a, de, por:*

''As causas são complexas, mas entrevêem-se facilmente no desamor *às* línguas clássicas.'' (C. de Figueiredo, *Lições Práticas,* I, 5.) ''Foi o culto das artes plásticas que nos levou a este desamor *aos* livros encarvoados pela especulação de editores gafos do mercantilismo dos Boreis e dos Rolands, de memória tão parda como o seu papel.'' (Camilo, *Boêmia do Espírito,* 225.)

''Não é outra coisa .... este desamor *da* pátria, com que nos oferecemos às ambições estrangeiras.'' (Rui, *Campanha Presidencial,* 100.)

''Desamor *pelas* coisas da pátria.''

Desamorável — *com, com respeito a, para, para com:*

''É muito desamorável *com* os enteados.''

''Espantado da secura daquelas palavras tão desamoráveis *com respeito a* uma esposa doente.'' (Camilo, *apud* L. Freire.)

''Mãe desamorável *para* os filhos.'' (Morais.)

''Desamorável *para com* a família.''

Desamoroso — *com, de, para, para com:*

''Desamoroso *com* os filhos, *para* os filhos ou *para com* os filhos.''

''Somos um povo triste e indolente .... desamorosos todos *de* uma terra muito feliz.'' (Afrânio Peixoto, *A Esfinge,* 50.)

Desamparado — *a, de, por:*

''Por isso lá estão .... quatrocentos homens .... desamparados *à* ação das doenças que principiam a flagelá-los.'' (Rui, *Queda do Império,* I, 443.)

''O peixe apodrecia na lata, desamparado *de* licitantes.'' (Aquilino Ribeiro *A Batalha sem Fim,* 47.) ''Desamparado *de* todos, forçado a pedir uma esmola.'' (Camilo, *A Neta do Arcediago,* 144.)

''E a carcassa caduca, desamparada *pela* vida, apodrece em pé.'' (Rui, *Queda do Império,* I, 301.)

Desanimado — *com, de, por:*

''Desanimado *com* os primeiros reveses, abandonou a empresa.'' ''D. Cândida vivia a chorar pelos cantos, desanimada *com* o emagrecimento do filho.'' (C. Neto, *Treva,* 37.)

''Desanimado *de* prosseguir na luta.''

''Suspirou Raimundo, desanimado *por* ver o sol ainda alto e compreender que tinha de caminhar até a noite.'' (Aluísio Azevedo, *O Mulato,* 219.)

Desânimo — *de, entre:*

''Seu pessimismo faz-lhe sentir desânimo *de* tudo.''

''Nada prenunciava desânimo *entre* os sertanejos.'' (E. da Cunha, *Os Sertões,* 339.)

Desapegado — *de:*

''Desapegado *das* honras, dignidades, riquezas.'' (Constâncio.)

Desapego — *a, de, por:*

''Parece que .... lhes preponderam, exclusivas, no ânimo, por uma lei qualquer de psicologia coletiva, os instintos guerreiros, a imprevidência dos selvagens, a inconsciência do perigo, o desapego *à* vida e o arremesso fatalista para a morte.'' (E. da Cunha, *Os Sertões* 321.)

''Não iria pendurar-se adiante, na figueira vingadora; porque Judas perdeu, nas reencarnações, o desapego *da* vida.'' (Rui, *Campanha Presidencial,* 61.) ''Quando lhe exprobravam o desapego *dos* filhos, ela, tranqüilamente, afirmava que já estavam criados e não precisavam dela.'' (Afrânio Peixoto, *A Esfinge,* 264.)

''Ter desapego *pelos* bens terrenos.''

Desapercebido — *para:*

''Os amores de Corday com o marquês tinham passado desapercebidos *para* a sociedade de Caen.'' (Camilo, *Livro Negro,* 52.)

Desapertado — *de:*

''Sai desapertado *de* remorsos, feliz pelo tributo que rendeu.'' (E. da Cunha, *Os Sertões,* 221.)

Desapoderado — *de:*

''Desapoderado *de* toda a sua força.'' (Morais.)

Desapontado — *com, por:*

''Ficou desapontado *com* o atraso do filho nos estudos.''

''O barão, desapontado *pela* transição repentina, rosnava alguns disparates.'' (Camilo, *Mistérios de Lisboa,* II, 267.)

Desapontamento — *com, para:*
"Teve grande desapontamento *com* o genro."
"Foi um desapontamento *para* todos quando correu a notícia da sua nomeação para tão longe." (C. Neto, *A Cidade Maravilhosa*, 9.)

Desapossado — *de:*
"Desapossado *do* senhorio, *do* mundo, *do* poder." (Constâncio.) "Nunca uma classe desapossada repentinamente *da* opulência hereditária aceitou com tamanha submissão à vontade nacional o nível da igualdade do direito." (Rui, *Queda do Império*, I, 200.)

Desaproveitado — *em, para:*
"Para não falarmos no talento, já laureado em tantas lides, dos Drs. Lauro Sodré e Pau Brasil, lamentavelmente desaproveitados *n*esta reorganização." (Rui, *Queda do Império*, I, 272.)
"Tristeza faz uma obra desaproveitada *para* o corpo e pior para a alma." (Dic. de Fr. D. Vieira.)

Desarmado — *ante, contra, de, para, por:*
"A fraqueza do indivíduo se sente desarmada *ante* a fatalidade dos destinos do seu tempo." (Rui, *Colunas de Fogo*, 116.)
"E o Estado, cujos diplomas conferem direitos a esses tristes bacharéis, fica desarmado *contra* tais abusos." (Rui, *Queda do Império*, I, 415.)
"Entendimento desarmado *de* prudência; a língua desarmada *de* cautelas." (Dic. de Morais.)
"E, todavia, nunca o país se achou tão lastimosamente desarmado *para* a defesa nacional." (Rui, *Cartas de Inglaterra*, XI.)
"Deslembrara-se que em documento público se confessara desarmado *para* suplantar a revolta." (E. da Cunha, *Os Sertões*, 246.)
"Cólera desarmada *pelos* carinhos da filha." "Entrego-te a teus irmãos. Deles te defendi alguma vez; agora estou desarmado *pelo* teu proceder. Disse demais. Aí fora está posta a caleça para conduzir-te a outra parte, segundo a vontade de Vasco." (Camilo, *O Bem e o Mal*, 177.)

Desarmonia — *com, entre:*
"Bem cedo, talvez nos nossos dias, desaparecerá o elefante, por já estar em desarmonia *com* a fauna atual." (Afonso Arinos, *Pelo Sertão*, 49.)
"É notória a desarmonia *entre* o casal."

Desarranjo — *de:*
"De pronto se conhecia que era o desprezo e não o mau gosto que presidia àquele desarranjo *de* gravata." (Camilo, *Mistérios de Lisboa*, I, 85.)

Desarticulado — *de, entre:*
"Peça desarticulada *do* corpo do maquinismo."
"Apenas os moços, menos previdentes e desarticulados *entre* si, sonhavam com um programa onde se inscrevessem profundas transformações." (Luiz Viana Filho, *A Vida de Rui Barbosa*, 119.)

Desassombro — *de:*
"Não lhe falece o desassombro *de* contar a sua vida naqueles oito dias de martírio." (Fialho de Almeida, *Os Gatos*, 212.)

Desastre — *para:*
"Vem (o Mississípi) a se tornar .... terrível origem de desastres *para* os confederados." (Rui, *Cartas de Inglaterra*, 154.)

Desastroso — *para:*
"Desastrosas vêm sempre a ser, *para* a sociedade, as consequências de tal deturpação: abala a confiança geral na lei, a fé na sua supremacia, o aferro leal à justiça." (Rui, *Queda do Império*, II, 206.)

Desatado — *de, sobre:*
"Desatado *das* prisões do mundo, *dos* laços da amizade." (Constâncio.) "Os cabelos fartos desfeitos nos ombros, por desatados *da* rodilha do coque." (Alberto Rangel, *Fura-Mundo*, 103.)
"As pampas desmedidas e o próprio Atacama desatado *sobre* os Andes .... inscrevem-se rigorosamente entre os primeiros." (E. da Cunha, *Os Sertões*, 49.)

Desatenção — *a, com, em, para com:*
"Quantas vezes tem sido levado à cadeia pública, por ser encontrado .... aos estragos e desatenções *à* paz e honra das famílias!" (Alberto Rangel, *Fura-Mundo*, 52.)
"Censurei ao aluno a desatenção *ao* estudo." (Pe. J. Stringari.)
"Foi despedido por causa de sua desatenção *com* os fregueses."
"Agora uma ou outra desatenção *n*este especial, isso nem os clássicos mais corretos evitaram." (Rui, *Réplica*, 303.)
"Mostra desatenção *para com* todos."

Desatencioso — *com, para com:*
"Desatencioso *com* as visitas ou *para com* as visitas."

Desatento — *a:*
"Conversavam a princípio a meia voz, desatentos e indiferentes *aos* interlocutores." (Afrânio Peixoto, *A Esfinge*, 114.)

Desatinado — *com, de:*
"Desatinado *com* medo, *com* sono." (Morais.)
"Desatinado *da* pancada." (Constâncio.) "Patrão ficou desatinado *de* raiva." (Afonso Arinos, *Pelo Sertão*, 127.)

Desautorado — *em:*
"Ascendendo ao poder em tais circunstâncias, desautorado *no* seu partido, o ministério 10 de março não poderia, literalmente, viver, senão arriscando-se à agitação abolicionista." (Rui, *Queda do Império*, I, 326.)

Desautorizado — *por:*
"Daqui, desta mesa nua de trabalho, desautorizada *pela* obscuridade do jornalista que a ocupa, mas invencível no seu propósito de seguir a linha reta, surgiu .... a afirmativa que prenunciou a vitória Frontin." (Rui, *Queda do Império,* II, 73.)

Desavença — *com, de, entre:*
"E explicava lá pelo seu modo de falar a causa por que os ricos andam em desavença *com* os pobres." (Camilo, *As Três Irmãs,* 155.) "Deixou ultimamente o Estado, em virtude de uma desavença *com* o diretor de sua repartição." (Ciro dos Anjos, *O Amanuense Belmiro,* 85.) "O encarregado dos negócios dos Estados Unidos, em 1846, pôs à disposição do ditador os seus bons ofícios na desavença *com* o Estado Oriental." (Rui, *Cartas de Inglaterra,* 321.)
"Se quereis saber no que ficaram as desavenças *de* Margarida e Cecília, lede as quatro páginas seguintes." (Camilo, *Onde Está a Felicidade,* 56.)
"Logo depois, sobreveio, porém, a desavença *entre* Rui e Aristides Lobo." (Medeiros e Albuquerque, *Quando Eu Era Vivo,* 179.) "Naquele momento não supus que um caso tão insignificante pudesse provocar desavença *entre* pessoas razoáveis." (Graciliano Ramos, *S. Bernardo,* 145.) "Não sabíamos que no priorado de Cedofeita havia desavenças ruidosas *entre* o D. Prior e os cônegos." (Camilo, *Boêmia do Espírito,* 455.)

Desavindo — *com:*
"Sem companheiros, nem serviçais de importância e guarda-costas numerosos, e desavindo *com* o Capitão-General." (Alberto Rangel, *Fura-Mundo,* 193.) "Desavindo *com* as cãs." (Filinto Elísio, *apud* Aulete.)

Desbaratado — *em, por:*
"As preciosas jóias de Ricarda foram desbaratadas *em* desperdícios do pai e do filho." (Camilo, *A Neta do Arcediago,* 51.)
"Estava mui desbaratado *pelos* anos, moléstias e desgostos." (Constâncio.)

Desbarate — *de, em:*
"Três anos incompletos bastaram ao desbarate *de* propriedades superiores ao valor de cento e cinqüenta mil cruzados." (Camilo, *As Três Irmãs,* 141.)
"Este desbarate *no* seu orgulho era notório. Os infelizes, como ele, consolavam-se do companheiro que os honrava." (Camilo, *Livro Negro,* 97.)

Desbotado — *de, em, por:*
"E lançou mão de outra carta, muito desbotada *de* lágrimas." (Camilo, *A Enjeitada,* 250.)
"Tudo isso, que se lhe exalava desse gabinete invejado, cheirava-lhe à morrinha de coisas falidas, desbotadas *no* fumo de seu próprio descrédito." (Alberto Rangel, *Fura-Mundo,* 140.)
"Era a morbidez de flor colhida em hora de calor e desbotada *pelos* ardores da sesta." (Camilo, *Mistérios de Lisboa,* II, 147.) "Lacinhos verdes desbotados *pelo* tempo." (Antero de Figueiredo, *Amor Supremo,* 210.)

Descaído — *de, para, sobre:*
"Reformar o clero, já muito descaído *de* seus primeiros princípios." (Dic. de Morais.)
"Com as mãos cruzadas atrás, o chapéu descaído *para* a nuca." (Aluísio Azevedo, *O Mulato,* 307.)
"Manuel continuava a passear na sala, com as mãos cruzadas atrás e a cabeça descaída *sobre* o peito." (Aluísio Azevedo, *O Mulato,* 357.)

Descansado — *de, em:*
"Descansado *de* trabalhos, *de* preocupações."
"Repousavam de noite, descansados *na* consciência de quem não perdeu o dia." (J. Américo de Almeida, *A Bagaceira,* 277.) "De suas enormes feridas rolavam os rochedos, precipitados na espadana e descansados *na* desordem de seu acúmulo fantástico." (Alberto Rangel, *Fura-Mundo,* 241.) "Depois, como se acelerasse a música, Amâncio arrebatou-a. Ela deixou-se levar, a cabeça descansada *nos* ombros dele, as mãos frias, a respiração doida." (Aluísio de Azevedo, *Casa de Pensão,* 129.)

Descanso — *de, para:*
"A morte será o descanso *de* meus tormentos." "A sepultura, descanso novíssimo *dos* míseros mortais." (J. de Barros, *apud* Morais.)
"Que descanso *para* nós o sabermos que no coração de todos eles há um princípio interno que milita em nosso favor ....!" (Mário Barreto, *Cartas Persas,* 178.)

Descaramento — *de:*
"O que eu invejo em V. é o seu descaramento *de* proclamar certas coisas, que todos sentem e ninguém se atreve a confessar." (Medeiros e Albuquerque, *Quando Eu Era Vivo,* 232.)

Descaridade — *com, de:*
"Descaridade *com* as crianças, sobrecarregada, muitas vezes, de labores excedentes da sua capacidade." (Rui, *Campanha Presidencial,* 134.)
"Teve a descaridade *de* pô-lo na rua."

Descaridoso — *com, para com:*
"Descaridoso *com* os pobres ou *para com* os pobres."

Descaso — *em, por:*
"A ele (problema) consagrou todos os artifícios de uma propaganda infatigável, em

contraste absoluto com a nossa indiferença ou o nosso descaso *neste* assunto." (Rui, *Colunas de Fogo,* 89.)

"Não compreendo teu descaso *por* um assunto de tamanha relevância."

Descendente — *de:*

"Descendente *de* nobres e velhos troncos." (E. Carneiro Ribeiro, *Serões Gramaticais,* 673.) "Observei-a (a palavra) aqui numa mocinha brasileira descendente *de* avós alemães." (João Ribeiro, *Curiosidades Verbais,* 117.) "Branca de Clermont, descendente *de* reis, tinha em si a realidade desses traços imaginários com que a fantasia criadora recompõe uma fronte real." (Camilo, *Livro Negro,* 97.)

Descida — *de, por:*

"Descida *do* cume da glória." (Morais.) "Descida *da* antiga elevação." (Constâncio.)

"Ninguém melhor para acompanhar os brancos nessa descida *pelo* Tietê." (Alberto Rangel, *Fura-Mundo,* 176.)

Descoberta — *de:*

"Levava o dia a discutir com outros cavalheiros a descoberta *de* minas de prata no Norte, ou o reajustamento econômico de Temístocles, em favor dos pobres." (*Maravilhas do Conhecimento Humano,* I, 22.)

Descoco — *de:*

"Discorreu meia hora boa neste assunto, e disse maravilhas, que eu tive o descoco sandeu *de* alcunhar de romanticismo." (Camilo, *Cenas da Foz,* 186.)

Descomposto — *de, em:*

"Descomposta *de* feições, abeirou-se à cama do pai." (Camilo, *O Esqueleto,* 224.)

"Descomposto *nas* palavras, *no* estilo, *nos* costumes." (Constâncio.)

Desconcertado — *com, de:*

"Seu alvitre está desconcertado *com* o nosso propósito."

"Bem, bem — resmoneou o Governador, ligeiramente desconcertado *dessa* opinião." (Alberto Rangel, *Fura-Mundo,* 159.)

Desconfiado — *de, para:*

"Desconfiado *das* suas luzes e para maior conforto, não houve médico de certa nomeada que Flávio não levasse a casa de Mário." (Gastão Cruls, *Ao Embalo da Rede,* 44.) "Depois suspendeu num abraço os dois pequenos, desconfiados *dessa* amabalidade tão pronta." (Afrânio Peixoto, *A Esfinge,* 224.)

"Para os amigos bom rapaz, desconfiado *para* os indiferentes, e terrível com agressores e adversários." (Fialho de Almeida, *Os Gatos,* 27.)

Desconfiança — *acerca de, contra, de, sobre:*

"Não há quem, lendo as atas do processo nesses dois feitos, não concebesse as mais sérias desconfianças *acerca da* capacidade dos tribunais marciais como mecanismo fidedigno para a apuração da verdade." (Rui, *Cartas de Inglaterra,* 23.)

"Tanto mais profunda se acentua .... a desconfiança *contra* esse elemento de paz, de segurança, de liberdade." (Rui, *Colunas de Fogo,* 19.) "Implantou nas almas uma desconfiança aparentemente invencível *contra* a possibilidade da regeneração do governo representativo na órbita das instituições estabelecidas." (Idem, *ibidem,* 28.)

"Há sempre a desconfiança *de* que está cometendo a impertinência de 'falar difícil'." (João Ribeiro, *Curiosidades Verbais,* 60.) "Era grande a sua desconfiança *de* tudo e *de* todos." (Medeiros e Albuquerque, *Quando Eu Era Vivo,* 118.)

"O nome do Professor Ebstein .... era bastante para afastar qualquer desconfiança *sobre* o valor da nova aquisição terapêutica." (Gastão Cruls, *Ao Embalo da Rede,* 40.)

Desconforme — *com:*

"Desconforme *com* a sua sorte." (Constâncio.) "Desconforme *com* a vontade de Deus." (Morais.)

Desconformidade — *em:*

"Desconformidade *no* parecer, *nas* opiniões." (Constâncio.) "Mostrem-me a desconformidade *na* ordem entre esses dois textos." (Rui, *Réplica,* 419.)

Desconhecido — *a, de, em, entre, para, por:*

"Fronteiras desconhecidas *ao* mundo." (Rui, *Cartas Políticas e Literárias,* 101.) "Reflete (o povoado) o mesmo abandono, traindo os desalentos de uma raça que morre, desconhecida *à* história, entre paredes de taipa." (E. da Cunha, *Os Sertões,* 255.) "Referimo-nos ao Duque de Broglie, cujas 'Memórias' não devem ser desconhecidas *ao* príncipe consorte." (Rui, *Queda do Império,* I, 391.)

"A forma impessoal não foi desconhecida nem desusada *dos* clássicos." (Mário Barreto, *Através do Dicionário e da Gramática,* 152.) "Por esse tempo nada testemunha a palavra 'gaúcho', desconhecida *dos* cronistas primitivos." (João Ribeiro, *Curiosidades Verbais,* 143.)

"Desta circunstância nasceu uma frase portuguesa que presumo ser quase desconhecida *no* Brasil." (João Ribeiro, *Curiosidades Verbais,* 43.) "Era um napolitano, sem fortuna, sem nobreza, viajando sem préstito, e vivendo desconhecido *na* grande roda." (Camilo, *Livro Negro,* 33.)

"Obra incomparável no seu gênero, desconhecida, creio eu, *entre* nós." (Rui, *Réplica,* 171.)

"Essa aventura me intimidava, levando-me para fora de meu mundo e pondo-me em contato com uma fauna de caracteres inteiramente desconhecidos *para* mim.'' (Ciro dos Anjos, *O Amanuense Belmiro,* 67.) ''Sentia atrações por essa pátria, quase tão desconhecida *para* ele como o seu próprio nascimento.'' (Aluísio Azevedo, *O Mulato,* 79.)

''É um contrato, em que o povo não se desafora da sua soberania; e, no dia em que esta é formal ou praticamente desconhecida *pela* outra, ... está quebrado o pacto.'' (Rui, *Queda do Império,* I, 192.)

Desconsideração — *a:*

''Isso constitui uma grande desconsideração *à* sua autoridade.''

Desconsiderado — *de, por:*

''Cuido sempre que a pobreza me abate aos olhos dos estranhos, desde que me vi desconsiderado *dos* parentes.'' (Camilo, *Estrelas Propícias,* 132.)

''Desconsiderado *pelos* amigos.''

Desconsolado — *de:*

''E assim se finava a pobre menina, desconsolada *de* voz humana, e descrida da misericórdia divina.'' (Camilo, *O Bem e o Mal,* 83.)

Descontentamento — *com:*

''Meu descontentamento *com* ele é muito natural.''

Descontente — *com, de:*

''Por que estás descontente *com*igo?'' (Camilo, *As Três Irmãs,* 99.) ''Todos os republicanos estavam descontentes *com* Quintino.'' (Medeiros e Albuquerque, *Quando Eu Era Vivo,* 78.) ''Os brasileiros estavam descontentes *com* os excessos de tributação e *com* certas medidas tirânicas das autoridades portuguesas.'' *(Maravilhas do Conhecimento Humano,* I, 167.)

''Descontente *de* ver seu rei sumido.'' (Garrett, *apud,* Fr. D. Vieira.) ''Estou descontente *da* minha obra.'' (Morais.) ''Estou descontente *da* recepção.'' (Constâncio.)

Desconto — *a, de, em:*

''Dadas as proporções do meu trabalho, ainda sem desconto *à* escassez das cinco semanas em que o executei ....'' (Rui, *Réplica,* 74.)

''É uma concatenação de deleites, viciosos com muito desconto *de* amarguras.'' (Camilo, *Estrelas Propícias,* 129.) ''Em desconto *dos* meus pecados.'' (Fr. D. Vieira.)

''— É tudo o que temos, Branca! Permita o céu que as nossas lágrimas lhe sejam desconto *nas* que ela há de chorar.'' (Camilo, *Livro Negro,* 143.)

Descoroçoado — *por:*

''Havia talentos, mas descoroçoados *pela* acanhada iniciativa dos editores.'' (Camilo, *Boêmia do Espírito,* 224.)

Descortês — *com, para com:*

''Descortês *com* alguém ou *para com* alguém.''

Descosido — *em:*

''Se alguém me argüir de bastante descosido *no* exame do livro, queira lê-lo com paciente pachorra.'' (Camilo, *Boêmia do Espírito,* 242.)

Descrédito — *de:*

''Não ouso esperar confiadamente que as orações de um autor dramático obtenham, com descrédito *da* Farmacopéia, que os céus piedosos suspendam o meu nervosismo.'' (Camilo, *Boêmia do Espírito,* 220.)

Descrença — *de:*

''Minha descrença *dos* políticos cada dia mais se fortalece.''

Descrente — *de:*

''Era assim Fialho de Almeida, como os de sua geração, um descrente *dos* contemporâneos.'' (J. Lins do Rego.)

Descuidado — *de:*

''Nasce para ser escada de Jacó, e não para que os descuidados *de* sua salvação se não aproveitassem dela.'' (Vieira, *Sermões,* IX, 246.) ''Quem te vir assim abatido e descuidado *do* teu asseio, há de pensar que algum remorso te atormenta.'' (Camilo, *Estrelas Propícias,* 36.)

Descuido — *de, em:*

''Acusado de cair em incorreções e descuidos *de* linguagem, ... Camilo, que era polemista insigne, agüentou-se rijamente na peleja.'' (Mário Barreto, *Através do Dicionário e da Gramática,* 137.)

''Descuido *no* vestuário.'' (Aulete.)

Descuidoso — *de:*

''Não seja tão descuidoso *de* suas obrigações.'' ''Amor é o que me faz esquecer a minha responsabilidade, o meu destino, o meu dever, para estar aqui a teus pés, alheia a tudo, esquecida do passado, descuidosa *do* futuro.'' (Aluísio Azevedo, *Casa de Pensão,* 186.)

Desculpa — *de:*

''E partiram, deixando Eulália para sua irmã, um lacônico bilhete em que .... lhe pedia desculpa *da* involuntária falta.'' (Camilo, *As Três Irmãs,* 51.) ''Encolheu os ombros, como se pedisse a minha mãe desculpa *da* minha penetração.'' (Idem, *Mistérios de Lisboa,* I, 57.) ''Queria pedir-lhe desculpas *de* não ir vê-la à tarde.'' (Afrânio Peixoto, *A Esfinge,* 43.) ''Não sei se peça desculpa *dos* ares sérios com que me ia esquecendo desta demarcada alimária.'' (Camilo, *Boêmia do Espírito,* 443.)

Desculpável — *a, em:*

''São faltas somente desculpáveis *a* crianças.''

''Forma incorreta, só desculpável *em* alguns dos variados planos de ortografia sônica.'' (C. de Figueiredo, *Falar e Escrever,* II, 273.)

Descurioso — *de:*
"Valha-me Deus! — dizia o frade, descurioso *da* lindeza do anjo." (Camilo, *A Enjeitada*, 44.)

Desdém — *de, por:*
"Quer atochar de termos bordalengos o nativo desdém *da* nossa fala." (Filinto Elísio, *Obras*, I, 30.) "Desdém fingido *d*aquilo que se deseja." (C. de Figueiredo, voc. *cafanga.*)
"Parece-me difícil imaginar um episódio mais característico do seu desdém *pela* morte." (Medeiros e Albuquerque, *Quando Eu Era Vivo*, 115.) "O ressentimento do desdém que Luiz da Cunha aparentava *por* ela." (Camilo, *A Neta do Arcediago*, 32.) "Ninguém exprimiu em proposições mais cruas e metáforas mais fustigantes o desdém *pela* multidão." (Rui, *Cartas de Inglaterra*, 225.)

Desdenhoso — *a, de, para:*
"E assim o foi criando, à beira dágua, desdenhosa *a*os suspiros que lhe vinham das moitas." (Veiga Miranda, *A Eterna Canção*, 14.)
"Desdenhoso *de* glórias."
"Ouvira a outros contar que as mulheres eram assim mesmo, ou que as havia assim, desdenhosas ou cruéis *para* os que amam ou *para* os que as amam." (Afrânio Peixoto, *A Esfinge*, 283.)

Desdobrado — *em:*
"Acrescentavam a esses adornos o luxo antigo das largas colchas de damasco carmesim desdobradas *n*os peitoris das janelas e nas guardas dos balcões de ferro." (Xavier Marques, *As Voltas da Estrada*, 57.)

Desdouro — *de, em, para:*
"E ei-lo vem a ponto de estorvar que o sogro se desonre, violando a palavra dada, com desdouro *d*os reis de Leão e Castela, seus avós." (Camilo, *O Bem e o Mal*, 99.)
"É uma autoridade *em* quem nunca se apontou o menor desdouro."
"Um dever que implica desdouro *para* o meu amigo, se eu me esquivar a cumpri-lo." (Camilo, *Livro de Consolação*, 101.)

Desejo — *de:*
"Desejo *de* subir." (E. Carneiro Ribeiro, *Serões Gramaticais*, 668.) "Pode-se assentar como máxima que, em cada Estado, cresce o desejo *de* glória com a liberdade de seus habitantes." (Mário Barreto, *Cartas Persas*, 188.) "Rui de Nelas mostrava desejos *de* lhe abrir a carreira da independência." (Camilo, *O Bem e o Mal*, 76.)

Desejoso — *de:*
"Sentou-se, pois, ao lado, atento e desejoso *de* agradar ao interlocutor." (Afrânio Peixoto, *A Esfinge*, 86.) "Estou pronto, exclamou afinal, e muito desejoso *de* entrar no mato." (Taunay, *Inocência*, 98.) "E os molossos .... arremetiam ladrando ou punham-se a ganir desejosos *de* combates." (C. Neto, *Imortalidade*, 18.) "É conhecida a sua frase, quando estava no ministério Sousa Dantas, desejoso *de* resolver quanto antes o problema da abolição: "Quando o senhor quiser correr, eu o puxo pela aba da casaca." *(Maravilhas do Conhecimento Humano*, I, 187.)

Desembaraçado — *de:*
"A noite clareava de novo, desembaraçada a lua *d*as nuvens que a encobriam." (Veiga Miranda, *A Eterna Canção*, 33.) "Tinha as asas rápidas da "corta-água" a canoa, desembaraçada já agora *da* topeteira de galhos de ingazeira." (Alberto Rangel, *Fura-Mundo*, 204.)

Desembarque — *de:*
"Logo após seu desembarque *d*o comboio, a força rumou para o quartel."

Desencanto — *por:*
"Mas não tardou (D. Pedro II) em ter certo desencanto *pelo* poder." (Luiz Viana Filho, *A Vida de Rui Barbosa*, 58.)

Desencontro — *de, em:*
"Baldo de recursos e a braços com toda espécie de dificuldades; oscilando no desencontro *d*as informações, ... dali abalou somente em dezembro." (E. da Cunha, *Os Sertões*, 237.)
"Desencontro *n*as folhas de um ramo." (Morais.)

Desenganado — *de:*
"Salomão, o mais experimentado neste engano, e o mais desenganado *d*esta vaidade." (Vieira, *Sermões*, IX, 7.) "Desenganada *da* sua louca esperança, sentava-se na pedra, chorando com mavioso mimo." (Camilo, *A Neta do Arcediago*, 167.) "Parecia mais um defunto em pé, que gente viva. Desenganado *de* remédios de botica, foi-se receitar ao Padre João Crisóstomo." (Domingos Olímpio, *Luzia-Homem*, 109.)

Desengano — *a, de:*
"Tudo isto são avisos às palmas, rebate às espadas, e desenganos *a* todo o vencedor." (Vieira, *Sermões*, IX, 99.) "Como desmentindo a tudo que é da vida, como desengano *a* todas as ilusões." (Camilo, *Mistérios de Lisboa*, II, 155.)
"Desengano *d*as grandezas do mundo." (Constâncio.)

Desentendimento — *com:*
"Tive um ligeiro desentendimento *com* o gerente."

Desenvolvido — *com, em, por:*
"Reforça o autor ainda com outras considerações esta noção correntia, que ainda *por* outras autoridades americanas vamos encontrar desenvolvida *com* esclarecimentos e fa-

tos interessantes.'' (Rui, *Cartas Políticas e Literárias,* 225.)

''E ria-se, ... mostrando haver já compreendido tudo, com essa inteligência sentimental, tão desenvolvida *nas* mulheres.'' (Afrânio Peixoto, *A Esfinge,* 43.)

Desenvolvimento — *de:*

''Ernesto perdera a ano matemático, mas ganhara prodigioso desenvolvimento *da* faculdade poética.'' (Camilo, *A Enjeitada,* 163.) ''Nas margens do caudaloso rio Nilo existiu uma civilização (há uns quatro mil anos), com notável e elevado desenvolvimento, tanto *das* artes como *das* ciências.'' *(Maravilhas do Conhecimento Humano,* I, 231.)

Desequilíbrio — *com, entre:*

''Perdemos, muitas vezes, a noção do valor das palavras, que ficam em desequilíbrio *com* o pensamento.'' (Mário Barreto, *Através do Dicionário e da Gramática,* 289.)

''Toda a atividade cede ao permanente desequilíbrio *entre* as energias impulsivas periféricas fortemente excitadas e a apatia das funções centrais.'' (E. da Cunha, *Os Sertões,* 78.)

Deserdado — *de, por:*

''Deserdado *da* fortuna, *de* talento.'' (Aulete.) ''Regiões deserdadas *pela* natureza *da* fertilidade e riqueza de que outras gozam.'' (Constâncio.)

''Viúvas e órfãos deserdados *por* contas fictícias e hipotecas falsas.'' (Afrânio Peixoto, *A Esfinge,* 446.)

Desertado — *de:*

''Cidade desertada *de* seus habitantes.'' (E. Carneiro Ribeiro, *Serões Gramaticais,* 674.)

Desesperação — *em:*

''O mau (ladrão), como símbolo da desesperação, *na* misericórdia celeste, invectivava contra a impotência de um Deus, que não se salva, nem o livra e ele dos tormentos da cruz.'' (Camilo, *Horas de Paz,* I, 71.)

Desesperado — *com, de, por:*

''E o Dr. Juca, na hora de maior movimento no barracão, entrou desesperado *com* seu Ernesto.'' (J. Lins do Rego, *Usina,* 171.) ''Está desesperado *com* uma afronta que acaba de receber.'' (Mário Barreto, *Cartas Persas,* 155.)

''Outros, jeremias, inertes entupidos de cultura européia e desesperados *de* não poderem exercer ação que julgam regeneradora.'' (Afrânio Peixoto, *A Esfinge,* 397.) ''O doutor, desesperado *de* explorar uma vítima do seu cozimento, mandou-o erguer, desejando-lhe a continuação da sua boa saúde.'' (Camilo, *Duas Horas de Leitura,* 91.) ''Foi buscar asilo na Noruega, desesperado *de* qualquer apoio de seu povo.'' (Herman Lima, *Outros Céus, Outros Mares,* 260.)

''Aquela pobre mulher desesperada *pela* morte do marido.'' (Mário Barreto, *Através do Dicionário e da Gramática,* 68.) ''A terra em peso, desesperada *pelo* mau sestro de ver roubado à glória o seu grande homem ....'' (Fialho de Almeida, *Os Gatos,* 140.)

Desesperança — *de:*

''Desesperança *de* perdão.'' (Constâncio.)

Desesperançoso — *de:*

''Acho-o desesperançoso *de* conquistar o prêmio.''

Desfalcado — *de, em:*

''Os piquetes, ao tornarem dos arredores, chegavam desfalcados *de* alguns daqueles sinistros companheiros.'' (E. da Cunha, *Os Sertões,* 311.) ''Já desfalcado *de* munições, utilizaram nos combates tições de fogo e água fervente.'' *(Maravilhas do Conhecimento Humano,* I, 166.)

''Desfalcado *em* boa parte da sua fortuna.'' (Camilo, *A Neta do Arcediago,* 65.) ''Este inesperado sucesso acrescentou a exultação de Jaquelina, cujo prazer de se abraçar à filha certamente seria desfalcado *na* saudade do parente morto.'' (Idem, *A Enjeitada,* 143.)

Desfalecimento — *de:*

''Invocam a sua misericórdia nos desfalecimentos *da* razão.'' (Rui, *Colunas de Fogo,* 47.) ''Desfalecimento *dos* sentidos.'' (Constâncio.)

Desfalque — *de, em:*

''Não há dúvida que devo doze mil cruzados, cujo pagamento hei de fazer, quando possa, sem desfalque *da* minha casa.'' (Camilo, *As Três Irmãs,* 80.) ''Mas, daí ao que se espera da velha capital da Campanha, vai um vasto desfalque *de* emoções, mesmo levando em conta os pomares de Sorrento e as baforadas do Vesúvio.'' (Herman Lima, *Outros Céus, Outros Mares,* 20.)

''Era abrir, em hora de apuros, um respeitável desfalque *no* orçamento federal.'' (Rui, *Cartas de Inglaterra,* 357.) ''— Ora essa!... resmungou a Brizard, indignada e ressentida, como se aquele desfalque *na* carteira do estudante lhe trouxesse um prejuízo imediato.'' (Aluísio Azevedo, *Casa de Pensão,* 191.)

Desfavorável — *a, para:*

''Nunca escrevi crítica desfavorável *a* trabalho literário nenhum.'' (Rui, *Réplica,* 40.) ''A propaganda monarquista criara na bolsa de Londres um ambiente desfavorável *à* República.'' (Luiz Viana Filho, *A Vida de Rui Barbosa,* 146.)

''A observação mais rápida indicava, porém, que estas disposições da extrema esquerda, sendo de todo desfavoráveis *para* lutadores ....'' (E. da Cunha, *Os Sertões,* 333.)

Desfavorecido — *por:*
"Vive, por enquanto, na fé de que senhor e servo são homens filhos do mesmo pai, um favorecido, outro desfavorecido *pelo* acaso do nascimento." (Camilo, *O Bem e o Mal,* 54.)

Desfechado — *em:*
"Não nos iludamos. O primeiro golpe foi desfechado com essa lei *na* lavoura do país." (Xavier Marques, *As Voltas da Estrada,* 118.)

Desfeita — *a, de:*
"A intenção de desfeita *a* Deodoro era tão clara que o velho marechal empalideceu." (Medeiros e Albuquerque, *Quando Eu Era Vivo,* 109.)
"Fez-lhe a desfeita, *de* lhe voltar as costas." (Constâncio.)

Desfeito — *com, de, em, por:*
"Reino desfeito *com* contínuas guerras." (Constâncio.)
"Tão desfeito *do* rosto e corpo, que parecia figura da morte." (Constâncio.)
"Serras distantes, de safira diluída em gaze, ou de violeta desfeita *em* fumo lilás." (Antero de Figueiredo, *Jornadas em Portugal,* 19.) "Desfeito *em* riso, *em* prazer." (Constâncio.)
"Viu seus planos desfeitos *pela* esperteza do irmão." (Aulete.)

Desfigurado — *de, por:*
"E pálido, desfigurado *de* terror, viu os dois hércules levantarem contra êle os braços armados de chicotes." (Xavier Marques, *As Voltas da Estrada,* 96.)
"Era sempre, desfigurada *pelo* veneno, vomitando as entranhas laceradas, que a imagem da duquesa se sentava a par com ele." (Camilo, *Livro Negro,* 244.)

Desforra — *contra, de:*
"Foi preciso enjaulá-la, certa vez, num quartel, para evitar sanguinosas desforras *contra* os sentimentos liberais da população fluminense." (Rui, *Colunas de Fogo,* 24.)
"Tirar a desforra *de* uma afronta."

Desgastado — *em:*
"Pelo ordinário, os noivos que se amam longo tempo, casam-se quando o mais fino da sensibilidade está desgastado *na* abstração e *na* quimera." (Camilo, *O Bem e o Mal,* 70.)

Desgostado — *com, de:*
"Madrid fica logo para trás, na fuga do trenzinho viajeiro, que parece desgostado *com* os subúrbios da capital." (Herman Lima, *Outros Céus, Outros Mares,* 349.)
"Era a velha casa de seus pais .... que bem poderia ainda abrigá-los num dia cansado de velhice, desgostados *do* Rio ou *do* Amparo." (Afrânio Peixoto, *A Esfinge,* 315.)

Desgosto — *com, de, em, para, por:*
"Tive grande desgosto *com* a morte de meu irmão." (Constâncio.)
"Destarte, passando pelo desgosto *de* não operar o bem, desfruta, ao menos, o consolo de não ter produzido o mal." (Rui, *Colunas de Fogo,* 118.) "Tenho o desgosto *de* te dizer que não. A minha espionagem não pôde introduzir o nariz no orifício da chave." (Camilo, *Livro Negro,* 125.)
"Sentia um terrível desgosto *em* aproximar-se do mar." (Aluísio Azevedo, *O Mulato,* 295.)
"Hospedagem menor de oito dias era um desgosto *para* a família hospedeira." (Camilo, *As Três Irmãs,* 67.) "Depois de cinco dias de desgostos *para* o pobre pai, ... o coronel queixou-se de violentas dores de cabeça, e febre." (Idem, *Cenas da Foz,* 222.)
"Não sentiu, a despeito da sua natural bondade, mais do que certo desgosto *pela* ausência de uma companheira com que já se tinha habituado." (Aluísio Azevedo, *O Mulato,* 21.)

Desgostoso — *com, de, por:*
"Desgostoso *com* a improdutividade do esforço que dispersava havia mais de uma hora, interrompeu uma vez mais a 'pose', e mandou embora o pequeno." (Afrânio Peixoto, *A Esfinge,* 208.) "Temos a história de Sinuhe, que se exilou voluntariamente, desgostoso *com* sua terra, e deixou-a, com o desejo de jamais ouvir falar nela." *(Maravilhas do Conhecimento Humano,* II, 6.)
"O rapaz, de exagerada sensibilidade, ficou abatido, desgostoso *da* vida." (Luiz Viana Filho, *A Vida de Rui Barbosa,* 39.) "Duarte mostrou-se desgostoso *da* contrariedade." (Camilo, *As Três Irmãs,* 51.)
"Entretanto não se diga que é erro escrever-se: 'esforçou-se pelo conseguir'; 'desgostoso *pelo* não encontrar'; etc." (Mário Barreto, *Através do Dicionário e da Gramática,* 392.)

Desgraça — *de:*
"Da mesma maneira, mais chorava Davi a desgraça *de* Abraão que ele próprio." (Dic. de Morais.) "O velho futurava o rompimento de alguma revolução acadêmica, a intervenção pacificadora de Casimiro, e a fortuita desgraça *de* ser empenhado pela honra a coadjuvar o partido dos estudantes." (Camilo, *O Bem e o Mal,* 203.)

Desgraçado — *com, para, por:*
"Também na santidade há fortuna. S. João Batista foi desgraçado *com* reis; S. João Evangelista foi venturoso com príncipes." (Vieira, *Sermões,* IX, 199.)
"Que lance tão desgraçado *para* a pátria!" (Constâncio.) "Escondia-se a chorar por já ter perdida a energia para vociferar com justiça e contra justiça, como se dá com todas as pessoas de gênio desgraçado *para* elas e

flagelante para os outros.'' (Camilo, *A Enjeitada*, 252.)

''Os dois, desgraçados *pela* cegueira do amor, foram pedir ao sacerdote a bênção matrimonial.'' (Camilo, *O Bem e o Mal*, 93.)

Designação — *de, para:*

''Designação *das* plantas dispostas em séries radiadas.'' (C. de Figueiredo, voc. *actinófilo.)*

''Designação *para* cargo, emprego.'' ''A designação dos Apóstolos *para* irem pregar.'' (Dic. de Morais.)

Designado — *a, para, por, por meio de:*

''Dentro desse invólucro, junto à ordem, estava uma carta designada *a* Luís da Cunha.'' (Camilo, *A Neta do Arcediago*, 117.) ''Designado *à* vingança do rei, por ter ousado assacar à fala do trono, em 1763, a acusação de falsidade.'' (Rui, *Queda do Império*, I, 314.)

''Dia designado *para* a conferência.''

''Entendo que nenhum cidadão se deve considerar candidato, enquanto não designado *por* um movimento da opinião pública.'' (Rui, *Cartas Políticas e Literárias*, 138.)

''As coisas mesmas são designadas *por meio d*as qualidades que mais impressão produzem nos nossos sentidos.'' (Mário Barreto, *Através do Dicionário e da Gramática*, 222.)

Desígnio — *contra, de:*

''Paulo não compreendeu essa mudança de sentimento do amigo, ... que parecia insistir num desígnio *contra* ele.'' (Afrânio Peixoto, *A Esfinge*, 359.)

''Se a França persistisse nos seus desígnios *de* nivelar a sua marinha com a inglesa.'' (Rui, *Cartas de Inglaterra*, 160.)

Desigual — *a, de, em, entre:*

''Socorro desigual *à* grandeza de seu ânimo.'' (Constâncio.) ''Um empreendimento desigual *a*os recursos de quem o tenta.'' (Aulete.) ''Verticilos alternativamente desiguais *à*s divisões.'' (C. de Figueiredo, voc. *anisótomo.)*

''Um homem desigual *d*a sua sorte.'' (Morais.)

''A democracia constituíam-na dois grupos notavelmente desiguais *em* número e *em* condição.'' (Herculano, *O Bobo*, 5.) ''Quer ela assim fazer-me sentir que foi desgraçada por ter casado com um homem desigual *n*a idade.'' (Camilo, *Boêmia do Espírito*, 93.)

''Peças desiguais *entre* si.''

Desigualdade — *com, de, em, entre:*

''Não tenho tido, desde o primeiro dia em que me viste, uma pequena desigualdade *contigo*.'' (Camilo, *A Neta do Arcediago*, 12.)

''Desigualdade *de* caráter.'' (Constâncio.) ''Desigualdade *do* movimento.'' (Morais.) ''Desigualdade *dos* glóbulos rubros do sangue.'' (C. de Figueiredo, voc. *anisocitose.)*

''Desigualdade *n*as composições, *n*o gênio.'' (Morais.) ''Desigualdade *n*as dimensões dos glóbulos vermelhos do mesmo indivíduo.'' (L. Freire, voc. *anisocitose.)*

''Desigualdade estilística *entre* duas obras do mesmo autor.''

Desiludido — *com, de, em, por:*

''Sardoeira era escultor, posto que já não se consumisse em modelar corpos nus nem em idear monumentos, tão desiludido andava *com* a indiferença ingrata do público patrício.'' (Coelho Neto, *Treva*, 7.)

''Tantas vezes batido pela vida, desiludido *dos* seus semelhantes, necessitara apegar-se a alguma coisa que lhe mantivesse o ânimo para continuar a luta.'' (Luiz Viana Filho, *A Vida de Rui Barbosa*, 215.) ''Desiludidos *do* ruído vão do mundo.'' (Afrânio Peixoto, *A Esfinge*, 51.)

''Esperava (a senhora Eddy) que a Igreja lhe fizesse amável acolhida à revolucionária doutrina. Foi, no entanto, tristemente desiludida *em* suas esperanças.'' (*Maravilhas do Conhecimento Humano*, I, 324.)

''Esperança não alimentava nenhuma o Visconde, desiludido friamente *pel*os mais célebres oculistas.'' (Veiga Miranda, *A Eterna Canção*, 63.) ''O pingar dos ramos sobre folhas desiludidas *pel*o novembro chuvoso.'' (Antero de Figueiredo, *Jornadas em Portugal*, 54.)

Desilusão — *de, sobre:*

''A desilusão *d*a vida é incompatível com a juventude.''

''É a primeira desilusão *sobre* a autonomia da indústria nacional triunfadora.'' (Fialho de Almeida, *Os Gatos*, 296.)

Desinteligência — *com, entre:*

''A mediação anglo-francesa nas desinteligências daquele governo *com* o de Montevidéu levou à mais alta temperatura da ira o chefe da Confederação Argentina.'' (Rui, *Cartas de Inglaterra*, 314.) ''Foi enviado extraordinário a Sua Santidade para sanar as desinteligências da Cúria *com* o Marquês de Pombal.'' (Camilo, *Mistérios de Lisboa*, II, 30.)

''Bem mais grave, porém, era a crescente desinteligência *entre* a marinha e o exército.'' (Luiz Viana Filho, *A Vida de Rui Barbosa*, 175.) ''Soubemos que tínhamos em Lisboa uma tia. Ignoro as desinteligências que se deram *entre* ela e o papá, muito antes de eu nascer.'' (Camilo, *O Bem e o Mal*, 169.)

Desinteressado — *de, em, por:*

''Mostrou-se desinteressado *d*a sorte da moça.'' ''Repico mais cinco, ditou o senador, parecendo desinteressado *do* jogo.'' (Alberto Rangel, *Papéis Pintados*, 43.) ''O povo acostumara-se a viver no pântano, desinteressado *da* vida do país e *do* mundo.'' (Xavier Marques, *As Voltas da Estrada*, 132.)

''Estava desinteressado *na* questão.'' (Constâncio.)

''Um indiferentismo tão grande que chegou a ponto de fazê-lo inteiramente desinteressado *pela* pessoa de Noêmia.'' (Gastão Cruls, *História Puxa História*, 67.)

Desinteresse — *de, por:*

''Quanto total desinteresse *da* vida comum; quanto absoluto desprezo da insignificância das almas fúteis!'' (Antero de Figueiredo, *Amor Supremo*, 143.)

''Dando a voz o disfarce de desinteresse *por* questão banal ....'' (Afrânio Peixoto, *A Esfinge*, 137.)

Desistência — *de:*

''Desistência *da* citação, *dos* embargos, *da* ação proposta.'' (Morais.) ''Desistência *da* pretensão.'' (Constâncio.)

Desleal — *a, com, para com:*

''O Brasil foi devidamente punido com o estigma de 'desleal *às* repúblicas no Prata', que Rosas lhe fulminou.'' (Rui, *Cartas de Inglaterra*, 319.)

''Acusam-no de desleal *com* o partido a que pertence.''

''Desleal *para com* os amigos.''

Deslealdade — *a, com, para com:*

''Quero absolver-me desta deslealdade *à* memória de Helena.'' (Camilo, *A Filha do Arcediago*, 254.)

''Sua deslealdade *com* o adversário foi muito censurada.''

''Mostrar deslealdade *para com* alguém.''

Desleixado — *em:*

''Dâmaso foi convidado a gerir os negócios espirituais do gentio de Rio Verde, que passava por bronco e desleixado *em* matéria de fé.'' (Aquilino Ribeiro, *Andam Faunos*, 21.) ''No topo da escada esperava-o a esposa de Luís Ribeiro. Desleixada *no* trajo, encarquilhada, agitável, com a alma azeda, pervertida pela contínua luta doméstica, havia perdido todos os traços simpáticos da mocidade.'' (Xavier Marques, *As Voltas da Estrada*, 88.)

Deslembrado — *de:*

''Abatidos de um dia inteiro de viagem, os expedicionários, deslembrados *da* luta, iam sob o anelo exclusivo dos pousos apetecidos.'' (E. da Cunha, *Os Sertões*, 316.) ''Izidro, quase deslembrado *da*quelas vistas amenas, passeava o olhar pelos longes da terra.'' (Coelho Neto, *Treva*, 52.)

Desligado — *de:*

''Desligado por inteiro *da* vida do Rio, ao fim de um mês estava perfeitamente bom e era um outro homem, alegre, feliz, saudável.'' (Gastão Cruls, *Ao Embalo da Rede*, 137.)

Desligamento — *de:*

''Seu desligamento *do* partido já era esperado.'' ''Desligamento *de* razões, argumentos, frases.'' (Constâncio.)

Deslize — *de:*

''Neste deslize *dos* seus hábitos de delicadeza para conosco, entregou à exploração dos nossos detratores uma injustiça sem o mínimo vislumbre de atenuante.'' (Rui, *Queda do Império*, I, 349.) ''Se houvessem descido os escaleiros da necessidade sem deslize *da* honra.'' (Camilo, *apud* L. Freire.)

Deslocado — *por:*

''O coração pulsou-lhe inquieto, ao avistar o teto da casinha, vergando ao peso das telhas enegrecidas, pelas intempéries, deslocadas *pelos* tufões.'' (Domingos Olímpio, *Luzia-Homem*, 202.)

Deslouvor — *de:*

''Nem os capelães, digamos isto sem deslouvor *d*eles, são insensíveis aos nervos de uma formosa mulher a faiscarem áscuas elétricas por lábios e olhos.'' (Camilo, *A Enjeitada*, 55.)

Deslumbrado — *com, por:*

''Deslumbrada *com* a presença da senhora, cujos belos olhos, claros e suavíssimos, se fitavam nela compassivos, ergueu-se e, arrancando o pente, deixou caírem as fartas madeixas encaracoladas.'' (Domingos Olímpio, *Luzia-Homem*, 77.)

''Deslumbrado *pelo* espetáculo sem par, circunvagava Tirigodes o óculo aos quatro pontos.'' (Aquilino Ribeiro, *Andam Faunos*, 57.)

Deslustre — *de:*

''Das minhas notas, lançadas ao correr da leitura, poderia indicar, sem deslustre *dos* inestimáveis serviços desse filólogo à língua portuguesa .... algumas omissões curiosas.'' (Rui, *Réplica*, 156.)

Desmaiado — *em:*

''Deixou-se inclinar para o seio dele, como desmaiada *em* ebriedade de ternos delíquios.'' (Camilo, *A Neta do Arcediago*, 14.)

Desmandado — *de:*

''Fui jovem também e, como todos, às vezes bem desmandado *do* miolo.'' (Alberto Rangel, *Fura-Mundo*, 309.)

Desmazelo — *em, por:*

''Desmazelo *no* vestir, *nas* economias domésticas, *no* desempenho dos deveres.'' (Constâncio.)

''O desmazelo *pelos* mais sérios interesses do nosso nome, o desprezo da higiene nas nossas grandes capitais marítimas deixaram livre o campo.'' (Rui, *Colunas de Fogo*, 90.)

Desmembração — *de:*

''Desmembração *das* rendas de Santa Cruz para a Universidade.'' (Constâncio.)

Desmembramento — *de:*
"O desmembramento *da* Polônia é a maior iniqüidade política da nossa época." (Constâncio.) "Seu desmembramento *do* partido é recente."

Desmemoriado — *de:*
"Uma noite de seis anos tinha passado por aquela alma, imersa na escuridão de todas as esperanças, desmemoriada *de* todos os gozos que poderiam valer-lhe no desalento." (Camilo, *Livro Negro*, 243.)

Desmentido — *a, de:*
"Há, na história, desmentidos inolvidáveis, eternos, *a* essa teoria." (Rui, *Campanha Presidencial*, 54.) "A imprensa desta cidade deu o maior relevo a esse fato, recomendando-o .... como desmentido *ao* aleive de que se usava contra mim." (Idem, *Cartas Políticas e Literárias*, 55.)
"Registe-se aqui, como um desmentido formal *da* afirmação do crítico, este exemplo do Padre Bernardes." (Mário Barreto, *Através do Dicionário e da Gramática*, 265.)

Desnecessário — *para:*
"São desnecessárias *para* mim essas explicações. Deve dá-las ao delegado." (Domingos Olímpio, *Luzia-Homem*, 117.)

Desnecessidade — *de:*
"Absoluta desnecessidade *de* discriminação por meio de acento." (Augusto Moreno, *Lições de Linguagem*, II, XVI.)

Desobediência — *a:*
"Desobediência *às* autoridades, *às* ordens recebidas."

Desobediente — *a:*
"O pincel caíra desanimado na presença dela; que fará a pena, sempre desobediente *às* expressões da alma!" (Camilo, *Cenas da Foz*, 134.)

Desobrigado — *de:*
"Se falta a mulher à sua palavra, crêem-se os homens desobrigados *da* sua." (Mário Barreto, *Cartas Persas*, 117.)

Desonerado — *de:*
"Uma vez desonerado *da* administração, o alienista procedeu a uma vasta classificação dos seus enfermos." (M. de Assis, *Papéis Avulsos*, 12.)

Desonra — *de, em, para:*
"Um desgraçado segredo, que brevemente será a infâmia e desonra *de* ambos nós." (Camilo, *Mistérios de Lisboa*, I, 106.) "Um francês grosseiro seria a máxima desonra *da* França." (Idem, *A Enjeitada*, 30.)
"— Esse segredo que me ocultas, reflete alguma desonra *na* tua posição atual?" (*Livro Negro*, 91.)
"Denominava-o, sem desonra *para* o termo da comparação, o S. Tomaz da Igreja lusitana." (Camilo, *Mistérios de Lisboa*, II, 13.)

Desonrado — *por:*
"Era, por esse tempo, um libertino espiado pela justiça, desonrado *por* delitos graves." (Camilo, *Boêmia do Espírito*, 182.)

Desonroso — *a, para:*
"Ações desonrosas *ao* nome da família de que descende."
"Suspeitando as intenções de Cunha, porque lhe não eram estranhos os boatos que corriam muito desonrosos *para* o mulato, deu-se pressa em sair de Buenos Aires." (Camilo, *A Neta do Arcediago*, 143.) "— A segunda hipótese é bem desonrosa *para* ela. Sois amigo dessa senhora?" (Camilo, *Livro Negro*, 149.)

Desopresso — *de:*
"Depois, seguros de que ninguém os espreitara, desopressos *da* grave incumbência, a cavalo nas bestas possantes, despediram." (Aquilino Ribeiro, *A Batalha sem Fim*, 73.)

Desoprimido — *de:*
"Sentiu-se ela desoprimida *do* remorso; mas ao mesmo tempo vexada e ferida pela censura muda e humilde do marido." (Camilo, *A Enjeitada*, 181.)

Desordem — *com, de, em:*
"Depois da desordem *com* Luís da Cunha, enfureceu-se contra ela." (Camilo, *A Neta do Arcediago*, 74.) "Que explicação tiveram as desordens *com* minha mãe?" (Idem, *A Enjeitada*, 205.)
"Desordem *de* espírito." (Aulete.) "Se o verdadeiro amor é uma desordem *da* razão, esse não é o amor que eu sinto." (Camilo, *Estrelas Propícias*, 58.) "Desordem *de* idéias que lhe confundiam o exame de uma confissão geral." (Idem, *A Neta do Arcediago*, 74.)
"Desordem *na* arrumação dos livros."

Despeado — *de:*
"Despeada (a sociedade sertaneja) *do* movimento geral *da* evolução humana, ela respira ainda na mesma atmosfera dos iluminados." (E. da Cunha, *Os Sertões*, 141.)

Despedaçado — *com, de, por:*
"Estão cheias as histórias de mortes notáveis de grandes personagens feridas e despedaçadas *com* raios." (Vieira, *Sermões*, IX, 183.)
"É filho de uma desgraçada mãe e de um pai que morreu despedaçado *de* angústias." (Camilo, *Mistérios de Lisboa*, 147.)
"A pátria despedaçada *por* cruéis guerras civis." (Constâncio.) "Baqueando sinistramente em terra, despedaçado *por* uma granada." (E. da Cunha, *Os Sertões*, 550.)

Despeitado — *com, contra, de:*
"Um arco de triunfo armado pelo sol despeitado *com* a caligem que o obumbrava." (J. Américo de Almeida, *A Bagaceira*, 178.)

"Sanches fez movimento de protesto, despeitado *com* a hipótese." (Afrânio Peixoto, *A Esfinge,* 108.)
"Despeitado *contra* o rival vitorioso."
"Mas a senhora tem estado desinquieta! — dizia Juliana, despeitada *da* melhora." (Eça, *O Primo Basílio,* 89.) "É natural que os capoeiras, despeitados *da* preferência dada a um estrangeiro, ... busquem aziumar contra ele a obsessão dos magistrados." (Fialho de Almeida, *Os Gatos,* 42.)

Despeito — *contra, de; em:*
"Ficara-lhe então toda a vida uma espécie de despeito *contra* aqueles que, antes dele, fizeram e disseram o que ele queria dizer e fazer." (J. Lins do Rego, no prefácio a "Os Gatos", de F. de Almeida.) "Nem quis (o imperador) sacrificar a despeitos inconsiderados *contra* o governo de Montevidéu os interesses e simpatias liberais da política brasileira no Rio da Prata." (Rui, *Cartas de Inglaterra,* 317.)

"A despeito *d*esses exemplos, se têm construído regras, hoje em pleno vigor no idioma." (Rui, *Réplica,* 256.)
"O certo é que, *em* despeito da vigilância que exerciam sobre os cadastrados em malasartes, valiam sempre mais as suas rapinas." (Aquilino Ribeiro, *A Batalha sem Fim,* 45.)

Despejado — *de:*
"Ela muito alta, cheia de corpo, despejada *de* maneiras e com feições de homem." (Aluísio Azevedo, *Casa de Pensão,* 112.)

Despenhado — *de, em, sobre:*
"A soberba e arrogância despenhadas *do* seu arrojo." (Constâncio.) "As primeiras bátegas despenhadas *da* altura não atingem a terra." (E. da Cunha, *Os Sertões,* 37.)
"Suas maneiras inculcavam a mediania despenhada *no* turbilhão da seca." (J. Américo de Almeida, *A Bagaceira,* 16.) "Não era a primeira vez que o rodeavam os milicos e tinha que arcar com o ódio de adversários, despenhado *nos* conflitos em que se submergira." (Alberto Rangel, *Fura-Mundo,* 94.)
"Grandes blocos de pedra, despenhados *sobre* o vale, tinham obstruído a passagem."

Despercebido — *a, de, para:*
"O ambiente de corrupção em que ele respira não pode passar despercebido *aos* severos hábitos administrativos do Sr. Saraiva." (Rui, *Colunas de Fogo,* 30.) "Uma (forma) houve, que, não sei por que, passou despercebida até hoje *aos* estudiosos." (Idem, *Réplica,* 262.)
"Despercebido *de* todos os vexames do servilismo remanescente, o povoléu rural desmandava-se na animação barulhenta." (J. Américo de Almeida, *A Bagaceira,* 82.) "O incidente, muito rápido, despercebido *de* todos que a cercavam, ficou sendo um segredo, que ela guardou, com outros de sua vida, tão avaramente como se oculta uma nódoa." (Xavier Marques, *As Voltas da Estrada,* 45.)
"As andorinhas, desde esse dia, voaram despercebidas *para* mim." (Camilo, *Mistérios de Lisboa,* I, 21.) "Este curto diálogo passou despercebido *para* os que estavam alguns passos distantes da cama do enfermo." (Idem, *ibidem,* 156.)

Desperdiçado — *a, com, em:*
"Afetos desperdiçados *ao* homem boçal com que a casaram." (Camilo, *Mistérios de Lisboa,* II, 18.)
"Tempo desperdiçado *com* trabalho inteiramente inútil."
"Os brasileiros são inteligentes e ávidos, ásperos no ganho, mas desperdiçados *na* economia, aventureiros e idealistas." (Afrânio Peixoto, *A Esfinge,* 400.) "Inteligência e cultura desperdiçadas *em* trabalhos tão grosseiros."

Despertado — *com, de, por:*
"Despertado *com* o estampido; despertado *com* o ladrar dos cães."
"A memória, despertada *de* uma longa catalepsia, escancarava diante de seus olhos de cego o livro inteiro." (Veiga Miranda, *A Eterna Canção,* 101.) "A um gesto imperativo do pai, Maria da Graça, despertada *da* estupefação que lhe gelava o sangue nas veias, o ajudou o desatar a trouxa de redes." (Domingos Olímpio, *Luzia-Homem,* 214.)
"Passara depressa o entusiasmo despertado *pela* recusa da pasta de ministro, e os amigos começavam a escassear." (Luiz Viana Filho, *A Vida de Rui Barbosa,* 131.)

Desperto — *de, em, por:*
"Desperto *de* sua absorção *por* uma censura direta, levantou Paulo a cabeça." (Afrânio Peixoto, *A Esfinge,* 247.)
"Era a paixão cinegética desperta *na* demência do cérebro." (Gustavo Barroso, *Terra de Sol,* 137.)
"Despertos *pela*s vozes dos criados, ... senhoras e cavaleiros aparecem frescos, bem dispostos." (Antero de Figueiredo, *Amor Supremo,* 66.)

Despesa – *com, de:*
"Fez grandes despesas *com* o casamento da filha." "Era ela quem fazia quase todas as despesas *com* a festa, que atraía gente das mais fundas bibocas." (C. Neto, *Treva,* 75.)
"Todos os anos, com as despesas *de* uniformes e livros, reacendia-se o furor do homem." (C. Neto, *A Cidade Maravilhosa,* 9.)

Despiciendo — *para:*
"Encontrou .... um maço de notas somando quatro contos de réis — que o adversário desdenhara, como a outras coisas de va-

lor *para* ele despiciendas." (E. da Cunha, *Os Sertões,* 392.)

Despido — *de:*

"Despido *de* vaidade." (E. Carneiro Ribeiro, *Serões Gramaticais,* 674.) "As palmatórias, despidas em combustão rápida *dos* espinhos numerosos." (E. da Cunha, *Os Sertões,* 244.) "Ali não há cerimônia, minha família é muito despida *dessas* coisas." (Aluísio Azevedo, *Casa de Pensão,* 55.)

Despique — *de:*

"Tomei a minha determinação só por uma insaciável sede de vingança, em despique *de* certas zombarias mordazes." (Mário Barreto, *Cartas Persas,* 84.)

Despojado — *de:*

"Despojado *de* folhas, *de* flores." (E. Carneiro Ribeiro, *Serões Gramaticais,* 674.) "Deus, ante quem os grandes deste mundo comparecem tais quais são, despojados *do* séquito dos seus cortesãos e lisonjeiros, ... pronunciará, depois de vós, a sua sentença." (Rui, *Cartas Políticas e Literárias,* 233.)

Desposado — *a, com:*

"A monarquia, desposada *a* escravidão, não punha dúvida em embair a Europa, concertando com a Inglaterra a abolição do tráfico." (Rui, *Discursos e Conferências,* 187.)

"As carvalheiras classicamente desposadas *com* a vide coberta de racimos." (Garrett, *apud* Aulete.)

Déspota — *com, de, para:*

"Luís, aos doze anos, era um déspota *com* os criados, com os mestres, e tratava o pai como se trata um irmão." (Camilo, *A Neta do Arcediago,* 16.)

"Déspota *dos* mares." (Aulete.)

"Déspotas *para* zelarem a liberdade, livres para glorificarem o despotismo." (Camilo, *Perfil do Marquês de Pombal,* VII.)

Despovoado — *de:*

"— Que faremos nós, ou antes, que farão vocês com essas terras e esses engenhos despovoados *de* trabalhadores?" (Xavier Marques, *As Voltas da Estrada,* 144.)

Desprendido — *de:*

"Cinicamente desprendido *das* conveniências sociais." (Antero de Figueiredo, *Amor Supremo,* 123.)

Desprendimento — *de, por:*

"É admirável seu desprendimento *do* conforto próprio, em benefício dos necessitados."

"Mau grado o seu desprendimento *pelo* passado, sentia alguma coisa atraí-lo irresistivelmente para a pátria." (Aluísio Azevedo, *O Mulato,* 53.)

Despreocupação — *de, por:*

"O espetáculo diário da morte dera-lhe a despreocupação *da* vida." (E. da Cunha, *Os Sertões,* 547.)

"Tombando, prestes, na luta, em que entra com despreocupação soberana *pela* vida." (E. da Cunha, *Os Sertões,* 120.)

Despreocupado — *de:*

"À volta destes, houve a chusma imensa dos despreocupados *dos* problemas da alma." (Antero de Figueiredo, *Amor Supremo,* 158.) "Não encontrara rapaz tão perfeito, nem tão despreocupado *das* asneiras sociais, como Luís da Cunha." (Camilo, *A Neta do Arcediago,* 64.)

Desprestígio — *a:*

"Extirpar o móvel de decomposição moral de Canudos em manifesto desprestígio *à* autoridade e *às* instituições." (E. da Cunha, *Os Sertões,* 246.)

Desprevenido — *contra, de, para:*

"Apenas me admira que .... tenham a patetice de me julgar desprevenido *contra* os romances, mais ou menos vis, da calúnia relapsa." (Rui, *Colunas de Fogo,* 124.)

"Poucos homens indagam a verdade com o entendimento desprevenido *de* idéias sistemáticas e *de* preconceitos." (Constâncio.)

"A formiga não é desprevenida *para* o futuro, como tantos homens, que só cuidam do presente." (Constâncio.)

Desprezado — *de, por, por causa de:*

"Homens desprezados *de* todos, e são ainda os maridos ciumentos." (Mário Barreto, *Cartas Persas,* 115.)

"Já me julgava desprezado *pelos* amigos, e achincalhado de todos." (Gastão Cruls, *História Puxa História,* 18.)

"Era um rapaz pobre, ... carregado de família, tuberculoso, desprezado *por causa da* cor." (Medeiros e Albuquerque, *Quando Eu Era Vivo,* 223.)

Desprezo — *a, de, para, para com, por:*

"Entre as quais (feras) retempero o meu desprezo *às* violências." (Alberto Rangel, *Fura-Mundo,* 339.) "Numa coisa todos concordavam: era no desprezo *ao* povo do engenho." (J. Lins do Rego, *Usina,* 179.) "Sempre as mesmas teorias de Pereira: a mesma grosseria repassada de desprezo *ao* sexo fraco." (Taunay, *Inocência,* 201.)

"Em tua mãe tens visto o cristão desprezo *das* riquezas." (Camilo, *As Três Irmãs,* 63.) "Quanto absoluto desprezo *da* insignificância das almas fúteis ...!" (Antero de Figueiredo, *Amor Supremo,* 143.) "O repúdio de todos os compromissos, o desprezo *dos* deveres cívicos .... constituem o caráter dos cortesãos no seu maior número." (Rui, *Queda do Império,* I, 118.)

"— Prometes-me? — O que, Elisa? — Absoluto desprezo *para* tal homem." (Camilo, *Mistérios de Lisboa,* III, 145.)

"É um rasgo do mais aviltante desprezo *para com* o Norte, cujas províncias serão

atraiçoadas." (Rui, *Discursos e Conferências,* 111.)
"Sobravam-lhe coragem a toda a prova e um quase desprezo *pelo* antagonista." (E. da Cunha, *Os Sertões,* 402.) "Chegara, no entanto, a tal estado de desprezo *pela* política, que havia um ano resolvera abandonar a cadeira no parlamento." (Luiz Viana Filho, *A Vida de Rui Barbosa,* 289.) "Esse desprezo *pelo* progresso higiênico se nos lesa da raia para dentro, desdoira-nos da raia para fora." (Ricardo Jorge, *Sermões dum Leigo,* 298.)

Desproporção — *entre:*
"As próprias estatísticas da criminalidade afirmam a grande desproporção *entre* os crimes contra a vida e os crimes contra a propriedade." (Gustavo Barroso, *Terra de Sol,* 142.) "Quando alguns anos mais tarde se povoou melhor a Bahia, a desproporção *entre* o elemento europeu e os dois outros continuou desfavorável." (E. da Cunha, *Os Sertões,* 85.)

Desproporcionado — *a, de:*
"Meio desproporcionado *ao* fim que nos propomos conseguir." (Morais.)
"Uma cabeça desproporcionada *do* corpo, beiços grossos e vermelhos, mostrando a dentadura miudinha e gasta." (Aluísio Azevedo, *O Mulato,* 95.)

Desprotegido — *de:*
"Desprotegida (a mulher) *das* mínimas garantias legais ou religiosas." (Veiga Miranda, *A Eterna Canção,* 141.)

Desprovido — *de:*
"O vilarejo morto, vazio, desprovido *de* tudo, mal os abrigava por um dia." (E. da Cunha, *Os Sertões,* 485.) "Da jongla transportara, fora o resto, para aquelas paragens, desprovidas *de* leões e selvas, a viciosa paixão de caçador." (Aquilino Ribeiro, *Andam Faunos,* 39.)

Desquitado — *de, entre:*
"Desquitado *da* mulher, em pouco tempo esbanjou o restante da fortuna."
"Belas páginas vibrantes mas truncadas, sem objetivo certo, em que colaboram, de todo desquitadas *entre* si, as três raças formadoras." (E. da Cunha, *Os Sertões,* 81.)

Desquite — *de:*
"O processo de seu desquite *da* esposa está em andamento, apesar da oposição desta."

Desrespeito — *a, de, por:*
"Desrespeito *aos* princípios do menor esfôrço." (Júlio Nogueira, *O Exame de Português,* 62.) "Era homenagem à mulher, mas um desrespeito *à* soberana." (Afrânio Peixoto, *A Esfinge,* 330.) "Era um desrespeito *ao* que ele determinava dentro de sua casa e com relação à sua própria filha!" (Aluísio Azevedo, *O Homem,* 56.)
"Desrespeito e infração *de* suas normas." (Júlio Nogueira, *O Exame de Português,* 64.)
"Quem o estabeleceu (o contraste), dando-nos, sob uma expressão familiar, a imagem do nosso desrespeito *por* nós mesmos, foi o presidente da República." (Rui, *Colunas de Fogo,* 213.)

Desrespeitoso — *a, de:*
"Soldado desrespeitoso *a* seu superior."
"Agora consideraria aquilo que era, com efeito, um miserável rival, desrespeitoso *de* sua idade avançada." (Alberto Rangel, *Fura-Mundo,* 276.)

Dessemelhança — *entre:*
"A essa dessemelhança *entre* ele e a sua progênie histórica importa acrescentar outra." (Rui, *Cartas de Inglaterra,* 300.)

Dessemelhante — *de, em:*
"Detenho especialmente a minha meditação naquelas grandes mudanças que tornaram uns séculos tão distintos de outros séculos, e o mundo tão dessemelhante *de* si mesmo." (Mário Barreto, *Cartas Persas,* 233.)
"Eram tão dessemelhantes *em* mérito e probidade." (Constâncio.)

Desserviço — *a:*
"Êsses escândalos representam o pior desserviço *à* dignidade do povo." (Rui, *Cartas de Inglaterra,* 10.) "Eu espero, meu caro amigo, que V. não tome sobre seus ombros este desserviço *ao* regime e *à* nação." (Idem, *Cartas Políticas e Literárias,* 143.)

Destemido — *com, de, em:*
"Receando que sua filha, destemida *com* o amparo da mãe, se abalançasse a algum arrojo, consentiu no enlace." (Camilo, *A Enjeitada,* 200.)
"Vieram os reis a ser aborrecidos de uns e destemidos *de* outros." (Dic. de Morais.)
"É mister ser arrojado, para não cair, destemido *na* violência dos golpes, para se tranqüilizar." (Rui, *Colunas de Fogo,* 71.)

Destemperado — *com, em:*
"Vinho, vinagre destemperado *com* água."
(Constâncio.)
"Vinagre destemperado *em* água." (Morais.)

Desterro — *para:*
"Mas o desterro *para* Macau é uma lenda. Não se desterra um inimigo desprotegido e desvalido com uma provedoria, cujo triênio afiançava uma riqueza relativa." (Camilo, *Boêmia do Espírito,* 102.)

Destinado — *a, para:*
"Deixá-la-emos *para* as anotações finais no capítulo seguinte, destinado *ao* número dez e seus múltiplos." (João Ribeiro, *Curiosidades Verbais,* 167.) "O paiol da farinha era por baixo do sobrado, onde se encontravam enormes baús, forrados de couro, com

umas setenta redes destinadas *aos* hóspedes." (Aluísio Azevedo, *O Mulato*, 226.) "Que as habilitações exibidas representem apenas esforço de memória, acumulação de matéria inerte, destinada *a* iludir a ocasião, não tenho que ver em tal." (Rui, *Queda do Império*, I, 288.)

"A povoação destinada *para* elas oferecia um espetáculo de desordem e de motim impossíveis de descrever." (Herculano, *O Bobo*, 93.) "Disseram-me que ela estava destinada *para* um filho da madrasta." (Camilo, *Cenas da Foz*, 193.) "Parece-me que um francês é mais homem que nenhum outro, e que é o homem por excelência, pois parece unicamente destinado *para* a sociedade." (Mário Barreto, *Cartas Persas*, 185.)

Destino — *a, de, para:*

"Embarcou com destino *a* Recife." "Vivem todos os seres do mundo apenas para viver, conservar-se. Não há outro destino *à* vida." (Afrânio Peixoto, *A Esfinge*, 186.)

"Partiu com o destino *de* ir estudar as antiguidades do Egito." (Constâncio.)

"Nenhuma outra embarcação havia no porto de Saint-Hélier com destino imediato *para* a costa fronteira." (Herculano, *Lendas e Narrativas*, II, 295.)

Destituição — *de:*

"Destituição *dos* meios de viver; destituição *do* ofício, posto, cargo." (Constâncio.)

Destituído — *de:*

"Destituído *dos* bens." (E. Carneiro Ribeiro, *Serões Gramaticais*, 674.) "Fora dos últimos senadores da monarquia, escolhidos pela coroa, mas que a 15 de novembro se viram antes da posse, destituídos *dos* seus privilégios." (Afrânio Peixoto, *A Esfinge*, 80.) "Não diz que os votos da outra câmara sejam destituídos *de* toda ação política, mas, simplesmente, que não exercem a mesma influência decisiva." (Rui, *Queda do Império*, II, 304.)

Destoante — *de:*

"O apóstolo deferiu ao convite. Mas fêlo através de imposições discricionárias, relembrando, com altaneria destoante *da* pacatez antiga, a afronta recebida." (E. da Cunha, *Os Sertões*, 179.) "Não há meios que lhe repugnem, por mais destoantes *do* lugar e das pessoas." (Rui, *Réplica*, 49.)

Destreza — *em:*

"Revelou grande destreza *na* esgrima."

Destro — *em:*

"Destro *no* manejo das armas." (E. Carneiro Ribeiro, *Serões Gramaticais*, 675.) "Homem destro *em* tratar negócios." (Morais.)

Desumanidade — *com, em, para com:*

"A maior desumanidade que os tiranos usavam *com* as santas virgens." (Vieira, *Sermões*, IX, 57.)

"A desumanidade *no* exercício da repressão social pode resultar de falsa compreensão da moralidade coletiva." (Rui, *Queda do Império*, I, 22.)

"Na idade de seis anos, começou (Goethe) a discutir religião. Aos sete, já se afligia com 'a desumanidade do homem *para com* o homem'." (*Maravilhas do Conhecimento Humano*, II, 75.) "Desumanidade *para com* os necessitados."

Desumano — *com, para com:*

"Muito mais cruel e desumano foi Remígio *com* Iria, infamando-a, que Britaldo mandando tirar-lhe a vida." (Vieira, *Sermões*, IX, 23.)

"Desumano *para com* os prisioneiros."

Desunião — *de, entre:*

"Desunião *das* vontades, *das* idéias, *dos* pareceres." (Fr. D. Vieira.)

"Ninguém ignora que existe inteira desunião *entre* os dois."

Desusado — *de, em, entre:*

"A forma impessoal não foi desconhecida, nem desusada *dos* clássicos." (Mário Barreto, *Através do Dicionário e da Gramática*, 152.)

"Elege-se 'resgate' como inteiramente diverso, sobre desusado *nas* leis e *nos* expositores." (Rui, *Réplica*, 529.)

"— Cuidei que lisonjas tais eram desusadas *entre* irmãos, Rui. Pois eu dir-te-ei que estás bastante alcançado." (Camilo, *O Bem e o Mal*, 208.)

Desvanecido — *com, de, por:*

"Está mui desvanecido *com* os aplausos dos néscios." (Constâncio.)

"Levantando-se desvanecido *da* desafronta sanguinária, participou de todo o encanto da alvorada serrana." (J. Américo de Almeida, *A Bagaceira*, 196.)

"O retrato, ao pé do original, era uma sombra pálida, um daguerreótipo desvanecido *pela* imperfeição da máquina." (Camilo, *Mistérios de Lisboa*, II, 263.)

Desvanecimento — *de, em:*

"Desvanecimento *das* esperanças." (Constâncio.)

"Nunca deixei de sentir tal ou qual desvanecimento *em* que os meus amigos agradassem a todos." (M. da Assis, *apud* L. Freire.)

Desvantagem — *de:*

"Esses moços têm a desvantagem *de* não ser interrogados pelos seus professores ordinários." (Rui, *Queda do Império*, I, 414.) "O processo prosseguiu seus termos, com desvantagem *de* Casimiro, sem embargo de ser vigiado pelo primeiro advogado de Coimbra." (Camilo, *O Bem e o Mal*, 162.)

Desvantajoso — *a:*
"Desvantajoso *a* todos." (E. Carneiro Ribeiro, *Serões Gramaticais,* 675.)

Desvelado — *em:*
"Estadista desvelado *em* curar as feridas de uma guerra fratricida." (Rui, *Queda do Império,* I, 203.)

Desvelo — *com, em, para, para com, por, sobre:*
"Não mostrou a providência do Esposo menos desvelo *com* outra esposa sua." (*Apud* E. Carneiro Ribeiro, *Tréplica,* 583.)
"A tremenda crise por que sua alma estava passando .... inspirava-lhe todos os desvelos *em* suavizar o infortúnio alheio." (Camilo, *Mistérios de Lisboa,* II, 151.)
"Ter grandes desvelos *para* alguém ou *para com* alguém." "Conseguiu (Amélia) penetrar no âmago daquelas tristezas, mas não se deu por achada e redobrou de desvelos e meiguices *para com* ele." (Aluísio Azevedo, *Casa de Pensão,* 202.)
"Pelo que toca a desvelo, tanto se pode usar com as preposições *em, para,* ou *sobre,* como com a preposição *por.*" (Rui, *Réplica,* 356.)

Desviado — *de, para:*
"Nenhuma província da cristandade se achou tão desviada *de*ste negócio." (Dic. de Morais.) "A granada partiu levemente desviada *do* alvo." (E. da Cunha, *Os Sertões,* 273.)
"Desviado *para* o seu assunto, de predileção, monarquia e república, o conselheiro enveredou por aí, amargo e maligno." (Afrânio Peixoto, *A Esfinge,* 83.) "E continuou, já sem se ocupar com o Aníbal, desviado o pensamento *para* outro rumo." (Idem, *ibidem,* 370.)

Desvio — *de, em:*
"Desvio *da* virtude, *da* verdade." (Constâncio.)
"Sendo de presumir que ligeiras discrepâncias indiquem apenas defeitos de observação ou desvios *na* tradição oral que as registrou." (E. da Cunha, *Os Sertões,* 33.)

Detenção — *em:*
"Detenção do alheio *em* nosso poder." (Morais.)

Determinação — *de:*
"Tomou-se a determinação *de* resistir ao inimigo." (Constâncio.)

Determinado — *a, em, para, por:*
"Determinado *a* padecer." (Morais.) "Determinado *a* escrever a causa dos cuidados." (Fr. D. Vieira.)
"Foi determinado *em* conselho que se desse batalha." (Constâncio.)
"Tudo estava determinado *para* a cerimônia."
"Na concepção científica do ensino, as matérias têm uma seriação natural, positivamente determinada *pela* relação lógica." (Rui, *Queda do Império,* I, 280.)

Detestável — *para:*
"Fez com que leis que haviam sido excelentes para um Estado pequeno se tornassem detestáveis *para* um grande." (Mário Barreto, *Cartas Persas,* XXI.) "Nosso sentido do olfato é uma coisa característica. Um cheiro pode ser extremamente agradável *para* um homem e extremamente detestável *para* outro." (*Maravilhas do Conhecimento Humano,* I, 264.)

Detrimento — *de:*
"Os encarregados de o manter limpo e esplendoroso (o idioma) se crêem obrigados a exagerar a sua missão em detrimento *da* língua pátria." (Mário Barreto, *Através do Dicionário e da Gramática,* 252.) "Daqui procedem as antipatias, as discórdias, os menosprezos, que redundam todos em detrimento *da* sua posteridade." (Idem, *Cartas Persas,* 244.)

Devassa — *em, sobre:*
"Estou farto de política, de anedotas e de devassas *em* vida alheia." (C. Neto, *apud* L. Freire.)
"Vão começar as devassas *sobre* o quatriênio anterior: fala-se de abusos administrativos, de concessões fraudulentas e até de desvios de dinheiros públicos." (Afrânio Peixoto, *A Esfinge,* 392.)

Devedor — *a, de:*
"Sou-*lhe* (= a ele) devedor *de* dinheiro, *de* muitas obrigações." (Constâncio.)

Dever — *de, para com:*
"Todo cristão tem o dever *de* auxiliar o próximo."
"Era desconhecer o primeiro de todos os deveres de um chefe de Estado *para com* os seus ministros." (Rui, *Queda do Império,* I, 328.) "O povo só poderia conhecer os seus deveres *para com* Deus e *para com* o próximo, quando justamente conhecesse e gozasse seus direitos." (Camilo, *As Três Irmãs,* 230.)

Devido — *a:*
"O respeito devido *aos* pais." (Dic. de Morais.) "Estaremos prestando cá dentro a devida atenção *aos* morbos mais contagiosos." (A. Campos, *A Fé no Império,* 253.)

Devoção — *a, com, em, para com, por:*
"Era extremosa, mas geral, a sua devoção *aos* santos." (*Apud* E. Carneiro Ribeiro, *Tréplica,* 583.) "Com a mais patriótica devoção *ao* cultivo da língua nacional, toma parte nas cruzadas contra os que a maltratam." (Mário Barreto, *Através do Dicionário e da Gramática,* 234.) "Por que 'sobretudo' pela amizade a mim, e não pela devoção *ao* regime?" (Rui, *Queda do Império* I, XLI.)

"Era ardentíssima a devoção que tinha *com* a Senhora, *com* o seu rosário." (*Apud* E. Carneiro Ribeiro, *Tréplica*, 583.) "Ter devoção *com* algum santo." (Aulete.)

"Ter devoção *em* ou *com* os santos." (Fr. D. Vieira.) "Ter devoção *em* alguma prática religiosa." (Aulete.)

"Devoção *para com* a Virgem."

"Recebia sempre dádivas de um e outro, pois não só rezava muito bem contra certas doenças, como ainda havia de muita gente uma particular devoção *pelos* santos do seu oratório." (Gastão Cruls, *História Puxa História*, 21.)

Devorado — *de, por:*

"Quem te vir assim abarbada de projetos de ganhar dinheiro, há de cuidar que estás devorada *de* ambição." (Camilo, *As Três Irmãs*, 63.) "É uma indigente entregue a uma tutela de pródigos, devorada *de* dívidas, cativa de mil credores." (Rui, *Colunas de Fogo*, 3.)

"Varrida (a cidadela) pelos canhoneios, rota pelos assaltos, devorada *pelos* incêndios." (E. da Cunha, *Os Sertões*, 539.) "Coração devorado no íntimo *por* úlceras insanáveis." (Camilo, *Mistérios de Lisboa*, I, 60.)

Devotado — *a:*

"Devotado *aos* amigos." (E. Carneiro Ribeiro, *Serões Gramaticais*, 674.) "Errantes pelas faldas das serras devotados *ao* martírio, arrebatando na mesma idealização, na mesma insânia, no mesmo sonho doentio, as multidões crendeiras." (E. da Cunha, *Os Sertões*, 141.)

Devotamento — *a:*

"É admirável seu devotamento *à* causa dos pobres."

Devoto — *a, de:*

"E são tão devotas *a* Vênus, que têm feito novas formas de lhe sacrificar." (Filinto Elísio, *apud* Aulete, vb. *sacrificar*.)

"A duquesa, vossa ama que há de ser amanhã, é grande devota *de* letras e letrados." (Garrett, *apud* Aulete.)

Diálogo — *com, entre:*

"Luís da Cunha não se escondia para estes ligeiros diálogos *com* Mariana." (Camilo, *A Neta do Arcediago*, 109.) "A neta do arcediago não dissera uma palavra do diálogo *com* a viscondessa." (Idem, *ibidem*, 152.)

"O diálogo *entre* o infante e D. Maria." (Rui, *Réplica*, 105.) "Escutemos este diálogo *entre* dois elegantes da platéia do teatro de S. Carlos." (Camilo, *Mistérios de Lisboa*, 250.)

Diatribe — *contra:*

"A princípio o seu ódio a este país lhe inspirara duzentas páginas de diatribe *contra* a Grã-Bretanha." (Rui, *Cartas de Inglaterra*, 342.)

Diferença — *com, de, em, entre:*

"Ter diferenças *com* alguém." (Constâncio.)

"As duas frases seguintes oferecem igualmente uma diferença *de* sentido, fácil de distinguir." (Mário Barreto, *Através do Dicionário e da Gramática*, 344.) "A diferença *de*stes dois objetos." (Fr. D. Vieira.)

"Enfim, ambos pais e filhas, mas com tal diferença *em* um e outro espetáculo, que, vendo o sacrifício de Jefte, choravam de lástima mulheres e homens." (Vieira, *Sermões*, IX, 177.)

"Essas diferenças *entre* a representação castelhana e a portuguesa não correspondem a uma ação direta do árabe no português." (Júlio Nogueira, *O Exame de Português*, 112.) "Sem se notar diferença objetiva *entre* as duas construções, também se usa 'de', que expressa o mesmo conceito que o ablativo latino correspondente." (Mário Barreto, *Através do Dicionário e da Gramática*, 299.) "Há diferenças sensíveis *entre* a fauna e a flora das duas margens do Amazonas." (Gastão Cruls, *A Amazônia que eu vi*, 14.)

Diferenciação — *de:*

"A diferenciação *de* dois minerais." (Fr. D. Vieira.) "Dá-se este nome à diferenciação *de* dois fonemas iguais." (Júlio Nogueira, *O Exame de Português*, 69.)

Diferenciado — *em:*

"Foi o que sucedeu ao latim no tempo antigo, e depois continuou a suceder, quando, já diferenciado *em* português, arrancou vôo da 'ocidental praia lusitana'." (Sousa da Silveira, *Lições de Português*, 22.)

Diferente — *com, de, em, entre, por:*

"Estar diferente *com* alguém, estar com ele malquistado, desavindo." (Aulete.)

"Pedro é diferente *de* seu irmão *em* tudo." (Fr. D. Vieira.) "A idade e os desgostos têm-no feito diferente *d*o que era." (Aulete.)

"Se teu marido, daqui a dois anos, te parecer diferente *em* gênio e maneiras, hás de sustentar a igualdade dos teus desvelos e afagos." (Camilo, *As Três Irmãs*, 37.) "Semelhantes no sexo, iguais no número e diferentes *no* entendimento." (Vieira, *Sermões*, IX, 137.)

"Aparentemente semelhantes, os casos são todavia muito diferentes *entre* si."

"Povo diferente *pel*as origens e *pel*as possibilidades, mas o mesmo pela terra, pelos costumes, pela cultura." (Afrânio Peixoto, *A Esfinge*, 207.)

Difícil — *a, de, em, para:*

"Não nos parece que fosse muito difícil *ao* sindicato estrangeiro descobrir agenciadores tão competentes e tão dignos." (Rui, *Queda do Império*, I, 239.)

"Madeira difícil *de* aplainar." (Aulete.) "Homem difícil *de* contentar." (Constâncio.)

"Mostrava-se raro e difícil *em* assunto de arte dramática." (Afrânio Peixoto, *A Esfinge*, 143.) "Eu não sou muito difícil *em* admitir prodígios, quando não explicar os fenômenos por outro modo." (Garrett, *apud* Aulete.)

"Os romanos designavam o fogo pela palavra 'ignis', de pronúncia talvez difícil *para* os godos." (João Ribeiro, *Curiosidades Verbais*, 102.) "Poderia decifrar este enigma, aliás só difícil *para* os que não quiserem ver." (Afrânio Peixoto, *A Esfinge*, 110.)

Dificuldade — *com, de, em, para:*

"Com pouco mais estaria o Dr. Luís em dificuldades *com* fornecedores." (J. Lins do Rego, *Usina*, 145.)

"Tomemos o presente pelo que é; já que de tantas dificuldades *de* apreciação se oiriça o exame do passado." (Rui, *Queda do Império*, I, 427.) "O ar carbonifica-se duma espessura ácida, que pelas dificuldades *de* o respirar propende à sonolência." (Fialho de Almeida, *Os Gatos*, 309.) "Animou-se então, com pausas, numa dificuldade *de* dizer o que lhe custava tanto." (Afrânio Peixoto, *A Esfinge*, 52.)

"Eu não tive dificuldade *em* mostrar que Felisbelo procurava apenas uma achega." (Medeiros e Albuquerque, *Quando Eu Era Vivo*, 165.) "Não havia, porém, nenhuma dificuldade *em* fazer projetos." (Luiz Viana Filho, *A Vida de Rui Barbosa*, 150.) "Nunca encontrou dificuldade *na* realização de seus projetos." "Amâncio ia suportando a carga silenciosamente, certo de que não encontraria dificuldade *em* despejá-la, assim que a coisa lhe cheirasse mal." (Aluísio Azevedo, *Casa de Pensão*, 230.)

"Entre os fatores de alteração de sons vem pôr-se logo à frente a imperfeição das imagens auditivas e a insuficiência ou dificuldade fisiológica *para* reproduzir o som ouvido." (Sousa da Silveira, *Lições de Português*, 67.) "Esses tabus criaram grandes dificuldades *para* a investigação das palavras." (João Ribeiro, *Curiosidades Verbais*, 122.) "Viu-se (a França) em dificuldades *para* ornar devidamente, depois da guerra, as cátedras da Universidade de Estrasburgo." (Ricardo Jorge, *Sermões dum Leigo*, 311.)

Dificultoso — *de:*

"Dificultoso *de* alcançar, *de* conseguir, *de* persuadir." (Morais.) "Todas estas coisas são mais graves e mais dificultosas *de* sofrer que a morte." (Vieira, *Sermões*, IX, 21.)

Digno — *de:*

"Entre os ricos-homens mais ilustres dos seus vastos estados, nenhum o velho rei achou digno *de* tão elevado consórcio." (Herculano, *O Bobo*, 2.) "Façamos alguns interessantes jogos com números. Talvez possais aprender um ou dois artifícios dignos *de* serem conhecidos." (*Maravilhas do Conhecimento Humano*, I, 240.)

Dilacerado — *por:*

"Cortava-lhe o coração ver a filha, a meiga Maria da Graça, descorado o rosto de criança na moldura dos cabelos de ouro, rendido o frágil corpo, os pezinhos dilacerados *pel*as agruras dos caminhos e veredas." (Domingos Olímpio, *Luzia-Homem*, 219.)

Dileção — *por:*

"D. Manuel tinha uma grande dileção devota *por* este apelido." (Camilo, *Narcóticos*, I, 61.)

Diligência — *em, para, por:*

"É admirável sua diligência *em* atender prontamente a todos."

"Têm sido acertadas as diligências da autoridade *para* o descobrimento dos criminosos." (Aulete.) "— Para quê? — inquiriu Luzia impacientada pelo estribilho, repetido toda a vez que se queixava da ineficácia das diligências *para* libertar Alexandre." (Domingos Olímpio, *Luzia-Homem*, 63.)

"Devemos certamente fazer as diligências possíveis *por* evitar o uso das palavras afrancesadas." (Mário Barreto, *Através do Dicionário e da Gramática*, 90.)

Diligente — *em:*

"Diligente *em* fazer alguma coisa." (E. Carneiro Ribeiro, *Serões Gramaticais*, 675.) "É muito diligente *no* estudo."

Diluído — *em:*

"Perdendo-se (as capelinhas) nas alturas, cada vez menores, diluídas a pouco e pouco *no* azul puríssimo." (E. da Cunha, *Os Sertões*, 254.) "Céu de azul diluído *em* tons vaporosos." (Antero de Figueiredo, *Amor Supremo*, 62.) "Diluída *n*essa área formidável, a população rareia, deixando a agricultura sem braços." (Fialho de Almeida, *A Cidade do Vício*, 14.)

Diminuição — *de, em:*

"Estes (sufixos) emprestam ao nome uma idéia de aumento ou de diminuição *de* suas proporções normais." (Júlio Nogueira, *O Exame de Português*, 158.)

"Haveria uma vasta diminuição *na* felicidade humana." (Rui, *Cartas de Inglaterra*, 69.)

Diminuído — *de, em:*

"Barateado, diminuído *de* preço." (L. Freire, voc. *abaratado*.)

"Vós sois os que haveis de sentir .... embaraçados ou diminuídos *na* produção e *na* renda." (Rui, *Campanha Presidencial,* 74.)

Diminuto — *em:*

"Diminuto *na* altura, entretanto, custou a enleá-lo ao pescoço do condenado." (E. da Cunha, *Os Sertões,* 567.) "Diminuto *em* prudência, *em* valor, *em* mérito." (Constâncio.)

Direção — *a, de:*

"Deu a inglesa o sinal de marcha, seguindo em direção *à* praça." (Afrânio Peixoto, *A Esfinge,* 14.) "Transpondo o S. Francisco em direção *ao* sul, penetra-se de novo numa região ingrata." (T. Sampaio, *apud* E. da Cunha, *Os Sertões,* 106.)

"Colocou-se o escultor à esquerda do velho e, em direção *da* cidade, seguiram pela praia a fora." (Afrânio Peixoto, *A Esfinge,* 185.) "Adotou-se, então, o melhor dos alvitres: disparar o Krupp na direção provável *de* Canudos." (E. da Cunha, *Os Sertões,* 276.)

Direito — *a, de, em, para, sobre:*

"Querer que se diga assim ou assim é frase sobremodo arrogante e imperativa, que jamais usei nem tenho direito *a* usar." (Mário Barreto, *Através do Dicionário e da Gramática,* 253.) "Mas toda a sua arenga, feita da ostentação dos seus direitos *à* beneficência do terror, é um apelo ao único ponto sensitivo no coração dos algozes." (Rui, *Colunas de Fogo,* 67.) "O estudante envelheceu estudando, e tem direito *a* não ver humilhada hoje a madureza dos seus anos." (Idem, *Réplica,* 70.)

"O sábio censor não tem o direito *de* não saber o que é 'assonância'." (Rui, *Réplica,* 102.) "A liberdade é um direito que cada homem exerce *de* ser igual a outro homem perante uma lei ilustrada." (Camilo, *As Três Irmãs,* 283.)

"— Não vos acuso, porque vos não amo, Branca de Clermont. Não vos acuso, porque não tenho direito algum *para* tanto." (Camilo, *Livro Negro,* 167.)

"Os pais têm direito *sobre* os filhos; os senhores, *nos* escravos." (Morais.) "Seu filho não o teme, nem lhe reconhece direitos *sobre* a liberdade de subir e descer escadas de corda." (Camilo, *A Neta do Arcediago,* 18.) "Os pais, entre os romanos, tinham direito de vida e morte *sobre* os filhos." (Constâncio.) "E parecia querer provar que os seus direitos *sobre* comprovinciano eram muito mais legítimos que os dos outros dois." (Aluísio Azevedo, *Casa de Pensão,* 54.)

Direitura — *a, de:*

"Saiu daqui em direitura *à* estrada." (Aulete.) "Ir em direitura *à* Índia." (Fr. D. Vieira.)

"Ensinou e professou a modéstia, a honestidade, a direitura *de* ânimo." (Ricardo Jorge, *Sermões dum Leigo,* 33.)

Dirigido — *a, contra, para, por:*

"Como lhe soavam bem aquelas palavras .... dirigidas *a* ele!" (Gastão Cruls, *História Puxa História,* 67.) "Carlyle tem razão no apelo dirigido *aos* gênios paraguaios." (Rui, *Cartas de Inglaterra,* 244.)

"O partido anarquista professa inimizade a todos os governos, e os seus crimes são expressamente dirigidos *contra* todos os cidadãos." (Rui, *Colunas de Fogo,* 223.)

"Telegrama dirigido *para* Londres."

"Revista dirigida *por* Delfim Guimarães." (Mário Barreto, *Através do Dicionário e da Gramática,* 70.)

Discernimento — *em:*

"Gerado na língua esse maravilhoso lusitanismo, um dos privilégios mais invejáveis do nosso idioma, não houve a princípio discernimento *no* seu emprego." (Rui, *Réplica,* 264.)

Disciplinado — *por:*

"Os molecotes cresciam à lei da natureza. Aos quinze anos, disciplinados *pela* grossa palmatória do feitor, já eram animais possantes, treinados na limpa do canavial." (Xavier Marques, *As Voltas da Estrada,* 12.)

Discordância — *com, de, entre:*

"Aqui, o substantivo 'regra', em discordância numérica *com* o sujeito 'leis', está tomado em sentido absoluto." (Augusto Moreno, *Lições de Linguagem,* II, 47.)

"Três ministros, ... manifestando sua discordância *dos* projetos financeiros, renunciaram, e grave crise toldou os horizontes do governo." (Luiz Viana Filho, *A Vida de Rui Barbosa,* 142.) "Os próprios lidadores mal rastreavam, na discordância *dos* sucessos." (E. da Cunha, *Os Sertões,* 475.)

"Discordância absoluta e radical *entre* as cidades da costa e as malocas de telha do interior." (E. da Cunha, *Os Sertões,* 521.) "Entre nós, a aparente discordância genérica *entre* o sujeito e o seu nome predicativo é revelação da persistência do neutro." (Augusto Moreno, *Lições de Linguagem,* II, 13.)

Discordante — *de:*

"Atos discordantes *das* palavras." "A índole, o hábito da soledade, o estudo, a clara vista da alma com que entrara no secreto e desconhecido do coração alheio, explicam o ar grave, monacal, e discordante *de* seus anos." (Camilo, *O Bem e o Mal,* 55.)

Discorde — *de, em, entre:*

"Opinião discorde *da* dos companheiros de bancada."

"Ele as compusera todas (as consagrações), em vários tons, discordes *nas* minúcias, mas seguras e definitivas nas conclusões.'' (Afrânio Peixoto, *A Esfinge*, 205.)

Discórdia — *de, entre:*
''A discórdia *das* opiniões.'' (Aulete.)
''A convicção que esse indivíduo tem do que lhe falta, produz a inveja, começo de discórdia *entre* os indivíduos ou *entre* as classes.'' (Fialho de Almeida, *Os Gatos*, 248.)

Discrepância — *de, em, entre:*
''Constituindo-se .... em procurador de todos os desvalidos, sem discrepância *de* ser ou *de* nação.'' (Fialho de Almeida, *Os Gatos*, 41.) ''Discrepância *de* pareceres.'' (Morais.)
''Era preciso que não houvesse discrepância *nos* traços de analogia.'' (Camilo, *Perfil do Marquês de Pombal*, 103.)
''Entre elas .... há .... a cada passo, as maiores discrepâncias *entre* a realidade objetiva e as formas.'' (Rui, *Cartas de Inglaterra*, 82.) ''Devemos concluir que as discrepâncias *entre* a última redação e a anterior constituem o contingente do revisor extraparlamentar.'' (Idem, *Réplica*, 14.)

Discreto — *em:*
''É um homem discreto *em* todos os seus atos.''

Discriminação — *de, entre:*
''A discriminação *das* responsabilidades quisemo-las nós restabelecer.'' (Rui, *Ruínas de um Governo*, 38.)
''A pretensa discriminação *entre* esses dois traços palpitantes do país .... é um sofisma.'' (Rui, *Cartas de Inglaterra*, 188.)

Discurso — *a, a favor de, contra, sobre:*
''Cairoli, o presidente do conselho, já defendera, em outubro, no discurso *aos* eleitores de Pavia, cujo representante era a liberdade ilimitada de reunião.'' (Rui, *Queda do Império*, I, 122.)
''Aí, na Faculdade de Direito, pronunciara um veemente discurso *a favor dos* Aliados.'' (Medeiros e Albuquerque, *Quando Eu Era Vivo*, 180.)
''Pinto Monteiro introduziu-se na política brasileira, fez discursos vermelhos *contra* o imperador.'' (Camilo, *Novelas do Minho*, I, 133.)
''Pronunciou notável discurso *sobre* a religião e o Estado.''

Discussão — *a propósito de, com, de, entre, sobre:*
''Todos os anos havia tremendas discussões em minha casa *a propósito do* meu nascimento.'' (C. Neto, *A Cidade Maravilhosa*, 30.) ''Travou-se uma discussão calorosa *a propósito desse* discurso.'' (Medeiros e Albuquerque, *Quando Eu Era Vivo*, 180.)
''O pintor Rogério, depois daquela discussão *com* o Pe. Silveira, ainda mais se arraigou nas suas convicções artísticas.'' (Antero de Figueiredo, *Amor Supremo*, 93.)
''Simplesmente requerendo o cumprimento da lei e deixando aos órgãos da opinião a discussão *dos* seus direitos.'' (Rui, *Colunas de Fogo*, 24.)
''Foi uma discussão amigável, *entre* dois velhos companheiros.''
''Casos felizes de antanho, anedotas hilares, ou então alentadas discussões *sobre* política geral.'' (E. da Cunha, *Os Sertões*, 546.) ''Ouvia as discussões *sobre* tudo o que se ensina na Faculdade.'' (Medeiros e Albuquerque, *Quando Eu Era Vivo*, 49.)

Disfarçado — *com, de, em, por, sob:*
''E nós teríamos vinte reis ou régulos no Brasil, disfarçados *com* os nomes de presidentes e governadores, mentindo todos os dias no ritual republicano.'' (Afrânio Peixoto, *A Esfinge*, 393.)
''Das três palavras sobre que me consultou, uma, ''frufru''. está disfarçada *de* portuguesa, e não é má.'' (Mário Barreto, *Através do Dicionário e da Gramática*, 113.) ''Anda aqui um homem disfarçado *de* embaixador da Pérsia, que zomba, com insolência, dos dois maiores monarcas do mundo.'' (Idem, *Cartas Persas*, 192.)
''Aproveitavam a noite negra .... para, com voz disfarçada *em* falsete de máscara, vir jogar insultos e vomitar represálias.'' (Antero de Figueiredo, *Jornadas em Portugal*, 65.) ''Porque se tratava do Governador .... disfarçado *em* freira.'' (Medeiros e Albuquerque, *Quando Eu Era Vivo*, 203.)
''O mais interessante dos povos caiu, de súbito, em decomposição rápida, mal disfarçada *pela* corte oriental de D. Manuel.'' (E. da Cunha, *Os Sertões*, 140.)
''A avó dele tinha um pixaim disfarçado *sob* uma constante touca.'' (Mário Sete, *Os Azevedos do Poço*, 34.) ''Disfarçado *sob* um manto roxo e com uma coroa de papelão dourado na cabeça, lá estava, de fato, o boneco do filho.'' (Gastão Cruls, *Ao Embalo da Rede*, 151.)

Disfarce — *com:*
''Aquele disfarce *com* barba postiça é já muito conhecido.''

Disforme — *por:*
''Pés disformes *pela* inchação, atravessado de espinhos.'' (E. da Cunha, *Os Sertões*, 506.)

Disparate — *contra:*
''‹Não posso viver sem si› é disparate *contra* a gramática.'' (C. de Figueiredo, *Lições Práticas*, I, 56.)

Disparidade — *com, de, entre:*
''Lá um ou outro baiano repinicado lembra um laço escarlate na cor escura dos trajes pela sua disparidade *com* todas as outras

manifestações musicais.'' (Gustavo Barroso, *Terra de Sol,* 168.)

''Disparidade *das* armas, *das* idades; disparidade *dos* cultos.'' (Constâncio.)

''Prefiro dar um exemplo .... para que melhor se evidencie o que era em mim a disparidade *entre* o real e os desvarios da imaginação.'' (Gastão Cruls, *História Puxa História,* 16.)

Dispêndio — *de:*

''Dispêndio *da* saúde, *das* forças do corpo.'' (Morais.)

Dispensa — *de:*

''Dispensa *de* parentesco, para casar.'' (Constâncio.) ''Dispensa *de* cargo ou emprego.''

Dispersão — *de, por:*

''Dispersão *do* exército, dispersão *da* esquadra, dispersão *das* gentes.'' (Constâncio.)

''Dispersão *do* povo *pelas* ruas.''

Disperso — *a, em, por:*

''Sociedades errantes dos pegureiros .... dispersas *aos* primeiros fulgores do verão.'' (E. da Cunha, *Os Sertões,* 49.)

''É apenas um libertador da forma, inclusa ou dispersa *no* caos indeciso.'' (Afrânio Peixoto, *A Esfinge,* 134.) ''Caracteres diferenciais, vagos, indecisos, mal percebidos quando dispersos *na* multidão, mas enérgicos e definidos, quando resumidos numa individualidade.'' (E. da Cunha, *Os Sertões,* 149.)

''O luar transfundira à natureza um sentido carinhoso e nupcial, disperso *pelo* ar morno e abafado de um fim de estio.'' (Veiga Miranda, *A Eterna Canção,* 9.) ''Bando de estrelas erravam dispersas *pela* altura.'' (Afrânio Peixoto, *A Esfinge,* 126.)

Disposição — *a, de, em, para:*

''Achei-o com disposição *a* abraçar o nosso projeto.'' (Fr. D. Vieira.)

''O menor não tem a livre disposição *dos* seus bens.'' (Morais.) ''Entre nós e todos os nossos vizinhos perduravam e se aprofundavam as mais entranháveis disposições *de* paz.'' (Rui, *Queda do Império,* I, 148.)

''Ordenou a disposição da tropa *em* colunas.''

''A disposição *para* os negócios.'' (E. Carneiro Ribeiro, *Serões Gramaticais,* 671.) ''Como estava com disposição *para* me divertir, disse: ....'' (Mário Barreto, *Cartas Persas,* 109.) ''No momento o grande ironista não tinha disposição alguma *para* gracejar.'' (Medeiros e Albuquerque, *Quando Eu Era Vivo,* 98.) ''— Mas eu nasci assim com esta disposição *para* tristeza sem motivo. E V. Ex.ª decerto não foi sempre o que é hoje.'' (Camilo, *Livro Negro,* 254.)

Dispositivo — *para:*

''Pediu um corpo auxiliar de cinco mil homens e curou de dispositivos *para* garantir a força que triunfara de maneira singular.'' (E. da Cunha, *Os Sertões,* 469.)

Disposto — *a, com, em, para, por:*

''Dispostos *a* pelejar.'' (E. Carneiro Ribeiro, *Serões Gramaticais,* 674.) ''É preciso estar disposto *a* não enxergar, para não ver que o mecanismo oficial .... se tornou, irremediavelmente, o maior obstáculo aos fins a que o destinaram.'' (Rui, *Queda do Império,* I, 445.) ''Plebe estrangeira, pobre e sem patriotismo, disposta *às* piores empresas.'' (Mário Barreto, *Cartas Persas,* XX.)

''E após duas dedadas ainda aos cabelos, mais bem disposta *consigo,* despediu escada abaixo, ao encontro do primo, cujo passo firme e sempre pressuroso rangia já no vestíbulo.'' (Aquilino Ribeiro, *Quando ao Gavião Cai a Pena,* 13.)

''Plantas dispostas *em* séries radiadas.'' (C. de Figueiredo, voc. *actinófito.*) ''Convento .... cuja fachada reverbera de lanterninhas dispostas *em* compridos ziguezagues.'' (Fialho de Almeida, *Os Gatos,* 268.)

''O arraial parecia disposto *para* o choque das cargas fulminantes.'' (E. da Cunha, *Os Sertões,* 188.) ''Três malandraços volteiros, sempre dispostos *para* violências e mangalaças.'' (C. Neto, *Imortalidade,* 15.) ''Está tudo disposto *para* a partida.'' (Aulete.)

''Acontecimentos nefastos, dispostos *pela* fatalidade.''

Disputa — *com, entre, sobre:*

''Teve uma séria disputa *com* o gerente.''

''Houve uma interessante disputa *entre* dois alunos.''

''Disputa *sobre* assuntos literários.''

Disseminado — *em, por:*

''É um laboratório infernal, destilando a febre que irradia latente nos germes do impaludismo, profusamente disseminados *nos* ares.'' (E. da Cunha, *Os Sertões,* 510.)

''A instrução disseminada *pelas* classes pobres.'' (Constâncio.) ''Erros disseminados *por* toda a terra.'' (Idem.)

Dissensão — *entre:*

''As dissensões *entre* o interesse e o dever.'' (Aulete.) ''Em volta de uma sucessão de mando, há graves dissensões *entre* dois governadores, um dos quais usurpa o poder do outro.'' (Antero de Figueiredo, *Jornadas em Portugal,* 88.)

Dissertação — *acêrca de, sôbre:*

''Fez uma bela dissertação *acerca de* geografia humana.''

''Não me agradou sua dissertação *sôbre* política internacional.'' ''E ouvia, nauseado, a dissertação do Barroca *sobre* a diferença que existe entre um governo moral e um governo imoral.'' (Graciliano Ramos, *Caetés,* 160.)

Dissidência — *com, entre, sobre:*
"Eis aí os pontos da nossa dissidência *com* os personagens da <Eneida>." (Rui, *Colunas de Fogo,* 244.) "Contive-me porque tinha feito tenção de evitar dissidências *com* minha mulher." (Graciliano Ramos, *S. Bernardo,* 142.)
"É desagradável dissidência *entre* os membros de uma família." "Poderia rebentar a dissidência *entre* os militares, de olho em quem manejasse as fechaduras do Erário." (Alberto Rangel, *Papéis Pintados,* 43.)
"Houve grande dissidência na assembléia *sobre* a questão da liberdade de imprensa." (Constâncio.)

Dissidente — *de, entre:*
"O cabido do Porto, dissidente *do* de Braga." (Morais.)
"Os cabidos dissidentes *entre* si." (D. Francisco M. de Melo, *apud* Constâncio.)

Dissimulado — *com, em, sob:*
"Verdades dissimuladas *com* ficções." (Constâncio.) "Admitem melhor as verdades dissimuladas *com* os exemplos." (Dic. de Morais.)
"Peçonha dissimulada *naquele* ramalhete." (Morais.) "Dir-se-ia que o Tietê carreava outros Isaías e Querubinas, dissimulados *nas* ramagens." (Alberto Rangel, *Fura-Mundo,* 179.)
"Já não era a água fina como lamela de vidro ou dissimulada *nas* covas e *sob* a cobertura das sombras e da vegetação hibernal." (Aquilino Ribeiro, *A Batalha sem Fim,* 61.)

Dissolução — *de, em, por:*
"A dissolução *dos* humores do sangue." (Fr. D. Vieira.) "A dissolução *do* estado, *da* república." (Constâncio.)
"É uma dissolução de cobre *em* aço." (Morais.) "Dissolução de um sal, de goma *em* água." (Constâncio.)
"Abrir, pelo descontentamento geral, as portas à anarquia, à sedução do povo pela anarquia, à dissolução do povo *pela* anarquia." (Rui, *Campanha Presidencial,* 102.)

Dissolvido — *a, em, por:*
"Uma autonomia pode ser dissolvida *a* coices." (Camilo, *Perfil do Marquês de Pombal,* 22.)
"Açúcar dissolvido *em* água." (Constâncio.) "A todos nos confunde e cimenta (a Morte), calcados e dissolvidos *no* mesmo pó." (Alberto Rangel, *Fura-Mundo,* 269.)
"Parlamento dissolvido *pela* ditadura."

Dissonância — *entre:*
"Dissonância *entre* duas notas, *entre* as cores de um quadro."

Dissonante — *a, de, entre:*
"Usou termos dissonantes *à* pureza da linguagem." (Dic. de Morais.)
"Nota dissonante *de* outra."
"Notas dissonantes *entre* si."

Dissuadido — *de:*
"Por fim, dissuadido *de* qualquer socorro, derreado, cortado de lanhos sangrentos, caía em si, lastimava-se." (Xavier Marques, *As Voltas da Estrada,* 97.)

Distância — *de* e *a, entre:*
"A distância *de* Belo Horizonte *ao* Rio é de cerca de trezentos quilômetros."
"Encontramos uma página, que nos dá a medir a distância *entre* o patriotismo reflexivo do estadista .... e a eloqüência tonitruosa dos demagogos." (Rui, *Queda do* Império, I, 203.) "Larga distância vai, porém, *entre* essa maneira de proceder e a adoção de uma providência geral, como a que se traduz na circular do ministério da justiça." (Rui, *Queda do Império,* II, 188.)

Distanciado — *de:*
"Luzia ocupou o primeiro lugar vago, distanciada *das* outras, surpreendidas com o vê-la ali, quando trabalhava sempre com os homens." (Domingos Olímpio, *Luzia-Homem,* 137.)

Distante — *de, para:*
"Distante *da* pátria." (E. Carneiro Ribeiro, *Serões Gramaticais,* 673.)
"E, antes que os dois se pudessem escusar, deixou-os um defronte do outro, já distante *para* os ouvir." (Afrânio Peixoto, *A Esfinge,* 179.)

Distendido — *por:*
"A córnea transparente raiou-se de sangue, e a pálbebra superior, distendida *pelas* contorções, parecia decompor-se em forma de membrana cor de violeta." (Camilo, *Livro Negro,* 210.)

Distensibilidade — *de:*
"Há de (a monarquia) defender-se, opondo aos seus inimigos o caráter dos seus estadistas, a amplitude das suas reformas, a distensibilidade *das* suas instituições." (Rui, *Queda do Império,* I, 111.)

Distinção — *de, em, entre, por:*
"A distinção *do* grau se faz pela flexão." (Júlio Nogueira, o *Exame de Português,* 157.) "Desde essa época a distinção *das* duas raças, a conquistadora ou goda, e a romana ou conquistada, quase desaparecera." (Herculano, *apud* Aulete.)
"Havia distinções sutis *nos* parentescos que não possuímos ou não queremos discernir." (João Ribeiro, *Curiosidades Verbais,* 106.)
"Há até casos em que é difícil estabelecer distinção *entre* estes dois idiomas." (Júlio Nogueira, *O Exame de Português,* 34.) "As influências palacianas é que tramam perpetuar .... a distinção *entre* livres e libertos." (Rui, *Queda do Império,* I, 208.) "Não obstante a clara distinção *entre* os aludidos

termos jurídicos ....'' (C. de Figueiredo, *Falar e Escrever*, II 324.)

''O latim popular fez desaparecer a distinção *das* vogais *pela* quantidade (longa ou breve), e diferençou-as pelo timbre (vogais abertas e fechadas).'' (Sousa da Silveira, *Lições de Português*, 73.)

Distinto — *de, em, por:*

''Mas isto seria como matéria distinta *da* sua embaixada, e que el-rei de novo lhe encarregava por cartas.'' (Fr. L. de Sousa, *apud* Aulete.)

''São dois vocábulos homógrafos, mas distintos *no* significado, *na* prosódia e *na* procedência.'' (C. de Figueiredo, *Falar e Escrever*, II, 255.)

''Não deixa, contudo, de ser expressiva a sua função histórica (dos bandeirantes e dos soldados), entre devassadores de sertão, distintos *por* opostos intuitos e desunidos por três séculos.'' (E. da Cunha, *Os Sertões*, 252.)

Distração — *com, de, para:*

''Distração *com* eletricidade é perigoso.''

''Acharia a distração eficaz *do* trabalho e animação para outros empreendimentos.'' (Afrânio Peixoto, *A Esfinge*, 88.)

''Os estudos da linguagem constituem uma espécie de distração *para* muita gente.'' (João Ribeiro, *Curiosidades Verbais*, 3.)

Distraído — *a, com, de, em, por:*

''Distraído *a* brincar com as crianças, não notou a presença dos recém-chegados.''

''Benedito, distraído *com* a procura de ovos de passarinho....'' (Gastão Cruls, *Ao Embalo da Rede*, 146.) ''Distraído *com* os júbilos da sua reconciliação, nem teve tempo de sentir a ausência das pequenas.'' (Camilo, *Mistérios de Lisboa*, II, 61.) ''Distraídos *com* a música, nenhum dos Simões notava aquele jogo.'' (Fialho de Almeida, *Os Gatos*, 137.)

''Distraído *em* devaneios de arte e agora na presença de um estranho, Paulo calava-se, tímido e mudado.'' (Afrânio Peixoto, *A Esfinge*, 26.) ''Esqueceu a leitura, distraído *na* contemplação dos movimentos das avezinhas, que não pareciam dar por ele.'' (Coelho Neto, *Treva*, 34.)

''Figurem o melhor dos oradores, distraído constantemente, *pela* necessidade imperiosa de fazer esse gesto.'' (Medeiros e Albuquerque, *Quando Eu Era Vivo*, 127.)

Distribuição — *a, em, entre, por:*

''Distribuição de esmolas *aos* pobres.''

''Distribuição de uma força *em* pequenos grupos.''

''Mandou fazer distribuição de víveres *entre* os mais necessitados.''

''A distribuição de uma matéria *por* capítulos.'' (Aulete.)

Distribuído — *a, com, em, entre, por:*

''As partes ou papéis do drama distribuídos *aos* atores.'' (Constâncio.)

''Esmolas distribuídas *com* a pobreza.''

''A fazenda, mata e prado ao fundo, horta e vinha rente à habitação, distribuída esta *em* duas alas.'' (Aquilino Ribeiro, *A Batalha sem Fim*, 100.) ''Mil cento e tantas seções eleitorais, distribuídas *em* sete distritos.'' (Rui, *Cartas Políticas e Literárias*, 184.)

''Munição distribuída *entre* os soldados.''

''Num rufo, com os chelevares, foi a rede esvaziada e distribuído o peixe *pela* praia *em* montes equivalentes.'' (Aquilino Ribeiro, *A Batalha sem Fim*, 43.) ''Um pelotão escasso de infanteria que os aguardasse, distribuído *pelas* caatingas envolventes, dispersá-lo-ia em alguns minutos.'' (E. da Cunha, *Os Sertões*, 232.) ''Grupo numeroso eventualmente muito útil, distribuído, como estava, *pelos* jornais de todos os matizes da Capital.'' (Afrânio Peixoto, *A Esfinge*, 107.)

Ditado — *a, por:*

''A que título alteraria agora esta pauta, ditada *à* minha consciência *por* sentimentos que a experiência não tem feito senão aprofundar?'' (Rui, *Discursos e Conferências*, 215.)

''As reflexões macias e quase amorosas do prior do Crato .... pareciam ditadas *pela* prudência.'' (Rebelo da Silva, *Contos e Lendas*, 228.)

Ditoso — *com:*

''Ditosos *com* o quinhão que nos coube.'' (Dic. de Fr. D. Vieira.) ''Brásia, azafamada com o jantar, e duplamente ditosa *com* o segundo casamento, dava ares de não ter o miolo fixo.'' (Camilo, *O Bem e o Mal*, 102.)

Divagação — *por, sobre:*

''Depois destas e outras divagações *pelo* passado, Raimundo .... punha-se a pensar, e os véus misteriosos da sua infância assombravam-lhe já o coração.'' (Aluísio Azevedo, *O Mulato*, 75.)

''Acabemos com essas divagações *sobre* futilidades.''

Divergência — *com, de, em, entre, sobre:*

''Fez o possível para evitar a divergência *com* os Estados Unidos.'' (Luiz Viana Filho, *A Vida de Rui Barbosa*, 231.) ''Em alguns casos, a acentuação das primeiras pessoas, no verbo português, determina a das outras, em divergência *com* os tipos latinos.'' (Júlio Nogueira, *O Exame de Português*, 40.)

''Divergência *dos* raios de luz.'' (Constâncio.) ''Divergência *de* interesses, *de* opiniões.'' (Aulete.)

''Contudo, a divergência *no* seio do partido era mau prenúncio.'' (Luiz Viana Filho, *A Vida de Rui Barbosa*, 75.) ''Há, todavia, uma divergência *na* maneira de enunciar a ação do verbo.'' (Rui, *Réplica*, 422.)

''Apreciando agora certas divergências *entre* os dois principais gêneros, cabe observar....'' (Júlio Nogueira, *O Exame de Português*, 151.) ''*Entre* mim, de uma parte, e, da outra, o Senado e a comissão, há, na matéria, uma divergência radical.'' (Rui, *Cartas Políticas e Literárias*, 112.)

''Havia, contudo, profunda divergência *sobre* a maneira de realizá-la.'' (Luiz Viana Filho, *A Vida de Rui Barbosa*, 69.) ''O Conselheiro Dantas, conta êsse filho seu, entrara em divergência *com* o imperador *sobre* a minha admissão no ministério.'' (Rui, *Queda do Império*, I, XXXIX.)

Divergente — *de, entre:*

''O jovem deputado declarou-se divergente *de* seus pares.''

''Opiniões divergentes *entre* si.''

Diversão — *a, por:*

''Como diversão *a*os nomes geográficos, aproveito o momento de agora para dizer alguma coisa do nome <Meyer>.'' (João Ribeiro, *Curiosidades Verbais*, 64.)

''Em uma das suas diversões *pel*as minhas notas e *pel*a minha exposição preliminar, ... cuidou ver o ilustre professor ensejo precioso *a* brilhaturas de erudição.'' (Rui, *Réplica*, 383.)

Diversidade — *de, em:*

''Do encontro dêsses dois povos, entretanto, não podia deixar de advir um contingente verbal para o latim, dada a diversidade *d*as duas civilizações.'' (Júlio Nogueira, *O Exame de Português*, 114.) ''Preparou o advento de sub-raças diferentes, pela própria diversidade *d*as condições de adaptação.'' (E. da Cunha, *Os Sertões*, 85.)

''Bem que distanciados uns dos outros pela maior diversidade *n*as matérias, todos eles (os escritos) se confundem num espírito comum.'' (Rui, *Cartas de Inglaterra*, VI.) ''A diversidade *no* significado entre a desinência em 'al' e a desinência em <avel>.'' (Idem, *Réplica*, 340.)

Diverso — *de, em:*

''O gênero dessa novela é muito diverso *d*o da anterior.''

''Totalmente diversos *n*a origem, os atuais povoados sertanejos se formaram de velhas aldeias de índios.'' (E. da Cunha, *Os Sertões*, 101.)

Divertido — *com, de, em:*

''Achou apenas, com o prazer de um homem astuto divertido *com* a astúcia alheia, que eu jogara a tempo uma cartada justa.'' (Medeiros e Albuquerque, *Quando Eu Era Vivo*, 112.)

''Estava com o pensamento divertido *d*o negócio que se tratava.'' (Constâncio.) ''Há um receio temeroso do futuro, não esquecido do passado, nem divertido *d*o presente.'' (Vieira, *apud* Aulete.)

''Divertida *n*esse jogo, Lúcia interveio.'' (Afrânio Peixoto, *A Esfinge*, 17.) ''Iam os Discípulos divertidos *n*a prática.'' (Vieira, *apud* Morais.)

Divertimento — *com, de:*

''As meninas sempre preferiram divertimento *com* bonecas.''

''Teatros ao ar livre, onde louros gigantes lutavam contra ferozes animais para divertimento *d*as multidões doidas por esportes.'' (*Maravilhas do Conhecimento Humano*, I, 2.)

Dívida — *a, com, para com:*

''Ter dívidas *a* alguém.'' (Constâncio.) ''Joaquim Luís foi buscar a família, e saldar com lágrimas de gratidão uma parte da dívida em que se confessava *à* hospedagem do gasalhoso lavrador.'' (Camilo, *As Três Irmãs*, 25.)

''Jorge não consentiu, estava em dívida *com* ela, dizia.'' (Eça, *O Primo Basílio*, 90.) ''Estou em uma dívida *con*tigo, e penso que será insolúvel....'' (Camilo, *Mistérios de Lisboa*, II, 167.)

''Se assim é, confessemos a nossa dívida *para com* o movimento republicano, encarando-o como o amigo legítimo do movimento liberal.'' (Rui, *Queda do Império*, II, 353.) ''Contudo, temos *para com* os fenícios uma das nossas maiores dívidas.'' (*Maravilhas do Conhecimento Humano*, I, 15.)

Dividido — *em, entre, por:*

''Encontrara o país dividido *em* vitoriosos e vencidos.'' (E. da Cunha, *Os Sertões*, 291.) ''Está a cidade dividida *em* bairros, o reino *em* províncias.'' (Constâncio.) ''Adunando-se nessa manifestação comum, essas opiniões, insuperavelmente divididas *em* matéria política, não celebraram aliança.'' (Rui, *Queda do Império*, II, 290.)

''Entretanto, dividido o país *entre* os jacobinos .... e os correligionários de Prudente de Morais, ... não se sente (Rui) inclinado para nenhuma destas facções.'' (Luiz Viana Filho, *A Vida de Rui Barbosa*, 197.)

''Enfeudado o território, dividido *pel*os donatários felizes, ... abriu-se separação radical entre o sul e o norte.'' (E. da Cunha, *Os Sertões*, 80.) ''Estando os loucos divididos *por* classes, segundo a perfeição moral que em cada um deles excedia às outras, Simão Bacamarte cuidou em atacar de frente a qualidade predominante.'' (M. de Assis, *Papéis Avulsos*, 82.)

Divisão — *em, entre, por:*

''Divisão de uma obra *em* capítulos.''

''Divisão de um terreno *entre* vários herdeiros.''

''Divisão de um número *por* outro.''

Divorciação — *entre:*

''A divorciação, a luta intestina *entre* os dois contraditórios.'' (Rui, *apud* C. Teschauer.)

Divorciado — *de:*

"O coração parece querer escapar-se do peito e voar para aquele *de* quem anda divorciado." (Pedro Ivo, *Contos,* 185.)

"A nação, por assim dizer, anda divorciada *do* governo." (Rui, *Queda do Império,* I, 31.)

Divórcio — *com, entre:*

"Estar em divórcio *com* os seus amigos." (Fr. D. Vieira.) "Revelava, na rebeldia aos decretos da metrópole, completo divórcio *com* aqueles lutadores." (E. da Cunha, *Os Sertões,* 83.)

"O divórcio *entre* os homens de letras e a vida nacional é cada vez mais profundo." (Fialho de Almeida, *Os Gatos,* 123.)

Dó — *a, de, por:*

"Não ter dó *ao* dinheiro, gastá-lo sem pesar." (Constâncio.)

"Ter dó *de* alguém; ter dó *do*s males alheios." (Fr. D. Vieira.)

"Sentir dó *por* alguém, ou *por* alguma coisa." "O próprio médico também sentiu um extraordinário dó *pela*s tocantes confissões do cavalheiro d'Auvergne." (Camilo, *Livro Negro,* 172.)

Doação — *a, de, entre, por:*

"A doação *ao* afilhado provocou desavenças."

"Fez doação *de* seus bens à Igreja."

"Doação *entre* vivos, aquela que produz seus efeitos em vida do doador." (Aulete.)

"Doação *por* morte, aquela que tem de produzir efeito só depois da morte do doador." (Aulete.)

Doce — *a, de, para:*

"O que é amargo à boca, é doce *ao* coração." (Provérbio.)

"Doce *de* fazer, fácil, suave." (Constâncio.)

"Tem sempre a seu lado um demônio, que faz que as suas virtudes sejam doces *para* a humanidade e amargas para ele." (Camilo, *Mistérios de Lisboa,* II, 229.)

Dócil — *a, para:*

"Dócil *à*s mestras, ... o trabalho, a oração e o estudo fizeram-na um modelo entre tôdas as suas companheiras." (Camilo, *A Neta do Arcediago,* 26.) "Mas era preciso mostrar-se dócil *ao*s conselhos do almirante e captar-lhe a boa vontade por um ato de obediência." (Afrânio Peixoto, *A Esfinge,* 94.) "Dócil *a* essa voz incitativa, Corisco apontou as orelhas, tomou o freio entre os dentes e lançou-se a correr." (J. Américo de Almeida, *A Bagaceira,* 251.)

"Recomendai-o assim a vossos filhos, e tereis netas como Jerônima, com o coração forte para a pobreza, e dócil *para* a prosperidade." (Camilo, *As Três Irmãs,* 67.)

Docilidade — *a, com, de, em:*

"Essa docilidade perfeita da família reinante na Inglaterra *à* prática sincera do governo parlamentar .... culminou na rainha atual." (Rui, *Cartas de Inglaterra,* 343.)

"O grupo aprovava por condescendência, até o Martins, cuja docilidade era extrema *com* as opiniões alheias." (Afrânio Peixoto, *A Esfinge,* 83.)

"Docilidade *de* maneiras." (Aulete.)

"É admirável sua docilidade *em* fazer tudo que lhe mandam."

Documento — *acerca de, de, sobre:*

"O mais antigo documento *acerca d*esta questão." (Rui, *Réplica,* 317.)

"Em documento *da* minha tese, aos três exemplos do mestre .... contraponho todos os seguintes." (Rui, *Réplica,* 243.)

"Obteve de Lauro Müller uma comissão para estudar documentos *sôbre* a história do Brasil em Lisboa e Londres." (Medeiros e Albuquerque, *Quando Eu Era Vivo,* 250.)

Doença — *de, em:*

"Doença *de* qualquer extremidade do corpo." (L. Freire, voc. *acropatia.*) "Doença *das* extremidades." (P. A. Pinto, voc. *acropatia.*)

"Doença *na* extremidade do corpo." (C. de Figueiredo, voc. *acropatia.*) "O caçula, ainda anjinho, fôra para o céu com uma doença *na* garganta." (Mário Sete, *Os Azevedos do Poço,* 56.)

Doente — *de, por:*

"Que Deus perdoe aos doentes *de* desesperança!" (Antero de Figueiredo, *Amor Supremo,* 158.) "Não veio à repartição hoje, por ter ficado doente *de* uns paios em mau estado." (Alberto Rangel, *Fura-Mundo,* 351.) "Doente *do* peito. Doente *de* amores." (Aulete.)

"Ela é doente *por* compota de pêssego."

Doidice — *por:*

"Sua doidice *pel*a caixeirinha está provocando comentários."

Doido — *com, de, para, por:*

"Andar doido *com* alguma coisa, encantado, enamorado dela." (Constâncio.) "É doido *com* os filhos." (Aulete.)

"Doido *de* alegria. Doido *de* amor." (Aulete.)

"Perdera, assim, a companhia da irmã, tão boa, tão sem luxo, mas doida *para* se casar." (J. Lins do Rego, *Usina,* 69.)

"Doido *com* alguma coisa, doido *por* fazer alguma coisa." (E. Carneiro Ribeiro, *Serões Gramaticais,* 676.) "Quando acorda vai logo brincar com o filho. É doido *por* ele." (C. Neto, *A Cidade Maravilhosa,* 60.) "Eu já era frangote e doido *por* uma estripulia." (J. Américo de Almeida, *A Bagaceira,* 69.)

Doloroso — *de, para:*

"Ainda que o contrário se afigure a pessoas que têm a boa sorte de não escrever romances, a conclusão dum livro desta espécie é dolorosa *de* fazer-se." (Camilo, *O Bem e o Mal,* 222.)

"Será menos doloroso *para* mim que trates com o Ângelo ou Sérgio, para se desfazerem do Barro Branco." (Afrânio Peixoto, *A Esfinge*, 316.) "Ruíra a situação liberal. Decepção dolorosa *para* a vaidade feminina que vinha prelibando a realização de mil sonhos." (Veiga Miranda, *A Eterna Canção*, 50.)

Dominação — *sobre:*
"A dominação da alma *sobre* o corpo." (Fr. D. Vieira.)

Dominante — *sobre:*
"Dispunha de dois terços das munições e estava em posição dominante *sobre* o inimigo." (E. da Cunha, *Os Sertões*, 347.)

Domínio — *de, em, sobre:*
"Fosse realmente forte a esquadra chinesa, fosse ela meneada com perícia que a viesse a favorecer com o domínio *do* mar, e o exército japonês certamente nunca teria tornado às praias do Japão." (Rui, *Cartas de Inglaterra*, 126.)

"Os domínios portugueses *na* África." (Aulete.) "O inquérito deixou manifesto o domínio que Ana Clarke exercera por muito tempo *no* espírito do duque." (Rui, *Queda do Império*, II, 259.)

"Os males que praticaram acabaram por se converter .... nas garantias do seu domínio absoluto *sobre* a nação." (Rui, *Campanha Presidencial*, 76.) "Realizara-se a esperança: um absoluto domínio *sobre* aquela mulher." (Camilo, *Mistérios de Lisboa*, II, 23.) "Dia a dia ampliara (o Conselheiro) o domínio *sobre* as gentes sertanejas." (E. da Cunha, *Os Sertões*, 226.)

Dor — *de, em, para:*
"Deixei-o com a mais violenta dor *de* coração." (Camilo, *A Neta do Arcediago*, 163.) "Não ter dor *das* desgraças alheias." (Aulete.) "Teve uma forte dor *de* cabeça."

"Dor *no* abdome." (L. Freire, voc. *celialgia*.)

"Era uma dor *para* ela ver as meninas castigadas daquele jeito." (J. Lins do Rego, *Usina*, 77.) "Se é uma nova dor *para* esquecer as dores antigas, Deus me dê coragem para recebê-la." (Camilo, *Livro Negro*, 27.)

Dorido — *de:*
"O acadêmico, mais dorido *do* descrédito de Casimiro, seguiu-lhe os passos a casa, abraçou-o com transporte." (Camilo, *O Bem e o Mal*, 144.)

Dotado — *com, de, em, por:*
"Não há de querer aceitar das mãos dela um genro dotado *com* quantas virtudes podem adornar o rei da criação." (Camilo, *Estrelas Propícias*, 144.) "Eu, se tivesse uma filha, havia de procurar-lhe marido dotado *com* os verdadeiros bens da vida." (Idem, *ibidem*, 155.)

"Suponde os mais admiráveis modelos de construção naval, dotados *dos* mais perfeitos tipos de armamento." (Rui, *Cartas de Inglaterra*, 181.) "Escritores bem subsidiados pelo tesouro nacional, mas dotados *de* uma grande e estéril preguiça, também nacional." (Camilo, *Perfil do Marquês de Pombal*, 112.)

"Enquanto o sufrágio se achar estreitamente circunscrito por limites superficiais e arbitrários, que o restrinjam a certas classes de cidadãos, não melhor dotados *em* capacidade política do que as classes excluídas...." (Rui, *Queda do Império*, II, 430.)

"Bem dotada *pelo* padrinho, não lhe faltaram pretendentes."

Douto — *em:*
"Douto *nas* ciências experimentais." (E. Carneiro Ribeiro, *Serões Gramaticais*, 675.)

Doutor — *de, em:*
"Maneiras de dizer que, ignoradas de não poucos dos nossos doutores *de* língua e de gramática, os levam a ver despropósitos de sintaxe onde convém reconhecer uma castiça propriedade de nossa fala." (Mário Barreto, *Através do Dicionário e da Gramática*, 276.)

"Os doutores *na* arte matar .... têm definido bem o papel das florestas como agente tático precioso." (E. da Cunha, *Os Sertões*, 238.) "Doutor *em* medicina, leis, teologia." (Constâncio.)

Doutorado — *em, por:*
"Estava aí, de passagem por Lisboa, o notável jesuíta Pe. Silveira da Nóbrega, ... doutorado *em* filosofia e teologia *pelo* 'Ignatius Kollege', de Valkenburg." (Antero de Figueiredo, *Amor Supremo*, 21.)

Doutrina — *acerca de, relativa a, sobre:*
"Doutrina *acerca* dos árias." (L. Freire, *arianismo*.)

"Doutrina *relativa* aos árias." (C. de Figueiredo, *arianismo*.)

"Requintou (Castilho) na doutrina *sobre* o uso da língua pura nas palavras e nas construções, aborrecendo neologismos e barbarismos." (Mário Barreto, *Através do Dicionário e da Gramática*, 88.)

Dubiedade — *de:*
"Para evitar anfibologia ou dubiedade *de* sentido." (Augusto Moreno, *Lições de Linguagem*, II, 113.)

Duelo — *com, de, entre:*
"Tem um duelo *com* alguém."

"O golpe de vista avisado em desafio aos ímpetos do instinto, o duelo *do* cérebro e *do* músculo." (Herman Lima, *Outros Céus, Outros Mares*, 343.)

"O duelo *entre* os dois jornalistas não teve graves conseqüências."

Duplicidade — *de, em:*
"Certos vidros dão uma duplicidade *de* imagens do mesmo objeto." (Fr. D. Vieira.)

"Com vários outros verbos ocorre a mesma duplicidade *no* jogo dos complementos." (Rui, *Réplica*, 361.)

Dureza — *com, de, para com:*

"Não sei por que tamanha dureza *com* os filhos."

"Grande dureza *de* coração. Dureza *de* estilo." (Fr. D. Vieira.)

"A dureza das nações européias *para com* as suas colônias, não pode servir de modelo à política do Brasil para consigo mesmo." (Rui, *Discursos e Conferências*, 131.)

Duro — *a, com, de, para, para com:*

"Pois ouvidos tão duros *às* asperezas da cacofonia podiam lá sentir as inarmonias muito menos graves do eco?" (Rui, *Réplica*, 69.)

"Tinha que ser duro *com* o povo." (J. Lins do Rego, *Usina*, 190.)

"Duro *de* ceder, *de* sofrer, *de* andar." (E. Carneiro Ribeiro, *Serões Gramaticais*, 674.) "Duro *de* persuadir, *de* dobrar." (Constâncio.) "Duro *de* boca." (Fr. D. Vieira.)

"Terra de caatinga era dura *para* trabalhar, cheia de pedra." (J. Lins do Rego, *Usina*, 158.) "Lindos abrolhos, lindos para os olhos, duros *para* a vida." (Camões, *apud* Aulete.) "— Limpa as lágrimas, Cristina: não apareças assim diante de teu pai, que me acusará de duro *para* ti. Bem sabes que sagrado dever eu vou cumprir, minha filha." (Camilo, *O Bem e o Mal*, 201.)

"Abul-Hassã, cativo em uma arrancada, obtivera pela sua ciência agronômica não só um tratamento menos duro do que era usual entre os cristãos *para com* os servos, mas até, por fim, a liberdade." (Herculano, *O Bobo*, 128.)

Dúvida — *acerca de, com, de, de que, em, quanto a, que, sobre:*

"O Sr. M. J. Brito .... confessa-me que, em meia dúzia de pontos, tem dúvidas *acerca da* linguagem." (Mário Barreto, *Através do Dicionário e da Gramática*, 73.)

"Ter dúvida *com* alguém." (Fr. D. Vieira.)

"Não houve dúvida *de* se fazer, e se fez." (Dic. de Fr. D. Vieira.)

"Também não há dúvida *de que* os filhos das cabras são cabritos." (C. de Figueiredo, *Lições Práticas*, II, 12.)

"Não teve igualmente dúvida *em* empregar 'frada' como feminino de 'frade'." (Augusto Moreno, *Lições de Linguagem*, II, 254.) "Como sabes que sou idealista, não terás dúvida *em* acreditar que olhei para aquele homem pelo prisma da minha imaginação." (Camilo, *Mistérios de Lisboa*, I, 7.) "O ato do Governo podia ter dúvida *na* aprovação." (Rui, *Colunas de Fogo*, 49.)

"Embora eleito pela Província de Pernambuco, havia dúvidas *quanto à* câmara reconhecer sua vitória." (Luiz Viana Filho, *A Vida de Rui Barbosa*, 103.) "Desde o começo do jogo, que se está jogando, nunca tive a menor dúvida *quanto* ao seu resultado final." (Rui, *Campanha Presidencial*, 93.) "Não fique dúvida alguma *quanto ao* emprego da prep. 'de' com o verbo 'abundar'." (Mário Barreto, *Através do Dicionário e da Gramática*, 299.)

"Não há dúvida nenhuma *que*, sob a república atual, as nossas liberdades são incomparavelmente inferiores às que nos restavam sob a monarquia." (Rui, *Cartas de Inglaterra*, 405.) "Não há dúvida *que* na comparação de império a império, o uso e exercício dele foi muito mais humano e benéfico." (Vieira, *Sermões*, IX, 194.)

"Ele me tranqüilizou, dizendo-me exatamente que não podia ter dúvidas *sobre* a minha correção." (Medeiros e Albuquerque, *Quando Eu Era Vivo*, 186.) "Quem o viu entrar, como eu vi, não pode ter dúvidas *sobre* os sucessos de tal caçada." (C. Neto, *Imortalidade*, 65.) "Não pode haver, logo, dúvida nenhuma *sobre* a genuidade dos resultados." (Rui, *Colunas de Fogo*, 145.)

Duvidoso — *de, em:*

"Que diz V.ª S.ª? — perguntou a velha, duvidosa *do* seu ouvido." (Camilo, *A Enjeitada*, 230.) "Duvidoso *do* resultado."

"Parece que está duvidoso *em* crer um tamanho excesso, porque o contradiz a experiência." (Vieira, *Sermões*, IX, 10.)

E

Ébrio — *com, de:*
"Todos se mostravam inteiramente ébrios *com* a vitória."
"Ébrio *da* glória." (Constâncio.) "Ébrios *de* amor e desejos." (Garrett, *apud* Aulete.) "Ébrio *de* luxúria, exasperado pela invocação de Alexandre, o monstro, recobrado o alento, acometeu-a, rugindo." (Domingos Olímpio, *Luzia-Homem,* 278.)

Eclipsado — *com, em, por:*
"O pássaro tinha o corpo eclipsado *com* as longas asas."
"Esse abumbramento passageiro da realeza, eclipsada *na* moléstia que abateu o chefe do Estado e temporariamente o seqüestrou de toda ação efetiva na política ministerial ...." (Rui, *Queda do Império,* I, 304.)
"A lua eclipsada *pela* terra." "Nome eclipsado *por* outro mais famoso."

Econômico — *de, em:*
"Sua filha é muito econômica *de* palavras." (Camilo, *Mistérios de Lisboa,* I, 163.)
"D. Carlota era econômica até à avareza *nos* gastos domésticos." (Camilo, *Cenas da Foz,* 99.)

Editorial — *acerca de:*
"Anteontem, à hora em que escrevíamos o nosso editorial *acerca da* guerra civil, ... passavam, em Valença, os fatos bárbaros noticiados ontem por um dos nossos mais beneméritos colegas." (Rui, *Queda do Império,* I, 157.)

Educado — *em, entre:*
"Os borgonheses, ... educados *nas* idéias da absoluta lealdade, davam-lhe toda a certeza de que não abandonariam aquela de quem as tinham recebido." (Herculano, *O Bobo,* 74.) "Mãos sinceras, educadas *na* cultura da lei, disciplinadas na experiência do governo." (Rui, *Campanha Presidencial,* 55.) "Adelaide foi educada *nesses* hábitos e *nessas* idéias." (M. de Assis, *C. Fluminenses,* 136.)
"Educado *entre* os melhores modelos." (C. de Figueiredo, *Lições Práticas,* I. 74.)

Efeito — *de, em, sobre:*
"Para efeito *de* dar alcance ao que se deseja." (Dic. de Morais.)
"Natural é que agora, contando com os efeitos ordinários do tempo *na* memória dos homens, se animem a metê-las de novo em questão (as provas) para contestar-lhes a veracidade." (Rui, *Cartas Políticas e Literárias,* 252.)
"Paliam a sua tortura comendo uma batata inculta, ... cujos efeitos tóxicos *sobre* os órgãos do sistema nervoso .... são violentos e rápidos." (Gustavo Barroso, *Terra de Sol,* 33.) "Tão persuadido me acho, pela experiência, do pouco efeito das baterias de terra *sobre* navios que as costeiem ...." (Rui, *Cartas de Inglaterra,* 192.)

Eficácia — *contra, de, em:*
"É um remédio de comprovada eficácia *contra* o reumatismo."
"Assim o gentio, por meio da doutrina evangélica, que tem a eficácia *de* matar e comer, morto deixa de ser gentio, e comido se converte em cristão." (Vieira, *Sermões,* IX, 121.)
"Só a má fé poderá ridicularizá-la (a homeopatia), não lhe reconhecendo a eficácia *em* enfermidades da alma tão graves como era então a minha." (Camilo, *Cenas da Foz,* 127.) "Maria Eusébia valia tanto no ânimo de Frei Lázaro, que vingou convencê-lo da eficácia dos exorcismos *na* zanga endiabrada que Miquelina lhe tinha a ela." (Idem, *A Enjeitada,* 53.)

Eficaz — *contra, em, para:*
"Remédio eficaz *contra* a impolidez eventual dos vocábulos, é o neologismo grego." (João Ribeiro, *Curiosidades Verbais,* 30.)
"Cozimento do sumo da contra-erva e do fedegoso. tão eficazes *nas* febres podres." (Alberto Rangel, *Fura-Mundo,* 245.)
"A Tríplice-Aliança desquietava a ambas essas nações, insuficientes cada uma de per si para lhe resistirem, mas eficazes *para* a conterem, se juntassem a sua influência e o seu poder." (Rui, *Colunas de Fogo,* 210.) "Qualificar a sua candidatura como a única eficaz *para* desmanchar o encalhe atual, seria atribuir à força de que esse elemento é expressão, o privilégio de remediar um caso do governo." (Idem, *Cartas Políticas e Literárias,* 163.)

Eficiente — *a:*
"Quanto mais selvagens suas contorções, tanto mais eficientes pareciam *a* seus companheiros de olhos arregalados." (*Maravilhas do Conhecimento Humano,* I, 310.)

Égide — *a, de:*
"Dava-me, até a honra de considerar a minha opinião, tão sucintamente enunciada, como capaz de ser égide *a* um trabalho daquela altura e solidez." (Rui, *Réplica,* 246.)
"A égide *da* pátria." (Constâncio.)

Egoísmo — *em:*
"O meu egoísmo *na* dor não vai tão longe." (Camilo, *Mistérios de Lisboa,* II, 9.)

Egoísta — *com, de:*
"Somos dignos um do outro pela força atrativa do padecimento. Sejamos egoístas *com* os nossos cabelos brancos, não é assim?" (Camilo, *Mistérios de Lisboa,* II, 161.) "O marquês, bom marido a todos os respeitos, dera todas as explicações, e convencera sua mulher de que fora um vil egoísta *com* Laura, para ser um austero respeitador do tálamo conjugal." (Camilo, *Livro Negro,* 44.)
"Vamos passar algumas horas da noite com os nossos pais, Maria. Não sejamos egoístas *da* nossa felicidade." (Camilo, *As Três Irmãs,* 55.) "É necessário que sejas egoísta *da* vida, neste momento." (Idem, *Mistérios de Lisboa,* III, 201.)

Egresso — *de:*
"Egresso *de* uma comunidade religiosa." (Constâncio.)

Eivado — *de:*
"Mestres desta ordem têm sempre uma vida eivada *de* amarguras." (Camilo, *Cenas da Foz,* 86.) "Era um homem frio, eivado *de* um cepticismo tranqüilo e inofensivo." (E. da Cunha, *Os Sertões,* 504.)

Elegância — *de, em:*
"Na elegância *do* talhe e *do* gesto, na inteligência ladina do olhar, via-se entretanto que esse tipo devia vencer e dominar." (Afrânio Peixoto, *A Esfinge,* 205.)
"Janotismo, casquilhice, elegância *no* trajo." (Aulete, voc. *catitismo.*)

Elegante — *em:*
"Era elegante *nas* maneiras, na atitude, no sorriso, no trajo, tudo mesclado de uma certa severidade que era o cunho do seu caráter." (M. de Assis, *Contos Fluminenses,* 87.)

Eleição — *de, entre, para:*
"Eleição *de* domicílio, designação de um lugar onde os atos da justiça possam ser notificados." (Aulete.)
"Ainda nos casos em que é livre a eleição *entre* a próclise e a ênclise, propende pelo comum à primeira Duarte Nunes." (Rui, *Réplica,* 305.)
"Desde a eleição *para* presidente da República, ... era manifesta a luta entre Deodoro e o Parlamento." (Luiz Viana Filho, *A Vida de Rui Barbosa,* 159.)

Eleito — *a, para, por:*
"Atinge por fim as paragens pouco apetecidas, amaninhadas pelas secas, eleitas *aos* roteiros lentos e penosos das missões. (E. da Cunha, *Os Sertões,* 100.)
"Se assim era, havemos julgá-la eleita *para* alguma estremada heroicidade, das que passam obscuras como o perfume da violeta humilde." (Camilo, *As Três Irmãs,* 65.) "O parlamento, eleito *para* combater a abolição imediata, votou-a quase por unanimidade." (Medeiros e Albuquerque, *Quando Eu Era Vivo,* 73.)
"Presidente eleito *pela* vontade livre do povo."

Elemento — *de, para:*
"As palavras são os elementos *do* discurso." (Aulete.) "Um de seus discípulos perguntou-lhe quais eram os mais importantes elementos *de* bom governo." (*Maravilhas do Conhecimento Humano,* II, 26.)
"Tinha elementos agora *para* desancar os outros, os consagrados, os que têm editores e não têm talentos, os da Academia." (Afrânio Peixoto, *A Esfinge,* 369.) "Ainda havia elementos *para* uma tentativa qualquer." (E. da Cunha, *Os Sertões,* 347.)

Elevação — *a, para:*
"Não podemos deixar de negá-lo (o princípio) hoje, e com mais força, ao presidente atual, cuja elevação *ao* governo resultou dessa nossa atitude para com o seu antecessor." (Rui, *Cartas Políticas e Literárias,* 141.)
"Creio que aquela elevação *para* o céu era uma expansão do reconhecimento." (Camilo, *Mistérios de Lisboa,* I, 65.) "A desgraça parece que mata o poder destas elevações *para* o infinito, que se não conhece." (Idem, *ibidem,* 261.)

Elevado — *a, por:*
"Elevado *a* grandes alturas." (E. Carneiro Ribeiro, *Serões Gramaticais,* 675.) "Elevado *à* mais alta dignidade."
"Considerou-a tão elevada *pel*as virtudes, que a fez sua esposa, e reabilitou-a de desventuras passadas." (Camilo, *Mistérios de Lisboa,* II, 208.)

Elo — *entre:*
"Veneza era o elo *entre* o Oriente e o Ocidente. Viam-se ali escravos da África, negros como carvão, negociantes de especiarias da Arábia, mercadores de seda da China." (*Maravilhas do Conhecimento Humano,* I, 62.)

Elogio — *a, de:*
"No delírio de elogios *a* D. Pedro II, há quem garanta que ele tinha as virtudes de um verdadeiro Marco Aurélio." (Medeiros e Albuquerque, *Quando Eu Era Vivo,* 76.) "Em

grande elogio *à* sua capacidade, dizia-se que o ilustrado bispo de Viseu, então secretário de Estado, não se dedignava de consultá-lo em melindrosos casos de política.'' (Camilo, *Mistérios de Lisboa,* II, 42.)

''Prossegue no elogio *da* educação da mocidade minhota, louvando os pais que aperreiam os filhos.'' (Camilo, *Mosaico,* 110.)

Eloqüente — *para:*

''Os (documentos) que existem, porém, são eloqüentes *para* o caso especial que consideramos.'' (E. da Cunha, *Os Sertões,* 101.) ''Não me respondia, e o seu silêncio de então é hoje bem eloqüente *para* mim.'' (Camilo, *Mistérios de Lisboa,* I, 60.)

Emaciado — *de:*

''Muitas (mulheres), agrupadas em torno da figura hercúlea, vermelha e ruiva de Raulino Uchoa, com a distinção de tipo de outra raça, entre os ouvintes, emaciados *de* privações, minados pelos tóxicos das raízes de mucunã.'' (Domingos Olímpio, *Luzia-Homem,* 225.)

Emancipação — *de:*

''Antes de sua emancipação *do* pátrio poder, o filho não pode administrar seus bens.''

Emancipado — *de, por:*

''Emancipado *das* conveniências interesseiras e balordas.'' (Afrânio Peixoto, *A Esfinge,* 110.) ''Tinha uma concepção da beleza feminina, dessa natureza privilegiada, emancipada *dos* modelos de outras raças.'' (J. Américo de Almeida, *A Bagaceira,* 99.) ''Era o tempo em que os trigos desmamam da terra-mãe e emancipados *da* velha raiz exausta, criam voluntariedade, pulam, grimpam para o sol em ímpetos sedentos de maturidade.'' (Manuel Ribeiro, *A Planície Heróica,* 8.)

''Um menor emancipado *pelo* casamento.'' (Fr. D. Vieira.)

Embaçadela — *a:*

''Foi um ato de consciência; porque o papelucho, vendido por 10 réis, seria uma fraude escandalosa; e ainda de graça, é uma embaçadela *à* curiosidade pública.'' (Camilo, *Boêmia do Espírito,* 286.)

Embaciado — *de, por:*

''Falou-me dela com tanto espírito, com tanta ternura, e com os olhos embaciados *de* lágrimas.'' (Camilo, *Mistérios de Lisboa,* I, 170.)

''Parou de novo contemplando a figura branca, o olhar embaciado agora *por* uma sombra espessa de melancolia.'' (Afrânio Peixoto, *A Esfinge,* 376.) ''A vista era baça, e o colorido da pupila pálido como a luz embaciada *pelos* raios do sol.'' (Camilo, *Mistérios de Lisboa,* II, 137.)

Embalado — *com, em, por:*

''Embalado *com* vãs promessas.''

''Aí, sob o mesmo céu benigno, embalado *na* mesma vaga azul do Mediterrâneo, ... ele vivera o seu primeiro sonho de amor.'' (Afrânio Peixoto, *A Esfinge,* 61.) ''Deviam dormir ali o sono ébrio do maxixe, embalado *no* murmúrio do nosso reconhecimento.'' (Rui, *Queda do Império,* I, 133.)

''No Peru, as crianças ao nascerem têm o berço embalado *pelas* vibrações da terra.'' (E. da Cunha, *Os Sertões,* 132.) ''Atirei o depósito de ervanário à rua, e consegui adormecer embalado *pelas* minhas esperanças.'' (Camilo, *Cenas da Foz,* 146.)

Embaraçado — *com, de, em, por, sobre:*

''Rogério, um momento embaraçado *com* os raciocínios do Pe. Silveira, ... apresentou com vigor o seu dogma de artista.'' (Antero de Figueiredo, *Amor Supremo,* 47.) ''A consciência embaraçada *com* culpas, remorsos.'' (Constâncio.) ''Chegou à portinhola da traquitana, oferecendo o braço à criada, que se viu embaraçada *com* o cortejo das pessoas.'' (Camilo, *Mistérios de Lisboa,* I, 151.)

''Ficou embaraçado *do* que viu.'' (Constâncio.) ''Prenderam-lhe a uma perna as rédeas do macho, que, ... embaraçado *de* tal trambolho, se desembaraçou dele a coices.'' (Camilo, *A Enjeitada,* 105.)

''Dizia para o Pena, em voz baixa, o Martins, embaraçado *em* ser franco sobre o assunto.'' (Afrânio Peixoto, *A Esfinge,* 119.) ''Forçada a fazer as honras da casa, via-se embaraçada *no* seu mutismo.'' (Ciro dos Anjos, *O Amanuense Belmiro,* 150.) ''Alberto, embaraçado *na* réplica para que não estava preparado, respondeu com menos prontidão.'' (Camilo, *Mistérios de Lisboa,* III, 166.)

''Cabeleira embaraçada *pelo* vento.'' ''Iniciativa embaraçada *pela* falta de interesse dos governantes.''

''A primeira vez que Mendonça foi a Matacavalos achou-se embaraçado *sobre* a maneira por que falaria a Margarida; a viúva tirou-o do embaraço, tratando-o como se nada houvesse entre ambos.'' (M. de Assis, *C. Fluminenses,* 30.)

Embaraço — *a, com, de:*

''Minha presença no seio da comissão especial era um embaraço *à* velocidade almejada.'' (Rui, *Cartas Políticas e Literárias,* 114.) ''Não haverá .... mais embaraços *à* fronteira defendida por D. Luís de Mascarenhas.'' (Alberto Rangel, *Fura-Mundo,* 18.) ''Isso criava sérios embaraços *ao* serviço público.'' (João Ribeiro, *Curiosidades Verbais,* 21.)

''Seu embaraço *com* a moça foi notado por todos.'' ''Está em sério embaraço *com* os credores.''

''Para evitar-lhe o embaraço *de* pedir-me minha filha, previno-o que não deve instar por que eu o ouça esses minutos.'' (Camilo, *Mistérios de Lisboa,* 90.) ''Toda a restrição à publicidade importa, logo, em embaraço *de* circulação.'' (Rui, *Queda do Império,* I, 9.)

Embaraçoso — *para:*
"A questão, portanto, não é embaraçosa *para* os críticos de boa fé." (Rui, *Réplica,* 562.)

Embargado — *de, em, por:*
"Embargado *d*os membros, paralítico." (Aulete.)
"Voz embargada *na* garganta."
"Embargada *pel*os soluços, calou-se." (Camilo, *A Enjeitada,* 26.) "— Ele tem razão, mamãe — balbuciava a moça, com a voz embargada *pelo* hercúleo esforço para conter o pranto." (Domingos Olímpio, *Luzia-Homem,* 222.)

Embargo — *a, de, em:*
"Irrita-se e resolve pôr embargos *à* desordem." (E. da Cunha, *Os Sertões,* 179.) "Vencidos os últimos embargos *a* essas inveteradas usurpações, há de ver-se agora se mandam ou não largar-me esses territórios." (Alberto Rangel, *Fura-Mundo,* 17.) "— Mas eu no teu caso não punha embargos *ao* casamento, ainda que fosse daqui a alguns meses, porque o Gomes não me parece mau rapaz." (M. de Assis, *Contos Fluminenses,* 176.)
"Embargo *de* navios no porto." (Constâncio.) "A própria humanidade instruída pode, sem embargo *d*a influência das teorias, preservar ilesos certos sentimentos." (Rui, *Cartas de Inglaterra,* 71.) "Embargo *d*os membros; embargo *d*a fala." (Fr. D. Vieira.)
"Vimos a fazer embargos *n*os frutos, a requerimento de Fernando de Ataíde." (Camilo, *Estrelas Propícias,* 99.)

Embasbacado — *com, por:*
"Ficou embasbacado *com* o que presenciou."
"Crer-nos-ão ainda embasbacados *pelo* seu esparramo e ainda não terão tido tempo de ultimar o arranjo de seus quartéis." (Alberto Rangel, *Fura-Mundo,* 331.)

Embastido — *de:*
"Um olhar para o dossel tauxiado de estrelas que se ergue lá no alto, para a majestosa Via-Láctea, embastida *de* brilhantes cachos de pontos cintilantes, revela-nos uma estranha saga, cuja prolongada duração desafia qualquer conjetura." (*Maravilhas do Conhecimento Humano,* I, 195.)

Embate — *com, contra, de, em, entre:*
"O embate de um navio *com* outro." (Morais.) "Vede como saíram as duas do embate *com* os gigantes da força." (Rui, *Campanha Presidencial,* 113.) "Embate de um navio *com* outro." (Constâncio.)
"No embate estúpido da perversidade *contra* a barbaria, apareceu uma função digna àqueles eternos condenados." (E. da Cunha, *Os Sertões,* 89.) "Embate das ondas *contra* os penhascos." (Morais.)
"Se não suporta o contato destas opiniões, o embate *d*estes movimentos, a monarquia não é digna de existir." (Rui, *Queda do Império,* I, 111.) "Embate *de* dois cavaleiros na justa." (Morais.)
"O embate das ondas *no* navio." (Morais.) "Embate do vento *n*as velas." (Idem.)
"Embate *entre* dois cavaleiros em luta."

Embebido — *de, em:*
"É uma frase de muçulmano, embebida *de* fatalidade." (Medeiros e Albuquerque, *Quando Eu Era Vivo,* 115.) "No fim da vida, embebido *de* leituras filosóficas, ... o Imperador compreendia ter cada qual o direito de pensar livremente." (Luiz Viana Filho, *A Vida de Rui Barbosa,* 129.)
"A viúva disse-lhe o número; o médico, porém, estava tão embebido *em* ouvi-la falar, que não o decorou." (Machado de Assis, *Contos Fluminenses,* 99.) "Desapareceram as duas brigadas, embebidas de todo *na* casaria indistinta." (E. da Cunha, *Os Sertões,* 593.) "Embebido *na* sua mágoa, parecia estranho a quanto o rodeava." (Rebelo da Silva, *Contos e Lendas,* 297.) "Mudou de posição, sem olhar para trás, com o pensamento todo embebido *n*a poesia dessas realizações." (J. Américo de Almeida, *O Boqueirão,* 154.)

Embeiçado — *por:*
"— Agora, se estás tão embeiçado *pel*a sujeita, que não tenhas ânimo de a deixar, isso é outra coisa." (Aluísio Azevedo, *Casa de Pensão,* 276.)

Embevecido — *a, com, em, por:*
"Estava todo embevecido *a* pensar nesta simpatia, quando voltou por acaso o rosto e deu com os olhos de Nini, que o fitavam sem pestanejar." (A. Azevedo, *Casa de Pensão,* 112.)
"Estava embevecido *com* aquele 'home', mas o seu encanto maior era o jardim." (Luiz Viana Filho, *A Vida de Rui Barbosa,* 89.)
"Lembra-me que estás embevecido *n*a ambição das riquezas." (Camilo, *Estrelas Propícias,* 159.) "Alguns sandeus que se deixaram morrer de fome, embevecidos *no* paradoxo da ciência." (Idem, *Cenas da Foz,* 7.)
"Rui ficou embevecido *por* aquele genro tagarela e talentoso." (Luiz Viana Filho, *A Vida de Rui Barbosa,* 241.)

Emborcado — *em:*
"Saiu para a noite brumosa e foi bater à casa de Sardoeira, que dormia emborcado *n*as banhas tépidas de Corália." (C. Neto, *Treva,* 16.)

Embotado — *para:*
"Não tinha as iguarias cáusticas, que são, na sociedade dos segundos, o despertador de um paladar embotado *para* as sensações brandas." (Camilo, *Livro Negro,* 39.)

Embriagado — *com, de, por:*

"Embriagado *com* vinho, *com* o perfume da lisonja."

"Maria, que pouco antes se recolhera a casa embriagada *da* geral alegria, soube a súbita notícia da derrota." (Camilo, *As Três Irmãs,* 257.) "Todas estas vertigens, que aparentemente me dão o caráter de um homem embriagado *de* felicidade, são misturadas de uma espécie de náusea de mim próprio." (Idem, *A Neta do Arcediago,* 28.)

"A arremetida dos invasores, embriagados *por* vislumbres de vitória, ... lhe era o recurso tremendo de uma defesa surpreendedora." (E. da Cunha, *Os Sertões,* 335.)

Embrulhado — *com, em, por:*

"Se qualquer daqueles patifes tentasse prejudicá-las, estava embrulhado *comigo.*" (Graciliano Ramos, *S. Bernardo,* 57.)

"Lá estaria à janela ou no paredão a esperá-lo, embrulhada *no* chailinho de lã." (Aquilino Ribeiro, *A Batalha sem Fim,* 74.) "Embaixo, fluía a cascatinha resguardada pelas cajazeiras embrulhadas *nos* seus fichus de trepadeiras." (J. Américo de Almeida, *A Bagaceira,* 138.)

"Ou então o governador atual desse Estado, não sabendo o que faz, podia ser inconscientemente, embrulhado *por* mim." (Rui, *Correspondência,* 105.)

Embuchado — *com, de:*

"Romão Pires ainda não pudera articular palavra, embuchado *com* a vista da voracidade incrível do irmão de seu amo." (Rebelo da Silva, *Contos e Lendas,* 81.)

"Cidade covarde e miseranda, recolhida no bioco da timidez, abafada a impostos e embuchada *de* soldados." (Alberto Rangel, *Fura-Mundo,* 108.)

Emenda — *a, com, de:*

"Ouvi esta noite que se propôs, ao Senado, uma emenda *ao* seu Regimento." (Rui, *Cartas Políticas e Literárias,* 11.)

"Emenda *com* retalhos não é aconselhável."

"Ainda não fez a emenda *das* provas."

Emérito — *em:*

"A primeira coisa que fazem. é aprender o abecê e, afinal, toda a exigência da arte *em* que são eméritos: conhecer os 'ferros' das suas fazendas." (E. da Cunha, *Os Sertões,* 122.)

Emigração — *de, para:*

"Emigração *de* um país *para* outro."

"Medidas mais repressivas contra a emigração *para* os portos brasileiros." (Rui, *Colunas de Fogo,* 92.) "A emigração dos portugueses *para* o Brasil." (Fr. D. Vieira.)

Eminente — *a, em, sobre:*

"Saiu ele da quinta para ganhar o ponto mais eminente *às* avenidas de Calvados." (Camilo, *A Enjeitada,* 72.)

"Pessoa eminente *em* virtudes." (Fr. D. Vieira.) "Pessoas eminentes *em* dignidade, saber." (Morais.)

"Eminente *sobre* o mar." (Morais.)

Emocionado — *com:*

"Os liberais, emocionados *com* aquela morte súbita, fizeram realizar em São Paulo uma sessão cívica, em honra do correligionário desaparecido." (Luiz Viana Filho, *A Vida de Rui Barbosa,* 109.)

Emoldurado — *de:*

"Retirou as duas malas e os livros que enchiam o seu pequenino quarto sempre florido, com uma janela emoldurada *de* ramas, abrindo para o quintal." (C. Neto, *Treva,* 5.)

Empanado — *por:*

"Os olhos dele, empanados *pela* cogitação, subiam do livro ao teto e baixavam do teto ao livro, cegos para a realidade exterior, videntes para os profundos trabalhos mentais." (M. de Assis, *Papéis Avulsos,* 46.)

Empapado — *de, em, por:*

"O feno empapado *de* sangue." (Morais.)

"Os campos empapados *em* sangue." (Constâncio.)

"O patear cadente dos cavalos fazia um ruído cavo na terra empapada *pela* chuva." (Camilo, *Perfil do Marquês de Pombal,* 13.)

Emparceirado — *a, com:*

"Madonas emparceiradas *a* fúrias." (E. da Cunha, *Os Sertões,* 199.)

"Aí foi que o abade, emparceirado *com* o relojoeiro Vergara e outros sujeitos, ... ganhou basto dinheiro." (Camilo, *As Três Irmãs,* 93.) "Se eu suprimi o Bernabé emparceirado *com* o Ambrósio, foi porque me persuadi estupidamente que o fato histórico se podia dispensar da intervenção do aliás respeitável Bernabé, com quem não tenho a menor desinteligência." (Camilo, *Boêmia do Espírito,* 344.)

Empastado — *de:*

"A condessa afastou das fontes os cabelos empastados *de* suor." (Camilo, *O Bem e o Mal,* 212.)

Empatado — *por:*

"E não se conformava com o romance passional sem desenlace, empatado *pelo* egoísmo de ambos." (Domingos Olímpio, *Luzia-Homem,* 209.)

Empecilho — *a, para:*

"Era esse o maior empecilho *à* realização de seu sonho."

"Também não considerava a farda empecilho *para* alguém aspirar à suprema magistratura." (Luiz Viana Filho, *A Vida de Rui Barbosa,* 246.)

Empedrado — *em:*

"Assim devia ficar uma família de Pompéia, de súbito empedrada *na* invasão da lava fulminante." (Camilo, *O Bem e o Mal,* 213.)

Empedramento — *com:*
"O empedramento *com* lajes desiguais não deu bom resultado."

Empenhado — *em:*
"Eram mais de mil baionetas, quase toda a coluna, empenhadas *no* conflito." (E. da Cunha, *Os Sertões,* 420.) "Paulo estava empenhado *numa* observação detida e mal dissimulada." (Afrânio Peixoto, *A Esfinge,* 378.) "Custódio de Melo, aquele ministro outrora tão empenhado *em* evitar a eleição de Rui ...., chefiava a revolta." (Luiz Viana Filho, *A Vida de Rui barbosa,* 178.)

Empenho — *de, em, por:*
"Como explicar-lhe o encanzinado empenho *de* arrastar-me à picota dos escrevedores reles?" (Rui, *Réplica,* 31.) "Mas por que tem V. tanto empenho *de* ir para essa cadeira?" (Medeiros e Albuquerque, *Quando Eu Era Vivo,* 168.) "Tivera carta de suas primas no Douro, com grande empenho *de* procurar uma mestra para meninas." (Camilo, *As Três Irmãs,* 195.)
"Era tanto o seu empenho *em* penetrá-lo (o passado), que às vezes, com muito esforço de memória, conseguia articular fragmentos dispersos de algumas reminiscências." (Aluísio Azevedo, *O Mulato,* 77.) "Parecia que ela nutria um empenho intencional *na* evocação da tragédia." (J. Américo de Almeida, *A Bagaceira,* 69.)
"Manifestou grande empenho *por* que o sobrinho não se metesse em política." "Fazer empenho *por* conseguir alguma coisa." (Fr. D. Vieira.)

Emperrado — *em, por:*
"Carro emperrado *na* escavação das últimas enxurradas." (Alberto Rangel, *Fura-Mundo,* 78.) "Emperrado *no* crime, *no* pecado." (Fr. D. Vieira.)
"Seguiam devagar (as colunas), emperradas *pelos* canhões onde se revezavam soldados ofegantes em auxílio aos muares." (E. da Cunha, *Os Sertões,* 269.)

Empobrecido — *em, por:*
"Sangue empobrecido *nas* hematoses incompletas." (E. da Cunha, *Os Sertões,* 78.)
"Região empobrecida *pelas* secas."

Empoeirado — *de:*
"Os pequenos olhos azuis, de um azul do céu empoeirado *de* neblinas, brilhavam no fundo das órbitas sombrias." (Domingos Olímpio, *Luzia-Homem,* 212.)

Empolgado — *por:*
"E de todas as vezes os juízes ficavam tão empolgados *pela* sua beleza, que a mandavam em liberdade." (*Maravilhas do Conhecimento Humano,* I, 61.)

Empossado — *de:*
"Uma vez empossado *da* licença, começou logo a construir a casa." (M. de Assis, *Papéis Avulsos,* 6.)

Empregado — *a, em, para, por:*
"Heroísmo gigantesco, empregado *a* serviço da iniqüidade." (Rui, *Queda do Império,* I, 206.)
"Um cabo de esquadra, empregado *na* comissão de engenharia, ... adivinhou-lhe o intento." (E. da Cunha, *Os Sertões,* 567.) "Já falamos outro dia nas tentativas empregadas *em* obter a demissão do atrevido." (Rui, *Queda do Império,* I, 212.) "Quanta energia mal empregada *na* desorientação dos processos agrícolas!" (J. Américo de Almeida, *A Bagaceira,* 155.)
"Às vezes a forma diminutiva não era empregada *para* indicar proporções exíguas." (Júlio Nogueira, *O Exame de Português,* 133.) "Ainda na época clássica 'tratante' é uma palavra honestamente empregada *para* os que se dedicavam ao 'trato' de mercadorias, ao comércio." (João Ribeiro, *Curiosidades Verbais,* 34.)
"O restante da herança foi empregado *pelo* moço *no* pagamento de pequenas dívidas."

Emprego — *de, em:*
"O emprego *de* um vocábulo na acepção figurada." (Aulete.)
"É uma árvore cuja casca tem emprego *nos* curtumes."

Empuxo — *em:*
"Era o último empuxo *no* desânimo geral." (E. da Cunha, *Os Sertões,* 349.)

Emulação — *com, entre:*
"Sua emulação *com* o vizinho é antiga."
"Não sei como acabará essa emulação *entre* os dois comerciantes."

Êmulo — *de, em:*
"Cartago, êmula *de* Roma." (Constâncio.) "Soldados que eram arremessados sobre o inimigo por duas vontades êmulas *de* glória." (Herculano, *Eurico,* 56.)
"Organizador da atividade espiritual da Espanha, como D. Diniz, seu êmulo *em* poesia e letras, o foi em Portugal." (Ricardo Jorge, *Sermões dum Leigo,* 163.) "Frei João não conhecia êmulo *na* veemência dos afetos e *nas* explosões da voz sonora." (Rebelo da Silva, *apud* Aulete.)

Enamorado — *de:*
"Olhava fito o céu por um dos respiradouros, como enamorado *da* lua." (C. Neto, *Miragem,* 109.)

Encabulado — *com, por:*
"Pediu-lhe que me levasse lá, um dia, caso eu não tivesse ficado encabulado *com* o incidente." (Ciro dos Anjos, *O Amanuense Belmiro,* 158.)

"Não pôde continuar, encabulado *pela* presença da moça."

Encadernação — *em:*
"A encadernação *em* percalina custa mais barato."

Encadernado — *com, de, em:*
"Grandes livros encadernados *com* capa de bezerro." (Alberto Rangel, *Fura-Mundo,* 23.)
"*Horas Marianas* encadernadas *de* marfim, veludo, prata e madrepérola." (Aluísio Azevedo, *O Mulato,* 321.)
"Livros encadernados *em* couro." "Encadernadas *em* pergaminho, com o Breviário do Padre Vicente, lá estavam algumas cartas do primaz das Espanhas." (Camilo, *O Bem e o Mal,* 65.)

Encafurnado — *em:*
"Não se via o inimigo — encafurnado *em* todas as socavas, metido dentro das trincheiras-abrigos." (E. da Cunha, *Os Sertões,* 394.)

Encaixado — *em:*
"Esporas de latão amarelo nos tacões rasos, encaixadas *nos* largos estribos de madeira." (Antero de Figueiredo, *Amor Supremo,* 68.)

Encaixe — *em:*
"O encaixe do espigão *na* linha."

Encambulhado — *a, com:*
"Os partidos bebem sangue, e chafurdam em torpezas, com a autoridade pública encambulhada *às* suas orgias." (Rui, *Colunas de Fogo,* 168.)
"Está sempre encambulhado *com* vagabundos."

Encaminhado — *a, em para:*
"Todos os seus pensamentos são encaminhados *a* coisas de honra e bem comum." (Constâncio.)
"Bem encaminhado *na* política."
"Veja cada um se o serve e se o ama, e daí infira se vai bem encaminhado *para* o último fim." (Vieira, *Sermões,* IX, 252.)

Encaminhamento — *em:*
"Devo a você meu encaminhamento *na* vida."

Encantado — *com, de, por:*
"A preguiça compraz-se lendo-os, e fica encantada *com* poder percorrer trinta tomos num quarto de hora." (Mário Barreto, *Cartas Persas,* 227.) "Estou encantado *com* a vista deste quadro." (Aulete.) "Conversou com ela durante meia hora, e tão encantado ficou *com* as maneiras, a voz, a beleza de Madalena, que ao chegar a casa não pôde dormir." (M. de Assis, *Contos Fluminenses,* 98.)
"Encantado *dos* efeitos da boa alma e grande engenho do romancista francês." (Camilo, *As Três Irmãs,* 9.) "Murmurou o capataz, encantado *da* invenção." (Alberto Rangel, *Fura-Mundo,* 342.)
"Ficou encantado *por* encontrar ali um velho amigo." "Encantado *pela* graça da moça."

Encanto — *para, por:*
"Por cima das franjas negras dos montados assomavam serranias azuis que eram um encanto *para* os seus olhos e que se lhe tinham já tornado familiares de tanto as contemplar." (Manoel Ribeiro, *Planície Heróica,* 98.)
"Já não sinto aquele encanto *pelas* grandes viagens."

Encarapinhado — *de:*
"A freguesia era um vasto coqueiral, sobre chão pardo de areia, encarapinhado *de* moitas de gravatás." (Coelho Neto, *Treva,* 82.)

Encargo — *de, para com:*
"Recebera ainda .... o encargo *de* pastorear esse diminuto rebanho da povoação fenícia." (Herculano, *Eurico,* 11.)
"Se não pudermos obstar ao suicídio de um sistema, cumpriremos, ao menos, um resto de encargo *para com* a pátria, a civilização." (Rui, *Colunas de Fogo,* 159.)

Encarrapitado — *a, em, sobre:*
"Filhos escanchados nos quadris desnalgados, filhos encarrapitados *às* costas." (E. da Cunha, *Os Sertões,* 608.)
"Encarrapitado *na* magra cavalgadura." (Taunay, *Inocência,* 54.) "Luziam janelinhas de Monte Real, encarrapitado *no* cerro." (Aquilino Ribeiro, *A Batalha sem Fim,* 75.)
"Encarrapitados ambos *sobre* os surrões prenhes de mantimentos." (Gastão Cruls, *Ao Embalo da Rede,* 144.)

Encarregado — *a, com, de, por:*
"Foi este um dos muitos serviços encarregados *aos* jesuítas."
"Consciência encarregada *com* feias culpas."
"Advogado de boa fama e encarregado *de* alguns litígios de Antônio Pereira." (Camilo, *As Três Irmãs,* 24.) "Devemos ir primeiro à Rua de Santo Honorato falar com um tabelião, que está encarregado *da* venda." (Mário Barreto, *Cartas Persas,* 88.) "Introduziram em Calvados um capelão também encarregado *de* feitorizar as quintas." (Camilo, *A Enjeitada,* 54.)
"Das legislações modernas também não conheço nenhuma que dê ao indivíduo encarregado *pelo* testante *de* lhe escrever a última vontade o nome de 'escritor do testamento'." (Rui, *Réplica,* 528.)

Encartado — *em:*
"Não obstante o silêncio dos vates encartados *na* hinologia patriótica, a maioria da imprensa antecipou-se-me no vigoroso esforço da justiça." (Camilo, *Boêmia do Espírito,* 239.)

Encastoado — *de, em:*
"Empunhava com donaire leve bengala encastoada *de* ouro." (Luiz Viana Filho, *A Vida de Rui Barbosa,* 115.)
"Pedras preciosas encastoadas *em* ouro."

Encerrado — *com, em:*
"Era outra, diversa, insensível, encerrada *con*sigo, como se de vez o ser moça tivesse apagado da memória dela todos os longos anos da meninice encantada." (Afrânio Peixoto, *A Esfinge*, 282.)
"Encerrado *na* sua biblioteca, consagrou três lustros de trabalho solitário à composição da sua grande obra." (Mário Barreto, *Cartas Persas*, VIII.) "Vivia encerrado *no* meu quarto." (Medeiros e Albuquerque, *Quando Eu Era Vivo*, 205.) "Chamado o partido liberal, a reforma pareceria uma revolução natural do seu programa, o desempenho de uma promessa explícita ou implicitamente encerrada *na* sua fé política." (Rui, *Queda do Império*, I, 14.)

Encharcado — *de, em:*
"Encharcado *de* vinho." (Constâncio.) "Como andava nessa ocasião encharcado *de* finanças, nada lhe pareceu mais importante do que evitar a vitória dos ultrafederalistas." (Luiz Viana Filho, *A Vida de Rui Barbosa*, 152.)
"Moralmente gasto, materializado, encharcado *no* desprezo do ideal." (Rui, *Campanha Presidencial*, 203.) "Encharcado *em* vícios." (Constâncio.)

Enchimento — *com:*
"Enchimento *com* paina ou lã só se usa em almofadas de custo elevado."

Encimado — *a, com, de, em, por:*
"Encimado *ao* trono." (Cf. L. Freire, *encimar*.)
"Igreja encimada *com* uma cruz." (Veja L. Freire, *encimar*.)
"Torre encimada *de* um artístico zimbório."
"Quem soubesse ler a simbólica das arrogantes armas encimadas *nos* portões das quintas. ..." (Camilo, *apud* Aulete.)
"Sobre as cadeiras .... avulta um símbolo ....: um navio do tráfico, embandeirado em gala, e uma gargalheira encimada *pelas* cãs de um sexagenário." (Rui, *Discursos e Conferências*, 102.)

Encolhido — *de, em, perante, sob:*
"Tão velha (a camisola) e encolhida *das* lavagens, que mal o cobria até o umbigo." (Aquilino Ribeiro, *A Batalha sem Fim*, 49.) "Encolhida *de* frio e embuçada no mantéu até à altura dos olhos." (Rebelo da Silva, *apud* L. Freire.)
"O evadido caminhava de cabeça baixa, braços cruzados, muito encolhido *em* um casacão escuro." (C. Neto, *A Cidade Maravilhosa*, 103.)
"O citado verbo ainda menos força predicativa tem, pois a sua significação quase se apaga encolhida *perante* a de 'significar'." (Augusto Moreno, *Lições de Linguagem*, II, 23.)
"Mas, de repente, encolhido *sob* o peso do Direito dos romanos, guinou a caravela da sabença para de mais perto responder ao Morgado." (Alberto Rangel, *Fura-Mundo*, 158.)

Encomenda — *a:*
"Minhas encomendas *a* essa casa são sempre executadas com presteza."

Encomendado — *a, para:*
"Pessoas encomendadas *à* sua guarda." (Morais.) "Quadros encomendados *aos* maiores artistas da época."
"Entra-se agora na obra de Buçaco, encomendada *para* substituir os antigos barros." (Fialho de Almeida, *Os Gatos*, 281.)

Encômio — *a:*
"Uma fé-de-ofício de burocrata inofensivo e tímido, repleta de encômios *ao* desempenho de missões oficiais." (E. da Cunha, *Os Sertões*, 298.)

Encontradiço — *com, em:*
"Fazer-se encontradiço *com* alguém."
"Fizera-se agora mesmo encontradiço *em* Guarujá, perto de Santos, onde o futuro presidente e sua família passavam uma estação de banhos." (Afrânio Peixoto, *A Esfinge*, 102.)

Encontrado — *com, em, por:*
"Exercícios de sua natureza tão perigosos, e quase encontrados *com* aqueles em que se lavram os santos." (Vieira, *Sermões*, IX, 64.)
"Todos os erros de gramática encontrados *no* projeto." (Rui, *Réplica*, 457.) "Tão inconstantes e leves eles (filósofos), e tão encontrados *nas* suas opiniões." (Vieira, *Sermões*, IX, 169.)
"Encontrado ali *por* um morador, é levado à casa-grande." (Mário Sete, *Os Azevedos do Poço*, 15.)

Encontro — *a, com, de, em, entre:*
"Veio, impelido por uma potência superior, bater de encontro *a* uma civilização." (E. da Cunha, *Os Sertões*, 149.)
"Também por estas paragens do jornalismo não se livra a gente dos maus encontros *com* a seriema do parque." (Rui, *Colunas de Fogo*, 99.) "Proença soubera tudo de sua mãe, e furtava-se ao encontro *com* sua mulher." (Camilo, *Cenas da Foz*, 237.) "Por isso estava ali, mudados num momento todos os propósitos refletidos com que saíra do encontro *com* o tio." (Afrânio Peixoto, *A Esfinge*, 77.)
"A ocasião veio-lhe ao encontro *dos* desejos." (Camilo, *A Neta do Arcediago*, 136.) "Do encontro *dos* dois povos, entretanto, não podia deixar de advir um contingente verbal para o latim." (Júlio Nogueira, *O Exame de Português*, 114.) "O encontro *dessas* duas sílabas duras .... gera um composto infenso e odioso à boa audição." (Rui, *Réplica*, 43.)
"Reduzem-se os dois primeiros argumentos em um só, consistindo ambos em dar como razão da caduquez de um vocábulo o seu encontro

em autores de remota ancianidade.'' (Rui, *Réplica*, 447.) ''Cumpria afastar o ministro da capital, onde outro encontro *entre* ele e o governo inevitavelmente geraria desastres.'' (Rui, *Queda do Império*, I, 147.)

Encorajado — *por:*

''Encorajados *pelo* atraso do povo chinês em assuntos militares, quase todas as nações européias serviram-se de um pedaço do império chinês.'' (*Maravilhas do Conhecimento Humano*, I, 92.)

Encorajamento — *para:*

''Faltou-lhe o encorajamento *para* continuar a luta.''

Encostado — *a, contra, em, sobre:*

''Ernesto, encostado *ao* fogão, perguntava à mãe ....'' (Camilo, *A Enjeitada*, 161.) ''Um (soldado), de nome Fabrício, encostado *à* parede, de cabeça baixa, imóvel, parecia rezar.'' (C. Neto, *Miragem*, 111.) ''Perdemos de vista Lisboa por algum tempo, enquanto caminhávamos encostados *ao* muro de uma quinta.'' (Camilo, *Mistérios de Lisboa*, I, 37.)

''Em uma das janelas da frente, encostados *contra* a sacada, Manuel e o Cônego Diogo ouviam de Raimundo a descrição.'' (Aluísio Azevedo, *O Mulato*, 87.) — Regência condenada como galicismo, pelos puristas.

''Ficou de pé, firme, com as mãos apoiadas no punho da espada, que estava encostada *no* chão.'' (Medeiros e Albuquerque, *Quando Eu Era Vivo*, 113.) ''Avistou Purunga encostado *num* pau, de alcatéia.'' (J. Américo de Almeida, *A Bagaceira*, 103.)

''Tinha a cabeça encostada *sobre* o ombro.''

Encouraçado — *contra:*

''Eis-me na dúvida de Hamleto. Devo ir à casa dela? A cortesia pede que vá. Devo ir; mas irei encouraçado *contra* tudo.'' (M. de Assis, *C. Fluminenses*, 100.)

Encravado — *em:*

''Sabemos que o mar outrora cobria as montanhas, porque encontramos inumeráveis conchas marinhas encravadas *nas* rochas de alguns dos mais elevados picos.'' (*Maravilhas do Conhecimento Humano*, I, 212.)

Encrencado — *em:*

''É verdade que o romance não andava, encrencado miseravelmente *no* segundo capítulo.'' (Graciliano Ramos, *Caetés*, 90.)

Encurralado — *entre:*

''Têm uma coisa a recomendá-los: serem uma digressão, insuflarem um pouco de ar novo à vida destes povos, encurralados *entre* montes.'' (Aquilino Ribeiro, *Andam Faunos*, 19.)

Encurvado — *de, sob, sobre:*

''Ia-lhe no encalço o fazendeiro ou o moleque da cozinha, esbordoando-lhe o espinhaço encurvado *de* medo.'' (Gustavo Barroso, *Terra de Sol*, 86.)

''*Sob* o peso dos anos encurvado, ergue a voz um varão.'' (J. Agostinho de Macedo, *O Oriente*, II, 13.)

''Aquele macaco obscuro de mãos brutais ali fica encurvado *sobre* o piano.'' (Erico Veríssimo, *Saga*, 112.)

Endurado — *a, em, por:*

''Ressurgiram batalhões .... feitos de veteranos já endurados *ao* fogo da revolta anterior.'' (E. da Cunha, *Os Sertões*, 367.)

''Foi providencial o encontro com o 15.º batalhão de infantaria, já endurado *na* luta.'' (E. da Cunha, *Os Sertões*, 501.)

''Encontraram proteção singular naquele colo duro da terra, escalavrado pelas tormentas, endurado *pela* ossamenta rígida das pedras.'' (E. da Cunha, *ob. cit.*, 106.)

Endurecido — *a, com, em, por:*

''Eu sou um miserável barro, amassado na lama, endurecido *ao* fogo do inferno, feito pedaços pelo calcanhar de todos.'' (Camilo, *Livro Negro*, 179.)

''Tempos houve em que o médico, endurecido embora *com* o cenário da agonia, sentia em plena saúde os rebates da sua.'' (Ricardo Jorge, *Sermões dum Leigo*, 64.)

''Os que de lá voltarem, endurecidos *na* provação do exílio, saberão tomar as devidas contas aos carrascos.'' (C. Neto, *Miragem*, 136.) ''Morre endurecido *no* erro, já que desprezaste a vida, Deus tenha compaixão da tua alma.'' (Rebelo da Silva, *apud* L. Freire.)

''O homem endurecido *pelos* desgostos pequenos, mas sucessivos, adquire têmpera de coração para vencer a suprema das dores.'' (Camilo, *Mistérios de Lisboa*, II, 31.)

Energia — *para:*

''Cobrara energias sãs *para* tornar a viver.'' (Afrânio Peixoto, *A Esfinge*, 311.) ''Se o Vertente fosse de maior curso teria energia *para* eletrificar os seus aparelhos, teria força de graça para mover as turbinas.'' (J. Lins do Rego, *Usina*, 187.)

Enfadado — *com, de:*

''Parece que andas enfadado *comigo*.'' ''Enfadado *com* as contínuas importunações do sobrinho.''

''Enfadado *da* música.'' (Dic. de Fr. D. Vieira.) ''Enfadado *de* tudo, ... pegou da família, alvoroçada com a boa nova, e foi para o Porto.'' (Camilo, *Estrelas Propícias*, 15.)

Enfado — *com, de:*

''Seu enfado *com* a noiva passou logo.''

''Sente enfado *de* tudo e *de* todos.'' ''O enfado *da* jornada, *do* caminho.'' (Constâncio.)

Enfadonho — *a:*
"Mestre enfadonho *a*os discípulos." (Morais.) "Pregador enfadonho *ao* auditório." (Constâncio.)

Enfadoso — *a:*
"Poderia (a matéria) ser menos enfadosa *a*os leitores, se eu soubesse repetir as frases do indivíduo que pensava como racionalista, sem menosprezar o essencial da religião do Calvário." (Camilo, *As Três Irmãs,* 19.)

Enfarado — *de, em:*
"Você não passa — sabe de que? — de um enfarado *d*o progresso. Só acha beleza nesse primitivismo bárbaro." (J. Américo de Almeida, *O Boqueirão,* 40.)
"Os imperantes supremos, enfarados já *n*a caça, que abasteceria de futuro as mesas dos banquetes triunfais dos seus sucessores, atrelavam perto delas os lebréus." (Herculano, *O Bobo,* 20.)

Enfastiado — *de, por:*
"Já estou enfastiado *d*essas viandas." (Morais.) "Vencido pelo cansaço de minúsculas vitórias, num esfalfamento trágico de algozes enfastiados *de* matar." (E. da Cunha, *Os Sertões,* 277.)
"O Governador, enfastiado *pel*as contravoltas a que o obrigavam as respostadas de D. Polônia, tentou ainda lhe cercear o entono." (Alberto Rangel, *Fura-Mundo,* 119.)

Enfeitado — *com, de, por:*
"As donzelas enfeitadas *com* flores." (Mário Barreto, *Cartas Persas,* 26.) "— Aceita, Peregrina — disse Ladislau — que a tua senhora e amiga vai mais enfeitada *com* a dádiva do pobre." (Camilo, *O Bem e o Mal,* 109.)
"A cunhada, enfeitada *de* fitinhas com que se adornava agora, ... viera logo preveni-lo de que alguém o esperava na sala." (Afrânio Peixoto, *A Esfinge,* 239.) "Aposentos pouco espaçosos mas enfeitados *de* altas e ricas laçarias." (Rebelo da Silva, *Contos e Lendas,* 65.)
"Apenas separados (os vizinhos) pelos compridos muros enfeitados *pel*os galhos sobejantes dos pés de jaqueira." (Mário Sete, *Os Azevedos do Poço,* 66.)

Enfermo — *de:*
"Levara Balbina, por preceito dos médicos, que a supunham gravemente enferma *de* tristeza." (Camilo, *apud* L. Freire, voc. *carecedor.*)

Enfiado — *em, por:*
"Enfiado *n*uma blusa de trabalho, Paulo dava ordem a carregadores, dispondo toros e pranchas de madeira para um soco." (Afrânio Peixoto, *A Esfinge,* 357.)
"Jaziam horas esquecidas, olhos enfiados *pel*as rachas das paredes, caindo escandalosamente na mesma guerra de tocaias." (E. da Cunha, *Os Sertões,* 469.)

Enfileirado — *em:*
"E leu-a com assombro e cólera, como se as letras disformes, enfileiradas *em* tortuosas linhas, e o pensamento sensual nelas expressado, lhe vergastassem cruelmente o rosto." (Domingos Olímpio, *Luzia-Homem,* 19.)

Enfraquecido — *com, para, por:*
"Partido enfraquecido *com* as muitas dissensões."
"Essa gente está fazendo recente pavimentação de alguma zona que se revelou enfraquecida *para* o plantio." (Herman Lima, *Outros Céus, Outros Mares,* 177.)
"Só depois que o prelado eleito, muito enfraquecido *pel*os achaques e decaído da antiga coragem, obtemperou às exigências de Roma .... lhe foi concedida a confirmação." (Camilo, *Perfil do Marquês de Pombal,* 134.)

Enfurecido — *com:*
"Nunca Jesuíno entrara em casa que a encontrasse enfurecida *com* a sorte." (J. Lins do Rego, *Usina,* 37.)

Enfurecimento — *com:*
"Espantou-me seu repentino enfurecimento *com* o filho."

Engajamento — *em:*
"Seu engajamento *n*o exército é coisa recente."

Enganado — *com, em, por:*
"Enganado *com* o ouro, não hesitaria em servir-se do outro elixir mais prodigioso." (C. Neto, *Imortalidade,* 100.)
"Olhos duas vezes enganados: uma vez enganados *em* Remígio e Britaldo por amarem o que viram." (Vieira, *Sermões,* IX, 29.) "Você está enganado *n*a data."
"Francisco de Proença, enganado *por* sua mãe, e mais ainda *pel*o seu orgulho, julgou que o milagre da mudança se devia a essas palavras aborrecidas que me dera." (Camilo, *Cenas da Foz,* 202.) "Enganado *pel*a falta de conhecimento científico, o próprio Aristóteles, que era bastante sábio para atribuir as causas do fenômeno às forças naturais, fez conjeturas bem distantes da verdade." (*Maravilhas do Conhecimento Humano,* I, 221.)

Engasgado — *com, em:*
"Fumegante de cólera, engasgado *com* algum grosso impropério." (Medeiros e Albuquerque, *Quando Eu Era Vivo,* 20.)
"O recurso da primeira (a vanguarda), correndo em auxílio, estacaria de encontro às baterias engasgadas *n*as veredas estreitas." (E. da Cunha, *Os Sertões,* 383.)

Engenho — *de, para:*
"Engenho *de* moer a cana-de-açúcar, engenho *de* serrar madeira." (Constâncio.)
"Engenho de encadernador, *para* aparar livros." (Morais.)

Engenhoso — *em, para:*

"Engenhoso *em* astúcias." (E. Carneiro Ribeiro, *Serões Gramaticais,* 675.)

"Somos tão engenhosos *para* nossa perdição, que fazemos dos pecados virtude." (Dic. de Morais.)

Engodo — *para:*

"Não se esquecera dos anzóis bem escorvados e da tripa de galinha, que seria o melhor engodo *para* as grossas traíras." (Gastão Cruls, *História Puxa História,* 36.)

Engordado — *a, com:*

"Engordado *a* cevada." (L. Freire, voc. *acevadado.*)

"Engordado *com* cevada." (J. Ribeiro, voc. *acevadado.*)

Engrandecido — *com, em, por:*

"Engrandecido *com* louvores, honras, riquezas."

"Não se concebe um S. Paulo engrandecido *na* opulência, *no* luxo, ... mas moralmente gasto, materializado." (Rui, *Campanha Presidencial,* 203.)

"Sua figura imponente ainda avultava mais, engrandecida *pelo* indefinido do luar vago e leitoso." (Alberto Rangel, *Fura-Mundo,* 210.)

Engranzado — *a:*

"E, com o braço direito engranzado *à* cintura do par, ... ele empertigava-se todo com delícia, a fechar os olhos e a rodar extasiado, embevecido, como se fora arrebatado por entre nuvens de arminho." (Aluísio Azevedo, *Casa de Pensão,* 126.)

Engrossado — *por:*

"Por baixo da .... ponte corria sem parar .... um riacho engrossado *pelas* águas vomitadas das biqueiras." (Rebelo da Silva, cit. de Morais, *Dicionário.*)

Enjôo — *de, por:*

"Um enjôo mortal *da* luta, um sentimento esmagador do nosso nada se apodera das índoles mais nobres." (Rui, *Colunas de Fogo,* 116.)

"Sempre tive enjôo *por* esses divertimentos."

Enlaçado — *com, de, em, por:*

"Enlaçados *com* os enganos dos hereges." (Dic. de Morais.)

"Viveu dezessete anos em torpezas, enlaçada *do* demônio." (Vieira, *Sermões,* IX, 56.) "Almas enlaçadas *da* vaidade." (Dic. de Morais.)

"As plantas trepadeiras enlaçadas *nas* árvores." (Constâncio.) "Enlaçado *em* culpas." (Idem.)

"Os pés enlaçados *por* fitas multicores." (Afrânio Peixoto, *Bugrinha,* 25.)

Enlace — *com, entre:*

"Seria ignóbil o seu enlace *com* tão estúpida criatura." (Camilo, *Cenas da Foz,* 102.)

"O enlace *entre* aqueles dois só pode trazer-lhes transtornos."

Enlanguescido — *de:*

"Mas o corpo, enlanguescido *de* tão violentas comoções, do torpor do sono, recusou obedecer." (Domingos Olímpio, *Luzia-Homem,* 153.)

Enleado — *com, de, em, entre, por:*

"Ficou enleado *com* a inesperada visita da noiva."

"E, logo, Alfredo Gassiot, como enleado *de* tanta beleza e majestade, ... desceu ao mais raso das mundanidades." (Camilo, *A Enjeitada,* 25.)

"Os rebeldes decaíam .... enleados *nas* malhas constritoras do cerco." (E. da Cunha, *Os Sertões,* 538.) "Enleado *na* ramagem das árvores." (E. Carneiro Ribeiro, *Serões Gramaticais,* 675.)

"E o recontro empenhou-se brutalmente, braço a braço, adversários enleados *entre* disparos de garruchas e revólveres, pancadas de cacetes e coronhas." (E. da Cunha, *Os Sertões,* 233.)

"Suavemente enleado *pela* música daquela voz." (Camilo, *Estrelas Propícias,* 47.) "Tomou-lhe o braço e riu para Paulo, ainda enleado e confuso *pelas* revelações que lhe fizera." (Afrânio Peixoto, *A Esfinge,* 384.)

Enlevado — *a, de, em, por:*

"Enlevado *ao* som da flauta, da voz." (Constâncio.) — P. usado.

"Amor que se manifestava com timidez e admiração, como estavam a contar os seus olhos, sempre enlevados *dela.*" (Afrânio Peixoto, *A Esfinge,* 71.)

"Eu tinha ouvido com o espírito enlevado *em* doloroso prazer, se assim posso expressar-me." (Camilo, *As Três Irmãs,* 16.) "Enlevado *na* paisagem, que tínhamos diante, principiou a recitar a gentil canção." (Rebelo da Silva, *Contos e Lendas,* 157.) "Aí se conservava enlevada *no* entusiasmo da arte, quando sentiu passos ao pé de si." (Camilo, *Mistérios de Lisboa,* II, 195.)

"Às vezes, enlevado *pela* finura dos seus conceitos ou justeza de julgamentos, ... quis julgar-me êmulo de Aristipo." (Gastão Cruls, *Ao Embalo da Rede,* 195.) "E traduziu, enlevado *pelo* achado 'Centurião do Combate' : ...." (Alberto Rangel, *Fura-Mundo,* 21.)

Enlevo — *de:*

"Os episódios romanescos, que ouvira num enlevo *de* surpresa e espanto, como as crianças ouvem, tímidas, maravilhosas histórias de fadas e princesas encantadas ...." (Domingos Olímpio, *Luzia-Homem,* 105.)

Enojado — *de:*

"Voltará um dia a Portugal, cheio de benevolência para o seu próximo, e enojado *das* tristes recordações do que foi." (Camilo, *A Neta do Arcediago,* 102.)

Enojo — *de, por:*
"Encareceu a tristeza de uma menina de vinte e dois anos sozinha num ermo, sem amigas nem parentas que lhe quebrassem o monótono enojo *da* solidão." (Camilo, *A Enjeitada*, 78.)
"Sinto enojo *por* essa subserviência interesseira."

Enquadrado — *em, por:*
"Nas paredes, os medalhões enquadrados *em* molduras." (Afrânio Peixoto, *A Esfinge*, 373.) "Como não havia de ganhar em lindeza .... a candidíssima face de Miquelina, enquadrada *em* caracóis de ouro de seus cabelos!" (Camilo, *A Enjeitada*, 26.)
"A realidade, tangível, enquadrada *por* todos os sucessos, ressaltando à observação mais simples, era aquela." (E. da Cunha, *Os Sertões*, 521.)

Enraivecido — *consigo:*
"Cecília transigira. Recomeçaram a andar: ela de novo silenciosa; ele enraivecido *consigo* próprio, por não encontrar forma nem audácia para exprimir-se a seu contento." (Ferreira de Castro, *A Tempestade*, 38.)

Enredado — *de, em:*
"Arbúsculos quase sem pega sobre a terra escassa, enredados *de* esgalhos." (E. da Cunha, *Os Sertões*, 13.) "A terra, de longe, era toda azul; de perto, enredada *de* vegetais mofinos e tortuosos, da cor de um triste e aspérrimo faxinal." (Alberto Rangel, *Fura-Mundo*, 254.)
"Enredado *n*os laços ou nas cadeias do amor; enredado *em* sofismas, intrigas." (Constâncio.) "Minha esperança querida, alimentada com a substância mais íntima desta alma, enredada *n*as fibras deste coração." (Herculano, *O Monge de Cister*, II, 223.)

Enroscado — *em:*
"O curiboca foi contando o que sabia de encantos: aparições de monstros híbridos — mulheres que eram metade gente, metade cobra e viviam enroscadas *n*os jequitibás." (C. Neto, *Treva*, 62.)

Ensaio — *acerca de, de, para, por, sobre:*
"Incomparavelmente aquém dessa medida está o meu despretensioso ensaio *acerca da* importância da marinha em geral." (Rui, *Cartas de Inglaterra*, IX.)
"Tinha havido, em 18 de dezembro, um ensaio *de* contra-revolução, que foi ràpidamente abafado." (Medeiros e Albuquerque, *Quando Eu Era Vivo*, 85.) "Ensaio *de* uma peça teatral."
"Ensaio *para* representar algum papel." (Fr. D. Vieira.)
"Ensaio *da* sinfonia *pel*os músicos." (Constâncio.)
"O ensaio de Locke *sobre* o entendimento humano." (Constâncio.)

Enseivado — *com:*
"Aquelas pobres flores murchas se radicaram no teu duro coração, como o cardo à rocha, e revivem enseivadas *com* o suor da tua angústia." (Domingos Olímpio, *Luzia-Homem*, 140.)

Ensejo — *a, de, para:*
"Em uma das suas diversões pelas minhas notas, ... cuidou ver o ilustre professor ensejo precioso *a* brilhaturas de erudição." (Rui, *Réplica*, 383.) "Dizia o bom velho que a invasão dos ímpios .... tinha sido aprazível a seu filho, por lhe dar ensejo *a* não estudar." (Camilo, *As Três Irmãs*, 23.) "A conveniência de lembrar a coisa de maneira indefinida deu ensejo *à* criação de palavras que vagamente dão idéia do neutro." (Júlio Nogueira, *O Exame de Português*, 147.)
"Toda absorta em Deus, não tinha ensejo *de* comparar-se com os moradores da terra." (Camilo, *A Neta do Arcediago*, 164.) "Os golpes são desfechados com viva rapidez, quando chega o ensejo *de* desfechá-los." (Rui, *Cartas de Inglaterra*, 173.) "Quando findou o jantar e os cavalheiros foram para a sala dos fumantes, a esperta viúva teve ensejo *de* estar com Lúcia." (Afrânio Peixoto, *A Esfinge*, 123.)
"Aquele afloramento originalíssimo do passado, patenteando todas as falhas da nossa evolução, era um belo ensejo *para* estudarmo-las." (E. da Cunha, *Os Sertões*, 364.) "Aproveito o ensejo *para* retificar um erro que anda nos dicionários." (Augusto Moreno, *Lições de Linguagem*, II, 124.)

Ensombrado — *de, por:*
"Lábio superior escassamente ensombrado *de* lanugem lustrosa." (Camilo, *As Três Irmãs*, 59.)
"Grandes olhos claros e distantes, ensombrados *por* longos cílios." (Afrânio Peixoto, *A Esfinge*, 19.)

Ensopado — *de, em:*
"Flávia lá estava aconchegadinha dum combro de bouça, umas vezes tremendo de frio, outras ensopada *de* chuva." (Camilo, *A Enjeitada*, 109.) "O estudante abriu os olhos e passou em sobressalto a mão pela testa; os dedos voltaram ensopados *de* suor." (Aluísio Azevedo, *Casa de Pensão*, 237.)
"Essas lutas de opinião, muitas vezes ensopadas *em* sangue, devem necessariamente expirar nos confins do Estado onde se agitam." (Rui, *Colunas de Fogo*, 216.) "A romana não lhe vira os olhos, nem respondera com a sua à mão que se lhe oferecia. Escondera o rosto no lenço, ensopado *em* lágrimas." (Camilo, *Livro Negro*, 26.)

Entalado — *com, em, entre:*
"Corria tanto que as outras (moças) deixaram de falar, entaladas *com* o vento ou com medo." (J. Américo de Almeida, *O Boqueirão*, 127.)

"É uma onda tombando das vertentes da Itiúba, ... e correndo veloz entre barrancos, ou entalada *em* serras." (E. da Cunha, *Os Sertões,* 24.) "Nariz maciço, entalado *na* carne esponjosa das belfas rosadas." (Alberto Rangel, *Fura-Mundo,* 38.) "Via-se entalado *num* enorme rosário de vértebras que se enroscava por ele, como uma cobra de ossos." (Aluísio Azevedo, *Casa de Pensão,* 235.)

"Viram o seu amigo entalado *entre* duas rochas, com a face arregoada de sangue." (Camilo, *Mistérios de Lisboa,* I, 204.) "Preferiram não conspirar, a incorrer, conspirando, no risco iminente de se verem entalados *entre* a inconfidência e a improbidade." (Rui, *Colunas de Fogo,* 174.)

Entendido — *em, por:*

"Não posso ser superior a este bacharelar de homem entendido *na* ciência das almas dos outros." (Camilo, *Cenas da Foz,* 187.)

"Este sorriso, porém, tão mal entendido *por* todos, nada mais era do que o contentamento de quem observa o precipício por onde passou e do qual se considera livre." (Aluísio Azevedo, *O Mulato,* 335.)

Entendimento — *com, de, entre:*

"Reunira todo o seu ânimo para tentar um entendimento *com* a moça." (Mário Sete, *Os Azevedos do Poço,* 24.)

"O que sobretudo dificultava o entendimento *de* tantos e tão vários enigmas era ser um só o sentido de todos." (Vieira, *Sermões,* IX, 245.)

"Acredito que o visconde viesse, desde algum tempo, lobrigando significativos indícios de entendimento *entre* o diplomata e a esposa." (Veiga Miranda, *A Eterna Canção,* 59.)

Enternecido — *com, por:*

"Enternecido *com* as lágrimas da órfã, cedeu."

"Sorriu enternecido *por* esse carinho rústico, sem palavras, mas tão significativo a seu coração." (Afrânio Peixoto, *A Esfinge,* 182.)

Enterrado — *sob:*

"Essas plantas cresceram em brejos, morreram, foram enterradas *sob* as águas e as areias movediças, e por meio dum gradual processo químico mumificaram-se em carvão." (*Maravilhas do Conhecimento Humano,* I, 225.)

Entoado — *por:*

"Lá estava a imagem entre círios, e, docemente, começou uma oração entoada *por* todas as vozes, numa plangência aflitiva como um reclamo do sofrimento à misericórdia." (Coelho Neto, *Treva,* 123.)

Entorpecido — *a, de, em, para, por:*

"Com a sensibilidade obtusa e entorpecida *aos* primores da natureza, Dagoberto inquietava-se, pela primeira vez, perante o ouro que frondejava." (J. Américo de Almeida, *A Bagaceira,* 15.)

"Entorpecido *da* velhice." (Morais.)

"Esmagado no seu orgulho, entorpecido *em* todas as faculdades morais que reagem até à morte do brio." (Camilo, *Mistérios de Lisboa,* III, 11.) "Palitavam os dentes, encostadas às competentes cadeiras, meio entorpecidas *na* repleção do estômago." (Aluísio Azevedo, *O Mulato,* 183.) "E, com um aspecto regalado, deixava-se ficar prostrada na cadeira, entorpecida *no* bem-estar do seu estômago." (Aluísio Azevedo, *Casa de Pensão,* 110.)

"Foi de todos o menor abalo que podia sofrer aquela alma entorpecida *para* todas as impressões." (Camilo, *A Neta do Arcediago,* 94.)

"Entorpecida sempre *pelos* agentes adversos, ... a terra, como um organismo, se transmuda por intuspecção." (E. da Cunha, *Os Sertões,* 52.) "A pobre cidade de S. Luís do Maranhão parecia entorpecida *pelo* calor." (Aluísio Azevedo, *O Mulato,* 13.)

Entrada — *a, com, de, em, por:*

"Pomposa entrada *aos* paços suntuosos." (Dic. de Fr. D. Vieira.) "As portas de entrada *aos* cargos públicos eram, pois, absolutamente as mesmas que ele hoje teria de enumerar." (Rui, *Coletânea Literária,* 307.)

"Ter entrada *com* alguém, ser bem acolhido dele." (Constâncio.)

"A entrada *da* praça, *do* forte, *do* castelo." (Constâncio.)

"Visitou-o (ao filho), indenizando-o, com afagos, de asperezas que precederam a sua entrada *no* colégio." (Camilo, *A Neta do Arcediago,* 20.) "Quem é, inquiri, aquele homem .... que tem tanta familiaridade com os duques, e tanta entrada *em* casa dos ministros...?" (Mário Barreto, *Cartas Persas,* 96.) "Se desejamos entrada brilhante *na* civilização, armemo-nos." (Afrânio Peixoto, *A Esfinge,* 146.)

"A entrada *pela* porta lateral foi proibida."

Entrado — *a, de, em:*

"Entrados *ao* pátio, foram logo desarmados." — P. usado.

"Entrado *de* temor, *de* esperanças." (E. Carneiro Ribeiro, *Serões Gramaticais,* 676.) "Dar-se-ia o caso que estivesse entrada *do* terror da morte?" (J. Américo de Almeida, *A Bagaceira,* 257.)

"Entrado *no* departamento da Escola de Belas-Artes que havia conseguido, e onde Paulo .... preparava a disposição de seus trabalhos ...." (Afrânio Peixoto, *A Esfinge,* 357.) "Entrado *em* anos, entrado *em* idade." (E. Carneiro Ribeiro, *Serões Gramaticais,* 676.) "Entrada *em* seus aposentos, despindo-se, parecia-lhe que despia o próprio baile." (Antero de Figueiredo, *Amor Supremo,* 142.)

Entranhado — *em:*

"A religiosidade de que minha alma é capaz ali se concentrava, diante de Luísa, enquanto, entranhados *nas* combinações de partidas rancorosas, Adrião grunhia impertinente e Nazaré piscava os olhinhos de pálpebras engelhadas.'' (Graciliano Ramos, *Caetés,* 87.)

Entrave — *a:*

''O Ministro da Guerra, depois de se demorar quatro dias em Queimadas removendo os últimos entraves *à* mobilização das forças, seguiu para Monte Santo.'' (E. da Cunha, *Os Sertões,* 525.)

Entrecortado — *de, por:*

''Depois de uma marcha entrecortada *de* combates, fizera alto três quilômetros adiante.'' (E. da Cunha, *Os Sertões,* 395.)

''E murmurou-lhe aos ouvidos estas palavras, tardias, entrecortadas *pela* necessidade de repouso em cada palavra que balbuciava.'' (Camilo, *Mistérios de Lisboa,* II, 37)

Entrefala — *com:*

''Largando-se da entrefala *com* o Governador, Elias correu a anunciar a D. Polônia o resultado da conferência.'' (Alberto Rangel, *Fura-Mundo,* 313.)

Entrega — *a:*

''O prédio está desocupado; a entrega *ao* proprietário será feita dentro de poucos dias.''

Entregue — *a, de:*

''Entregue *aos* mais sérios estudos.'' (E. Carneiro Ribeiro, *Serões Gramaticais,* 674.) ''Entregue *a* preocupações artísticas e religiosas, não atenta na desarmonia orgânica de uma sociedade prostituída pela mácula servil.'' (Rui, *Queda do Império,* I, 304.) ''Viajava a passo, fumando, entregue *às* suas cogitações.... E tão preocupado ia, que teve a impressão do despertar de um sonho, quando chegou ao alto da colina, de onde avistou a fazenda do Rio das Pedras.'' (Abílio Barreto, *A Noiva do Tropeiro,* 78.)

''Fico entregue *da* cartinha que me escreveste e que me demonstra duas coisas igualmente consoladoras.'' (Mário Barreto, *Através do Dicionário e da Gramática,* 369.)

Entrelaçamento — *com:*

''Entrelaçamento da amizade *com* o amor.''

Entremeado — *a, com, de:*

''O barbatimão venenoso, entremeado *às* moitas de ramas cheirosas, espera também o gado infeliz, no silêncio traiçoeiro dos vegetais covardes.'' (Gustavo Barroso, *Terra de Sol,* 31.)

''Dançam o 'vira-vira' , o 'verde-gaio' , numa sarabanda rijamente batida, sacudida e entremeada *com* cantigas de chufas e trovas de amor.'' (Antero de Figueiredo, *Amor Supremo,* 76.)

''A marcha guerreira entremeada *de* coros no quinto (ato), são acepipes gagos de opereta.'' (Fialho de Almeida, *Os Gatos,* 216.) ''Margeando à direita serras escarpadas, invias, abruptas, entremeadas *de* uma vegetação original e estranha, composta de coqueirinhos, cacto, canela-de-ema, e de cujas anfractuosidades nasciam cristalinas linfas.'' (Abílio Barreto, *A Noiva do Tropeiro,* 72.)

Entressachado — *com, de:*

''Flores entressachadas *com* folhas de hera.'' (Morais.) ''A casaria da povoação e verdura das almoinhas, ... entressachadas *com* os edifícios burgueses, servem como vasto tapete, onde assentam os panos de muros alvos.'' (Herculano, *O Bobo,* 19.)

''Rompia a galhada inflexa, entressachada *de* gravatás mordentes.'' (E. da Cunha, *Os Sertões,* 434.) ''Papuzes entressachados *de* pérolas.'' (C. Neto, *A Cidade Maravilhosa,* 120.''

Entretecido — *com, de, em:*

''Mentiras e contos fabulosos entretecidos *com* verdades históricas.''

''Uma varanda entretecida *de* trepadeiras e até onde chegava o perfume das magnólias em flor.'' (Gastão Cruls, *Ao Embalo da Rede,* 173.) ''Antônio Conselheiro .... era famoso em todo o interior do norte e mesmo nas cidades do litoral até onde chegavam, entretecidos *de* exageros e quase lendários, os episódios mais interessantes de sua vida romanesca.'' (E. da Cunha, *Os Sertões,* 225.)

''Episódios entretecidos *no* drama.'' (Morais.) ''Os documentos dessa conjuração aí avultam na história desses últimos meses, harmonicamente entretecidos *numa* urdidura cuja evidência só não se patenteia aos idiotas.'' (Rui, *Colunas de Fogo,* 20.)

Entretido — *com, de, em, por:*

''Deixe lá satanás entretido *com* eles, e vá vm.ce limpando a sua consciência.'' (Camilo, *As Três Irmãs,* 104.) ''Tão entretida estava *com* a sua agonia, que não ouviu passos na terra úmida e afofada em torno.'' (Afrânio Peixoto, *Bugrinha,* 79.) ''Anacleta, ... entretida *com* outras emoções na época da sua gloriosa opulência, não se lembrou que esse homem fora apresentado em uma das suas assembléias.'' (Camilo, *Mistérios de Lisboa,* II, 90.)

''A alma fundida pelo sol da seca, ... andava farta de tanta solicitude ociosa, de um amor entretido *de* olhadelas e conversas fiadas.'' (J. Américo de Almeida, *A Bagaceira,* 169.)

''Via sempre o noivo ao lado dela, entretido *em* encantadoras frivolidades.'' (Camilo, *As Três Irmãs,* 47.) ''Encontramos Ettore Sarto no mesmo lugar em que o vi pela primeira vez e entretido *no* mesmo trabalho.'' (Erico Verissimo, *Saga,* 56.)

''O diplomata .... não volveu atrás, continuando a conversar com as senhoras, ao lado de Lúcia, entretida *por* aquela tagarelice amaneirada.'' (Afrânio Peixoto, *A Esfinge,* 42.)

Entretimento — *com, de:*
"Entretimento *com* jogos, *com* leituras." "Para entretimento *dos* órfãos pobres." (Dic. de Constâncio.)

Entrevado — *de:*
"Passou-me então uma coisa pela cabeça, estive umas semanas acolhido à cama. Depois lá fui arribando, mas fiquei quase entrevado *das* pernas." (Manuel Ribeiro, *A Planície Heróica*, 65.)

Entrevista — *com, de:*
"No dia seguinte ao da minha entrevista *com* o Patriarca, recebi a visita do vigário geral." (Medeiros e Albuquerque, *Quando Eu Era Vivo*, 163.) "Saíra perturbado da entrevista *com* o coronel." (Camilo, *Cenas da Foz*, 187.)
"A entrevista *dos* dois diplomatas durou cerca de uma hora."

Entronado — *em:*
"Mirabeau, que teria sido um Graco em Roma, nos belos tempos da república, e na decadência um Catilina, como diz Mignet, achou-se, de improviso, entronado *numa* altura onde as suas ardentes ambições de certo o não teriam exaltado." (Camilo, *Livro Negro*, 46.)

Entusiasmado — *com, por:*
"Nunca se mostrou entusiasmado *com* a posse." (Camilo, *A Neta do Arcediago*, 25.) "Recebi a visita do vigário geral, entusiasmado *com* a minha idéia." (Medeiros e Albuquerque, *Quando Eu Era Vivo*, 163.)
"Manuel Dantas, já entusiasmado *por* aquele jovem erudito, fê-lo um dos seus auxiliares imediatos no jornal." (Luiz Viana Filho, *A Vida de Rui Barbosa*, 31.)

Entusiasmo — *de, para, por:*
"O seu entusiasmo *do* belo." (E. Carneiro Ribeiro, *Serões Gramaticais*, 671.)
"Sem entusiasmo *para* voltar, *para* esperar o dia grande da partida." (José Lins do Rego, *Usina*, 22.) "Seu entusiasmo *para* o belo." (E. Carneiro Ribeiro, *Serões Gramaticais*, 671.)
"Soube alimentar sempre, se não o entusiasmo *pelo* rei, ao menos essa tranqüilidade nas fileiras militares." (Rui, *Queda do Império*, I, 143.) "Em lances de arrebatamento vibrante, quando o entusiasmo *por* uma doutrina, *por* um descobrimento o empolgava." (Ricardo Jorge, *Sermões dum Leigo*, 14.) "Lembrou-se do entusiasmo de D. Felicidade *pelo* teatro de D. Maria." (Eça, *O Primo Basílio*, 129.)

Entusiasta — *de, por:*
"O senhor é muito entusiasta *de* tudo quanto vem da Europa." (Mário Sete, *Os Azevedos do Poço*, 94.) "Era o segundo escriturário um entusiasta *da* aguardente da terra, que preferia à melhor das jeropigas estrangeiras." (Alberto Rangel, *Fura-Mundo*, 38.)
"É um grande entusiasta *pela* música." (Aulete.) "José Tabuado ...., entusiasta *pela* glória, propôs uma ovação à memória de Liberata." (Camilo, *A Neta do Arcediago*, 169.)

Envaidecido — *por:*
"Sentia-se mais feliz e envaidecido *por* lhe dar vibrante felicidade." (Ferreira de Castro, *A Tempestade*, 85.)

Envelhecido — *em, por:*
"Envelhecido *no* vício, *no* crime." (Constâncio.)
"Era espetáculo de mover a prantos aquela senhora envelhecida *por* desgostos incessantes chorando ainda e sempre de saudades do seu verdugo." (Camilo, *A Enjeitada*, 260.)

Envenenado — *por:*
"— Envenenada *por* ti, meu esposo! disse ela com voz rouca, sentando-se dum salto, sacudida pela agonia lacerante." (Camilo, *Livro Negro*, 210.)

Enverdecido — *por:*
"Vejo o Belo, com a sua formosura primaveral, sempre enverdecida *por* maviosas lágrimas, ou no-las dê a mágoa própria ou a desfortuna alheia." (Camilo, *Boêmia do Espírito*, 233.)

Envergonhado — *com, de, por:*
"Envergonhada *com* a palavra que irrefletidamente pronunciara, retirou-se."
"Juvenal fugia a afirmações concretas, quase envergonhado *de* mostrar a sua ignorância e desinteresse por motivo tão apaixonante." (Ferreira de Castro, *Eternidade*, 33.) "Quis retroceder, envergonhado *de* voltar ao lar, donde se havia evadido, levando um coração que não soubera guardar consigo." (J. Américo de Almeida, *O Boqueirão*, 41.) "Eis-me outra vez forte para a luta, e envergonhado *da* minha fraqueza." (Camilo, *Estrelas Propícias*, 88.)
"Envergonhado *pelo* improviso mágico do Dr. Frontin, essa representação organizada do ranço administrativo continua a tecer, nas trevas, a sua teia obscura." (Rui, *Queda do Império*, I, 446.)

Enviado — *por:*
"Tanto simpatizava que, ao propósito da seta enviada *pelo* papa a D. Sebastião, lhe escreveu uma epístola recheada de versos." (Camilo, *Boêmia do Espírito*, 204.)

Envolto — *de, em, por:*
"Menos que arraial obscuro, transformá-lo-ia (a campanha) em grandíssimo quartel acaçapado, envolto *de* casernas." (E. da Cunha, *Os Sertões*, 255.)
"Tudo envolto *em* melodia e ao sabor de cada temperamento." (Antero de Figueiredo, *Jornadas em Portugal*, 49.) "A ambição envolta *na* capa da religião." (Constâncio.) "Também estiveram presentes tuas tias e algumas de tuas primas, que vieram a cavalo,

envoltas *na* densa nuvem dos seus véus e dos seus vestidos." (Mário Barreto, *Cartas Persas,* 93.)

"Envolto *por* uma natureza selvagem e pobre, o nosso soldado, que é corajoso na frente do inimigo, acobarda-se." (E. da Cunha, *Os Sertões,* 263.)

Envolvido — *em, por:*

"Um largo artigo de crítica severa, envolvida *em* finezas." (Rui, *Queda do Império,* I, 297.) "Ali tinham parado todas as forças anteriormente envolvidas *na* luta." (E. da Cunha, *Os Sertões,* 519.) "— Já te disse, Guilherme: vai na certeza de que o teu nome nunca será envolvido *na* minha justificação." (Camilo, *O Bem e o Mal,* 153.)

"Logo ela se sentira envolvida *pelo* som quente e caricioso da voz daquele homem." (Veiga Miranda, *A Eterna Canção,* 52.)

Envolvimento — *em:*

"Não posso compreender seu envolvimento *n*esse malfadado negócio."

Enxertia — *em:*

"De outro modo não seria possível explicar a enxertia do artigo *n*essa espécie de sentenças." (Rui, *Réplica,* 202.)

Enxovalhado — *com, de, em, por:*

"Nome enxovalhado *com* a lama da calúnia."

"Roupa branca enxovalhada *da* fadiga dos caminhos." (Afrânio Peixoto, *Bugrinha,* 10.)

"Reputação enxovalhada *em* negócios ilícitos."

"O fidalgo, enxovalhado *pela* franca Anacleta, retirou-se calado." (Camilo, *Mistérios de Lisboa,* II, 42.) "Enxovalhado *pelas* ações indignas que praticou." "Sei de umas pessoas que mofam cruelmente dos maridos enxovalhados *pelo* desdouro das mulheres." (Camilo, *Boêmia do Espírito,* 165.)

Enxuto — *de, por:*

"Com os olhos mal enxutos *das* lágrimas, e o coração arquejando, Antônia, pediu à sua amiga que a acompanhasse." (Camilo, *Mistérios de Lisboa,* II, 186.) "Enxuto *de* carnes, diz-se do homem magro, seco." (Aulete.)

"Era um homem .... fácil de abrir diante dos seus olhos, enxutos *por* mão de mulher, um vasto horizonte de esperanças confortadoras." (Camilo, *Mistérios de Lisboa,* II, 248.)

Equânime — *com, para com:*

"Foi equânime *com* ou *para com* os culpados."

Equanimidade — *com, para com:*

"Mostrou absoluta equanimidade *com* ou *para com* todos."

Eqüidade — *de:*

"Teve comigo o mestre a eqüidade rudimentar *de* me eximir àquela sintaxe de cozinheiro? Qual! A tipografia que imprimira assim, é porque eu assim havia escrito." (Rui, *Réplica,* 457.)

Eqüidistância — *de, com, entre:*

"Ainda não havia observado a eqüidistância *de* Porto Alegre *com* as duas cidades fronteiriças."

"Paralelas que conservam *entre* si uma perfeita eqüidistância." (Fr. D. Vieira.)

Eqüidistante — *de:*

"O ponto A encontra-se eqüidistante *dos* pontos B e C."

Equilibrado — *em:*

"Soledade distinguia a cidade debruçada sobre a voragem. Mas equilibrada *no* dorso da serra, fino como um gume." (J. Américo de Almeida, *A Bagaceira,* 117.)

Equilíbrio — *de, entre:*

"Equilíbrio *de* forças militares." (Morais.) "O justo equilíbrio *das* idéias, a harmoniosa conformidade dos sentimentos, é o traço essencial e característico da fisionomia de Montesquieu." (Mário Barreto, *Cartas Persas,* X.) "A razão é o perfeito equilíbrio *de* todas as faculdades; fora daí, insânia, insânia, só insânia." (M. de Assis, *Papéis Avulsos,* 22.)

"É uma permuta entre duas indignidades, uma compensação entre duas espoliações, um equilíbrio *entre* duas tiranias." (Rui, *Queda do Império,* I, 191.)

Equiparação — *a, com, entre:*

"A diretoria do colégio pediu a equiparação deste *ao* 'Pedro II'."

"Vítima eterna, entre nós, das mais tristes equiparações *com* a mediocridade." (Rui, *Queda do Império,* I, 462.)

"Quem procurar em Littré, este vocábulo, ali verá completa esta equiparação *entre* os dois termos." (Rui, *Réplica,* 510.)

Equiparado — *a, com:*

"Vencendo (a coluna) uma distância equiparada *às* percorridas pelas outras." (E. da Cunha, *Os Sertões,* 273.)

"Este trabalho, equiparado *com* o primeiro, deixa muito a desejar."

Equiparável — *a, com:*

"Se há delito equiparável *ao* parricídio, é esse, felizmente não menos raro do que o seu congênere." (Rui, *Cartas de Inglaterra,* 14.)

"Linguagem elegante, castiça, somente equiparável *com* a de Castilho."

Eqüipolência — *a:*

"Ali está por seis vezes o qualificativo latino de 'privatus' em eqüipolência *ao* francês 'particulier'." (Rui, *Réplica,* 510.)

Eqüipolente — *a:*

"Um é eqüipolente *a* outro." (Fr. D. Vieira.)

Equitativo — *com:*
"Mas sejamos equitativos *com* o padre, que ainda não chegou à senilidade imbecil do 'Quinto Império'." (Camilo, *Boêmia do Espírito,* 45.)

Equivalência — *de, entre:*
"A Igreja latina nega a equivalência *dos* dois termos 'hipóstase' e 'substância'." (Fr. D. Vieira.) "Afirmei sempre a indiferença das formas de governo, a equivalência *de* todas as constituições, monárquicas ou republicanas, onde se assegure ao povo o governo representativo e ao indivíduo o regime jurídico da liberdade." (Rui, *Cartas de Inglaterra,* 401.)
"A equivalência *entre* os dois verbos é, pelo menos, duvidosa." (Rui, *Réplica,* 142.) "Entregue, assim, pela honra à polícia o instrumento de abrir o latíbulo das conspirações, estaria praticamente firmada a equivalência *entre* elas e os crimes infamantes." (Idem, *Colunas de Fogo,* 174.)

Equivalente — *a, de:*
"Não se usa mais, outrossim, a forma 'cujo' como equivalente *a* 'que', 'qual'." (Júlio Nogueira, *O Exame de Português,* 169.) "O nome equivalente *a* 'totem', no Peru, era 'pacarissa'." (João Ribeiro, *Curiosidades Verbais,* 125.)
"Esta proposição é o equivalente *d*estoutra." (Fr. D. Vieira.) "A palavra (pardo) era equivalente *do* castanho, bruno ("brown"), avermelhado." (João Ribeiro, *Curiosidades Verbais,* 49.) "Este verbo (afetar), em nossa língua, nunca se usou pelos escritores vernáculos senão como equivalente *de* 'amar', 'ambicionar', 'ostentar', 'desejar', 'simular', 'requintar' ou 'rebuscar', 'requestar' ou 'diligenciar' alguma coisa." (Rui, *Réplica,* 480.)

Erguido — *a, entre, para, por, sobre:*
"E com essa luz celeste nas pupilas mansas, quedaram-se pacíficos, olhos e mãos erguidas *às* alturas." (Antero de Figueiredo, *Amor Supremo,* 158.)
"Achei-me esmagado pelos pés dessa imagem, eternamente erguida *entre* mim e ela." (Camilo, *Livro Negro,* 134.)
"E a turba fanatizada, ... erguidos *para* os ares, os santos e as armas, ... atravessou o largo arrebatadamente." (E. da Cunha, *Os Sertões,* 233.)
"Inúmeras mãos se levantavam para o céu, erguidas *por* esse instinto universal que nos leva a confiar na eficácia da prece." (Rui, *Cartas Políticas e Literárias,* 69.)
"Erguida (a torre) *sobre* o escuro portal da entrada, parecia um gigante em pé e com os punhos cerrados sobre os quadris." (Herculano, *O Bobo,* 19.)

Eriçado — *de:*
"Dali por diante se acidenta (o terreno), eriçado *de* cômoros escalvados." (E. da Cunha, *Os Sertões,* 389.) "A cabeça era desconforme, eriçada *de* híspidas farpas, que lhe punham em torno uma grenha dura e amarela." (C. Neto, *Treva,* 97.)

Erigido — *a, em, para:*
"Monumento erigido *ao* imortal herói." "Metropolitana erigida *a* esta dignidade." (Morais.)
"Hipóteses erigidas *em* axiomas." (Fr. D. Vieira.) "Erigida a província *em* reino." (Constâncio.)
"Reis com haréns de louras raparigas das Gálias; majestosos templos erigidos *para* culto do Sol; gigantescos soldados, de reluzente malha de sólido bronze, marchando pelas ruas." (*Maravilhas do Conhecimento Humano,* I, 3.)

Ermo — *de:*
"Ermo *de* interesses." (E. Carneiro Ribeiro, *Sermões Gramaticais,* 674.) "Não pode aquele cujo coração é ermo *d*esses afetos ser também infeliz?" (Herculano, *Eurico,* 169.)

Erro — *contra, de, em:*
"Pois isto é erro *contra* a língua portuguesa." (C. de Figueiredo, *Lições Práticas,* I, 29.) "Não creio que foi erro do mau monge *contra* a fé destas palavras." (Vieira, *Sermões,* IX, 24.)
"Erro *de* cálculo." (Fr. D. Vieira.) "Erro *de* contas." (Constâncio.)
"O erro *no* diagnóstico está materialmente averiguado pelo decurso ulterior de sete anos de serviço ativo." (Rui, *Queda do Império,* I, 212.)

Erudição — *em:*
"Revelou grande erudição *em* assuntos paleontológicos."

Erudito — *em:*
"Não me pareceu muito erudito *em* antiguidade egípcia."

Ervado — *em:*
"Injúrias em barda, substantivos ervados *na* peçonha dos adjetivos, muito sarcasmo de esfolar o corpo e a alma, e pouquíssima gramática." (Camilo, *Boêmia do Espírito,* 414.)

Esbulhado — *de:*
"Esbulhado, em S. Paulo, *do* direito de falar aos seus comprovincianos, pela polícia de Bragança...." (Rui, *Queda do Império,* I, 157.) "Sofreu penúrias no cárcere, porque foi esbulhado *de* suas rendas." (Camilo, *Boêmia do Espírito,* 125.)

Esbulho — *de:*
"O esbulho *da* posse, *do* direito, *do* privilégio, *da* herança." (Constâncio.)

Esburacado — *de, por:*
"Um casarão esburacado *de* retângulos de vidraça." (Fialho de Almeida, *Os Gatos,* 256.)
"E o Governador estremeceu todo, ... caído por sua vez com o peito esburacado *pelo* bacamarte." (Alberto Rangel, *Fura-Mundo,* 114.)

Escala — *por:*

"Os paquetes fazem escala *por* diversos portos." *(Enciclopédia e Dicionário Internacional.)* "Dali por diante caminhou no deserto com escalas *por* Caraibinhas, Mary, Mucambo, Rancharia e outros pontos." (E. da Cunha, *Os Sertões,* 229.)

Escalavrado — *em:*

"Que fazem os sábios para restaurar a França escalavrada *na* sua dignidade e *no* seu território?" (Camilo, *Boêmia do Espírito,* 76.)

Escaldado — *com, de:*

"Estava escaldado *com* tantos contratempos e começava a precaver-se até contra os amigos." (Guilhermino Cesar, *Sul,* 141.)

"Estava escaldado *d*estes desastres." (Dic. de Morais.) "Escaldado *de* trabalhos e consumições." (Fr. D. Vieira.)

Escancarado — *a:*

"A fronteira oceânica é uma porta escancarada *a* todas as incursões." (Rui, *Cartas de Inglaterra,* 162.)

Escanchado — *em, sobre:*

"Era um retirante que levava a mãe inválida escanchada *no* pescoço." (J. Américo de Almeida, *A Bagaceira,* 31.) "D. Polônia cavalgava escanchada *num* burro bargueiro, os cabelos desfeitos nos ombros por desatados da rodilha do coque." (Alberto Rangel, *Fura-Mundo,* 102.)

"Escanchado *sobre* o muro."

Escandalizado — *com, de, por:*

"Ficou escandalizado *com* as palavras que ouviu."

"O barulho do ajuntamento tomou a ambos no redemoinho e separou os comentistas, escandalizados *do* atropelo." (Alberto Rangel, *Fura-Mundo,* 91.)

"Saiu escandalizado *pela* resposta que obteve."

Escapado — *a, de:*

"Levar as águias vencedoras pela Europa era passear as idéias novas escapadas *ao* naufrágio da revolução." (Latino Coelho, *apud* Aulete.)

"Um negociante que esteve na prisão e sabe de todos os falidos fraudulentos *d*ela escapados e que honram a nossa praça." (Afrânio Peixoto, *A Esfinge,* 337.)

Escape — *a:*

"Em último caso, eram um escape *à* salvação." (E. da Cunha, *Os Sertões,* 549.)

Escapo — *a, de:*

"A população indígena, aliada aos raros mocambeiros foragidos, brancos escapos *à* justiça ou aventureiros audazes, persistiu dominante." (E. da Cunha, *Os Sertões,* 104.)

"Antes de plantar, porém, com os grossos galhos escapos *do* fogo faz-se a cerca." (Gustavo Barroso, *Terra de Sol,* 62.)

Escaramuça — *com, contra:*

"Não se verificou sequer uma escaramuça *com* o inimigo." "As reformas que ele fizera no direito canônico foram abolidas, e eram essas as que levantaram D. Manuel do abatimento em que ficara prostrado e escarnecido nas primeiras escaramuças *com* a cúria." (Camilo, *Boêmia do Espírito,* 296.)

"Apenas conseguiu algumas escassas vitórias na escaramuça *contra* uma ou outra palavra, mas deixou intata a semântica." (João Ribeiro, *Curiosidades Verbais,* 100.)

Escarmentado — *com, de:*

"Escarmentado *com* exemplos, castigos, sofrimentos." (Fr. D. Vieira.)

"Escarmentado *de* ou *com* castigos." (Constâncio.)

Escarnecido — *com, de, por:*

"Afinal, certa ocasião, sentindo-se escarnecido *com* essa protelação indefinida, o pobre diabo não se conteve diante da afirmação do Papa e teve uma exclamação enérgica." (Medeiros e Albuquerque, *Quando Eu Era Vivo,* 257.)

"Foi enganado e escarnecido *de* todos."

"País comido de dívidas, roubado e escarnecido *pelos* sem aliados." (Fialho de Almeida *Os Gatos,* 94.)

Escárnio — *a, de:*

"Sorria de uma maneira, que então me parecia uma súplica de piedade, e hoje me parece um escárnio *às* minhas agonias." (Camilo, *Mistérios de Lisboa,* II, 200.)

"As justiças zombavam dele como de todos os encarcerados; mas, com este preso, o escárnio era mais *de* quebrar ânimo e esperanças, porque era D. João IV quem escarnecia." (Camilo, *Boêmia do Espírito,* 342.)

Escarranchado — *a, em, sobre:*

"Caminhavam balbuciando, algumas com os filhos ao colo ou escarranchados *ao* flanco." (C. Neto, *apud* L. Freire.)

"Gostava todavia de ler ou conversar, escarranchado *na* rede durante horas esquecidas." (Aluísio Azevedo, *O Mulato,* 96.)

"Escarranchado *sobre* a cavalgadura, *sobre* o peitoril da janela."

Escasseado — *de:*

"Aí começou a publicação de suas obras em nova e esmerada edição; mas, escasseado *de* recursos e protetores, levantou mão deste consolador recreio." (Camilo, *Boêmia do Espírito,* 127.)

Escassez — *de:*

"Escassez *de* mantimentos. Escassez *de* inteligência." (Aulete.) "É a mesma escassez *de* aptidões nativas, sublinhada pela mesma ausênsia de cultura literária e filosófica." (Fialho de Almeida, *Os Gatos,* 127.)

Escasso — *de:*
"Em 1858 o cego, escasso *de* posses, escorregava na ladeira da pobreza." (Camilo, *Novelas do Minho,* I, 158.) "A poesia deles, escassa *de* ideal, agarrada ao exagero plástico, insistindo no contorno exterior das coisas ...." (Fialho de Almeida, *Os Gatos,* 242.) "Miss Dollar é uma inglesa pálida e delgada, escassa *de* carnes e de sangue, abrindo à flor do rosto dois grandes olhos azuis e sacudindo ao vento umas longas tranças louras." (M. de Assis, *Contos Fluminenses,* 1.)

Esclarecido — *por, sobre:*
"Entendimento esclarecido *pela* doutrina." (Morais.) "Talvez esclarecidos *pelo* reconhecimento feito, os jagunços se dispusessem a refregas mais sérias." (E. da Cunha, *Os Sertões,* 389.)
"Instintivamente esclarecido *sobre* a natureza precária dos resultados da guerra, encarnou as suas ambições no trabalho, na paz, na invenção e na perseverança." (Rui, *Cartas de Inglaterra,* 49.)

Esclarecimento — *acerca de, de, sobre:*
"O mesmo senhor procura esclarecimento *acerca do* significado da palavra 'vila'." (Mário Barreto, *Através do Dicionário e da Gramática,* 307.)
"Não me parece fácil o esclarecimento *d*este caso."
"Alcançar esclarecimentos *sobre* a existência de uma mulher que, um ano antes, desaparecera, sem deixar vestígios do seu destino." (Camilo, *Mistérios de Lisboa,* II, 124.) "Queria ver se conseguia arrancar de Manuel algum esclarecimento positivo *sobre* os seus antepassados." (Aluísio Azevedo, *O Mulato,* 218.)

Escolha — *de, em, entre:*
"A escolha *de* palavras no discurso." (Morais.) "Fez boa escolha *de* termos, *de* pinturas." (Constâncio.)
"Fazer uma boa escolha *nos* objetos que lhe foram apresentados, *nos* alvitres que se lhe fizeram." (Fr. D. Vieira.)
"O uso clássico, na escolha *entre* o 'em' e o 'a', está freqüentemente ao revés do uso comum em nossos dias." (Rui, *Réplica,* 217.)

Escolhido — *entre, para, por:*
"Trocamos isso por um presidente escolhido *entre* os oligarcas do Senado, da Câmara, dos Estados, das classes armadas." (Afrânio Peixoto, *A Esfinge,* 393.)
"Em Canudos saberiam da estrada escolhida *para* a linha de operações com antecedência bastante para se fortificarem os seus trechos mais difíceis." (E. da Cunha, *Os Sertões,* 261.)
"Fora dos últimos senadores da monarquia, escolhidos *pela* coroa." (Afrânio Peixoto, *A Esfinge,* 80.)

Escoltado — *de, por:*
"Foi sobre a cabeça do réprobo, escoltado *de* espectros, que a inspirada oração de Júlio Farre ousou acabar." (Rui, *Cartas Políticas e Literárias,* 232.)
"Navios escoltados *por* uma fragata." (Morais.) "Lá vão os felizes, escoltados *por* suas mesmas virtudes." (Camilo, *O Bem e o Mal,* 133.)

Escondido — *a, de, em, entre, por, sob:*
"Não falou do fogo elementar, porque está escondido *a* nossos olhos." (Vieira, *Sermões,* IX, 171.) "Eu era a confidente única das suas atribulações, escondidas *a* todos." (Camilo, *As Três Irmãs,* 207.)
"Praticar um ato escondido *de* alguém." (Fr. D. Vieira.)
"Um trilho meio escondido *nos* arbustos. (Rebelo da Silva, *Contos e Lendas,* 159.) "Seu avô tinha estado escondido *em* Lisboa antes de passar à província." (Camilo, *Perfil do Marquês de Pombal,* 55.)
"Estava eu sozinho e escondido *entre* as faias que sombreavam o fundo do quintal." (Camilo, *Mistérios de Lisboa,* I, 19.) "Minha mãe soluçava, debulhada em lágrimas, com os cabelos desgrenhados, e a face escondida *entre* as mãos." (Idem, *ibidem,* 223.)
"Além do rio Charente, está uma estalagem na orla da montanha, isolada, quase escondida *pelos* castanheiros seculares que lhe formavam uma abóbada de folhagem." (Camilo, *Livro Negro,* 218.) "Vendo os sofrimentos do povo, escorchado *pelo* fisco real, sonharam com a libertação da pátria." (*Maravilhas do Conhecimento Humano,* I, 167.)
"A cobra estava escondida *sob* os ramos."

Escorado — *em:*
"Ruinarias escoradas *no* ar por um prodígio da cenografia trágica." (Fialho de Almeida, *Os Gatos,* 267.) "Olímpica e feroz, o próprio gênio da maternidade e da pátria, escorada *em* peitos de bronze e fundamentos de granito." (Alberto Rangel, *Fura-Mundo,* 104.)

Escoriado — *de:*
"Ouvimo-las espumejar dos lábios roxos o nome dos maridos por entre o acre do álcool. Vimo-las escoriadas *de* esfoliações no rosto." (Camilo, *Boêmia do Espírito,* 166.)

Escoteiro — *de:*
"Pareceu-me ver na diversidade dos assuntos deste livro alguma coisa do desalinho e extravagância da peregrinação desses lendários engenhos, tão escoteiros *de* bagagem como *de* ciência." (Camilo, *Boêmia do Espírito,* VI.)

Escravidão — *a:*
"A marca porventura vislumbrada nas suas obras é a de Rodin, sem que isso denote absolutamente escravidão *ao* velho deus barbudo e bárbaro do Hotel Piron." (Herman Lima,

Outros Céus, Outros Mares, 233.) ''Conduzido pelo demônio, *a* quem está escravizado, Fausto apaixona-se pela bela Margarida, engana-a e depois abandona-a ao seu destino.'' (*Maravilhas do Conhecimento Humano,* II, 75.)

Escravo — *de, por:*

''Escravo *d*os vícios, paixões.'' (Morais.) ''Escravos *d*a sua honra pontual, não quebrantaram os votos de neutralidade.'' (Camilo, *Mistérios de Lisboa,* I, 204.)

''Livre pela prerrogativa do seu berço, escrava *pel*a violência do seu amor.'' (Mário Barreto, *Cartas Persas,* 9.)

Escrito — *a, em, para, por:*

''A carta, escrita *a* lápis, dizia assim:...'' (Camilo, *Mistérios de Lisboa,* I, 39.) ''Era uma carta, duas cartas, trinta cartas anônimas escritas *ao* Duque de Cliton, vexando-o pela condescendência infame com os amores de sua mulher.'' (Camilo, *Livro Negro,* 189.)

''Leva porém a morte escrita *no* rosto.'' (Rebelo da Silva, *Contos e Lendas,* 37.)

''Livros cristalinamente escritos *para* longas leituras da vida repousada.'' (Fialho de Almeida, *Os Gatos,* 223.) ''Carta escrita *para* Lisboa.''

''Admirável língua antiga e moderna, escrita *por* letrados, oralizada pelo povo.'' (Antero de Figueiredo, *Jornadas em Portugal,* 49.) ''Paulo, que se aproximava, viu ainda o 'carnet' escrito *por* letras diversas.'' (Afrânio Peixoto, *A Esfinge,* 76.)

Escrúpulo — *com, de, em:*

''Complacência, e não escrúpulo *com* as neologias, é a divisa e a empresa de armas deste paladino da vernaculidade.'' (Rui, *Réplica,* 340.)

''Um historiador sem escrúpulos *d*a história, prestou às relações de Nun'Álvares, pequenas tiradas borboleantes de folhetineiro mal amanhado ....'' (Fialho de Almeida, *Os Gatos,* 213.) ''Saberia, se tivesse o escrúpulo *de* raciocinar e a lealdade de concluir, que, sendo as finanças desse administrador um conjunto sistemático de medidas ....'' (Rui, *Colunas de Fogo,* 110.)

''Jogador que tem escrúpulo *em* deitar a perder uma milionésima probabilidade de ganhar vaza.'' (Aquilino Ribeiro, *A Batalha sem Fim,* 95.) ''Eu não sou usurário; tenho escrúpulo *em* receber tanto ouro por tão pouco trabalho.'' (Camilo, *Mistérios de Lisboa,* I, 201.)

Escrupuloso — *de, em:*

''Nenhum analista mais inteligente e escrupuloso *d*as coisas do nosso idioma conheço eu que Sotero dos Reis.'' (Rui, *Réplica,* 249.)

''Escrupuloso *no* cumprimento dos seus deveres.'' (Fr. D. Vieira.) ''Duas velhas já me disseram que eu sou pouco escrupuloso *em* revelar fraquezas.'' (Camilo, *Cenas da Foz,* 105.) ''Como escritor é dos mais escrupulosos *no* purismo, e dos mais coloristas na uberdade eflorescente de riquezas e novidades na elocução.'' (Camilo, *Boêmia do Espírito,* 212.)

Escudado — *com, de, contra, em:*

''Escudado *com* razões, argumentos.'' (Cf. Constâncio, *escudar.*)

''Refletindo maduramente no sucesso, chegou até a convencer-se de que a duquesa, na sua ausência, ficava perfeitamente escudada *d*os tiros da calúnia.'' (Camilo, *Livro Negro,* 95.)

''Escudado *contra* a calúnia.''

''Se querem fundar a onipotência real do executivo, escudada *na* aparente onipotência do congresso, principiem por abolir virtualmente a constituição, fechando os tribunais.'' (Rui, *Cartas de Inglaterra,* 384.)

Esculpido — *em:*

''Série de saliências de pedra, empilhando-se umas por cima das outras, de lado e de frente, qual gigantesca escadaria esculpida *na* rocha.'' (*Maravilhas do Conhecimento Humano,* I, 5.)

Esfarpelado — *de:*

''A mesa de pau-santo com o pano verde esfarpelado e poído *do* atrito dos cruzados-novos, nas infandas noites de tavolagem.'' (Camilo, *Boêmia do Espírito,* 18.)

Esforço — *contra, de, em, em favor de, para, por, sobre:*

''Raramente tentam qualquer esforço *contra* os carrapatos e as doenças do gado.'' (Gustavo Barroso, *Terra de Sol,* 50.)

''A índole incoerente, desigual e revolta do mestiço, como que denota um íntimo e intenso esforço *de* eliminação dos atributos que lhe impedem a vida num meio mais adiantado e complexo.'' (E. da Cunha, *Os Sertões,* 110.) ''Vive num esforço contínuo *de* aparentar riqueza, inteligência, espírito.'' (Afrânio Peixoto, *A Esfinge,* 87.)

''Todo o seu esforço *em* resignar-se era baldado.'' (Camilo, *A Neta do Arcediago,* 59.)

''Os esforços inaugurais da nossa medicina *em favor d*a bacteriologia.'' (Ricardo Jorge, *Sermões dum Leigo,* 283.)

''Fazendo um derradeiro esforço *para* solevantar a fronte.'' (Herculano, *O Monge de Cister,* II, 195.) ''Se é possível esquecê-lo, empregarei todos os esforços *para* isso.'' (Camilo, *A Neta do Arcediago,* 42.) ''Um shrapnell emperrara na alma de um dos canhões, resistindo a todos os esforços *para* a extração.'' (E. da Cunha, *Os Sertões,* 275.)

''Se os adversários levam pequena vantagem, já não faz esforço *por* alcançá-los.'' (Afrânio Peixoto, *A Esfinge,* 36.) ''Auxiliou os esforços do ministro americano em Londres *pela* captura do assassino de Lincoln.'' (Rui, *Colunas de Fogo,* 221.)

''Faz um esforço *sobre* a sua vontade caprichosa *para* ceder aos dois amigos, que a conduzem a respirar nas salas um ar novo." (Camilo, *Mistérios de Lisboa*, III, 177.) "Todavia fiz um esforço *sobre* mim e fui sentar-me, então mais séria que nunca." (M. de Assis, *Contos Fluminenses*, 202.)

Esfuziante — *de:*
"Ora em dialética cerrada, ilaqueando o contendor nas volutas da argumentação; ora esfuziante *de* graça, tão peculiar à sua feição." (Ricardo Jorge, *Sermões dum Leigo*, 14.)

Esgalgado — *de, por:*
"Relincham os cavalos esgalgados *de* sede." (Gustavo Barroso, *Terra de Sol*, 35.) "Esgalgado *de* corpo e sempre esmerado em abotoar-se no traje de rigor." (Alberto Rangel, *Fura-Mundo*, 40.)
"Esgalgado *pela* abstinência prolongada."

Esgarrado — *de:*
"A bestialidade ficaria adstrita ao infamador, esgarrado *do* bom senso." (Camilo, *Boêmia do Espírito*, 266.)

Esgotado — *de, por:*
"Veio procurando, esgotado *de* fadiga e de tensão nervosa, a Rua Pedro Américo." (Afrânio Peixoto, *A Esfinge*, 390.) "E Brás Bueno tartamudeou, esgotado *de* recursos, que lhe atenuassem ou disfarçassem as culpas incontrastáveis." (Alberto Rangel, *Fura-Mundo*, 279.)
"O senhor está esgotado *por* esta vida trepidante da cidade." (Gastão Cruls, *História Puxa História*, 14.) "Para a sede inaturável, que resulta da quase completa depleção das veias esgotadas *pelo* suor, encontraram-se .... alguns litros de água." (E. da Cunha, *Os Sertões*, 316.)

Esmagado — *de, em, por:*
"Roma esmagada *dos* pés dos bárbaros." (Dic. de Morais.)
"E divisaram o boqueirão .... golfando as lufadas que engolia, com um pedaço do sol do ocaso, esmagado *nas* mandíbulas anfractuosas." (J. Américo de Almeida, *O Boqueirão*, 134.) "A duquesa .... a apontava a saída da sala a Alberto, esmagado *no* seu orgulho, entorpecido em todas as faculdades morais." (Camilo, *Mistérios de Lisboa*, III, 11.)
"Eram as sepulturas de marido e mulher, mortos esta da úlcera antiga que lhe lavrava na garganta, e aquele esmagado *pela* jaraguara que tombara no roçado." (Alberto Rangel, *Fura-Mundo*, 227.) "Quando se sentia esmagado *por* um insucesso, Rui procurava, tanto quanto possível, mostrar-se superior ao revés." (Luiz Viana Filho, *A Vida de Rui Barbosa*, 107.)

Esmaltado — *com, de:*
"Vitórias esmaltadas *com* troféus." (Morais.) — P. usado.
"Sacou uma caixeta redonda, de tartaruga, esmaltada *de* prata." (Alberto Rangel, *Fura-Mundo*, 306.) "Toda a sua vida está esmaltada *de* generosas ações." (Mário Barreto, *Cartas Persas*, 140.) "Apareceu, por sua vez, a bodegueira, trazendo um bule com café, três casais de xícaras de ruim louça, esmaltada *de* flores vermelhas, um pires com açúcar escuro mascavado e algumas roscas e bolachas, duras como pedra." (Domingos Olímpio, *Luzia-Homem*, 221.)

Esmerado — *em, quanto a:*
"Esgalgado de corpo e sempre esmerado *em* abotoar-se no traje de rigor." (Alberto Rangel, *Fura-Mundo*, 40.)
"Castilho .... foi, sem dúvida, um dos escritores mais esmerados *quanto à* pureza de linguagem." (Mário Barreto, *Cartas Persas*, XXII.)

Esmero — *de, em:*
"Esmeros *de* estilo." (Aulete.)
"Esmero *no* estilo; esmero *no* trajar."

Esmorecido — *com, por:*
"Se alguma coisa ainda me eleva o ânimo esmorecido *com* as misérias de nossa política interna, é o espetáculo dessa luta de gigantes." (Rui, *apud* L. Viana Filho, *A Vida de Rui Barbosa*, 262.)
"E os ádvenas quedaram-se esmorecidos *pelo* repouso momentâneo." (J. Américo de Almeida, *A Bagaceira*, 16.)

Espaço — *de:*
"— Meus amigos, como no pouco tempo, que vos paroquiei, não houve espaço *de* mostrar meus vícios, saio de entre vós sem vos deixar má nota, escândalo, ou desamor." (Camilo, *O Bem e o Mal*, 115.)

Espalhado — *a, ao redor de, em, por, sobre:*
"Notícia espalhada *aos* quatro ventos."
"Calúnias espalhadas *ao redor do* vosso nome." (Fialho de Almeida, *Os Gatos*, 85.)
"O feijão apanhado é espalhado *no* barro do terreiro, ao sol, para secar." (Gustavo Barroso, *Terra de Sol*, 63.) "Micas miúdas espalhadas *na* rugosa e dura face dos grandes pedregais de granito cinzento." (Idem, *ibidem*, 147.)
"Daí o grande êxito de certas palavras pedidas de empréstimo e que estão hoje espalhadas *por* toda a parte." (Mário Barreto, *Através do Dicionário e da Gramática*, 67.) "Dão (os cereus) a ilusão emocionante de círios enormes, fincados a esmo no solo, espalhados *pelas* chapadas, e acesos." (E. da Cunha, *Os Sertões*, 43.)
"Flores espalhadas *sobre* o altar."

Espantado — *com, de, diante de, por:*
"Ficou espantado *com* a notícia." (Constâncio.) "No fundo, o velho estava espantado *com* o sucesso." (J. Lins do Rego, *Usina*, 168.) "Passos ficou espantado *com* o meu topete." (Medeiros e Albuquerque, *Quando Eu Era Vivo*, 190.)

"O conde espantado *de* não ver a seu lado a inseparável companheira ...., procurava-a ansiadamente em todas as direções." (Camilo, *Mistérios de Lisboa,* I, 155.) "Espantado *de* tão violenta simpatia, meu pai bem teria desejado casar-nos." (Mário Barreto, *Cartas Persas,* 140.) "O Sr. Rui de Nelas, apenas me ouviu, escreveu a declaração que conteúda remeto, e mostrou-se espantado *de* que a calúnia propale o que ele nunca disse." (Camilo, *O Bem e o Mal,* 124.)

"Os mexicanos ficaram tão espantados *diante d*aquele brutal assassínio, que abandonaram o lugar precipitadamente." (*Maravilhas do Conhecimento Humano,* 120.)

"Era o lugar clássico do estouro das boiadas e da dispersão dos cargueiros, espantados *pel*os tiroteios vivos." (E. da Cunha, *Os Sertões,* 493.)

Espanto — *ante, de, para:*

"Tivemos um espanto comprometedor *ante* aquelas aberrações monstruosas." (E. da Cunha, *Os Sertões,* 205.)

"Acrescentou o capitão-mor, arregaçando a queixada inferior, como sinal de seu espanto e mágoa *de* ver ultrajado um homem de bem." (Camilo, *A Enjeitada,* 85.) "Dama que na corte era espanto *de* formosura." (Fr. D. Vieira.)

"A nova de sua chegada foi *para* nós um espanto." (Aulete.) "As pirâmides do Egito, os seus colossais obeliscos e os antigos templos do Indostão são objetos de espanto *para* todo o viajante." (Constâncio.)

Esparso — *em, por, sobre:*

"Ilusão maravilhosa de um seio de mar, largo, irisado, sobre que caísse, e refrangesse, e ressaltasse a luz esparsa *em* cintilações ofuscantes...." (E. da Cunha, *Os Sertões,* 31.)

"Então os terrenos da extrema setentrional da Bahia, que se resumiam nos cachopos de quartzito de Monte Santo, e visos da Itiúba, esparsos *pel*as águas, avolumaram-se, num acender contínuo." (E. da Cunha, *Os Sertões,* 20.)

"Pelos dias ardentes, viam-se os sertanejos, esparsos *sobre* o alto dos cerros e a ourela dos caminhos, rolando, carregando ou amontoando pedras." (E. da Cunha, *Os Sertões,* 307.)

Especial — *a:*

"Consagraram, no seu idioma, um vocábulo especial *a* exprimir o respeito e lealdade da nação à coroa." (Rui, *Queda do Império,* I, 261.) "Fato fisiológico especial *a*o outro sexo." (Idem, *Réplica,* 134.)

Especialista — *de, em:*

"Mas o especialista *d*as ladainhas teve de interromper o seu entusiasmo." (Aluísio Azevedo, *O Mulato,* 193.) "Felismino Patureba, especialista *de* moléstias das senhoras, para o servir." (C. Neto, *apud* L. Freire.)

"Esta guerra — escreve um especialista *n*o assunto — derramou abundante luz sobre o confronto entre o sistema de fortificações terrestres e o da preponderância no mar." (Rui, *Cartas de Inglaterra,* 196.) "Especialista *em* doenças do peito." (Medeiros e Albuquerque, *Quando Eu Era Vivo,* 56.)

Especializado — *em:*

"Quer os especializados *n*os misteres de perfuração e conservação dos poços e galerias, quer os dados à extração dos minerais, todos lidam com o auxílio dos motores inanimados." (Rui, *Campanha Presidencial,* 137.) "— Também eu — apressara-se Cecília a dizer — não sabia que ela (casa) existia. Mas recomendaram-ma como especializada *em* jóias antigas." (Ferreira de Castro, *A Tempestade,* 34.)

Específico — *a:*

"Longe, portanto, de ser .... designação específica *à* modalidade gramatical em que o douto filólogo a circunscreve, é o nome comum a todas aquelas onde se note esse mútuo pendor entre dois elementos da oração." (Rui, *Réplica,* 153.)

Especulação — *com, de, sobre:*

"Muitos têm enriquecido entregando-se à especulação *com* gêneros de primeira necessidade."

"Foi mui proveitosa a especulação *d*a importação do salitre naquela conjuntura." (Constâncio.)

"Especulação *sobre* a alta ou baixa dos fundos públicos." (Aulete.)

Espelhado — *em:*

"Carlota Corday iluminou-se de formosura mística ao ver-se espelhada *n*o aço do alfanje." (Camilo, *O Bem e o Mal,* 188.)

Esperança — *de, em, para, sobre:*

"Alimenta a todo o transe esperanças *de* uma resistência impossível." (E. da Cunha, *Os Sertões,* 133.) "Arriscavam a vida, sem esperança *de* prêmio, por um sentimento de humanidade." (Rui, *Queda do Império,* I, 353.) "Fico com a secreta esperança *de* que, com os elementos de que disponho, um dia ainda hei de resolver o problema." (Erico Verissimo, *Saga,* 120.)

"Nenhum deles proferiu jamais uma palavra de esperança *n*o bom êxito dos projetos pacificadores do seu soberano." (Rui, *Colunas de Fogo,* 84.) "Tenho esperança *em* Deus, que é pai, e *em* mim, que hei de ser para a menina o que seria para uma filha." (Camilo, *A Neta do Arcediago,* 69.) "Tudo o mais em teu bem me é vedado, salvo aconselhar-te paciência e esperança *n*a bondade divina." (Idem, *A Enjeitada,* 100.)

"Carlyle .... liga-lhe o nome ao bronze clássico da sua obra. Que esperança *para* outros concorrentes à mesma espécie de celebridade!" (Rui, *Cartas de Inglaterra,* 241.)

"— É fato! insistiu Amâncio, aborrecido já com aquela troça do companheiro, mas ao mesmo tempo feliz por imaginar que as suas esperanças *sobre* a rapariga eram perfeitamente justificáveis.'' (Aluísio Azevedo, *Casa de Pensão,* 219.)

Esperançado — *de, em:*

''Os cargueiros das tropas, ao darem com o rancho, trotavam para lá, esperançados *de* pouso, bufando, atropelando-se.'' (Afonso Arinos, *Pelo Sertão,* 8.)

''De quantas pessoas consulto e reconsulto, esperançado *em* me auxiliarem, não obtenho melhor resultado.'' (Rui, *Réplica,* 110.) ''Esperançada *nas* promessas de Álvaro, desfazia os últimos lençóis para fazer camisas, que seu filho levasse para a África.'' (Camilo, *apud* L. Freire.)

Esperançoso — *de, em:*

''As escassas economias de Maria, sempre esperançosa *de* comprar a quinta lá para o fim da vida, deu-as do mealheiro para o grande aumento das despesas.'' (Camilo, *As Três Irmãs,* 190.) ''O coração estava ainda viçoso, florido e esperançoso *de* frutos que por fim apodreceram antes de sazonar.'' (Idem, *Cenas da Foz,* 125.)

''Já vedes que há muitas agonias ao mesmo tempo, veladas pelo mesmo Deus, e esperançosas *na* mesma eternidade.'' (Camilo, *Mistérios de Lisboa,* II, 161.) ''Voltei mais enfermo de saudades, e esperançoso *na* orfandade de Jerônima.'' (Idem, *As Três Irmãs,* 167.)

Espertado — *por:*

''E eu, espertado *pelos* espinhos da cruel verdade experimental, sou mau sonâmbulo. Vejo a natureza e o mundo até onde a ciência implantou as balizas do compreensível.'' (Camilo, *Boêmia do Espírito,* 343.)

Esperteza — *de:*

''Saberia, se tivesse a lisura de lembrar-se, em vez da esperteza *de* esquecer.'' (Rui, *Colunas de Fogo,* 111.)

Esporeado — *por:*

''Espreitaram todos os escuros do arvoredo, chamando-a a brados. O fidalgo, esporeado *por* diabólica suspeita, correu à porta do carro, e achou-a aberta.'' (Camilo, *O Bem e o Mal,* 90.)

Esplêndido — *de:*

''É uma sultana do tipo arquitetural das raças nobres, de cabecinha pequena, perfil inteligente, toucada de luxo e esplêndida *de* jóias.'' (Fialho de Almeida, *Os Gatos,* 287.)

Esporte — *de:*

''Para os gregos era o teatro um dos favoritos esportes *do* ar livre.'' (*Maravilhas do Conhecimento Humano,* 37.)

Esquecido — *de, em, por:*

''Esquecido *dos* favores.'' (E. Carneiro Ribeiro, *Serões Gramaticais,* 674.) ''Esquecida *do* mundo mau e das preferências injustas, fez subir do teclado a melodia ardente e íntima da 'Sonata Patética'.'' (Afrânio Peixoto, *A Esfinge,* 66.) ''Os meus condiscípulos, esses pareciam esquecidos *do* meu infeliz nome.'' (Camilo, *Mistérios de Lisboa,* I, 30.)

''Velhíssima cópia das vetustas quadras dos fossados ou arrancadas noturnas, na Península, contra os castelos árabes (a encamisada), e de todo esquecida *na* terra onde nasceu .... '' (E. da Cunha, *Os Sertões,* 130.)

''Esquecida talvez *pelos* próprios miseráveis que ela cobriu de benefícios.'' (Fialho de Almeida, *Os Gatos,* 68.) ''Cumpre ter em consideração a etimologia dum vocábulo unicamente na medida em que tal etimologia não está esquecida *pelos* que falam a língua.'' (Mário Barreto, *Através do Dicionário e da Gramática,* 339.)

Esquecimento — *de, em:*

''Esquecimento *das* injúrias.'' (E. Carneiro Ribeiro, *Serões Gramaticais,* 668.)

''Teve um esquecimento *num* braço.'' (Aulete.)

Esquivança — *a:*

''Sou irresponsável da minha esquivança *às* carícias ardentes dessa pessoa.'' (Camilo, *Boêmia do Espírito,* 156.)

Esquivo — *a, de, em:*

''Repulsemos idéias que me fariam esquivo *à* gratidão.'' (Camilo, *Amores do Diabo,* 120.) ''Mas aquela alma, que parecia tão meiga, ... achou-a ele indomável e esquiva *a* tanto amor.'' (Herculano, *O Bobo,* 71.)

''O Duque de Bragança não era esquivo *destas* gratificações aos que lhe tinham cingido o diadema, à força de covardia, que a história abjeta chamou prudência.'' (Camilo, *Boêmia do Espírito,* 128.)

''Terna (a língua portuguesa) para lirismos, altiloqüente nas estrofes das epopéias sonoras, esquiva *no* diálogo curto.'' (Antero de Figueiredo, *Jornadas em Portugal,* 47.)

Essencial — *a, de, em, para:*

''A posse inglesa da Índia e o ascendente inglês na China constituem uma das bases essenciais *a* essa preponderância benfazeja.'' (Rui, *Cartas de Inglaterra,* 118.) ''Quando, pois, se trata de associações fônicas essenciais *ao* jogo do idioma, não se podem tachar de viciosas.'' (Idem, *Réplica,* 394.)

''Partes constituintes essenciais *duma* rocha.'' (Fr. D. Vieira.) ''Propriedades essenciais *da* matéria, a extensão e a impenetrabilidade que bastam por si sós para defini-la.'' (Aulete.)

''A emoção é essencial *na* arte.'' (Antero de Figueiredo, *Amor Supremo,* 47.) ''A razão é essencial *no* homem.'' (Séguier.)

''Será tudo, será mesmo o essencial *para* a felicidade o ter um esposo e ter filhos.'' (Castilho, *apud* Aulete.) ''Acredita-se que a independência da Áustria seja essencial *para* a paz européia.'' (*Maravilhas do Conhecimento Humano,* I, 94.)

Estabelecido — *a, como, em, por, para:* "Mesadas estabelecidas *a* cada filho." (Constâncio.) "Mas somente quase dois mil anos mais tarde é que este fato foi estabelecido *como* uma definitiva lei da natureza." (*Maravilhas do Conhecimento Humano,* I, 269.) "Amas Corina, como um inglês estabelecido *nas* Antilhas amaria sua noiva, que ele nunca viu, estabelecida *em* Londres." (Camilo, *Estrelas Propícias,* 61.) "Corresponde (a pena) à do desterro, estabelecida *pelos* tribunais *para* separar da sociedade os delinqüentes." (Mário Barreto, *Cartas Persas,* 199.)

Estabelecimento — *de, em:* "Estabelecimento *de* governo, leis, impostos." (Constâncio.) "O estabelecimento *do* regime liberal." (Aulete.) "História da origem e estabelecimento *da* Inquisição *em* Portugal." (Herculano.)

Estacionamento — *em:* "É proibido o estacionamento *nesse* local."

Estada — *em:* "Comentei eu, com a recordação bem viva do lindo palminho de cara que, alguns anos antes, quando da minha primeira estada *no* Rio Grande do Norte, me preparava, na casa do Sr. Pádua, saborosíssimo cuscuz para o café da manhã." (Gastão Cruls, *Ao Embalo da Rede,* 19.)

Estadia — *em:* "É de poucas horas a estadia deste navio *em* Natal."

Estampado — *a, em:* "Com os cordovões ou couros de que há espécimes tão belos em vermelho e preto, estampados *a* ouro de alto relevo, o mesmo sucedia." (Fialho de Almeida, *Os Gatos,* 309.) "Os excertos de cartas estampados *nos* jornais nenhuma responsabilidade estabelecem entre os signatários desses papéis." (Rui, *Cartas Políticas e Literárias,* 72.) "Beta alvacenta estampada *no* tapete escuro das sarças." (Herculano, *Eurico,* 205.)

Estarrecido — *ante, com, por:* "Floresta de mistérios, cultivados pela ciência dos magos e pelo pasmo das almas estarrecidas *ante* o desconhecido." (Antero de Figueiredo, *Jornadas em Portugal,* 86.) "Ficou estarrecido *com* o que ouviu." "O meu supercivilizado príncipe estacou, estarrecido *pelo* desconforto." (Eça, *A Cidade e as Serras,* 197.)

Estátua — *de:* "A estátua *de* Sousa Martins aí fica ereta como paládio vingador contra essa raça funesta de charlatães." (Ricardo Jorge, *Sermões dum Leigo,* 33.) "A estátua *de* Apolo foi derrubada por um terremoto e seus restos vendidos como caliça, pelos negociantes de camelos do Oriente." (*Maravilhas do Conhecimento Humano,* I, 17.)

Esteado — *com, em:* "Império esteado *com* o apoio da religião." "São lugares em que se normalizou a desordem esteada *no* banditismo disciplinado." (E. da Cunha, *Os Sertões,* 221.)

Esteio — *a, de:* "Esta apreciação vem em esteio *à* defesa da nossa polícia, amuada contra as manifestações pacíficas." (Rui, *Colunas de Fogo,* 13.) "O clero regular durante a Idade Média foi inegavelmente o esteio mais seguro *das* ciências e das letras." (Latino Coelho, *apud* Aulete.)

Estendido — *a, de, em, para, por, sobre:* "Protestou contra a qualificação de crime estendida *à* heresia e ao sacrilégio, dependentes só da autoridade religiosa." (Mário Barreto, *Cartas Persas,* XXXIV.) "Penetrava a bordo a multidão, por uma prancha estendida *do* cais *à* amurada." (Afrânio Peixoto, *A Esfinge,* 221.) "Topou o Eudóxio estendido *na* eira, à borda de casa, com o chapéu de palha nos olhos." (Aquilino Ribeiro, *A Batalha sem Fim,* 99.) "E Valentim saiu, ao desbarato, pela soalheira estendida *nas* estradas que iam desaparecendo nas várzeas nuas." (J. Américo de Almeida, *A Bagaceira,* 52.) "Os três outros, que se mantinham cabisbaixos, com as mãos estendidas *para* o fogo, aprumaram-se improvisamente." (C. Neto, *Imortalidade,* 19.) "Várzeas feracíssimas estendidas *para* leste até Santo Antônio da Glória." (E. da Cunha, *Os Sertões,* 228.) "Os cães, estendidos *pelas* calçadas, tinham uivos que pareciam gemidos humanos." (Aluísio Azevedo, *O Mulato,* 14.) "O conjunto da serra incute, de fato, no observador a impressão de topar, de súbito, fraldejando-a .... e estendidas *pelas* vertentes, as barbacãs de velhíssimos castelos." (E. da Cunha, *Os Sertões,* 268.) "Nessa ocasião, Raimundo, no seu quarto, passava pelo sono, estendido *sobre* um divã." (Aluísio Azevedo, *O Mulato,* 264.)

Estéril — *de, para, quanto a:* "Não se imagine, entretanto, que essa associação .... tenha sido estéril *de* frutos *para* a ambição francesa." (Rui, *Colunas de Fogo,* 210.) "Com o peito pequeno para os saltos do coração, o terror na face, e a cabeça estéril *de* recursos, Alberto de Magalhães desafogava nos braços de Eugênia .... a mais dilacerante das torturas humanas." (Camilo, *Mistérios de Lisboa,* III, 24.) "Riqueza completamente estéril *para* a família." "O número 'quatro' é estéril *quanto ao* pitoresco das suas derivações, todas ao primeiro aspecto compreensíveis.'' (João Ribeiro, *Curiosidades Verbais*, 161.)

Esterilidade — *de, para com:*

''Esterilidade *de* recursos.'' (Aulete.)

''Volvendo os olhos atrás, vi devorados vinte anos de minha vida por uma obediência condenada daí por diante à esterilidade *para com* a pátria e inconciliável daí em diante com a minha razão.'' (Rui, *apud* Luiz Viana Filho, *A Vida de Rui Barbosa*, 171.)

Esterilizado — *para, por:*

''O juiz-de-fora, alma esterilizada *para* as cenas do sentimento, tremia nervosamente e não desdenhava em si uma lágrima, que ele disse ser a única em quarenta anos.'' (Camilo, *Mistérios de Lisboa*, I, 224.)

''Generosos sentimentos esterilizados no embrião *pela* pobreza.'' (Camilo, *Mistérios de Lisboa*, I, 251.)

Estima — *a, de, por:*

''Ter estima *aos* amigos.'' (Augusto Moreno, *Lições de Linguagem*, II, 27.) ''Tive outro sinal de sua estima *a* Glicério.'' (Ciro dos Anjos, *O Amanuense Belmiro*, 106.) ''Tão alta era a estima pública *ao* caráter da rainha e do príncipe....'' (Rui, *Queda do Império*, I, 254.)

''Os melhores alunos transpõem os cursos secundários e superiores sem o menor gérmen de estima *do* idioma pátrio.'' (Rui, *Réplica*, 505.)

''E como é que o apreço dos nossos antepassados por esses toscos instrumentos viria a explicar a nossa estima *pela* 'Quinta Sinfonia'?'' (Rui, *Cartas de Inglaterra*, 76.) ''Não tinham os homens grande estima *por* ele, compensando, porém, tal quebra com o respeito que lhe votavam.'' (Aquilino Ribeiro, *A Batalha sem Fim*, 16.) ''Seu ódio ao segundo era tão pronunciado, quanto sensível a estima *pelo* outro.'' (Camilo, *Perfil do Marquês de Pombal*, 149.)

Estimado — *de, em, por:*

''Diria com razão que aquela obra era a mais primorosa da sua arte, aquela a mais estimada *dele*.'' (Vieira, *Sermões*, IX, 74.) ''Foi muito estimado *da* rainha, que em 1790 o foi ouvir pregar o 'Sermão do Santíssimo Coração de Jesus' ...., e não menos estimado *do* príncipe D. João, que o nomeou arcebispo de Évora.'' (Camilo, *Perfil do Marquês de Pombal*, 134.)

''Diamante estimado *em* dois milhões de cruzeiros.''

''Sempre vivera ali gozando de crédito, pontual nas obrigações, estimado *por* todos, até *pelo* pessoal graúdo da Companhia.'' (Guilhermino Cesar, *Sul*, 7.) ''Estremeciam ao sentir aproximar-se esse Bando do Pavor, aliás estimado *pela* maioria das pessoas da terra, que viam nele a polícia dos costumes.'' (Antero de Figueiredo, *Jornadas em Portugal*, 69.)

Estimulado — *de, em, por:*

''O animal brioso e descansado que montava o tropeiro viera sempre estimulado *de* férreo acicate.'' (Taunay, *Inocência*, 190.)

''Ia, contudo, Meyer .... estimulado *em* suas reminiscências *pela* vista da menina que acabava de admirar.'' (Taunay, *ob. cit.*, 93.)

''Estimulados (os adversários) *por* Glicério, que desempenhava na Câmara as funções de líder do governo, estavam certos de excluí-lo da lista dos candidatos oficiais.'' (Luiz Viana Filho, *A Vida de Rui Barbosa*, 201.) ''Seu trabalho posterior (de Marconi) foi aperfeiçoar seus aparelhos sem fios de modo que pudessem transmitir seus sinais a maiores distâncias. Em breve, podia transmiti-los a uma distância de 120 milhas. Estimulado *por* esse êxito, ofereceu sua invenção ao governo italiano. E o governo italiano recusou-a!'' (*Maravilhas do Conhecimento Humano*, I, 288.)

Estimulante — *a:*

''O cruzamento, sobre obliterar as qualidades preeminentes do primeiro, é um estimulante *à* revivescência dos atributos primitivos dos últimos.'' (E. da Cunha, *Os Sertões*, 108.)

Estímulo — *a, de, para:*

''Para certas almas, repetimos, o arroubamento de Sebastião de Melo será estímulo *à* meditação do que este homem seria naqueles instantes de solidão.'' (Camilo, *Mistérios de Lisboa*, II, 155.)

''Avaliava (D. João I) que para as grandes almas o amor é força e estímulo *de* nobres ações.'' (Rebelo da Silva, *Contos e Lendas*, 265.)

''Seria sempre um exemplo de resignação, um estímulo *para* receber o sofrimento com ânimo.'' (Camilo, *Mistérios de Lisboa*, II, 9.) ''Mas porque são tristes (as plantas), dão-nos a emoção intensa com que nos renovamos para o sofrimento, achando estímulos *para* vencer a vida.'' (Afrânio Peixoto, *A Esfinge*, 50.)

Estipulado — *a, por:*

''Terminava o prazo estipulado *ao* provisório do General Viamonte, e não havia a quem adjudicar a sucessão.'' (Rui, *Cartas de Inglaterra*, 293.)

''Mas se o preço estipulado *por* Alberto de Magalhães não é o corrente.... eu não duvido aumentar alguns francos.'' (Camilo, *Mistérios de Lisboa*, III, 181.)

Estirado — *em, para, por, sobre:*

''Passávamos quase todo o tempo lado a lado, estirados *em* cadeiras de lona, no passadiço.'' (Gastão Cruls, *Ao Embalo da Rede*, 114.)

''Vêem-se, estirados *para* o ocidente e norte, extensos chapadões.'' (E. da Cunha, *Os Sertões*, 4.) ''Quedavam as carretas e os carretões, mirando-se uns aos outros mudamente .... os cabeçalhos estirados *para* a frente como um pescoço esguio.'' (Veiga Miranda, *A Eterna Canção,* 9.)

''A força começou a descer, estirada *pelas* encostas e justaposta às vertentes.'' (E. da Cunha, *Os Sertões,* 332.)

''Passava as longas horas da tarde .... à sombra dos mirtos olorantes, languidamente estirada *sobre* o laburno tenro que tapeçava o chão.'' (Gastão Cruls, *Ao Embalo da Rede,* 103.)

Estomagado — *com:*

''Ficou deveras estomagado *com* o que eu lhe disse.'' (Aulete.)

Estonteado — *por:*

''Ervas mortas pendiam das goteiras desdentadas, donde esguichavam, piando, em desordenado vôo, grandes morcegos, estonteados *pela* tênue luz crepuscular.'' (Domingos Olímpio, *Luzia-Homem,* 217.)

Estorvo — *a, de, para:*

''Não sirva isso, porém, de estorvo *à* preconização da boa doutrina.'' (C. de Figueiredo, *Falar e Escrever,* II, 274.) ''O menor estorvo *à* atividade do trânsito representaria dano considerável a interesses da população.'' (Rui, *Queda do Império,* I, 125.)

''Estorvo *do* negócio, *da* pretensão.'' (Constâncio.)

''— Desde a chegada do Amâncio, tive cá um palpite de que aquela mulher seria um estorvo *para* os nossos projetos.'' (Aluísio Azevedo, *Casa de Pensão,* 176.)

Estrada — *de, para:*

''A estrada *de* Sintra, *de* Mafra.'' (Aulete.) ''A estrada *do* vício.'' (Constâncio.)

''A estrada *para* Canudos não a torneja.'' (E. da Cunha, *Os Sertões,* 268.)

Estragado — *com, em, por:*

''Estômago estragado *com* alimentos mal feitos.''

''Vida estragada *na* ociosidade, *no* vício.''

''Espelho de fundo tanto ou quanto estragado *pelo* tempo.'' (Antero de Figueiredo, *Amor Supremo,* 15.) ''A terra, como sempre, estragada *pela* política, com muita miséria e tristeza.'' (Coelho Neto, *Treva,* 22.)

Estrago — *de, em:*

''Tudo isto pode fazer o sábio artilheiro náutico com maiores estragos *do* inimigo.'' (Vieira, *Sermões,* IX, 189.) ''Estrago *da* saúde; estrago *da* fazenda, riqueza; estrago *dos* costumes.'' (Constâncio.)

''A artilheria fez grandes estragos *no* inimigo.'' (Aulete.) ''Com tamanhos estragos *no* casco, o navio não podia deixar de submergir.''

Estrangulado — *em, entre, por:*

''O bojo em pêra invertida, estrangulada bastante *no* gargalo e afusando airosamente para o pé.'' (Fialho de Almeida, *Os Gatos,* 274.)

''O (caminho) do Uauá, estrangulado *entre* os pendores fortes do Caipã.'' (E. da Cunha, *Os Sertões,* 187.) ''Tocos negrejavam à flor da terra, troncos excíduos esgalhavam os ramos contorcidos, e um ribeiro, estrangulado *entre* esbarrancadas margens, rolava com fragor refervendo nas pedras.'' (C. Neto, *Trevas,* 64.)

''Velhas megeras .... juguladas e quase estranguladas *pelas* mãos potentes, arrastadas pelos cabelos.'' (E. da Cunha, *Os Sertões,* 464.)

Estranheza — *de, por:*

''A estranheza *do* sítio, *do* aspecto, costumes e línguas dos habitantes.'' (Constâncio.)

''A estranheza *pela* maneira fria, quase impassível, com que o anotei.'' (Veiga Miranda, *A Eterna Canção,* 115.) ''Manifesto a minha estranheza *por* se usarem aqui balas explosivas.'' (Erico Verissimo, *Saga,* 108.)

Estranho — *a, de:*

''Elemento estranho *à* morfologia da palavra.'' (Júlio Nogueira, *O Exame de Português,* 76.) ''Luís da Cunha era estranho *às* apressadas solicitudes da Viscondessa de Bacelar com o futuro de sua filha.'' (Camilo, *A Neta do Arcediago,* 46.) ''Dentro daquele peito batia um coração tão estranho *ao* medo, como a consciência parecia alheia de remorsos.'' (Rebelo da Silva, *Contos e Lendas,* 282.)

''Como quem se vê tão estranho *de* si, que se desconhece.'' (Dic. de Morais.) ''Estranho *a* alguma coisa ou *de* alguma coisa.'' (E. Carneiro Ribeiro, *Serões Gramaticais,* 676.)

Estratégia — *contra:*

''É a primeira folha de alcachofra — dizia um dia Eugênio Rouer, maquinando contra a república, ao ver o efeito de uma combinação da sua estratégia *contra* o governo de Thiers.'' (Rui, *Queda do Império,* I, 225.)

Estréia — *em:*

''Sua estréia *na* imprensa foi um verdadeiro triunfo.''

Estreitado — *a:*

''Sorria e chorava, com a filha tão vertiginosamente estreitada *ao* seio, que já a ama lhe dizia: — A senhora abafa-me a pequenita!'' (Camilo, *A Enjeitada,* 66.)

Estreiteza — *de:*

''Estreiteza *de* meios, *de* posses.'' (Constâncio.)

Estreito — *de, para:*

''Estreito *de* inteligência.''

''Aquêle âmbito era estreito demais *para* tamanha bravura.'' (Rui, *Colunas de Fogo,* 108.) ''O nosso espírito é muito estreito *para* compreender a imensidade da criação.'' (Fr. D. Vieira.)

Estrelado — *de:*

''O luar não tinha a liberdade que encontrava nos campos — contido pelas frondes, deixava o solo em trevas ou estrelado *de* nimbos.'' (C. Neto, *Treva,* 64.)

Estreme — *de:*

''Os ensinamentos dos missionários não poderiam exercitar-se estremes *d*as tendências gerais da sua época.'' (E. da Cunha, *Os Sertões,* 142.)

Estremecido — *com:*

''Se eu tivesse ânimo.... pensou ele, estremecido *com* a idéia da morte, — amanhã encontravam o meu cadáver e não ficariam naturalmente fazendo de mim um juízo tão triste e tão ridículo!'' (Aluísio Azevedo, *Casa de Pensão,* 304.)

Estremecimento — *entre:*

''Enquanto Pedro II governou este país, nunca houve o menor estremecimento *entre* o governo e a força militar.'' (Rui, *Queda do Império,* I, 143.)

Estremunhado — *com, de:*

''Acordei estremunhado *com* os sonhos.'' (Rui, *Réplica,* 285.)

''Eram bandos de patos bravos, estremunhados *d*o sono, que batiam em revoada.'' (Aquilino Ribeiro, *A Batalha sem Fim,* 62.)

Estribado — *em, sobre:*

''Filomena teologizava de outro feitio, e talvez estribada *em* boas autoridades.'' (Camilo, *apud* Mário Barreto, *Fatos da Língua,* 137.) ''Estribados *n*essa dupla regra, a que toda a escritura limpa deve obedecer.'' (Rui, *Réplica,* 563.)

''Construção estribada *sobre* colunas.''

Estropiado — *de, por:*

''Chegavam, estropiados *d*a jornada longa, mas felizes.'' (E. da Cunha, *Os Sertões,* 187.)

''Soldados estropiados *pel*os serviços feitos à pátria.'' (Aulete.) ''Estropiado *pela* idade, *pel*a velhice.'' (Fr. D. Vieira.)

Estudioso — *de:*

''É um incansável estudioso *de* assuntos paleontológicos.''

Estudo — *acerca de, de, sobre:*

''Com particular atenção discutirei o artigo em que o Sr. José Veríssimo se ocupou com o meu estudo *acerca d*a redação do projeto da Câmara.'' (Rui, *Réplica,* 57.)

''O estudo minucioso *d*esses fenômenos constitui assunto do segundo ponto do programa.'' (Júlio Nogueira, *O Exame de Português,* 28.) ''No último ano de medicina ele começara a apaixonar-se pelo estudo *d*a tuberculose.'' (Medeiros e Albuquerque, *Quando Eu Era Vivo,* 173.)

''É um estudo *sobre* o suicídio.'' (Ciro dos Anjos, *O Amanuense Belmiro,* 77.) ''Os estudos *sobre* a pré-história indígena patenteiam modelos de observação sutil e conceito crítico brilhante.'' (E. da Cunha, *Os Sertões,* 65.)

''Meu trato dos antigos escritores portugueses .... não me divorciou dos estudos hodiernos *sobre* as leis da vida orgânica nas línguas.'' (Rui, *Réplica,* 57.)

Estupefação — *de:*

''E '‹não se pode conseguir isso›,' foi mais uma vez a sentença, quando Morse disse ao mundo que esse cabo conduziria uma mensagem da Inglaterra à América. Mas, para estupefação *d*os incrédulos, a mensagem foi levada.'' (*Maravilhas do Conhecimento Humano,* I, 287.)

Estupefato — *com, de:*

''Agradeceu e partiu, absolutamente estupefato *com* a circunstância de que o embaixador queria alguns vencimentos....'' (Medeiros e Albuquerque, *Quando Eu Era Vivo,* 153.) ''Alberto ficou estupefato *com* semelhante extravagância.'' (Camilo, *Mistérios de Lisboa,* III, 148.)

''Ficara imóvel ou estupefato *de* susto.'' (Aulete, voc. *petrificar.*)

Estúpido — *de:*

''Notei o espasmo com que meu pai me ouviu, e fiquei de pedra, estúpido *de* dor, ao ouvir-lhe esta sentença.'' (Camilo, *As Três Irmãs,* 169.)

Esvaimento — *de, em:*

''Esvaimento *d*a cabeça.'' ''Esvaimento *de* sangue, hemorragia, perda de sangue que faz desmaiar.'' (Aulete.)

''O que me preocupa é esse esvaimento *em* sangue.''

Esvaziado — *de:*

''Encontrando o terreno esvaziado *de* contendores, virou-se então para os pedaços de roupa, alamares e polainas.'' (Alberto Rangel, *Fura-Mundo,* 106.) ''Hoje a palavra .... está quase esvaziada *de* sentido.'' (Augusto Moreno, *Lições de Linguagem,* II, 45.)

Evadido — *a, de:*

''Todos os malfeitores, todos os evadidos *à* justiça.'' (Rui, *Colunas de Fogo,* 221.)

''As crianças areenses, como querubins evadidos *d*o céu vizinho.'' (J. Américo de Almeida, *A Bagaceira,* 118.)

Evasão — *de:*

''É dificílima a evasão *d*esse presídio.''

Evolução — *em:*

''Essa atrevida metáfora pode explicar-se pela evolução gradual *n*o emprego do vocábulo.'' (João Ribeiro, *Curiosidades Verbais,* 39.)

Exacerbado — *com, em, por:*

''Padecimentos exacerbados *com* a míngua de recursos.''

''Apareciam (os indivíduos) tão numerosos e de maneira tão inesperada, que se diriam inventados pela imaginação do público, exacerbada *n*os alarmes dos próprios transeuntes.'' (Alberto Rangel, *Fura-Mundo,* 87.)

"Certa noite, um grupo de homens exacerbados *pela* fome e *pelo* frio, mata um cavalo para lhe comer a carne." (Erico Verissimo, *Saga*, 161.)

Exageração — *em:*

"Nota-se-lhe exageração *em* tudo quanto diz." "Exageração *no* ódio, *na* vingança." (Aulete.)

Exagerado — *a, em, por:*

"O sertanejo é exagerado *ao* contar suas façanhas cinegéticas ou de equitação." (Gustavo Barroso, *Terra de Sol*, 186.)

"É um homem exagerado *em* todas as suas paixões."

"Fama e presunção de alguma fortuna, exagerada *pelos* cálculos e *pelas* imaginações da inveja." (Afrânio Peixoto, *A Esfinge*, 334.)

Exaltado — *a, em, por:*

"Exaltado *às* culminâncias da glória."

"Homem exaltado *nas* suas opiniões." (Constâncio.)

"Minha mãe, exaltada *pelo* enlevamento do sacerdote, tomou as mãos do padre, e caiu de joelhos, soluçando palavras ininteligíveis." (Camilo, *Mistérios de Lisboa*, I, 64.)

Exame — *de:*

"Nosso trabalho será comprovado pelo exame *dos* documentos antigos." (Júlio Nogueira, *O Exame de Português*, 121.) "Delas (onomatopéias) nasceram inúmeras palavras mais ou menos sutilizadas, mas ainda reconhecíveis pelo exame atento *de* sua formação." (João Ribeiro, *Curiosidades Verbais*, 109.)

Exasperado — *ante, com, por:*

"Pouco viverá quem te não vir de alforje a mendigar! — desfechou-lhe Lázaro exasperado *ante* tanta indiferença." (Aquilino Ribeiro, *A Batalha sem Fim*, 53.)

"Exasperado *com* semelhante afronta, não se conteve."

"Cores vivas dos vestuários, em que o amarelo e o vermelho dominavam, exasperados *pelo* sol cru." (Afrânio Peixoto, *A Esfinge*, 294.) "Exasperada *por* essa obsessão afrontosa, cada vez mais ardente e descomedida, Luzia queixou-se ao administrador." (Domingos Olímpio, *Luzia-Homem*, 11.)

Exatidão — *de, em:*

"Exatidão *do* cálculo, *das* contas." (Constâncio.) "A exatidão *duma* medida, *dum* peso." (Fr. D. Vieira.)

"Exatidão *na* execução do ajuste, contrato; exatidão *no* desempenho da palavra, do dever." (Constâncio.) "Mas não há a necessária exatidão *na* conjetura superficialíssima de que os jesuítas se encolhessem modesta e anonimamente atrás das capas dos quarenta fidalgos sublevados no dia 1.º de dezembro de 1640." (Camilo, *Boêmia do Espírito*, 31.)

Exato — *em:*

"Exato *no* cumprimento de sua palavra." (E. Carneiro Ribeiro, *Serões Gramaticais*, 675.) "Cristo tão exato *na* observância." (Vieira, *apud* Morais.)

Exaurido — *de, por:*

"Ficou prostrada, exaurida *de* alento por algumas horas." (Camilo, *A Enjeitada*, 101.)

"Enquanto a expedição .... ia tombar, exaurida *por* uma sangria profunda, num trecho de Canudos — a opinião nacional, pela imprensa, extravagava." (E. da Cunha, *Os Sertões*, 475.)

Exausto — *com, de, por:*

"Exausto *com* grandes perdas." (Dic. de Morais.) "O tesouro encontrava-se quase exausto *com* as vultosas despesas da guerra."

"Era uma pobre sertaneja, corrida pela seca, que vinha de longe, carregando um filho e que aí caíra, exausta *de* fome e *de* fadiga." (Afrânio Peixoto, *A Esfinge*, 289.) "O seu aspecto recorda, vagamente, à primeira vista, o de guerreiro antigo exausto *da* refrega." (E. da Cunha, *Os Sertões*, 60.) "Atravessou, ... parando exausta *de* forças a cada instante, a grande distância que a separava da rua." (Camilo, *A Neta do Arcediago*, 60.)

"Exaustos *pela* correria da próxima noite, os vossos braços vos desmentiriam o ânimo." (Herculano, *Eurico*, 261.)

Exceção — *a, concernente a, de:*

"Nota-se, verdade é, uma exceção *a* esta avareza." (Rui, *Réplica*, 442.)

"No emprego da exceção *concernente ao* caso particular em que se legitima a proposição do infinito pessoal...." (Rui, *Réplica*, 249.)

"A regra é, aliás, que as disposições transitórias de qualquer texto legal sejam exceções *do* seu texto definitivo." (Medeiros e Albuquerque, *Quando Eu Era Vivo*, 117.)

Excelência — *em:*

"A bélica excelência, *nas* armas e *na* paz, da gente estranha será tal, que será no mundo ouvido o vencedor, por glória do vencido." (Camões, *Os Lusíadas*, VII, 56.)

Excelente — *para:*

"Fez com que leis que haviam sido excelentes *para* um Estado pequeno se tornassem detestáveis para um grande." (Mário Barreto, *Cartas Persas*, XXI.) "Que tempo excelente *para* caçada aos raposos e corrida às lebres!" (Antero de Figueiredo, *Amor Supremo*, 64.)

Excessivo — *de, em:*

"Qualificando essa disposição como excessiva *da* competência do congresso." (Rui, *Cartas de Inglaterra*, 380.)

"Minha filha, eu entendo que és muito excessiva *nas* tuas devoções." (Camilo, *A Neta do Arcediago*, 150.)

Excesso — *de, em, por, sobre:*
"Excesso *de* trabalho, *de* estudo, *de* aplicação." (Aulete.)
"Excesso *no* comer, beber." (Constâncio.) "Excesso *na* bebida, *na* comida." (Aulete.)
"Fazer excessos *por* alguém." (Fr. D. Vieira.) "Todos notam os seus excessos *pela* filha mais nova."
"Há um excesso de cinco mil cruzeiros *sobre* a receita prevista."

Excitação — *a, de:*
"A música marcial constitui uma excitação *ao* combate."
"A excitação *dos* ânimos." (Fr. D. Vieira.)

Excitado — *a, de, por:*
"Soldados excitados *à* peleja."
"Excitados *da* comiseração para com tantas vítimas, acabam por querer que se deixe consumar um crime social." (Rui, *Cartas Políticas e Literárias*, 228.)
"Excitada *pela* aparição imaginária, abriu um baú, tirou o retrato de sua mãe." (Camilo, *Mistérios de Lisboa*, III, 55.) "Excitado *por* aquela atmosfera de combate." (Alberto Rangel, *Fura-Mundo*, 90.) "Excitados *pela* bebida *a* um grau insólito de turbulência, começaram a blasonar de suas proezas físicas." (*Maravilhas do Conhecimento Humano*, I, 119.)

Excluído — *de:*
"Excluído *da* herança, *da* promoção, *dos* cargos, *da* legislatura, *do* banquete." (Constâncio.) "Excluído *da* graça." (Fr. D. Vieira.)

Exclusão — *de:*
"A conseqüência desse pesado gracejo póstumo .... foi a imediata exclusão de Cirino *do* colégio do Caraça." (Taunay, *Inocência*, 29.)

Esclusivo — *de:*
"Um direito exclusivo *de* todo e qualquer outro." (Fr. D. Vieira.) "Esta entrada é exclusiva *dos* funcionários."

Excursão — *a, fora de, em, para, por:*
"Os estudantes de direito estão organizando uma excursão *a* Buenos Aires." "Voltando de sua excursão *ao* acampamento inimigo, trouxeram vários prisioneiros." "Heródoto foi chamado o «Pai da História». Era um grande viajante e em suas freqüentes excursões *aos* mais afastados lugares da terra, recolheu delicioso cabedal de histórias curiosas e maravilhosas." (*Maravilhas do Conhecimento Humano*, II, 40.)
"Fazer uma excursão *fora do* assunto." (Aulete.)
"Cada um se reconhece capaz de fazer uma excursão *no* campo inimigo." (Mário Barreto, *Cartas Persas*, 116.) "Essa lenta excursão *no* passado de Cecília acabara por sossegar várias dúvidas que, de começo, ele tivera sobre a sua conduta." (Ferreira de Castro, *A Tempestade*, 68.)
"Histórica vereda por onde avançavam os rudes sertanistas nas suas excursões *para* o interior." (E. da Cunha, *Os Sertões*, 12.)
"Privara-se de acompanhar a filha em prometida excursão *pelo* Mediterrâneo." (Afrânio Peixoto, *A Esfinge*, 18.) "Arrastou no seu séquito, para ornamento de sua corte, numa excursão *por* terra firme, o ajudante-general da armada." (Rui, *Queda do Império*, I, 256.)

Exemplar — *de, em:*
"Exemplar *de* paciência, *de* virtude." (Constâncio.) "Um cavalheiro tal .... passa por exemplar *de* siso e probidade." (Castilho, *apud* Aulete.)
— Como adjetivo: "D. Perpétua Trigoso, durante dois meses, foi exemplar *em* obras de caridade, como se devesse ser a última lição de Açucena." (Camilo, *A Neta do Arcediago*, 86.)

Exemplo — *a, em, contra, de, para:*
"Veio a servir depois, e até agora, de exemplo *a* inúmeras imitações em toda a América do Sul." (Rui, *Cartas de Inglaterra*, 281.) "Determinou castigá-lo de maneira que fosse exemplo *a* todo o reino." (Fr. L. de Sousa, *apud* Aulete.)
"Fui rapaz, grande tributário da loucura; mas não posso dar-me como exemplo *na* especialidade dos cabelos brancos, porque sinto dizer-vos que aos dezoito anos era calvo." (Camilo, *Livro Negro*, 152.)
"Embora, *contra* esta afirmativa, se possam citar exemplos insuflados de um ou outro escritor de fama." (C. de Figueiredo, *Lições Práticas*, I, 36.)
"Exemplo *de* beleza." (Constâncio.) "A obra do teatro de Évora é um exemplo raro *de* benemerência." (Fialho de Almeida, *Os Gatos*, 255.)
"A sorte desse homem é um exemplo *para* aqueles que se desviam do bom caminho."

Exercício — *de, em, para:*
"O exercício *da* virtude, *da* inteligência, *da* memória." (Aulete.) "O exercício *de* um direito." (Idem.)
"Exercício *na* artilharia." (Fr. D. Vieira.)
"O estudo das ciências é um excelente exercício *para* o espírito." (Aulete.)

Exercido — *em, para, por, sobre:*
"Processo do fuzil, exercido sem julgamento *em* centenas de suspeitos." (Rui, *Cartas de Inglaterra*, 305.)
"Indústrias a bem dizer só exercidas *para* tirocínio de aprendizes." (Fialho de Almeida, *Os Gatos*, 293.)
"Iniquidades das justiças desiguais exercidas *por* iletrados doutores mandões e ganhões."

(Antero de Figueiredo, *Jornadas em Portugal*, 87.)
"Inquina (a lei) de ilegítima toda coação, material ou moral, exercida *sobre* o espírito de um acusado, *para* lhe extorquir a confissão da culpa." (Rui, *Colunas de Fogo*, 178.)

Exercitado — *em:*
"O mesmo Profeta-Rei, tão exercitado *em* todo o gênero de armas, o disse." (Vieira, *Sermões*, IX, 126.) "Exercitado *nas* armas, *na* guerra." (Fr. D. Vieira.) "Eram (tais mulheres) bem exercitadas *em* todos os ramos do saber, ao passo que a pobre esposa só podia costurar e portar-se, em geral, como outros simples ornamentos da coleção de seu marido." (*Maravilhas do Conhecimento Humano*, I, 25.)

Exigência — *com:*
"Sua exigência é apenas *com* determinados alunos."

Exigente — *com, de, em, para com:*
"A comissão, não conhecendo cabalmente as antecedências escolares desses candidatos, pode ser mais exigente *com* eles." (Rui, *Queda do Império*, I, 414.)
"Trabalho tão exigente *de* meditação e calma." (Rui, *Cartas Políticas e Literárias*, 210.)
"É muito exigente *em* questões de moral."
"Sempre foi muito exigente *para com* os empregados."

Exigüidade — *de:*
"A exigüidade *de* seus recursos." (Fr. D. Vieira.)

Exíguo — *de, para:*
"Exíguo *de* posses, *de* recursos."
"Era a primeira façanha, exígua demais *para* tanta gente." (E. da Cunha, *Os Sertões*, 386.)

Exímio — *a, em:*
"Sardoeira era exímio *à* guitarra; e no cemitério mostrava-se um anjo desolado, de asas colhidas, pisando um archote." (C. Neto, *Treva*, 8.)
"Exímio *na* virtude." (Dic. de Morais.)

Êxito — *de, em:*
"Ando apoquentado pelo mau êxito *dos* meus negócios." (Aulete, voc. *apoquentado*.)
"Desejo-lhe bom êxito *em* todos os seus empreendimentos."

Exoneração — *de:*
"Exoneração *do* serviço militar, *dum* cargo público." (Fr. D. Vieira.)

Exonerado — *de:*
"— E ainda assim, casou violentada, podendo-se julgar exonerada *do* seu juramento?" (Camilo, *Livro Negro*, 148.)

Exorbitância — *de, em:*
"Os pouquíssimos bilhetes em mãos de contratadores foram disputados com exorbitâncias *de* preços." (Fialho de Almeida, *Os Gatos*, 197.) "Fomos dali consultar um iniciado no critério filosófico da pauta, que nos explicou a exorbitância *do* custo." (Idem, *ibidem*, 293.)
"Há grande exorbitância *nessas* despesas." (Fr. D. Vieira.) "Exorbitância *no* preço, *nas* despesas." (Constâncio.)

Exorbitante — *de:*
"Questão .... sobre matéria penal, qualificando-a como exorbitante *dos* poderes atribuídos ao congresso." (Rui, *Cartas de Inglaterra*, 379.)

Exortação — *a:*
"Seu discurso foi uma exortação *à* cruzada contra o analfabetismo no Brasil."

Expansão — *com, de, para, por:*
"Três dias depois, numa expansão íntima *com* o boticário Crispim Soares, desvendou o alienista o mistério do seu coração." (M. de Assis, *Papéis Avulsos*, 7.)
"Legítima expansão *de* seus sentimentos em aplauso de um mestre venerando." (Rui, *Colunas de Fogo*, 23.) "Expansão *do* ar, vapor, gás." (Constâncio.)
"A Rússia teme na autonomia da Armênia um obstáculo à expansão do eslavismo *para* o sul." (Rui, *Colunas de Fogo*, 209.)
"A expansão do ar *pelo* calor." (Fr. D. Vieira.)

Expectativa — *a, de:*
"A voz do narrador, arrastada e sonora, espevitara as atenções, e a expectativa *à* sua história foi favorável e honrosa." (Veiga Miranda, *A Eterna Canção*, 11.)
"A expectativa *de* uma grande felicidade, *de* um enorme desgosto." (Aulete.)

Expedição — *a, contra, sobre:*
"Fora reclamar .... contra a expedição de um convite *a* esse 'charuto' para um baile fino." (Mário Sete, *Os Azevedos do Poço*, 34.)
"Nomeado para a expedição *contra* Canudos, estadeou-os (os paroxismos) numa série de desatinos, culminados afinal por uma catástrofe." (E. da Cunha, *Os Sertões*, 300.)
"A expedição de Xerxes *contra* a Grécia." (Fr. D. Vieira.)
"O ministro da guerra Bourmont e o Almirante Duperre acaudilhavam nova expedição *sobre* Argel." (Camilo, *A Enjeitada*, 209.)

Expediente — *para:*
"Fingiu-se (Ulisses) atacado do juízo e, portanto, incapaz de usar armas. Mas os oficiais recrutadores do exército grego imaginaram um hábil expediente *para* verificar a loucura dele." (*Maravilhas do Conhecimento Humano*, II, 31.)

Expedito — *em:*
"Tão expedita se mostrou *nas* prendas de bastidor como *no* pequeno curso de letras que lhe ensinavam." (Camilo, *A Enjeitada*, 138.)

Experiência — *com, de, em, sobre:*
"Com a idade de 21 anos começou (Marconi) a fazer experiências *com* ondas elétricas." (*Maravilhas do Conhecimento Humano,* I, 288.)
"Comprova que também ele estava no conluio, mas não o maliciou o príncipe generoso e ainda com pouca experiência *dos* negócios." (Varnhagen, *apud* Teschauer, voc. *maliciar.*)
"Sua experiência *nos* segredos do pélago caprichoso lhe ensina a escutar nos bramidos da vaga contra a rocha a voz benfazeja de uma providência salvadora." (Rui, *Cartas de Inglaterra,* 101.) "Fora dos Estados Unidos têm-se realizado igualmente interessantes experiências *na* construção de estradas." (*Maravilhas do Conhecimento Humano,* I, 299.)
"As nossas experiências *sobre* a grandeza épica da atrocidade não se podem acomodar a esta miniatura de hecatombe." (Rui, *Cartas de Inglaterra,* 268.) "Desde as clássicas experiências de Volta e Galvani.... *sobre* os efeitos elétricos produzidos pelo toque de dois metais diferentes nas pernas de uma rã, uma imensa literatura surgiu, com a descrição e a explicação de vasta e surpreendente série de aplicações iniciadas por aquelas descobertas." (*Maravilhas do Conhecimento Humano,* I, 292.)

Experiente — *de, em:*
"Experientes, como eram (os portugueses), *dos* mares orientais, onde o fenômeno é freqüente, divulgaram o vocábulo." (João Ribeiro, *Curiosidades Verbais,* 179.)
"Homem muito experiente *em* medicina." (Fr. D. Vieira.)

Experimentado — *em:*
"Dotada de talento, cheia de prestígio e fortuna, já experimentada *nos* prazeres de viagens e aventuras." (Afrânio Peixoto, *A Esfinge,* 124.) "Recordo hoje os menores incidentes, e concebo, experimentado *no* que é sofrer, as aperturas do coração naquela pobre mulher." (Camilo, *Mistérios de Lisboa,* I, 249.)

Experto — *em:*
"Qual seria o desfecho, perguntam os expertos *nestes* assuntos, se o Almirante Ting frustrasse o encontro da esquadra japonesa e aproasse direito para as águas do Japão?" (Rui, *Cartas de Inglaterra,* 126.)

Explicação — *a, de, em, para, por parte de, sobre:*
"A explicação *às* crianças deve ser feita da maneira mais clara possível."
"Deu a explicação *da* passagem, *do* sentido *do* autor, *do* fato, *do* fenômeno." (Constâncio.) "Eis os três elementos sucessivos na explicação científica *desse* fenômeno elementar." (Rui, *Cartas de Inglaterra,* 83.)
"Tem o fato fácil explicação *no* princípio da analogia." (Augusto Moreno, *Lições de Linguagem,* II, 214.) "Aquela rivalidade .... só tinha explicação *na* tendência, que o homem experimenta, ... de dilatar o campo moral, amando e detestando." (Aquilino Ribeiro, *A Batalha sem Fim,* 48.)
"Era preciso uma explicação qualquer *para* sucessos de tanta monta." (E. da Cunha, *Os Sertões,* 359.) "Noêmia .... punha-se a chorar nas poucas vezes em que puderam se encontrar a sós, e ele pediu-lhe uma explicação *para* tudo aquilo." (Gastão Cruls, *História Puxa História,* 65.)
"Pelo menos por deferência, Rui esperou alguma explicação *por parte de* Dantas, mas nada lhe foi dito." (Luiz Viana Filho, *A Vida de Rui Barbosa,* 92.)
"Pediria explicações categóricas aos ministros *sobre* os rumores, tão generalizados e geralmente aceitos, de participação ilegal do príncipe esposo nos negócios do governo." (Rui, *Queda do Império,* I, 260.)

Explicável — *ante, por:*
"Por um contraste explicável *ante* as disposições orográficas, rodeiam-no, contudo, paragens exuberantes." (E. da Cunha, *Os Sertões,* 228.)
"Entre as alterações explicáveis *por* influência de um som em outro, são dignas de registro as que se passam com os ditongos 'ai' e 'au'." (Sousa da Silveira, *Lições de Português,* 69.)

Exploração — *a:*
"Nessa pequena vila, situada à margem esquerda do rio, está sepultado o Padre José Nicolino Pereira de Sousa, também seu fundador, em 1877, e a quem muito nos teremos de referir, pois a ele se deve a primeira grande exploração *à* região que vamos percorrer." (Gastão Cruls, *A Amazônia que eu vi,* 4.)

Exposição — *a, de, em:*
"A mesma escalada exaustiva e a mesma exposição perigosa *às* balas." (E. da Cunha, *Os Sertões,* 421.)
"Não me oponho à ciência do vosso doutor, que eu não deixo de prezar muito desde que ele me fez uma larga exposição *das* reformas médicas desde Hipócrates até ele." (Camilo, *Livro Negro,* 157.)
"Mais que muito convencido estava ele de que o leigo Joaquim assistira à exposição da menina *na* roda." (Camilo, *A Enjeitada,* 87.)

Exposto — *a, em:*
"Exposto *à* chuva, *ao* sol, *às* inclemências do tempo." (Constâncio.)
"Escritos são realmente os vários trabalhos expostos *à* luz pública *num* jornal." (Rui, *Réplica,* 519.)

Expressivo — *de, em:*
"Uma casa de dois andares, com sacadas de pau, muito expressivas *da* debilidade financeira de seus locatários." (Camilo, *Mistérios de Lisboa,* II, 38.)

"Justo nas inflexões, certo nas pausas, expressivo *na* mímica, *nos* gestos, *nas* atitudes." (Antero de Figueiredo, *Amor Supremo,* 198.)

Expresso — *em, mediante, por, por meio de:*

"De lá partiam, trilhando rumos prefixos, para reforçarem, a pau e a tiro, a soberania popular, expressa *na* imbecilidade triunfante de um régulo qualquer." (E. da Cunha, *Os Sertões,* 195.)

"Em português o sujeito das locuções passivas pode ser representado por um fato expresso *mediante* uma preposição 'que'." (Mário Barreto, *Através do Dicionário e da Gramática,* 133.)

"O objeto indireto, a não ser quando é expresso *por* forma pronominal oblíqua, é sempre regido de preposição." (Augusto Moreno, *Lições de Linguagem,* II, 28.)

"Os graus dos substantivos são expressos *por meio de* sufixos especiais." (Júlio Nogueira, *O Exame de Português,* 158.)

Exprobração — *a:*

"Durante a viagem do emissário da família imperial a Santos não cessou de se manifestar a real impaciência em exprobrações *a*os ministros." (Rui, *Queda do Império,* I, 141.)

Expulso — *de, por:*

"Expulsos *do* seu paraíso *por* espadas de fogo, iam, ao acaso, em descaminhos, no arrastão dos maus fados." (J. Américo de Almeida, *A Bagaceira,* 9.)

Extensivo — *a:*

"Estabelecido o nosso tipo fraseológico nessa interrogação, prontamente se tornou extensivo *às* outras expressões." (Augusto Moreno, *Lições de Linguagem,* II, 118.) "Essas leis nem por isso se combalem, quando bem assentes na tradição geral do idioma e formuladas segundo as boas normas científicas da indução extensivas *à* linguagem humana." (Rui, *Réplica,* 93.)

Extenuado — *de, por:*

"O frade, extenuado *d*os violentos embates, não susteve a postura vertical." (Camilo, *Mistérios de Lisboa,* II, 35.) "O Conselheiro, extenuado *de* amarguras, abatido pelas mil emoções desses lances trágicos, pouco tempo poderia viver." (Veiga Miranda, *A Eterna Canção,* 112.)

"Alquebrado de padecimentos, extenuado *pel*as enfermidades, erguia a voz, na Câmara dos Pares, declarando que desde o advento de Jorge III o poder não pertencia aos ministros responsáveis." (Rui, *Queda do Império,* I, 112.)

Extinto — *em, por:*

"Outros, aguilhoados pela sede, mal extinta *n*as águas impuras das almácegas sertanejas, ... batiam afanosamente os desvios multívios das caatingas." (E. da Cunha, *Os Sertões,* 479.)

"Validos extintos *por* decretos dos reis." (Dic. de Morais.)

Extração — *de:*

"Extração dos metais *d*as suas minas." (Morais.)

Extraído — *de:*

"Gemas extraídas *d*as rochas ou tomadas nas areias dos rios." (C. Neto, *A Cidade Maravilhosa,* 74.) "Textos, apontamentos extraídos *de* livros, manuscritos." (Constâncio.)

Extraviado — *de:*

"Todavia, há aí uns celibatários extraviados *d*os concílios, amantes extremosos, pais loucos de amor aos filhos; mas, enfim, celibatários impudicos, que sorriem, a ocultas, dos maridos logrados." (Camilo, *Boêmia do Espírito,* 165.)

Extravio — *de:*

"Extravio *de* dinheiro, *de* gêneros, *de* fazendas." (Aulete.)

Extremado — *em:*

"Possuindo todas as virtudes, não era extremado *em* nenhuma." (Mário Barreto, *Cartas Persas,* XXVII.) "E Castilho, não menos extremado *em* vernaculidade, não hesitou em redigir: 'Zeloso pelo futuro nacional'." (Rui, *Réplica,* 355.)

Extremo — *de, por:*

"Maximino não só foi severo, senão o extremo *d*a severidade e da sevícia." (Vieira, *Sermões,* IX, 127.) "É um extremo *de* bondade, *de* formosura." (Morais.)

"No seu extremo *pel*a antiga pureza da língua vernácula." (Latino Coelho, *apud* Rui, *Réplica,* 356.) "O criado lhe contava os extremos de seu marido *pel*a criada." (Camilo, *Mistérios de Lisboa,* I, 76.)

Extremoso — *com, em, para com, por:*

"É sempre extremoso *com* as crianças."

"Extremoso *em* defender, servir, obsequiar amigos." (Morais.) "Extremoso *em* amar, aborrecer, *no* amor, *na* amizade." (Constâncio.)

"Extremoso *para com* a família."

"Ela é muito extremosa *pel*a família." (Aulete.) "Mônica, sempre desvelada e extremosa *por* sua filha de leite, iniciara-se nos segredos desta." (Aluísio Azevedo, *O Mulato,* 316.)

Exuberância — *de:*

"Exuberância *de* seiva, *de* vegetação." (Aulete.) "Exuberância *de* provas, argumentos." (Morais.)

Exuberante — *de:*

"O seu comércio, a sua indústria, as suas finanças prosperam exuberantes *de* seiva." (Rui, *Cartas de Inglaterra,* 120.) "Bailar é movimento, e ela, exuberante *de* vitalidade, ama o movimento." (Antero de Figueiredo, *Amor Supremo,* 122.)

F

Façanhas — *ao serviço de:*
"Quando Rômulo e Remo cresceram, praticaram grandes façanhas *ao serviço do* rei de Alba, cidade à margem do Tibre." (*Maravilhas do Conhecimento Humano*, I, 30.)

Fácil — *a, de, em, para:*
"Aquela alma, que parecia tão meiga, tão branda, tão fácil *a* todos os contentamentos, *a* todos os afetos, achou-a ele indomável e esquiva a tanto amor." (Herculano, *O Bobo*, 71.) "Não há deslize tão fácil *à* mão dos compositores e *ao* olho dos protos como a omissão do sinal da crase." (Rui, *Réplica*, 456.)
"Não seriam nunca submissos e fáceis *de* ser mandados como os homens do campo." (J. Lins do Rego, *Usina*, 132.) "Tranqüilo e contente, Paulo pensava como a sua exagerada suscetibilidade era fácil *de* enganar-se." (Afrânio Peixoto, *A Esfinge*, 86.)
"Fácil *em* perdoar." (Constâncio.) "Homem fácil *em* crer." (Morais.)
"Tive eu esse instinto? É mais provável o não que o sim. Se a arte fora fácil *para* todos os que tentam possuí-la, não nos faltariam artistas." (Herculano, *Eurico*, 297.)

Facilidade — *de, em, para:*
"Com mais necessidade de agradarem, menos facilidade *de* se unirem, e mais exemplos de submissão, forjam elas (mulheres) para si novas cadeias." (Mário Barreto, *Cartas Persas*, 201.) "Não tem estudos muito profundos, mas possui uma notável facilidade *de* falar." (Aulete.)
"Facilidade *em* crer, *em* se confiar." (Constâncio.) "Facilidade *em* agasalhar e tratar os homens." (Fr. D. Vieira.)
"Oferecendo, por conseguinte, a dita história grandes facilidades *para* se estabelecerem leis que não sejam amiúde contraditas pelos fatos." (Mário Barreto, *Cartas Persas*, XIII.)

Facilitado — *a, por:*
"A defesa viva da nossa fronteira, o Rio Grande do Sul, continua entregue à discórdia civil e, portanto, facilitada *ao* inimigo estrangeiro." (Rui, *Cartas de Inglaterra*, XII.)
"Empresa facilitada *pelo* apoio do governo."

Faculdade — *de:*
"Pediria a el-rei a faculdade *de* ir saborear um refresco nas salas da Ajuda." (Camilo, *apud* Aulete.) "Os que empecem ao povo a faculdade livre *de* deliberar em comum, são os piores fautores de instabilidade e inquietação." (Rui, *Queda do Império*, I, 127.)

Fadado — *a, para, por:*
"A cegueira dos fadados *à* perdição é a mais incurável das amauroses." (Rui, *Colunas de Fogo*, 33.) "Dos rigores dessa piedade bem entendida pela miséria dos povos fadados *à* dependência participavam amplamente .... as pobres repúblicas da América latina." (Idem, *Cartas de Inglaterra*, 236.)
"É feliz, Sra. condessa? — Quanto posso sê-lo.... na minha triste condição de mulher, fadada *para* sofrer." (Camilo, *Mistérios de Lisboa*, I, 241.) "Ceuta estava fadada *para* se dar começo nela aos belos rasgos da mais pura e justa das nossas cruzadas." (Rebelo da Silva, *Contos e Lendas*, 249.) "Pois tão dotada e fadada *para* amar, Eugênia era assim de refratária condição ao bem supremo da vida?" (Camilo, *O Bem e o Mal*, 173.)
"Espírito fadado *por* Deus *para* minorar na terra a condição dos que padecem."

Faina — *de:*
"Despegam-se daqui para além, numa faina *de* acertar, descontando desde já.... sobre os presumidos e presumíveis." (Afrânio Peixoto, *A Esfinge*, 212.)

Faiscante — *de:*
"Atravessou a várzea deserta, faiscante *de* vagalumes, zunindo o guizeiro dos grilos ou grulhos intercadentes de sapos." (C. Neto, *A Cidade Maravilhosa*, 104.)

Falado — *em, por:*
"O português resultou da alteração do latim falado *na* Lusitânia, região ao ocidente da península Ibérica." (Sousa da Silveira, *Lições de Português*, 18.)
"D. Clarinha, a mulher do banqueiro e filantropo tão falado *pelos* jornais, dava nesse dia jantar a um grupo numeroso de suas relações." (Afrânio Peixoto, *A Esfinge*, 150.)

Falha — *de, em:*
"As falhas *de* meu engenho." (Dic. de Morais.)
"Era um moço de raras qualidades, sem uma falha *no* passado."

Falho — *de, em:*
"Falho *de* dinheiro, *de* recursos." (E. Carneiro Ribeiro, *Serões Gramaticais,* 675.) "Apesar da minha desenvoltura, sentia-me sopeado de entendimento e falho *de* expressões." (Camilo, *Mistérios de Lisboa,* I, 164.)
"Falho *em* dinheiro, *em* recursos." (E. Carneiro Ribeiro, *Serões Gramaticais,* 675.) "Os portugueses vieram a mostrar-se falhos *nas* faculdades inventivas para a ficção novelesca." (Ricardo Jorge, *Sermões dum Leigo,* 192.)

Falsidade — *contra, de:*
"Eis no que se resume esta nova façanha ....: falsidade intelectual *contra* o bom-senso, falsidade moral *contra* a justiça, falsidade material *contra* os fatos." (Rui, *Colunas de Fogo,* 142.) "Sob a aparência dum ato estritamente nacional, se esconde uma falsidade *contra* a natureza e *contra* a história." (Ricardo Jorge, *Sermões dum Leigo,* 220.)
"A falsidade *de* seus partidários." (Fr. D. Vieira.) "Porém Catarina .... ali exprobra livremente aos filósofos a falsidade *de* seus deuses." (Vieira, *Sermões,* IX, 157.)

Falsificado — *por:*
"E a par da vergonha, os sentimentos generosos vinham de tropel à superfície daquele coração, falsificado *pelo* ruim espírito da vingança." (Camilo, *Livro Negro,* 71.)

Falta — *a, com, contra, de, para com:*
"Falta *à* aula, *à* sessão."
"Estou em falta *com* você."
"Se a narração fiel do passado incorre em falta *contra* a subordinação natural à índole desses institutos, então não é o professor que haveis de expelir da cadeira, é a história que deveis excluir do programa." (Rui, *Queda do Império,* I, 221.)
"Falta *de* prudência, *de* jeito, *de* cortesia." (Morais.)
"Senti-me em falta *para com* Jandira. Lá não ia desde oito ou dez dias." (Ciro dos Anjos, *O Amanuense Belmiro,* 150.)

Falto — *de:*
"A república não se acha tão inteiramente falta *de* homens com um passado político, uma reputação consumada, uma fé-de-ofício notável." (Rui, *Cartas Políticas e Literárias,* 143.) "Já tão falto *de* forças, não tinha outro meio de carregá-la." (J. Américo de Almeida, *A Bagaceira,* 31.)

Famanaz — *em:*
"Encourados de novo, seguem para os sambas e cateretês ruidosos, os solteiros, os famanazes *no* desafio, sobraçando os machetes." (E. da Cunha, *Os Sertões,* 130.)

Familiar — *a, com, em, entre, para:*
"Termos alemães familiares *aos* estudiosos da questão." (João Ribeiro, *Curiosidades Verbais,* 113.) "Seus examinandos .... eram, em generalidade, incapazes de responder às questões mais familiares *aos* rusticozinhos da classe do Professor Henslow." (Rui, *Queda do Império,* I, 434.)
"Familiar *com* os escritores da antigüidade e com os modernos de mais nome, seria preciso colhê-lo desapercebido .... para se apreciarem devidamente os tesouros encobertos daquela vasta erudição." (Rebelo da Silva, *Contos e Lendas,* 15.)
"Este senhor era quase familiar *naquela* casa." (Camilo, *Mistérios de Lisboa,* I, 196.)
"Erudito glossário de Yule e Burnell a respeito das coisas da Índia, familiares *entre* os europeus que lá residem." (João Ribeiro, *Curiosidades Verbais,* 176.)
"Dominava-a o pensamento de que nunca mais pisaria aquelas campinas tão familiares *para* ela." (Antero de Figueiredo, *Amor Supremo,* 235.)

Familiaridade — *com, entre:*
"Quem é, inquiri, aquele homem .... que tem tanta familiaridade *com* os duques e tanta entrada em casa dos ministros...?" (Mário Barreto, *Cartas Persas,* 96.) "Já o ouvido português os adotou (os grupos verbais), e pela sua familiaridade *com* eles nenhuma aspereza lhes sente." (Rui, *Réplica,* 242.)
"Não existe nenhuma familiaridade *entre* os vizinhos."

Familiarizado — *com:*
"O cego erguera-se para, tateando, vir ao seu encontro e conduzi-la (familiarizado *com* a disposição dos móveis ....), até uma cadeira junto à secretária." (Veiga Miranda, *A Eterna Canção,* 98.) "*Com* a difteria e o tifo está familiarizado o europeu." (Rui, *Colunas de Fogo,* 90.) "Agora parecia mais familiarizada *com* o provinciano. Chegou a dirigir-lhe gracejos." (Aluísio Azevedo, *Casa de Pensão,* 117.)

Faminto — *de:*
"Faminto *de* honras, *de* novidades." (Morais.) "Instalado na residência nova, onde a lei era gozar, como ordenava Epicuro, Izidro, como um faminto *de* prazeres, lançou-se desabridamente na troça." (C. Neto, *Treva,* 5.)

Famoso — *em, por:*
"Pediam força para debelar uma poderosa quadrilha de ladrões que assaltavam as casas famosas *em* dinheiro." (Camilo, *A Neta do Arcediago,* 169.) "Mancebos já expulsos da sociedade honesta e famosos *em* toda a casta de desvergonha." (Idem, *A Enjeitada,* 211.) "A Holanda era, naqueles começos do século XVII, uma grande potência marítima e militar. Suas naus de comércio corriam o mundo e seus

exércitos se haviam tornado famosos *nas* lutas que sustentava contra sua inimiga, a Espanha.'' (*Maravilhas do Conhecimento Humano*, I, 154.)

''Ele descendia dos Gamas, de Rio Formoso, família famosa *pela* riqueza e vastidão das terras e *pelo* domínio político, através de quase dois séculos.'' (Mário Sete, *Os Azevedos do Poço*, 16.)

Fanático — *de, por:*

''Os fanáticos *das* leis fonéticas desdenham com fingida altivez a derivação popular.'' (João Ribeiro, *Curiosidades Verbais*, 151.)

''Contava maravilhas agrícolas; mostrava-se fanático *pelo* Rosário.'' (Aluísio Azevedo, *O Mulato*, 213.)

Fanatismo — *contra, por:*

''Deixa (a carta) em lamentável contraste essas iniquidades do fanatismo *contra* a raça onde mais vigorosamente germina, sob as suas várias denominações, a semente cristã.'' (Rui, *Cartas de Inglaterra*, 393.)

''Seu amor converteu-se num verdadeiro fanatismo *pela* moça.'' ''Fanatismo *pela* caçada, *pelos* passeios campestres.''

Fanatizado — *contra, por:*

''Acusam os jesuítas de propulsores da de África, porque aferventavam o zelo religioso do príncipe fanatizado *contra* a mourisma.'' (Camilo, *Boêmia do Espírito*, 203.)

''Quereria dar a perceber que os portuguêses do século XVII estavam fanatizados *pela* educação jesuítica.'' (Camilo, *Boêmia do Espírito*, 30.)

Fantasiado — *de, em:*

''Fantasiado *de* índio; fantasiado *de* Mefistófeles.''

''Artilheiros de linha, carnavalescamente fantasiados *em* guardas nacionais, figurarão solenemente, a 2 de dezembro, na parada das milícias.'' (Rui, *Colunas de Fogo*, 21.)

Fartão — *de:*

''Teve aqui um fartão *de* alegria o mestre.'' (Rui, *Réplica*, 397.)

Farto — *de, em, por:*

''Farto *de* meios, viajara muito e muito estudara nos museus de pintura.'' (Antero de Figueiredo, *Amor Supremo*, 12.) ''Deus o dissera — em mau português, em mau italiano e em mau latim — estava farto *dos* desmandos da terra....'' (E. da Cunha, *Os Sertões*, 148.) ''Estava farto *de* ainda não ter vivido.'' (J. Américo de Almeida, *A Bagaceira*, 28.)

''Nesse exame de consciência, verdadeira confissão duma vida farta *em* vicissitudes, Rui voltara-se sem ódio para os seus inimigos e sem queixa para as suas desventuras.'' (Luiz Viana Filho, *A Vida de Rui Barbosa*, 287.) ''Os servos iam e vinham cantando, contentes de todo um dia repousado naquele oásis farto *em* tâmaras.'' (C. Neto, *A Cidade Maravilhosa*, 95.)

''O certo é que abria aos desventurados os celeiros fartos *pelas* esmolas e produtos do trabalho comum.'' (E. da Cunha, *Os Sertões*, 196.)

Fascinação — *sobre:*

''É fácil compreender porque essa falsa ciência exerceu tão poderosa fascinação *sobre* a mente popular.'' (*Maravilhas do Conhecimento Humano*, I, 208.)

Fascinado — *com, por:*

''Ficou fascinado *com* a formosura da jovem.''

''Fascinada *pela* soberania do homem, *pelas* reminiscências daquele tipo ...., Antônia não sabia, nem podia resistir.'' (Camilo, *Mistérios de Lisboa*, II, 134.) ''Fascinados *por* aquela inteligência extraordinária, poucos .... alcançaram deixar-lhe a porta sem que ele próprio a fechasse.'' (Luiz Viana Filho, *A Vida de Rui Barbosa*, 170.)

Fascínio — *de:*

''Contudo, tão poderoso é o fascínio *dessa* falsa «ciência», que tem milhares de adeptos até mesmo hoje.'' (*Maravilhas do Conhecimento Humano*, I, 209.)

Fastidioso — *a, para:*

''Assunto fastidioso *a* todos.''

''Não vá eu perder-me em abstrações fastidiosas *para* mim e *para* os que me lerem estas pungentes reminiscências.'' (Camilo, *Mistérios de Lisboa*, I, 77.)

Fastio — *a, de, por:*

''Fastio *a* lisonjas, *a* litígios, *a* aduladores.'' (Constâncio.)

''Riu-se porque as ervas más lhe sugeriam as razões do nosso fastio *de* viver.'' (Afrânio Peixoto, *A Esfinge*, 50.) ''Às maiores delícias se segue logo o fastio *delas*.'' (Morais.)

''Sinto verdadeiro fastio *por* demandas e *por* demandistas.'' (Aulete.)

Fatal — *a, para:*

''De modo que, todos os anos, no semestre decorrente entre 15 de novembro e 15 de maio, ... é a epidemia fatal *ao* europeu.'' (Rui, *Colunas de Fogo*, 92.)

''A devota matrona era um ente fatal *para* a ordem de nosso padre S. Bernardo.'' (Herculano, *O Monge de Cister*, II, 355.)

Fatigado — *com, de, em, por:*

''Os pais e os maridos nada podem contra a sociedade fatigada *com* uma forma obsoleta, mas que persiste — o casamento.'' (Afrânio Peixoto, *A Esfinge*, 38.)

''Ao sentir-me fatigado *da* igualdade de todas as horas, angustiei-me, e cobrei horror ao meu futuro.'' (Camilo, *Amor de Salvação*, 98.) ''Era como o caminheiro que, fatigado *da* jornada, estuga o passo para chegar antes de anoitecer.'' (J. Américo de Almeida, *A Bagaceira*, 13.)

"Fatigado *em* penosas lutas de conjeturas, adormecia." (Camilo, *Mistérios de Lisboa*, I, 18.)

"Procuramos a Deus com a vista enfraquecida no estudo da natureza, o espírito fatigado *por* séculos de metafísica e a imaginação repleta de infinitas acumulações." (Rui, *Cartas de Inglaterra*, 98.) "Ela não pudera passear, tendo dormido mal, fatigada *por* duas reuniões seguidas." (Afrânio Peixoto, *A Esfinge*, 30.)

Fátuo — *para:*

"Quem é o autor desse gigantesco livro? Ninguém sabe. É provavelmente o trabalho de milhares de poetas, nenhum dos quais era bastante fátuo *para* ligar seu nome à obra." (*Maravilhas do Conhecimento Humano*, II, 19.)

Favor — *para:*

"Descobriu-se à rainha .... pedindo-lhe ajuda e favor *para* cobrar seu estado." (Castanheda, in Dic. de Morais.)

Favorável — *a:*

"Ainda verificados todos os requisitos favoráveis *ao* vapor, não fica ele dispensado senão de uma parte da quarentena." (Rui, *Colunas de Fogo*, 95.) "Diversas circunstâncias favoráveis *a* estas aspirações, cedo o levaram para um colégio de jesuítas." (Antero de Figueiredo, *Amor Supremo*, 95.)

Favoravelmente — *a:*

"É este ato resoluto que galvaniza a inércia das massas, favoravelmente *ao* alfageme." (Fialho de Almeida, *Os Gatos*, 210.)

Favorecido — *com, de, por:*

"As fugas de escravos .... serão favorecidas *com* o estímulo dessas tendências libertadoras do governo e poderão assumir proporções de despovoamento das fazendas." (Xavier Marques, *As Voltas da Estrada*, 119.)

"O reino de Israel, tão amado e favorecido *da* minha providência." (Vieira, *Sermões*, IX, 102.)

"A criada, favorecida *pela* embriaguez dos assassinos, achou a salvação na mesma causa que dera morte à ama." (Camilo, *As Três Irmãs*, 22.) "Mais para o norte, ao começar o século XVIII, o povoamento, com os mesmos elementos, continuou mais intenso, diretamente favorecido *pela* metrópole." (E. da Cunha, *Os Sertões*, 103.)

Favorito — *de:*

"Junto ao velho barão não lhe seria fácil passar por galã e favorito *das* moças." (Xavier Marques, *As Voltas da Estrada*, 107.)

Fé — *de, em:*

"As sentinelas deram fé *dos* dois vultos, falaram entre si concordando em que eram hebreus." (Vieira, *apud* Aulete.)

"Pascoal tinha tento e eu sempre tive fé *nele*." (Afonso Arinos, *Pelo Sertão*, 144.) "Perdida a fé *na* estima de seu tio e *na* piedade de Deus, caiu, debateu-se em ânsias que lhe aniquilaram as forças." (Camilo, *A Enjeitada*, 100.)

Fechado — *a, com, em, para, por, sobre:*

"Estava fechada aquela porta *ao* Sr. Cruls." (Rui, *Queda do Império*, I, 266.) "A nova vereda, franca à translação de tropas e comboios e fechada *aos* jagunços ...." (E. da Cunha, *Os Sertões*, 534.)

"Velhas latas de querosene fechadas *com* tampões de cera de abelha." (Gustavo Barroso, *Terra de Sol*, 63.)

"Fechado *em* horroroso cárcere, cercam-me sempre os mesmos objetos e devoram-me os mesmos pesares." (Mário Barreto, *Cartas Persas*, 14.) "Baixou a fronte, triste, o rosto fechado *numa* decepção, sem dizer palavra...." (Afrânio Peixoto, *A Esfinge*, 93.) "Há poucos arvoredos, mas os jardins abundam, fechados *em* muros alvos." (Fialho de Almeida, *Os Gatos*, 71.)

"Nem imagina o prazer que me daria se me viessem dizer que a virtude não fora repelida desse coração, que todo o mundo considera fechado *para* a luz da honra." (Camilo, *A Neta do Arcediago*, 30.) "Às dez horas da manhã hei de encontrar aberta para mim esta porta fechada *para* todos." (Idem, *Mistérios de Lisboa*, II, 134.)

"Embaixo, um quintalzinho fechado *por* muros altos." (Antero de Figueiredo, *Amor Supremo*, 238.) "A lagoa, antes de se alargar num outro poção, ainda maior, era fechada *por* um vasto tijucal." (Gastão Cruls, *História Puxa História*, 36.)

"A mão fechada *sobre* um rolo de pergaminhos, e batendo freqüente e distraída, dava mostras evidentes de que não estava ali todo o espírito." (Rebelo da Silva, *Contos e Lendas*, 213.)

Fecundidade — *de, em:*

"Que fecundidade *de* imaginação!"

"Admiro sua fecundidade *em* expedientes e subterfúgios."

Fecundo — *de, em, para:*

"Fecundo *de* estratagemas." (E. Carneiro Ribeiro, *Serões Gramaticais*, 676.) "Milagre fecundo *de* tantas maravilhas." (Vieira, *apud* C. Góis, *Sintaxe de Regência*, 99.)

"Período não menos fértil em perfídias e infâmias, que fecundo *em* rasgos de nobre lealdade." (Rebelo da Silva, *Contos e Lendas*, 323.) "Estava-se estimando de se sentir tão fecundo *em* expedientes, tão hábil." (Eça, *O Primo Basílio*, 242.) "Processo fecundo *em* derivações novas e imprevistas." (João Ribeiro, *Curiosidades Verbais*, 94.)

"Talha-se uma patologia nova, fecunda *para* a clínica e duma larga esfera de aplicações às ciências afins da medicina." (Ricardo Jorge, *Sermões dum Leigo*, 22.)

Fedor — *a, de:*

"Intenso cheiro a queimado; fedor *a* gato." (Mário Barreto, *Através do Dicionário e da Gramática,* 398.) "Fedor *a* mofo."

"Fedor *de* carniça." "O fedor *da* podridão obrigara a alterar o estilo das quarentenas." (Camilo, *apud* Aulete.)

Feitiçaria — *contra:*

"Fausto arrastado em Minas como feitiçaria *contra* a agitação republicana." (Rui, *Colunas de Fogo,* 10.)

Feito — *a, com, de, em, para, por:*

"O colégio era o sofisma, a diáfana capa com que a santa gente escondia o furto feito *à* mãe saudosa de sua filha." (Camilo, *A Enjeitada,* 135.) "Os gravatás e ananases bravos copiam-lhe a mesma forma, adrede feita *à*quelas paragens estéreis." (E. da Cunha, *Os Sertões,* 40.)

"Conversa de salão, feita *com* alfinetes e reticências." (Afrânio Peixoto, *A Esfinge,* 57.)

"Meninos obrigados a padecer um ensino feito *de* tais aberrações...." (Mário Barreto, *Através do Dicionário e da Gramática,* 156.) "A Democracia não gosta de ilaquear as suas teorias abstratas nas redes da pequena história, feita *d*as malhas dos argumentos cediços." (Camilo, *Perfil do Marquês de Pombal,* VIII.)

"Mocidade educada na contemplação dos fatos científicos, feita *no* amor das coisas positivas." (Fialho de Almeida, *Os Gatos,* 240.) "As palavras, como se fossem feitas *em* fio de latão, espichavam-se até perderem todo o sentido de sua expressão gráfica." (Alberto Rangel, *Fura-Mundo,* 132.)

"Os ramos recurvos e entrelaçados parecem de propósito feitos *para* a armação das redes bamboantes." (E. da Cunha, *Os Sertões,* 46.)

"Mesa elástica de oito tábuas largas com os quitutes feitos *pel*as mãos de Chichica." (Mário Sete, *Os Azevedos do Poço,* 50.) "Toda alteração feita *por* uma câmara *a* um projeto adotado na outra, o obriga a retroceder àquela de onde veio." (Rui, *Réplica,* 56.)

Felicidade — *contra, de, em:*

"Se estas (colunas) vingassem transpô-lo (ao anteparo), o que pressupunha rara felicidade *contra* antagonistas de tal modo abrigados...." (E. da Cunha, *Os Sertões,* 535.)

"Não tive ainda a felicidade *de* ver o tesouro do Imperador, onde dizem que se acha esta medalha." (Dic. de Fr. D. Vieira.) "Terei a felicidade *de* receber a honra do seu conhecimento." (Camilo, *Livro Negro,* 139.)

"— Choras!... sempre lágrimas!... Que felicidade *em* chorar!...." (Idem, *ibidem,* 200.)

Felicitação — *a, por:*

"As pensões de que deu felicitações *a* seus amigos, sempre em termos diferentes, ascendem a dois milhões e seiscentas mil libras." (Mário Barreto, *Cartas Persas,* 186.)

"E lhe dou cordiais felicitações *pel*o seu trabalho, como princípio das relações literárias que desejo existam entre nós ambos." (Mário Barreto, *Através do Dicionário e da Gramática,* 367.)

Feliz — *com, de, em, para, por:*

"Via as filhas casadas, cada qual com a sua casa, felizes *com* os maridos que houvessem escolhido." (J. Lins do Rego, *Usina,* 102.) "Reputavam-se felizes *com* a migalha restante." (E. da Cunha, *Os Sertões,* 191.) "Se pudesse voltar atrás, recomeçar, quem sabe seria feliz *com* Everardo?" (Ciro dos Anjos, *Montanha,* 120.)

"Senti-me feliz *de* uma alegria que não sabia dizer." (Camilo, *Mistérios de Lisboa,* I, 30.) "Os restantes de toda a récua dos escreventes lá estavam, felizes *de* gozar aqueles momentos raros." (Alberto Rangel, *Fura-Mundo,* 79.)

"Parece que não foste feliz *na* caçada de hoje." (Afrânio Peixoto, *A Esfinge,* 185.)

"O mágico do laboratório está constantemente criando novos corpos, novos processos, novos caminhos e meios de tornar a vida mais rica e mais feliz *para* todos nós." (*Maravilhas do Conhecimento Humano,* I, 272.)

"Ontem ventilamos a questão de se eram felizes os homens *pel*os prazeres satisfações sensuais, ou *pela* prática da virtude." (Mário Barreto, *Cartas Persas,* 19.) "Ele compreendeu, e silenciosamente beijou a irmã, feliz *por* achar naquela alma boa um sentimento igual ao seu." (Afrânio Peixoto, *A Esfinge,* 311.)

Felizmente — *para:*

"Felizmente *para* mim entrou gente na sala." (Camilo, *Cenas da Foz,* 54.)

Felonia — *contra:*

"Não se podia ser inimigo de Rosas, sem incorrer 'ipso facto' em sacrílega felonia *contra* a pátria." (Rui, *Cartas de Inglaterra,* 313.)

Feracidade — *de:*

"Sabido é como neste prospérrimo torrão de Portugal tem a Natureza, e teve sempre, maravilhosa feracidade, assim *de* frutos como *de* varões." (Castilho, *apud* L. Freire.)

Ferido — *com, de, em, por:*

"Soldado ferido *com* baioneta, *com* espada."

"Sabem o que é o nervo óptico, ferido *d*esse galvanismo da alma ....?" (Camilo, *A Neta do Arcediago,* 7.) "E viu todos os seus haveres ameaçados, se não já feridos *de* próxima ruína." (Idem, *Estrelas Propícias,* 14.) "Não vai Gonçalo, que está ferido *da* bala do homem que saltava os muros da minha quinta, com teu consentimento." (Camilo, *O Bem e o Mal,* 177.)

"Ferido *na* sua vaidade ...., imaginara um golpe de mestre para se vingar." (Luiz Viana Filho, *A Vida de Rui Barbosa,* 130.) "D. Luiz Vaz calou-se magoado com aquela recusa, ferido *em* seu orgulho *com* o orgulho de Mafalda de Sá." (Antero de Figueiredo, *Amor Supremo,* 87.) "Ferida *no* coração e *no* amor-próprio, Flávia escondia-se a chorar." (Camilo, *A Enjeitada,* 164.)

"Ferido *pelas* setas do amor, Apolo embrenhou-se pelas selvas." (Rui, *Réplica,* 238.) "Armas fulgurantes, feridas *pelo* sol, feito uma torrente escura transudando raios." (E. da Cunha, *Os Sertões,* 242.) "Dilacerantemente ferido *pela* reminiscência de todas as belas coisas virginais." (Fialho de Almeida, *Os Gatos,* 244.)

Ferrado — *em:*

"Parecia deveras ferrado *no* seu estudo, porque até aí não dera fé do que se lhe passava em derredor." (Aluísio Azevedo, *Casa de Pensão,* 64.)

Fértil — *de, em:*

"Fértil *de* invenções, *de* crimes." (E. Carneiro Ribeiro, *Serões Gramaticais,* 675.) "Exemplo sejam os cometas, *de* que tão fértil foi nestes últimos anos o nosso século." (Vieira, *Sermões,* IX, 223.) "A hora, o sítio e, sobretudo, esta minha cabeça fértil *de* crendices visionárias fizeram-me crer que tal mulher aparecera então para não ser vista de alguém." (Camilo, *Cenas da Foz,* 123.)

"Fértil *em* invenções, *em* crimes." (E. Carneiro Ribeiro, *Serões Gramaticais,* 675.) "Fértil *em* perfídias e infâmias." (Rebelo da Silva, *Contos e Lendas,* 323.) "Amanheci angustiado, depois de ter passado uma noite fértil *em* sonhos." (Ciro dos Anjos, *O Amanuense Belmiro,* 122.)

Fertilidade — *de, em:*

"Uma grande fertilidade *de* espírito, *de* engenho, *de* imaginação." (Fr. D. Vieira.)

"É conhecida sua extraordinária fertilidade *em* expedientes e evasivas."

Fervilhante — *de:*

"Ramos fervilhantes *de* espinhos, recurvos e rasteiros, recamados de flores alvíssimas." (E. da Cunha, *Os Sertões,* 43.)

Fervor — *de, por:*

"O fervor *de* adquirir riquezas." (Constâncio.) "Em raras cortes hei visto mais luzimento, mais propriedade e mais fervor *de* entusiasmo." (Camilo, *Livro Negro,* 136.)

"Apesar do seu grande fervor *pela* Igreja, apesar das missas que papava por dia, D. Maria Bárbara, apesar de tudo isso, saíra-lhe má dona de casa." (Aluísio Azevedo, *O Mulato,* 18.)

Fervoroso — *em, para:*

"Os renegados são os mais fervorosos, *na* sua nova crença." (Herculano, *O Bobo,* 48.)

"Andou fervoroso *para* arranjar o emprego." (Aulete.)

Festejado — *com, por:*

"Este, quando apareceu, foi festejado pela mocidade masculina, *com* palmas estrepitosas." (Antero de Figueiredo, *Amor Supremo,* 68.)

"Fixando em seus livros, desde logo festejados *pela* crítica e pelo público, os aspectos vívidos, palpitantes, dos esplendores e decadência da sociedade carioca." (Veiga Miranda, *A Eterna Canção,* 43.)

Fiado — *de, em:*

"Fiado *dos* amigos que lhe prometiam apoio, lançou-se à empresa."

"Fiado, porém, *nos* seus recursos verbais, Roberto não se deu pressa em vir para o Rio." (Gastão Cruls, *Ao Embalo da Rede,* 84.) "Acudiu o capelão, fiado *na* sua autoridade até então tratada com indiferença, se não menoscabo." (Camilo, *A Enjeitada,* 55.) "Estive vai e não vai para deixar correr, fiado *nos* bons amigos que tenho na mitra e não me haviam de deixar ir ao chão com o cambapé deste tartufo." (Aquilino Ribeiro, *Andam Faunos,* 19.)

Fiança — *de, em:*

"Para fiança *do* que lhe disse, apresento-lhe estes documentos." (Aulete.) "Fiança *de* dívidas, multa." (Constâncio.)

"Eu tenho tanta fiança *no* meu Rubim, que me obrigo ...." (Valdomiro Silveira, *Nas Serras e nas Furnas,* 202.)

Fidelidade — *a, com, de, em, para com:*

"Patentearam aí, com toda a energia e afeto, a sua inabalável fidelidade *à* filha de Afonso VI." (Herculano, *O Bobo,* 85.) "Ainda assim, guardamos, mais que outros, fidelidade *à* tradição latina." (João Ribeiro, *Curiosidades Verbais,* 108.) "Não podíamos obter mais desinteressado testemunho da nossa fidelidade *aos* deveres que ela (a imprensa) impõe." (Rui, *Colunas de Fogo,* 185.)

"Acompanhada de grande respeito com os religiosos, e igual fidelidade *com* a coroa." (*Apud* E. Carneiro Ribeiro, *Tréplica,* 582.)

"Posso, porém, assegurar a fidelidade *da* transcrição." (Rui, *Réplica,* 386.) "Todavia Madalena não era criminosa; o seu crime era uma aparência; estava condenada por fidelidade *de* honra." (M. de Assis, *Contos Fluminenses,* 122.)

"A fidelidade *nos* seus juramentos é uma virtude pouco vulgar." (Fr. D. Vieira.)

"Guardou sempre absoluta fidelidade *para com* a esposa."

Fiel — *a, em, para com:*

"As outras filhas do latim se mantiveram mais ou menos fiéis *às* suas tradições." (Júlio Nogueira, *O Exame de Português,* 34.) "Dizia-se que Liberata era fiel *ao* fascinado moço." (Camilo, *A Neta do Arcediago,* 23.) "O povo inglês é fiel *à* casa de Hanover .... pela convicção de que essa casa é necessária à mantença das suas liberdades civis e religiosas." (Rui, *Queda do Império,* I, 115.)

"Fiel *em* suas palavras, *em* suas promessas." (Fr. D. Vieira.) "Em face dessa pintura, fiel *em* todos os seus pormenores, um dos órgãos mais conceituados e judiciosos da imprensa européia disse ...." (Rui, *Cartas de Inglaterra,* 348.)

"Fiel *para com* o noivo."

Figurado — *com, em:*

"E, dito isto, a Verdade, figurada *com* uma das mais disformes caras que eu lhe conheço, travou-me do pulso." (Camilo, *A Enjeitada,* 24.)

"Hércules figurado *em* trajos de moça." (Fr. D. Vieira.) "Revelar esses mundos é excogitar a gama dos pensamentos figurados *n*elas (palavras)." (Antero de Figueiredo, *Amor Supremo,* 195.)

Filiação — *de, em, entre:*

"A filiação *d*estas duas idéias é manifesta." (Aulete.)

"Filiação *em* uma escola, *em* uma agremiação."

"Vê-se que há filiação *entre* todas estas associações parciais." (Fr. D. Vieira.)

Filiado — *a, em:*

"Seus êmulos foram os Araújos que formavam uma família rica, filiada *a* outras das mais antigas do norte da província." (E. da Cunha, *Os Sertões,* 153.)

"Estar filiado *n*um partido." (Aulete, vb. *militar.*)

Filósofo — *diante de:*

"O verdadeiro confucionista é filósofo *diante d*a vida e indiferente diante da morte." (*Maravilhas do Conhecimento Humano,* I, 317.)

Fim — *de:*

"A circunstância de saber que Lúcia estava ali tão perto, ... mas inteiramente fora do seu alcance, o indispunha como se fosse uma pirraça levantada com o fim único *de* o afligir." (Aluísio Azevedo, *Casa de Pensão,* 166.)

Fincado — *de, em, para, sobre:*

"Por muito menos, o sertão estava fincado *de* cruzes passionais." (J. Américo de Almeida, *O Boqueirão,* 94.)

"Dobrada sobre si mesma, com os cotovelos fincados *n*os joelhos e o rosto encoberto pelas mãos, Maria Madalena continuava a chorar." (Gastão Cruls, *Ao Embalo da Rede,* 30.)

"Estribando curto, pernas encolhidas, joelhos fincados *para* a frente, torso colado no arção." (E. da Cunha, *Os Sertões,* 116.)

"De quando em quando, Sardoeira aparecia para dar uma vista d'olhos; ficava a fumar, fincado *sobre* as compridas pernas, e ia corrigindo: «Tira mais aqui, desbasta ali»." (Coelho Neto, *Treva,* 15.)

Fineza — *com, de, para com:*

"Suas finezas *com* as damas torna-o estimado de todas."

"Há aí demasiada fineza *de* tratamento, minha senhora.... Eu não passo de um padre." (Camilo, *Mistérios de Lisboa,* I, 214.) "Peço-lhe a fineza *de* me atender."

"Usar de finezas *para com* alguém."

Fino — *de:*

"A boipeba, venenosa e muito fina *de* corpo, defendia-se às lambadas." (Alberto Rangel, *Fura-Mundo,* 247.)

Firmado — *com, em, sobre:*

"Numa série de verrinas firmadas *com* a assinatura de um coronel do exército, ... se me atirou à porta um montão de lixo." (Rui, *Cartas Políticas e Literárias,* 265.) "Navio firmado *com* as âncoras."

"Cinco juízes, ... firmados unicamente *n*a autoridade abstrata de seu cargo...." (Rui, *Cartas de Inglaterra,* 369.) "Firmado *n*a última hipótese, decidiu-se pela melhor tática, — não lhe falar mais em amor, fazer um romance sem palavras." (Xavier Marques, *As Voltas da Estrada,* 49.)

"Permaneceu silenciosa, com o rosto firmado *sobre* as mãos."

Firme — *em:*

"Ficou (o animal) quase em pé, com as patas dianteiras firmes *n*um ressalto da pedra." (E. da Cunha, *Os Sertões,* 31.) "Não atendia Don'Ana Martins, firme *n*uma idéia antiga, que nem mesmo uma viagem ao Recife abalara." (Afrânio Peixoto, *A Esfinge,* 114.)

Firmeza — *de, em:*

"Replicou o padre, dando à fisionomia um gesto de severidade em que se revelava a firmeza *d*as suas tenções." (Camilo, *Mistérios de Lisboa,* I, 66.) "Firmeza *de* mão; firmeza *de* memória." (Constâncio.)

"Por isso não têm mais firmeza *n*a sua incredulidade que *n*a sua fé." (Mário Barreto, *Cartas Persas,* 162.)

Fito — *em, para:*

"Os sertanejos quedavam em silêncio, tenteando as pontarias, olhos fitos *n*as colunas ainda distantes." (E. da Cunha, *Os Sertões,* 269.) "Subiu, entre os dois padres, a escada, na sua natural atitude altiva, direita, com os olhos fitos *n*o espetáculo dos tormentos." (Camilo, *Perfil do Marquês de Pombal,* 13.)

"Tal foi a mensagem que lera nos olhos negros, aveludados, fitos *para* os seus, um pouco torvos e solenes. Trespassado da sua voluptuosa lançada, não dormiu a noite." (Aquilino Ribeiro, *Quando ao Gavião Cai a Pena,* 54.)

Fixação — *a, em:*
"Tinha a vantagem de um atributo supletivo que faltou a ambos — a fixação *ao* solo." (E. da Cunha, *Os Sertões*, 94.)
"Fixação de um prego *na* parede, de uma estaca *no* terreno."

Fixidez — *de, em:*
"Fixidez *de* mão."
"A observação cuidadosa do sertanejo do norte mostra atenuado esse antagonismo de tendências e uma quase fixidez *nos* caracteres fisiológicos do tipo emergente." (E. da Cunha, *Os Sertões*, 110.)

Fixo — *em, para:*
"Pegali estava sentado sobre as patas traseiras, com os olhos nostálgicos fixos *em* Valentim, como que escutando." (J. Américo de Almeida, *A Bagaceira*, 53.) "O duque está melancólico; os seus olhos, fixos *em* Branca, não encontram os dela; as suas palavras, raras e forçadas, não a fazem acordar do êxtase." (Camilo, *Livro Negro*, 122.)
"Bugrinha estava séria, com o olhar fixo *para* um ponto distante, como a antever o que esperava." (Afrânio Peixoto, *Bugrinha*, 22.)

Flexão — *de, em, para:*
"O particípio passado da voz ativa, até o século XVI, tinha flexão *de* gênero e *de* número." (Júlio Nogueira, *O Exame de Português*, 179.)
"Isto é para se ver que é naturalíssimo entre nós a flexão nominal *em* gênero." (Augusto Moreno, *Lições de Linguagem*, II, 255.)
"As declinações tinham flexões *para* o singular e *para* o plural." (Júlio Nogueira, *O Exame de Português*, 136.)

Flexível — *a, em:*
"Que estímulo para um coração de cera, flexível *a* todos os caprichos da fantasia, qual era o meu, por esses tempos!" (Camilo, *Cenas da Foz*, 124.)
"Fisionomia mais viçosa, menos arada pelas lágrimas, sem alguns cabelos brancos que lhe vira agora, mais flexível *na* gentileza dos modos, mais soberba no entono das palavras." (Camilo, *Livro Negro*, 84.)

Florescido — *em:*
"Este livro é a aurora de um talento florescido *na* sazão própria." (Camilo, *Boêmia do Espírito*, 235.)

Florido — *de:*
"Ao dar com a varanda da casa, florida *de* rosas enfeitada de palmas e folhagens como um presepe, o coração bateu-lhe com força." (C. Neto, *Treva*, 28.)

Flutuação — *entre:*
"Houve certa flutuação *entre* os dois alvitres."

Fobia — *de:*
"Tinha, entre outras, a fobia *d*as multidões." (Medeiros e Albuquerque, *Quando Eu Era Vivo*, 243.)

Fôlego — *para:*
"Recaíam na preocupação primitiva: que o inimigo 'in-extremis' tivesse ainda fôlego *para* lhes facultar desdobrassem o destemor e a força." (E. da Cunha, *Os Sertões*, 545.)

Folga — *para:*
"O trabalho é tanto, que não lhe deixa folga *para* ir a um cinema."

Folgado — *de, em:*
"Abancando, folgados *de* se ver e recordar os velhos tempos, copo despejado, copo cheio, ali os surpreendeu a noite." (Aquilino Ribeiro, *A Batalha sem Fim*, 7.)
"Ia tingir as faces do cortesão que, havia instantes, se recreava folgado *na* vingança satisfeita." (Herculano, *O Bobo*, 30.)

Fome — *de:*
"Fome *de* ganhar." (E. Carneiro Ribeiro, *Serões Gramaticais*, 668.) "Indicava uma área mais repousada nas extremas do latifúndio, terrenos lavradios com fome *de* sementeiras." (J. Américo de Almeida, *A Bagaceira*, 36.)

Foragido — *de:*
"Ficou entregue ao comprazer dos carvoeiros e salteadores foragidos *d*a Bairrada." (Fialho de Almeida, *Os Gatos*, 282.) "Quando os cenóbios acolhiam os foragidos *d*o mundo." (Camilo, *apud* Aulete.)

Força — *de, em, para:*
"Não me sinto com forças *de* deixar os carinhos da família." (Antero de Figueiredo, *Amor Supremo*, 203.) "Querubina não tinha forças *de* impugná-las." (Alberto Rangel, *Fura-Mundo*, 264.)
"Tanta é a força e o poderio que tem *nos* ânimos." (Mário Barreto, *Cartas Persas*, 49.)
"Não tive, também, forças *para* olhá-la de frente." (Ciro dos Anjos, *O Amanuense Belmiro*, 61.) "Estás a ver que o desgraçado não teve forças *para* resistir ao choque." (C. Neto, *A Cidade Maravilhosa*, 36.) "Não tendes força *para* ir abraçar a vossa filha?" (Camilo, *Mistérios de Lisboa*, II, 212.)

Forçado — *a, por:*
"Ainda estava carregado de dívidas e forçado *a* pedir prorrogação para os seus compromissos." (Luiz Viana Filho, *A Vida de Rui Barbosa*, 87.) "Desamparado de todos, forçado *a* pedir uma esmola, como um ladrão, pela grade da enxovia." (Camilo, *A Neta do Arcediago*, 144.)
"Quando os cúmplices, forçados *pel*a tortura, o denunciaram, José Policarpo havia desaparecido." (Camilo, *Perfil do Marquês de Pombal*, 45.) "Flávia, forçada *pel*a soberania do preceito, levantou o rosto altivamente." (Idem, *A Enjeitada*, 179.)

Forma — *de, para; com, de, em, por, sob:* "É tido como forma e exemplo *de* bons costumes." (Aulete.) "Primeiros esforços para mudar em Portugal a forma *de* governo." (Latino Coelho, *apud* Aulete.)

"Havia forma especial *para* o caso objeto." (Júlio Nogueira, *O Exame de Português,* 137.)

"Cada forma *com* que o mesmo substantivo se pode manifestar na frase chama-se caso." (Sousa da Silveira, *Lições de Português,* 41.)

"A idéia de pluralidade, em latim, não expressa *de* forma tão simples." (Júlio Nogueira, *O Exame de Português,* 131.)

"O adjetivo reaparéce *na* sua forma positiva." (Júlio Nogueira, *O Exame de Português,* 160.)

"Conheci um mercador que, fisgando e aleijando o freguês, não se desculpava *por* outra forma." (Amadeu Amaral, *Memorial de Um Passageiro de Bonde,* 28.)

"A arte náutica vulgarizou outras expressões menos técnicas, *sob* formas acessíveis." (João Ribeiro, *Curiosidades Verbais,* 182.)

Formado — *com, de, em, para, por, segundo:* "São poucas as palavras verdadeiramente antigas formadas *com* o prefixo 'in'." (Mário Barreto, *Através do Dicionário e da Gramática,* 142.) "Dá-se o nome de 'hibridismo' à palavra formada *com* elementos de mais de uma língua." (Júlio Nogueira, *O Exame de Português,* 59.)

"Alguns (nomes) são formados *de* palavras latinas." (Mário Barreto, *Através do Dicionário e da Gramática,* 221.) "À frente da igreja amontoa-se pequena multidão formada *de* velhos, mulheres e crianças." (Erico Verissimo, *Saga,* 58.) "Augusta Leite, absorta, sentia a água do córrego deslizar como um rio formado *de* lágrimas dos cativos." (Xavier Marques, *As Voltas da Estrada,* 147.)

"Além de cauto, formado *na* escola que, a título de zorreira e minuciosa, qualificam de pé-de-boi, era pirrônico por índole e escarmento." (Aquilino Ribeiro, *A Batalha sem Fim,* 84.) "A essa festa comparecera, também um rapaz quase formado *em* medicina." (Mário Sete, *Os Azevedos do Poço,* 33.) "Sobrevinham outras esperanças mais brilhantes e acomodadas a um espírito formado *na* casa solarenga de Calvados." (Camilo, *A Enjeitada,* 58.)

"Espírito formado *para* as grandes lutas." "A tropa está formada *para* o exercício."

"Abóbadas formadas *por* vastas pedras." (Mário Barreto, *Cartas Persas,* XXIII.) "Foi o que lhe disse a razão do mundo, formada *pelo* mundo, adaptada às conveniências vigentes da sociedade." (Camilo, *Cenas da Foz,* 189.)

"Neologismos audazes, formados *segundo* as leis da morfologia portuguesa e que não desdizem da índole da língua." (Mário Barreto, *Através do Dicionário e da Gramática,* 103.)

Formalizado — *com, de:* "Mostrou-se formalizado *com* a brincadeira."

"O último que saiu, bastante formalizado *de* alguns gracejos do erudito, foi o abade Silva." (Rebelo da Silva, *apud* Aulete.)

Formatura — *em:* "O meu ofício de doutor?! — disse Antônio de Azevedo, como perguntando a si mesmo a utilidade da formatura *em* direito." (Camilo, *Estrelas Propícias,* 21.)

Formoso — *de:* "A irmã do vigário tinha dezoito anos. Era dotada de abundantes graças, ... rica de negros cabelos, formosa *de* olhos, doce e meiga no dizer." (Camilo, *O Bem e o Mal,* 48.)

Fórmula — *de, para:* "A fórmula *de* juramento." (Constâncio.) "A fórmula *das* velocidades virtuais." (Aulete.)

"'Meu amiguinho' — era a sua fórmula predileta *para* se dirigir aos estudantes." (Medeiros e Albuquerque, *Quando Eu Era Vivo,* 28.) "Faz com que o romancista ou dramaturgo encontrem sessenta ou setenta fórmulas diferentes *para* expressão pictural dum mesmo sentimento." (Fialho de Almeida, *Os Gatos* 128.)

Fornecimento — *a, de:* "Sócio da grande firma Lemos & Cia., detentora de quase todos os fornecimentos *às* repartições públicas." (Afrânio Peixoto, *A Esfinge,* 151.)

"Tem havido muitas irregularidades no fornecimento *de* leite *à* população."

Forno — *de, para:* "Forno *de* pão, *de* cal, *de* tijolo, *de* fundição." (Constâncio.)

"Era o velho forno *para* quitanda." (Afonso Arinos, *Pelo Sertão,* 39.)

Forrado — *a, com, contra, de:* "Saía, forrada *à* mínima suspeita, e, por caminhos trocados, ia a S. Martinho de Sande." (Camilo, *A Enjeitada,* 57.)

"O chão forrado *com* folhas e ramos."

"Bernabé veio, melhor forrado *contra* o frio, sentar-se ao pé delas." (Camilo, *A Neta do Arcediago,* 62.)

"Descansando num estrado de madeira, todo forrado *de* junco e capim seco." (Gustavo Barroso, *Terra de Sol,* 26.) "O chão era todo forrado *de* tijolos vermelhos." (Aluísio Azevedo, *O Mulato,* 155.) "A cidade das Palmas, à margem do Maruí, era um alvo, extenso areal forrado *de* sombras de coqueiros." (C. Neto, *Treva,* 53.)

Fortalecido — *com, de, por:*

"Indústria fortalecida *com* capitais estrangeiros."

"Exemplo singularíssimo do que pode a fraqueza do nosso barro fortalecida *da* graça." (Vieira, *Sermões*, IX, 52.)

"Ebriez mental perigosíssima, que estonteia o soldado duplamente fortalecido *pela* certeza da própria fôrça e a licença absoluta para as brutalidades máximas." (E. da Cunha, *Os Sertões*, 326.)

Fortaleza — *em:*

"Revelou extraordinária fortaleza *na* adversidade."

Forte — *de, em, para:*

"Forte *de* braços." (E. Carneiro Ribeiro, *Serões Gramaticais*, 674.) "Toda a expedição em caminho, forte *de* uns três mil combatentes, avançou até ao Aracati." (E. da Cunha, *Os Sertões*, 382.) "O capitão, forte *de* razões aconselhadas pela prudência, pôs em discussão a matéria." (Camilo, *apud* Aulete.)

"Camilo C. Branco, que não era muito forte *em* grafia, escrevia 'author', à maneira inglesa." (Júlio Nogueira, *O Exame de Português*, 108.) "Uma boa memória valerá sempre mais que uma inteligência reflexiva, educada, mas menos forte *em* reter noções acumuladas." (Rui, *Queda do Império*, I, 342.) "Forte *em* todos os sentimentos, tal terror se lhe incutiu, que receou pela vida."

"Recomendai-o assim a vossos filhos, e tereis netas como Jerônima, com o coração forte *para* a pobreza, e dócil para a prosperidade." (Camilo, *As Três Irmãs*, 66.) "Eis-me outra vez forte *para* a luta, e envergonhado da minha fraqueza." (Idem, *Estrelas Propícias*, 88.)

Fortidão — *de:*

"Fortidão *de* gênio." (Aulete.)

Fortuna — *de, em:*

"Se tiverdes a rara fortuna *de* encontrá-lo mudo por aquele gracioso labirinto de moitas e relvados, pode ser que simpatizeis com o alado bípede." (Rui, *Colunas de Fogo*, 99.) "Tive a fortuna *de* tornar a encontrar o mercador armênio." (Mário Barreto, *Cartas Persas*, 150.)

"Senhor de grande fortuna *em* prédios." (Afrânio Peixoto, *A Esfinge*, 151.)

Fracionado — *em:*

"Serranias que se arredondam e suavizam as linhas dos taludes, fracionadas *em* morros de encostas indistintas." (E. da Cunha, *Os Sertões*, 3.)

Fraco — *com, de, em, para, por:*

"É muito fraco *com* as mulheres."

"Fraco *de* pernas." (E. Carneiro Ribeiro, *Serões Gramaticais*, 674.) "Alguns (animais) ainda fracos *da* seca, morrem." (Gustavo Barroso, *Terra de Sol*, 38.) "Precisas alimentar-te, se não queres ficar fraca *dos* pulmões." (Ciro dos Anjos, *Montanha*, 209.)

"Aquela voz, poderosa na expressão e fraca *na* tonalidade, onde havia um pouco de súplica e um pouco de arrogância." (Aluísio Azevedo, *O Homem*, 54.) "Fraco *em* geografia."

"Sinto-me fraco *para* tão arrojado empreendimento." "Correra aos braços de sua mulher, e encontrara neles o pupilo de Laura. Fraco, *para* tamanha surpresa, descorou." (Camilo, *Livro Negro*, 39.)

— Como substantivo: "A criada e a cortesã conversam do seu fraco *pelo* outro sexo." (Rui, *Réplica*, 167.) "Nota-se-me um fraco lastimável *pelas* palavras já de muito caídas em desuso." (Idem, *ibidem*, 31.)

Frágil — *a, de:*

"Os olhos aguados e as palavras balbuciantes denunciaram-na, não a Luiz, que a adivinhava; mas a João da Cunha, que a não imaginava tão frágil *à* tentação do filho." (Camilo, *A Neta do Arcediago*, 47.)

"Frágil *de* compleição, minguado de corpo, ... ele ali ficava horas inteiras, observando aquela gente a exibir vaidades." (Afrânio Peixoto, *A Esfinge*, 348.)

Franco — *a, com, em, sobre:*

"De feito, a nova vereda franca *à* translação das tropas e comboios e fechada aos jagunços, ... encurtava de mais de um dia a jornada para Monte Santo." (E. da Cunha, *Os Sertões*, 534.)

"Seja franco *comigo*, quero saber tudo." "— Serei franca *contigo*, eu mesma lembrei isso a meu marido." (M. de Assis, *Contos Fluminenses*, 206.)

"É um homem franco *em* todos os seus atos."

"Não fizesse caso .... dizia para o Pena, em voz baixa, o Martins, embaraçado em ser franco *sobre* assunto tão melindroso." (Afrânio Peixoto, *A Esfinge*, 119.)

Franjado — *de:*

"Visionava tabuleiros afogados em lagos irrequietos, franjados *de* verde." (J. Américo de Almeida, *O Boqueirão*, 153.) "A gargantilha de aljôfares e os chapins franjados *de* prata." (Alberto Rangel, *Fura-Mundo*, 99.)

Franqueza — *com, de, em, sobre:*

"A fim de esclarecer bem o caso, usei de tôda a franqueza *com* ele."

"Franqueza *de* caráter, *de* atitudes." "— Teve contigo alguma franqueza *do* seu passado? — Nenhuma. Perguntei-lhe se amava o duque .... respondeu-me chorando." (Camilo, *Livro Negro*, 126.)

"Franqueza *em* falar." (Constâncio.)

"Exijo a máxima franqueza *sobre* este assunto."

Franzido — *em:*
"O Lázaro quedou-se, lábios franzidos *num* esgar de mágoa e desdém." (Aquilino Ribeiro, *A Batalha sem Fim*, 32.)

Fraqueza — *com, de, em:*
"Sua fraqueza *com* os filhos põe-nos a perder."
"Fraqueza *de* caráter." "Teve a fraqueza *de* descobrir o segredo." (Constâncio.)
"Fraqueza *no* sangue." (Aulete.) "Revelar fraqueza *na* adversidade."

Frase — *sobre:*
"E os dois, sem grandes expansões, trocaram ligeiras frases *sobre* a família, a viagem, a beleza da cidade e a sua decadência." (Coelho Neto, *Treva*, 54.)

Fraternidade — *com, de, entre:*
"Os olhos, fosse por orgulho que não queria fraternidades *com* a vizinhança, fosse por nostalgia profissional, fixavam as lonjuras do mar." (Ferreira de Castro, *Eternidade*, 45.)
"Ficaram ainda mais unidas pela fraternidade *das* armas." (Herculano, *apud* Aulete.)
"O papel do abolicionismo não pode ser senão de paz e cooperação, esquecimento e fraternidade *entre* todas as classes." (Rui, *Queda do Império*, I, 208.)

Fraternizado — *por:*
"No longo corredor do hospital, os únicos seres que se mostravam afáveis, condoídos, fraternizados *pela* desgraça comum, eram as famílias dos doentes." (Ferreira de Castro, *A Tempestade*, 201.)

Fraude — *contra:*
"Fraude *contra* credores."

Freio — *a, em, para:*
"Faz-se mister uma medida que constitua um freio *à* ganância e ambição de comerciantes sem escrúpulos."
"Não ter freio *na* língua."
"A religião é um freio *para* muita gente." (Aulete.)

Freqüência — *a, de:*
"Explicava a sua freqüência assídua *às* reuniões mundanas, pretextando estudar zoologia." (Afrânio Peixoto, *A Esfinge*, 184.)
"De cerca de um milhão de almas, que habitam a capital da União, duvidamos que cheguem a cinqüenta mil as dadas à freqüência *dos* jornais." (Rui, *Colunas de Fogo*, 187.)

Freqüente — *em:*
"Duarte Pereira era freqüente *no* caminho de sua casa para a de Joaquim Luiz." (Camilo, *As Três Irmãs*, 33.) "Um dos fatos mais freqüentes *na* história da língua é a mudança de categoria dos nomes." (João Ribeiro, *Curiosidades Verbais*, 94.) "É freqüente *nas* aulas, no estudo." (Aulete.)

Frieza — *com que, de, para com:*
"Quando Gomes chegava, Vasconcelos observava a mulher com desusada persistência; a própria frieza *com que* ela recebia o rapaz era aos olhos do marido uma prova do delito." (M. de Assis, *Contos Fluminenses*, 169.)
"Contava com o seu esforço e frieza *de* ânimo para os vencer." (Herculano, *apud* Aulete.)
"Mostrou muita indiferença e frieza *para com* o noivo."

Frio — *para, para com:*
"Esta cena tornou Emílio frio *para* mim; eu sofria com isso; procurei torná-lo ao estado anterior; mas não consegui." (M. de Assis, *Contos Fluminenses*, 214.)
"Datava daí a radical transformação de Elisa, que desde esse dia se retraíra e era cada vez mais fria *para com* ele." (Gastão Cruls, *Ao Embalo da Rêde*, 158.)

Fronteiro — *a, de:*
"João da Cunha sentara-se no banco de pedra fronteiro *ao* caramanchão." (Camilo, *A Neta do Arcediago*, 12.) "Salto numa pracinha fronteira *ao* mar tão estreito que a Suécia está do outro lado, a cinco minutos de barco." (Herman Lima, *Outros Céus, Outros Mares*, 239.)
"Arnaldo Gama e eu fomos convidados a tomar chá em uma casa fronteira *do* convento." (Camilo, *Boêmia do Espírito*, 230.) "Todos estes elementos se acolchetam no deduzir-se que vasto oceano cretáceo rolou as suas ondas sobre as terras fronteiras *das* duas Américas." (E. da Cunha, *Os Sertões*, 19.)

Frouxidão — *com, de, em:*
"Não se pode ter frouxidão *com* certa classe de gente."
"Frouxidão *de* caráter."
"É incompreensível sua frouxidão *em* resolver os negócios mais graves."

Frouxo — *com, de, em:*
"És muito frouxo *com* teus filhos."
"É um bom homem, mas muito frouxo *de* caráter."
"Mostra-se frouxo *nos* atos que mais requerem energia."

Fuga — *de, para:*
"Fuga *da* casa paterna; fuga *do* presídio."
"Iria caminho de Trás-os-Montes, sendo-lhe mais rápida e segura a fuga *para* Espanha." (Camilo, *Perfil do Marquês de Pombal*, 55.) "Regorgitou a notícia de que Miquelina tinha sido apanhada em arranjos de fuga *para* França." (Idem, *A Enjeitada*, 61.) "A propor-lhe, em ciciado segredo, a ventura numa fuga romântica, a cavalo, *para* uma casinha entre flores e ninhos." (C. Neto, *Treva*, 20.)

Fugida — *a, de:*
"E vestia da inocência e das alfaias do éden aquele silencioso abrigo de duas almas fugidas *ao* mundo, e recolhidas em si e em Deus." (Camilo, *O Bem e o Mal*, 107.) "É uma dessas fugidas *ao* ramerrão diário da

imprensa o que nos arreda, esta manhã, do governo, do congresso, da república.'' (Rui, *Colunas de Fogo,* 215.)

''Fugida *da* cadeia, *da* penitenciária.''

Fugido — *de:*

''Erravam na cidade em busca de serviço, fugidos *das* violências de um fazendeiro de Pacaembi.'' (Alberto Rangel, *Fura-Mundo,* 176.) ''Estremeceu-se a saúde de Alfredo Gassiot, depois de muitas noites fugidas *do* lado de sua família e passadas no quietismo da meditação.'' (Camilo, *A Enjeitada,* 132.) ''Eu sou o Cardeal Rufo; vivo na Áustria, fugido *de* Nápoles, e não me recordo de vos ter visto alguma vez.'' (Camilo, *Livro Negro,* 66.)

Fulminado — *a, de, por:*

''Impugnou a argüição injusta fulminada *à* referida frase.'' (Mário Barreto, *Através do Dicionário e da Gramática,* 357.) ''Uns (os gigantes) foram fulminados *a* raios, ficando soterrados sob as próprias montanhas que escalonavam.'' (C. Neto, *A Cidade Maravilhosa,* 69.)

''Árvores *dos* raios fulminadas.'' (Dic. de Morais.) ''Fulminado *de* vergonha, o infeliz procura o recesso dos sertões, paragens desconhecidas, onde lhe não saibam o nome.'' (E. da Cunha, *Os Sertões,* 161.)

''É Custódia. Está ali desde o dia em que Miquelina foi fulminada *pela* carta do chantre.'' (Camilo, *A Enjeitada,* 101.) ''Dando com os olhos nos jornais desse dia, ou da véspera, o venerável chefe do Estado sentiu-se como que fulminado *por* uma revelação.'' (Rui, *Queda do Império,* I, 138.)

Fundado — *em, por, sobre:*

''Respeitem a vontade de seus pais, sendo ela fundada *em* razões respeitáveis.'' (Camilo, *As Três Irmãs,* 171.) ''Sustentavam .... ser um direito inerente à coroa, direito fundado *na* Constituição.'' (Rui, *Queda do Império,* I 368.) ''Uma espécie de renovação lírica fundada *na* inocência do sentimento popular.'' (Fialho de Almeida, *Os Gatos,* 238.)

''Itapicuru (1639) fundada *pelos* franciscanos.'' (E. da Cunha, *Os Sertões,* 102.) ''Lisboa foi fundada *pelos* fenícios.'' (Constâncio.)

''Falamos largamente em planos de Bento de Castro, fundados *sobre* os haveres da noiva.'' (Camilo, *Cenas da Foz,* 114.) ''De feito, no ''Alfageme'' não há um único caráter definido, uma única reconstituição psicológica fundada *sobre* o vivo.'' (Fialho de Almeida, *Os Gatos,* 214.)

Funesto — *a, para:*

''Uma realidade corrompida, antipática *à* nação e funesta *ao* partido liberal.'' (Rui, *Colunas de Fogo,* 28.) ''Como penso que assim vem a acontecer, entendo que o seu amor será funesto *ao* pobre órfão. Seria querer-lhe muito desenganá-lo.'' (Camilo, *O Bem e o Mal,* 77.)

''Ó dia cruel e funesto *para* os profetas!'' (Vieira, *Sermões,* IX, 221.) ''Nos povos europeus um enganoso espírito de vaidade introduziu o direito injusto de primogenitura, tão funesto *para* a propagação, pois concentra a atenção de um pai num só de seus filhos.'' (Mário Barreto, *Cartas Persas,* 251.)

Fúria — *contra:*

''Não obstante isso, a fúria *contra* mim era terrível.'' (Medeiros e Albuquerque, *Quando Eu Era Vivo,* 199.)

Furioso — *com, contra, por:*

''Em primeiro lugar, mostraste que não estavas tão furioso *com*igo como eu receava.'' (Eça, *Correspondência,* 274.)

''Isto com certeza acaba muito mal! — exclamava entretanto o Dr. Lobão, furioso *contra* o Conselheiro.'' (Aluísio Azevedo, *O Homem,* 56.)

''Sou furioso *pela* boa música.'' (Aulete.)

Furor — *contra:*

''O furor de Rui Barbosa *contra* mim subiu então ao auge.'' (Medeiros e Albuquerque, *Quando Eu Era Vivo,* 158.)

Fusão — *com, de, em, entre:*

''Fusão de uma oração adjetiva *com* outra substantiva.'' (Augusto Moreno, *Lições de Linguagem,* II, 121.)

''Conseguiu-se a fusão *dos* dois bancos.'' (Aulete.) ''É bem difícil, às vezes, determinar a maior coparticipação de uma das três raças produtoras dos seus atuais tipos etnográficos, de tal modo já se vai dando a fusão *das* suas crendices.'' (Gustavo Barroso, *Terra de Sol,* 259.)

''Fusão de vários verbos *num* só paradigma.'' (Sousa da Silveira, *Lições de Português,* 58.)

''A fusão *entre* eles operou-se em circunstâncias mais compatíveis com os elementos inferiores.'' (E. da Cunha, *Os Sertões,* 111.)

Fustigado — *com, de, por:*

''Fustigado *com* flagícios cruéis.''

''Espancado pelas caniculas, fustigado *dos* sóis, roído dos enxurros, torturado pelos ventos, o vegetal parece derrear-se ao embate desses elementos antagônicos.'' (E. da Cunha, *Os Sertões,* 40.)

''Figuravam famílias de retirantes demandando em atropelo o litoral, fustigados *pela* seca.'' (E. da Cunha, *Os Sertões,* 484.)

G

Galardão — *de:*

"Justo galardão *do* seu triunfo sobre as Gálias." (Camilo, *Mistérios de Lisboa,* III, 63.) "Em galardão *dessas* almas é que eu proponho uma saúde, com todo o fervor e reconhecimento do meu coração." (Idem, *As Três Irmãs,* 46.) "Alguns dos nossos, perdendo as vidas, receberam o extremo galardão *de* suas honras." (Damião de Góis, cit. de Morais, *Dic.*).

Galardoado — *com, por:*

"Galardoado *com* o título de marquês."

"Era como um protesto contra as injustiças com que um cepticismo infame, galardoado *pela* moda, fulmina a mulher depositária do pouco que a divindade deixou de sua essência entre os homens." (Camilo, *Mistérios de Lisboa,* II, 248.)

Galhofa — *com:*

"Deixe de galhofas *com* os mais velhos."

Gana — *a, de, por:*

"Outra lavradeira, que tinha gana *à* dona dos cordões, deu-me trinta moedas por eles, só para os pôr à vista da outra." (Camilo, *As Três Irmãs,* 102.)

"Na mesma gana *de* sangue, as folhas tocam-se, espadanando faíscas." (Fialho de Almeida, *Os Gatos,* 207.) "Enquanto a desalmada .... despede, sem cessar, o alarido, cada vez mais vibrante, numa gana incoercível *de* rebentar, ensurdecendo a redondeza." (Rui, *Colunas de Fogo,* 99.)

"Largo-me para o Teatro de Zarzuelas, cheio de ganas *por* uma noitada de música local." (Herman Lima, *Outros Céus, Outros Mares,* 347.)

Ganância — *de:*

"Quando voltou à cena, Granadina era beneficiada. A mestra e o arlequim deram-lhe a ela os ramos de flores e guardaram a quantiosa ganância *de* duros e onças." (Camilo, *A Enjeitada,* 117.) "Ganância *de* riquezas."

Ganjento — *de:*

"Arrisco uma dobra como andas ganjento *de* teus direitos." (Alberto Rangel, *Fura-Mundo,* 337.)

Garantia — *a, contra, de, para:*

"Quando nós vos chamamos à supremacia constitucional e vos conferimos a inviolabilidade, foi por crermos que a inviolabilidade do rei fosse garantia *à* inviolabilidade do povo." (Rui, *Discursos e Conferências,* 37.)

"De onde forçosamente concluiremos que todas aquelas garantias *contra* a violação da casa .... se estende a todos os sexos." (Rui, *Colunas de Fogo,* 243.)

"Querer que a faixa atlântico-portuguesa seja o logradoiro duma raça extra-hispânica que já lhe tem sido expressamente encontrada com títulos e tudo, como garantia originária *da* sua independência nacional, ... toca no absurdo e até no ridículo." (Ricardo Jorge, *Sermões dum Leigo,* 171.) "Garantia *do* tratado; garantia *do* crédito." (Constâncio.)

"O parlamentar convidado para gerir a pasta da Justiça .... é uma garantia *de* êxito *para* a futura administração." (Afrânio Peixoto, *A Esfinge,* 110.)

Gasto — *com, de, em, por:*

"Dinheiro gasto *com* doenças."

"Os tijolos estavam gastos *das* passadas do infeliz prisioneiro." (Constâncio.)

"As munições, prodigamente gastas *na* façanha prejudicial do Cambaio, talvez se extinguissem em caminho." (E. da Cunha, *Os Sertões,* 278.) "Três séculos gastos *num* arrasamento miserável." (Afrânio Peixoto, *A Esfinge,* 158.)

"A alma, gasta *por* expansões vulgares, *pelo* prazer quotidiano, perdera a capacidade das grandes sensações." (J. Américo de Almeida, *O Boqueirão,* 195.)

Generalização — *a:*

"A generalização da pena *a* todos os alunos é uma injustiça."

Generalizado — *a:*

"O fenômeno desta disciplina moral, generalizada *a* todas as classes, é, a meu ver, o aspecto mais notável da civilização inglesa e o segredo do seu vigor." (Rui, *Colunas de Fogo,* 39.)

Generosidade — *com, para, para com:*
"Inexorável para com a erva má do liberalismo, ... era, em compensação, de uma generosidade esplêndida *com* os lidadores da ordem constituída." (Rui, *Cartas de Inglaterra,* 323.)
"Tens generosidade *para* o dizer, mas não o digas." (Garrett, *apud* Aulete.)
"Pregava a generosidade *para com* os vencidos, e as suas palavras estavam embebidas em conceitos cristãos." (Luiz Viana Filho, *A Vida de Rui Barbosa,* 215.) "Se o jornalista não quer que lhe violem o nome, não ataque ultrajosamente o daqueles que *para com* o seu usaram de comiseração e generosidade." (Rui, *Colunas de Fogo,* 133.)

Generoso — *com, em, para com:*
"Sede generosos *com* o pobre velho." (Camilo, *Mistérios de Lisboa,* II, 233.) "Não porque o Senado ou os seus chefes, tão generosos *com*igo, nutrissem contra mim pessoalmente intenções menos benévolas." (Rui, *Cartas Políticas e Literárias,* 114.)
"Quando chega a minha vez o napolitano pisca o olho e mostra-se generoso *na* ração." (Erico Verissimo, *Saga,* 57.) "Não o quis deste mundo sem que expiasse .... os desvarios de uma paixão generosa *nos* seus princípios, e lamentável nas suas conseqüências." (Camilo, *Mistérios de Lisboa,* I, 121.)
"Foi muito generoso *para com* os órfãos."

Gentil — *com, de, para com:*
"Foi muito gentil *com* todos que o procuraram."
"Gentil *de* corpo, alta como sua mãe, mais flexível que ela, mais delicada de mão." (Camilo, *A Neta do Arcediago,* 27.) "Era coronel de cavalaria, e muito gentil *d*a sua pessoa." (Idem, *Perfil do Marquês de Pombal,* 29.)
"Havendo sido tão gentil *para com* ela, doía-lhe sobremaneira o indiferentismo daquela criatura." (Gastão Cruls, *Ao Embalo da Rede,* 187.)

Gentileza — *a, com, de, para com:*
"A filha e a governanta multiplicavam-se em gentilezas *a* cada visita, num cuidado discreto de deixar todo o mundo à vontade." (Afrânio Peixoto, *A Esfinge,* 57.)
"Suas gentilezas *com* a jovem professora começam a despertar comentários."
"Mas o garbo e gentileza *d*os movimentos não podia ter sido mais flexível." (Camilo, *Livro Negro,* 64.)
"Mostrou discreta gentileza *para com* todos."

Genuflexo — *a, ante:*
"E assim dizendo, sobre o peito bateu, e genuflexo *a*o céu argueu os lacrimosos olhos." (Porto Alegre, *apud* L. Freire.)
"Genuflexo *ante* o altar, *ante* a cruz."

Gigantesco — *em:*
"Defronte de el-rei estava um bufete de carvalho, gigantesco *n*as proporções." (Rebelo da Silva, *Contos e Lendas,* 211.)

Giro — *em torno de, por:*
"Concluindo um giro *em torno d*o salão, entraram num gabinete vizinho." (Afrânio Peixoto, *A Esfinge,* 181.)
"Janto, dou um giro *pel*a cidade, à noite recebo os amigos." (Graciliano Ramos, *S. Bernardo,* 90.)

Glorificação — *de:*
"Tal a impressão que em nós se produziu, ao sabermos da cena teatralmente aparelhada ali .... em glorificação *d*o convênio de outubro." (Rui, *Colunas de Fogo,* 107.)

Glosa — *de:*
"A carta dizia muitas coisas mais; era tudo, porém, uma glosa *d*o mesmo mote." (M. de Assis, *C. Fluminenses,* 107.)

Golpe — *com, contra, de:*
"Golpe ou picada *com* a navalha." (Aulete, voc. *navalhada.*)
"Em 1934, quando Dolfuss foi assassinado, a Itália enviou tropas para o passo de Brenner, a fim de evitar um golpe nazista *contra* a Áustria." (*Maravilhas do Conhecimento Humano,* I, 94.)
"Golpe *de* navalha." (L. Freire, voc. *navalhada.*) "Defendeu constantissimamente de todos os golpes *d*a calúnia, *d*a infâmia e *d*a mesma morte." (Vieira, *Sermões,* IX, 29.)

Gordo — *de:*
"Era baixo de estatura, gordo *de* rosto."

Gostado — *a:*
"Na verdade, ele amava a boa palestra, a palestra comprida, gostada *a* sorvos largos." (M. de Assis, *Papéis Avulsos,* 41.)

Gosto — *a, de, em, para, por:*
"O ponto é que ele tome gosto *a* meter na gaveta as primeiras peças d'ouro." (Camilo, *As Três Irmãs,* 27.) "E' delicioso este vinho, tem um gosto *a* framboesas." (Mário Barreto, *Através do Dicionário e da Gramática,* 398.) "Dagoberto tomava gosto *a*os riscos do pastoreio, *à*s grandes corridas temerárias pelos tabuleiros e chavascais da fazenda." (J. Américo de Almeida, *A Bagaceira,* 251.)
"Esta minha transformação deu nos olhos do padre, que se esmerava em apurar-me o gosto *d*a ciência." (Camilo, *Mistérios de Lisboa,* I, 30.) "Em especial, ficou-lhe o gosto *d*a arte sintética dos medalhões." (Antero de Figueiredo, *Amor Supremo,* 95.) "Só o gosto *de* esmaltar a frase com tais palavras exóticas, francesas principalmente, pode levar alguém a em-

pregar tais termos.'' (Mário Barreto, *Através do Dicionário e da Gramática*, 113.)

''Se o réu pudesse ter gosto *em* pensar na corda.'' (Rui, *Colunas de Fogo*, 111.) ''Não se conceberia o meu mau gosto *em* trocar a amenidade daquele viveiro de democracias pela densa atmosfera da suspeita Inglaterra.'' (Idem, *Cartas de Inglaterra*, 42.) ''Não posso dizer-te se tive dó de ti, ou gosto *em* te ver de nível comigo.'' (Mário Barreto, *Cartas Persas*, 32.)

''Gosto do estudo ou *para* o estudo.'' (E. Carneiro Ribeiro, *Serões Gramaticais*, 671.) ''Notando o ciúme de alguns companheiros, perdia o gosto *para* disputar o posto.'' (Luiz Viana Filho, *A Vida de Rui Barbosa*, 65.) ''Tem muito gosto *para* o desenho.'' (Aulete.)

''Despertando-lhe o gosto *pela* música, *pela* pintura.'' (Camilo, *A Neta do Arcediago*, 84.) ''Então, puxa por nós um tão imperioso gosto *pelas* coisas simples do campo....'' (Antero de Figueiredo, *Jornadas em Portugal*, 36.) ''De que modo a ''coincidência primordial'' explicará o gosto dos nossos maiores *por* certos instrumentos rudimentares?'' (Rui, *Cartas de Inglaterra*, 76.)

Gozo — *de:*

''Ter o gozo *d*as suas propriedades. Estar no gozo *d*os seus direitos civis.'' (Aulete.)

Gozoso — *com, de:*

''Mostrar-se gozoso *com* os males alheios.''

''E tão gozoso estou *de* que por vosso meio me venham todos os benefícios....'' (Bernardes, *apud* Aulete.)

Graça — *a, com, de, para com:*

''Por isso o Mississípi .... vem a se tornar, graças *à* defesa insuficiente da sua foz e ao número dos seus tributários, terrível origem de desastres para os confederados na guerra de 1861 a 64.'' (Rui, *Cartas de Inglaterra*, 154.) ''Estêvão, negro reforçado, ... lograra vingar centenas de conflitos graças *à* desvulnerabilidade rara.'' (E. da Cunha, *Os Sertões*, 201.)

''Ninguém teve mais graça *com* o seu príncipe, que Davi com Jônatas.'' (Vieira, *Sermões*, IX, 216.) ''Eu não gosto de graças *com*igo!'' (Afrânio Peixoto, *Bugrinha*, 179.) ''Com os trabalhadores, que tiravam graça *com* ele, se pudesse mandava matar todos.'' (J. Lins do Rego, *Usina*, 126.)

''Só o estar em graça *de* Deus é verdade, só morrer em graça *de* Deus, em que consiste o ser santo, é verdade.'' (Vieira, *Sermões* IX, 38.)

''Estar em graça *para com* alguém, ou na graça *de* alguém, ter bom acolhimento, ser protegido de alguém.'' (Aulete.)

Gradação — *entre:*

''Quando haja gradação *entre* os sujeitos, o nome predicativo concorda só com o último.'' (Augusto Moreno, *Lições de Linguagem*, II, 52.)

Graduação — *em:*

''Sua graduação *em* filosofia será no próximo ano.''

Graduado — *em, por:*

''Graduado *n*essas faculdades, regressou em 1747, matriculou-se na Universidade de Coimbra.'' (Camilo, *Perfil do Marquês de Pombal*, 112.) ''Vede se lhes é mais necessário serem jubilados na constância, que graduados *n*as ciências.'' (Vieira, *Sermões*, IX, 165.)

''Só é permitido o exercício da arte de curar .... às pessoas, que, sendo graduadas *por* escola ou universidade estrangeira, oficialmente reconhecida, se habilitarem perante as nossas Faculdades, nos termos dos referidos estatutos.'' (Rui, *Queda do Império*, II, 27.)

Grande — *de, em, por:*

''Grande *de* corpo, grande *de* pernas.'' ''Homem grande *de* corpo.'' (Fr. D. Vieira.)

''Sei que o reputam grande *n*a alma, *n*o talento.'' (Camilo, *Mistérios de Lisboa*, I, 246.) ''Grande *n*a alma, grande *n*o sacrifício de todas as suas ambições.'' (Idem, *ibidem*, II, 10.)

''Grande *pela* virtude, *pela* inteireza de caráter.''

Grandeza — *de:*

''Grandeza *de* ânimo, *de* coração, *de* alma.'' (Aulete.)

Gratidão — *a, por:*

''Deteve-se Flávia pensando na falsidade do professor de ginástica; e encheu-se de ternura e gratidão *à* mulher que tanto sofrera.'' (Camilo, *A Enjeitada*, 228.)

''Creio que presentemente diríamos de preferência: gratidão *por* seus serviços.'' (Rui, *Réplica*, 355.) ''Poucos revelam um pouco de gratidão *por* esse homem que os levantou do nada.''

Grato — *a, para, por:*

''Preciso ser grata *a*os benfeitores mortos, e *ao* vivo.'' (Camilo, *A Neta do Arcediago*, 163.) ''Era grato *ao* amigo, mas sabia qualificá-lo para o próprio uso.'' (Afrânio Peixoto, *A Esfinge*, 111.) ''Manjar grato *ao* paladar.'' (Morais.) ''Ser-nos-á grato *a* nós, como *a*os chins, o vício chinês, que faz da memória a mola real de toda a educação?'' (Rui, *Queda do Império*, I, 343.)

''A lembrança da minha infância é sempre grata *para* mim.'' (Mário Barreto, *Cartas Persas*, 143.)

"Barbosa Lima, grato *pelo* que eu fizera em seu favor, obtivera minha eleição." (Medeiros e Albuquerque, *Quando Eu Era Vivo*, 157.)

Gravação — *em:*
"Gravação *em* bronze." "Gravação da voz *em* discos."

Gravado — *com, de, em, sobre:*
"Gravado *com* impostos." (Constâncio.) "A consciência gravada *com* culpas." (Morais.)
"Povo gravado *de* tributos. Consciência gravada *de* grandes culpas." (Aulete.)
"Gravado *na* memória, *na* lembrança." (E. Carneiro Ribeiro, *Serões Gramaticais*, 675.) "Lembrou-me, pois, fugir a meu pai, com a idéia da minha pobreza gravada sempre *na* consciência." (Camilo, *Mistérios de Lisboa*, I, 92.) "Como a maior parte dos vilarejos pomposamente gravados *nos* nossos mapas, é (o arraial) uma espécie de transição entre maloca e aldeia." (E. da Cunha, *Os Sertões*, 230.)
"Inscrição gravada *sobre* a campa."

Grave — *com, em, para com:*
"Não seja tão grave *com* os velhos conhecidos."
"Dada (a língua portuguesa) no trato, grave *no* som, sóbria na tinta, gentil de linhas." (Antero de Figueiredo, *Jornadas em Portugal*, 46.)
"Sendo os pecados contra a honestidade igualmente graves *para com* Deus nas mulheres e nos homens...." (Vieira, *Sermões*, IX, 17.)

Grávido — *de:*
"Traça inenarravelmente maligna e grávida *de* perigos." (Rui, *Colunas de Fogo*, 21.) "Um estadista grávido *de* reformas." (Camilo, *Perfil do Marquês de Pombal*, 107.)

Gravoso — *a, para:*
"Contrato gravoso *ao* Estado."
"Compromisso gravoso *para* a associação."

Grito — *contra:*
"O povo espalhava-se nas ruas e jurava morrer em defesa do ilustre Porfírio. Poucos gritos *contra* a Casa Verde, prova de confiança na ação do Governo." (M. de Assis, *Papéis Avulsos*, 56.)

Grosseiro — *com, de, em, para com:*
"Você foi muito grosseiro *com* o rapaz." "Por várias vezes tive que ser grosseiro *com* a boa negra." (J. Lins do Rego, *Pureza*, 16.)
"Grosseiro *de* feições."
"Grosseiro *nas* maneiras." (J. Ribeiro, voc. *acavalado.*)
"Agora, que me acho de ânimo isento, reconheço ter sido grosseiro *para com* ele." (Ciro dos Anjos, *O Amanuense Belmiro*, 89.)

Grosseria — *com, para com:*
"Não admito grosserias *comigo.*"
"Todos censuraram sua grosseria *para com* os colegas."

Grosso — *de, em:*
"Grosso *de* membros, sem ser pesado, tinha tanto de robusto e bem posto, quanto o amigo." (Rebelo da Silva, *Contos e Lendas*, 178.) "Tem as mãos grossas *da* enxada." (Aulete.)
"Terra grossa *em* trato, de grande comércio." (Fr. D. Vieira.)

Grudado — *a:*
"Gostaríeis de participar dum certame atlético no Sol? Se o fizésseis, vossos pés se comportariam como se estivésseis grudados *ao* solo, tão poderoso é o puxão da gravidade do Sol." (*Maravilhas do Conhecimento Humano*, I, 197.)

Guardado — *de, em, por:*
"Guardado *da* intempérie da estação." (Fr. D. Vieira.)
"Traz os documentos guardados *no* cofre."
"Filomena, obediente acima de tudo e guardada *pelo* pai como *por* sete dragões, limitava-se de par com ele a suspirar." (Aquilino Ribeiro, *A Batalha sem Fim*, 24.) "Quero que vejam como um ancião de noventa anos espera a morte, guardado *por* dois formosos serafins." (Camilo, *A Enjeitada*, 142.)

Guarnecido — *com, de, por:*
"Guarnecido *com* o broquel." (Fr. D. Vieira, voc. *abroquelado.*) "Ia o grande comboio geral de munições .... guarnecido *com* 432 praças." (E. da Cunha, *Os Sertões*, 382.)
"Uma excelente casa, perfeitamente mobiliada e guarnecida *de* tudo." (Rui, *Colunas de Fogo*, 38.) "O elmo guarnecido *de* plumas e o timbre feito com dois braços armados." (Alberto Rangel, *Fura-Mundo*, 33.)
"Ninguém passava, sem licença, do Arco do Bom Jesus, guarnecido em baixo *por* um destamento." (Mário Sete, *Os Azevedos do Poço*, 88.)

Guarnecimento — *com:*
"Ornamento ou guarnecimento *com* cortinas." (L. Freire, voc. *acortinamento.*)

Guarnição — *com, de:*
"Ela preferiu a guarnição *com* torçal."
"Uma espingarda com guarnição *de* prata." (Aulete.)

Guerra — *a, com, contra, entre:*
"Não fazemos guerra *aos* neologismos como os puristas acadêmicos ou academizantes." (Mário Barreto, *Através do Dicionário e da Gramática*, 291.) "Guerra *aos* vícios." (Constâncio.) "O jacobinismo não perdera a esperança de dominar o país. O seu lema era o de guerra *ao* estrangeiro em todos os terrenos." (Batista Pereira, *in Coletânea Literária*, 167.)
"Ter guerra *com* os leoneses." (Augusto Moreno, *Lições de Linguagem*, II, 33.) "A Itália estivera em guerra *com* a Etiópia." (Medeiros e Albuquerque, *Quando Eu Era Vivo*

159.) "E' preciso estar de guerra aberta *com* a razão, para o tachar de invectivador e agressivo." (Rui, *Colunas de Fogo,* 100.) "Quando o governo chinês proibiu o uso dessa droga (ópio), rebentou uma guerra *com* a Inglaterra." (*Maravilhas do Conhecimento Humano,* I, 92.)

"Dois anos depois de concluída gloriosamente a guerra *contra* o louco traidor." (Rui, *Cartas de Inglaterra,* 328.)

"Querem ver que a tal enjeitada ainda levanta guerra *entre* pai e filho por causa de ciúmes?!" (Camilo, *A Enjeitada,* 180.) "As guerras *de* religião, *entre* católicos e protestantes, ensangüentaram a França na segunda metade do século XVI." (*Grande Enciclopédia Portuguesa e Brasileira.*)

Guiado — *por:*

"Guiados *pelo* valor de seu rei e *pela* sabedoria do mágico Merlino, envolvem-se numa série de aventuras, em defesa de sua terra e de sua fé." (*Maravilhas do Conhecimento Humano,* II, 102.)

H

Habeas-corpus — *a favor de, de:*

"Requerer habeas-corpus *a favor* desses cidadãos, naquela conjuntura, não tinha senso comum." (Rui, *Novos Discursos e Conferências,* 98.)

"Promovendo, em 1892, o habeas-corpus *dos* desterrados de abril, assumia ele uma iniciativa que ninguém queria e ninguém sonhara sequer assumir." (Rui, *Colunas de Fogo,* 154.)

Hábil — *em, para:*

"Hábil *no* seu ofício." (E. Carneiro Ribeiro, *Serões Gramaticais,* 675.) "Um prosador hábil *no* meneio do nosso idioma." (Rui, *Réplica,* 364.) "Hábil *em* trabalhos de mão." (Aulete, voc. *habilidoso.*)

"Sujeito hábil *para* empregos." (Morais.)

Habilidade — *de, em, para:*

"Maquiavelo indicou mui acertadamente .... a habilidade que tinham os romanos *de* atacar e desfazer os seus inimigos de per si." (Mário Barreto, *Cartas Persas,* XIV.) "Às qualidades de que acabo de falar, junta a de ser possuidor de uma espada grande, ou haver aprendido de seu pai a habilidade *de* arranhar uma dissonante guitarra." (Idem, *ibidem,* 168.)

"O merecimento começou a medir-se, nos alunos, pela rapidez em atabalhoar exames, e, nos colégios, pela habilidade *em* assegurar aprovações." (Rui, *Queda do Império,* I, 290.) "Para logo se assinalou (Rosas) pela atividade e habilidade *na* faina do trabalho rural." (Idem, *Cartas de Inglaterra,* 275.)

"Tem muita habilidade *para* o cargo que ocupa." "Admiro sua habilidade *para* tratar com crianças." "Não disse nada à família e procurou um homem que havia na província com grande habilidade *para* moléstias, viessem elas até do mau olhado e do feitiço." (Aluísio Azevedo, *Casa de Pensão,* 69.)

Habilitação — *a, para:*

"A natureza não decalca as linhas plásticas do rude brasileiro do interior pela sua habilitação *a* prodígios sertanejos." (Alberto Rangel, *Fura-Mundo,* 206.)

"Aptidão, habilitação *para* um cargo, para um emprego." (E. Carneiro Ribeiro, *Serões Gramaticais,* 671.) "Serás folhetinista, visto que te não vejo com habilitações *para* seres coisa alguma." (Camilo, *Cenas da Foz,* 19.)

Habilitado — *a, com, em, para:*

"Fouquier-Tinville invoca o decreto de 29 de outubro, ... em cujos termos, no fim de três dias de debates, os jurados podem encerrá-los, declarando-se habilitados *a* julgar." (Rui, *Colunas de Fogo,* 69.) "Habilitado *a* fazer alguma coisa." (E. Carneiro Ribeiro, *Serões Gramaticais,* 674.) "Mas, enfim, estava habilitado *a* entrar *para* o Liceu, onde iria cursar as aulas de francês e geografia." (Aluízio Azevedo, *Casa de Pensão,* 32.)

"Habilitados assim *com* o tirocínio e a experiência de homens de Estado, nada se oporia a que ocupassem a direção do governo." (Rui, *Cartas Políticas e Literárias,* 157.)

"Poderia terminá-los (os exames) velho, aos quarenta, passando, aos olhos da autoridade oficial, como tão perfeitamente habilitado *no* último de que deu prova, quanto no primeiro, por que passou quatro lustros antes." (Rui, *Queda do Império,* I, 281.)

"Habilitado *para* fazer alguma coisa." (E. Carneiro Ribeiro, *Serões Gramaticais,* 674.) "Não há, debaixo do céu, tribunal habilitado *para* julgar exatamente, senão o da consciência." (Rui, *Colunas de Fogo,* 116.)

Habitado — *por:*

"A China já era uma nação organizada e civilizada, quando a Grécia era ainda habitada *por* selvagens nômades." (*Maravilhas do Conhecimento Humano,* I, 90.)

Habitável — *por:*

"Paragens habitáveis *pel*os ramos superiores da família humana." (Rui, *Colunas de Fogo,* 91.)

Hábito — *de:*

"Bem digo eu que, para assentar mão no feitio de leis, preciso é ter algum hábito *de* as menear." (Rui, *Réplica,* 426.) "Adquirir hábito *de* estudar, *de* orar." (Morais.)

Habituado — *a, com, em:*

"Estou habituado *à* poeira do meu caminho." (Rui, *Réplica,* 62.) "Homens cujo espírito se amesquinhou em minudências, e que, habituados *a* elas, não são capazes de grandes idéiais.'' (Mário Barreto, *Cartas Persas*, 99.) ''As suas criações comunicava o sopro de um gênio habituado *a* talhar formas imortais.'' (Rui, *ob. cit.*, 565.)

''Já estava habituado *com* o chão, as telhas, as paredes de barro do seu casebre.'' (J. Lins do Rego, *Usina*, 150.)

''Habituado *em* vícios.'' (Dic. de Morais.)

Habitual — *a, em, entre:*

''Nunca implorou misericórdia, e hão de vê-lo voar ao cadafalso com a serenidade habitual *à* calma da consciência.'' (Rui *Colunas de Fogo*, 67.)

''Não é, entretanto, menos habitual *no* uso clássico o 'sobre' que o 'acerca'.'' (Rui, *Réplica*, 5.) ''E' habitual *no* Rossio às 9 horas da noite.'' (*Grande Encicl. Portuguesa e Brasileira.*)

''A conversa passou a ter, por iniciativa de Noêmia, um tom mais cerimonioso, o habitual *entre* pessoas que se vêem pela primeira vez.'' (Gastão Cruls, *História Puxa História*, 62.)

Habitualidade — *de, em:*

''Qualquer que seja, porém, a habitualidade *d*essa transição, ... por evidente se deve ter que o arbítrio de operá-la não é ilimitado.'' (Rui, *Réplica*, 160.)

''Querer da habitualidade *no* uso de uma forma gramatical, *no* emprego de uma preposição, inferior a inaplicabilidade gramatical de outras, é meter-se em risco de freqüentíssimos erros.'' (Rui, *Réplica*, 155.)

Harmonia — *com, de, em, entre; de, em:*

''Neologismos formados geralmente em harmonia *com* o gênio do nosso idioma.'' (Mário Barreto, *Através do Dicionário e da Gramática*, 215.)

''Usa alternativamente a corrupção e a violência, empenhadas no mesmo propósito com a mais óbvia harmonia *de* colaboração.'' (Rui, *Colunas de Fogo*, 20.)

''Recuso, no assunto esses padrinhos, quando incursos em pecado manifesto contra as leis da harmonia *na* linguagem.'' (Rui, *Réplica*, 106.)

''Claro está que esse poder não pode consistir senão na harmonia *entre* o exército e a nação.'' (Rui, *Cartas Políticas e Literárias*, 164.) ''Não podemos atribuir esta aceitação extraordinária .... senão à harmonia *entre* a nossa propaganda e o sentimento geral do país.'' (Idem, *Queda do Império*, I, 407.)

''Assumindo (o predicativo) a flexão própria, *de* harmonia com o gênero do sujeito bem determinado.'' (Augusto Moreno, *Lições de Linguagem*, II, 14.)

''Estar *em* harmonia com as idéias de alguém.'' (Aulete.) ''De 'couraça' ou melhor 'coiraça', *em* harmonia com o seu étimo latino, formou-se 'couraçar'.'' (Mário Barreto, *Através do Dicionário e da Gramática*, 206.)

Harmônico — *com, entre:*

''A fazer praça de bizarrias pouco harmônicas *com* o justo equilíbrio dos seus nervos.'' (Fialho de Almeida, *Os Gatos*, 239.)

''Princípios harmônicos *entre* si.''

Harmonioso — *de:*

''Era no mês de abril, o abril de Coimbra, regorjeado, arrelvado de boninas, copado de sombras, e harmonioso *de* murmúrios.'' (Camilo, *O Bem e o Mal*, 107.)

Haurido — *de, em:*

''São fatos hauridos *d*as cartas e poesias de Sidônio.'' (Camilo, *Os Mártires*, I, XVIII.)

''Referiu em termos suaves.... as primeiras lições de língua espanhola hauridas *em* beijos dos lábios maternais.'' (Camilo, *A Enjeitada*, 27.)

Havido — *como, por:*

''O Rodrigo é tido e havido *por* (ou *como*) caloteiro.'' (Augusto Moreno, *Lições de Linguagem*, II, 105.)

Hegemonia — *sobre:*

''Essa doutrina .... seria apenas .... a afirmação da hegemonia japonesa *sobre* a Ásia mais ou menos subalternada aos seus interesses.'' (Rui, *Cartas de Inglaterra*, 118.)

Heresia — *contra:*

''Podemos, pois, sem laivo de heresia *contra* as formas consagradas, juntar em 'vital' ambas essas idéias.'' (Rui, *Réplica*, 344.)

Hesitação — *em, para com, quanto a:*

''Revela hesitação *nos* menores problemas que tem de resolver.''

''Afianço-lhe, porém, que ele não teria *para com* você a mesma hesitação.'' (Aluísio Azevedo, *O Mulato*, 352.)

''O moderno Brasil .... exibe freqüentes hesitações e irregularidades *quanto à* colocação dos pronomes pessoais.'' (C. de Figueiredo, *O Que se Não Deve Dizer*, I, 64.)

Hesitante — *de, em:*

''— Deram-me — balbuciou Teresinha, hesitante *de* medo — a chave daquela casa, a casa da fortaleza.'' (Domingos Olímpio, *Luzia-Homem*, 215.)

''Ele foi sempre um hesitante *em* todos os grandes problemas.'' (Medeiros e Albuquerque, *Quando Eu Era Vivo*, 170.)

Hino — *a, de:*

''Os ipés, mudados todos em inflorescência de ouro claro, pareciam hinos *ao* sol.'' (Afrânio Peixoto, *A Esfinge*, 45.) ''Não se pode conceber excentricidade mais inoportuna, dissonância mais irritante que esse hino *à* audácia sarapintada de sangue.'' (Rui, *Colunas de Fogo*, 60.)

"O Hino *da* Independência." (Aulete.) "Entoando o hino atroz *das* eternas maldições contra Deus." (Herculano, *Eurico*, 237.)

Hipótese — *acerca de, a respeito de, de:*

"Ela quis logo fechar a janela, sem estabelecer ao menos uma hipótese *acerca da* extraordinária bulha." (Camilo, *Cenas da Foz*, 156.)

"Replicarei que *a* esse *respeito* há três hipóteses." (C. de Figueiredo, *Lições Práticas*, I, 44.)

"A hipótese *dos* átomos."

História — *acerca de, com, de, sobre:*

"As rochas ígneas revelam volumosas histórias *acerca das* erupções vulcânicas pré-históricas e da torrente de grandes mares de lava, no interior da Terra."

"Não havia uma pessoa que quisesse história *com* ele." (J. Lins do Rego, *Usina*, 46.)

"A eterna história *dos* ódios da intolerância contra os espíritos liberais." (Rui, *Cartas de Inglaterra*, 393.) "Essa história *de* fagotes é *com* ele." (Medeiros e Albuquerque, *Quando Eu Era Vivo*, 94.)

"Recebia uma carta de Jorge .... com muitas queixas sobre o calor, sobre as más estalagens, histórias *sobre* o extraordinário parente de Sebastião." (Eça, *O Primo Basílio*, 137.)

Homenagem — *a; em:*

"As pirâmides, durante 4.000 anos uma das maiores maravilhas do mundo, erguem-se, ainda hoje, como uma homenagem *à* magistral habilidade daqueles primitivos engenheiros matemáticos." (*Maravilhas do Conhecimento Humano*, I, 231.) "Nos grandes dias comemorativos da pátria a maior das homenagens *a* ela é, sem dúvida nenhuma, a sinceridade austera do dever." (Rui, *Colunas de Fogo*, 1.) "Era homenagem *à* mulher, mas um desrespeito à soberana." (Afrânio Peixoto, *A Esfinge*, 330.)

"Não há vínculo moral que o obrigasse a renunciar parte da sua liberdade *em* homenagem *ao* benfeitor indiferente aos direitos do beneficiado." (Rui, *Queda do Império*, I, 189.)

Homiziado — *em, entre:*

"Acamaradava-se com um catingueiro homiziado *no* engenho." (J. Américo de Almeida, *A Bagaceira*, 112.) "O inimigo lá estava, para leste e para o norte, homiziado *nos* sem-fins das chapadas." (E. da Cunha, *Os Sertões*, 521.)

"Os olhinhos, homiziados *entre* as pálpebras meio cerradas, luziam vivos e cintilantes." (Rebelo da Silva, *Contos e Lendas*, 71.)

Homofonia — *com:*

"Devem expungir-se (essas palavras) dos nossos vocabulários pelas sílabas porcas que nelas se encontram e que geram homofonia *com* palavras grosseiras." (Mário Barreto, *Através do Dicionário e da Gramática*, 326.)

Homonímia — *entre:*

"A sua ausência ocasionaria homonímia *entre* a segunda do singular e a do plural." (Júlio Nogueira, *O Exame de Português*, 175.)

Homônimo — *entre:*

"Palavras homônimas *entre* si."

Honesto — *para:*

"Um homem, contudo, o filósofo Petrônio, era demasiado honesto *para* lisonjear o imperador." (*Maravilhas do Conhecimento Humano*, I, 23.)

Honra — *a, de, para; em, por:*

"Honra *ao* que morre amortalhado em suas armas e envolto no seu pendão." (Rebelo da Silva, *apud* Aulete.) "Pobre descendência de África .... escambada em honras heráldicas *à* vaidade de uma aristocracia." (Rui, *Queda do Império*, I, 207.)

"Seu grande prazer seria achar bom gasalhado gratuito em casa de parentes, que se dariam por bem pagos com a honra *de* o terem hóspede." (Camilo, *Estrelas Propícias*, 65.) "Hoje, com honra *da* República e proveito da nação, brilhantemente serve ao novo regime." (Rui, *Cartas Políticas e Literárias*, 74.) "Fizeram realizar em São Paulo uma sessão cívica em honra *do* correligionário desaparecido." (Luiz Viana Filho, *A Vida de Rui Barbosa*. 109.)

"Discurso .... reproduzido hoje, com grande honra *para* nós, nas colunas desta folha." (Rui, *Colunas de Fogo*, 41.)

"No escritório, seja dito *em* honra do amor, não minutou nada, arrazoado ou petição." (Machado de Assis, *Outras Relíquias*, 39.) "Instituíram festas *em* honra *dos* deuses." (Mário Barreto, *Cartas Persas*, 26.)

"*Por* honra *da* nossa geração, porém, não esqueçamos que só agora se percebeu esse grunhir em expressão tão antiga." (Rui, *Réplica*, 127.) "Tão-somente *por* honra *da* firma." (Idem, *Campanha Presidencial*, 180.)

Honrado — *com, de, por:*

"Sempre se tinha por honrado *com* tal escolha e com tão lisonjeira preferência." (Mário Barreto, *Cartas Persas*, 191.) "Invenção curiosa, depois honrada *com* o beneplácito do professor." (Rui, *Réplica*, 112.)

"Sinto-me honrado *de* tê-lo como hóspede."

"Os governos, a que ele momentaneamente serviu, sempre se julgaram honrados *pelo* seu apoio." (Rui, *Colunas de Fogo*, 113.) "Túmulo honrado *pela* veneração de todos os brasileiros." (Idem, *Cartas Políticas e Literárias*, 238.)

Honraria — *a, para:*

"Cuidavam talvez fazer uma obra meritória, uma honraria *à* memória do fundador." (Garrett, *apud* Aulete.)

"Honraria excepcional *para* obra tão modesta." (C. de Figueiredo, *Lições Práticas*, I, 19.)

Honroso — *a, para:*

"E' uma ação honrosa tanto *ao* que a pratica como *a* quem a recebe." "Essa valentia moral com que V. Ex.ª afronta desprezivelmente as aflições de sua irmã, não *lhe* (= *a* ele) é honrosa, nem mesmo proveitosa." (Camilo, *Mistérios de Lisboa*, I, 148.)

"Honroso, ... odioso *para* alguém." (Epifânio Dias, *Sintaxe Histórica Portuguesa*, 123.) "Da parte de um juiz tão competente em matérias literárias, este ato é honroso *para* o Sr. Oliveira." (Machado de Assis, *Contos Fluminenses*, 126.)

Hora — *de, para:*

"Somos tropa de reserva. Aguardamos a hora *de* entrar em ação." (Erico Verissimo, *Saga*, 94.)

"Dar ou marcar hora *para* um negócio, entrevista." (Aulete.)

Horizonte — *para:*

"Podia (a viagem) ser uma abertura de novos horizontes *para* a minha inteligência." (Rui, *Colunas de Fogo*, 38.)

Horrível — *a, para:*

"*A* mim pareceu-me horrível e intérmina essa noite."

"Aquela vida seria horrível *para* ela se isto acontecesse." (J. Lins do Rego, *Usina*, 73.)

Horror — *a, de, diante de, por:*

"O horror *à* crítica, a intransigência com a censura, o ódio às oposições." (Rui, *Colunas de Fogo*, 190.) "Tinha horror *a* crianças." (Eça, *O Primo Basílio*, 91.) "Vencendo o seu horror *a* franceses e o receio da pecha de jacobinos, freqüentavam a conversação do coronel." (Camilo, *A Enjeitada*, 18.)

"Com o horror *do* hospital, fora tratar-se para casa duma parenta." (Eça, *O Primo Basílio*, 83.) "Ao sentir-me fatigado da igualdade de todas as horas, angustiei-me, e cobrei horror *do* meu futuro." (Camilo, *Amor de Salvação*, 98.) "Quando chegou a Lisboa teve horror *de* tudo que o cercava." (Aluísio Azevedo, *O Mulato*, 74.)

"Há um horror inexplicável *diante de* qualquer expressão suspeita de francesismo." (João Ribeiro, *Curiosidades Verbais*, 98.)

"O indígena sofre da matadura marcada pelo clássico de ser tal o seu horror *pelo* bem alheio, que chega a preferir-lhe o mal próprio." (Ricardo Jorge, *Sermões dum Leigo*, 290.)

Horrorizado — *com, de:*

"Ficou horrorizado *com* o que presenciou."

"E, levantando os olhos para o céu, tremi horrorizado *dos* meus juízos." (Camilo, *Mistérios de Lisboa*, 140.)

Hospedagem — *a, em:*

"Sua hospedagem *ao* tio não foi muito cordial."

"Não é aconselhável hospedagem *em* hotéis de baixa classe."

Hóspede — *de, em:*

"Os leões, esses hóspedes *das* florestas." (Aulete.)

"Ser hóspede *em* grego." (L. Freire.) "Lembra-te que eu não sou de todo hóspede *nestas* matérias." (Camilo, *Estrelas Propícias*, 60.) "Sete meses fui hóspede *no* país onde o ilustre polígrafo entoou esse idílio à fortuna política dos seus compatriotas." (Rui, *Cartas de Inglaterra*, 35.)

Hostil — *a, contra, para com:*

"A Câmara, conservadora e hostil *à*quele govêrno liberal, ouviu com desagrado o programa de Ouro Preto." (Luiz Viana Filho, *A Vida de Rui Barbosa*, 125.) "Moção onde se convidava o gabinete a recuar um caminho hostil *à* legalidade." (Rui, *Colunas de Fogo*, 23.)

"Estava em relações hostis *contra* Portugal." (Herculano, *apud* Aulete.)

"Assumiu uma atitude hostil *para com* a Igreja."

Hostilidade — *a, contra:*

"A política de Minas exprimira categòricamente a sua hostilidade *ao* nome do atual presidente." (Rui, *Cartas Políticas e Literárias*, 139.) "Todas as lendas .... representam, quase sempre, a hostilidade do meio *aos* desbravadores dos centros inóspitos." (Gustavo Barroso, *Terra de Sol*, 262.)

"Anda cuidando em abrir hostilidade *contra* a pátria." (Rui, *Queda do Império*, I, 135.) "E' para temer que a propaganda anti-semítica, acesa em França, avivasse a hostilidade *contra* o Capitão Dreyfus, membro de uma família hebréia bem conhecida." (Idem, *Cartas de Inglaterra*, 30.)

Humanidade — *com, para com:*

"Humanidade *com* os pobres, *com* os oprimidos."

"Ter humanidade *para com* os escravos."

Humano — *com, em, para com:*

"O comandante não foi muito humano *com* os prisioneiros."

"A gente que esta terra possuía .... mais humana *no* trato parecia que outros, que tão mal nos receberam." (Camões, *Os Lusíadas*, V, 62.)

"E' preciso ser humano *para com* os infelizes."

Humildade — *de, em, para com:*
"Humildade *de* coração, obediência pronta aos superiores." (Dic. de Fr. D. Vieira.)
"Humildade *nos* modos, *no* trajar."
"Ter humildade *para com* os pais." "— A tua obediência não me lisonjeia. Aí não há amor de filha.... É a humildade *do* fraco *para com* o forte." (Camilo, *Livro Negro*, 105.)

Humilde — *com, de:*
"Seja humilde *com* seus pais."
"Onde me sinto tão humilde *de* ser brasileiro e tão soberbo de ser homem." (Rui, *Colunas de Fogo*, 35.)

Humilhação — *a, para:*
"E' inexplicável essa tua humilhação *a* teus chefes."
"Fora *para* o pobre negro uma humilhação pior que o desterro." (J. Lins do Rego, *Usina*, 38.)

Humilhado — *a, com, por:*
"Humilhado *aos* pés do imperador, suplicou-lhe poupasse ao menos os filhos à desonra."
"Romperam desapoderadamente pelo rastro, brenha a dentro, humilhados *com* a ardilosa escapada em que lhes fugira a presa." (C. Neto, *Imortalidade*, 35.) "Mas o estudante envelheceu estudando, e tem direito a não ver humilhada hoje a madureza dos seus anos *com* essas ninharias de argüição escolar." (Rui, *Réplica*, 70.)
"O sargento-mor das ordenanças, evidentemente muito humilhado *pelo* que quer que fosse, adiantou-se." (Alberto Rangel, *Fura-Mundo*, 121.) "Humilhado *pela* dúvida de si próprio, miserável e triste, Raimundo percorria a casa, em silêncio." (Aluísio Azevedo, *O Mulato*, 244.) "À mesma hora, Rui de Nelas, humilhado *pela* consciência *na* batalha com o orgulho, escrevia ao procurador, mandando-o que fosse ao paço episcopal." (Camilo, *O Bem e o Mal*, 115.)

Humilhante — *para:*
"Toda intrusão em esfera subalterna será sempre humilhante *para* a majestade do poder." (Rui, *Cartas de Inglaterra*, 260.)

I

Ida — *a, para:*

"Com duas ou três idas *à* Fazenda das Umburanas, Otávio se inteirou dessa situação." (Gastão Cruls, *Ao Embalo da Rede,* 161.)

"Sua ida *para* o Maranhão foi adiada."

Idade — *de, para:*

"Vim para aqui paroquiar em 1828, na idade *de* 25 anos." (Camilo, *Novelas do Minho,* I, 105.) "Em idade *de* merecer e de aceitar requebros, tinha-se recolhido na sua casa de Lisboa." (Rebelo da Silva, *Contos e Lendas,* 53.) "Clarisse era que estava na idade *de* sair, *de* viver com ela." (J. Lins do Rego, *Usina,* 70.) "— Criança! disse Carlota. — Sim; não está em idade *de* casar. — Mas eu no teu caso não punha embargos ao casamento, ainda que fosse daqui a alguns meses, porque o Gomes não me parece mau rapaz." (M. de Assis, *C. Fluminenses,* 176.)

"Nestas festas, quando não se tem idade *para* andar pelos cantos como os moços, a gente é obrigada à imobilidade sentada." (Afrânio Peixoto, *A Esfinge,* 185.) "Já tinha idade *para* não fazer tolices." (Idem, *ibidem,* 263.)

Idéia — *acerca de, a respeito de, contra, de, sobre:*

"Em outra carta te explicarei as minhas idéias *acerca* deste ponto." (Mário Barreto, *Cartas Persas,* 197.)

"Convém recordar e entender bem uma particularidade sintática portuguesa, *a respeito da* qual os estudantes têm de ordinário idéias muito confusas." (Mário Barreto, *Através do Dicionário e da Gramática,* 131.)

"Nem eles nem elas se devem considerar bodes e cabras expiatórias da idéia moderna *contra* os monopólios." (Camilo, *Perfil do Marquês de Pombal,* 109.) "Nutriam idéias revessas *contra* a religião e *contra* os padres." (Mário Sete, *Os Azevedos do Poço,* 79.)

"Que saudade causa no tumulto das cidades a idéia *do* pôr do sol nas aldeias." (Rebelo da Silva, *Contos e Lendas,* 12.) "A idéia *de* montar a usina fora sua." (J. Lins do Rego, *Usina,* 58.)

"Vejam, pois, como são opostas, abismalmente opostas, as idéias *sobre* os interesses da monarquia." (Rui, *Queda do Império,* I, 256.) "Tinha esta certeza e não precisava trocar, com ninguém, idéias *sobre* isto." (J. Lins do Rego, *Usina,* 12.) "Voltavam-lhe as aflições; no fim de algum tempo já não podia ligar duas idéias *sobre* qualquer coisa e não conseguia repousar duas horas seguidas." (Aluísio Azevedo, *Casa de Pensão,* 240.)

Idêntico — *a, em:*

"Ordens idênticas *às* que ficam referidas." (Morais.) "As instituições brasileiras, nesta parte, são de todo o ponto idênticas *às* dos Estados Unidos." (Rui, *Cartas de Inglaterra,* 383.)

"A desinência 'or', de expressão intensiva, análoga posto não idêntica, *na* aplicação, *à* desinência 'eiro' ...." (Rui, *Réplica,* 524.)

Identidade — *com, de:*

"Não é, porém, culpa minha, se a identidade fônica e gráfica desse adjetivo *com* o substantivo de acepção menos alta, ... o reduziu .... a uma situação contrafeita." (Rui, *Réplica,* 509.)

"A sinonímia de palavras ou idéias não implica a identidade *de* análise." (Augusto Moreno, *Lições de Linguagem,* II, 28.) "A identidade *do* gosto e *das* idéias havia suprido em algumas horas a diferença dos anos e assiduidade do conhecimento." (Afrânio Peixoto, *A Esfinge,* 33.)

Identificação — *com, entre:*

"Minha identificação *com* esse punhadinho de estudiosos era tal, que, quando eles obtiveram que o futuro fundador do museu Goeldi lhes desse um curso particular de história natural, incorporei-me e aprendi com eles." (Medeiros e Albuquerque, *Quando Eu Era Vivo,* 49.)

"Onde o corpo de delito? Onde a identificação *entre* o seu autor e o acusado?" (Rui, *Cartas de Inglaterra,* 9.)

Identificado — *a, com, em:*

"Gastão de Noronha está tão identificado *à* minha vida, que por causa dele estou hoje no Brasil." (Camilo, *Estrelas Propícias,* 113.)

"Nada disso seria, porém, suficiente para embaraçar a dialética de Rui, inteiramente identificado *com* Lafaiete." (Luiz Viana Filho, *A Vida de Rui Barbosa,* 84.)

"Sentiam-se, como nunca, identificados *nas* mesmas aspirações." (Alberto Rangel, *Fura-Mundo*, 272.)

Idiossincrasia — *entre:*

"Tenho, portanto, de supor uma idiossincrasia *entre* a frase e os ouvidos do mestre." (Rui, *Réplica*, 110.)

Idolatria — *a, de, por:*

"Antes desse momento estavam alguns meses de apaixonado delírio, de cega idolatria *ao* homem que tão cruel lhe fora." (Camilo, *A Neta do Arcediago*, 95.)

"Enviuvara sem filhos, nem saudades do estado, resumindo todos os afetos nos seus extremos pela fidalga, e na idolatria *das* duas crianças, que trazia sempre na boca e no coração." (Rebelo da Silva, *Contos e Lendas*, 50.) "Dar a essa bagatela ortográfica as honras de emenda solene, é o que só explicaria a superstição absoluta da língua, a idolatria *da* correção no escrever." (Rui, *Réplica*, 55.)

"Tinha verdadeira idolatria *pela* sobrinha."

Idoneidade — *para:*

"Não tem idoneidade *para* o cargo que lhe deram."

Idôneo — *para:*

"Idôneo *para* tão árdua empresa." (Morais.) "Não é contudo (o verbo) idôneo *para* servir de antecedente de referência ao pronome." (Augusto Moreno, *Lições de Linguagem*, II, 56.)

Ignorado — *de, em, por:*

"Ninguém pode compreender como pudeste abandonar as tuas mulheres, os parentes, os amigos e a pátria, para ires a terras remotas, ignoradas *dos* persas." (Mário Barreto, *Cartas Persas*, 7.) "O conflito passou ignorado *do* marido para não desmentir o provérbio, e de toda a gente, excetuados os dois paladinos." (Camilo, *Boêmia do Espírito*, 123.)

"Em Alcobaça obedecia-se ao prelado, com presteza ignorada *em* alguns modernos tribunais." (Rebelo da Silva, *Contos e Lendas*, 272.)

"A tentação de apropriar-se do bem alheio só nasceu mais tarde, após havê-lo reconhecido precioso e, ao mesmo tempo, absolutamente inédito, ignorado *por* todos." (Veiga Miranda, *A Eterna Canção*, 72.)

Ignorância — *de, em:*

"A tais deslizes se aditaram outros, denunciando a mais completa ignorância *da* guerra." (E. da Cunha, *Os Sertões*, 261.) "E na ignorância *da* etimologia passou-se a escrever 'socegar' (sucegar) conforme a mesma prosódia popular que fez 'sumana' por 'semana' (João Ribeiro, *Curiosidades Verbais*, 88.) "Denotam a ignorância mais extraordinária *da* situação real das instituições." (Rui, *Queda do Império*, I, 246.)

"Sempre revelou uma maciça e completa ignorância *em* tudo quanto concernia às ciências naturais." (Medeiros e Albuquerque, *Quando Eu Era Vivo*, 243.) "Zombarão ainda mais, sabendo que aquele déspota não amava a ignorância *no* povo." (Rui, *Cartas de Inglaterra*, 265.)

Ignorante — *de, em:*

"Pensava Luiz exatamente no pobre amigo, talvez ainda ignorante *da* notícia." (Afrânio Peixoto, *A Esfinge*, 200.) "Absolutamente ignorante *dos* assuntos de qualquer das pastas, limitava-se a assinar os despachos que os secretários lhe levavam." (Medeiros e Albuquerque, *Quando Eu Era Vivo*, 120.) "Jorge Parker Bidder, nascido em 1806, era, no começo de sua carreira, completamente ignorante *dos* termos aritméticos." (*Maravilhas do Conhecimento Humano*, I, 238.)

"Apesar de ignorante *nos* artifícios retóricos, soubera conduzir com tal destreza, que D. João I o escutara atento e comovido." (Rebelo da Silva, *Contos e Lendas*, 265.)

Ignoto — *a, para:*

"Palavras já ignotas *aos* daquele tempo." (Morais.) "O mesmo acontece ao inglês, a que o latim herdou esse vocábulo, ignoto *a* franceses e italianos." (Rui, *Réplica*, 385.)

"Este imenso mundo .... da sua metrópole era ainda quase ignoto *para* a ciência." (Latino Coelho, *apud* Aulete.)

Igual — *a, com, de, em, para:*

"Obras iguais *às* palavras." (Constâncio.) "A liberdade é um direito que cada homem exerce de ser igual *a* outro homem perante uma lei ilustrada." (Camilo, *As Três Irmãs*, 283.)

"Granjeou para as obras dos seus antepassados fama igual *com* a que já tinham." (Dic. de Morais.) — P. usado.

"Namorar-se de quem não é igual *dêle*." (Dic. de Morais.) — P. usado.

"Planície longa a perder de vista, igual *na* cor, monótona nas linhas." (Antero de Figueiredo, *Jornadas em Portugal*, 26.) "Duas parelhas semelhantes no sexo, iguais *no* número, e diferentes no entendimento." (Vieira, *Sermões*, IX, 137.) "Todos (os amigos) iguais *na* afabilidade e bonomia com que sempre me tratavam." (Gastão Cruls, *Ao Embalo da Rede*, 15.)

"Ao ouvir-se falar nos direitos do homem, iguais *para* todos ...." (Rui, *Colunas de Fogo*, 16.) "A vida continuava igual *para* os que não haviam brigado, e era dura." (Guilhermino Cesar, *Sul*, 95.) "Essa monotonia de critério, a uma certa altura da idade igual *para* todos, certo provém da embotadura dos nervos analgisados pelo esgoto excessivo das primeiras sensações." (Fialho de Almeida, *Os Gatos*, 230.)

Igualdade — *com, de, entre:*

"A igualdade de um tecido *com* outro."

"Igualdade *de* direitos sociais, igualdade *das* medidas, pesos, *das* somas, adições."

(Constâncio.) "Foi (Voltaire) uma das primeiras vozes a proclamar a igualdade *dos* homens. Foi o precursor do moderno espírito de democracia." (*Maravilhas do Conhecimento Humano*, II, 80.)

"Não há igualdade *entre* os dois casos."

Iludido — *com, por:*

"Quase todos os jornais pintaram 'theor' iludidos *com* a palavra 'theoria', em que realmente se pode escrever 'h'." (C. de Figueiredo, *Lições Práticas*, I, 38.) "E' preciso que eu o traga iludido *com* a esperança de que um dia será possível a sua reforma de costumes." (Camilo, *A Neta do Arcediago*, 30.)

"Não perde (o povo), iludido *pelo* disfarce dos novos figurinos, a fisionomia da desordem, da capangagem." (Rui, *Colunas de Fogo*, 24.) "Iludidos *por* uma civilização de empréstimo." (E. da Cunha, *Os Sertões*, 205.)

Iluminado — *a, com, de, por:*

"Cidade iluminada *a* luz elétrica."

"À beira da estrada, iluminados *com* lâmpadas elétricas, chalés afusam no céu plúmbeo os cocurutos de ardósia." (Fialho de Almeida, *Os Gatos*, 69.) "Os animais falavam, iluminados *com* a razão que Deus nos dera." (Alberto Rangel, *Fura-Mundo*, 234.)

"Encontra o observador uma clareira limpa, iluminada *de* sol vivo, com uma nesga de azul imaculado, convidando-nos a agradecer e abençoar." (Rui, *Queda do Império*, I, 12.)

"Na sala mal iluminada *pela* lamparina da cozinha, Pirunga fumava com o cigarro oculto no côncavo da mão." (J. Américo de Almeida, *A Bagaceira*, 66.) "E apareceu o salão de baile todo iluminado *por* grande lustre e arandelas de cristal." (Antero de Figueiredo, *Amor Supremo*, 59.)

Ilusão — *com, de:*

"Não tenha ilusões *com* essas promessas."

"Era um fervilhar de corpos transudando vozear estrídulo, e discordante, e longo, dando a ilusão *de* alguma enchente repentina." (E. da Cunha, *Os Sertões*, 342.) "Chegava a saber que os sofrimentos morais eram uma ilusão *dos* sentidos." (J. Américo de Almeida, *A Bagaceira*, 82.)

Ilustrado — *por:*

"Polidamente, sem a franqueza de João de Lima, o visconde, ilustrado *por* doutrinas aristotélicas, versado nas letras de antigos jurisconsultos, ainda concordou." (Xavier Marques, *As Voltas da Estrada*, 38.)

Imanente — *a, em:*

"A questão, com a complexidade imanente *aos* fatos concretos, se atém, de preferência, a razões secundárias, mais próximas e enérgicas." (E. da Cunha, *Os Sertões*, 34.) "E' inegável que tamanha variedade de tons e vibrações deve corresponder a intenções imperceptíveis e imanentes *ao* uso da palavra." (João Ribeiro, *Curiosidades Verbais*, 114.)

"Embalde O figuramos (Deus) imanente *na* criação, e nos recusamos a ver *n*Ele uma entidade abstrata, deística, ou panteística." (Rui, *Cartas de Inglaterra*, 98.)

Imbuído — *de, em:*

"Imbuído *de* superstição." (Carlos Góis, *Sintaxe de Regência*, 99.) "Em torno dele, aos poucos, agremiavam-se jovens oficiais e a mocidade da Escola Militar, quase toda ela imbuída *de* idéias republicanas." (Luiz Viana Filho, *A Vida de Rui Barbosa*, 133.)

"Imbuído *nas* tradições e preconceitos." (E. Carneiro Ribeiro, *Serões Gramaticais*, 675.) "Talvez que o Sr. não queira acreditar — acrescentou — estando tão imbuído *nos* preconceitos do Oriente." (Mário Barreto, *Cartas Persas*, 98.) "Imbuído *em* doutrinas, erros, preocupações." (Constâncio.)

Imediato — *a:*

"Número imediato *a* outro." (E. Carneiro Ribeiro, *Serões Gramaticais*, 675.) "Grossos e altos cancelos de roble separam do resto do templo um extenso recinto sem sepulcros, imediato *ao* altar principal." (Herculano, *Eurico*, 148.) "Capacidade política do caráter mais sério, que lhe assegura hoje, na opinião pública, a graduação de imediato *a* Gladstone." (Rui, *Colunas de Fogo*, 13.)

Imersão — *em:*

"A imersão da lua *na* sombra da terra." (Fr. D. Vieira.)

Imerso — *em:*

"Por vezes um chiado longo rechinava como esfervedura de ferro em brasa imerso *n*água." (C. Neto, *A Cidade Maravilhosa*, 90.) "Nada valiam os sonâmbulos erradios e imersos *no* sonho da restauração imperial." (E. da Cunha, *Os Sertões*, 363.) "Uma noite de seis anos tinha passado por aquela alma, imersa *na* escuridão de todas as esperanças, desmemoriada de todos os gozos que poderiam valer-lhe no desalento." (Camilo, *Livro Negro*, 243.)

Imigração — *em, para:*

"Tem sido vultosa a imigração de europeus *na* América."

"A imigração *para* o Brasil é hoje uma esperança para os desempregados de vários países da Europa."

Imigrado — *em:*

"Possidônio de Quevedo Padilha, capitão de uma companhia de Ventureiros, originários de nobres de Badajós, imigrados *na* Capitania, era o mais moço da trindade." (Alberto Rangel, *Fura-Mundo*, 144.)

Imiscuição — *em:*

"E pensava, em seguida, lançar o parecer do caso delicado, relativo a certas imiscuições da Câmara *em* terrenos pertencentes à Cúria." (Alberto Rangel, *Fura-Mundo,* 26.)

Imiscuído — *a, em:*

"Quando os soldados, imiscuídos *à* turba, alcançaram o Palácio do Governo, difícil foi conter toda a onda chofrada no patamar da grande porta." (Alberto Rangel, *Fura-Mundo,* 71.)

"Imiscuído *em* todos os negócios do sogro, não lhe foi difícil descobrir a causa da falência."

Imitação — *a, de:*

"Era ainda o eterno espírito de contradição às ordens recebidas e de imitação *a*os mais velhos." (Medeiros e Albuquerque, *Quando Eu Era Vivo,* 35.)

"Bem sei que 'confortável' no sentido em que ali o empregaram .... é imitação *do* uso francês e inglês." (Mário Barreto, *Através do Dicionário e da Gramática,* 68.) "Falou, trovejou, era o escândalo de Jeová pelo intuito da imitação *do* Sinai." (Camilo, *A Enjeitada,* 12.)

Imitado — *de:*

"Ergueram-se templos imitados *d*os palácios gregos e romanos e esplêndidos banhos. Os homens começaram a escrever poesia e prosa à maneira clássica." (*Maravilhas do Conhecimento Humano,* I, 59.)

Imoderação — *em:*

"A imoderação *no* luxo arrasta muitas famílias à miséria." (Fr. D. Vieira.)

Imoderado — *em:*

"Mulher imoderada *nas* suas afeições. Homem imoderado *nas* suas alegrias." (Fr. D. Vieira.)

Imodéstia — *de, em:*

"Teve a imodéstia *de* lançar, ele próprio, sua candidatura à presidência do partido."

"Revelou grande imodéstia *em* julgar-se o melhor jogador de seu clube."

Imodesto — *em:*

"Foi muito imodesto *em* atribuir a si a fundação da escola."

Imodicidade — *de:*

"Imodicidade *de* preços." (Aulete.)

Imolação — *a:*

"Os racimos encomendados .... são a coroa da sua imolação *às* impurezas do regime que ela criou e que vai amortalhar." (Rui, *Colunas de Fogo,* 9.)

Imolado — *a:*

"Hecatombe era o sacrifício de cem animais imolados *a*o poder dos deuses." (João Ribeiro, *Curiosidades Verbais,* 169.) "Se o braço de um homem excepcional não levantar desta queda esse partido imolado *a*o personalismo estreito do presidente do Conselho...." (Rui, *Colunas de Fogo,* 30.)

Imóvel — *diante de, em:*

"Inflexivelmente imóvel *diante do* adversário, não o perturba com as sortidas bem combinadas e o arremesso das cargas." (E. da Cunha, *Os Sertões,* 441.)

"Vasco todo trêmulo, só imóvel *nos* olhos, estendia os braços para ela." (Camilo, *Cenas da Foz,* 200.)

Impaciência — *por:*

"Com o vapor que se aproximava, crescia a impaciência de Paulo *pela* terra natal." (Afrânio Peixoto, *A Esfinge,* 217.) "Havia no cortiço uma grande impaciência *pela* chegada da cama." (Aluísio Azevedo, *O Homem,* 168.)

Impacientado — *com:*

"Depois, na capital do Egito, a execração pública encarcerou-o a fim de o processar; mas o povo, impacientado *com* as delongas do processo, atirou-o ao mar." (Camilo, *Boêmia do Espírito,* 246.)

Impaciente — *com, de, por:*

"Um pouco impaciente *com* aquela farsa, Jandira interveio." (Ciro dos Anjos, *O Amanuense Belmiro,* 53.)

"Estou impaciente *de* ver minha família." (Fr. D. Vieira.) "O gabinete francês, impaciente *d*os vagares judiciais, desistiu do pedido." (Rui, *Colunas de Fogo,* 218.) "O navio tinha parado em frente da barra, à espera da manhã, baloiçando-se, no mar agitado dos estuários, como impaciente *da* expectativa." (Afrânio Peixoto, *A Esfinge,* 219.)

"E endireitavam firmes para a frente, impacientes *por* virem às mãos com o adversário esquivo." (E. da Cunha, *Os Sertões,* 322.) "Estou impaciente *pelo* resultado da festa." (Aluísio Azevedo, *O Mulato,* 102.) "Já estou impaciente *pelo* encontro com a pequena sereia de Langelinie." (Herman Lima, *Outros Céus, Outros Mares,* 228.)

Imparcial — *em:*

"A comissão foi absolutamente imparcial *no* julgamento."

Imparcialidade — *em, em relação a:*

"Nessa, como *em* outras decisões, verificou-se completa imparcialidade do juiz."

"Sinal expressivo da nossa imparcialidade *em relação à* família de que já principia a ser logradoiro o trono imperial." (Rui, *Queda do Império,* I, 473.)

Impassibilidade — *a, ante, para:*

"Tal a sua indiferença aos progressos da razão pública no terreno abolicionista e a sua impassibilidade glacial *a*os atentados deste gabinete." (Rui, *Queda do Império,* I, 304.)

"Surpreendeu-nos sua extraordinária impassibilidade *ante* tamanho golpe."

"Impassibilidade *para* tudo o que comove uma alma sensível." (Fr. D. Vieira.)

Impassível — *a, diante de:*
"Este, que não era impassível *às* lisonjas do seu colega, ergueu-se também." (Camilo, *Mistérios de Lisboa,* III, 128.)
"Realizava a criação rara de um lutador modesto, impassível *dinte da* glória e *diante do* inimigo." (E. da Cunha, *Os Sertões,* 453.)

Impedido — *de, em, por:*
"Impedido *de* andar." (Fr. D. Vieira.) "Impedido *dos* membros." (Constâncio.) "Os presos políticos .... não se acham incomunicáveis nem impedidos *de* conferenciar com os seus advogados." (*Apud* Rui, *Colunas de Fogo,* 199.)
"Estar ou ficar impedido *em* casa, não poder sair." (Aulete.)
"Achando já feita a lista dos juristas da casa, com exclusão dos membros da mesa, impedidos *pelo* regimento, nomeei, na hora do expediente, a comissão." (Rui, *Cartas Políticas e Literárias,* 115.) "Vendo-se impedido *por* um transeunte, quis resistir." (Alberto Rangel, *Fura-Mundo,* 172.)

Impedimento — *a, de, em:*
"Não vejo nenhum impedimento *à* sua candidatura."
"O substituto serve nos impedimentos *do* lente." (Constâncio.)
"Ser impedimento *em* alguma coisa." (Dic. de Morais.)

Impeditivo — *de:*
"Pediu-lhe Roque Monteiro Paim uma lei impeditiva *da* exportação de dinheiro." (Camilo, *Mosaico,* 4.)

Impelido — *a, contra, de, para, por:*
"Não é para mim uma fábula (a existência do demônio), quando me vejo impelido *ao* mal, e cedo com pesar ao impulso, encarando o bem por que suspiro." (Camilo, *A Neta do Arcediago,* 138.)
"Há homens desamparados, sem um amigo, sem um recurso, impelidos *de* infortúnio *contra* infortúnio, desprezados pelos olhares da sociedade." (Camilo, *Mistérios de Lisboa,* III, 23.)
"Sentia-se impelido *para* aquele homem." (Camilo, *Mistérios de Lisboa,* II, 16.)
"E então na realidade obraria tão forçada como uma bola de bilhar, que se move impelida *por* outra." (Mário Barreto, *Cartas Persas,* 153.) "Impelido (o barco) *pelas* duas alas de quarenta remadores." (Aquilino Ribeiro, *A Batalha sem Fim,* 13.) "Impelidos todos *pelo* desejo quase mórbido de pajearem aquela novidade." (Alberto Rangel, *Fura-Mundo,* 85.)

Impenetrável — *a:*
"Essa ata de fevereiro, secreta, *a* mim impenetrável, conhecida exclusivamente aos seus subscritores." (Rui, *Colunas de Fogo,* 130.) "Escudos tão prontos e aparelhados sempre *à* nossa defesa, como seguros e impenetráveis *a* todos os tiros e golpes de nossos inimigos." (Vieira, *Sermões,* IX, 246.) "O Visconde de Armagnac resolvera deixar Paris, logo que a cegueira desatinada do seu amigo era impenetrável *aos* raios de luz clara com que ele quisera alumiar-lhe o futuro." (Camilo, *Livro Negro,* 113.)

Imperceptível — *a:*
"Um correspondente europeu comparou a silenciosa e concentrada energia de um (país) à dos grandes paquetes transoceânicos, imperceptível *aos* passageiros." (Rui, *Cartas de Inglaterra,* 122.) "Não concebo como se pode ser surpreendido por tamanha ventura! Ainda eu ontem era um ente imperceptível *ao* pé de Branca! Alguma coisa estranha e sobrenatural se deu no coração de vossa filha!" (Camilo, *Livro Negro,* 101.)

Imperdoável — *a:*
"E' um deslize imperdoável *a* um mestre de tamanho renome."

Império — *de, sobre:*
"A Elias e a Bárbara deu Deus o império *do* fogo. .... Elias manda ao fogo que queime, e Bárbara que não queime." (Vieira, *Sermões,* IX, 194.)
"O coração toma absoluto império *sobre* as minhas outras faculdades." (Camilo, *Estrelas Propícias,* 192.) "Não foi menos devido à causa do mesmo martírio o domínio e império *sobre* as partes mais violentas e furiosas do mesmo fogo." (Vieira, *Sermões,* IX, 178.)

Imperioso — *em:*
"Mas essa distância forçosamente devia marcá-la o tempo, que é imperioso *nas* suas reformas." (Camilo, *As Três Irmãs,* 33.)

Impermeável — *a:*
"O Tempo .... embranquecera-lhes os cabelos e fizera muitos deles (liberais) tão prudentes e impermeáveis *às* modificações, que nada senão o nome os distinguia de um conservador." (Luiz Viana Filho, *A Vida de Rui Barbosa,* 118.) "E' um espírito realista, impermeável *aos* símbolos e *à* linguagem da poesia." (Ciro dos Anjos, *O Amanuense Belmiro,* 104.)

Impertinência — *com:*
"Deixe de impertinência *com* as crianças."

Impertinente — *com:*
"Impertinente *com* os carreiros, querendo tudo a tempo e a hora, não admitindo que o sol saísse sem achar as boiadas cangadas." (Veiga Miranda, *A Eterna Canção,* 15.)

Imperturbável — *em:*
"Imperturbável *em* sua seminudez de sátiro, a cabeça grisalha de cabelo cortado rente, ... Ribeiro continuou sem manifestar curiosidade em relação ao objeto da visita." (Xavier Marques, *As Voltas da Estrada,* 85.)

Impetuoso — *em:*
"Homem impetuoso *na* realização de seus desvarios." (Fr. D. Vieira.) "Ânimo impetuoso *nas* paixões." (Morais.)

Impiedade — *com, para com:*
"Revelou muita impiedade *com* os retirantes."
"Impiedade *para com* as coisas da religião."

Impiedoso — *com, para, para com:*
"Homem impiedoso *com* ou *para com* os desgraçados." "Um homem, que amparou e educou dois filhos desvalidos dum seu caseiro, não pode ser impiedoso *com* sua filha." (Camilo, *O Bem e o Mal,* 72.)
"Valente e esforçado em lutas, fero e impiedoso *para* o inimigo." (Gustavo Barroso, *Terra de Sol,* 120.)

Ímpio — *contra:*
"Alguma vez havia de encontrar o ímpio *contra* a religião do amor pátrio." (Camilo, *A Neta do Arcediago,* 105.)

Implacabilidade — *com, de:*
"Sua implacabilidade *com* os escravos tornou-o odiado de todos."
"A implacabilidade *do* seu caráter." (Morais.)

Implacável — *com, contra, para com:*
"Outro que se mostra implacável *com* todas as assonâncias, os hiatos e as cacofonias é o Sr. Sintra." (Mário Barreto, *Através do Dicionário e da Gramática,* 325.) "Era um velho alegre e severo ao mesmo tempo. Gostava de rir, mas era implacável *com* os maus costumes." (M. de Assis, *Contos Fluminenses,* 53.)
"O governo mostrou-se implacável *contra* os conspiradores."
"Juiz severo, implacável *para com* a mínima falta."

Implantação — *em:*
"Implantação do agárico *na* macieira." (Fr. D. Vieira.)

Implantado — *em:*
"Só a lei constitucional dura, implantada *nas* profundezas da justiça, como o granito dos recifes *no* seu engaste submarino." (Rui, *Cartas de Inglaterra,* 384.)

Implicado — *com, em:*
"Este caso está implicado *com* o antecedente."
"Implicado *em* conspirações." (E. Carneiro Ribeiro, *Serões Gramaticais,* 668.)

Implicância — *com, em:*
"Deixe de implicância *com* os colegas." "Mas os jesuítas não tinham implicância *com* essas carnificinas, nem disputavam aos dominicanos o direito de concitarem o ódio contra os judeus laboriosos, ricos e suficientemente patifes nas suas veniagas mercantis." (Camilo, *Boêmia do Espírito,* 49.)
"Sua implicância *nesse* negócio tem-lhe dado muitos desgostos."

Implícito — *em:*
"Implícito *em* alguma coisa." (E. Carneiro Ribeiro, *Tréplica,* 679.)

Importância — *a, de, em, para, sobre:*
"Duas câmaras que se apuram, se elegem, se pagam, sem a menor importância *ao* papel sujo que as fórmulas ainda preparam". (Afrânio Peixoto, *A Esfinge,* 394.)
"A importância *do* negócio, *da* questão." (Constâncio.) "A importância *da* conta, *da* despesa." (Aulete.)
"A comida é de máxima importância *na* vida dos homens." (João Ribeiro, *Curiosidades Verbais,* 71.) "Na simples palavra 'padre', que precede o meu nome, não está explicada a minha importância *no* mundo." (Camilo, *Mistérios de Lisboa,* I, 125.) "A China .... ignorava a importância capital das funções ofensivas e defensivas da força naval *na* existência dos países banhados pelo mar." (Rui, *Cartas de Inglaterra,* 124.)
"Seria indesculpável lacuna deixar sem exame elementos de tamanha importância *para* a orientação de tais estudos." (Rui, *Réplica,* 503.) "Entrara na região filosófica dos deveres sociais, e confeccionara certas máximas de alta importância *para* a sua futura felicidade." (Camilo, *A Neta do Arcediago,* 88.)
"Encontrarão a apologia mais convencida .... da soberana importância do sentimento religioso *sobre* todos os sentimentos humanos." (Rui, *Cartas de Inglaterra,* 395.)

Importante — *a, para:*
"E' um trabalho importante *a* todos aquêles que se dedicam ao estudo da filologia." "Vida tão importante e preciosa *à* pública saúde." (Morais.)
"Documentos importantes *para* a história." (Herculano, *apud* Aulete.)

Importunação — *com, de:*
"E' impossível evitar importunações *com* certa classe de fregueses."
"Moscas, importunação *da* humanidade." (Fr. D. Vieira.)

Importunado — *com:*
"— Não há novidade! Pode ficar descansado, que não há novidade, respondeu aquele espreguiçando-se, já importunado *com* o transtorno de não se poder estirar na cadeira." (Aluísio Azevedo, *Casa de Pensão,* 179.)

Importuno — *a, com:*
"Parece-me que já estou sendo importuno *a* você." "Eugênia imaginou-se aborrecida e importuna *ao* homem que a fizera sua por um capricho." (Camilo, *Mistérios de Lisboa,* II, 245.)
"Você foi meio importuno *com* o chefe."

Imposição — *a, de:*
"Tantas imposições *ao* vencido empanam o brilho da vitória."
"A imposição *de* uma pena, *de* um castigo *a* alguém."

Impossibilidade — *de, em, para:*
"Impossibilidade palpável *de* assegurar estabilidade ao trabalho." (Rui, *Queda do Império,* I, 179.) "A emenda procedia de lhe acudir logo ao espírito a impossibilidade *de* ter novas da filha, se Custódia entrasse no convento." (Camilo, *A Enjeitada,* 80.) "Dificuldade ou impossibilidade *de* nutrição." (L. Freire, voc. *acatápose.*)
"Há impossibilidade *em* ceder ao vosso convite." (Fr. D. Vieira.) "Dificuldade, impossibilidade *na* deglutição." (Idem, voc. *acatáposis.*)
"Não vejo impossibilidade alguma *para* que se realize a festa."

Impossibilitado — *de, para:*
"Achei os meus bens confiscados e os meus parentes quase impossibilitados *de* me socorrerem." (Mário Barreto, *Cartas Persas,* 148.) "Tolhido dos membros direitos e impossibilitado *de* falar e escrever, Mário vivia agora confinado no leito." (Gastão Cruls, *Ao Embalo da Rede,* 50.)
"Enterneceu-se ao dizer estas palavras e, vendo-se impossibilitada *para* continuar a conversação, deixou-me como o mais desconsolado dos mortais." (Mário Barreto, *Cartas Persas,* 143.)

Impossível — *a, de, para:*
"Essa tarefa será impossível *às* gerações atuais, se o seu pessimismo imperturbável nos deixar continuar a rolar assim pelo precipício." (Rui, *Campanha Presidencial,* 55.)
"A povoação destinada para elas (assembléias) oferecia um espetáculo de desordem e de motim impossíveis *de* descrever." (Herculano, *O Bobo,* 93.) "Dentro, na igreja impossível *de* esclarecer com luzeiros de lâmpadas e tochas, uma sagrada penumbra erra nas naves." (Fialho de Almeida, *Os Gatos,* 73.) "Ernesto descobriu-lhe a face, com uma serenidade impossível *de* explicar-se pelos termos com que semelhantes lances se nos afiguram." (Camilo, *Livro Negro,* 217.)
"Apelo para o Sr. Barão de Cotegipe, que se declarou impossível *para* o governo, por querer uma reforma que o povo todo quer." (Rui, *Discursos e Conferências,* 35.)

Imposto — *a, por, sobre:*
"Tensão cerebral imposta *aos* homens de letras *por* esta literatura exigentíssima." (Fialho de Almeida, *Os Gatos,* 224.) "A separação imposta *a* uma *de* duas pessoas *pela* outra." (Rui, *Réplica,* 451.)
"Amador Bueno da Ribeira se recusou a cingir a coroa de rei de S. Paulo, imposta *pelas* aclamações do nosso povo." (Alberto Rangel, *Fura-Mundo,* 115.) "Os recém-vindos deviam ainda alongar-se para a direita, segundo o plano único imposto *pelas* circunstâncias." (E. da Cunha, *Os Sertões,* 458.)
"Sendo a cobrança do imposto *sobre* o ouro o pretexto de que se valeriam os conjurados para concitar o povo à revolta, susteve o governador a cobrança e tratou de prender os conspiradores." (*Maravilhas do Conhecimento Humano,* I, 168.)

Impotência — *de, para:*
"E quedara na impotência *de* corrigir uma situação que .... repelia por igual os recursos extremos da força e o influxo sereno das leis." (E. da Cunha, *Os Sertões,* 291.) "Encontras-te com gosto na feliz impotência *de* delinqüir." (Mário Barreto, *Cartas Persas,* 53.) "Ficava então com o olhar cansado e longo, ... numa impotência *de* viver tão acabada e tão funda, que pensava seria melhor passar, diluir-se, morrer...." (Afrânio Peixoto, *A Esfinge,* 274.)
"Uma das mais graves faltas desse poderoso gênio é a sua assombrosa impotência *para* compor." (Mário Barreto, *Cartas Persas,* XXIV.)

Impotente — *a, ante, contra, diante de, em, para:*
"Seguiam devagar (as colunas), sem aprumo, emperradas pelos canhões onde se revezavam soldados ofegantes em auxílio aos muares impotentes *à* tração vingando aqueles declives." (E. da Cunha, *Os Sertões,* 269.)
"Triunfantes e unidas, as duas colunas imobilizaram-se impotentes *ante* a realidade." (E. da Cunha, *ob. cit.,* 427.)
"O governo vitorioso desesperou da vitória, confessando-se impotente *contra* os vencidos, por falta de armada." (Rui, *Cartas de Inglaterra,* 135.) "O Dr. Maza, por sua vez, resignou, declarando-se impotente *contra* os naufragosos mares em que o governo soçobrava." (Idem, *ibidem,* 296.)
"A medicina era impotente *diante do* desespero de Anacleta." (Camilo, *Mistérios de Lisboa,* III, 86.)
"O espírito entrara nos limites da matéria, e a medicina era impotente *na* cura de uma enfermidade, cuja causa recrudescia cada vez mais." (Camilo, *Mistérios de Lisboa,* III, 176.)
"Impotente (o mestiço) *para* formar qualquer solidariedade entre as gerações opostas, de que resulta, reflete-lhes os vários aspectos predominantes num jogo permanente de antíteses." (E. da Cunha, *Os Sertões,* 109.) "Compreendem (os médicos) mais fundamente a extensão desta calamidade e vêem-se impotentes *para* lhe fazer frente." (Erico Verissimo, *Saga,* 161.)

Imprecação — *a, contra, sobre:*
"Suas imprecações *a* Deus foram atendidas."

"Fazer imprecações *contra* alguém." (Constâncio.) "Noite alta, o ébrio batia com a cabeça nas vidraças de suas janelas, farpava a face nas arestas dos vidros, e rugia imprecações *contra* Deus." (Camilo, *O Bem e o Mal*, 205.) "*Sobre* a cabeça lhe fazia o ministro certas imprecações." (Dic. de Morais.)

Impregnação — *com:*
"A impregnação *com* certos ácidos torna mais durável a madeira."

Impregnado — *de:*
"Agora era aquele rebento, aqui nascido, já impregnado *do* novo meio e *dos* novos hábitos." (Afrânio Peixoto, *A Esfinge*, 206.) "Pareceu-me que o ar do quarto estava impregnado *de* um cheiro acre." (Camilo, *Cenas da Foz*, 146.)

Imprescindível — *a:*
"Outros mecanismos imprescindíveis *ao* desenvolvimento da humana atividade." (Rui, *Campanha Presidencial*, 137.) "O tratado .... se pactuara sem essa garantia imprescindível *aos* interesses brasileiros." (Idem, *Cartas Políticas e Literárias*, 46.)

Impressão — *com, de, em, entre, sobre:*
"A impressão *com* as visões ainda lhe perturba o sono." "Ficou melhor a impressão *com* tinta preta."
"Tenho a impressão *de* que as veias do pescoço vão rebentar." (Erico Verissimo, *Saga*, 142.)
"Isto não fez impressão *n*aquele homem." (Camilo, *Mistérios de Lisboa*, I, 258.) "Os objetos não fazem a mesma impressão *nos* homens." (Mário Barreto, *Cartas Persas*, 35.) "A impressão *em* cartolina fica melhor."
"Dizia simpatizar com aquele selvagem, e desejava estudar um tipo original, que faria grande impressão *entre* as trivialíssimas mulheres de Paris." (Camilo, *Livro Negro*, 140.)
"Nos mais remotos dias da Terra, a Era Azóica (sem vida), se vida existiu, foi provavelmente tão tênue que não deixou impressão *sobre* as rochas." (*Maravilhas do Conhecimento Humano*, I, 214.)

Impressionado — *com, de, por:*
"Os habitantes de Canudos, impressionados *com* a intensidade dos tiroteios, alarmaram-se." (E. da Cunha, *Os Sertões*, 279.)
"Fiquei vivamente impressionado *d*este espetáculo." (Fr. D. Vieira.) "Ficou tão impressionado *d*aquela verdade...." (Morais.) "Sebastião de Melo, impressionado *da* melancolia imperturbável da filha do governador do Brasil, quis avaliar de perto aquele distinto gênio." (Camilo, *Livro Negro*, 247.)
"Sabe que lhe escrevo impressionado *pelo* discurso que ouvi a Alves Mendes. Essa leitura foi um exagerado preito de amizade com que ele correspondeu à minha admiração." (Camilo, *Boêmia do Espírito*, 213.) "Magdá sentiu-se ternamente impressionada *pelo* taciturno aspecto do casarão." (Aluísio Azevedo, *O Homem*, 62.)

Impropério — *contra:*
"A raposa abre a boca num impropério terrível *contra* a criançada." (Gustavo Barroso, *Terra de Sol*, 261.)

Impropício — *a:*
"A atmosfera democrática das repúblicas que nos circundam é tão impropícia *à* monarquia, quanto é desfavorável à república o ambiente conservador das realezas européias." (Rui, *Queda do Império*, I, 251.)

Impróprio — *a, de, para:*
"As entradas de um e outro lado da meridiana, impróprias *à* dispersão, facilitavam antes o entrelaçamento dos extremos do país." (E. da Cunha, *Os Sertões*, 99.) "A partir das dez horas da manhã, estacionavam as caravanas nos lugares menos impróprios *ao* descanso." (Idem, *ibidem*, 478.)
"Que memórias tão impróprias *d*um dia de noivado!" (Camilo, *As Três Irmãs*, 54.) "Os embaraços de Luís, a sós com ela, eram impróprios *de* um rapaz de sala, imperturbável falador em todas as conjunturas." (Idem, *A Neta do Arcediago*, 33.) "Esclarececi-me esse artigo, porque eu pensava que tinha hospedado um homem. Que tem ele de impróprio *de* um homem?" (Camilo, *Livro Negro*, 154.)
"Esta água é imprópria *para* cozer legumes." (Fr. D. Vieira.) "Tive coragem de fazer essa brincadeira bastante imprópria *para* o momento." (Ciro dos Anjos, *O Amanuense Belmiro*, 57.)

Imprudência — *contra, de:*
"Como a teria ela recebido? Certamente com uma repulsa quase unânime, como ameaça ou, pelo menos, imprudência grave *contra* as instituições recém-criadas." (Rui, *Cartas Políticas e Literárias*, 82.)
"Cometeu a imprudência *de* sair, doente, com um tempo destes."

Impulso — *em favor de, para:*
"O impulso decisivo *em favor d*essa reforma veio indubitavelmente das camadas sociais." (Rui, *Cartas de Inglaterra*, 360.)
"E no sangue depois da morte ainda havia impulsos *para* sair." (Vieira, *Sermões*, IX, 204.) "Dar impulso *para* um crime." (Morais.)

Imputação — *a:*
"A imputação *ao* caixeiro foi julgada improcedente."

Imputado — *a:*
"Em plena alucinação, não perdera, todavia, os sentidos e a idéia, fixada e dominante em seu cérebro conturbado: o crime imputado *a* Alexandre e a infâmia do castigo." (Domingos Olímpio, *Luzia-Homem*, 85.)

Imputável — *a:*
"Erros cada qual de uma só letra, adicionada ou alterada, naturalmente, verossimilmente imputáveis *à* composição tipográfica, me ficaram às costas." (Rui, *Réplica,* 457.)

Imune — *a, de:*
"Imunes *à* putrefação e *a*os castigos infernais." (Herman Lima, *Outros Céus, Outros Mares,* 117.) "Cumpre ver naquelas anomalias simples nódoas, dessas *a* que os melhores escritores não são imunes." (Rui, *Réplica,* 200.) "Tão bem acompanhado, eu me devia considerar ao menos imune, em caso de erro, *ao* vexame de o haver cometido." (Idem, *ibidem,* 310.)
"Nos sertões a integridade orgânica do mestiço desponta inteiriça e robusta, imune *de* estranhas mesclas." (E. da Cunha, *Os Sertões,* 112.) "Almas houve que por graça espiritual têm ficado imunes *d*esta lepra da indiferença ou da negação." (Ricardo Jorge, *Sermões dum Leigo,* 70.)

Imunidade — *a, contra, de:*
"Imunidade *a* ressentimentos políticos, dos quais teve a fortuna de se preservar." (Rui, *Cartas Políticas e Literárias,* 161.) "Esta regra exclui evidentemente da imunidade *à* extradição todos os crimes cometidos em nosso tempo contra os chefes de Estado." (Idem, *Colunas de Fogo,* 222.)
"Reduzidas a essa condição impessoal, obras tais .... não podem reclamar privilégios de consideração e imunidades convencionais *contra* a verdade." (Rui, *Réplica,* 45.) "Quem por essas passou, grande confiança realmente deve ter na maracha das imunidades parlamentares *contra* as maretas do governo e da rua." (Idem, *Colunas de Fogo,* 159.)
"Imunidade *de* tributos, *de* certos trabalhos." (Fr. D. Vieira.)

Imunização — *contra:*
"Imunização *contra* certas moléstias infecciosas."

Imunizado — *contra:*
"Imunizado *contra* a ação catalisadora da beleza." (Monteiro Lobato, *O Choque,* 141.)

Imutável — *em:*
"Imutável *no* critério como *no* trajo." (Mário Sete, *Os Azevedos do Poço,* 70.) "E desdobrava-se-lhe na frente (a caatinga) léguas e léguas, imutável *no* aspecto desolado." (E. da Cunha, *Os Sertões,* 38.)

Inabalável — *em:*
"E' um homem inabalável *em* suas convicções, *em* seus desígnios."

Inábil — *em, para:*
"Moça inábil *em* trabalhos manuais."
"País comido de dívidas, roubado e escarnecido pelos seus aliados, e por todos os motivos inábil *para* acompanhar a Europa nos seus grandes trotes de progresso." (Fialho de Almeida, *Os Gatos,* 94.)

Inabilidade — *em, para:*
"Revelou grande inabilidade *no* seu ofício."
"Inabilidade *para* a música; inabilidade *para* desempenhar um cargo, uma comissão."

Inabituado — *a:*
"Braz Bueno, inabituado *à* posição em que se via ...." (Alberto Rangel, *Fura-Mundo,* 279.)

Inacessibilidade — *a:*
"Contando (o governo de Berlim) com a inacessibilidade relativa do seu território *a* uma invasão pelo mar." (Rui, *Cartas de Inglaterra,* 133.)

Inacessível — *a:*
"Deus é inacessível *à* nossa natureza." (Fr. D. Vieira.) "O arraial de Santo Inácio, ereto entre montanhas e inacessível até hoje *a* todas as diligências policiais." (E. da Cunha, *Os Sertões,* 222.) "Esse hábito de colocar os direitos permanentes da justiça em altura inacessível *às* conveniências do governo .... é a virtude cardeal da Inglaterra." (Rui, *Cartas de Inglaterra,* 30.)

Inacostumado — *a:*
"Corujões chilreavam, inacostumados ainda *a*os cômodos da torre nova." (Alberto Rangel, *Fura-Mundo,* 108.)

Inadaptabilidade — *a:*
"Nossa inadaptabilidade *às* formas superiores da civilização." (Rui, *apud* L. Freire.) "Demonstrará a inadaptabilidade do povo *à* legislação superior do sistema político recém-inaugurado." (E. da Cunha, *Os Sertões,* 291.)

Inadaptação — *a:*
"Tinha revelado sem rebuços a sua inadaptação *a*os requisitos da chefia de polícia." (Mário de Alencar, *apud* Teschauer.)

Inadaptável — *a:*
"Maravilhava a cultura do autor. Mas, em geral, considerava-se inadaptável *ao* país aquela reforma cuidadosa e complexa." (Luiz Viana Filho, *A Vida de Rui Barbosa,* 79.)

Inadequado — *a:*
"O (significado) da palavra no plural seria perfeitamente inadequado *ao* caso." (Augusto Moreno, *Lições de Linguagem,* II, 46.) "Transcendências inadequadas *a*os nossos modestos propósitos de vulgarização." (João Ribeiro, *Curiosidades Verbais,* 167.)

Inadequável — *a:*
"No 'agir', ademais, temos apenas um verbo de significação intransitiva, inadequável *à* outra." (Rui, *Réplica,* 392.)

Inalterável — *em:*
"O sertanejo é inalterável *no* seu modo de vestir, de falar, de plantar, de criar, de viver." (Gustavo Barroso, *Terra de Sol,* 175.)

Inanido — *de:*
"Voltando depois para Luzia, trêmula e confusa, inanida *de* surpresa e vergonha, acrescentou, requebrando os olhos congestionados: — Adeus, meu bem...." (Domingos Olímpio, *Luzia-Homem,* 27.)

Inaptidão — *para:*
"Revela a mais completa inaptidão *para* o cargo."

Inapto — *a, para:*
"Aí campeava, livre, o indígena inapto *ao* trabalho e rebelde sempre." (E. da Cunha, *Os Sertões,* 91.)
"Inapto *para* viver." (L. Freire, voc. *abiótico.*) "O jagunço é tão inapto *para* apreender a forma republicana como a monárquico-constitucional." (E. da Cunha, *Os Sertões,* 204.)

Inarrancável — *de:*
"Raízes de uma planta inarrancável *de* sua terra de empréstimo." (Alberto Rangel, *Fura-Mundo,* 101.)

Inato — *a, em:*
"Idéia primitiva, original, inata *à* sua derivação latina." (Rui, *Réplica,* 291.) "Naquela região encantada, o gênio da arte era inato *a* qualquer filho do povo." (Idem, *Cartas de Inglaterra,* 113.)
"A tendência para novas fruições é um sentimento inato *no* gênero humano." (Monte Alverne, *apud* Aulete.)

Incansável — *em:*
"Incansável *na* educação dos filhos." (E. Carneiro Ribeiro, *Serões Gramaticais,* 675.) "Sua cunhada era incansável *naquele* novo gênero de trabalho." (Camilo, *As Três Irmãs,* 165.) "Os homens que vivem em festa, na pompa de uma natureza incansável *na* alegria, são fracos e desanimados." (Afrânio Peixoto, *A Esfinge,* 50.)

Incapacidade — *de, para:*
"Isaías cambaleava, na incapacidade *de* arrancar de um punhal e cravá-lo até o cabo no meio do peito do aleivoso e odiento barbaças." (Alberto Rangel, *Fura-Mundo,* 280.)
"A incapacidade do homem inculto *para* reproduzir valores vai criando modalidades que às vezes se fixam na língua." (Júlio Nogueira, *O Exame de Português,* 126.) "Cuidei ver nisto baixeza de sentimentos, incapacidade *para* sentir que a nobreza da mulher depende muito do lugar em que a sociedade a vê." (Camilo, *As Três Irmãs,* 165.) "Em confirmação da minha incapacidade *para* historiador, alega o jurisconsulto que eu sou um notável farejador de crônicas, mas sem orientação superior e característica." (Camilo, *Boêmia do Espírito,* 289.)

Incapacitado — *para:*
"Ao fim de um mês de doença eu era um outro homem e estava de todo incapacitado *para* o menor trabalho." (Gastão Cruls, *Ao Embalo da Rede,* 130.)

Incapaz — *de, em, para:*
"São (as etimologias) lamentavelmente falsas e incapazes *de* traduzir qualquer resultado definitivo." (João Ribeiro, *Curiosidades Verbais,* 145.) "Vão dizer que eu sou sovina, avarento, e incapaz *de* ter amigos que me custem favores." (Camilo, *As Três Irmãs,* 100.) "Desde que se fundem em multidão, o ignorante e o sábio são igualmente incapazes *de* observação." (Ricardo Jorge, *Sermões dum Leigo,* 128.)
"Dentre elas (repúblicas) nenhuma se tem mostrado mais incapaz do que a mais nova *em* transferir do papel para a prática o que é realmente exemplar, realmente magistral." (Rui, *Cartas de Inglaterra,* 38.)
"O moço é incapaz *para* o serviço." (Aulete.)

Incendido — *de, em:*
"Incendido *de* amor e *de* ódio." (Camilo, *Mosaico,* 98.)
"Miquelina, incendida *em* raiva, sentou-se no leito." (Camilo, *A Enjeitada,* 51.)

Incentivo — *a, de, para:*
"Aquelas palavras soaram aos ouvidos dos parentes como incentivo *a* gastar, *a* confiar no tempo." (J. Lins do Rego, *Usina,* 168.) "Nunca tanto incentivo *a* saudades feriu juntamente o coração das três irmãs, que iam apartar-se." (Camilo, *As Três Irmãs,* 201.) "A sua flora rudimentar .... é um incentivo *à* vida pastoril, *às* sociedades errantes dos pegureiros." (E. da Cunha, *Os Sertões,* 49.)
"Acepipes, iguarias, salsas que são incentivos *da* gula." (Morais.) "A música, incentivo *da* alegria." (Idem.)
"Essa mesma literatura será um incentivo constante *para* a pesquisa do vocábulo que a define nas histórias literárias." (João Ribeiro, *Curiosidades Verbais,* 144.) "Padre Diniz .... achou naquele abraço incentivo *para* uma destas emoções que eletrizam o sangue e fazem saltar as lágrimas." (Camilo, *Mistérios de Lisboa,* I, 56.)

Incerteza — *a respeito de, em:*
"E sempre as mesmas incertezas *a respeito da* sua procedência" (Aluízio Azevedo, *O Mulato,* 75.)
"Como revelasse incerteza *nas* respostas, foi preso."

Incerto — *acerca de, de, sobre:*
"*Acerca* desta verdade ainda me acho incerto." (Morais.)
"Estou ainda incerto *do* caminho que hei de tomar." (Fr. D. Vieira.)
"Estar incerto *sobre* o partido que convém tomar." (Constâncio.)

Inchado — *com, de, por:*
"Que eram os cinqüenta filósofos, senão outros tantos leões soberbos e inchados *com* a presunção e arrogância das suas ciências...?" (Vieira, *Sermões*, IX, 161.) "O rio inchado *com* a cheia." (Morais.)
"E desde então viam-no sempre muito atarefado, os bolsos inchados *de* manuscritos." (Eça, *O Primo Basílio*, 43.)
"Ventre inchado *por* duas ou três indigestões." (Aquilino Ribeiro, *A Batalha sem Fim*, 55.) "A escravatura, todas as noites, com as mãos inchadas *pel*os bolos, ... entoava súplicas à Virgem Santíssima." (Aluísio Azevedo, *O Mulato*, 56.)

Incidência — *em, sobre:*
"A incidência de um raio *n*uma superfície ou *sobre* uma superfície."

Incidente — *com, entre:*
"Espicaçados pelos constantes incidentes *com* o governo, os militares haviam deliberado conseguir uma solução a qualquer preço." (Luís Viana Filho, *A Vida de Rui Barbosa*, 134.)
"Haviam suportado submissos a vontade de Deodoro, e os incidentes *entre* o chefe do governo e os seus auxiliares imediatos tornaram-se cada vez mais freqüentes." (Luís Viana Filho, *ob. cit.*, 152.)

Incitação — *a, para:*
"Incitação *a*o mal ou *para* o mal."

Incitado — *a, com, para, por:*
"Incitada .... *a* explicar a razão de sua tristeza quando ficaram sòzinhas, disse comovida: ...."
"A cavalgadura, incitada *com* chicotadas, pôs-se a galopar."
"Incitado *para* o mal." "Incitado *para* o culto das letras."
"Certo dia, incitado *pel*as minhas observações, meu pai foi visitar o estabelecimento." (Medeiros e Albuquerque, *Quando Eu Era Vivo*, 26.)

Inclemente — *com, para, para com:*
"Mostrou-se rude e inclemente *com* o filho."
"Terra inclemente *para* as superioridades, terra ingrata para as benemerências, é inimiga dos próprios filhos." (Ricardo Jorge, *Sermões dum Leigo*, 215.)
"Inclemente *para com* os que delinqüiram."

Inclinação — *a, para, por:*
"Inclinação *à* ternura." (E. Carneiro Ribeiro, *Serões Gramaticais*, 671.) "Inclinação *às* superstições." (Gustavo Barroso, *Terra de Sol*, 264.) "Afetei suma inclinação *às* ciências; e, a poder de fingi-la, vim a tê-la realmente." (Mário Barreto, *Cartas Persas*, 12.)
"Inclinação *para* a ternura." (E. Carneiro Ribeiro, *Serões Gramaticais*, 671.) "Inclinação *para* o bem." (Carlos Góis, *Sintaxe de Regência*, 100.) "Inclinação de uma superfície *para* outra." (Morais.)
"Descobriu da parte do rapaz certa inclinação *por* ela e ficara satisfeito." (Aluízio Azevedo, *O Mulato*, 344.) "Sua inclinação *pel*o teatro, seu amor às coisas da arte cênica — como costumava dizer — não lhe dera glória nem felicidade." (Guilhermino Cesar, *Sul*, 15.) "E se era evidente a sua inclinação *por* Noêmia, esta já não se preocupava em esconder os seus sentimentos por ele." (Gastão Cruls, *História Puxa História*, 64.)

Inclinado — *a, para, sobre:*
"Parecera a certas pessoas, menos inclinadas *a*os rigores da intolerância, que a culpa de haver furtado a pupila do Governador não seria caso de maior castigo." (Alberto Rangel, *Fura-Mundo*, 62.) "Certas monotonias da obsessão imitativa, sempre inclinadas *às* formas adventícias, lhe voltam e revoltam periòdicamente no discurso." (Rui, *Réplica*, 558.) "A outra desconfiança é que o doutor Fonseca está muito deveras inclinado *à* sua filha Maria." (Camilo, *As Três Irmãs*, 25.)
"Não se sente (Rui) inclinado *para* nenhuma destas facções, e permanecerá arredio dos partidos." (Luís Viana Filho, *A Vida de Rui Barbosa*, 197.) "Dizia ele com um sorriso, inclinado *para* ela." (Eça, *O Primo Basílio*, 67.) "Inclinado *para* o jogo." (E. Carneiro Ribeiro, *Serões Gramaticais*, 674.)
"Haste vibrátil e meiga, ... inclinada *sobre* a Natureza e embebida na luz do céu." (Antero de Figueiredo, *Jornadas em Portugal*, 57.) "Fez-se um silêncio sepulcral à volta daquela mulher inclinada *sobre* o cadáver." (Camilo, *A Enjeitada*, 241.) "Quando o padre, inclinado *sobre* o cofre das cinzas de Silvina, invocava sua mãe, o dominicano ergueu-se como de um pulo." (Idem, *Mistérios de Lisboa*, II, 32.)

Incluído — *em, entre:*
"Fora, ademais, incluído contra a vontade *n*a empresa." (E. da Cunha, *Os Sertões*, 341.) "Nota incluída *n*a conta." (E. Carneiro Ribeiro, *Serões Gramaticais*, 675.)
"Incluído *entre* os mais distintos membros do nosso partido." (Afrânio Peixoto, *A Esfinge*, 244.)

Inclusão — *em, entre:*
"Inclusão de uma cláusula *n*um contrato."
"Pedi sua inclusão *entre* os organizadores dos festejos."

Inclusive — *em:*
"Abduh Baha viajou pelo mundo inteiro para difundir seu evangelho da tolerância mútua. Fundou seitas em quase todos os países, inclusive *n*os Estados Unidos." (*Maravilhas do Conhecimento Humano*, I, 326.)

Incólume — *a:*

"A menos que os seus créditos populares de excelente mezinheiro lhe servissem ao privilégio de tornar-se incólume *a* iras eclesiásticas e governamentais." (Alberto Rangel, *Fura-Mundo,* 67.)

Incolumidade — *a:*

"Mas a Lord Palmerston (Balfour) sobreexcede na equanimidade, na benevolência do seu antagonismo, na incolumidade *a* certos vícios do espírito de partido." (Rui, *Cartas de Inglaterra,* 58.)

Incomodado — *com, por:*

"Ó pequena, tu tens alguma coisa! — disse-lhe um dia o pai, já incomodado *com* aquele ar doentio da filha." (Aluísio Azevedo, *O Mulato,* 26.)

"Não estava disposto a ser incomodado *por* quem quer que fosse." (J. Lins do Rego, *Usina,* 144.)

Incômodo — *a, de, para:*

"Inverno incômodo *à* navegação." (Fr. D. Vieira.) "À medida que melhorava sentia que se ía tornando incômodo *à*quela gente do hospital." (C. Neto, *Miragem,* 229.) "Togas e vestes talares, naturalmente incômodas *a*os cavaleiros." (João Ribeiro, *Curiosidades Verbais,* 92.)

"Queria ele egoisticamente para si a cabal satisfação de castigar os miseráveis, sem incômodo *d*o estudante." (Camilo, *O Bem e o Mal,* 148.)

"Vai um tempo muito incômodo *para* a lavoura." (Aulete.)

Incomparável — *a, com, em:*

"E' um artista medíocre, incomparável *a* qualquer de seus contemporâneos."

"Olhe que a virtude tem consolações incomparáveis *com* os prazeres momentâneos do vício." (Camilo, *A Neta do Arcediago,* 30.)

"E o dia, incomparável *n*o fulgor, fulmina a natureza silenciosa." (E. da Cunha, *Os Sertões,* 28.)

Incompatibilidade — *com, de, em, entre:*

"Babujando-me com o aleive de não sei que antagonismo aos seus direitos, de não sei que incompatibilidade *com* a sua causa." (Rui, *Campanha Presidencial,* 119.) "Então ele falou abertamente de suas aspirações, de seus estudos interrompidos, de sua incompatibilidade *com* o emprego que exercia." (Aluísio Azevedo, *Casa de Pensão,* 81.)

"A incompatibilidade *de* caracteres produz, às vezes, graves desordens." (Fr. D. Vieira.) "A incompatibilidade *de* duas asserções." (Aulete.)

"Há incompatibilidade .... *em* ser compassivo e cruel." (Morais.)

"Estabelecendo essa incompatibilidade intolerável *entre* a república e a discussão, *entre* a república e o antagonismo vivificante das convicções." (Rui, *Colunas de Fogo,* 191.) "E, quando lhe escasseou essa força, não foi por incompatibilidade *entre* as suas tendências e as do cetro." (Idem, *Queda do Império,* I, 177.)

Incompatibilizado — *com:*

"Estava ainda mais incompatibilizado *com* os adversários." (Luiz Viana Filho, *A Vida de Rui Barbosa,* 6.) "Condenavam a guarda nacional como uma instituição incompatibilizada, entre nós, *com* o governo do povo pelo povo." (Rui, *Colunas de Fogo,* 31.)

Incompatível — *com:*

"Receavam-lhe a demência, porque, muitas vezes, eram desconexas as suas idéias, e incompatíveis até *com* a sua religiosidade." (Camilo, *A Neta do Arcediago,* 162.) "Não há, pois, uma só cláusula, nas leis, que autorize a polícia a criar situações jurídicas incompatíveis *com* a celebração livre das reuniões populares." (Rui, *Queda do Império,* I, 97.)

Incompetência — *em, para:*

"A incompetência dos teóricos *n*as questões de prática." (Fr. D. Vieira.)

"Repelindo (o governo estadual) a intervenção que lhe implicava incompetência *para* manter a ordem nos seus próprios domínios." (E. da Cunha, *Os Sertões,* 246.)

Incompetente — *em, para:*

"E' muito incompetente *em* ciências." (Fr. D. Vieira.)

"Homem incompetente *para* o cargo que lhe destinam." "O lugar é incompetente *para* falar de amores." (Camilo, *Cenas da Foz,* 57.)

Incompreensível — *a, para:*

"Achareis um santo, ou um homem superior, incompreensível *a*os outros homens." (Camilo, *Mistérios de Lisboa,* I, 230.)

"A imagem de minha filha, visão terrível, saudade aflitiva, agonia incompreensível *para* o matador de sua mãe, passou entre mim e o espectro de Branca." (Camilo, *Livro Negro,* 233.)

Incomunicabilidade — *com, entre:*

"Impor em lei permanente aos veículos de transporte marítimo a incomunicabilidade *com* a terra." (Rui, *Colunas de Fogo,* 94.)

"A incomunicabilidade *entre* a Terra e outros planetas."

Incomunicável — *com, para:*

"O mar Vermelho é incomunicável *com* o Mediterrâneo." (Constâncio.)

"Estava a Condessa de Santa Bárbara fechada em um quarto .... e incomunicável *para* tôdas as pessoas que não fossem o verdugo que seu pai lhe escolhera." (Camilo, *Mistérios de Lisboa,* I, 141.)

Inconcebível — *para:*

"Tem virtudes incomparáveis; mas o meio por que chega a possuí-las é sobrenatural, ou inconcebível *para* o resto dos homens, se não é para ele também.'' (Camilo, *Mistérios de Lisboa*, II, 228.)

Inconciliabilidade — *com, de, entre:*

''A inconciliabilidade de uma pessoa *com* outra.''

''A inconciliabilidade *de* dois gênios, duas índoles opostas.'' (Fr. D. Vieira.)

''Só *entre* este verbo e esse nome se havia de estabelecer inconciliabilidade vernácula?'' (Rui, *Réplica*, 298.)

Inconciliável — *com:*

''Este homem é inconciliável *com* seu irmão.'' (Fr. D. Vieira.) ''Seria um latinismo inconciliável *com* o nosso senso vernáculo.'' (Rui, *Réplica*, 347.) ''O seu serviço era inconciliável *com* a honra dos seus servidores.'' (Idem, *Campanha Presidencial*, 83.) ''Em Miranda vogava a suspeita de que o tiro lhe fora desfechado por um lavrador vingativo, inconciliável *com* a fidalga desonra de sua irmã.'' (Camilo, *O Bem e o Mal*, 224.)

Inconfundível — *com:*

''E' um tipo inconfundível *com* qualquer outra pessoa.''

Incongruência — *com, entre:*

''Seus atos estão em incongruência *com* a doutrina que prega.''

''Antes de mais nada, o que nela sobressai logo é a incongruência *entre* esta censura e os fundamentos da justificação.'' (Rui, *Réplica*, 161.)

Incongruente — *com:*

''Um patriotismo incongruente *com* a legítima soberania.'' (Camilo, *apud* Aulete.)

Inconsciente — *de:*

''Indiferentes (os médicos) perante os males que afligem a sua própria corporação, inconscientes *d*os remédios a opor-lhe.'' (Ricardo Jorge, *Sermões dum Leigo*, 52.) ''O artista, inconsciente *d*o papel da decoração mural, limitou-se a emoldurar em retângulos de carvalho composições sem o menor vislumbre de gosto ou formosura adequada.'' (Fialho de Almeida, *Os Gatos*, 258.) ''Acordou às oito horas do dia seguinte, meio inconsciente *d*o lugar onde se achava.'' (Aluísio Azevedo, *Casa de Pensão*, 116.)

Inconseqüente — *com, em:*

''Você está sendo inconseqüente *com* sua própria doutrina.''

''Inconseqüente *n*os atos, *n*as palavras.''

Inconstância — *de, em:*

''Inconstância *de* princípios.'' (Aulete.)

''Falei-te, na minha última carta, da prodigiosa inconstância dos franceses *n*as suas modas.'' (Mário Barreto, *Cartas Persas*, 208.)

Inconstante — *em:*

''Inconstante *n*as opiniões, *n*os afetos.'' (Morais.) ''Inconstante *n*os trabalhos, *n*a fé.'' (Fr. D. Vieira.)

Incontinência — *de, em:*

''Incontinência *de* língua, falta de moderação no falar.'' (Aulete.)

''Incontinência *n*o comer, *n*o falar.''

Incontinente — *em:*

''Incontinente *n*o beber.''

Inconveniência — *de, em:*

''Considere, pois, Sua Alteza .... a inconveniência *de* dar carta de republicanos às almas honestas que lhe descobrem os interesses sérios da monarquia.'' (Rui, *Queda do Império*, I, 261.)

''Fora mudando de conversação por temer alguma inconveniência *n*o trato desses assuntos.'' (Alberto Rangel, *Fura-Mundo*, 236.)

Inconveniente — *a, com, de, para, para com:*

''A vida bonançosa é inconveniente *a*o romance.'' (Camilo, *As Três Irmãs*, 233.)

''Ser descortês ou inconveniente *com* alguém ou *para com* alguém.''

''Vistos os notáveis inconvenientes *d*a educação doméstica.'' (Camilo, *Perfil do Marquês de Pombal*, 88.)

''A publicação podia ter inconvenientes *para* meus filhos e netos.'' (Medeiros e Albuquerque, *Quando Eu Era Vivo*, 16.) ''O sistema tinha inconvenientes *para* a paz pública; mas era conservado pela grande energia de divulgação que possuía.'' (M. de Assis, *Papéis Avulsos*, 21.)

Incorporação — *a, em:*

''O capitão bandeirante se negara a acobertá-los, impedindo a incorporação de ambos *a*o corpo dos exploradores.'' (Alberto Rangel, *Fura-Mundo*, 219.) ''A incorporação de certos bens *à* coroa.'' (Fr. D. Vieira.)

''Pediu sua incorporação *n*o exército.'' ''Incorporação *n*um préstito.''

Incorporado — *a, em:*

''Uma província, um reino unido e incorporado *a* outro.'' (Fr. D. Vieira.) ''Era o tipo ideal da raça, uma espécie de cabedal precioso incorporado *a*o patrimônio da cidade.'' (Xavier Marques, *As Voltas da Estrada*, 58.)

''Noções incorporadas *n*a massa das idéias.'' (Rui, *Queda do Império*, I, 280.) ''Pode também um vocábulo de outra língua, mas originário do latim, ser incorporado *em* nosso léxico.'' (Sousa da Silveira, *Lições de Português*, 23.)

Incorreção — *de:*

''Não admira que a crítica ali raro tenha a notar-lhes incorreções *de* linguagem.'' (Rui, *Réplica*, 505.)

Incredulidade — *em:*

''Denotam a ignorância mais extraordinária da situação real das instituições, ou a mais inconcebível incredulidade *n*os sinais ameaçadores do tempo.'' (Rui, *Queda do Império*, I, 246.)

Incrédulo — *a:*
"O morgado de Mateus sorriu penosamente, incrédulo *às* satisfações de entusiasmo do seu secretário." (Alberto Rangel, *Fura-Mundo,* 20.)

Increpação — *a, contra:*
"Essa increpação *ao* filho foi contraproducente."
"E' uma increpação indelével *contra* os sucessores descuidados e desamorosos de seus pais." (Rui, *Colunas de Fogo,* 3.)

Incrustado — *em:*
"O conde deu-o (o diamante) de presente a Catarina II, imperatriz da Rússia. O diamante foi incrustado *na* coroa real, e, daquele dia em diante, a cabeça que usava aquela maldita jóia não conhecia sossego." (*Maravilhas do Conhecimento Humano,* I, 227.)

Inculpável — *de:*
"Reputava (eu) inevitáveis, dada a sofreguidão que houve, esses defeitos e, em conseqüência, inculpáveis *d*eles a Câmara e a comissão." (Rui, *Réplica,* 45.)

Incumbência — *de, para:*
"Recebi a incumbência *de* narrar os acontecimentos." "O Padre João Ferreira escrevia miudamente ao fidalgo de Pinhel, ... acusando a recepção das cartas da filha, com a incumbência *de* dizer a Cristina que lhe eram agradáveis as suas letras." (Camilo, *O Bem e o Mal,* 170.)
"Recusou a incumbência *para* representar sua classe no congresso."

Incumbido — *a, de, por:*
"Negócio incumbido *a* alguém." (Morais.)
"*D*esse negócio já alguém se acha incumbido." (Fr. D. Vieira.) "Eu fui incumbido *de* fazer a narração dos últimos acontecimentos." (Idem.)
"O ministério 10 de março está incumbido *pela* coroa *de* inaugurar o caos." (Rui, *Queda do Império,* I, 263.)

Incurioso — *de, em:*
"Espírito incurioso *de* resolver as questões da natureza." (Latino Coelho, *apud* Aulete.)
"Esse homem é incurioso *em* aumentar a sua fortuna." (Fr. D. Vieira.)

Incursão — *em:*
"Poucos dias antes da minha chegada, os tártaros tinham feito uma incursão *na* cidade." (Mário Barreto, *Cartas Persas,* 148.) "Fazer algumas incursões *no* domínio da poesia." (Fr. D. Vieira.)

Incurso — *em:*
"Declarar os paulistas incursos *nos* artigos tais e tais, combinados a outros das Ordenações manuelinas." (Alberto Rangel, *Fura-Mundo,* 154.) "Incurso *em* excomunhão."

Indecente — *a, para:*
"Erros indecentes *à* sua nobreza." (Morais.) "Coisa indecente *ao* historiador." (Idem.)
"Acho que foi uma ação indecente *para* uma pessoa de tal projeção."

Indecifrável — *para:*
"Mas, por fim, são de língua desconhecida, enigma indecifrável *para* o coração juvenil, e para o que já tem sentido repetidas impressões da mesma força." (Camilo, *Livro Negro,* 64.)

Indecisão — *em, entre:*
"Natural indecisão *em* coisas tão remotas." (Camilo, *apud* Aulete.) "Indecisão do espírito *no* juízo problemático." (Aulete, voc. *afasia.*)
"Revelam indecisão *entre* a quarta e a segunda."

Indeciso — *em, entre, quanto a, sobre:*
"Estava ainda indeciso *n*esse cruel debate consigo mesmo, quando Cristina .... gritou-lhe aflita se tinha alguma coisa, se estava sentindo alguma coisa." (Afrânio Peixoto, *Bugrinha,* 135.) "Prosseguiram largo tempo dialogando juridicamente, e ultimaram indecisos *no* que deviam fazer." (Camilo, *Estrelas Propícias,* 118.)
"O juiz criminal, um pouco indeciso, como o burro de Buridan, *entre* o código e a peita não mesquinha, negociada pelo escrivão do processo, absolveu o réu." (Camilo, *A Neta do Arcediago,* 97.) "Pendia indeciso *entre* Petrarca e Santa Teresa de Jesus." (Castilho, *apud* Aulete.)
"O ministério 10 de março titubeou indeciso *quanto à* sua missão, vacilando entre vários projetos de emancipação mais ou menos retardada." (Rui, *Queda do Império,* I, 179.)
"Emília .... está ainda indecisa *sobre* se as irá ver na sua beleza de verão, ou se se reservará para mais tarde, para fugir aqui à fealdade do inverno." (Eça, *Correspondência,* 236.)

Indecoroso — *para:*
"Ação indecorosa *para* alguém." (Cf. Epifânio Dias, *Sintaxe Histórica Portuguesa,* 123.)

Indelicadeza — *de, em:*
"Tomara então me dissessem se, no tocante a indelicadezas *do* escrever, pode sempre a autoridade clássica servir de abrigo a modernos escritores." (Rui, *Réplica,* 105.)
"Observa o mais religioso escrúpulo em evitar a mínima indelicadeza *no* desempenho do seu papel constitucional." (Rui, *Queda do Império,* I, 390.)

Indene — *contra:*
"O soldado das epidemias .... não está indene *contra* o percalço do inficionamento." (Ricardo Jorge, *Sermões dum Leigo.* 44.)

Indenização — *de, por:*
"Depois, como indenização *do* que perdeu, encontra o desprezo dos outros." (Camilo, *A Neta do Arcediago,* 38.) "— Tens uma nobre alma, minha filha. Se sofres.... se sofreste.... vem aí da mão de Deus a indenização

de mágoas que não deveram nunca ter existido.'' (Camilo, *Livro Negro*, 106.)

''Não recebeu nenhuma indenização *pelos* estragos que o gado lhe fez na roça.''

Independência — *de, em:*

''Independência *de* opinião, *de* ação.'' ''Espírito em cuja vida inteira se estampa a independência *das* suas opiniões.'' (Rui, *Colunas de Fogo*, 102.)

''Pedia que se dessem os cargos do Estado aos que mostrassem mais independência *no* serviço da pátria.'' (Camilo, *As Três Irmãs*, 274.)

Independente — *de:*

''Movimento independente *de* impulso.'' (Constâncio.)

Indicação — *de, em, para, sobre:*

''Estes sintomas dão grande indicação *de* uma tísica.'' (Morais.)

''A indicação dos purgantes *na* febre tifóide.'' (Aulete.)

''Sua indicação *para* prefeito foi muito bem recebida.''

''Não há rastrear-se nela (ordem do dia) a mais fugaz indicação *sobre* o desdobramento, formaturas ou manobras das unidades combatentes.'' (E. da Cunha, *Os Sertões*, 261.)

Indicado — *a, em, para, por:*

''Envenenou (Cleópatra) seu irmão, catorze anos mais velho, com o qual fora casada, e lançou seus olhares ardentes sobre Marco Antônio, apolíneo jovem romano, que parecia mais indicado *a* herdar o manto de César.'' (*Maravilhas do Conhecimento Humano*, I, 136.)

''O uso profissional, convém a saber, a linguagem das leis, da praxe e dos autores, indicada *nos* textos.'' (Rui, *Réplica*, 529.)

''O remédio indicado *para* o caso é este.''

''Comparando-se essas frases com outras equivalentes, em que, em vez de ser o instrumento indicado *por* termo feminino, o seja por palavra masculina, vê-se que este não exije artigo.'' (T. Galhardo, *apud* Rui, *Réplica*, 235.)

Indiciado — *em:*

''O alferes é chamado a Lisboa, e recolhido ao castelo de S. Jorge, como indiciado *nos* planos subversivos do general Freire de Andrade.'' (Camilo, *O Bem e o Mal*, 186.)

Indiferença — *a, de, em, para, para com, por, sobre:*

''O douto jurista, nesta como profissão de indiferença *à* correção da linguagem na feitura das leis, sutil e obscuro a um tempo, casa admiravelmente em si estes dois merecimentos.'' (Rui, *Réplica*, 503.) ''Tal a sua indiferença *aos* progressos da razão pública no terreno abolicionista.'' (Idem, *Queda do Império*, I, 304.) ''A nossa indiferença *a* esses sinais do tempo é o mais desgraçado indício desse fatalismo .... que acabará por fazer de nós 'o doente' da América do Sul.'' (Idem, *Cartas de Inglaterra*, XI.)

''O costume dos desenfeites, do desatavio, e negligência de seus dons, levaram-na a tão descuidada indiferença *de* si, que nem ao espelho pedia recordações da passada beleza.'' (Camilo, *As Três Irmãs*, 293.)

''Entre os povos neolatinos, mais ou menos solapados pelo cepticismo revolucionário, costumamos associar a idéia do liberalismo à de indiferença *em* matéria de fé.'' (Rui, *Cartas de Inglaterra*, 55.)

''No semblante de Alfredo Gassiot via Flávia um ar de agrado para Carlota, de severidade para Ernesto e de indiferença *para* ela.'' (Camilo, *A Enjeitada*, 164.) ''Tinha o que se chama consciência de superioridade, ou indiferença natural *para* tudo.'' (Idem, *Mistérios de Lisboa*, I, 240.)

''Indiferença *para com* as glórias e bens terrenos.''

''E deste entrelaçamento resulta .... a indiferença fatalista *pelo* futuro.'' (E. da Cunha, *Os Sertões*, 142.) ''Jerônima demonstrou simulada indiferença *pela* delongada resposta, e declinou a conversação para outro assunto.'' (Camilo, *As Três Irmãs*, 176.) ''Fingindo certa indiferença *pelo* resultado da disputa, limitava-se a responder aos que lhe falavam sobre o assunto, com frases vagas.'' (Luiz Viana Filho, *A Vida de Rui Barbosa*, 259.)

''Não compreendo sua indiferença *sobre* uma questão de tanta gravidade.''

Indiferente — *a, com, diante de, em, para, para com, perante, respeito a, sôbre:*

''São matizes da fraseologia jurídica, indiferentes *aos* leigos, mas relevantes aos olhos do profissional.'' (Rui, *Réplica*, 425.) ''Duas sociedades em formação, ... uma de todo indiferente *ao* modo de ser da outra.'' (E. da Cunha, *Os Sertões*, 80.) ''Em tempos de libertinagem, as doenças do pai eram indiferentes *ao* filho, e até a formalidade de um cumprimento lhe era pesada.'' (Camilo, *A Neta do Arcediago*, 39.)

''Estar indiferente *com* alguém, diz-se da pessoa que deixa esfriar as relações de amizade que tinha com outra.'' (Aulete.)

''O verdadeiro confucionista é filósofo diante da vida e indiferente *diante da* morte.'' (*Maravilhas do Conhecimento Humano*, I, 317.)

''Sistema dos que são indiferentes *em* religião, política, filosofia.'' (L. Freire, voc. *indiferentismo*.)

''Nada temos com os fatos, falseados pela infidelidade forçada dos testemunhos, e indiferentes *para* nós, se não puderem algum dia dar uma noção útil, transmitida por um homem de gênio.'' (Afrânio Peixoto, *A Esfinge*, 156.) ''A vontade humana é indiferente *para* amar ou aborrecer.'' (Morais.)

"Ele andava meio arredio, quase indiferente *para com* os próprios companheiros de galeria, desde que se dera o desastre." (Guilhermino Cesar, *Sul,* 55.)

"A apatia dos médicos de partido, como que indiferentes *perante* os males que afligem a sua própria corporação." (Ricardo Jorge, *Sermões dum Leigo,* 52.)

"Não se mostra, porém, indiferente de maneira alguma *respeito aos* diversos sistemas de legislação em que se divide o mundo." (Mário Barreto, *Cartas Persas,* XXXII.)

"Mostrou-se indiferente *sobre* o casamento da filha."

Indigente — *de:*

"Escorchado (o morro), indigente *de* arvoredo, o cômoro enegrecido pelo sangue de reses sem conto, deixara de ser o sítio sinistro do matadouro e a pousada predileta de bandos de urubutingas e camirangas vorazes." (Domingos Olímpio, *Luzia-Homem,* 1.)

Indigitado — *como:*

"Jurou vingá-lo na pessoa de José Leão logo indigitado *como* responsável pelo misterioso crime." (Gustavo Barroso, *Terra de Sol,* 143.) "Não será por isso que .... se viu indigitado *como* um dos cabeças da revolta militar...?" (Rui, *Colunas de Fogo,* 153.)

Indignação — *a, contra, para:*

"Tive indignação *aos* maus, vendo a paz do pecador." (Dic. de Morais.)

"Ainda o 'Diário de Notícias' não teve períodos mais vibrantes de indignação *contra* o derrancamento áulico da realeza constitucional." (Rui, *Queda do Império,* I, 307.) "A indignação *contra* o Barão de Sá e seus sequazes era geral." (Camilo, *Mistérios de Lisboa,* III, 43.)

"Nós mesmos já não encontramos n'alma a indignação antiga *para* essas truculências, *para* esses horrores." (Rui, *Colunas de Fogo,* 226.)

Indignado — *a, com, contra, de, por:*

"O meu vizinho de cama, um sevilhano de barba hirsuta, fica indignado *ao* ver o retrato que fiz dele." (Erico Verissimo, *Saga,* 148.)

"Indignadas as mulheres *com* o ultrage que a seu sexo se fazia, sublevam tudo contra a tal constituição." (Mário Barreto, *Cartas Persas,* 50.) "Procedi à maneira de Xerxes, quando, indignado *com* a procela que lhe destruiu a frota, mandou zurzir o mar." (Ciro dos Anjos, *O Amanuense Belmiro,* 24.)

"Lastimaram a tua sorte, indignadas *contra* um boato infame, que fizeram correr." (Camilo, *Mistérios de Lisboa,* I, 213.) "Um mau marido, repetidas vezes surpreendido em flagrante por sua mulher, indignado *contra* a má fortuna dos planos, volta-se contra ela." (Idem, *A Neta do Arcediago,* 127.)

"Finge-se indignado *d*aquele insulto e, como quem zomba da debilidade do rei, excita-o a que não deixe de punir." (Alberto Pimentel, *apud* M. Barreto, *Através do Dicionário e da Gramática,* 338.)

"Contam que o Conde de Oeiras, indignado *pela* crueldade de José Mascarenhas, o enviara insidiosamente ao Brasil." (Camilo, *Perfil do Marquês de Pombal,* 111.)

Indignidade — *de:*

"Devo-te muito.... mas não posso pagar-te com a indignidade *de* receber insultos que me fazem lembrar a desconsideração de enjeitada." (Camilo, *A Enjeitada,* 173.)

Indigno — *de:*

"Política indigna *d*os aplausos populares." (Rui, *Queda do Império,* I, 192.) "Deram nomes graciosos a um animalzinho sanguinário e carniceiro, indigno *de* tamanha lisonja." (João Ribeiro, *Curiosidades Verbais,* 95.) "O marquês, para não gastar-se numa dor indigna *d*os seus altos destinos, retirava-se, lembrando-se desta passagem das cartas de Mirabeau a Sofia:...." (Camilo, *Livro Negro,* 21.)

Indispensável — *a, em, para:*

"Eram exercícios práticos indispensáveis *ao* preparo para recontros mais valentes." (E. da Cunha, *Os Sertões,* 195.) "Partiu sem os recursos indispensáveis *a* uma travessia de 200 quilômetros." (Idem, *ibidem,* 228.) "Princípio político indispensável *à* manutenção da nossa integridade." (Fialho de Almeida, *Os Gatos,* 98.)

"A modéstia é virtude indispensável *nos* que o céu dotou de um talento raro." (Mário Barreto, *Cartas Persas,* 103.) "Descosendo as pregas daquele coração com a tesoura da maledicência, indispensável *neste* nosso trabalho de fisiologia, vai mostrar-vos a mercancia de Alberto de Magalhães." (Camilo, *Mistérios de Lisboa,* III, 119.)

"Em breve, a Justina era tão indispensável *para* Magdá, quanto uma ama a um orfãozinho recém-nascido." (Aluísio Azevedo, *O Homem,* 74.) "Que cuidado, que atenção não é indispensável *para* conciliar sem cessar os interesses de dois competidores...!" (Mário Barreto, *Cartas Persas,* 230.) "O doido estava sujeito à restrita deliberação de uma tutela, que lhe concedera apenas o indispensável *para* manter uma vida inútil." (Camilo, *A Neta do Arcediago,* 93.)

Indisposição — *com, contra, de, para:*

"O conde foi, talvez, violentado a receber-me em sua casa, no Minho. Primeiro, deu-me a consideração de um criado; depois, por uma indisposição *com* os presuntivos herdeiros, chamou-me filho." (Camilo, *Livro Negro,* 234.)

"Sentia um grande tédio, um mal-estar crescente, ... uma surda indisposição *contra* tudo e *contra* todos." (Aluísio Azevedo, *O Mulato,* 259.)

"Indisposição *de* estômago." (Aulete.) "Jerônima, assediada por todos, encontrada em quantas razões fundava a indisposição *para* o casamento, salvou-se, quando jogou as armas fortíssimas da fraqueza: venceu chorando." (Camilo, *As Três Irmãs*, 145.)

Indisposto — *com, contra, para:*
"Podes apresentar-me? — Não; estou indisposto *com* ela." (Camilo, *Mistérios de Lisboa*, II, 255.)
"Flávia está vivamente ofendida, e tua mãe por igual indisposta *contra* ela." (Camilo, *A Enjeitada*, 181.)
"Já não me sinto indisposto *para* o trabalho."

Indistinto — *com, em, entre:*
"Fugindo (a artilharia) ao perigo de atirar sobre os próprios companheiros, indistintos *com* os adversários dentro daquele enredamento de casebres." (E. da Cunha, *Os Sertões*, 334.)
"O fumo das povoações ainda indistintas *na* penumbra dos montes." (Herculano, *apud* Fr. D. Vieira.)
"Bandos estonteados de mulheres e crianças correndo para o sul, em tumulto, indistintos *entre* as folhagens secas das latadas." (E. da Cunha, *Os Sertões*, 554.)

Indócil — *a, para:*
"Cavalo indócil *ao* freio."
"Indócil *para* o vício, e dócil para a virtude." (Morais.)

Indolente — *de:*
"Desse amálgama de sangue flamengo e pernambucano, saíra essa formosa Balbina, ... vaidosa da formosura, indolente *de* hábitos e, sobretudo, opiniosa nas suas preferências e caprichos." (Mário Sete, *Os Azevedos do Poço*, 17.)

Indomável — *em:*
"Haviam-no visto, até aquêle dia, astucioso, negaciando na maranha das tocaias, indomável *na* repulsa às mais valentes cargas." (E. da Cunha, *Os Sertões*, 559.)

Indulgência — *a, com, para, para com:*
"Vossa Excelência, no coração de mãe, pode ter lugar também para a indulgência *ao* seu velho e imponderado algoz." (Alberto Rangel, *Fura-Mundo*, 125.)
"Vejo que é grande a sua indulgência *com* os meus pecados literários." (Mário Barreto, *Através do Dicionário e da Gramática*, 367.) "A indulgência *com* as fraquezas dos agentes dedicados à fortuna do senhor sempre foi requisito imprescindível da estabilidade do regime nos governos pessoais." (Rui, *Cartas de Inglaterra*, 260.)
"E' preciso indulgência *para* os erros alheios."
"Tentara realizá-lo por uma espécie de compassiva indulgência *para com* Ana Rosa." (Aluísio Azevedo, *O Mulato*, 232.) "As primeiras palavras de Querubina foram de intercessão e indulgência *para com* os pobres refugiados." (Alberto Rangel, *Fura-Mundo*, 343.)

Indulgente — *com, para, para com:*
"É, portanto, péssima a situação do autor do livro, se os distintos partidos se houverem *com* ele menos indulgentes do que se lhes roga." (Camilo, *Perfil do Marquês de Pombal*, IX.) "Raimundo mostrava-se indulgente *com* o companheiro." (Aluízio Azevedo, *O Mulato*, 221.)
"Somos indulgentes *para* os defeitos próprios, e severos para os alheios." (Jaime de Séguier.) "Indulgente *para* os seus." (E. Carneiro Ribeiro, *Serões Gramaticais*, 674.)
"Ninguém mais indulgente *para com* os erros de uma nascente e inexperta situação." (Latino Coelho, *apud* Aulete.) "Indulgente *para com* os seus." (E. Carneiro Ribeiro, *Serões Gramaticais*, 674.)

Indulto — *a, para:*
"Recomendaria a inocência à Divina Misericórdia o indulto *às* violências de antanho e das quais se tornara responsável." (Alberto Rangel, *Fura-Mundo*, 387.)
"Indulto *para* introduzir e despachar contrabandos." (Morais.)

Industriado — *em, por:*
"No outro dia os obrigará a se entregarem ao governo, industriado *no* uso do específico irresistível aos conspiradores honestos." (Rui, *Colunas de Fogo*, 174.)
"Ao mesmo tempo, Joaquim, industriado *pela* última entrevista que tivera com a patroa, chamou dois galegos." (Camilo, *Mistérios de Lisboa*, II, 61.)

Induzido — *a, em, por:*
"Induzido *ao* erro, *ao* crime." "Induzido *a* voltar, acabou o curso, recebeu seu diploma e em seguida saiu a vagabundear." (*Maravilhas do Conhecimento Humano*, II, 106.)
"Induzido *em* erro."
"Dirigiu-se, induzido *por* essa repentina curiosidade, à casa dos sertanejos." (J. Américo de Almeida, *A Bagaceira*, 96.)

Inebriado — *com, de:*
"Ficou inebriado *com* o perfume do ambiente."
"Inebriado *do* sossego das coisas." (Alberto Rangel, *Fura-Mundo*, 271.)

Ineficaz — *contra, em, para:*
"Todos os seus créditos adquiridos em cinqüenta anos de provada e experimentada santidade serão ineficazes *contra* a calúnia." (Camilo, *A Enjeitada*, 92.)
"O remédio foi ineficaz *nesse* caso de febre."
"As reformas políticas são ineficazes *para* a cura desta degenerescência." (Rui, *Cartas de Inglaterra*, XIX.)

Inepto — *para:*
"Homem inepto *para* as letras, *para* os empregos." (Morais.) "Ineptos *para* o comércio, consentem com dificuldade que venham negociar os europeus." (Mário Barreto, *Cartas Persas*, 40.)

Inerente — *a, em:*
"Com todos os defeitos inerentes *a* trabalhos desta natureza, o Dicionário de Figueiredo é dos melhores que temos." (Mário Barreto, *Através do Dicionário e da Gramática*, 290.) "Parece-me que as coisas em si não são nem puras nem impuras, e não posso conceber qualidade nenhuma inerente *ao* sujeito que as possa tornar tais." (Idem, *Cartas Persas*, 35.)
"Hábito inerente *na* alma." (Morais.)

Inerte — *ante, em:*
"A alma de um matuto é inerte *ante* as influências que a agitam." (E. da Cunha, *Os Sertões*, 144.)
"Realmente, os sons A E I O U não se compreende que sejam inteiramente inertes *na* formação das palavras." (João Ribeiro, *Curiosidades Verbais*, 113.)

Inevitável — *a, em, para:*
"Pensão inevitável *a* quem professa razão, verdade e justiça em um mundo tão irracional, tão mentiroso e tão injusto." (Vieira, *apud* Aulete.) "Tampouco me cabe a nota de haver, por excesso de severidade no tocante a certos senões inevitáveis *à* melhor escrita, ... requintado a um ponto quase inacessível o tipo da correção no uso do nosso idioma." (Rui *Réplica*, 58.)
"Contém, sem dúvida (a *Ilíada*), passagens muito longas e monótonas. Isso é coisa inevitável *num* livro de 7.000 páginas." (*Maravilhas do Conhecimento Humano*, II, 19.)
"Fizera a ciência bancarrota.... Era inevitável *para* quem tinha presunções." (Afrânio Peixoto, *A Esfinge*, 79.)

Inexação — *contra, de:*
"Não contente de cometer essa inexação *contra* as normas da boa prosódia, ... dá um passo adiante a crítica do substitutivo." (Rui, *Réplica*, 74.)
"Ante um desses erros, como se teria de portar o crítico, na minha situação? Levá-lo, como inexação *de* ortografia, à conta da oficina...?" (Rui, *ob. cit.*, 455.)

Inexorável — *a, com, em, para, para com:*
"Manteve-se inexorável *aos* pedidos da filha."
"Foi cruel e inexorável *com* sua vítima."
"Coração tão excessivo na ternura, como inexorável *no* ódio." (Rebelo da Silva, *apud* Aulete.) "Violentos e cruéis, eram inexoráveis *no* castigo ou *na* vingança." (Afrânio Peixoto, *A Esfinge*, 253.)
"Inexorável *para* as pequenas culpas, nulíssima para os grandes atentados, a justiça era, como tudo o mais, antinômica, no clã policiado por facínoras." (E. da Cunha, *Os Sertões*, 193.)
"Inexorável *para com* a erva má do liberalismo, ... era, em compensação, de uma generosidade esplêndida com os lidadores da ordem constituída." (Rui, *Cartas de Inglaterra*, 323.)

Inexperiente — *de, em:*
"Sou de todo em todo inexperiente *desses* serviços."
"Não era, portanto, inexperiente *nesses* trabalhos e dificuldades." (Alberto Rangel, *Fura-Mundo*, 181.)

Inexplicável — *entre, para:*
"Revestiam-se de serenidade estranha e uniforme, inexplicável *entre* lutadores de tão variados matizes." (E. da Cunha, *Os Sertões*, 566.)
"Superando-a (à dor física), uma outra, inexplicável *para* a família e da qual só Flávio acreditava conhecer a razão." (Gastão Cruls, *Ao Embalo da Rede*, 50.)

Inexpugnável — *a:*
"Assim tinha cada um por invulnerável a sua seita, e inexpugnável *às* outras." (Vieira, *Sermões*, IX, 118.)

Infalibilidade — *de, em:*
"A infalibilidade *do* papa foi proclamada no concílio do Vaticano em 1870." (Jaime Séguier.)
"A infalibilidade de Deus *nas* verdades da religião católica." (Fr. D. Vieira.)

Infalível — *a, contra, em, para:*
"Infalíveis *à* mesa, também o eram no camarote, nos coxins da carruagem, no passeio a cavalo." (Camilo, *Mistérios de Lisboa*, II, 250.)
"A cada esquina há quem venda remédios infalíveis *contra* todas as doenças imagináveis." (Mário Barreto, *Cartas Persas*, 122.)
"Sentença é divina, tão infalível *na* verdade, como provada na experiência." (Vieira, *Sermões*, IX, 6.) "Este sujeito é infalível todas as noites *no* teatro." (Aulete.) "Este remédio é infalível *na* tosse."
"A extrema dor era a extrema-unção. O sofrimento duro a absolvição plenária; a teriaga infalível *para* a peçonha dos maiores vícios." (E. da Cunha, *Os Sertões*, 191.)

Infamado — *com, em:*
"Que fez o criado quando se viu infamado *com* o amo? Porventura tratou de se purgar da infâmia e tirar a limpo a sua honra?" (Vieira, *Sermões*, IX, 15.)
"A Condessa de Santa Bárbara, infamada *no* seu infortúnio, agradece com lágrimas ao coração generoso." (Camilo, *Mistérios de Lisboa*, I, 209.) "Neste abismo de confusão e mi-

séria, passou Iria os dias que lhe restavam de vida, desprezada e infamada *nos* olhos e bocas do mundo.'' (Vieira, *Sermões*, IX, 9.)

Infatigável — *em:*

''Os navios árabes eram infatigáveis *em* trazer à princesa do Magrebe o tributo de todas as artes do Oriente.'' (Rebelo da Silva, *Contos e Lendas*, 260.) ''Infatigável *no* desvelo, andando aqui, ali, à cata de uma blusa velha, de uma bolacha caída do bolso dos soldados.'' (E. da Cunha, *Os Sertões*, 569.)

Infeliz — *em:*

''Quanto à sintaxe camoniana, o crítico não foi menos infeliz *nas* suas acusações.'' (Mário Barreto, *Através do Dicionário e da Gramática*, 192.) ''— O *diário* explica isso mesmo; eu lhe digo. Margarida foi infeliz *no* casamento; o marido teve unicamente em vista gozar a riqueza dela.'' (M. de Assis, *Contos Fluminenses*, 40.)

Infenso — *a:*

''Saraiva, mais apaixonado pelo projeto que o seu próprio autor, mostrou-se infenso *a* qualquer modificação.'' (Luis Viana Filho, *A Vida de Rui Barbosa*, 72.) ''O encontro dessas duas sílabas duras .... gera um composto infenso e odioso *à* boa audição.'' (Rui, *Réplica*, 72.) ''Entre os funcionários, os camaristas e muitos dos próprios filhos de alforriados, a opinião era infensa *à* lei que ameaçava de prejuízos os seus protetores.'' (Xavier Marques, *As Voltas da Estrada*, 128.)

Inferior — *a, em:*

''Inferior *a* seus avós.'' (E. Carneiro, *Serões Gramaticais*, 675.) ''Nunca lhe parecera o emprego de oficial-maior tão inferior *aos* próprios méritos.'' (Alberto Rangel, *Fura-Mundo*, 29.)

''Inferior *em* ciência.'' (Fr. D. Vieira.) ''Esta obra é inferior *à* outra *em* tudo.'' (Aulete.)

Inferioridade — *de, em, para com:*

''Inferioridade *de* talento, *de* valor, *de* número.'' (Aulete.)

''O estrangeirismo, ... enxertado sem critério nem precisão imediata, e até com manifesta inferioridade *nos* resultados, é uma das formas de pessimismo.'' (Fialho de Almeida, *Os Gatos*, 164.)

''É impor, aos consórcios que exclusivamente sob esta forma se contraem, uma como nódoa pública, um estigma de inferioridade *para com* os outros.'' (Rui, *Queda do Império*, II, 134.)

Inferiormente — *a:*

''Dois autores escreveram sobre esta matéria, porém um deles escreveu inferiormente *ao* outro.'' (Fr. D. Vieira.)

Infestado — *por:*

''Um dia chegou ao conhecimento de Creso que seu reino estava sendo infestado *por* um javali.'' (*Maravilhas do Conhecimento Humano*, II, 42.)

Infesto — *a, para:*

''Cidade tão infesta *à* cristandade.'' (Dic. de Morais.) ''A hipocrisia sempre infesta *à* virtude singela.'' (Constâncio.)

''Foram sempre infestos *para* os tratos da inteligência estes lugares onde o ambiente tem qualquer coisa de deletério que enerva e abate as energias do espírito.'' (Ricardo Jorge, *Sermões dum Leigo*, 317.)

Infidelidade — *a, em, para com:*

''Todos comentam sua infidelidade *ao* noivo.''

''Daquela vez me increpava de infidelidade *na* citação dos textos.'' (Rui, *Réplica*, 59.)

''E' inexplicável sua infidelidade *para com* o partido a que se filiou.''

Infiel — *a:*

''Estes vassalos são infiéis *a* seu rei.'' (Fr. D. Vieira.) ''Obra atropelada é obra manca, desastrada, infiel *ao* pensamento do artista.'' (Rui, *Réplica*, 44.)

Infiltração — *em:*

''Infiltração da água *nas* terras.'' ''A infiltração da serosidade *no* tecido celular.'' (Fr. D. Vieira.)

Infiltrado — *de, em:*

''Xistos metamórficos infiltrados *de* veeiros fartos.'' (E. da Cunha, *Os Sertões*, 5.) ''Brotavam-lhe amarguras de bílis byroniana .... nas contorções do Hércules infiltrado *da* peçonha da túnica.'' (Camilo, *Boêmia do Espírito*, 209.)

''Sanches, infiltrado *no* meio dos repórteres, jornalistas, empresários de publicidade, criava-lhe simpatias, facilitava-lhe serviços.'' (Afrânio Peixoto, *A Esfinge*, 106.) ''As águas infiltradas *nas* terras.'' (Fr. D. Vieira.)

Inflamação — *de, em:*

''Inflamação *do* apêndice ileocecal.'' (C. de Figueiredo, voc. *ependicite*.) ''Inflamação *das* amígdalas.'' (L. Freire, voc. *amigdalite*.) ''Numa fria noite de inverno, do ano de 1673, estava (Molière) atacado *duma* grave inflamação dos pulmões.'' (*Maravilhas do Conhecimento Humano*, II, 67.)

''Inflamação *nas* amígdalas.'' (C. de Figueiredo, voc. *amigdalite*.)

Inflamado — *com, contra, de, em, por:*

''Inflamado *com* excessivo calor.'' (Fr. D. Vieira.)

''Inflamado *contra* as doutrinas filosóficas.'' (Ricardo Jorge, *Sermões dum Leigo*, 84.)

''Alberto, voltado aos seus camaradas, disse, inflamado *de* cólera: — Será uma vergonha que uns fiquem e outros vão.'' (Camilo, *As Três Irmãs*, 259.) ''Trovadores de cervejaria, inflamados *de* prosápia.'' (Fialho de Almeida, *Os Gatos*, 251.) ''— É preciso acabar com isto custe o que custar, — murmurou a moça, inflamada *de* cólera.'' (Domingos Olímpio, *Luzia-Homem*, 43.)

''O gênio de Carlyle, inflamado *no* culto dos heróis, domina e convence.'' (Batista Pereira, *Civilização contra Barbárie*, 52.) ''Inflamado *na* fé, *na* crença.'' (Fr. D. Vieira.)

''E Amâncio, inflamado *pelos* princípios morais que ele só cultivava teoricamente, parecia, mais que ninguém, preocupado com a pureza dos costumes.'' (Aluísio Azevedo, *Casa de Pensão*, 157.)

Inflexão — *a, de, em, para:*

''Seguiram a princípio pelo alto das colinas à direita do acampamento e, depois de uma inflexão *à* esquerda descendo por dentro de sanga flexuosa, ... avançaram até toparem as primeiras casas.'' (E. da Cunha, *Os Sertões*, 580.)

''Sua dicção não passava de um corrimento de palavras, todas pronunciadas com a mesma inflexão *de* voz.'' (Medeiros e Albuquerque, *Quando Eu Era Vivo*, 249.) ''Com paciência e inflexão mansa *da* voz, replicou: ....'' (Afrânio Peixoto, *A Esfinge*, 250.)

''Mitigando esse tom imperativo com inflexão graciosa *na* voz.'' (Afrânio Peixoto, *A Esfinge*, 54.)

''Nesse ponto a estrada apresenta uma pequena inflexão *para* a esquerda.''

Inflexível — *a, em, para com:*

''Inflexível *às* insinuações da própria mãe.'' (Veiga Miranda, *A Eterna Canção*, 14.) ''Parecia inflexível *ao* espetáculo do cutelo.'' (Camilo, *apud* Aulete.)

''Um juiz inflexível *na* administração da justiça.'' (Fr. D. Vieira.) ''Quando todos se salvaram, o Almirante, inflexível *na* disciplina, prendeu o príncipe por desobediência.'' (Medeiros e Albuquerque, *Quando Eu Era Vivo*, 113.)

''Foi inflexível *para com* os culpados.''

Influência — *em, entre, sobre:*

''Por vezes, era ela a vítima do velho, que lhe atirava à cara a sua nenhuma influência *no* caráter do marido.'' (Camilo, *As Três Irmãs*, 86.) ''Seria interessante fazer o que ainda não se fez: o estudo da influência da mulher *na* linguagem brasileira e portuguesa.'' (João Ribeiro, *Curiosidades Verbais*, 53.) ''E' grande a influência do nome predicativo *na* concordância do verbo, quando este é o verbo 'ser'.'' (Augusto Moreno, *Lições de Linguagem*, II, 53.)

''Homem sem influência *entre* os seus conterrâneos.'' (Fr. D. Vieira.)

''Esta contínua e recíproca influência da literatura *sobre* a sociedade, e da sociedade *sobre* a literatura.'' (Garrett, *apud* M. Barreto, *Através do Dicionário e da Gramática*, 279.) ''O homem aprende a reconhecer o caráter transitório das suas ações, a relatividade da influência delas *sobre* o destino dos seus semelhantes.'' (Rui, *Cartas de Inglaterra*, 53.) ''O governador espanta-se de tanto crime, e crê na mágica influência de Satanás *sobre* o desgraçado.'' (Camilo, *A Neta do Arcediago*, 145.)

Influenciado — *por:*

''É claro que os portugueses revolucionados não davam nada pelo patriotismo da Companhia de Jesus, nem se sentiam influenciados *pela* sua educação.'' (Camilo, *Boêmia do Espírito*, 34.)

Influente — *em:*

''E' um dos membros mais influentes *no* partido.'' ''Doutra feita, discutiu (Voltaire) com um nobre por causa duma mulher. O nobre, que era influente *na* corte, exigiu que Voltaire fosse exilado de Paris.'' (*Maravilhas do Conhecimento Humano*, II, 80.)

Influído — *em:*

''Soldados influídos *no* desejo da conquista.'' (Fr. D. Vieira.)

Influxo — *em, sobre:*

''O professor Rudolfo Lenz tem estudado .... a língua araucana e seu influxo *na* linguagem do Chile.'' (João Ribeiro, *Curiosidades Verbais*, 145.) ''Como poderia ir ter (a preposição) *em* outra oração êsse influxo, que *na* sua mesma não exerce?'' (Rui, *Réplica*, 337.)

''De modo geral, ninguém nega o influxo dos astros *sobre* a terra.'' (João Ribeiro, *Curiosidades Verbais*, 40.) ''Outro exemplo do influxo germânico *sobre* o vocabulário latino é o do termo 'bastardo'.'' (Idem, *ibidem*, 104.)

Informação — *acerca de, a respeito de, de, em, sobre:*

''Dar, receber informação *acerca de* alguém ou *de* alguma coisa.'' (Fr. D. Vieira.)

''Pediram-lhe que esperasse da América informações mais precisas *a respeito de* Leopoldo Saavedra.'' (Camilo, *Mistérios de Lisboa*, II, 242.)

''Mal apareço em um salão, ... logo me cercam curiosos interrogando sobre tua vida misteriosa, pedindo-me informações *do* que fazes.'' (C. Neto, *A Cidade Maravilhosa*, 115.) ''Alguns frades tinham vindo à taverna colher informações *do* atentado horrível.'' (Camilo, *Mistérios de Lisboa*, I, 205.)

''Se o Sr. M. Vilar quiser mais amplas informações *neste* ponto, leia a Sousa da Silveira, um dos mais eruditos e sábios professores da nossa língua.'' (Mário Barreto, *Através do Dicionário e da Gramática*, 130.) ''O meu estimado colega Dr. Pedro A. Pinto, a quem devo mais de uma preciosa informação *no* campo destes estudos, teve a bondade de me indicar os dois seguintes exemplos.'' (Idem, *ibidem*, 138.)

''Não o fiz por generosidade, mas para obter novas informações *sobre* seus encontros com a moça.'' (Ciro dos Anjos, *O Amanuense Belmiro*, 155.) ''Chegavam constantes informações *sobre* o número de recursos dos fanáticos.'' (E.

da Cunha, *Os Sertões*, 260.) "Depois conversaram sobre boas lembranças de família, anedotas de viagem, críticas e informações úteis *sobre* nosso meio e nossos costumes." (Afrânio Peixoto, *A Esfinge*, 86.)

Informado — *acerca de, de, por, sobre:*
"Ele já está informado *acerca do* ocorrido."
"Os hóspedes, informados *do* grande acontecimento, zumbiam cochichos, passeando ao longo da varanda." (Afrânio Peixoto, *A Esfinge*, 36.) "O coronel, informado *dos* amores da filha *por* suspeitas da madrasta, resolveu curar heroicamente a enfermidade moral da menina." (Camilo, *Cenas da Foz*, 169.)
"Ninguém conhece melhor, neste momento, a minha maneira de pensar e sentir, nem se acha melhor informado *sobre* a situação, no que se vê, ou no que se não vê." (Rui, *Cartas Políticas e Literárias*, 151.)

Informe — *acerca de, sobre:*
"Visitou assim sucessivamente a Hungria, Veneza, Roma ...., recolhendo por toda a parte observações e informes *acerca dos* costumes e instituições." (Mário Barreto, *Cartas Persas*, VII.) "Fui tirar informes *acerca do* seu comportamento." (Aulete.)
"Informes *sobre* acidentes, contextura do solo e aguadas." (E. da Cunha, *Os Sertões*, 304.) "Travaram palestra, e ò moço, disfarçadamente, foi procurando colher informes *sobre* José Antônio." (Gustavo Barroso, *Terra de Sol*, 139.)

Infortúnio — *de:*
"Estava-me reservada a ventura rara ou o tremendo infortúnio *de* ser amado ou desprezado pela senhora." (M. de Assis, *Contos Fluminenses*, 203.)

Infração — *de:*
"A seção da troça nas apologias filológicas do projeto desce .... até à infração material *da* verdade." (Rui, *Réplica*, 458.) "Homem remido pelos sacrifícios de Jesus, e salvo pelas suas obras meritórias de recompensa, ou condenado pelas infrações *da* lei divina." (Camilo, *A Neta do Arcediago*, 95.)

Infreqüente — *em:*
"*Em* Garrett não são infreqüentes esses lastimáveis descuidos." (Rui, *Réplica*, 107.)

Ingênito — *a, com, em:*
"Basta manusear o 'Leal Conselheiro' d'el-rei D. Duarte para ver como semelhante convizinhança é ingênita *ao* nosso falar." (Rui, *Réplica*, 129.)
"Julgara-o bom, dessa bondade que não vem ingênita *com* o coração." (Camilo, *Mistérios de Lisboa, II*, 14.)
"Um defeito ingênito *no* sistema dos exames fragmentários, praticado entre nós, está em que nele o discípulo não aprende senão para esquecer." (Rui, *Queda do Império*, I, 339.)

Ingênuo — *de, em:*
"Seria crueldade estúpida exigir que um romancista debutante, ingênuo ainda *de* todas as quimeras e fatuidades da adolescência literária...." (Fialho de Almeida, *Os Gatos*, 231.)
"Penitentes aos pés do confessor, não seriam tão ingênuos *na* crônica dos seus erros." (Rui, *Colunas de Fogo*, 174.)

Ingerência — *em:*
"Não lhe revelou a ingerência do tio *no* assunto." (Afrânio Peixoto, *A Esfinge*, 92.) "A ingerência do Estado *em* certas emprêsas prejudica o desenvolvimento em lugar de ampliá-lo." (Fr. D. Vieira.)

Ingratidão — *a, com, para com:*
"Minha prima comete com isso uma ingratidão *a* quem deve tudo." (Aluísio Azevedo, *O Mulato*, 141.) "Nunca lhe perguntou a causa desta ingratidão *aos* mimos de Açucena." (Camilo, *A Neta do Arcediago*, 25.)
"Não posso deixar de censurar sua ingratidão *com* os tios, que tudo fizeram por ela."
"Estrangeiros sempre inclinados à ingratidão *para com* a terra que os hospeda." (Rui, *Cartas de Inglaterra*, 308.)

Ingrato — *a, com, para, para com:*
"Seria ingrata *a* Deus e *a* ti, se me não contentasse com a felicidade que tenho." (Camilo, *Mistérios de Lisboa*, II, 194.) "Seria ser ingrata *ao* céu." (Vieira, *Sermões*, IX, 105.)
"Ande daí! não seja ingrato *com* a fortuna que o protege!" (Aluísio Azevedo, *O Mulato*, 352.) "De repente achei que Madalena estava sendo ingrata *com* o pobre do Casimiro Lopes." (Graciliano Ramos, *S. Bernardo*, 188.)
"Que ingrata és *para* mim!... Que paga me dás!..." (Camilo, *A Enjeitada*, 173.) "Terra inclemente para as superioridades, terra ingrata *para* as benemerências, é inimiga dos próprios filhos." (Ricardo Jorge, *Sermões dum Leigo*, 215.)
"Mas o destino quer-me parecer que não foi tão ingrato *para com* o mísero Paraguai, como se poderia cuidar." (Rui, *Cartas de Inglaterra*, 253.)

Ingresso — *a, de, em:*
"Nesses caracteres da neologia admissível me firmei, para contestar as palavras cujo ingresso *ao* código civil ousei contrastar." (Rui, *Réplica*, 567.) "Este (regulamento) franqueia aos lentes interinos o concurso como ingresso regular *ao* magistério inamovível." (Idem, *Queda do Império*, I, 269.) "Ogiva que dá ingresso *ao* casarão." (Fialho de Almeida, *Os Gatos*, 267.)
"Ingresso *de* tal ou tal ordem religiosa." (Fr. D. Vieira.) "No ingresso *da*quele infernal colégio." (Dic. de Morais.)
"Realizado o ingresso das senhoras *no* convento, José da Fonseca pediu licença ao comer-

ciante para uma breve conversação em particular com Maria.'' (Camilo, *As Três Irmãs*, 49.) ''Quando nos últimos dias do arraial foi permitido o ingresso *nos* casebres estraçoados, salteou o ânimo dos triunfadores decepção dolorosa.'' (E. da Cunha, *Os Sertões*, 206.) ''Proibiu-se-lhe o ingresso *na* pátria.'' (Camilo, *Perfil do Marquês de Pombal*, 88.)

Iniciação — *de, em:*

''Por onde se transviam os operários saídos da escola com a iniciação completa ou incompleta *d*estas artes?'' (Fialho de Almeida, *Os Gatos*, 306.)

''Pelo que toca ao redator-chefe desta folha, ... o preço da sua iniciação *nas* fileiras abolicionistas foram suas derrotas.'' (Rui, *Queda do Império*, I, 354.)

Iniciado — *em, por, sob:*

''Iniciado *nos* mistérios.'' (E. Carneiro Ribeiro, *Serões Gramaticais*, 675.) ''Poucos iniciados *na* vida íntima dos teatros desapercebeream este vultozinho.'' (Fialho de Almeida, *Os Gatos*, 173.) ''Humphrey falou-lhe dos muitos votos, que um homem deveria fazer, antes de ser iniciado *na* ordem, que deveria ser bravo e humilde e virtuoso.'' (*Maravilhas do Conhecimento Humano*, I, 47.)

''E faziam planos bizarros, projetos prematuros, todos iniciados *por* uma preliminar ingênua: 'Quando eu voltar...'.'' (E. da Cunha, *Os Sertões*, 322.)

''Vida iniciada *sob* os melhores auspícios.'' (E. da Cunha, *ob. cit.*, 160.)

Iniciativa — *de:*

''Joaquim Luiz não via nesse dispêndio a iniciativa *da* vida desordenada que os seus vizinhos queriam ver.'' (Camilo, *As Três Irmãs*, 34.)

Inidôneo — *para:*

''Inidôneo *para* um cargo, missão.''

Inimigo — *de:*

''Inimigo *de* pedir, inimigo *d*os vícios.'' (E. Carneiro Ribeiro, *Serões Gramaticais*, 674.) ''Rapaz, pouco refletido, inimigo *de* calcular futuros, romanesco, bom de coração, poeta, fatalista, e um pouco doido, ... não previu o desfecho do drama que estava em cena.'' (Camilo, *Livro Negro*, 162.)

Inimitável — *em:*

''O gaúcho, o pealador valente, é, certo, inimitável *numa* carga guerreira.'' (E. da Cunha, *Os Sertões*, 120.) ''São inimitáveis (os soldados brasileiros) *no* caminhar dias a fio pelos mais malgradados caminhos.'' (Idem, *ibidem*, 321.)

Inimizade — *a, com, entre:*

''Desses mesmos antros morais.... saiu, também, a minha inimizade *aos* operários.'' (Rui, *Campanha Presidencial*, 88.) ''Comunicou ao ânimo de seus alunos .... figadal inimizade *ao* ensino oficial.'' (Idem, *Colunas de Fogo*, 45.)

''Os que perseveram em ódio e inimizade *com* seus próximos.'' (Dic. de Fr. D. Vieira.)

''Não se compreende tão arraigada inimizade *entre* parentes.'' ''*Entre* o velho e D. Soeiro corria declarada inimizade. Já o de Miranda sabia que o seu sogro protegia Casimiro.'' (Camilo, *O Bem e o Mal*, 171.)

Ininteligência — *de:*

''Desfechar chalaças imoderadas à sua ininteligência *de* diplomas pontifícios.'' (Camilo, *apud* L. Freire.)

Ininteligível — *a, para, por:*

''Só por uma dessas refinadas sutilezas de filólogo, ininteligíveis *a*os leigos, poderia o Dr. Carneiro fazer uma tal diferença entre aqueles dois termos.'' (Rui, *Réplica*, 181.)

''Não, eu não quero a glória inútil e ininteligível hoje *para* mim.'' (Herculano, *Eurico*, 75.)

''E eu ouvi-lhe aquelas palavras ininteligíveis *pela* expressão e *pela* idéia.'' (Camilo, *Mistérios de Lisboa*, I, 55.)

Iniqüidade — *com:*

''E' preciso severidade, mas não iniqüidade *com* os criminosos.''

Iníquo — *com:*

''Este indivíduo foi sempre iníquo *com* os mais fracos.''

Injetado — *de:*

''— Será um desses desmaios passageiros do seu costume.'' ''— Não é. Tem os olhos injetados *de* sangue, e a cabeça é uma brasa viva....'' (Camilo, *Livro Negro*, 146.)

Injúria — *a, contra, de:*

''Pode dizer-se, sem injúria *a*o fidalgo, que a pobre cabeça dele estava perdida.'' (Camilo, *Estrelas Propícias*, 101.) ''Pedia a Carlota que exigisse a carta ou cartas confirmativas de tal injúria *à* sua linhagem.'' (Idem, *A Enjeitada*, 199.) ''Monstruosa injúria do diabo *à* inocência.'' (Fialho de Almeida, *Os Gatos*, 57.)

''A corda mais sonora da eloqüência política, na democracia de Rosas, era a injúria *contra* os adversários do regime consagrado.'' (Rui, *Cartas de Inglaterra*, 313.)

''E se o sepulcro de Moisés o escondeu Deus aos olhos dos homens, para que eles o não idolatrassem, em injúria *do* mesmo Deus....'' (Vieira, *Sermões*, IX, 28.)

Injurioso — *a, para:*

''Palavras injuriosas *à* autoridade.''

''A Espanha ia votar uma lei de emigração um pouco injuriosa *para* o Brasil.'' (Medeiros e Albuquerque, *Quando Eu Era Vivo*, 139.) ''Resolveu não entregar naquele dia a casaca do boticário, ... por causa de umas suspeitas tão injuriosas *para* a mulher que lhe saíra ao encontro na carreira da vida.'' (Camilo, *Cenas da Foz*, 80.)

Injustiça — *a, com, contra:*

''Considero isso grave injustiça *a* seu caráter.'' ''Foi uma injustiça *à* vossa delicadeza; mas.... perdoai-ma, senhora duquesa.'' (Camilo, *Livro Negro*, 159.)

''Não perdôo injustiças *com* quem quer que seja.'' ''Eu não posso ser responsável das injustiças de meu pai *com* minha irmã.'' (Camilo, *Mistérios de Lisboa*, I, 143.)

''Foram pessimistas, foram críticos às vezes de injustiça cruel *contra* a realidade portuguesa.'' (J. Lins do Rêgo, em *Os Gatos*, 17.)

Injustificável — *ante:*

''Não obstante formula peremptoriamente a regra, arbitrária e injustificável *ante* o uso vernáculo antigo e moderno.'' (Rui, *Réplica*, 257.)

Injusto — *com, em, para com:*

''Era ser injusto *com* uma moça que me sacrificara tudo.'' (M. de Assis, *Memórias Póstumas de Brás Cubas*, 268.) ''Esse gramatiquismo é injusto *com* aquela classe de viventes.'' (Rui, *Réplica*, 298.) ''Não se queixava para não ser, talvez, injusta *com* as abstrações de seu marido.'' (Camilo, *A Neta do Arcediago*, 122.)

''Seremos injustos *em* lançar à conta da Regência essa política de crimes a favor da escravidão?'' (Rui, *Queda do Império*, I, 346.) ''A mãe é injusta *no* seu silêncio.... respondame pelo amor de Deus.'' (Camilo, *Mistérios de Lisboa*, II, 46.)

''Você foi injusto *para com* a empregada.''

Inocência — *em:*

''Simulacro de convite que eu não rejeitei no tom da minha indignação, atendendo à inocência do presidente *nos* tramas que o atraiçoavam.'' (Rui, *Campanha Presidencial*, 81.) ''Nunca faltava lugar para duas reiteradas afirmações: a sua inocência *na* irrupção do movimento revolucionário, e a definitiva resolução de afastar-se da política.'' (Luiz Viana Filho, *A Vida de Rui Barbosa*, 179.)

Inocente — *de, em:*

''Sendo eu inocente *de*ste costume.'' (Dic. de Morais.) ''Julgo-o inocente *do* crime que lhe imputam.''

''Ora, muito inocente sois *em* me fazer tal pergunta.'' (Rui, *Cartas de Inglaterra*, 19.) ''Em troco, me absolvas dos meus pecados de etiqueta, que a amizade, inocente *n*eles, não cessa de exprobrar-me.'' (Idem, *Cartas Políticas e Literárias*, 87.)

Inofensivo — *a, para:*

''Quanta borracheira e ciscalhagem, com o visto de quem os garante inofensivos *à* nossa santa fé e bons costumes!'' (Alberto Rangel, *Fura-Mundo*, 138.)

''Esse remédio é inofensivo *para* adultos.''

Inquérito — *sobre:*

''Fez um inquérito *sobre* a vida da aventureira e verificou que ela figurava como protetora de uma instituição de caridade.'' (Medeiros e Albuquerque, *Quando Eu Era Vivo*, 129.) ''Era quem cuidava da doente nas ausências de Luzia, muito preocupada no andamento do inquérito *sobre* o roubo.'' (Domingos Olímpio, *Luzia-Homem*, 59.)

Inquietação — *com:*

''O povo vive em constante inquietação *com* os roubos e assaltos que diariamente se verificam.''

Inquieto — *com, de, por:*

''Está inquieta *com* a prolongada ausência do filho.''

''— Olha de frente para a filha de teu amo, e responde-lhe.'' ''— Já respondi'' — disse o homem um pouquinho inquieto *d*a segurança da sua pessoa.'' (Camilo, *O Bem e o Mal*, 106.)

''Inquieto *pel*a insistência com que o olhavam, tratou de fugir.''

Inquirição — *de:*

''Inquirição *d*a verdade, *d*as coisas divinas.'' (Aulete.)

Inquirido — *por, quanto a:*

''Saraiva, ... inquirido *por* um jornalista, respondera com simplicidade: — A república é um fato consumado.'' (Luiz Viana Filho, *A Vida de Rui Barbosa*, 137.)

''Inquirido *quanto a*o assunto da peça, o título, o arranjo das cenas, o visconde esquivou-se.'' (Veiga Miranda, *A Eterna Canção*, 86.)

Inquiridor — *de:*

''O amor desmedido do senhor de Montfort ao pequeno Benoit deu que entender aos parentes da casa, e aos ociosos inquiridores *d*a vida alheia.'' (Camilo, *Livro Negro*, 44.)

Insaciável — *de:*

''Ferro tantas vezes tinto no sangue cristão e insaciável *d*ele.'' (Vieira, *Sermões*, IX, 116.) ''Insaciável *de* bailes, *de* teatros, *de* chás, *de* festas.'' (Antero de Figueiredo, *Amor Supremo*, 26.)

Insatisfeito — *com, de:*

''Parece insatisfeito *com* os resultados obtidos.''

''Insatisfeito *d*as girândolas que soltara em honra e face por face do governador, o lisonjeiro serventuário extremou-se.'' (Alberto Rangel, *Fura-Mundo*, 20.)

Insciência — *de, sobre:*

''Havia a insciência *de* princípios rudimentares da sua arte de par com o olvido de acontecimentos recentes.'' (E. da Cunha, *Os Sertões*, 333.)

''Impunham-na (a intervenção), do mesmo passo, as apreensões crescentes, as últimas peripécias da luta e a própria insciência *sobre* o curso real das operações.'' (E. da Cunha, *Os Sertões,* 498.)

Insciente — *de:*

''E, inscientes *da* gravidade das coisas, pousaram tranqüilamente, acantonados.'' (E. da Cunha, *Os Sertões,* 231.)

Inscrição — *em:*

''Foi anulada sua inscrição *no* certame.''

Inscrito — *em, entre, para:*

''Já estou inscrito *nesse* concurso.'' ''Circunferência inscrita *num* polígono.'' (Aulete.) ''O seu nome aparece inscrito *na* sentença que condena a pastoral do bispo de Coimbra D. Miguel da Anunciação.'' (Camilo, *Boêmia do Espírito,* 331.)

''S. Ex.ª tem a sua probidade política inscrita *entre* a daqueles que condenavam a guarda nacional como uma instituição incompatibilizada, entre nós, com o governo do povo pelo povo.'' (Rui, *Colunas de Fogo,* 31.)

''Desde 1886 .... se acha aberto o concurso para essa especialidade, e inscrito *para* ele o Dr. Barbosa de Oliveira.'' (Rui, *Queda do Império,* I, 269.)

Insegurança — *em:*

''Confesso minha insegurança *no* bom êxito desse negócio.''

Inseguro — *de:*

''Inseguro *da* eficácia de um remédio.''

Insensibilidade — *a, com, para:*

''E, responsáveis de tamanha insensibilidade *às* amarguras das vítimas do trabalho servil, hoje se arvoram em padroeiros do trabalho livre.'' (Rui, *Campanha Presidencial,* 119.)

''Isto é o que explica a crua insensibilidade de Fernando *com* os seus parentes.'' (Camilo, *Estrelas Propícias,* 113.)

''Insensibilidade visual *para* a cor verde.'' (C. de Figueiredo, voc. *acloroblepsia.*)

Insensível — *a:*

''Assevere-lhe que não sou insensível *à* prova de estima que me dá.'' (Camilo, *As Três Irmãs,* 221.) ''Tinham de se mostrar insensíveis *aos* rogos de um filho menor.'' (Gastão Cruls, *Ao Embalo da Rede,* 116.)

Inseparável — *de, em:*

''Maria casou logo depois, e Jerônima era necessária à casa dos pais, e, de si mesma, inseparável *de* suas obrigações.'' (Camilo, *As Três Irmãs,* 68.) ''Resolvido pelo direito o problema legislativo, resta aos legisladores a outra parte da tarefa, inseparável *desta.*'' (Rui, *Réplica,* 506.)

''Era o Maurício de Brito, companheiro de escola, inseparável *no* estudo e *nos* brinquedos.'' (Afrânio Peixoto, *A Esfinge,* 232.)

Inserção — *em:*

''A inserção de um artigo *num* jornal, de uma cláusula *num* contrato. A inserção das folhas *no* caule.'' (Aulete.)

Insigne — *em, por:*

''Estes dois autores, se conheciam bem o francês, não eram menos insignes *nas* belezas do idioma vernáculo.'' (Mário Barreto, *Através do Dicionário e da Gramática,* 346.)

''Garção Stockler deixou o seu nome tão insigne *pela* teoria dos limites como *pelo* magnífico livro de d'Alembert.'' (Latino Coelho, *apud* Aulete.)

Insignificante — *em:*

''A nossa população é insignificante *em* número e ainda mais *nas* aptidões profissionais.'' (Rui, *Cartas de Inglaterra,* 159.)

Insinuação — *contra, para, sobre:*

''Sem desgarrarmos uma só vez do assunto para insinuações *contra* a pessoa do culpado neste erro monstruoso.'' (Rui, *Colunas de Fogo,* 109.)

''Insinuação *para* o mal, *para* o erro.''

''Houve mesmo quem, ultimamente, se não pejasse de fazer aleivosas insinuações *sobre* vícios inconfessáveis.'' (Gastão Cruls, *Ao Embalo da Rede,* 81.)

Insistência — *de, em:*

''A sua obsessão dos diagnósticos, a insistência *nas* cores violentas eram bem tiques da escola.'' (J. Lins do Rego, em *Os Gatos,* 15.) ''Uma coisa, porém, o embaraçava: era a insistência *de* Augusta *em* não consentir no casamento de Adelaide, sem dar nenhuma razão da recusa.'' (M. de Assis, *Contos Fluminenses,* 175.)

Insolência — *com:*

''Não admito insolências *comigo!*''

Insolente — *com, em:*

''Você foi muito insolente *com* o professor.''

''Humilde na desgraça, insolente *na* prosperidade.'' ''Foste muito insolente *em* dizer semelhante coisa.''

Insondável — *para:*

''Olhai, senhor, que a minha vida tem mistérios insondáveis *para* os estranhos e *para* mim também.'' (Camilo, *Livro Negro,* 88.)

Inspiração — *para:*

''Sinto-me sem inspiração *para* terminar este poema.''

Inspirado — *a, de, em, por:*

''Nem o horror inspirado *à* população do lugar *por* esse episódio .... alterou a serenidade e a quietude daquele remanso.'' (Rui, *Colunas de Fogo,* 151.)

''Saí com este muito conspícuo folhetim, inspirado *de* um sentimento generoso, se me permitem.'' (Camilo, *Perfil do Marquês de Pombal,* 141.)

''Reparos urbanos, bebidos na consciência do escritor, inspirado *em* intenções puras, dignos de debate.'' (Rui, *Queda do Império,* I, 298.) ''Se a nossa administração.... buscas se, mediante investigações incessantes, desprevenidas, inspiradas unicamente *no* desejo do bem, a verdade integral sobre o assunto.'' (Idem, *ibidem*, 447.)

''Foi preciso na diplomacia e na história portuguesa corrigir todas as datas inspiradas *pelo* velho calendário juliano.'' (João Ribeiro, *Curiosidades Verbais*, 118.) ''Dali, açulado pela polícia, mudou-se (Lenine) para a Suíça. Era caçado, fugindo dum lugar para outro, homem sem pátria, mas inspirado *por* uma idéia.'' (*Maravilhas do Conhecimento Humano*, I, 102.)

Instado — *a, para, por:*

''Instado *a* responder às perguntas da senhora e do amigo, o coronel, mais comovido que eloqüente, contou sucessos das suas batalhas.'' (Camilo, *A Enjeitada*, 26.) ''Muito instado *a* explicar suas lágrimas, disse que desejava morrer e havia de morrer muito cedo.'' (Idem, *ibidem*, 149.)

''Instado *para* que se justificasse, permaneceu silencioso.''

''Padre Diniz, instado *pelos* olhares repetidos do conde, tomou o lugar mais próximo do doente.'' (Camilo, *Mistérios de Lisboa*, I, 179.)

Instalação — *em:*

''Indústrias nacionalizadas por vinte, trinta anos de instalação *no* solo pátrio acham-se presas pela ausência quase total de matérias-primas.'' (Fialho de Almeida, *Os Gatos*, 304.)

Instância — *para:*

''Foram precisas repetidas instâncias *para* mos confiar.'' (Rebelo da Silva, *Contos e Lendas*, 9.)

Instigação — *a, contra:*

''Instigação *à* luta; instigação *ao* vício.''

''Suas instigações *contra* o adversário não deram resultado.''

Instigado — *a, contra, de, por:*

''José instigado também debalde *a* ofender o seu Senhor.'' (Bernardes, *apud* Morais.)

''Instigados *contra* as autoridades.''

''Ambos tinham feridos o rosto, o pescoço e as mãos, e as roupas salpicadas de sangue, porque tinham lutado com unhas e dentes, instigados *de* ódio mortal.'' (M. de Assis, *Papéis Avulsos*, 135.)

''As autoridades subalternas, receosas de sublevação acadêmica, instigada *por* Guilherme Lira, preveniram a tropa, e assinaram ordens de prisão dos mais célebres desordeiros, no caso de motim.'' (Camilo, *O Bem e o Mal*, 159.) ''Helvídio cometera a fraude por amor, instigado *pelas* exigências dela própria.'' (Veiga Miranda, *A Eterna Canção*, 110.)

Instituído — *para, por, sob, sobre:*

''O mecanismo oficial, instituído *para* o abastecimento d'água desta cidade, se tornou, irremediavelmente, o maior obstáculo aos fins a que o destinaram.'' (Rui, *Queda do Império*, I, 445.)

''O sobrinho foi instituído *por* herdeiro.'' (Augusto Moreno, *Lições de Linguagem*, II, 105.)

''Estabeleceu-se, pois, essa organização com a fisionomia de uma sociedade secreta, instituída *sob* o patrocínio ministerial.'' (Rui, *Queda do Império*, I, 134.)

''Plenário instituído *sobre* as opiniões de quem aliás as tem manifestado tão claras.'' (Rui, *ob. cit.*, 399.)

Instruído — *em, por:*

''Talvez não houvesse na corte dama ou donzela tão instruída *na* lição das boas letras.'' (Rebelo da Silva, *Contos e Lendas*, 58.) ''Instruído *nas* letras divinas.'' (Morais.) ''Os almanaques pitorescos citam até à saciedade mil excentricidades e senões dos grandes varões que a humanidade admira, já instruídos *nas* letras, já por valentes nas armas.'' (M. de Assis, *Contos Fluminenses*, 14.)

''Não raciocina mal este mufti, e, *pelo* grande Ali, sem dúvida está instruído *nos* princípios de nossa santa lei.'' (Mário Barreto, *Cartas Persas*, 50.)

Instrumento — *de, para:*

''Não posso, como irmão de tua mãe e ministro do altar, prestar-me a instrumento *de* tuas contumazes culpas.'' (Camilo, *A Enjeitada*, 99.) ''Instrumento *de* percussão; instrumento *de* sopro.'' (Aulete.)

''Instrumento *para* medir objetos muito pequenos.'' (C. de Figueiredo, voc. *acribômetro*.)

Insubmissível — *a:*

''Ouviu pelas quebras e vales da província insubmissível *à* tirania ressoarem os dobres fúnebres por Badaró, o mártir liberal.'' (Rui, *Colunas de Fogo*, 6.)

Insuficiência — *de, para:*

''Insuficiência *de* recursos, *de* bens.'' ''E, como eu então notasse a insuficiência *das* minhas idéias, *para* revelar a expansão de imensa felicidade que me enlevava....'' (Camilo, *Mistérios de Lisboa*, I, 71.)

Insuficiente — *a, para:*

''O gado diariamente adquirido — oito ou dez cabeças — era, porém, um paliativo insuficiente *ao* minotauro de seis mil estômagos.'' (E. da Cunha, *Os Sertões*, 436.) ''Somente à noite podia ser distribuída a refeição insuficiente *aos* soldados famintos.'' (Idem, *ibidem*, 475.)

''O rendimento dos bens que herdou é insuficiente *para* sustentar a sua família e minha irmã.'' (Camilo, *As Três Irmãs*, 207.) ''Este (vocabulário), com o progresso da civilização, tornou-se, porém, insuficiente *para* a cabal expressão do pensamento.'' (Sousa da Silveira, *Lições de Português*, 23.) ''E a zona de que dispunha a Bom Jesus seria insuficiente *para* a capacidade da usina.'' (J. Lins do Rego, *Usina*, 143.)

Insulado — *em, entre:*
"E apeava, já com estrelas no céu, numa fazendola insulada *no* vasto plaino do sertão da Paraíba." (Gustavo Barroso, *Terra de Sol,* 134.) "Insulado *no* espaço e *no* tempo, o jagunço, um anacronismo étnico, só podia fazer o que fez." (E. da Cunha, *Os Sertões,* 363.)
"E' um texto insulado na baixa latinidade *entre* as páginas de uma apologia teológica." (Rui, *Réplica,* 174.) "Solo estéril, crespo de serranias desnudas, insulado *entre* os esplendores do majestoso araxá. (E. da Cunha, *Os Sertões,* 105.)

Insulto — *a:*
"Desejava levantar no cemitério público um faustoso monumento a Liberata, como insulto *às* mulheres do 'grande mundo'." (Camilo, *A Neta do Arcediago,* 170.) "Eu, amado pela condessa, como filho, era um insulto *às* cinzas do marido." (Idem, *Mistérios de Lisboa,* I, 249.) "Contava ele que o vira entrar em costume espanhol, extravagante vestido, se não era um insulto *à* França, na ocasião em que os franceses declaravam guerra aos bárbaros da Península." (Camilo, *Livro Negro,* 164.)

Insultuoso — *a:*
"Não sei que alegria insultuosa *à* minha desgraça vejo aí nessas belezas insensíveis de uma natureza límpida, onde me considero insulado como um traço negro." (Camilo, *Mistérios de Lisboa,* I, 83.)

Insuportável — *a, para:*
"No seu rústico modo de pensar, acha .... que esse castigo é uma perseguição, uma injustiça insuportável *aos* seus brios." (Gustavo Barroso, *Terra de Sol,* 139.) "Dissonâncias insuportáveis *à* decência e *ao* ouvido." (Rui, *Réplica,* 114.)
"Jungiram ao mesmo jugo, sem recurso nem esperança, pessoas insuportáveis uma *para* a outra, e quase sempre discordantes." (Mário Barreto, *Cartas Persas,* 244.)

Insurgido — *contra:*
"Minoria insurgida *contra* o nosso direito legal de resistir ao despotismo." (Rui, *Queda do Império,* I, 202.) "E' a razão insurgida *contra* o absurdo do vínculo indissolúvel." (Camilo, *Boêmia do Espírito,* 142.)

Insurreição — *contra:*
"Surgem de uma luta que ninguém descreve — a insurreição da terra *contra* o homem." (E. da Cunha, *Os Sertões,* 135.) "Convidando os impulsos da desordem a disputarem ao governo o cetro da insurreição *contra* a lei." (Rui, *Colunas de Fogo,* 147.)

Insuscetível — *a, de:*
"Era cada qual mais insuscetível *ao* enfado e miudeza dos estudos gramaticais." (Alberto Rangel, *Fura-Mundo,* 29.)
"Homem modesto, simples, insuscetível *desses* encômios e lisonjas que tanto agradam à humanidade."

Intangível — *a:*
"Já não proposições intangíveis *à* análise, desde que se obliterou a revelação divina." (Ricardo Jorge, *Sermões dum Leigo,* 85.)

Inteirado — *de, em:*
"Estar inteirado *das* coisas." (Morais.) "Inteirado *de* todos os pormenores."
"Inteirado *na* verdade." (Morais.)

Inteireza — *de:*
"Eu respeito a inteireza *do* caráter sacrificado ao mais absurdo dogma." (Camilo, *Boêmia do Espírito,* 66.)

Inteligência — *com, de, para:*
"O padre não tivera mais inteligência *com* a desgraça." (Camilo, *Mistérios de Lisboa,* I, 41.) "Permitis, senhores? — disse D. Pedro — que eu tenha alguns minutos particular inteligência *com* a Sra. duquesa?" (Idem, *ibidem,* III, 179.) "As inteligências *de* D. Alexandre *com* o desertor são óbvias: curava de comprar-lhe o braço vingador; mas tão em segredo, que nunca viesse à luz a sua ignomínia." (Camilo, *O Bem e o Mal,* 126.)
"Inteligência e conhecimento exato *de* todas as línguas." (Vieira, *Sermões,* IX, 50.) "Para inteligência *dela* (questão) havemos de supor que estes tesouros .... ou os compram os Santos por mão própria, ou por mão alheia." (Idem, *ibidem,* 175.)
"Havia inteligências secretas *para* penetrar de noite na tenda do rei." (Fr. D. Vieira.)

Intenção — *a respeito de, contra, de, para com, sobre:*
"Amâncio tornava-se expansivo: falou de seus amores na província; contou as suas intenções *a respeito* da mulher do Campos." (Aluísio Azevedo, *Casa de Pensão,* 56.)
"Eram suspeitadas de abrigar intenções inconfensáveis *contra* a independência da República Argentina." (Rui, *Cartas de Inglaterra,* 316.)
"V. S.ª não tem que pagar-me tais serviços, que lhos não faço com intenção *de* lhe agradar." (Camilo, *A Enjeitada,* 87.)
"Sempre supus quais fossem suas intenções *para com* ela."
"A intenção ou vontade dos contraentes *sobre* o objeto principal do mesmo contrato." (Aulete.)

Intento — *contra, de:*
"Ficou provado seu mau intento *contra* o patrão."
"Havia, como se vê, persistente na maioria dos ânimos, o intento *de* se não executar o que a campanha desde o começo reclamava: a divisão dos corpos combatentes." (E. da Cunha, *Os Sertões,* 449.) "Esvaziava garrafas de co-

nhaque, no intento *de* aturdir-se e responder com a gargalhada do ébrio ao grito da vergonha.'' (Camilo, *O Bem e o Mal,* 203.)

Intercalação — *em:*
''A intercalação dum livro *num* catálogo, *numa* biblioteca.'' (Fr. D. Vieira.)

Intercalado — *a, de, por:*
''Expressões bárbaras intercaladas *ao* poema.''
''Outros escreviam poesias em versos grandes intercalados *de* pequenos.'' (Camilo, *A Neta do Arcediago,* 83.) ''O serão se afundava pela noite a dentro, numa toada de violas e sanfonas, intercalada *de* cantigas e *de* desafios.'' (Veiga Miranda, *A Eterna Canção,* 9.) ''Os dias de Miquelina correram intercalados *de* lágrimas e esperanças.'' (Camilo, *A Enjeitada,* 56.)
''Atos que, aparecendo intercalados *por* períodos de calma crescentemente reduzidos, constituem os pontos determinantes da curva inflexível em que o arrebatava a fatalidade biológica.'' (E. da Cunha, *Os Sertões,* 297.)

Intercâmbio — *com, entre:*
''Tem aumentado sensivelmente nosso intercâmbio intelectual *com* as repúblicas do Prata.''
''E' sempre interessante o intercâmbio desportivo *entre* os Estados.''

Intercessão — *a favor de, por:*
''Intercessão de uma pessoa *a favor de* alguém ou *por* alguém.'' ''Agradeço-lhe sua intercessão *a favor de* meu filho.'' ''A expectativa de Nazário, por tremenda que fosse, não proscrevia a esperança de alguma intercessão *a seu favor.*'' (Xavier Marques, *As Voltas da Estrada,* 95.)
''Foi muito oportuna sua intercessão *pelo* prisioneiro.''

Intercortado — *de:*
''Observa-se, então, uma cadência raro perturbada na marcha do flagelo, intercortado *de* intervalos pouco díspares.'' (E. da Cunha, *Os Sertões,* 33.)

Interessado — *com, em, por:*
''Detiveram-se à beira de um dos lagos, Cecília e a mãe mui interessadas *com* os dois cisnes negros.'' (Ferreira de Castro, *A Tempestade,* 50.)
''Mais do que Dantas, ele estava interessado *em* buscar alguma porta de saída para o problema servil.'' (Luiz Viana Filho, *A Vida de Rui Barbosa,* 94.) ''Há muita gente interessada *no* caso.'' (C. Neto, *A Cidade Maravilhosa,* 32.) ''Era uma negociação feita com tanto segredo, que os próprios ministros interessados *na* transação .... a desconheciam.'' (Medeiros e Albuquerque, *Quando Eu Era Vivo,* 176.)
''Sempre interessado *por* tudo quanto se referisse à vida dos parentes.'' (Luiz Viana Filho, *A Vida de Rui Barbosa,* 16.) ''Não se podia, entretanto, querer administrador menos interessado *pelas* suas atribuições.'' (Medeiros e Albuquerque, *Quando Eu Era Vivo,* 183.) ''Descreve-lhe um sortilégio secreto, em conseqüência do qual sua patroa é capaz de transformar-se em pássaro. Lúcio mostra-se muito interessado *por* esse sortilégio.'' (*Maravilhas do Conhecimento Humano,* II, 48.)

Interessante — *a, para, por:*
''Nunca me aparentei desgraçado para me fazer interessante *à* compaixão dos outros.'' (Camilo, *Mistérios de Lisboa,* I, 172.)
''Aqui estou eu .... entre trastes velhos e outras burundangas, coisas interessantes *para* mim, mas que, para os outros não valem um real.'' (C. Neto, *A Cidade Maravilhosa,* 124.) ''Seria isso um trabalho de erudição parcamente interessante *para* o público.'' (Fialho de Almeida, *Os Gatos,* 213.)
''O filho de Frei Baltasar é esse homem, que ele descreve, mas não é o malvado, que se faz interessante *pela* hipocrisia.'' (Camilo, *Mistérios de Lisboa,* II, 35.)

Interesse — *de, em, para, por:*
''Saberia, se tivesse a boa-fé de saber, e não o interesse *de* errar.'' (Rui, *Colunas de Fogo,* 110.)
''A Turquia tinha todo o interesse *em* dar os melhores e os mais válidos (armênios), precisamente porque para ela eram os mais temíveis.'' (Medeiros e Albuquerque, *Quando Eu Era Vivo,* 163.) ''Os três indivíduos pareciam tomar todos vivo interesse *no* objeto de que se ocupavam, ainda que de modo diferente.'' (Herculano, *O Bobo,* 41.) ''Não têm os príncipes interesse *em* fazer conquistas por esses meios: buscam vassalos e não terras.'' (Mário Barreto, *Cartas Persas,* 222.)
''Da civilização romana ao ocidente da península Ibérica, que é a parte do mundo romano de maior interesse *para* nós, ... há inúmeros vestígios.'' (Sousa da Silveira, *Lições de Português,* 38.) ''Sem nenhum interesse pessoal ou político *para* modificar a verdade, dei balanço a minhas recordações e tenho certeza de que não me afastei dela.'' (Medeiros e Albuquerque, *Quando Eu Era Vivo,* 89.) ''O cartel de arranco converte-se num documento de raro interesse *para* os praxistas da psicologia das multidões.'' (Ricardo Jorge, *Sermões dum Leigo,* 126.)
''E' ainda a mesma aspiração daquela época, a mesma cordialidade, o mesmo interesse *pelo* futuro de um nome.'' (Rui, *Colunas de Fogo,* 55.) ''Disse a condessa, ansiosa de interesse *por* aquele homem extraordinário.'' (Camilo, *Mistérios de Lisboa,* I, 243.) ''A doença não lhe roubara o riso, nem o interesse *pelos* negócios públicos.'' (Luiz Viana Filho, *A Vida de Rui Barbosa,* 119.)

Interferência — *a, em:*

"Não apoiavam a interferência do ministro do céu *aos* negócios da terra." (Camilo, *Mistérios de Lisboa*, II, 14.)

"A interferência do corpo docente universitário *nas* provas de madureza." (Rui, *Queda do Império*, I, 437.) "A interferência *em* negócios alheios ocasiona-nos, às vezes, sérios desgostos." (Fr. D. Vieira.)

Intermeado — *de:*

"As chapadas grandes, intermeadas *de* convales, se ligam em curvas mais suaves aos tabuleiros altos." (E. da Cunha, *Os Sertões*, 50.) "Esses assaltos subitâneos, intermeados *de* longas horas de repouso relativo, traduziam sempre uma inversão de papéis." (Idem, *ibidem*, 471.)

Intermediário — *em, entre:*

"V. Ex.ª acompanhou 'pari-passu', ... como intermediário *em* relações entre mim, o chefe do Estado e os meus companheiros de ministério .... as crises mais graves do Governo Provisório." (Rui, *Cartas Políticas e Literárias*, 51.)

"Corpos subordinados e dependentes, intermediários *entre* o soberano e o povo." (Mário Barreto, *Cartas Persas*, XXXIII.) "Sanches era o intermediário *entre* os dois, *em* todos aquêles contratos e propostas." (Afrânio Peixoto, *A Esfinge*, 106.)

Intermédio — *a, de, entre:*

"Daí, posto em dicionaristas intermédios *à*queles dois se encontre já insinuada naquela palavra a noção de "pai", concluí eu que ...." (Rui, *Réplica*, 209.) "Foi com impaciência mais e mais crescente que percorreu as dezesseis léguas intermédias *à* fazenda do Pádua." (Taunay, *Inocência*, 188.)

"Era sempre por intermédio *de* Amélia que ele sofria a cardadura. Hoje tratava-se do aluguel da casa, amanhã seria a conta do Eeiras, depois a dos fornecedores." (Aluísio Azevedo, *Casa de Pensão*, 229.)

"No espaço intermédio *entre* os fugitivos e os árabes flutuava sem recuar o pendão do Duque de Córdoba." (Herculano, *Eurico*, 117.)

Internação — *em:*

"Internação de um louco *no* hospício."

Interpelado — *sobre:*

"Os seus primeiros discursos espantam a assembléia. O monarca é interpelado com estranha audácia *sobre* as reservadas intenções que demoram o acampamento militar em Versalhes." (Camilo, *Livro Negro*, 46.)

Interposição — *em, entre:*

"A interposição da Lua *nos* eclipses do Sol." (Aulete.)

"A interposição da Lua *entre* o Sol e a Terra." (Morais.)

Interposto — *a, em, entre:*

"Foi esse o primeiro obstáculo interposto *à* realização do projeto."

"Eu devo desaparecer daqui para que não fique interposto *n*esse amor...." (J. Américo de Almeida, *A Bagaceira*, 232.)

"Vimos como se formaram ali os mamalucos bravos e diligentes, interpostos tão a propósito, na quadra colonial, *entre* o torvelinho das bandeiras e o curso das missões." (E. da Cunha, *Os Sertões*, 218.)

Interpretação — *de:*

"Continuava a viver retirado da mocidade, exceto daqueles que o procuravam como auxiliador na interpretação *de* suas lições." (Camilo, *O Bem e o Mal*, 119.)

Interrogação — *a, de:*

"Minha interrogação *a* ele ficou sem resposta."

"Durante a interrogação *do* réu, todo o auditório estava profundamente atento." (Fr. D. Vieira.) "A interrogação *das* testemunhas." (Aulete.)

Interrogado — *por, sobre:*

"Interrogados *pelo* juiz, todos responderam afirmativamente com a cabeça." (Mário Barreto, *Através do Dicionário e da Gramática*, 147.)

"Foi o padre impor-lhe silêncio com o dedo no nariz, quando se viu, segunda vez, interrogado *sobre* as melhoras de D. Martinho." (Camilo, *Mistérios de Lisboa*, I, 215.) "O real enfêrmo, interrogado minuciosamente *sobre* o assassino, respondeu que o não conhecera." (Camilo, *Livro Negro*, 34.)

Interrogatório — *de, sobre:*

"O interrogatório *das* testemunhas foi demorado."

"Todos acompanharam com grande interesse o interrogatório *sobre* o rapto da milionária."

Interrompido — *com, em, por:*

"A algazarra dos soldados foi interrompida *com* a chegada do correio." "Entramos. Pelo corredor o vigário prosseguiu numa arenga interrompida *com* a minha chegada." (Graciliano Ramos, *Caetés*, 126.)

"Esta ornamentação é interrompida *nos* quatro pontos cardeais, *por* quatro relevos formando medalhões." (Fialho de Almeida, *Os Gatos*, 275.)

"Entregavam-se depois ao sono, nunca interrompido *pelos* cuidados nem *pelos* pesares." (Mário Barreto, *Cartas Persas*, 27.)

Interrupção — *a, de:*

"Jerônima, contrariada pela interrupção *às* suas saudades meditativas, contrafez em riso a zanga." (Camilo, *As Três Irmãs*, 219.)

"Fazer interrupção *da* prescrição." (Morais.)

Interseção — *com:*
"Esta reta não se desviará, quaisquer que sejam as responsabilidades, nos seus pontos de interseção *com* os acontecimentos futuros." (Rui, *Queda do Império,* I, 409.)

Intervenção — *em:*
"Eu tinha pejo de o trazer a uma prática deste gênero, *em* que a intervenção de um pai é sempre ridícula." (Camilo, *Mistérios de Lisboa,* I, 105.) "A intervenção deste homem *nos* negócios tem sido benéfica." (Fr. D. Vieira.)

Inticado — *com:*
"Não jurava que fosse Alexandre, por não ter, em consciência, absoluta certeza, e para que não dissessem que o acusava por andar inticado *com* ele." (Domingos Olímpio, *Luzia-Homem,* 49.)

Intimação — *para:*
"Recebeu intimação *para* comparecer em juízo."

Intimado — *a, por:*
"Certa vez foi intimada *a* comparecer perante a justiça, quando o tesoureiro da cidade, tendo dissipado com Rosaura o dinheiro que lhe havia sido confiado, se suicidara." (*Maravilhas do Conhecimento Humano,* I, 61.) "Intimado *a* deixar a palhoça que ajudara a levantar, o caboclo coçou a cabeça." (J. Américo de Almeida, *A Bagaceira,* 20.)
"Intimado *por* elas *a* rodar, persistiu mudo e quedo." (Aquilino Ribeiro, *A Batalha sem Fim,* 49.)

Intimidade — *com, entre:*
"Vivo em intimidade *com* ele." (Fr. D. Vieira.) "Custódio .... tinha grande intimidade *comigo,* e dizia-me todo o mal que pensava do Presidente." (Medeiros e Albuquerque, *Quando Eu Era Vivo,* 176.)
"Nada mais desagradável, nas viagens por mar, do que o camarote em comum, forçando a intimidade *entre* indivíduos que totalmente se desconhecem." (Gastão Cruls, *Ao Embalo da Rede,* 113.)

Intimidado — *com, por:*
"A colônia estrangeira, intimidada *com* o calor das manifestações jacobinas e os perversos rumores de atentados imaginários, apelou para os seus ministros e esquadras." (Rui, *Cartas de Inglaterra,* 308.)
"Por outro lado, não vejo que, ... intimidados *pelo* rigor dos castigos, os homens obedeçam melhor às leis." (Mário Barreto, *Cartas Persas,* 172.)

Íntimo — *de:*
"Ele foi sempre íntimo *de* nossa família."

Intolerância — *com:*
"Ele é de uma incrível intolerância *com* os calvinistas."

Intolerante — *a, com, em, para:*
"É, portanto, benefício incontestável para a moralização do poder, em um regime intolerante *à* contradição." (Rui, *Cartas de Inglaterra,* XVII.)
"Intolerante *com* os adversários."
"Nunca se mostrara tão intolerante *nos* princípios de dignidade e *na* pureza dos costumes." (Aluísio Azevedo, *O Homem,* 54.)
"Era intolerante *para* os erros veniais. Não os reconhecia como tais. Não há erro venial, dizia ele, em matéria de costumes e de amor." (M. de Assis, *Contos Fluminenses,* 89.)

Intolerável — *a, de, em:*
"Mas desde que admitis a variabilidade nas acepções, não era intolerável *à* razão figurá-la nesta hipótese, com o intuito de subtrairmos a neologia ao reparo de galicismo." (Rui, *Réplica,* 347.) "O Porto e a vida reclusa de sua mãe deviam ser intoleráveis *a* Paiva Araújo." (Camilo, *Boêmia do Espírito,* 11.)
"Cada uma destas coisas .... é mais grave e intolerável *de* sofrer que a mesma morte." (Vieira, *Sermões,* IX, 21.)
"São concordâncias absolutamente intoleráveis *em* português." (Mário Barreto, *Através do Dicionário e da Gramática,* 296.)

Intraduzível — *para, segundo:*
"Expressão intraduzível *para* o português."
"A deturpação fonética mais sensível verifica-se nos nomes ou nos sons intraduzíveis *segundo* o nosso alfabeto." (João Ribeiro, *Curiosidades Verbais,* 152.)

Intranqüilo — *com:*
"Ando intranqüilo *com* o silêncio de meu filho, que está ausente há dois meses."

Intransigência — *com, de, em:*
"Regime que a falsa educação política dos seus diretores tem arrastado para a intolerância, o exclusivismo, o horror à crítica, a intransigência *com* a censura, o ódio às oposições." (Rui, *Colunas de Fogo,* 190.)
"Nunca lhe perdoaram a intransigência *das* suas idéias, a austeridade dos seus costumes." (Antero de Figueiredo, *Amor Supremo,* 114.)
"Admiro sua intransigência *em* pontos de honestidade."

Intransigente — *com, em:*
"Mostrou-se intransigente *com* o filho."
"A vice-rainha...., muito intransigente *em* pontos de verossimilhança, quis que tudo tivesse a cor local." (Camilo, *Perfil do Marquês de Pombal,* 9.) "Intransigente *nos* seus raciocínios poderosos." (Antero de Figueiredo, *Amor Supremo,* 56.)

Intransmissível — *a:*
"E' um título bancário intransmissível *a* terceiros."

Intrépido — *em:*
"Tiradentes, que se achava no Rio, em ativa e franca propaganda da rebelião, foi também detido. .... Raros os que se mostravam intrépidos *na* adversidade." (*Maravilhas do Conhecimento Humano*, I, 168.)

Intrigado — *com, por:*
"Intrigado *com* esse silêncio, o senhor de engenho indagou: — Que deseja, mulher?" (J. Américo de Almeida, *A Bagaceira*, 281.) "A mucama acudiu da cozinha, e Amélia, com um lenço amarrado na cabeça, apareceu na porta de seu quarto, muito intrigada *com* o motim." (Aluísio Azevedo, *Casa de Pensão*, 139.)
"Lembrou-se então de ter ficado uma vez muito intrigado *por* descobrir, na escova e no pente de seu uso, fios compridos de cabelo." (Aluízio Azevedo, *O Mulato*, 134.)

Introdução — *a, de, em:*
"Introdução *à* história universal. Introdução *à* física. Introdução *à* estética." (Fr. D. Vieira.)
"Introdução *de* uma obra literária." (Aulete.)
"Sempre se notou que a introdução de uma nova seita *em* um país era o meio mais eficaz de corrigir todos os abusos da antiga." (Mário Barreto, *Cartas Persas*, 181.)

Introduzido — *a, em, por:*
"Introduzido o presidente *ao* salão nobre, teve início a sessão."
"O primeiro introduzido *em* palácio, prostrando-se reverentemente ante o trono, falou em palavras confiantes." (João Ribeiro, *Curiosidades Verbais*, 76.)
"Construção em que uma proposição independente, introduzida *por* 'que', se junta a uma proposição incompleta." (Mário Barreto, *Através do Dicionário e da Gramática*, 235.)

Intrometido — *em:*
"Baixaremos o rio num ninho de guarantãs, intrometido *nas* galhadas flutuantes." (Alberto Rangel, *Fura-Mundo*, 178.)

Intrometimento — *em:*
"Não admito intrometimentos *em* meus negócios particulares."

Intromissão — *em:*
"A intromissão dos sucos *no* corpo da raiz da planta." (Fr. D. Vieira.) "Essas intromissões *na* economia rural o incompatibilizavam, cada vez mais, com o gênio do pai." (J. Américo de Almeida, *A Bagaceira*, 36.)

Intrusão — *em:*
"Depois, todo excesso de zelo é ridículo, assim como toda intrusão *em* esfera subalterna será sempre humilhante para a majestade do poder." (Rui, *Cartas de Inglaterra*, 260.)

Intuito — *de; com, em:*
"Apenas tocamos com discreta moderação os problemas antropológicos e só com o intuito *de* esclarecer as origens dos nomes." (João Ribeiro, *Curiosidades Verbais*, 127.)

"Tolerar os trabalhos da vida presente, *com* o intuito *d*os prêmios da futura." (Dic. de Morais.)
"*No* intuito *de* lhe trazer maior calma ao espírito ...." (Gastão Cruls, *Ao Embalo da Rede*, 82.)

Intuscepção — *de:*
"Se me comoveste, o teu livro é bom; pode dar-me a sensação regeneradora, a intuscepção *do* bem e *do* mal." (Camilo, *Boêmia do Espírito*, 233.)

Inundado — *de, em, por:*
"Dizendo isto, limpava a testa inundada *de* suor." (Rebelo da Silva, *Contos e Lendas*, 83.) "Roma .... inundada *de* godos e hunos." (Vieira, *Sermões*, IX, 129.)
"A sala ficou inundada *em* luz."
"Era tão real como àquela hora atravessar os campos do Liz, inundados *pela* cheia de janeiro." (Aquilino Ribeiro, *A Batalha sem Fim*, 67.)

Inútil — *a, contra, em, entre, para:*
"Quando considero no exemplo dessa morte inútil *às* suas testemunhas no espetáculo do cadáver de um vencedor sepultado em uma derrota imediata ao seu triunfo...." (Rui, *Discursos e Conferências*, 345.)
"Muitas vezes essas precauções são inúteis, principalmente *contra* os sarracenos." (Herculano, *O Bobo*, 16.)
"Só rejeitamos o que pareceu demasiado sutil e inútil *na* sociedade moderna." (João Ribeiro, *Curiosidades Verbais*, 108.)
"O tratamento de 'excelência' desaparecera como inútil *entre* parentes que se estimam." (Aluísio Azevedo, *O Mulato*, 128.)
"Aquele tesouro real jazia esquecido, desaproveitado, inútil *para* o antigo dono." (Veiga Miranda, *A Eterna Canção*, 73.) "Posto que ....os meus enfeites e galas sejam inúteis *para* a tua felicidade, procuro todavia conservar o hábito de agradar." (Mário Barreto, *Cartas Persas*, 10.) "Seria fatigante e inútil *para* a melhor parte dos leitores desenvolver a história dos vocábulos do mesmo jaez." (João Ribeiro, *Curiosidades Verbais*, 97.)

Invadido — *de, por:*
"E por uma transição lenta começou a sentir-se invadido *de* funda tristeza." (Afrânio Peixoto, *A Esfinge*, 273.) "Sentia-se invadida *de* estranho desânimo que a acabrunhava." (Antero de Figueiredo, *Amor Supremo*, 238.)
"Era ter .... o organismo inteiro, muito antes da morte, inutilizado por degenerações profundas, invadido *por* uma anarquia geral." (Rui, *Colunas de Fogo*, 46.) "Entretanto não foge logo (o sertanejo), abandonando a terra

a pouco e pouco invadida *pelo* limbo candente que irradia do Ceará.'' (E. da Cunha, *Os Sertões*, 132.) ''Circuitavam a vivenda, esquadrinhando, curiosos, a horta maltratada, de canteiros invadidos *pelas* palmatórias de flores rutilantes.'' (Idem, *ibidem*, 481.)

Invariável — *em:*
''Em casos muito raros se deu o fenômeno contrário, isto é, a forma variável tornar-se invariável *em* gênero.'' (Júlio Nogueira, *O Exame de Português*, 131.) ''Avançava, invariável *no* rumo, tocando em pequenos sítios.'' (E. da Cunha, *Os Sertões*, 534.)

Invasão — *de, em:*
''Chega o padre; vê a invasão *dos* domínios sagrados; irrita-se e resolve pôr embargos a desordem.'' (E. da Cunha, *Os Sertões*, 179.)
''Fusão de uma oração adjetiva com outra substantiva, com invasão daquela *no* campo desta.'' (Augusto Moreno, *Lições de Linguagem*, II, 121.)

Invectiva — *contra:*
''Invectiva *contra* os vícios, *contra* algum instituto.'' (Morais.) ''Por causa disso, Cícero perdeu a cabeça (ainda figuradamente falando). Pensava que Antônio estaria em breve privado do poder e, em conformidade, encetou uma série de belas mas infelizes invectivas *contra* Antônio.'' (*Maravilhas do Conhecimento Humano*, II, 46.)

Inveja — *a, de:*
''As frutas de Portugal não têm inveja *às* de Itália.'' (Constâncio.) ''Ter inveja *a* alguém, invejar a fortuna, o bem de que outrem goza.'' (Aulete.)
''A fadiga que nos traz sempre a alegria dos outros, e agora precisamente aumentada por alguma inveja *dele*, por muita inveja *dela* (os noivos).'' (Afrânio Peixoto, *A Esfinge*, 335.)

Invejado — *de, por:*
''Aquela mulher, se .... a fizesses sentar em um trono, rodeada de aias, e invejada *das* mais felizes, choraria sempre.'' (Camilo, *Mistérios de Lisboa*, I, 185.) ''Mostrar-lhe-ei tesoiros imensos, e riquezas invejadas *dos* maiores monarcas.'' (Mário Barreto, *Cartas Persas*, 89.)
''Invejada *pelas* parentas, que lhe gabavam a sorte.'' (J. Lins do Rego, *Usina*, 71.)

Invejoso — *de:*
''Invejoso *das* glórias alheias.'' (E. Carneiro Ribeiro, *Serões Gramaticais*, 674.) ''Sempre muito invejoso *dos* méritos filológicos do outro, cuspiu-lhe esta recomendação dispensável.'' (Alberto Rangel, *Fura-Mundo*, 25.)

Inverossímil — *para:*
''Li esta quadrinha inverossímil *para* muita gente, mas que me reportou àqueles tempos aziagos.'' (Gastão Cruls, *História Puxa História*, 32.)

Inverso — *a, de, em:*
''O governo, em França, ... acha-se constituído agora em sentido inverso *ao* da sociedade francesa.'' (Rui, *Queda do Império*, I, 390.) ''Não, filho! — quis dissuadir Jaquelina, sem dar a razão do seu aviso inverso *ao* do marido.'' (Camilo, *A Enjeitada*, 150.)
''Salvo se a modernidade ou a ancianía das palavras está na razão inversa *da* dos monumentos que as atestam.'' (Rui, *Réplica*, 448.) ''Segue vulgarmente processo inverso *do* daqueles.'' (E. da Cunha, *Os Sertões*, 147.)
''Como se aliançaram dois caracteres tão inversos *em* doutrinas políticas?'' (Camilo, *A Enjeitada*, 159.)

Investida — *a, contra, sobre:*
''Relatavam-se como épicas as suas investidas de bulímico *à* mesa de Camacho das festas com peru e leitão assados.'' (Alberto Rangel, *Fura-Mundo*, 38.)
''Investida *contra* o inimigo.''
''Ante a violação do trato, aquele retrucou com a ameaça de uma investida *sobre* a bela povoação do S. Francisco.'' (E. da Cunha, *Os Sertões*, 224.)

Investido — *de, em:*
''O tipo da grandeza do homem, investido *da* missão de acurvar orgulhos à força prestigiosa da palavra.'' (Camilo, *Mistérios de Lisboa*, I, 181.) ''O ator Costa, habitualmente investido *dos* papéis de tirano.'' ''O barbeiro, depois de alguns instantes de concentração, declarou que estava investido *de* um mandato público, e não restituiria a Itaguaí antes de ver por terra a Casa Verde.'' (M. de Assis, *Papéis Avulsos*, 43.)
''Tinha consigo .... os borgonheses, ... investidos, pela maior parte, *em* terrências de terras e *em* alcaidarias de castelos.'' (Herculano, *O Bobo*, 74.)

Investidura — *de, em:*
''Quando lhe deu Deus a investidura *deste* império ou a posse deste governo.'' (Vieira, *Sermões*, IX, 172.) ''Dando-lhe a investidura *do* ducado de Milão.'' (Dic. de Morais.)
''Investidura *em* um posto ou cargo.''

Investigação — *de, sobre:*
''Investigação *da* verdade.'' (Constâncio.) ''Investigação *dos* segredos da natureza.'' (Morais.) ''Na sua investigação *dos* curiosos mistérios do passado, os geologistas, ou mais propriamente, os paleontologistas (estudiosos da vida antiga), voltaram-se para os *fósseis*, como a chave que abriria a porta de uma fantástica história.'' (*Maravilhas do Conhecimento Humano*, I, 213.)
''As investigações de Joaquim Bensaude *sobre* astronomia náutica.'' (Ricardo Jorge, *Sermões dum Leigo*, 200.)

Invisível — *a, para:*

"Eclipse invisível *aos* habitantes do sul do Brasil."

"Sujeitos .... mais invisíveis *para* mim que as mulheres do nosso grande monarca." (Mário Barreto, *Cartas Persas,* 96.) "Vieste ao fundo do meu coração, e viste o invisível *para* todo o mundo." (Camilo, *Mistérios de Lisboa,* III, 141.)

Invocação — *a, de:*

"Sua invocação *à* Virgem foi atendida."

"A invocação *de* uma causa falsa será tida por não escrita, exceto se do próprio testamento resultar que o testador não teria feito tal disposição, se conhecesse a falsidade da causa." (Cód. Civ. Port., *apud* Aulete.)

Invulnerabilidade — *a:*

"Os sertanejos acreditam que certas orações lhes dão invulnerabilidade *às* armas de fogo."

Invulnerado — *para:*

"Sentia-se invulnerado *para* todos os martírios e torpezas." (Ricardo Jorge, *Sermões dum Leigo,* 11.)

Invulnerável — *a, por:*

"Amuado por nunca ter de receitar nem um xarope àquele cliente invulnerável *às* chuvas, *aos* frios e *a* todas as temeridades." (Rebelo da Silva, *Contos e Lendas,* 67.) "Certo que os não vexei, porque lhes reputo o caráter invulnerável *ao* mais cortante vexame." (Camilo, *Mistérios de Lisboa,* I, 146.)

"A dor .... envenenou-lhe o ar que respirava, e tornou-o invulnerável *pelo* veneno." (Camilo, *Mistérios de Lisboa,* II, 32.)

Ira — *contra:*

"Se alguns dias o vires em ira *contra* os laços que lhe tolhem a liberdade de ser moço com desculpa do mundo, não apertes tu os laços a recordar-lhe que são sagrados." (Camilo, *As Três Irmãs,* 39.)

Irado — *contra, de:*

"Irado *contra* os cativos de Babilônia." (Vieira, *Sermões,* IX, 180.) "Irado *contra* o seu suposto amigo." (Camilo, *Perfil do Marquês de Pombal,* 129.)

"Vou-me irado, exasperado, *de* ter pregado tanto e sem conseguir nada." (Castilho, *apud* Aulète.)

Irmanado — *a, com, em:*

"Ingênuas mães de família, irmanadas *à* zabaneiras incorrigíveis e trêfegas." (E. da Cunha, *Os Sertões,* 306.)

"Vivia irmanado *com* os piores elementos da localidade."

"Todos aqueles homens errantes, ... unificados no mesmo sentimento de amor à independência, irmanados *nas* alegrias e *nas* dores da vida em comum, responderam em coro." (Afonso Arinos, *Pelo Sertão,* 16.)

Irmão — *de, em, por:*

"Este vidente caiu sem que o Sr. Hintze Ribeiro, seu irmão *de* ideais, propusesse nos pares um voto de sentimento." (Fialho de Almeida, *Os Gatos,* 180.)

"E por isso as vim hoje defender (as crenças políticas) e aos meus irmãos *em* doutrinas, dos traiçoeiros ataques de seus inimigos." (Garrett, *apud* Aulete.)

"E o Infante e Egas até aí irmãos *pela* afeição mútua, ficaram ainda mais unidos pela fraternidade das armas." (Herculano, *O Bobo,* 44.)

Iroso — *com, contra:*

"Está sempre iroso *com* as crianças."

"*Contra* quem estava iroso." (Dic. de Morais.)

Irreconciliável — *com:*

"Acordado em convulsões, o penitente, irreconciliável *com* as condições um pouco sérias da restituição, ainda viu o padre, que o encarava com a mesma austeridade." (Camilo, *Mistérios de Lisboa,* II, 201.) "Irreconciliáveis uns *com* os outros." (Afrânio Peixoto, *A Esfinge,* 107.)

Irreconhecível — *para:*

"O Amparo estaria talvez a esta hora irreconhecível *para* ele." (Afrânio Peixoto, *A Esfinge,* 217.)

Irredutível — *a:*

"Esta fração é irredutível *a* uma forma mais simples."

Irrefletido — *em:*

"Não seja irrefletido *nos* seus julgamentos. Fale com o reverendo. Uma questão de interesse geral." (Graciliano Ramos, *Caetés,* 105.)

Irregular — *em:*

"Irregulares *no* cumprimento de seus deveres de pontualidade." (Alberto Rangel, *Fura-Mundo,* 41.)

Irregularidade — *em, quanto a:*

"Irregularidade *na* manifestação dos fenômenos que deviam aparecer em certos e determinados dias." (L. Freire, voc. *acosmia.*) "Irregularidade *nas* molas e rodetas do mecanismo." (Alberto Rangel, *Fura-Mundo,* 46.)

"O moderno Brasil .... exibe freqüentes hesitações e irregularidades *quanto à* colocação dos pronomes pessoais." (C. de Figueiredo, *O Que se não Deve Dizer,* I, 64.)

Irrepreensível — *ante:*

"São locuções portuguesas, ... absolutamente irrepreensíveis *ante* a mais requintada eufonia." (Rui, *Réplica,* 48.)

Irresolução — *de, em:*

"Padre Diniz vacilou um momento na irresolução *de* a deixar naquela casa." (Camilo, *Mistérios de Lisboa,* I, 211.)

"Sua irresolução *em* negócio de tal gravidade pode ter conseqüências desagradáveis." "Irresolução *no* conselho e *na* obra." (Vieira, *apud* Aulete.)

Irresoluto — *em:*

"Mostra-se quase sempre irresoluto *em* questões políticas." "Irresoluto *em* mandar e *em* agir."

Irresponsabilidade — *em:*

"Proclamar, em suma, a irresponsabilidade mais ampla da comissão e da câmara *nos* senões dessa tentativa." (Rui, *Réplica,* 39.)

Irresponsável — *de, por:*

"Homem que se crê irresponsável *de* seus escândalos." (Camilo, *A Neta do Arcediago,* 46.) "A mulher de estirpe macaca é irresponsável *do* fratricídio e casamento bestial de Caim." (Camilo, *Boêmia do Espírito,* 156.)

"Antes, bem ao contrário, as declarei irresponsáveis *pelos* defeitos naturais da precipitação no projeto." (Rui, *Réplica,* 45.)

Irreverência — *a:*

"Irreverência *à* jurisdição apostólica." (E. Carneiro Ribeiro, *Tréplica,* 583.)

Irreverente — *com, para com:*

"Foi muito irreverente *com* as senhoras."

"Irreverente *para com* as coisas sagradas."

Irritação — *contra, entre:*

"Crescia a irritação dos liberais *contra* os conservadores." (Luiz Viana Filho, *A Vida de Rui Barbosa,* 33.) "Uma ocasião, de volta do trabalho diário, atingiu a habitual irritação de Pereia *contra* Meyer grande intensidade." (Taunay, *Inocência,* 152.)

"Tamanha é a irritação *entre* os federais que ...." (Rui, *Cartas de Inglaterra,* 309.)

Irritado — *com, contra, de, por:*

"O general, um pouco irritado *com* aquela grosseira indiscrição, disse secamente: — E' a favor do Brasil." (Medeiros e Albuquerque, *Quando Eu Era Vivo,* 145.) "As duas mulheres, irritadas *com* a sovinice do velho, ... resolveram domá-lo." (C. Neto, *A Cidade Maravilhosa,* 66.) "Não tenho Estados que se abalassem ou desmembrassem, irritados *com* a minha demissão." (Rui, *Cartas Políticas e Literárias,* 30.)

"Minha mãe era a mais irritada *contra* a fraqueza do meu pobre coração." (Camilo, *As Três Irmãs,* 166.) "Preparam, no subsolo da sociedade, essas comoções saturadas de ódios, irritadas *contra* o direito, inconciliáveis com a autoridade." (Rui, *Queda do Império,* I, 129.)

"A toda a parte ele leva a ira do céu, irritado *da* rebelião e *da* perfídia dos omaristas." (Mário Barreto, *Cartas Persas,* 260.)

"O Aníbal, dançarino profissional, sentia-se irritado *por* lhe roubarem espaço e compostura." (Afrânio Peixoto, *A Esfinge,* 383.)

Irrogado — *a, por:*

"Rebater a increpação de exclusivismo militar, irrogada *à* revolução *pelos* seus inimigos." (Rui, *Cartas Políticas e Literárias,* 35.) "Concluiu que havia equívoco de nome, e não se zangou com a injúria irrogada *à* sua pessoa, e de algum modo à sua classe, atribuindo-se-lhe a ratonice." (M. de Assis, *Papéis Avulsos,* 114.)

Isca — *de:*

"As delícias são isca *dos* vícios; a riqueza isca *de* erros." (Morais.)

Isenção — *de:*

"Isenção *de* tributos, *de* obrigações civis." (Constâncio.)

Isento — *de:*

"Isento *de* cuidados." (E. Carneiro Ribeiro, *Serões Gramaticais,* 674.) "A sua gente simples e tímida, escarmentada com a vizinhança do cativeiro, aprendera a contentar-se com o indispensável para viver em paz, isenta *do* tronco e *do* chicote." (Xavier Marques, *Às Voltas da Estrada,* 26.)

J

Jacente — *a:*
"Jacente *a* uma velha casa, outra espécie de quiosque com ferraduras amouriscadas e colunelos gráceis nos ângulos." (Fialho de Almeida, *Os Gatos,* 267.) "Terras jacentes *ao* norte." (Fr. D. Vieira.)

Jactância — *de, por:*
"O senhor não tem jactância *de* entender de medicina." (Castilho, *apud* Aulete.)
"Demonstra uma desmedida jactância *por* sua linhagem."

Jactancioso — *de:*
"Jactancioso *de* ser senhor de sua casa." (Vieira, *apud* Morais.) "Jactancioso *de* sua vitória; jactancioso *de* sua linhagem."

Jeito — *de, em, para:*
"Eu não achava jeito *de* tocar no caso." (J. Américo de Almeida, *A Bagaceira,* 74.) "O demônio parece que entrou de semana conosco, e, pelo que vejo, não leva jeito *de* nos querer largar." (Rebelo da Silva, *Contos e Lendas,* 44.) "Era o único jeito *de* dar na pinha do rival." (Guilhermino Cesar, *Sul,* 144.)
"Aqui na nossa terra, excelente, mercê de Deus, em muitos sentidos, requerer-se melindroso jeito *n*isto de contar vícios." (Camilo, *A Enjeitada,* 5.)
"Achou caminho por aí o deputado e, insinuante, teve jeito .... *para* incensar a vaidade natural." (Afrânio Peixoto, *A Esfinge,* 116.)
"— Eu — interrompeu-se Brites, atacada de modéstia — não tenho muito jeito *para* notar cartas; mas o que a gente quer é que nos entendam." (Camilo, *O Bem e o Mal,* 181.)

Jeitoso — *para:*
"É muito jeitoso *para* qualquer trabalho delicado." "Moça jeitosa *para* lidar com crianças." "Ativo, arguto e jeitoso *para* o balcão, puxando sempre para o patrão, ganhara a sua simpatia." (Mário Sete, *Os Azevedos do Poço,* 54.)

Jejuno — *de:*
"Os baconianos sustentam que Shakespeare foi um inculto empregado de açougue, crescido num meio ignorante e totalmente jejuno *do* vasto cabedal de cultura, que entra na criação das peças, vindas a lume com seu nome." (*Maravilhas do Conhecimento Humano,* II, 92.)

Jornada — *contra, para:*
"As jornadas que seus passados fizeram *contra* a Pérsia." (Dic. de Morais.)
"A nova vereda .... encurtava .... a jornada *para* Monte Santo." (E. da Cunha, *Os Sertões,* 534.)

Jubilação — *em:*
"Está pleiteando sua jubilação *n*o cargo de catedrático de medicina."

Jubilado — *em:*
"Voltam à carga os carapeteiros jubilados *n*a especialidade, para me assacarem a confissão de velhice, doença e invalidez." (Rui, *Campanha Presidencial,* 189.)

Júbilo — *por:*
"Não avalias meu júbilo *por* te ver outra vez junto de mim."

Jubiloso — *com, de, por:*
"Não pareces muito jubiloso *com* o resultado do negócio."
"Todos o cercam em vivório, jubilosos *d*a nova." (Fialho de Almeida, *Os Gatos,* 211.) "O brasileiro mostrava-se jubiloso *d*o sucesso." (Camilo, *Estrelas Propícias,* 135.)
"Estão extremamente jubilosos *pel*a vitória de seu clube."

Judiação — *com:*
"Deus do céu via a judiação que estavam fazendo *com* ela." (J. Lins do Rego, *Usina,* 106.)

Judiaria — *com:*
"Que judiaria *com* a pobre criança!"

Juízo — *acerca de, a respeito de, em, em relação a, sobre:*
"O juízo contemporâneo .... *acerca d*a política depurativa de Sólon." (Rui, *Colunas de Fogo,* 231.)
"Preciso contar-lhe tudo para que o Sr. não fique fazendo mau juízo *a* meu *respeito.*" (Gastão Cruls, *Ao Embalo da Rede,* 122.)
"Os seus juízos *em* crítica merecem crédito." (Rebelo da Silva, *apud* Aulete.)
"Espero que se me proporcionará ocasião de dar conta ao público das minhas impressões e

do meu juízo *em relação a* um movimento político.'' (Rui, *Queda do Império,* I, 420.)

''Os próprios lidadores mal rastreavam, na discordância dos sucessos, um juízo qualquer *sobre* a própria situação.'' (E. da Cunha, *Os Sertões,* 475.) ''Levavam, afinal, um juízo claro *sobre* a luta mais brutal dos nossos tempos.'' (Idem, *ibidem,* 489.)

Juncado — *de:*

''Eu respigarei, nessa vasta seara juncada *de* cadáveres, as atrocidades .... que se acham obrigadas ao desenvolvimento do romance.'' (Camilo, *Livro Negro,* 45.)

Junção — *a, com, de, entre:*

''Junção de um regimento *ao* grosso do exército.''

''Junção, numa sílaba, de um 'a' *com* um 'i'.'' (Sousa da Silveira, *Lições de Português,* 69.)

''Junção *de* tropas, exércitos.'' (Morais.) ''A língua dos índios não possuía, por exemplo, caso de junção imediata *de* duas consoantes.'' (João Ribeiro, *Curiosidades Verbais,* 86.)

''Portanto, dada a junção malsoante *entre* dois termos, em cessando a sua necessidade, principia o cacófato.'' (Rui, *Réplica,* 242.)

Jungido — *a:*

''Capitanias esparsas e incoerentes, jungidas *à* mesma rotina.'' (E. da Cunha, *Os Sertões,* 80.) ''Lavarinto, jungido *aos* canzis, ruminava.'' (J. Américo de Almeida, *A Bagaceira,* 107.) ''Conseguira em pouco tempo organizar um grupo de ricaços, amigos e compadres, todos mais ou menos jungidos *ao* respeito que os milhões sabem captar onde aparecem.'' (Fialho de Almeida, *Os Gatos,* 257.)

Juntamente — *com:*

''E abatera-se (o cavalo), morto juntamente *com* o cavaleiro.'' (E. da Cunha. *Os Sertões,* 30.) ''Chamam-se (os sons) semivogais, sempre que soam juntamente *com* a vogal de uma sílaba.'' (Sousa da Silveira, *Lições de Português,* 62.)

Junto — *a, com, de:*

''Junto *ao* topo do estrado, do lado esquerdo da infanta, um jovem cavaleiro em pé falava também em voz baixa.'' (Herculano, *O Bobo,* 40.) ''De pé, junto *ao* umbral de uma das portas que davam para o salão das danças, Paulo estava empenhado numa observação detida.'' (Afrânio Peixoto, *A Esfinge,* 378.)

''E foi, afinal, junta *com* o pai, num dia de feira.'' (J. Américo de Almeida, *A Bagaceira,* 116.)

''A vida da alma para ele reduzira-se a orar sobre um túmulo e a velar junto *de* um berço.'' (Rebelo da Silva, *Contos e Lendas,* 155.) ''Minha última resolução, venerável Crimilde, é acabar junto *de* vós e *de* nossas irmãs.'' (Herculano, *Eurico,* 150.)

Juramento — *de, por:*

''Ouve o juramento que faço *de* acender as tochas do enterro no dia da sua vingança.'' (Rebelo da Silva, *apud* Aulete.)

''Juramento *pela* honra, *pelo* nome de Deus.''

Jus — *de:*

''Tanto me resultava o jus *de* antepor o 'incorporar a' a 'incorporar em', como o *de* preferir o 'incorporar em' a 'incorporar a'.'' (Rui, *Réplica,* 220.) ''Na faculdade, que assiste às maiorias populares, de resolver a eliminação do trono, envolvido está o jus *de* a ventilar e debater.'' (Idem, *Queda do Império,* I, 122.)

Justa — *por:*

''Cessado o estrondo, começou a justa *pela* segunda argolinha.'' (Xavier Marques, *As Voltas da Estrada,* 63.)

Justaposição — *a:*

''Fatores indispensáveis *à* justaposição de tal trecho *a* tal sensibilidade.'' (Fialho de Almeida, *Os Gatos,* 52.)

Justaposto — *a:*

''A força começou a descer, estirada pelas encostas e justaposta *às* vertentes.'' (E. da Cunha, *Os Sertões,* 332.) ''Justaposto agora o vocábulo *à* negativa subseqüente.'' (Rui, *Réplica,* 486.)

Justiça — *a, com, de, para com:*

''Fazer justiça *a* alguém.'' (Morais.)

''Usar de justiça unicamente *com* os fracos.''

''Fazendo ao imperador a justiça *de* manifestar a sua irresponsabilidade nas intrigas e crimes do ano fatídico em que a monarquia se abismou.'' (Rui, *Queda do Império,* I, XXVIII.)

''A justiça *para com* os outros é caridade com nós mesmos.'' (Mário Barreto, *Cartas Persas,* 25.) ''Aguardarei que se alivie a impressão dolorosa para ir visitá-lo e conversar, comprazendo ao que me pede em sua carta, cujo espírito de justiça *para com* os meus sentimentos muito lhe agradeço.'' (Rui, *Cartas Políticas e Literárias,* 146.)

Justificação — *com, de, para:*

''Fazer justificação *com* testemunha, *de* que é natural de tal cidade.'' (Morais.)

''Não há justificação vernácula, que se enxergue, *para* a anteposição desse 'o' ao 'que' nas interrogações.'' (Rui, *Réplica,* 186.)

Justificado — *como, por:*

''O assombro era justo e até certo ponto justificado *como* enlevo de artista.'' (Camilo, *A Enjeitada,* 27.)

''Verdadeiros neologismos, alguns de minha própria lavra, justificados *pela* sua utilidade e boa adaptação ao português.'' (Rui, *Réplica,* 568.)

Justificativo — *de:*

''Suposto que a esposa resignada do Sr. Joaquim dos Reis não desse a seu marido uma razão justificativa *da* sua curiosidade, a razão era de certo modo plausível.'' (Camilo, *Mistérios de Lisboa,* II, 138.) ''Textos justificativos *da* doutrina da obra.'' (C. de Figueiredo, *Lições Práticas,* I, 14.)

Justo — *com, em, para com:*

''Por que não sermos justos *com* os nossos adversários desarmados?'' (Rui, *Queda do Império,* I, 162.)

''Discurso .... justo *nas* inflexões, certo nas pausas, expressivo na mímica.'' (Antero de Figueiredo, *Amor Supremo,* 198.)

''O fazendeiro não foi muito justo *para com* o lavrador.''

L

Labuta — *por:*

"Tão magro, acabado! Que é isso, doença? — Trabalhos.... labuta *pela* vida." (Afrânio Peixoto, *A Esfinge,* 232.)

Lacerado — *em, por:*

"Era a membrana interna do estômago lacerada *em* pequenas porções. Eram as entranhas despedaçadas que se devolviam devoradas no fogo que lavrava na medula dos ossos." (Camilo, *Livro Negro,* 211.)

"Era chegado o momento de uma confidência, que tem sido o bálsamo de piedade em coração de pais lacerados *pela* ira e pela desonra." (Camilo, *O Bem e o Mal,* 183.)

Laço — *entre, para:*

"Eram tão tênues os laços *entre* o conde e o conde, ... e, depois, *entre* estas diversas categorias, que ...." (Herculano, *O Bobo,* 9.) "Laço de união indissolúvel *entre* a monarquia e a nacionalidade." (Rui, *Colunas de Fogo,* 20.)

"Diz S. Paulo que a afronta é o laço do demônio *para* o vício." (Vieira, *Sermões,* IX, 19.)

Ladeado — *de, por:*

"Estira-se nu, ao comprido, ladeado *de* velas acesas, no barro socado do solo." (Gustavo Barroso, *Terra de Sol,* 162.) "Assim correram ladeados *de* santos prazeres três a quatro anos da existência de Flávia." (Camilo, *A Enjeitada,* 139.) "Ladeado *de* aduladores." (Morais.)

"Precedida e ladeada (a tropa) *pelos* espias espertos do inimigo." (E. da Cunha, *Os Sertões,* 261.) "Padre Atanásio passava, de paramentos brilhantes, ladeado *por* dois eclesiásticos mal-encarados." (Graciliano Ramos, *Caetés,* 215.)

Lado — *a, de, para:*

"Colocado *ao* lado, *de* lado." (E. Carneiro Ribeiro, *Serões Gramaticais,* 676.)

"O cavaleiro negro no lugar onde pelejava não fazia pender um pouco a balança *do* lado dos godos." (Herculano, *Eurico,* 114.)

"Sinuosas calhas esgalhavam, suspensas por estacas de acapu, levando água *para* todos os lados." (Aluísio Azevedo, *O Mulato,* 154.) "Esse Sr. Pádua conhecia palmo a palmo o seu Estado *por* todos os lados." (Gastão Cruls, *Ao Embalo da Rede,* 14.)

Lágrima — *para:*

"Lágrimas *para* si, lágrimas *para* o inocentinho, que lhas bebia em beijos sôfregos, era essa a vida da generosa mártir." (Camilo, *Livro Negro,* 18.)

Laivado — *de, por:*

"Fisionomias sinistras laivadas *de* mascarras." (E. da Cunha, *Os Sertões,* 598.) "Enchendo o céu do incêndio que se diria cósmico, saído das goelas da terra, laivada *de* gretas da imensa fumarola." (Alberto Rangel, *Fura-Mundo,* 322.)

"Uivos do vento prolongavam-se pela noite, de instante a instante laivada *por* um golpe de luz." (Afrânio Peixoto, *A Esfinge,* 124.) "Uma bojuda figura de John Bull com o colete laivado *pelas* listas da bandeira." (Gustavo Barroso, *Terra de Sol,* 205.)

Lambuzado — *de:*

"Um cabra alto de hirsuta cabeleira marrafenta, lambuzado *de* cal, que escorregara ao galgar uma desconjuntada e vacilante escada, e lançava olhares ferozes à turba que o chasqueava." (Domingos Olímpio, *Luzia-Homem,* 3.)

Lamentação — *por:*

"Deixe de lamentação *por* uma coisa tão insignificante."

Lamentável — *em:*

"Os desvarios de uma paixão generosa nos seus princípios, e lamentável *nas* suas conseqüências." (Camilo, *Mistérios de Lisboa,* I, 121.)

Lamento — *por:*

"O duro morgado fez um gesto que poderia ser de aplauso às cruas penalidades do tempo dos Afonsinhos ou de lamento *por* não se andar mais sob a égide desses séculos rudes e ferozes." (Alberto Rangel, *Fura-Mundo,* 156.)

Lançado — *a, contra, em, sobre:*

"E recordava tudo aquilo o painel aziago duma nau de pestíferos, como antigamente, lançados *ao* mar." (Aquilino Ribeiro, *A Batalha sem Fim,* 46.) "Em redor muitos ouviram o insulto, e ela (condessa) apenas teve o seu próprio criado, que lhe levantasse o livro. Nem uma luva lançada *à* cara do forasteiro.'' (Camilo, *Livro Negro*, 197.)

''Lançado *contra* as pedras, *contra* o muro.''

''O ar que vem dos pulmões para ser lançado *na* atmosfera, tem de atravessar a glote.'' (Sousa da Silveira, *Lições de Português*, 60.)

''Qualificando de inconstitucionais os tributos lançados *sobre* juros de títulos de caminhos de ferro.'' (Rui, *Cartas de Inglaterra*, 880.) ''Lançado *sobre* os ombros de um só homem, tamanho fardo evidentemente excede as possibilidades razoáveis.'' (Idem, *Cartas Políticas e Literárias*, 126.)

Lançamento — *a, contra:*

''O lançamento de um navio *ao* mar.''

''Lançamento de um animal *contra* outro.''

Lardeado — *de:*

''Nada de retóricas lardeadas *de* doutorices. Em vez de fisiologia, espiritualismo.'' (Camilo, *Boêmia do Espírito*, 149.)

Largo — *de, em:*

''Baixo e largo *de* corpo.'' (L. Freire, voc. *aparrado*.) ''Largo *de* consciência.'' (E. Carneiro Ribeiro, *Serões Gramaticais*, 676.)

''Largo *em* prometer, curto em cumprir.'' (Constâncio.) ''Largo *em* promessas.'' (E. Carneiro Ribeiro, *Serões Gramaticais*, 676.)

Largueza — *de, em:*

''Largueza *de* vistas.''

''Dir-se-ia um discípulo de Velásquez; e pela exuberância e largueza *no* manejo do pincel — um Franz Hals.'' (Antero de Figueiredo, *Amor Supremo*, 18.)

Lastimação — *por causa de:*

''Nada de lastimações *por causa de* comida e de pagamento, nada de pedidos para saídas às quintas-feiras de noite e aos domingos.'' (*Maravilhas do Conhecimento Humano*, I, 303.)

Laureado — *de:*

''Foram os que levaram até o céu o carro triunfal de Catarina, laureado *de* outras tantas palmas.'' (Vieira, *Sermões*, IX, 162.) ''Laureado *de* tantos triunfos.'' (Idem, *ibidem*, 93.)

Lavado — *com, de, em, por:*

''Roupa lavada *com* sabão especial.''

''Lavado *de* culpas.'' (Constâncio.) ''Rapaz cuja gorra caía na fronte, lavada *de* suor.'' (Alberto Rangel, *Fura-Mundo*, 58.)

''O cavalo, das muitas esporadas, levava a barriga lavada *em* sangue.'' (Morais.) ''Lavado *em* lágrimas, choroso.'' (Aulete.) ''— Hei de eu abafar o grito da minha consciência e coração, para que o mundo me veja um rosto limpo, um rosto lavado *no* sangue do meu filho?'' (Camilo, *O Bem e o Mal*, 183.)

''O ar úmido e fresco, ... lavado *pela* luz forte da manhã, era a graça dispersa, a alma contente daquele recanto.'' (Afrânio Peixoto, *A Esfinge*, 45.) ''Com o raminho de alecrim aspergiram a face tantas vezes lavada *pel*as fúrias do mar.'' (Aquilino Ribeiro, *A Batalha sem Fim*, 29.)

Lavrado — *a, com, contra, de, em:*

''Lavrado *a* cinzel.''

''O pelourinho, pedaço quadrangular de cabriúva, lavrado *com* as armas do Reino, abertas no escudo prateado....'' (Alberto Rangel, *Fura-Mundo*, 100.)

''Sentença lavrada *contra* os conspiradores.''

''Semblante lavrado *de* rugas. Mares lavrados *de* nossas naus.'' (Morais.)

''Inscrição lavrada *no* mármore.''

Leal — *a, com, em, para com:*

''Os que usam ser leais *à* sua fé são cobertos até de ridículo.'' (Rui, *Coletânea Literária*, 161.)

''Você não foi muito leal *com*igo.''

''Homem leal *em* negócios.'' (Fr. D. Vieira.)

''Move-os a fraternizarem; mas, quando, ulteriormente, se lhes afigura danosa a coligação, lhes impõem o dilema de se manterem leais *para com* os amigos notoriamente infiéis aos compromissos assumidos ....'' (Rui, *Queda do Império*, II, 402.)

Lealdade — *a, com, de, para, para com:*

''Reivindicando, no julgamento dos criminosos, a lealdade *às* garantias legais, a eqüidade, a imparcialidade.'' (Rui, *Cartas Políticas e Literárias*, 215.) ''A lealdade *a* essas convicções me tornou um corpo estranho na política brasileira.'' (Idem, *apud* Luiz Viana Filho, *A Vida de Rui Barbosa*, 289.)

''Mas agora, antes de responder, por lealdade *con*sigo mesmo, refletia.'' (Afrânio Peixoto, *A Esfinge*, 278.)

''Ambos usaram comigo a lealdade *de* declarar que amam a nossa hóspeda.'' (Camilo, *A Enjeitada*, 153.) ''Saberia, se tivesse o escrúpulo de raciocinar e a lealdade *de* concluir que ....'' (Rui, *Colunas de Fogo*, 110.)

''Cuja lealdade *para* seus príncipes fora sempre maior.'' (Dic. de Morais.)

''— Mas apaixona-se (Lancelote) pela rainha Guinevra, e seu coração se dilacera entre a lealdade *para com* o rei e o amor pela rainha.'' (*Maravilhas do Conhecimento Humano*, II, 102.) ''Luciano já andava desconfiado da lealdade do Renzo *para com* os companheiros.'' Guilhermino Cesar, *Sul*, 205.) ''Lealdade *para com* os colegas.'' (L. Freire, voc. *coleguismo*.)

Lei — *de, para, relativo a, respectivo a, sobre, tocante a:*

''Recuso, no assunto, esses padrinhos, quando incursos em pecado manifesto contra as leis *da* harmonia na linguagem.'' (Rui, *Réplica*, 106.) ''Leis *do* movimento, *do* equilíbrio, *da* atração.'' (Morais.)

"E formulam leis *para* a guerra, pondo em equação as batalhas." (E. da Cunha, *Os Sertões,* 238.)

"Leis .... *relativas ao* curso legal do papel-moeda." (Rui, *Cartas de Inglaterra,* 379.)

"Lei .... *respectiva à* proteção de direitos civis." (Rui, *ob. cit.*, 381.)

"As leis *sobre* colônias procedem da 'Dissertação acerca dos meios de conservar as conquistas e as colônias portuguesas'." (Camilo, *Perfil do Marquês de Pombal,* 89.) "A Espanha ia votar uma lei *sobre* emigração um pouco injuriosa para o Brasil." (Medeiros e Albuquerque, *Quando Eu Era Vivo,* 139.)

"Leis federais *tocantes ao* imposto sobre rendas." (Rui, *Cartas de Inglaterra,* 380.)

Leigo — *em:*

"Coisas mínimas, e correntes .... entre quem não é leigo *em* letras." (C. de Figueiredo, *Lições Práticas,* I, 35.) "Não saberia qual ocupação escolher, porque bem sabe que sou leigo *em* lavoura, e pouco amigo dela." (Camilo, *As Três Irmãs,* 81.)

Lembrado — *de:*

"Lembrado *dos* benefícios." (E. Carneiro Ribeiro, *Serões Gramaticais,* 674.) "Volvidos anos, andava de ajuste na campanha do Sabretas, tão lembrado *do* amigo como da primeira camisola que rompera." (Aquilino Ribeiro, *A Batalha sem Fim,* 6.)

Lembrança — *a, de:*

"Adeus, e lembranças *a* seu pai." "Descia, com ligeiras paradas aqui, ali, indagando de uns, mandando lembranças *a* outros." (C. Neto, *Miragem,* 16.)

"Tenho lembrança *disso.*" (Morais.) "Perguntava-lhe se tinha alguma lembrança *de* ter tido vestidinhos ricos." (Camilo, *A Enjeitada,* 109.)

Lenda — *a respeito de:*

"Essa epopéia conta a história do rei Artur e de seus cavaleiros da Távola Redonda. Conta-se interessante lenda *a respeito da* fabricação dessa mesa." (*Maravilhas do Conhecimento Humano,* II, 101.)

Lenitivo — *a, de, para:*

"É já um lenitivo *às* agruras do flagelo." (Gustavo Barroso, *Terra de Sol,* 31.)

"Lenitivo *da* dor, *do* tormento." (Morais.) "Lenitivo *da* saudade." (Fr. D. Vieira.)

"A condessa, incapaz de inventar lenitivos *para* a mágoa inconsolável, chamava-o com ternura, pedia-lhe que se não reprimisse assim." (Camilo, *Mistérios de Lisboa,* II, 11.) "A solidão não é lenitivo *para* quem foge às multidões de Paris." (Idem, *ibidem,* III, 125.)

Lente — *de:*

"Apela o douto lente *de* direito para o seu uso jurídico." (Rui, *Réplica,* 526.)

Lentidão — *de, em:*

"Veja que lentidão *de* movimentos."

"Não me conformo com essa lentidão *em* atender aos fregueses."

Lento — *de, em:*

"Lento *de* movimentos, *de* ação."

"Lento *em* caminhar, *em* atender o que se explica." (E. Carneiro Ribeiro, *Serões Gramaticais,* 675.)

Lesão — *a, de, em:*

"A medida, tal ou qual original, implicava logo à primeira vista lesão considerável *ao* direito dos senhores. — 'Os frutos das árvores pertencem ao dono do pomar' — sentenciara o Barão do Cerro." (Xavier Marques, *As Voltas da Estrada,* 32.)

"Sabia que o amor a sua filha era o pensamento essencial; mas sem lesão *de* outros deveres essenciais às ligações com a sociedade." (Camilo, *As Três Irmãs,* 47.)

"Lesão *na* fama, *na* reputação, *no* crédito." (Constâncio.)

Leso — *de:*

"Leso *de* um membro, paralítico." (Constâncio.) "Leso *do* juízo, o que o não tem são." (Morais.)

Lesto — *de:*

"Cadete de cavalaria bem-apessoado e lesto *de* maneiras." (Camilo, *Cenas da Foz,* 47.)

Levado — *a, de, em, por:*

"Uma ingenuidade adorável e a lealdade levada até *ao* sacrifício, e o heroísmo distendido até *à* barbaridade, se confundem e se revezam, indistintos." (E. da Cunha, *Os Sertões,* 383.) "A idolatria da frase, ... quando levada *ao* exagero, é uma prova da impotência criadora." (Fialho de Almeida, *Os Gatos,* 246.)

"Levado *da* minha impertinente curiosidade, perguntei ao guarda quem fossem, ou de que família fossem as pessoas ali sepultadas." (Camilo, *As Três Irmãs,* 18.) "Resolvera empreender a viagem .... levado *do* desejo de ver terras novas e longínquas." (Taunay, *Inocência,* 31.)

"Sentiu-se de repente levado *no* rebojo da multidão." (Alberto Rangel, *Fura-Mundo,* 89.) "Outros, quase cadáveres, levados *em* redes, em carros, agonizando, lá andavam rijos e alegres, como se nunca houvessem sofrido; mesmo uma cega recuperara a vista." (C. Neto, *Treva,* 110.)

" O prior, levado *pela* ambição, e queixoso do agravo da sua prisão, não duvidara efetivamente vender a espada ao rei de Castela." (Rebelo da Silva, *Contos e Lendas,* 201.) "Aí vai o Palma, levado *pelo* desejo de se pôr em contato com vocês." (Rui, *Cartas Políticas e Literárias,* 151.)

Levantado — *a, contra, de, por:*
"Padrão levantado *à* memória da liberdade e igualdade, e às tradições da civilização antiga." (Herculano, *O Bobo,* 31.)
"Afrontoso testemunho levantado *contra* a virginal pureza de S. Iria." (Vieira, *Sermões,* IX, 29.)
"Levantado *do* chão." (Morais.)
"Levantado *pelos* braços robustos do mestre, fiquei prostrado na cama." (Camilo, *Mistérios de Lisboa,* I, 27.) "Ouviam-se gritos de espanta-boiadas e arrotos de perdizes levantadas *pelo* tropel." (Xavier Marques, *As Voltas da Estrada,* 93.)

Levantamento — *contra, de:*
"Levantamento *contra* o governo."
"Levantamento *de* alguma coisa caída; levantamento *da* voz; levantamento *do* cerco." (Fr. D. Vieira.)

Leve — *de, em:*
"É leve *do* pé, *da* mão." (Fr. D. Vieira.)
"É mui leve *em* suas conversações." (Fr. D. Vieira.)

Lhaneza — *com, para com:*
"Não teve muita lhaneza *com*igo."
"Gosto de ver sua lhaneza *para com* os fregueses."

Lhano — *com, de, para com:*
"É lhano *com* alguns, e descortês com outros."
"Simples e ingênua como a virtude; lhana *de* coração e rosto, como se estivesse de contínuo confessando-se a Deus." (Camilo, *As Três Irmãs,* 183.)
"É um rapaz lhano *para com* todos."

Libelo — *contra:*
"O mais severo libelo *contra* os governos civis ou não civis." (Rui, *Campanha Presidencial,* 87.) "Ei-lo, 'ipsis literis', o libelo ortográfico do mestre *contra* o presidente da comissão." (Rui, *Réplica,* 431.)

Liberal — *com, de, em, para com:*
"Olhe que sou até liberal *com* essa gente." (J. Lins do Rego, *Pureza,* 333.)
"Na profissão em que tenho envelhecido com zelo da sua e minha honra, ninguém tem sido mais liberal *dos* seus serviços nos pleitos onde se não deve esperar remuneração." (Rui, *Cartas Políticas e Literárias,* 283.)
"Liberal *em* promessas, *em* dádivas." "Esperava vencer a causa, e prometia ser *na* paga liberalíssimo." (Camilo, *As Três Irmãs,* 188.)
"Liberal *para com* os pobres."

Liberalidade — *com, em, para com:*
"Sua liberalidade *com* os empregados causa estranheza a todos." "O poeta gastava à medida dos proventos e talvez o que licitamente podia dispensar sem menoscabo da sua retidão. Mariz culpa-o de demasias nas liberalidades consigo e *com* os outros." (Camilo, *Boêmia do Espírito,* 192.)
"Espanta-se o Dr. Carneiro da minha liberalidade *no* virgular." (Rui, *Réplica,* 439.)
"Não mostra muita liberalidade *para com* os filhos."

Liberalizado — *a:*
"Nós, que consideramos duplamente perigoso o absolutismo, quando pratica a filosofia, ... não podemos deixar de estimar os benefícios liberalizados *à* humanidade, venham de onde vierem." (Rui, *Queda do Império,* I, 19.)

Liberdade — *a, com, de, em, para, para com:*
"A fim de proporcionar liberdade *a* seu amado para seus estudos, a bela Heloísa refugiou-se num convento." (*Maravilhas do Conhecimento Humano,* I, 58.)
"Antes parecia agora muito mais em liberdade *com* ele." (Aluísio Azevedo, *O Homem,* 30.) "Vá tomar liberdades *com* quem lhas dá!" (Idem, *O Mulato,* 159.) "Tomando liberdades *com* as moças encontradiças." (J. Américo de Almeida, *A Bagaceira,* 116.)
"Laços que lhe tolhem a liberdade *de* ser moço." (Camilo, *As Três Irmãs,* 39.) "Muitas vezes conservavam esta faculdade toda a sua vida, sem usar dela, pela só consideração de que tinham a liberdade *de* o fazer." (Mário Barreto, *Cartas Persas,* 244.) "Se queria afirmar, dizia 'talvez.... é possível....', o que lhe dava grande liberdade *de* desdizer-se." (Afrânio Peixoto, *A Esfinge,* 100.)
"Suprime-se agora, com a jubilação do Dr. Moreira Pinto, a liberdade *no* ensino da história." (Rui, *Queda do Império,* I, 224.)
"Depois de pedir muito a avó que se compadecesse dela e obtivesse do pai liberdade *para* se casar com o cabra, abriu a chorar." (Aluisio Azevedo, *O Mulato,* 318.) "Ficava o moço com liberdade *para* fazer o que bem lhe agradasse." (Rui, *Queda do Império,* I, 292.)
"Usar de certas liberdades *para com* alguém."

Liberto — *de:*
"Mas aos poucos a calma foi voltando e me senti liberto *de* um pesadelo quando avistei o rastro de sol na saída." (J. Lins do Rego, *Pureza,* 266.)

Lição — *a, a respeito de, de, em, sobre:*
"Criva-o de balas, espeta-o na faca e deixa insepulto o cadáver como lição *aos* sedutores atrevidos." (Gustavo Barroso, *Terra de Sol,* 121.) "Memorável lição *aos* audazes." (Rui, *Colunas de Fogo,* 70.)
"Conhecer perfeitamente uma matéria e poder dar lições *a respeito* dela." (C. de Figueiredo, voc. *ler.*)
"Talvez não houvesse na corte dama ou donzela tão instruída na lição *das* boas letras." (Rebelo da Silva, *Contos e Lendas,* 58.) "Essa

lição memorável *dos* direitos da crítica .... responde concludentemente a mágoa de que se vê transido o meu ilustre antagonista.'' (Rui, *Réplica,* 523.)

''Minha não é, porém, a culpa, senão do meu egrégio mestre, cuja lição *no* assunto me recorda a daquele sujeito nas 'Epanáforas'.'' (Rui, *Réplica,* 82.) ''Chamais doido ao velho, que vos pode dar lições *na* ciência do sofrimento?!'' (Camilo, *Mistérios de Lisboa,* II, 34.)

''Poder dar lições *sobre* uma matéria.'' (Aulete, voc. *ler.*)

Licença — *de, em, para:*

''Regressando, foram solicitar a uma repartição competente da armada licença *de* ver os parentes.'' (Rui, *Colunas de Fogo,* 194.) ''O Parlamento teve de intervir, concedendo .... licença *de* pronunciar esta letra como bem quisessem.'' (Mário Barreto, *Cartas Persas,* 229.) ''Viera, em noite de luminárias, recitar debaixo da janela umas coplas em que lhe pedia escandalosamente licença *de* cear com ela.'' (Camilo, *A Neta do Arcediago,* 21.)

''Licença *na* guerra, *nos* costumes.'' (Dic. de Constâncio.)

''Emudeceu os trovões, apagou os relâmpagos e suspendeu as nuvens, as quais não tiveram licença *para* chover.'' (Vieira, *Sermões,* VII, 92.) ''Pedi licença ao venerável meditador *para* lhe dizer que o fato da morte não implicava os direitos da humanidade.'' (Camilo, *As Três Irmãs,* 19.) ''Soldado duplamente fortalecido pela certeza da própria força e a licença absoluta *para* as brutalidades máximas.'' (E. da Cunha, *Os Sertões,* 326.) ''Estava moído, sentira febre; mas era coisa passageira. D. Balbina pediu licença *para* entrar e logo entrou pelo quarto esbaforida, alarmada, e foi direito à cama.'' (Coelho Neto, *Treva,* 105.)

Licenciado — *em, para:*

''Licenciado *em* filologia românica; licenciado *em* odontologia.''

''Não são todos *para* isso licenciados.'' (Dic. de Morais.)

Lícito — *a:*

''Não era lícito *aos* homens separar o que Deus havia juntado.'' (Pe. T. de Almeida, *O Feliz Independente,* II, 67.) ''Tudo foi lícito *à*quele governo, com o beneplácito mais amplo da regência imperial.'' (Rui, *Queda do Império,* I, 177.)

Lida — *com, para:*

''Vive numa eterna lida *com* os filhos.''

''Tanta lida *para* tão pouca vida.'' (Provérbio.)

Lido — *em:*

''Elas haviam acabado de sair do Colégio de Sion, em Petrópolis, já muito lidas *nos* romances de Mlle. Zenaide Fleuriot.'' (Afrânio Peixoto, *A Esfinge,* 103.) ''Lido *nos* remontados dizeres dos profetas.'' (Antero de Figueiredo, *Jornadas em Portugal,* 83.) ''Pouco lido *em* mitologia, o coronel não deu tento da elisão.'' (Camilo, *A Enjeitada,* 30.)

Ligação — *a, com, entre:*

''A sua ligação *à*quele mono era uma história muito triste e muito sensaborona. Poucos, bem poucos a sabiam.'' (Aluísio Azevedo, *Casa de Pensão,* 141.)

''Daí a sua ligação *com* Camilo, o seu pegadio doentio com fórmulas e formas que não desprezaria.'' (J. Lins do Rego, em *Os Gatos,* 14.) ''Crise política .... puramente doméstica, sem mescla de ligação *com* as relações internacionais.'' (Rui, *Cartas Políticas e Literárias,* 163.)

''Não existe a mínima ligação *entre* os dois partidos.''

Ligado — *a, com, entre, por:*

''No trecho dos sertões baianos mais ligados *aos* dos demais Estados do Norte .... se estabeleceu desde o alvorecer da nossa história um farto povoamento.'' (E. da Cunha, *Os Sertões,* 103.) ''E esse sentimento da cor parece estar ligado *ao* progresso da civilização.'' (João Ribeiro, *Curiosidades Verbais,* 44.) ''Tendo como adversário o Dr. Inocêncio Góis, político prestigioso e ligado *a* importantes famílias da Bahia, Rui não se podia sentir tranqüilo.'' (Luiz Viana Filho, *A Vida de Rui Barbosa,* 95.)

''Todos nascem ligados uns *com* os outros.'' (Mário Barreto, *Cartas Persas,* 196.) ''Qualquer que seja a causa dessa superstição, três e sete estiveram sempre estreitamente ligados *com* o extraordinário, no sistema dos negócios humanos.'' (*Maravilhas do Conhecimento Humano,* I, 237.)

''Órgãos ligados *entre* si.''

''Sentiam-se ligados *pela* simpatia.'' (Afrânio Peixoto, *A Esfinge,* 33.) ''Em tudo quanto dizemos, pensamos ou fazemos, em todas as nossas idas e vindas, em todas as nossas orgulhosas atividades humanas e planos e esperanças e criações, estamos ligados *pel*as inexoráveis leis da química.'' (*Maravilhas do Conhecimento Humano,* I, 279.) ''São duas casas enormes de um lado e do outro da rua, ligadas *por* um passadiço, espécie de ponte, fechada, com janelinhas, pelas quais se avista quem passa.'' (Abílio Barreto, *A Noiva do Tropeiro,* 53.)

Ligeireza — *de, em:*

''Ligeirezas *de* tom capazes de exprimir não sensações, mas sonhos de sensações.'' (Fialho de Almeida, *Os Gatos,* 188.) ''Ligeireza *de* pés, *de* mãos.''

''Ligeireza *em* falar; ligeireza *nas* mãos, *nos* pés.''

Ligeiro — *de:*

''Ligeiro *dos* pés ou mãos.'' (Constâncio.)

Limitação — *a, de:*
"A carne está racionada de novo: voltou a limitação *a* duzentas gramas por pessoa."
"A limitação *do* entendimento humano." (Morais.) "Não foi a supremacia do papado, na Média Idade, uma limitação útil *do* absolutismo imperial?" (Rui, *Queda do Império,* I, 194.)

Limitado — *a, por:*
"Convertendo em luta de amor-próprio um debate limitado *ao* campo de simples verificação gramatical." (Rui, *Réplica,* 104.) "Não está ele (o governo) estritamente limitado *a* realizar o concurso, e investir na cadeira o vencedor?" (Idem, *Queda do Império,* I, 269.)
"A monarquia limitada *por* instituições republicanas é uma quimera e envolve contradição." (Constâncio.)

Limite — *a, de:*
"Pôr limites *a* um campo." (Morais.)
"Aqui estão no mais alto relevo da evidência os limites *da* competência policial." (Rui, *Queda do Império,* I, 95.) "Os limites *da* razão, *do* justo."

Limítrofe — *com, de:*
"O Estado de Minas Gerais é limítrofe *com* a Bahia."
"A província da Andaluzia é limítrofe *de* Portugal." (Aulete.)

Limpo — *de:*
"Limpo *de* culpas." (E. Carneiro Ribeiro, *Serões Gramaticais,* 674.) "Agora o consideraria aquilo que era com efeito, um miserável rival, desrespeitoso de sua idade avançada e dos grandes compromissos da vida limpa *de* tais vergonheiras." (Alberto Rangel, *Fura-Mundo,* 276.) "Trás-os-Montes .... é limpo *de* ares e sólido de franqueza aberta e sólida." (Antero de Figueiredo, *Jornadas em Portugal,* 19.)

Lisonja — *a, de, para com:*
"Quebram com a lousa as mentirosas inscrições que a lisonja *ao* vencedor e a calúnia contra o vencido tinham lavrado no mármore." (Rebelo da Silva, *Contos e Lendas,* 323.) "O duque sabia com perfeição o idioma do Marquês de Luso, porque Susana, em lisonja *a* seu marido, quis aprender e falar sempre o português." (Camilo, *Livro Negro,* 77.)
"Em louvor de Deus, cuja filha sois; em lisonja *da* filosofia, que vos está sempre adjetivando com epítetos divinos." (Camilo, *A Enjeitada,* 24.) "A música, lisonja *dos* ouvidos." (Morais.)
"Suas lisonjas *para com* o chefe causam nojo."

Lisonjeado — *com, por:*
"Luís não se mostrava magoado com as asperezas, nem lisonjeado *com* os carinhos." (Camilo, *A Neta do Arcediago,* 20) "Apearam junto ao presbitério. O vigário acolheu-os festivamente lisonjeado *com* a volta de Isidro." (C. Neto, *Treva,* 117.)
"Três judeus que o arrastam, põem na frialdade do âmbito a nota da plebe lisonjeada *pela* aquiescência muda dos mandões." (Fialho de Almeida, *Os Gatos,* 285.) "Ele confrontava as expressões e os modos de Cecília com os dos jogadores e de suas mulheres — e sentia-se lisonjeado *pela* companhia." (Ferreira de Castro, *A Tempestade,* 23.)

Lisonjeiro — *a, com, para, para com:*
"Cópia grosseira de um jacobinismo pouco lisonjeiro *à* história." (E. da Cunha, *Os Sertões,* 293.) "Exculpando-se das ações generosas, e sobrecarregando-se de desumanidades lisonjeiras *ao* paladar dos carrascos." (Rui, *Colunas de Fogo,* 68.)
"É sempre gentil e lisonjeiro *com* as damas."
"Essa feição é muito lisonjeira *para* a França, Sra. Duquesa — replicou o mancebo." (Camilo, *Mistérios de Lisboa,* III 92.) "Ouso pedir-vos cópia de uma cândida inspiração, tão lisonjeira *para* a pessoa que vos faz poeta de tão sentidas poesias." (Idem, *ibidem,* 126.) "— Isto é muito lisonjeiro *para* a vaidade e *para* o amor de um marido." (Camilo, *Livro Negro,* 142.)
"Não te mostraste muito lisonjeiro *para com* ela."

Lisura — *de, em:*
"Saberia, se tivesse a lisura *de* lembrar-se, em vez da esperteza de esquecer." (Rui, *Colunas de Fogo,* 110.)
"Mostrou sempre grande lisura *em* seus negócios."

Litígio — *com, entre:*
"Era um impulso bárbaro em litígio *com* a saudade do rincão distante." (J. Américo de Almeida, *A Bagaceira,* 195.) "É verdade que a questão era muito séria. Um litígio de terras *com* um vizinho." (Gastão Cruls, *História Puxa História,* 60.)
"Esse litígio *entre* eles dura já perto de três anos."

Lívido — *de:*
"Viam-se inermes, depauperados, andrajosos e repulsivos quase, lívidos *de* fome, varridos para o deserto como trambolhos inúteis." (E. da Cunha, *Os Sertões,* 482.)

Livre — *de, em, para:*
"Livre *de* pensões, cuidados." (Morais.) "Livre *de* preocupações." (E. Carneiro Ribeiro, *Serões Gramaticais,* 674.) "O olhar, livre *dos* anteparos de serras que até lá o repulsam e abreviam, se dilata em cheio para o ocidente." (E. da Cunha, *Os Sertões,* 3.)
"V. Ex.ª não é absolutamente livre *nas* suas ações." (Camilo, *Mistérios de Lisboa,* III 166.) "Livre *em* todas as minhas ações, não

quero sujeitar-me à lei absurda que a sociedade me impõe.'' (M. de Assis, *Contos Fluminenses*, 45.)

''Déspotas para zelarem a liberdade, livres *para* glorificarem o despotismo.'' (Camilo, *Perfil do Marquês de Pombal*, VII.)

Livro — *acerca de, a respeito de, de, sobre:*

''Livro *acerca* dos problemas do remoto Oriente.'' (Rui, *Cartas de Inglaterra*, 120.)

''Um livro *a respeito* das leis deve escrever-se num país onde impere a liberdade.'' (Mário Barreto, *Cartas Persas*, XXX.)

''Por que é que Henri Heine e Gonçalves Crespo intitularam 'Noturnos' o livro *dos* seus versos?'' (Camilo, *Perfil do Marquês de Pombal*, 15.) ''O Padre Petavins, autor dum douto livro *de* teologia, descansava o pensamento fazendo girar sua cadeira, durante cinco minutos, em cada duas horas.'' (*Maravilhas do Conhecimento Humano*, II, 84.)

''Autor dos melhores livros modernos *sobre* a democracia e a liberdade.'' (Rui, *Cartas de Inglaterra*, 228.)

Locação — *a:*

''A locação do prédio *ao* primo trouxe-lhe aborrecimentos.''

Localização — *em:*

''A localização da varíola *na* pele da face.'' (Aulete.)

Logro — *a, para:*

''O tal concerto sinfônico foi um logro *ao* público.''

''A tal centralização é um logro *para* nós.'' (Aluísio Azevedo, *O Mulato*, 279.)

Louco — *de, por:*

''Louco *de* amor.'' (E. Carneiro Ribeiro, *Serões Gramaticais*, 668.) ''Algumas semanas depois, o marselhês cativo dos moiros, resgatado a ocultas, reaparecia no meio dos seus assombrados e loucos *de* alegria.'' (Mário Barreto, *Cartas Persas*, X.) ''As lágrimas caíam no papel duas a duas. Eu estava louca *de* prazer.'' (Camilo, *Cenas da Foz*, 202.) ''Todavia, há aí uns celibatários extraviados dos concílios, amantes extremosos, pais loucos *de* amor aos filhos.'' (Camilo, *Boêmia do Espírito*, 165.)

''Ela se obstinava na idéia. Ficara louca *por* aquele jogo de espelhos que lhe faria ao mesmo tempo três imagens em tamanho natural.'' (Gastão Cruls, *História Puxa História*, 198.)

Loucura — *de, por:*

''Cometeu a loucura *de* casar sem ter meios de subsistência.''

''Tem verdadeira loucura *por* cinema.''

Louvado — *com, de, por:*

''Viu-se louvado *com* os mais sonoros adjetivos.''

''Serão louvados *de* Deus os que agora são caluniados dos homens.'' (Vieira, *Sermões*, IX, 26.)

''Propostas informadas favoravelmente, aceitas pelos ministros e louvadas *pela* imprensa.'' (Afrânio Peixoto, *A Esfinge*, 151.)

Louvor — *a, de, por:*

''Iam pelo mundo espalhando louvores *à* beleza do príncipe maravilhoso.'' (C. Neto, *A Cidade Maravilhosa*, 75.) ''Começam os louvores *ao* novo chefe, em todos os tons....'' (Afrânio Peixoto, *A Esfinge*, 392.) ''E terminava com exaltadas palavras de louvor *à* virtude da boa gente do sertão, que merecera de Deus aquela tão sublime prova de amor.'' (C. Neto, *Treva*, 112.)

''É a primeira tentativa nacional, portuguesa ou brasileira, da vulgarização do poema em louvor *da* Virgem Santa.'' (João Ribeiro, *Curiosidades Verbais*, 139.)

''Não é um elogio espontâneo, é um louvor *por* interesse.''

Lubrificação — *com:*

''Nesses casos é melhor a lubrificação *com* óleo fino.''

Lucubração — *acerca de, sobre:*

''Lucubrações *acerca de* um assunto ou *sobre* um assunto.''

Ludibriado — *em:*

''Quis conhecê-lo, seguiu-o, e ludibriado *nas* suas pesquisas impertinentes, ousou colocar-se em frente do desconhecido.'' (Camilo, *Livro Negro*, 34.)

Ludíbrio — *a, de:*

''Ali se acham condenados os nossos compatriotas, que a submissão aos nobres deveres da disciplina designa como ludíbrio *ao* arbítrio do gabinete.'' (Rui, *Queda do Império*, I, 441.)

''Ludíbrio *da* fortuna.'' (Fr. D. Vieira.) ''Beijaram os grilhões.... e tornaram-se ludíbrio *do* mundo.'' (Herculano, *apud* Aulete.)

Lugar — *de, para:*

''É minha intenção entrar no próximo concurso para dois lugares *de* amanuense.'' (Medeiros e Albuquerque, *Quando Eu Era Vivo*, 54.) ''Ainda não tive lugar *de* fazer isso.'' (Morais.)

''Nesse sonho magnífico parecia não haver um lugar *para* ela.'' (Afrânio Peixoto, *A Esfinge*, 93.) ''A mesa do casal tinha sempre lugares *para* todos os que chegavam à hora do almoço ou do jantar.'' (Mário Sete, *Os Azevedos do Poço*, 69.) ''Um templo é um bom lugar *para* um budista rezar.'' (*Maravilhas do Conhecimento Humano*, I, 317.)

Lugar-comum — *de:*

''Depois veio o rádio, e o milagre de Emerson, de um tiro ouvido por todo o globo, tornou-se um atual lugar-comum *da* vida diária.'' (*Maravilhas do Conhecimento Humano*, I, 293.)

Luminoso — *de:*

"A tremer chegou-se à filha, viu-lhe um rir suavíssimo, espiritualizado de angústia e todo luminoso *de* inocência." (Fialho de Almeida, *Cidade do Vício*, 51.)

Luta — *com, contra, entre, para, por:*

"Era a luta da sucuri flexuosa *com* o touro pujante." (E. da Cunha, *Os Sertões*, 431.) "A luta da antiga sociedade *com* a nova." (Rui, *Colunas de Fogo*, 145.) "Luta desabrida *com* a fatalidade irreparável devia ser a desses homens chamados a remediar infortúnios." (Camilo, *Perfil do Marquês de Pombal*, 100.)

"Os castelhanos, nas antigas lutas tradicionais *contra* os portugueses, davam a estes o apelido de 'chamorros'." (João Ribeiro, *Curiosidades Verbais*, 34.) "Faz gala dos seus delitos e vilanias tanto, pelo menos, quanto das suas lutas *contra* a realeza." (Rui, *Colunas de Fogo*, 67.)

"Na véspera travara-se a batalha eleitoral, verdadeira luta *entre* abolicionistas e escravagistas." (Luiz Viana Filho, *A Vida de Rui Barbosa*, 98.) "A luta *entre* as duas potências existe no coração humano." (Camilo, *A Neta do Arcediago*, 138.) "*Entre* filósofos e estetas há de haver sempre luta." (Antero de Figueiredo, *Amor Supremo*, 100.)

"Travara-se uma luta *entre* o orgulho e o amor. A moça sofreu consigo; não articulou uma palavra." (M. de Assis, *Contos Fluminenses*, 62.)

"Luta *para* a obtenção de um cargo ou emprego."

"A luta *pela* República, e *contra* seus imaginários inimigos, era uma cruzada." (E. da Cunha, *Os Sertões*, 467.) "As lutas ardentes *pela* democracia." (Rui, *Queda do Império*, I, 110.) "Picaretas que escavam a terra, perfurando poços, ao longe, na luta terrível do homem *pela* água." (Gustavo Barroso, *Terra de Sol*, 14.)

Lutador — *contra, por:*

"Foi um dos bravos lutadores *contra* o regime da escravatura."

"Está sempre entre os lutadores *pela* liberdade."

Luto — *por:*

"Viriam extinguir de uma vez os nossos motivos de ansiedade e luto *pela* escassez deste princípio de vitalidade no seio de tamanha população." (Rui, *Queda do Império*, I, 453.)

Luzido — *de:*

"A atmosfera doirada do Chiado, luzida *de* elegância, em sua maioria intrinsecamente tecida de frivolidade e leviandade." (Antero de Figueiredo, *Amor Supremo*, 232.)

M

Macadamizado — *de:*

"A 'via-sacra' dos sertões, macadamizada *de* quartzito alvíssimo." (E. da Cunha, *Os Sertões,* 253.)

Macerado — *em, por:*

"Semente de mamoninho bravo, socada, macerada *em* aguardente." (Júlio Ribeiro, *A Carne,* 112.) "Corpo macerado *em* arômatas preciosos e cintilando ao calor das pedrarias raras." (Gastão Cruls, *Ao Embalo da Rede,* 30.)

"Seus delicados tímpanos de música estavam macerados *pelo* contínuo martelar metálico do 'jazz-band' infernal." (Antero de Figueiredo, *Amor Supremo,* 139.) "Susana, o marquês, e o velho, que lhe chamara filho, tinham saído deste mundo repelidos a ponta de punhal, ou macerados *pela* disciplina do infortúnio injusto." (Camilo, *Livro Negro,* 60.)

Machucado — *em:*

"Machucado *nos* seus brios e de consciência tão atribulada como a de um galé." (Alberto Rangel, *Fura-Mundo,* 142.)

Macio — *a:*

"Reparou que irrompia daquela ruína um galhito verde e tenro, macio *ao* tato, doce à vista." (Júlia Lopes de Almeida, *Ânsia Eterna,* 113.)

Má-criação — *a, com:*

"Fizera uma má-criação *ao* neto do homem que dera gritos, que mandara no seu pai, que fora dono dos seus avós." (J. Lins do Rego, *Usina,* 141.)

"Deixe de má-criação *com* os velhos."

Mácula — *de, em:*

"Beckford menos ditoso, talvez pela mácula *de* herege." (Rebêlo da Silva, *apud* Aulete.)

"Mácula *na* honra, reputação" (Constâncio.)

Maestria — *de, em:*

"Com a maestria *do* seu talento e a sua autoridade extraordinária." (Rui, *Campanha Presidencial,* 86.)

"Que mostram esses deslizes senão as distrações casuais do grande escritor, ou os eclipses momentâneos do seu gosto, do seu tino, da sua maestria *no* falar?" (Rui, *Réplica,* 556.)

Magnanimidade — *com, em, para com:*

"Não compreendo sua magnanimidade *com* semelhante patife."

"Nunca será capaz das virtudes que assinalam os grandes regedores de povos: o equilíbrio intelectual na luta, a firmeza nos reveses, a magnanimidade *no* triunfo." (Rui, *Cartas de Inglaterra,* 53.)

"A esses termos reduziu a Constituinte de 1889 a expressão de sua magnanimidade *para com* a dinastia decaída." (Rui, *Cartas Políticas e Literárias,* 83.)

Magnânimo — *com, para com:*

"Magnânimo *com* alguém ou *para com* alguém."

Magnífico — *de, para:*

"Lisboa .... magnífica *de* grandeza, coberta de estátuas e palácios." (Fialho de Almeida, *Os Gatos,* 108.)

"Foi uma destas grandes pinturas a dois tons, negro e vermelho, magníficas *para* gravar no espírito a nota fúnebre." (Fialho de Almeida, *ob. cit.,* 65.)

Mágoa — *de, para, por:*

"Como sinal de seu espanto e mágoa *de* ver ultrajado um homem de bem." (Camilo, *A Enjeitada,* 84.) "A tia Generosa tinha suas mágoas *da* casa-grande." (J. Lins do Rego, *Usina,* 111.)

"Era grande mágoa *para* o aberto coração de Ladislau entender em pacificar o espírito do seu amigo, fazendo-lhe sentir que escassamente lhe emprestava uma parte das sobras de suas colheitas." (Camilo, *O Bem e o Mal,* 140.)

"É grande minha mágoa *por* sabê-lo tão doente."

Magoado — *com, de, por:*

"D. Luís Vaz calou-se magoado *com* aquela recusa." (Antero de Figueiredo, *Amor Supremo,* 87.) "Luiz não se mostrou magoado *com* as asperezas, nem lisonjeado com os carinhos." (Camilo, *A Neta do Arcediago,* 20.)

"Magoados .... *de* deixarem aquele inimigo sem maior castigo." (Dic. de Morais.)

"A sua sensibilidade feminina, magoada *pelas* antipatias, ... desejava resgatar por qualquer preço aquelas injustiças.'' (Luiz Viana Filho, *A Vida de Rui Barbosa,* 113.) ''Haviam-se despedido à porta do jardim: ela, de voz humilde e olhos magoados *pelo* choro; ele, a pensar «que aquela carraça ainda lhe daria que fazer».'' (Ferreira de Castro, *Tempestade,* 196.)

Magro — *de, em:*

''Era magra *de* faces, sem que se lhe vissem as proeminências malares.'' (Camilo, *Cenas da Foz,* 134.)

''Magro *em* cereais ou *de* cereais.'' (E. Carneiro Ribeiro, *Serões Gramaticais,* 676.)

Maioria — *de, em, sobre:*

''Por maioria *de* razão, com mais razão, por mais justo motivo.'' (Aulete.)

''Esta predição foi amplamente confirmada pelas últimas eleições, que deram aos conservadores o poder com grande maioria *no* parlamento.'' (Rui, *Cartas de Inglaterra,* 56.)

''Em Évora tinham (os negros) maioria *sobre* os brancos.'' (E. da Cunha, *Os Sertões,* 90.)

Majestade — *de, em:*

''A majestade *do* assunto, *do* semblante.'' (Constâncio.) ''Majestade *de* estilo.'' (Fr. D. Vieira.)

''Que majestade *na* dor aquele homem tinha!'' (Camilo, *Mistérios de Lisboa,* I, 263.)

Malcontente — *com, de:*

''Francisco de Vilalobos, ... estando uma vez em Toledo a rezar diante do altar da Senhora da Piedade, entrou uma dama que, malcontente *com* o facultativo, o invectivou.'' (Ricardo Jorge, *Sermões dum Leigo,* 66.)

''Malcontentes *de* uma solução, que não podia satisfazer cabalmente a um e outro.'' (Rui, *Réplica,* 52.)

Maldade — *com:*

''Deixe de maldade *com* os animais!''

Maldição — *a, contra, sobre:*

''Outros lançam maldições *ao* dia e hora em que nasceram.'' (Vieira, *Sermões,* IX, 250.)

''Viam reunidos no anfiteatro do Colégio de França todos os proscritos do universo, bebendo ali o verbo de maldição *contra* os opressores.'' (Rui, *Queda do Império,* I, 227.)

''A maldição *sobre* a memória de Anacleta reviveu, com indignação mais rancorosa.'' (Camilo, *Mistérios de Lisboa,* I, 177.)

Maledicência — *contra, entre:*

''O outro (pecado) é o da maledicência *entre* colegas e *contra* colegas.'' (Ricardo Jorge, *Sermões dum Leigo,* 83.)

Malfazejo — *a:*

''Criança malfazeja *aos* animais.''

Malquerença — *com, contra, entre:*

''Não tenho malquerença *com* ninguém.''

''Não sei se o velho Pais acreditava .... que Tito .... me houvesse explicado o motivo da sua misteriosa malquerença *contra* o padrinho.'' (Medeiros e Albuquerque, *Quando Eu Era Vivo,* 66.)

''Os nobres de Portugal combatiam sempre sob o mesmo pendão, embora tivessem *entre* si malquerenças particulares.'' (Herculano, *apud* Aulete.)

Malquisto — *com, de, em, por:*

''Nós outros os malquistos *com* o corregedor d'el-rei-presidente.'' (Rui, *Colunas de Fogo,* 173.)

''Vida malquista *de* todos.'' (Dic. de Morais.)

''Leopoldo era malquisto *nos* salões.'' (Camilo, *Mistérios de Lisboa,* II, 243.)

''José da Silva .... fora sempre mais ou menos perseguido e malquisto *pelo* povo do Pará.'' (Aluísio Azevedo, *O Mulato,* 55.)

Manchado — *de, por:*

''Tive um cão elegante e astuto, cor de borra de vinho, manchado *de* branco.'' (Gustavo Barroso, *Terra de Sol,* 87.)

''Manchado a espaços *pelo* verde-escuro dos jardins, um casario branco e indistinto estendia-se entre as colinas.'' (Afrânio Peixoto, *A Esfinge,* 20.)

Manco — *de:*

''Manco *de* um pé.'' (Morais.)

Mancomunação — *com, entre:*

''Não ficou provada sua mancomunação *com* os criminosos.''

''Descobriu-se a mancomunação *entre* o gerente e dois empregados.''

Mancomunado — *com:*

''Tratava-se apenas de um vendeiro que, mancomunado *com* uma cozinheira, por mim despedida, cobrava-me fornecimentos fantásticos.'' (Medeiros e Albuquerque, *Quando Eu Era Vivo,* 230.) ''A «Gazeta Nacional», sem personalizar as vítimas da carnagem de 3 de setembro, falava de nobres e padres conspiradores, mancomunados *com* os estrangeiros.'' (Camilo, *Livro Negro,* 58.)

Mandado — *de:*

''Mandado *de* intimação. Mandado *de* prisão.'' (Aulete.)

Mandato — *para:*

''Ele tem mandato *para* resolver quaisquer negócios da firma.''

Mando — *de, sobre; a, sob:*

''Fiara do renegado o mando *d*aquela ala, na qual também esvoaçava o pendão de Juliano.'' (Herculano, *Eurico,* 98.)

''Aos raros competentes incumbe o mando *sobre* o número inumerável dos insensatos.'' (Rui, *Cartas de Inglaterra,* 226.)

''Um esquadrão de cinqüenta praças do 9.º de cavalaria, *ao* mando *do* Capitão Pedreira Franco.'' (E. da Cunha, *Os Sertões,* 313.)

"Mais afastado ainda, no coice de toda a tropa, ia o grande comboio geral de munições, *sob* o mando direto *do* deputado do quartel-mestre-general." (E. da Cunha, *ob cit.*, 382.)

Maneira — *de; a, de, por:*

"Não vejo melhor maneira *de* solucionar a dúvida do Sr. Manuel Borba." (Aires da Mata Machado Filho, *Escrever Certo*, II, 166.) "E essas sondagens sucessivas da tolerância popular são, virtualmente, ... outras tantas maneiras *de* provocar o seu "veredictum" sobre o sistema que paulatinamente se desenvolve." (Rui, *Cartas de Inglaterra*, 325.) "Era uma maneira *de* escrever bastante complicada, que consumia grande quantidade de tempo e de espaço." (*Maravilhas do Conhecimento Humano*, II, 3.)

"Quem os emprega tem o ridículo propósito de falar *à* maneira clássica." (Júlio Nogueira, *O Exame de Português*, 58.) "E *à* maneira que o trem trotava parecia-lhe que toda a sua vida passada, Juliana, a casa, se esbatiam, se dissipavam num horizonte abandonado." (Eça, *O Primo Basílio*, 299.)

"*Da* mesma maneira e pelo mesmo processo." (Augusto Moreno, *Lições de Linguagem*, II, 11.) "*De* maneira que, ... no mesmo século e quase pelos mesmos anos, tiveram seu infausto nascimento as maiores duas pestes do mundo." (Vieira, *Sermões*, IX, 185.)

"Julgo pagar, *pela* maneira que em mim cabe, tão lisonjeiro acolhimento." (C. de Figueiredo, *Lições Práticas*, I, 12.) "Estilo é a maneira pessoal *por* que cada autor arranja as palavras e as frases de sua composição." (Júlio Nogueira, *O Exame de Português*, 18.)

Mangação — *com:*

"Não admito mangação *com*igo!" "— Bruxarias?!... Bata na boca, Romana, para não ser castigada. *Com* santo não se faz mangação." (Domingos Olímpio, *Luzia-Homem*, 143.)

Manhoso — *em:*

"Era sagaz e manhoso *em* seus negócios." (Barros, *apud* Aulete.)

Mania — *de, por:*

"Silviano tem a mania *de* batizar cada pessoa com o nome que lhe apraz." (Ciro dos Anjos, *O Amanuense Belmiro*, 52.)

"A sua mania *pelas* plantas levou-o à ruína." (Fr. D. Vieira.)

Manifestação — *a, contra, de:*

"Os militares, naturalmente interessados pela sorte do camarada, viam nas estrondosas manifestações *a* Rui uma afronta aos quartéis." (Luiz Viana Filho, *A Vida de Rui Barbosa*, 252.)

"Carta que eu teria escrito para aí a ambos, acerca da candidatura presidencial, convidando-os a me acompanharem na minha manifestação *contra* o Dr. Davi Campista." (Rui, *Cartas Políticas e Literárias*, 152.) "Foi imponente a manifestação do país *contra* as idéias reacionárias." (Aulete.)

"A manifestação *da* sabedoria." (Fr. D. Vieira.) "Achava-se entre estes um cristão-novo, ao qual escaparam da boca manifestações imprudentes *de* incredulidade." (Herculano, *apud* Aulete.)

Manifestado — *em:*

"À notória mordacidade de Luís de Camões atribuía Manuel Machado as poucas medranças do poeta na pátria d'onde se vira obrigado a sair na baixa posição de soldado reinol para a Índia, porque, pelo seu gênio cáustico, manifestado *em* poesias que se não conhecem, ... alheara de si a estima dos fidalgos que o consideravam." (Camilo, *Boêmia do Espírito*, 190.)

Manso — *de:*

"Manso *de* palavras e humilde de coração." (Rebelo da Silva, *apud* Aulete.)

Mantenedor — *de:*

"Ministros mantenedores *da* igualdade." (Dic. de Morais.) "Ria-se dos olhos redondos e pasmados que abrira o capitão do mar, vendo-se designado para mantenedor *de* damas." (Rebelo da Silva, *Contos e Lendas*, 209.)

Mantido — *em, por:*

"Fora fundada (a república), consolidada no seu prestígio, mantida *no* regime civil, restaurada nas suas finanças." (Afrânio Peixoto, *A Esfinge*, 167.) "Estaríamos ainda hoje mantidos *num* embrutecimento que faculta a exploração e esquece a liberdade." (Idem, *ibidem*, 398.)

"Tantas virtudes, mantidas *pelo* trabalho, são sobeja honra à memória do marido de D. Mariana." (Camilo, *A Neta do Arcediago*, 113.)

Mantimento — *de:*

"Dali foi à câmara, onde os vereadores debatiam a proposta, e defendeu-a com tanta eloqüência, que a maioria resolveu autorizá-lo ao que pedira, votando ao mesmo tempo um imposto destinado a subsidiar o tratamento, alojamento e mantimento *dos* doidos pobres." (M. de Assis, *Papéis Avulsos*, 5.)

Manutenção — *de, em:*

"A manutenção *da* disciplina." (Fr. D. Vieira.) "Para manutenção *da* defesa dos meus reinos." (Dic. de Morais.)

"Manutenção de alguém *num* cargo, *num* emprego."

Máquina — *de, para:*

"Era um íntimo confidente do Marquês de Montezellos, e uma cega máquina *das* suas vinganças." (Camilo, *Mistérios de Lisboa,* I, 129.) "Máquina *de* costura." "Máquinas *de* vapor."

"Máquina *para* fazer cálculos aritméticos."

Maquinação — *contra:*

"Maquinação criminosa *contra* a existência da monarquia." (Rui, *Colunas de Fogo,* 177.) "Cartas que acabamos de ver .... nos levam a recear que a sabedoria da maquinação odiosa *contra* os nossos soldados exceda a expectativa dos seus autores." (Idem, *Queda do Império,* I, 148.)

Maravilha — *de, para:*

"Fez dos cinco panos dotais uma maravilha *de* cenografia larga, na sua maneira italiana." (Fialho de Almeida, *Os Gatos,* 261.)

"Afável e pronta nas suas respostas, sorrindo até a ditos que não tinham direito a risos, Branca, maravilha *para* todos, poderia ser tida como febril, para um, dentre tantos, que pudesse vê-la no seu passado." (Camilo, *Livro Negro,* 106.)

Maravilhado — *ante, com, de, em, por:*

"O passageiro, maravilhado *ante* a grandeza do edifício, pára, medita, se o coração lhe propende a coisas tristes, absorve-se em contemplação vaga, se a poesia o dotou das suas melancólicas abstrações." (Camilo, *Livro Negro,* 127.)

"Ficou maravilhado *com* o progresso do aluno."

"Ainda que maravilhado *de* ver aquela decrepitude proceder com tanto desembaraço e força fácil, o orgulho, que o dominava, não consentiu em arrependimento." (C. Neto, *Imortalidade,* 60.) "João da Cunha, maravilhado *da* mansidão de seu filho, visitou-o, indenizando-o com afagos de asperezas que precederam a sua entrada no colégio." (Camilo, *A Neta do Arcediagó,* 20.)

"Ficou maravilhado *na* beleza do panorama."

"Maravilhado *pelo* espetáculo que presenciava, não disse palavra." "Um operário russo ficou certa vez maravilhado *por* saber que os franceses usavam eletricidade. Haviam-lhe ensinado que somente os russos conheciam a eletricidade." (*Maravilhas do Conhecimento Humano,* I, 98.)

Marcado — *com, de, em:*

"Não soube erguer a fronte, embora marcada *com* o estigma da deslealdade, e dizer ao seu acusador e juiz: — mentes." (Camilo, *Cenas da Foz,* 21.)

"A casa de D. Inês estava para sempre marcada *de* mistério." (J. Lins do Rego, *Usina,* 105.) "Remontava de dentro do cofo das palhas arqueadas para sondar a escuridão do caminho, apenas marcado *de* reflexos no negro luzente de um veludo mais novo." (Alberto Rangel, *Fura-Mundo,* 180.) "Igreja cheia de ex-voto, pernas, braços, mãos e cabeças, modelados em cera, ou toscamente esculpidos em madeira, vistosamente coloridos e marcados *de* chagas hediondas." (Domingos Olímpio, *Luzia-Homem,* 113.)

"Repara nas muitas pegadas, que em todos os sentidos ficam marcadas *na* areia da estrada." (Taunay, *Inocência,* 11.) "Pagando o artefato pela exorbitância das oito libras marcadas *na* tabela." (Fialho de Almeida, *Os Gatos,* 295.)

Marginal — *a:*

"À sua borda, como à de todas as ipueiras marginais *à* estrada, sesteavam dezenas de feridos, e acampava a recovagem dos comboios." (E. da Cunha, *Os Sertões,* 525.)

Martírio — *de, para:*

"Sofreu o martírio *de* assistir à sua própria derrota."

"O sarau daquela noite fora *para* ela um longo martírio." (Herculano, *O Bobo,* 52.) "Na Índia há martírios *para* os que proclamam o vosso nome." (Camilo, *Mistérios de Lisboa,* II, 232.)

Mascarado — *com, de:*

"A maledicência, mascarada *com* os momos e trejeitos da religião, criminava o inqualificável procedimento da Condessa de Santa Bárbara." (Camilo, *Mistérios de Lisboa,* I, 189.)

"E ele agarrou-se ao carro, morcegando-o, com todo o ridículo dos impulsos sublimes, mascarado *da* lama dos vales espaçados." (J. Américo de Almeida, *O Boqueirão,* 199.) "Eu era ainda uma criança quando o Marquês de Montezellos, mascarado *de* uma hipocrisia astuciosa, me veio perturbar nos meus desvarios de rapaz." (Camilo, *Mistérios de Lisboa,* I, 158.)

Mascavado — *de:*

"Ignoravam-se estas inglesias e francesismos da atualidade mascavada *de* idiomas com que um qualquer modesto noticiarista .... nos está conversando num salão de Regent-Street." (Camilo, *Boêmia do Espírito,* 10.)

Matéria — *a, de, para:*

"O "Código Civil" e a "Lei Preliminar" .... na Alemanha, foram matéria *a* dois decretos independentes." (Rui, *Réplica,* 66.)

"Isso constitui matéria *de* pesquisas antropológicas e históricas." (João Ribeiro, *Curiosidades Verbais,* 44.) "São modelo universal, matéria inesgotável *de* comparações, inextinguível fonte de exemplos." (Mário Barreto, *Cartas Persas,* 104.) "Uma oposição constitucional, que em matéria *de* reformas, não ultrapassava a raia traçada pela sanção do próprio imperador." (Rui, *Queda do Império,* I, XIV.)

"Na família antepassada deste homem há crimes que dariam matéria *para* um romance sanguinário." (Camilo, *apud* Aulete.)

Material — *de, para:*
"Material *de* guerra."
"Imporia sacrifícios extraordinários e heróicos, desde a aquisição do material *para* o ensino prático da realidade, até à educação laboriosa e dificílima do pessoal adequado." (Rui, *Queda do Império*, I, 295.)

Matrícula — *em:*
"Ainda não conseguiu sua matrícula *na* Faculdade de Direito."

Matrimoniado — *com:*
"Se este desgraçado pressuposto se realizar, V. S.ª não será demasiado iníquo desconfiando que está matrimoniado *com* uma senhora que tem nas veias um litro de sangue de macaca." (Camilo, *Boêmia do Espírito*, 156.)

Mau — *com, para, para com:*
"Antes ser mau *com* a pobre mulher que não sentiu os braços presos para ser má esposa.... não é assim?" (Camilo, *A Neta do Arcediago*, 12.) "Tenho pressentimento que você sofre mais porque tem sido mau e injusto *com* ela." (Afrânio Peixoto, *A Esfinge*, 279.)
"Más notícias? — *Para* uns más, para outros excelentes." (Fialho de Almeida, *Os Gatos*, 211.) "Entendeu que uma vontade superior à dele o obrigava a ser mau *para* os outros." (Camilo, *A Neta do Arcediago*, 96.) "Tudo isto era mau *para* Francisquinha, que não ousou nunca revelar o segredo do seu amor a seu pai." (Idem, *Mistérios de Lisboa*, I, 258.)
"Penso que lhe devemos muito ao generoso Fernando, porque eu fui mau *para com* ele." (Camilo, *Estrelas Propícias*, 136.)

Má-vontade — *contra:*
"Paulo trazia visível irritação, agora comigo mesmo, arrependido de ter deixado escapar na presença de Lúcia a má-vontade *contra* aqueles importunos." (Afrânio Peixoto, *A Esfinge*, 144.)

Mediação — *entre:*
"Malogrou-se a mediação *entre* os legalistas e os revolucionários paraguaios."

Mediador — *entre:*
"Cristo é o mediador *entre* Deus e os homens." (Fr. D. Vieira.) "Vira o médico uma noite no teatro em companhia do marido; indagara e soube que eram amigos; pedia-lhe que fosse mediador *entre* os dois, que a salvasse e que reconstruísse uma família." (M. de Assis, *Contos Fluminenses*, 123.)

Medianeiro — *em, entre:*
"Esta mulher, medianeira *em* obras grandemente caritativas de Fr. Lázaro, sabia do próximo umas misérias de tal tamanho ...." (Camilo, *A Enjeitada*, 48.) "Sempre foi medianeiro *em* pendências." (Dic. de Morais.)
"A virtude não é senão uma medianeira *entre* dois extremos." (Fr. D. Vieira.)

Mediania — *de, em:*
"Mediania *de* condição, *de* fortuna, *de* talento." (Constâncio.)
"Mediania *no* engenho, *na* erudição, *no* juízo." (Fr. D. Vieira.)

Mediano — *de, em:*
"Mediano *de* estatura; mediano *de* haveres."
"Mediano *no* talento, *nas* aspirações."

Medicamento — *contra:*
"Medicamento *contra* as hemorragias."

Medida — *a respeito de, contra, em:*
"O governo devia até tomar uma medida séria *a* esse *respeito*." (Aluísio Azevedo, *O Mulato*, 37.)
"Medidas mais repressivas *contra* a imigração." (Rui, *Colunas de Fogo*, 92.) "Medidas repressivas *contra* a liberdade de imprensa." (Idem, *Cartas de Inglaterra*, 322.)
"Nos volumes desta coleção encontram-se dois remédios eficazes: justa medida *nas* leituras propostas aos nossos rapazes, e notas oportunas." (Mário Barreto, *Através do Dicionário e da Gramática*, 216.)

Mediocridade — *de, em:*
"Mediocridade *de* bens, posses, talento." (Constâncio.)
"É mister guardar a mediocridade *em* todas as coisas." (Fr. D. Vieira.)

Meditação — *sobre:*
"Uma hora de silenciosa meditação *sobre* aquele bilhete, revelava um encontro inesperado." (Camilo, *Mistérios de Lisboa*, II, 174.) "A sensualidade ia-lhe arrefecendo à maneira que o espírito se lhe ocupava em meditações *sobre* o futuro." (Idem, *A Neta do Arcediago*, 137.)

Medo — *a, de:*
"Este medo *aos* juízos de Deus, o medo *à* morte." (Mário Barreto, *Através do Dicionário e da Gramática*, 355.) "Teve mais medo *à* lama que *às* balas." (Rui, *Cartas de Inglaterra*, 258.) "A idéia pareceu-lhe bonita e profunda, e ele a fez gravar no frontispício da casa; mas, como tinha medo *ao* vigário, e por tabela ao bispo, atribuiu o pensamento a Benedito VIII." (M. de Assis, *Papéis Avulsos*, 7.)
"Não deixarei de usar do verbo 'obrar' só por medo *de* descontentar a certos críticos." (Mário Barreto, *Cartas Persas*, XXII.) "Não foi medo *do* tal chantre que me conteve." (Camilo, *A Enjeitada*, 85.)

Medonho — *com, de:*
"D. Dondon ficou medonha *com* a notícia da surra em Feliciano." (J. Lins do Rego, *Usina*, 171.)
"Dava um tamanho grito, que era coisa medonha *de* ouvir, e muito para temer." (Fernão M. Pinto, *apud* Fr. D. Vieira.)

Medroso — *de:*
"E os seus fazendeiros, medrosos *do* abolicionismo, venderam os (escravos) que puderam para o Sul." (Gustavo Barroso, *Terra de Sol*, 170.) "Medrosos *do* grande poder de Castela." (Dic. de Morais.) "Jafé e Sem, não atendiam a nada, e estavam com os olhos no chão, medrosos *de* encarar seu pai." (M. de Assis, *Papéis Avulsos*, 136.)

Meigo — *com, de, para, para com:*
"Meigo *com* alguém." (E. Carneiro Ribeiro, *Tréplica*, 579.)
"Era um jovem, lindo e airoso, meigo *de* feições, e simples." (C. Neto, *A Cidade Maravilhosa*, 77.)
"Meigo *para* alguém ou *para com* alguém." (E. Carneiro Ribeiro, *Tréplica*, 579.)

Meiguice — *com, para com:*
"Meiguice *com* os filhos ou *para com* os filhos."

Meio — *a, de, para; a, com, em, por:*
"Em meio *aos* cuidados assoberbadores de uma situação ainda oscilante entre o antigo e o novo regime." (Rui, *Réplica*, 61.)
"Em semelhantes casos, a fonética histórica é o mais seguro meio *de* averiguação que nos é possível utilizar." (Mário Barreto, *Através do Dicionário e da Gramática*, 90.) "Deixava-me exposto à malignidade dos meus inimigos, e privava-me dos meios *de* lhes aparar os golpes." (Mário Barreto, *Cartas Persas*, 13.) "Não tenho podido achar um meio *de* lhe escrever." (Camilo, *Mistérios de Lisboa*, I, 42.) "Ficando sós, saíram também os dois rapazes e seguiram pela rua do Ouvidor acima, ambos calados. Mendonça pensava em Margarida; Andrade pensava nos meios *de* entrar na confidência de Mendonça." (M. de Assis, *Contos Fluminenses*, 18.)
"Preciso de meios *para* viver." (Rui, *Réplica*, 222.) "A declinação do pronome .... ministra um meio expedito e seguro *para* se conhecer o ofício duma palavra na oração." (Mário Barreto, *Através do Dicionário e da Gramática*, 86.) "Não desdenhava qualquer meio *para* chegar mais depressa aos fins." (Aluísio Azevedo, *O Mulato*, 45.) "Preciso de meios *para* viver." (Rui, *Réplica*, 222.) "A declinação do pronome ....ministra um meio expedito e seguro *para* se conhecer o ofício duma palavra na oração." (Mário Barreto, *Através do Dicionário e da Gramática*, 86.) "Não desdenhava qualquer meio *para* chegar mais depressa aos fins." (Aluísio Azevedo, *O Mulato*, 45.) "— Queres dizer .... que a tua nova resolução de há pouco foi um meio astucioso *para* me arrancares o segredo!?" (Camilo, *Livro Negro*, 115.)

"*A* meio *do* vale a terra apareceu-lhe parcelada em pequenos ilhéus." (Aquilino Ribeiro, *A Batalha sem Fim*, 61.) "*Ao* meio *da* encosta, já combalido de tantas e tão grandes emoções, tombou por terra, sem forças." (João Ribeiro, *Floresta de Exemplos*, 210.)
"Se me tivesse negado os meios *com* que nutrem os vícios, eu não seria vicioso." (Camilo, *A Neta do Arcediago*, 29.)
"E *em* meio *d*eles eu solitário e só!" (Garrett, *apud* Aulete.)
"Atrair *por* meio de seduções e recompensas." (Rebelo da Silva, *apud* Aulete.)

Melancolia — *para:*
"E de envolta com objetos de tão suave melancolia *para* a alma do poeta, assombrado pelo mistério, via-se um punhal de luzente aço, e cabo de ouro." (Camilo, *Livro Negro*, 77.)

Melancólico — *por:*
"Então nossa alma, amachucada pelos adeuses da despedida, melancólica *pelo* afastamento, dorida pela ausência, começa a sentir chover em si uma morrinha lenta de mágoas imprecisas." (Antero de Figueiredo, *Jornadas em Portugal*, 6.)

Melhor — *de, para, que:*
"Melhor, porém, *do* que eu poderão avaliar os que mais do que eu se acharem preparados para percorrer este livro." (Rui, *Cartas de Inglaterra*, 103.)
"A vida era triste, mas sempre era melhor *para* elas que a tristeza do engenho." (J. Lins do Rego, *Usina*, 101.)
"Este instrumento é melhor *que* o outro." (Constâncio.)

Melhora — *de, em:*
"Eu cá lhe rezava três (salve-rainhas) pelas melhoras *do* peito." (Eça, *O Primo Basílio*, 81.)
"Melhora *no*s negócios." "Melhora *na* demanda." (Morais.)

Melhorado — *de, em, por:*
"Melhorado *de* fortuna, *de* posição."
"Vão (as 'Lições') melhoradas *no* estilo, corrigidas na doutrina." (Sousa da Silveira, *Lições de Português*, 11.)
"Tornados estáveis (os produtos) pela seleção ou melhorados *pe*la variação." (Afrânio Peixoto, *A Esfinge*, 207.)

Melhoria — *de, em, sobre:*
"Viam a melhoria *do* seu estado." (Dic. de Morais.)
"Melhoria *no* preço." (Constâncio.) "Ter melhoria *na* graça do rei." (Dic. de Morais.)
"Os mouros, costumados aos ardores do sol africano, ... levariam decidida melhoria *sobre* os nossos." (Rebelo da Silva, *apud* Aulete.)

Memória — *de, para, sobre; a, em por:*
"Fazer memória *de* alguma coisa, trazê-la à lembrança." (Aulete.)

"Temos muito mais memória *para* conservar as coisas do passado, explicou o Rocha; engenho para renová-las, nenhum." (Xavier Marques, *As Voltas da Estrada*, 53.) "Outro (livro) a memória *sobre* a "Literatura Espanhola em Portugal", de Sousa Viterbo, bibliografando quanto pôde alistar de obras castelhanas impressas nos prelos portugueses." (Ricardo Jorge, *Sermões dum Leigo*, 178.)

"Padrão levantado *à* memória *da* liberdade e igualdade, e às tradições da civilização antiga." (Herculano, *O Bobo*, 31.) "José do Tabuado .... propôs uma ovação *à* memória de Liberata." (Camilo, *A Neta do Arcediago*, 169.)

"Para que o prêmio fosse proporcionado não só ao martírio senão também à causa, *em* memória da Trindade deu-lhe o domínio dos raios." (Vieira, *Sermões*, IX, 179.)

"Nem ruínas deixarão *por* memórias." (Dic. de Morais.)

Menção — *de:*

"Se fez menção *da* terra, *da* água e *do* ar, por que a não fez *do* fogo?" (Vieira, *Sermões*, IX, 170.) "Alguns faziam menção *de* subir." (J. Américo de Almeida, *A Bagaceira*, 12.) "Tirou o largo chapéu de couro e, ingenuamente, fez menção *de* sentar-se." (E. da Cunha, *Os Sertões*, 563.)

Mencionado — *em:*

"Um fato mencionado *nas* crônicas." (Fr. D. Vieira.) "Camilo usou muitos dos galicismos mencionados *no* famoso 'Glossário' de Fr. Francisco de S. Luiz." (Mário Barreto, *Através do Dicionário e da Gramática*, 283.)

Mendigo — *de:*

"Devota, e caritativa com os pobres de pão, não o era menos com os mendigos *de* consolações." (Camilo, *Mistérios de Lisboa*, I, 24.)

Menor — *de:*

"Para o casamento dos menores *de* 21 anos, sendo filhos legítimos, é mister o consentimento de ambos os pais." (*Cód. Civ. Brasileiro*, art. 185.)

Menos — *de, que:*

"Ali acantonaram as 943 praças, 14 oficiais combatentes e 3 médicos. Menos *de* uma brigada, pouco mais de um batalhão completo." (E. da Cunha, *Os Sertões*, 255.)

"Não menos *que* dois modernos clássicos se abalançaram, sem receio, a esse atrevimento." (Rui, *Réplica*, 254.)

Menoscabado — *por:*

"É o que se requer que seja o mártir do amor, o soldado ardido, o talento menoscabado *pela* camarilha dos reis." (Camilo, *Boêmia do Espírito*, 174.)

Menoscabo — *de:*

"Menoscabo *da* própria opinião." (Constâncio.) "Tenho por menoscabo *da* pessoa de Cristo querer pequenos bens dele, tendo ele feito tanto por nós." (Dic. de Fr. D. Vieira.) "O poeta gastava à medida dos proventos e talvez o que licitamente podia dispensar sem menoscabo *da* sua retidão." (Camilo, *Boêmia do Espírito*, 192.)

Menospreço — *de, por:*

"Menospreço *de* alguém ou *por* alguém."

Menosprezo — *de, por:*

"Demonstrar menosprezo *de* uma pessoa ou *por* alguém."

Mensura — *de:*

"Não se excede a pena a mensura *da* culpa, nem havida nem provada, mas ainda, esquecida a lei, pela qual não há degredo nem um assinado para a Índia, fez como todos se lembrassem da causa, por que a lei se esquecia." (Camilo, *Boêmia do Espírito*, 103.)

Mercância — *de:*

"Outros tinham-no em conta de um aventureiro, que enriqueceu na mercância ignóbil *da* escravatura." (Camilo, *Mistérios de Lisboa*, I, 191.)

Merecedor — *de:*

'Merecedor *de* recompensa, glória, pena, castigo." (Constâncio.) "Merecedor *de* elogios, de punição." (E. Carneiro Ribeiro, *Serões Gramaticais*, 674.)

Merecimento — *em:*

"Os outros reduzem a zero o meu merecimento *nessa* transformação." (Rui, *Cartas de Inglaterra*, 211.)

Mergulhado — *em:*

"As estátuas alegóricas, circumpostas outrora no rebordo do tanque, estavam mergulhadas *em* lodo." (Camilo, *A Enjeitada*, 245.) "Não me fugiu, não se moveu, tinha os olhos mergulhados *nas* trevas onde me vira." (Idem, *Cenas da Foz*, 139.) "Estar afastado de Versalhes era estar privado da luz do dia e ser mergulhado *na* mais negra noite." (*Maravilhas do Conhecimento Humano*, I, 73.)

Mergulho — *em:*

"A água estava tão baixa, tão desfeita, que parecia que o rio tinha dado também um mergulho *na* areia." (J. Américo de Almeida, *O Boqueirão*, 148.)

Mérito — *de, em:*

"Não tinham (aqueles povos) merecido a Deus o mérito *do* batismo." (Dic. de Morais.) "O poder pessoal, que era vício antigo, teve nessa ocasião, o mérito *de* votar-se a uma reforma gloriosa." (Rui, *Queda do Império*, I, 19.)

"Mérito *em* ser honesto têm os pobres, que ganham laboriosamente a vida." (Medeiros e Albuquerque, *Quando Eu Era Vivo*, 77.)

Mescla — *com, de:*
"Não quero mescla *com* semelhante criatura."
"Mescla *de* tintas." (Constâncio.) "Pasmosa mescla *de* virtudes e atrocidades." (Garrett, *apud* Aulete.) "A população de Amparo constituíra-se, como a de todo o país, pela mescla *de* três sangues: o europeu, o africano e o americano." (Xavier Marques, *As Voltas da Estrada,* 49.)

Mesclado — *a, com, de:*
"Ais e suspiros mesclados *ao* canto mavioso."
"Lezírias ribatejanas, chatas, verdecidas, intérminas, acolá e além mescladas *com* manchas cinzentas." (Antero de Figueiredo, *Jornadas em Portugal,* 23.)
"A condenação! Um mito de sofrimentos, mesclado *de* prazeres, que o mundo reputa excentricidades!" (Camilo, *Mistérios de Lisboa,* I, 218.)

Mesquinharia — *com, em:*
"É revoltante sua mesquinharia *com* os filhos."
"Deixe de mesquinharia *nas* despesas domésticas."

Mesquinhez — *com, de, em:*
"Sua mesquinhez *com* os empregados é notória."
"Mesquinhez *de* ânimo, *de* valor."
"Mostrou grande mesquinhez *na* organização da festa."

Mesquinho — *com, em:*
"É mesquinho até *com* os necessitados."
"Este estilo de cabeça não era mesquinho *em* figuras. Os períodos eram artisticamente arredondados." (Camilo, *A Neta do Arcediago,* 109.)

Mestiçagem — *com:*
"A primeira mestiçagem *com* o africano operou-se na metrópole." (E. da Cunha, *Os Sertões,* 91.)

Mestre — *de, em:*
"Pode o Sr. A. Rocha empregar a palavra ' confortável ' fundando-se na autoridade de Camilo e Garrett, que eram mestres *da* língua." (Mário Barreto, *Através do Dicionário e da Gramática,* 69.) "Mestre *de* obras." (Morais.)
"E ali se ajuntavam .... acafeladores e mestres *em* alfagemaria e *em* obras de couro." (C. Neto, *Imortalidade,* 111.) "Reflexiono que Soares Barbosa, mestre *em* gramática, não é como prosador tão apontado modelo." (Rui, *Réplica,* 274.) "Querubina é sonsa de natureza e meu tio tem a idade de lhe ser mestre *na* impostura." (Alberto Rangel, *Fura-Mundo,* 279.) "Que estranha combinação foi ele (François Villon) de bestialidade e de sublimidade! Aos vinte anos era mestre *em* surripiar bolsas de dinheiro; aos vinte e cinco matou um padre; aos trinta era o chefe de uma quadrilha de meliantes. Contudo durante todo esse tempo escreveu poemas que ficaram c a n t a n d o na memória e no coração do mundo." (*Maravilhas do Conhecimento Humano,* II, 64.)

Mestria — *de, em:*
"A sua mestria, porém, *da* arte da guerra supria estas faltas." (Herculano, *O Bobo,* 16.)
"O seu vigor prático, o seu gênio industrial, a sua mestria *nas* ciências da matéria ...." (Rui, *Cartas de Inglaterra,* 51.)

Meticuloso — *em:*
"Era extremamente correto de modos, sempre muito meticuloso *no* trajar." (Medeiros e Albuquerque, *Quando Eu Era Vivo,* 152.) "Meticuloso *em* escrúpulos de forma." (Rui, *Réplica,* 54.)

Metido — *a, com, em, entre, por, sob:*
"Metido *a* sábio; metido *a* grande." "Cidade metida *a* saco." (Morais.)
"No largo do Capim, defendera a Anastácia, uma velha coxa e torta, amparada ao seu bordão de ataúba, que andara sempre metida *com* soldados." (Alberto Rangel, *Fura-Mundo,* 62.)
"Metido *em* grandes empresas, metido *nas* encóspias." (E. Carneiro Ribeiro, *Serões Gramaticais,* 675.) "Brício anda sempre metido *em* questões com meio mundo." (C. Neto, *A Cidade Maravilhosa,* 24.) "Passava as noites em claro, metido *no* laranjal e procurando uma solução a tanta dificuldade." (Taunay, *Inocência,* 148.)
"Desde que a Espanha se republicanize, teremos Portugal metido *entre* dois fogos." (Fialho de Almeida, *Os Gatos,* 107.) "E aqui se viu Catarina metida *entre* dois extremos os mais repugnantes à natureza e ainda à mesma graça." (Vieira, *Sermões,* IX, 115.)
"Ela sentia que era perigoso estarem os meninos metidos *pela* fábrica. Aquela maquinaria não tinha nada da mansidão dos banguês." (J. Lins do Rego, *Usina,* 75.)
"A convulsão do vento trouxe a Luciano, metido *sob* o cobertor, recordações confusas de um trecho quase esquecido da vida." (Guilhermino Cesar, *Sul,* 47.)

Método — *de, para:*
"Não vem desorientá-lo um método novo *de* interrogar." (Rui, *Queda do Império,* I, 417.) "Poderia responsabilizar-me por esta idéia perante a ciência, porque a ciência é o método *de* não saber nada, fora do tato, da conjetura e do microscópio." (Camilo, *Boêmia do Espírito,* 179.) "De oitiva, com o tempo, irás sabendo a que leis, casos e fenômenos responde toda essa terminologia; porque o método *de* interrogar os próprios mestres e oficiais da ciência, nos seus livros, estudos e memórias, além de tedioso e cansativo, traz o perigo de inocular idéias novas, e é radicalmente falso." (M. de Assis, *Contos Fluminenses,* 99.)

"Foi impresso em 1763 o método *para* aprender e estudar a medicina." (Camilo, *Perfil do Marquês de Pombal,* 89.)

Mimo — *com, de; de, por:*

"Esse exagerado mimo *com* o filho põe-no a perder."

"A rosa é o mimo *do* olfato." (Fr. D. Vieira.) "O mimo *dos* meus olhos." (Constâncio.)

"Aqui mando *de* mimo ao Sr. Venâncio os seguintes exemplos de um dos mais eruditos romancistas." (Mário Barreto, *Através do Dicionário e da Gramática,* 177.)

"Se da mão paternal pudesses receber *por* mimo um tal esposo." (Castilho, *apud* Aulete.)

Mimoso — *de:*

"Era de estatura mais que meã, refeita, robusta na aparência, mimosa *de* pele, mas não alvíssima." (Camilo, *Estrelas Propícias,* 12.) "Tão justo povo devia ser mimoso *dos* deuses." (Mário Barreto, *Cartas Persas,* 25.)

Minado — *de:*

"Gasto de orgias, minado *de* tédio, deixara Lisboa ruidosa e fora buscar, no sossego de Coimbra «onde havia intelectualidade», um canto calado e aprazível." (C. Neto, *Treva,* 8.)

Minguado — *de:*

"A loja estava minguada *de* gêneros, e a freguesia ia-se mudando para onde a abundância convidava à escolha." (Camilo, *As Três Irmãs,* 157.) "Custou-lhe muito acomodar-se àquela nova vida numa casa minguada *de* tudo em confronto do seu solar, onde tudo sobrava." (Antero de Figueiredo, *Amor Supremo,* 236.) "Educado nessa escola de sinceridade moral e liberdade constitucional, que, *in illo tempore,* não era escassa de mestres, nem minguada *de* alunos, entrei em cheio na vida pública." (Rui, *Queda do Império,* I, XIII.)

Minorativo — *a:*

"Demonstram-no-lo as sucessivas cartas régias que .... apareceram como minorativo *à* ganância dos colonos." (E. da Cunha, *Os Sertões,* 89.)

Minucioso — *a respeito de, em:*

"Bluteau, minucioso como se sabe *a respeito* *das* formas antigas, dessa não faz memória." (Rui, *Réplica,* 381.)

"O ministro foi muito minucioso *na* parte referente à situação econômica do país."

Mira — *de, em:*

"Martins por lá passou, com a mira essencial *de* observar o aerólito, que tombara à margem do Bendegó." (E. da Cunha, *Os Sertões,* 27.)

"Ter a mira *em* alguma coisa. ter intento nela." (Morais.)

Miséria — *de:*

"As poucas (pedras) achadas vendem-se por uma miséria *de* preço." (Afrânio Peixoto, *Bugrinha,* 175.)

Misericórdia — *com, de, para, para com:*

"Não se pode ter misericórdia *com* semelhante gente."

"Tende misericórdia *de* mim." (Constâncio.) "Tem misericórdia *de* tua alma, e agradarás a Deus." (Dic. de Morais.)

"No bem que umas e outras receberem, alguma coisa falará de mim, pelo menos ao Deus que não esquece, refletindo-se em um pouco de misericórdia *para* os herdeiros de meu nome e a companheira de minha vida." (Rui, *Discursos e Conferências,* 324.)

"Ter misericórdia *para com* os desgraçados."

Misericordioso — *com, para com:*

"Ser misericordioso *com* os pobres ou *para com* os pobres."

Missa — *de, por:*

"Missa *das* almas." (Morais.) "No dia seguinte ao da missa *do* sétimo dia, Tadeu .... despediu-se da mãe e da irmã." (C. Neto, *Miragem,* 40.)

"O povo conjeturou que o frade ia ali dizer missa *por* alma do magistrado." (Camilo, *A Enjeitada,* 41.)

Mistério — *de, sobre:*

"O seu próprio tamanho, a solenidade das suas pompas, o mistério *dos* seus recursos dir-se-iam outros tantos aspectos de ameaça." (Rui, *Cartas de Inglaterra,* 206.)

"Ao cabo de algum tempo, já era acolhido como pessoa de casa e não se fazia mistério *sobre* os motivos que ali o levavam." (Gastão Cruls, *História Puxa História,* 64.)

Misterioso — *com, para:*

"Algumas vezes perguntei pela suposta D. Maria: D. Antônia, em suas respostas, era sempre misteriosa *com* ela." (Camilo, *Mistérios de Lisboa,* I, 29.)

"Nesta idade parecia-me temeridade e falta de respeito interrogar o padre acerca de segredos de minha mãe, particularmente aqueles que a sua linguagem soube colorir de um toque misterioso *para* mim." (Camilo, *ob. cit.,* 109.)

Mistura — *a, com, de, em:*

"Nascem todos na obscuridade de lagos e igarapés, de mistura *aos* matupás." (Alberto Rangel, *Fura-Mundo,* 176.)

"Era muito soberbo e muito odiado, de mistura *com* seu tio." (Camilo, *Perfil do Marquês de Pombal,* 20.)

"Estas almas fracas e vãs cuja vida é uma mistura perpétua *de* bem e *de* mal." (Aulete.) "Era a mais completa mistura *da* crença católica *às* abusões sertanejas.'' (Gustavo Barroso, *Terra de Sol,* 161.)

''Houve mistura *de* verbos diferentes *numa* só conjugação.'' (Sousa da Silveira, *Lições de Português,* 57.)

Misturado — *a, com, de:*

''Um rangido de selim novo, misturado *ao* tropel e *ao* ofêgo de um cavalo, que vencera a ladeira, lhe chamou a atenção para fora.'' (Afrânio Peixoto, *Bugrinha,* 87.) ''Simpatia intensa, misturada *a* maior curiosidade, prendeu-a àquela figura.'' (Idem, *A Esfinge,* 375.) ''Perto dos cavalinhos encontrei Isidoro misturado *a* uma leva de matutos.'' (Graciliano Ramos, *Caetés,* 200.)

''Via a filhinha precisando dos seus cuidados, misturada *com* as outras, ela que era tão cheia de vontades, sofrendo repreensões.'' (J. Lins do Rego, *Usina,* 70.) ''Sobressaíam gargalhadas misturadas *com* o vento como bramidos de animais desconhecidos.'' (J. Américo de Almeida, *A Bagaceira,* 80.) ''Sua ânsia, misturada *com* hesitação, inclinava-se a que tal declarar dissiparia aquelas vagas interferências intempestivas.'' (Antero de Figueiredo, *Amor Supremo,* 83.)

''Esta jornada tem qualquer coisa de história infantil, misturada *de* influências benéficas.'' (Herman Lima, *Outros Céus, Outros Mares,* 267.) ''Todas estas vertigens .... são misturadas *de* uma espécie de náusea de mim próprio.'' (Camilo, *A Neta do Arcediago,* 28.) ''Uma ironia benigna, misturada *de* piedade e *de* desejo.'' (Fialho de Almeida, *Os Gatos,* 58.) ''Valiam-lhe as consolações do que ele chamava filho, mas as consolações do moço eram quase sempre misturadas *de* lágrimas.'' (Camilo, *Livro Negro,* 58.)

Mitigado — *com:*

''Dor moral mitigada *com* esperanças.''

Miudeza — *acerca de:*

''Interrogou-o ela *acerca de* todas as miudezas concernentes à soltura de Betancur.'' (Camilo, *O Bem e o Mal,* 206.)

Mobiliado — *com, de:*

''Casas flutuantes .... ornadas e mobiliadas *com* todos os caprichos do conforto britânico.'' (Rui, *Colunas de Fogo,* 37.)

''Terreiro varrido, revestido de ramagens, mobiliado *de* cepos, e troncos, e raros tamboretes.'' (E. da Cunha, *Os Sertões,* 130.)

Moção — *contra:*

''O Congresso de Pernambuco, desatinado votou uma moção *contra* mim.'' (Medeiros e Albuquerque, *Quando Eu Era Vivo,* 111.) ''Grande maioria rejeitou a moção de Silveira Martins *contra* o ministério.'' (Luiz Viana Filho, *A Vida de Rui Barbosa,* 67.)

Modelado — *em, por:*

''Braços belamente modelados *em* jasmim-do-cabo.'' (Antero de Figueiredo, *Amor Supremo,* 19.)

''Lá se firmou logo um regime modelado *pela* religiosidade do apóstolo extravagante.'' (E. da Cunha, *Os Sertões,* 189.) ''Era (Adelaide) alta e bem proporcionada; tinha uma cabeça modelada *pelo* tipo antigo; a testa era espaçosa e alta, os olhos rasgados e negros, o nariz levemente aquilino.'' (M. de Assis, *Contos Fluminenses,* 60.)

Modelo — *a, de, em, entre; de, para, por:*

''Essa alternativa das labiais .... veio inconscientemente a servir de tipo e modelo *a* numerosas criações populares.'' (João Ribeiro, *Curiosidades Verbais,* 55.) ''Caso etimológico que serviu de modelo *aos* nomes da nossa língua.'' (Júlio Nogueira, *O Exame de Português,* 136.) ''Suas memórias .... serão modelo *às* gerações futuras.'' (Garrett, *apud* Aulete.)

''Fazia então umas pequenas quadras em forma de 'epitáfios', que eram modelos *de* perversidade.'' (Medeiros e Albuquerque, *Quando Eu Era Vivo,* 245.) ''Vão buscar precisamente na lição abominável desses fatos o modelo *dos* seus projetos e o objeto das suas aspirações.'' (Rui, *Queda do Império,* I, 223.)

''Nenhum dos dois é modelo, ou mestre, *em* questões de vernaculidade portuguesa.'' (Rui, *Réplica,* 480.)

''O trabalho, a oração e o estudo fizeram-na um modelo *entre* todas as suas companheiras.'' (Camilo, *A Neta do Arcediago,* 26.)

''Caso etimológico que serviu *de* modelo *aos* vocábulos portugueses.''

''No seu 'Romance de Amadis', que serve *para* modelo de linguagem castiça e correta ....'' (Mário Barreto, *Através do Dicionário e da Gramática,* 332.)

''Podiam ser apontados *por* modelos aos mais finos cavaleiros.'' (Rebelo da Silva, *Contos e Lendas,* 266.)

Moderação — *de, em:*

''A moderação *dos* afetos violentos.'' (Aulete.) ''As 'Cartas Persas' .... teriam podido bastar para a sua glória: pela profundeza das reflexões, pela moderação *dos* juízos, pela prudência das aspirações.'' (Mário Barreto, *Cartas Persas,* XII.)

''Moderação *no* comer, *nos* prazeres, *no* exercício da autoridade.'' (Constâncio.)

Moderado — *com, em, por:*

''Moderado *com* os inimigos.'' (Mário Barreto, *Cartas Persas,* 51.)

''Moderado *nas* ações, moderado *no* exercício da autoridade.'' (Constâncio.) ''Moderado *nos* desejos, *nas* aspirações.''

''As paixões moderadas *pela* razão.'' (Fr. D. Vieira.)

Modéstia — *de, em:*

"Teve a modéstia *de* esquivar-se às homenagens que lhe estavam sendo preparadas." "— E tenho a modéstia *de* confessar que o encontrei de mármore! É um homem que diz com termos delicados, a uma mulher: ‹não posso amá-la›." (Camilo, *Livro Negro*, 183.)

"Demonstra sóbria modéstia *no* trajar."

Modesto — *de, em:*

"Modesto *de* aspirações."

"Esta nossa querida língua portuguesa .... modesta *no* aspecto, dada no trato, grave no som." (Antero de Figueiredo, *Jornadas em Portugal*, 46.)

Modicidade — *de:*

"Baixeza ou modicidade *de* preços." (L. Freire, voc. *barateza*.) "A modicidade *da* sua receita não lhe permite fazer grandes despesas." (Fr. D. Vieira.)

Módico — *em:*

"É muito módico *nas* suas despesas." (Aulete.)

Modificação — *de, em:*

"Agora, que novamente se imprime o livro, novos melhoramentos lhe introduzi, de par com algumas ligeiras modificações *de* doutrina." (C. de Figueiredo, *Lições Práticas*, I, 18.)

"Vibrações de partículas imperceptíveis no objeto da nossa contemplação; .... modificações *do* sistema nervoso, *no* recipiente humano." (Rui, *Cartas de Inglaterra*, 83.)

Modo — *a, como, de, para; a, com, de, em, por:*

"Os caracteres geológicos e topográficos, a par dos demais agentes físicos, mutuam naqueles lugares as influências características de modo *a* não se poder afirmar qual o preponderante." (E. da Cunha, *Os Sertões*, 26.) "Eu não me sinto muito penetrado de admiração pelas primeiras providências de modo *a* considerá-las uma explosão de gênio." (Camilo, *Perfil do Marquês de Pombal*, 94.) "Uma espécie de automóvel formado de modo *a* recordar o projetil denominado torpedo." (Mário Barreto, *Através do Dicionário e da Gramática*, 163.) — Regência condenada por alguns puristas.

"Assim que do mesmo modo *como* os "Serões Gramaticais" abjuraram a "Gramática Filosófica", vêm agora as "Ligeiras Observações" abjurar os 'Serões Gramaticais'." (Rui, *Réplica*, 309.) "Em vez de indagar o modo *como* uma coisa se produz." (Idem, *Cartas de Inglaterra*, 195.)

"V. Ex.ª não pode caminhar voluntariamente ao termo final da sua vida, enquanto Deus lhe der modo *de* salvar-se da morte." (Camilo, *Mistérios de Lisboa*, I, 63.) "Não há dois modos *de* escrever a história; há um só: o da verdade." (Rui, *Queda do Império*, I, 361.)

"Naquele tempo, Itaguaí, que, como as demais vilas, arraiais e povoações da colônia, não dispunha de imprensa, tinha dois modos *de* divulgar uma notícia: ou por meio de cartazes manuscritos e pregados na porta da câmara e da matriz; — ou por meio de matraca." (M. de Assis, *Papéis Avulsos*, 21.)

"Parece-me que .... não fica outro modo *para* educar a nobreza e a fidalguia." (Camilo, *Perfil do Marquês de Pombal*, 88.)

"Cardos agarrados a pedras *ao* modo de tentáculos constritores." (E. da Cunha, *Os Sertões*, 254.) "Martelava uma placa metálica *a* modo de tambor de guerra." (João Ribeiro, *Curiosidades Verbais*, 134.) "Fica a olhar para ela *a* modo de estúpido." (M. de Assis, *apud* L. Freire.)

"Este é o modo *com* que Cristo vinga os agravos." (Vieira, *Sermões*, IV, 286.)

"Colocar *de* modo a causar contraste." (Aulete, voc. *opor*.) "Não podendo *de* outro modo fugir e escapar de seu pai, e do matrimônio nobilíssimo concertado por ele, ... tomou o hábito de monge." (Vieira, *Sermões*, IX, 53.) "Aí temos, pois, uma construção que é resultado de uma haplologia silábica, *do* mesmo modo que se perpetuaram palavras reduzidas uma vez por todas pelo mesmo processo." (Mário Barreto, *Através do Dicionário e da Gramática*, 32.)

"Bem se via que era rei de fora *no* modo por que nos tratava." (Mendes Leal, *apud* Mário Barreto, *Através do Dicionário e da Gramática*, 78.)

"Nenhuma entrelaçou *por* modo tão sério as preocupações da sua fortuna com os símbolos das suas crenças." (Rui, *Cartas de Inglaterra*, 51.) "A última erupção vulcânica alcantilou o monte *por* um modo assustador." (Aulete, voc. *alcantilar*.) "Dando, realmente (as flores), no tamanho, na conformação, no modo *por que* se espalham, a imagem singular de cabeças decepadas e sanguinolentas." (E. da Cunha, *Os Sertões*, 43.)

Modulação — *de:*

"A modulação e suavidade *dos* versos." (Dic. de Morais.)

Moído — *com, de, por:*

"Moído *com* pancadas." (Morais.) "Ter as costas moídas *com* pancadas." (Fr. D. Vieira.)

"Dobravam-se os joelhos, não como pedinchões. Genuflectiam moídos *de* fadiga." (J. Américo de Almeida, *A Bagaceira*, 13.) "Esteve o pardo a cismar, longo tempo, nas penas da sua vida de trabalho, tão árduos e constantes que se atirava cada noite para o leito moído *de* cansaço." (Veiga Miranda, *A Eterna Canção*, 31.) "Assim, assim, um pouco moído *da* viagem.'' (Aluísio Azevedo, *O Mulato,* 225.)

''Com o corpo moído *pelo* cansaço, mas cheia de unção, Florinda chegava à capelinha humilde.'' (Gastão Cruls, *Ao Embalo da Rede,* 150.) ''Enveredei logo pelos meus aposentos, moído *pelo* cansaço da troteada.'' (Alberto Rangel, *Fura-Mundo,* 147.)

Moldado — *a, em, por:*

''Moldado *ao* seu gênio, *aos* caprichos de outrem.'' (Constâncio.)

''Algumas formas populares moldadas *nessa* tendência foram modificadas por influência erudita.'' (Júlio Nogueira, *O Exame de Português,* 106.) ''Eu compreendo gente civilizada sem letras, moldada *nessa* civilização, ou polícia, como diziam os nossos avós, que já se fez experiência da raça, com o seu conhecimento vulgar, senso comum, costumes uniformes.'' (Xavier Marques, *As Voltas da Estrada,* 35.)

''Providências moldadas *por* interesses particulares.''

Molde — *a, de, para:*

''Os reis servem de molde *aos* vassalos.'' (Morais.) ''Falou-lhe de molde *a* dissuadi-lo.'' (J. Américo de Almeida, *A Bagaceira,* 105.)

''O molde *de* uma peça de artilharia.'' (Aulete.)

''Pareceu-lhe que a oportunidade era de molde *para* interpretação decisiva.'' (E. da Cunha, *Os Sertões,* 210.) ''Isto não desdoura a sensibilidade retórica do cantor de Inês e de Leonor de Sá; mas vem de molde *para* notar que do poeta para com seus pais não se encontra um hendecassílabo que lhe abone a ternura.'' (Camilo, *Boêmia do Espírito,* 185.)

Mole — *a, de, para:*

''Substância mole *ao* tato.''

''Mole *de* coser, mole *de* dobrar.'' (E. Carneiro Ribeiro, *Serões Gramaticais,* 674.) ''Com o olhar muito mole *de* uma ternura úmida e escrava.'' (Aluísio Azevedo, *O Mulato,* 69.)

''Este homem é muito mole *para* o trabalho.'' (Fr. D. Vieira.)

Molestado — *com, de, em:*

''Lúcia, molestada *com* semelhante pressa, respondeu de mau humor que — mais tarde daria uma resposta ....'' (Aluísio Azevedo, *Casa de Pensão,* 179.)

''Tormento sisifeano de sobe-e-desce, o dos montariantes, molestados *de* pragas, no duro arrasto e leva dos cascos e fardos pelos descarregadouros.'' (Alberto Rangel, *Fura-Mundo,* 192.)

''Sentiu-se molestado *no* seu amor-próprio.'' (Camilo, *Mistérios de Lisboa,* III, 93.)

Molesto — *a:*

''Parece que sente prazer em ser molesto *aos* outros.''

Moleza — *de, em:*

''Veja que moleza *de* movimentos.''

''Moleza *no* andar; moleza *em* atender os fregueses.''

Molhado — *de, em, por:*

''Um prazer molhado *de* lágrimas.'' (J. Américo de Almeida, *O Boqueirão,* 189.) ''Flávia sem hesitação alimpou a face molhada *de* lágrimas.'' (Camilo, *A Enjeitada,* 177.)

''Um pincel molhado *na* tinta clara de safira, vai apagando estrela por estrela.'' (Alberto Rangel, *Fura-Mundo,* 129.) ''Açoitando-se freneticamente no peito e nas costas, com disciplinas a miúdo molhadas *em* vinho cozido.'' (Antero de Figueiredo, *Jornadas em Portugal,* 73.)

''Os moleques ficaram por perto da cama, encolhidos como passarinhos molhados *pela* chuva.'' (J. Lins do Rego, *Usina,* 40.) ''De primeiro, Soledade gostava do cheiro quente da terra molhada *pelo* chuvisco.'' (J. Américo de Almeida, *A Bagaceira,* 173.)

Monografia — *de, sobre:*

''Monografia *do* chá.'' (Aulete.) ''Monografia *do* cancro.'' (Morais.)

''Autor da mais notável monografia *sobre* o assunto.'' (Rui, *Réplica,* 75.) ''Reinaldo dos Santos, na sua admirável monografia *sobre* arte portuguesa, atribui à influência muçulmana e marítima um dos traços dominantes no seu estilo.'' (Herman Lima, *Outros Céus, Outros Mares,* 205.)

Monotonia — *de:*

''A monotonia *desta* música.'' (Fr. D. Vieira.) ''Esta monotonia *de* critério .... certo provém da embotadura dos nervos analgizados pelo esgoto excessivo das primeiras sensações.'' (Fialho de Almeida, *Os Gatos,* 230.)

Monumento — *a, de:*

''Uma alma que talvez tenhas movido ao amor e à poesia, não permitindo a tua destruição, fará com que figures em larga praça, como um monumento *às* gerações extintas.'' (Afonso Arinos, *Pelo Sertão,* 54.)

''E, depois desta meditação ...., levantaria o espírito em contemplações de mais elevada filosofia, diante do monumento *de* Francisco Eduardo.'' (Camilo, *As Três Irmãs,* 15.)

Morada — *em:*

''As aspirações separatistas aparecem reveladas nos discursos do acadêmico em os tempos derradeiros da sua morada *em* Portugal.'' (Latino Coelho, *apud* Aulete.)

Moradia — *em:*

''Sua moradia *nesta* cidade é recente.''

Morador — *de, em:*

''O Dr. Constantino, advogado da firma e morador *de* um chalé em Parnamirim.'' (Mário Sete, *Os Azevedos do Poço,* 11.) ''Trajava à mineira e parecia, como realmente era, morador *da*quela localidade.'' (Taunay, *Inocência,* 15.) ''Lá iam conversando e cantando, atirando adeuses aos moradores *das* palhoças ribeirinhas, descendo sobre as águas, vendo fugir espavoridas, níveas garças, ariris, marrecos, socós.'' (Abílio Barreto, *A Noiva do Tropeiro,* 19.)

''Um amigo, morador *em* Copacabana, noticiava a uma de minhas noras que tinha estalado a revolução.'' (Medeiros e Albuquerque, *Quando Eu Era Vivo,* 193.) ''D. Emília Mascarenhas, moradora *na* Praça da Alegria, n.º 22.'' (Camilo, *Mistérios de Lisboa,* II, 182.)

Mordido — *de, por:*

''Mordido *de* inseto venenoso.'' (Morais.) ''Orgulhosos mordidos *de* despeitos.'' (Antero de Figueiredo, *Jornadas em Portugal,* 66.) ''Salvar pessoas mordidas *de* cobra.'' (Gustavo Barroso, *Terra de Sol,* 157.) ''Amâncio deixou-se ficar onde estava, mordido já *de* curiosidade.'' (Aluísio de Azevedo, *Casa de Pensão,* 148.)

''Mordida *pelo* pulgão da inveja virulenta.'' (Fialho de Almeida, *Os Gatos,* 262.) ''Aqui e ali, ... mordido *pelos* carrapichos rasteiros que desejavam ir também, colheu o moço uma braçada de rosas.'' (Afrânio Peixoto, *A Esfinge,* 51.) ''Desprezados pelos olhares da sociedade, mordidos *pela* própria consciência.'' (Camilo, *Mistérios de Lisboa,* III, 23.)

Moroso — *em:*

''Moroso *em* solver suas dívidas.'' ''Achou-a triste e morosa *na* expressão, pronta a compreender palavras doloridas, curiosa de penetrar nos corações que sofrem, e tocada do semblante sempre triste do misterioso cavalheiro.'' (Camilo, *Livro Negro,* 247.)

Morte — *por:*

''De oficiais dos mais bravos, em cujo ânimo .... são imagens familiares as da morte *pela* honra e *pela* pátria, vimos dolorosas missivas.'' (Rui, *Queda do Império,* I, 150.)

Mortificação — *com, de:*

''Não sei quando terminarão suas mortificações *com* empregadas.''

''Eu tenho a honra de responder à curiosidade, que foi longo tempo a mortificação *de* pessoas muito sisudas.'' (Camilo, *A Neta do Arcediago,* 6.) ''Vi a mortificação *das* paixões, e a resignação da própria vontade.'' (Vieira, *Sermões,* IX, 42.)

Mortificado — *com, de, em:*

''Vive mortificado *com* os desregramentos do filho.''

''Ascetas mortificados *de* flagícios encalçados sempre pelos sequazes numerosos.'' (E. da Cunha, *Os Sertões,* 140.)

''Cortados no salário, agravados no trabalho, mortificados *no* custo da vida.'' (Rui, *Campanha Presidencial,* 74.)

Morto — *a, com, de, para, por:*

''O homem aparecera morto *a* tiro na Falperra.'' (Camilo, *A Enjeitada,* 129.)

''Meu irmão foi morto *com* um tiro.'' (Fr. D. Vieira.)

''Morto *de* cansaço, *de* fadiga, *de* medo.'' (Morais.) ''Depois, se acostumara, com o sono pesado que lhe fechava os olhos ao se deitar na cama de lona morto *de* cansaço. (Mário Sete, *Os Azevedos do Poço,* 53.) ''Estava morto *de* fadiga. As enfadonhas conversas do coqueiro e Mme Brizard, o jugo inquisitorial das cerimônias, a pândega da véspera, tudo isso dava àquela caminha fresca, de lençóis muito limpos, um encanto superior ao que houvesse de melhor no mundo.'' (Aluísio Azevedo, *Casa de Pensão,* 115.) ''Morto *de* sono.'' (Fr. D. Vieira.) ''Os pais faziam o arranjo, vinha o padre e embirrava o casal de trouxas. A noiva, morta *de* medo, não olhava para os lados.'' (Graciliano Ramos, *Caetés,* 231.)

''Não te julgues o assassino da muita vida daquele coração. Morta *para* o amor já ela veio ter a teus braços.'' (Camilo, *Mistérios de Lisboa,* I, 185.)

''Estou morto *por* saber o resultado do meu exame.'' (Aulete.) ''Os operários caíam mortos *pela* fome.'' (Camilo, *Perfil do Marquês de Pombal,* 99.)

Motivo — *a, de, para:*

''Isto era motivo *a* chorarem mãe e filha.'' (Camilo, *As Três Irmãs,* 130.) ''O revelar-se ela, no gesto, contrafeita, sem queixar-se das contradições, aumentava o motivo *a* ser amada.'' (Idem, *ibidem,* 71.) ''Não cuides que este grande acontecimento só haja dado aqui motivo *a* reflexões morais.'' (Mário Barreto, *Cartas Persas,* 193.)

''Um dos motivos *da* seca repousa, assim, na disposição topográfica.'' (E. da Cunha, *Os Sertões,* 35.) ''Preciosa vantagem para o mancebo honesto, laborioso, instruído; justo motivo *de* temor para o indolente e o ignorante.'' (Rui, *Queda do Império,* I, 416.) ''É difícil aos mais sábios e prudentes achar motivos *de* escolha e preferência entre as duas fatalidades.'' (João Ribeiro, *Curiosidades Verbais,* 4.) ''A filosofia de Boccaccio pode ser resumida nestas palavras: Se um marido ama sua mulher, que sua mulher o ame; mas se um marido suspeita de sua esposa, que sua esposa lhe dê copiosos motivos *de* suspeitas.'' (*Maravilhas do Conhecimento Humano,* II, 57.)

''Isto, não havendo motivo *para* se chamar um produto da traição, é o delírio da incapacidade.'' (Rui, *Colunas de Fogo,* 96.) ''Podia ser que o animal chegasse logo à conclusão de que não havia motivo *para* maiores alarmas.'' (Ciro dos Anjos, *O Amanuense Belmiro,* 22.) ''Não há motivo *para* dúvidas.'' (C. de Figueiredo, *Falar e Escrever,* II, 81.)

Móvel — *de, para:*
"A guerra, que devia ser nessa época o móvel *de* todas as conversações, foi assunto raras vezes tratado pelo padre." (Camilo, *Mistérios de Lisboa,* I, 248.) "A nobreza foi o primeiro móvel *desta* ação." (Dic. de Morais.)
"Não se podem imaginar móveis mais insignificantes *para* sucessos tão graves." (E. da Cunha, *Os Sertões,* 225.)

Movido — *a, contra, de, para, por:*
"O conselho militar, movido *à* piedade ...., desprezou a virulenta acusação do auditor." (Camilo, *A Neta do Arcediago,* 97.) "Movido *à* compaixão." (Morais.) "Possuía dois engenhos, um de água o Tijucopaba, e outro, o Cajueiro, movido *a* vapor." (Xavier Marques, *As Voltas da Estrada,* 17.)
"Pretende-se que o atentado anárquico era movido *contra* o governo." (Rui, *Colunas de Fogo,* 222.)
"Movido *da* ira, *das* razões alegadas." (Morais.) "Estávamos quase a chegar quando, movido *de* curiosidade, lhe disse: ...." (Mário Barreto, *Cartas Persas,* 67.)
"No galgão dos ombros movidos *para* o mesmo ponto da sala." (Fialho de Almeida, *Os Gatos,* 57.)
"Contei-lhe as diligências que empregara, movido *por* um sentimento de poeta." (Camilo, *As Três Irmãs,* 19.) "Conseguira criar o entusiasmo, que é o interesse movido *por* forças interiores." (J. Américo de Almeida, *O Boqueirão,* 129.) "Camões estava preso quando cessou o governo de Barreto. D. Constantino de Bragança deu-lhe liberdade, quer movido *por* compaixão do poeta, quer *por* induções de sua inocência." (Camilo, *Boêmia do Espírito,* 195.)

Movimento — *contra, de, em, em torno de, para:*
"Alguns principais da vila recorreram secretamente ao barbeiro Porfírio e afiançaram-lhe todo o apoio de gente, dinheiro e influência na corte, se ele se pusesse à testa de outro movimento *contra* a câmara e o alienista." (M. de Assis, *Papéis Avulsos,* 81.)
"Movimento *de* rotação; movimento *de* trepidação." "Movimento *do* sangue nas artérias." (Aulete.)
"Não se dedigne o Sr, Campos Sales de um bom movimento *neste* sentido." (Rui, *Colunas de Fogo,* 230.)
"O movimento da Terra *em torno do* Sol."
"Movimento *para* determinado ponto."

Mudado — *de, em, para:*
"Lili Veloso, agora 'Madame' Amaral, e principalmente Vanda Machado, também mudada *de* condição, porque conseguira reter o Leopoldo Braga." (Afrânio Peixoto, *A Esfinge,* 332.)
"Ao cabo de três meses as meninas estavam mudadas *em* índole, maneiras, brincadeiras, e respeitos a suas tias." (Camilo, *As Três Irmãs,* 216.) "Não se conhecia mais, mudado *do* menino comunicativo que fora, *num* triste e fechado adolescente." (Afrânio Peixoto, *A Esfinge,* 281.)
"Infelizmente venho encontrá-lo mudado *para* pior."

Mudança — *a, com relação a, de, em, entre, para:*
"Não lhe põe como condição de obediência a mudança *à* forma de governo." (Rui, *Colunas de Fogo,* 164.)
"Por que se dera aquela súbita mudança de sua família *com relação a* ele?" (Gastão Cruls, *História Puxa História,* 69.)
"Um dos fatos mais freqüentes na história da língua é a mudança *de* categoria dos nomes." (João Ribeiro, *Curiosidades Verbais,* 94.) "Mudança *de* significação." (Júlio Nogueira, *O Exame de Português,* 149.)
"Mudança *no* aspecto filosófico da natureza." (Rui, *Cartas de Inglaterra,* 59.)
"São casos de metonímia, a qual, como sabemos, se baseia na associação das idéias e consiste numa mudança *entre* causa e efeito, continente e conteúdo, qualidade e substância, sinal e coisa significada." (Mário Barreto, *Através do Dicionário e da Gramática,* 222.)
"Mudança *para* melhor, *para* pior."

Mudável — *por:*
"Essa alternância vocálica, como dissemos já, temo-la na prosódia das palavras mudáveis *pela* flexão dos plurais." (João Ribeiro, *Curiosidades Verbais,* 115.)

Mudo — *a, de:*
"Permaneceu mudo *a* todas as perguntas."
"Eu fiquei a vossos olhos mudo *de* espanto." (Fr. D. Vieira.)

Multiplicação — *de, por:*
"Pena que cresce por multiplicação *de* dias." (Constâncio.)
"Multiplicação de um número *por* outro."

Multiplicado — *por:*
"Um número multiplicado *por* outro. Acidentes múltiplicados *pela* negligência." (Fr. D. Vieira.)

Múltiplo — *de:*
"18 é múltiplo *de* 9 porque é exatamente divísivel por 9 sem deixar resto." (Aulete.)

Munido — *com, de:*
"Chefes índios, munidos *com* as patentes, perfeitamente legais, de capitães." (E. da Cunha, *Os Sertões,* 102.)
"Uma cidade munida *de* provisões de guerra." (Fr. D. Vieira.)

Murado — *de, em, por:*
"Dois armazens, a igreja e o presbitério ao lado, com o seu frondoso passal murado *de* adobe." (C. Neto, *Treva,* 83.) "Vistes já,

ou imaginastes um grande monte de trigo murado *de* lírios?" (Vieira, *Sermões,* IX, 28.)

"Mário se recordava do pacto e, murado *no* seu isolamento, devia sofrer horrivelmente." (Gastão Cruls, *Ao Embalo da Rede,* 53.)

"Murados *pela* ignorância e na expiação de crimes que não sei, vivem em plena decadência física e moral." (Gastão Cruls, *ob. cit.,* 177.)

Murmulho — *de:*

"Ele sentia todo o passado, revendo aquelas paredes, ouvindo as vozes da gente doméstica, o murmulho *das* árvores a cuja sombra crescera." (C. Neto, *Treva,* 32.)

Murmúrio — *contra:*

"Continuam os murmúrios *contra* o governo."

N

Nada — *com referência a, de; de, em:*

"Açucena já não chorava, nem perguntava nada *com referência a* Luís da Cunha." (Camilo, *A Neta do Arcediago*, 74.)

"Falemos tranqüilamente.... Nada *de* lágrimas, nem desmaios." (Camilo, *Mistérios de Lisboa*, II, 159.) "Não tinha nada *de* estreito o aposento." (Rebelo da Silva, *apud* Aulete.)

"Não servir *de* nada, ou *de* nada servir, não ter serventia nem utilidade alguma." (Aulete.)

"Ter *em* nada, não curar, não fazer caso." (Morais.)

Namorado — *com, de:*

"Querem ver que a rapariga está namorada *com* o senhor Luisinho?" (Camilo, *A Neta do Arcediago*, 45.)

"Namorado *de* Hermengarda, ... o seu amor fora infeliz." (Herculano, *Eurico*, 9.) "O alvoroço do marinheiro namorado *das* ondas sorridentes da Jônia se exalava em gritos de paixão e triunfo." (Rui, *Colunas de Fogo*, 203.)

Namoro — *a, com, de:*

"Se fizeres namoro *a* uma rapariga rica, riem-se de ti os zombeteiros candidatos à rapariga." (Camilo, *Cenas da Foz*, 18.)

"Fora uma solução, se não fosse aquele namoro de Luísa *com* um rapaz que ela não conhecia." (J. Lins do Rego, *Usina*, 69.) "Tu compreendes, Luís, quanto seria melindroso para a nossa honra um namoro *com* a filha da pessoa que tão cara nos é." (Camilo, *A Neta do Arcediago*, 36.)

"Tu sabes que ele foi namoro *de* Luísa?" (Eça, *O Primo Basílio*, 154.)

Nascituro — *de:*

"O assunto apaixonava-os, qualquer que fosse a ocasião e o lugar onde se achassem reunidos. E agora tanto mais com a perspectiva da libertação dos nascituros *das* escravas." (Xavier Marques, *As Voltas da Estrada*, 37.)

Natural — *a, de, em:*

"Reagindo à canícula com o desalinho natural *às* marchas." (E. da Cunha, *Os Sertões*, 239.) "Tampouco acreditamos que lhes houvesse traçado o caminho natural *à* perlustração dos conhecimentos humanos." (Rui, *Colunas de Fogo*, 44.) "A humanidade de tais sentimentos não era natural *ao* seu caráter." (Camilo, *Mistérios de Lisboa*, II, 189.)

"Só a senhora D. Catarina era natural *de*ste reino." (Arte de Furtar.) "É um dos instintos mais naturais *do* nosso falar." (Mário Barreto, *Através do Dicionário e da Gramática*, 55.)

"Nada mais freqüente e natural *em* nosso falar." (Rui, *Réplica*, 300.) "Pelo que respeita à fatura literária, acho-a excelente, inda que não descascada das preocupações da frase redonda, natural *nos* abundantes." (Fialho de Almeida, *Os Gatos*, 232.)

Naturalidade — *em:*

"Admiro sua naturalidade *em* falar dos assuntos que mais lhe ferem o coração."

Navegação — *a, por:*

"Ainda hoje, a navegação *a* vela, e, provavelmente, no futuro as dos roto-motores, devem utilizar essa antiga experiência." (João Ribeiro, *Curiosidades Verbais*, 182.)

"Atingiu grande importância a navegação *pelo* ar."

Necessário — *a, em, para:*

"É necessária a água pura *à* vida de muitos seres organizados." (Augusto Moreno, *Lições de Linguagem*, II, 14.) "Sugeria as medidas necessárias *à* preservação do crédito e do bom nome do Brasil." (Luiz Viana Filho, *A Vida de Rui Barbosa*, 151.) "Fundos necessários *ao* armamento nacional." (Fialho de Almeida, *Os Gatos*, 106.)

"O uso atual de semelhantes contrações é necessário *em* muitos casos." (Mário Barreto, *Através do Dicionário e da Gramática*, 392.)

"Tinha o amor-próprio necessário *para* não sucumbir sem glória, humilhando-se a um homem que a não compreendia." (Camilo, *A Filha do Arcediago*, 250.) "Só trouxe o dinheiro estritamente necessário *para* o meu regresso." (Mário Barreto, *Cartas Persas*, 148.) "Tendes abundantemente tudo o que é necessário *para* a vida." (Vieira, *Sermões*, V, 221.) "Em 1777, Lavoisier descobriu que esse mesmo oxigênio era necessário *para* a combustão. Sem oxigênio, ensinava ele, nada pode queimar-se.'' (*Maravilhas do Conhecimento Humano*, I, 271.)

Necessidade — *de, em, para:*

''A gíria parece nascer da necessidade, que sentem certos indivíduos, *de* usar uma linguagem que somente os do seu círculo possam entender.'' (Júlio Nogueira, *O Exame de Português*, 55.) ''Não vemos necessidade nenhuma, neste país, *da* reação pelas armas.'' (Rui, *Queda do Império*, I, 103.) ''Reconhecem, como nós, a insuficiência de seus próprios méritos e a necessidade de um intercessor junto de Deus.'' (Mário Barreto, *Cartas Persas*, 73.)

''A fé .... parece uma necessidade *em* todos os grandes ramos do saber.'' (Rui, *Cartas de Inglaterra*, 91.)

''Uma terceira pessoa na nossa família é uma necessidade *para* o coração.'' (Camilo, *Mistérios de Lisboa*, III, 147.)

Necessitado — *de:*

''Pobre como era e desesperadamente necessitado *dos* menores ganhos, sempre se dava ao trabalho de encontrar gente mais pobre e mais necessitada, que precisava mais do seu dinheiro que ele próprio.'' (*Maravilhas do Conhecimento Humano*, II, 105.)

Nefasto — *a:*

''As revoluções que assinalaram o primeiro momento da nova vida constitucional, longe de serem nefastas *à* nação, foram salutares e necessárias.'' (Latino Coelho, *apud* Aulete.)

Negação — *de:*

''A reorganização do corpo docente é uma injustiça multíplice, uma negação radical *do* direito em relação aos professores.'' (Rui, *Queda do Império*, I, 265.)

Negativa — *a, de:*

''O destino é uma palavra vã, é uma negativa *ao* que Jesus Cristo nos diz dos sofrimentos neste mundo, e dos contentamentos no outro....'' (Camilo, *Mistérios de Lisboa*, I, 68.)

''Negativa *da* petição, *da* súplica.'' (Constâncio.)

Negligência — *de, em:*

''O costume dos desenfeites, do desatavio, e negligência *de* seus dons, levaram-na a tão descuidada indiferença de si, que nem ao espelho pedia recordações da passada beleza.'' (Camilo, *As Três Irmãs*, 293.)

''Tudo isso desaparecia com a nossa negligência *em* defender o nosso crédito.'' (Rui, *Colunas de Fogo*, 90.) ''Provavelmente a negligência do conselheiro *em* assistir ao vice-rei foi considerada parcialidade jesuítica.'' (Camilo, *Perfil do Marquês de Pombal*, 116.)

Negligente — *em:*

''Ou foi notavelmente negligente *em* estudar ou em visitar aos enfermos quando era necessário.'' (Ricardo Jorge, *Sermões dum Leigo*, 76.)

Negociação — *com, para:*

''Sendo acusado, em Constantinopla, de fazer não sei que negociação *com* a República de Veneza.'' (Dic. de Fr. D. Vieira.)

''Malograram-se as negociações *para* um armistício.''

Negociante — *em:*

''Negociante *em* madeiras; negociante *em* mantimentos.''

Negócio — *com, de:*

''Julgavam incompatível o candidato liberal, por ter negócios *com* o governo.'' (Luiz Viana Filho, *A Vida de Rui Barbosa*, 62.) ''Entrar em negócio *com* alguém.'' (Morais.) ''Bateram palmas lá fora. D. Maria José foi ver e tornou logo: — É a criada de D. Engrácia que tem negócio *com* o senhor.'' (Graciliano Ramos, *Caetés*, 190.)

''Negócio *de* vinho, *de* drogas.'' (Aulete.) ''Marcolina, eu detesto esse negócio *de* fazer quarto....'' (Galeão Coutinho, *Memórias de Simão, o Caolho*, 175.)

Negro — *de:*

''Ter o corpo negro *de* pancadas.'' (Fr. D. Vieira.)

Neófito — *de, em:*

''É um jovem que me foi recomendado de Londres e de Lisboa, um verdadeiro neófito *do* mundo elegante.'' (Camilo, *Mistérios de Lisboa*, III, 82.)

''As velhas tinham o rosto pasmado, como se vissem aparição milagrosa, e tremiam no corpo seco, neófito, apesar da idade, *em* cometimento como aquele.'' (Ferreira de Castro, *A Selva*, 298.)

Nervoso — *com, por:*

''Mostrar-se nervoso *com* alguma coisa, ou *por* alguma coisa.''

Neutralizado — *por:*

''Nessa combinação inteligente a incapacidade pessoal dos reis se acha neutralizada *pela* sua impotência constitucional.'' (Rui, *Queda do Império*, I, XIV.)

Nitidez — *de, em:*

''Nitidez *de* impressão, *dos* ornatos.'' (Constâncio.)

''A nitidez *na* enunciação do pensamento legislativo exige, para cada uma daquelas entidades, o seu devido nome.'' (Rui, *Réplica*, 209.)

Nivelado — *a, com, por:*

''Na caserna, viu-se nivelado *aos* demais.''

''Terreno nivelado *com* outro.''

''E desata-se (o planalto) em chapadões nivelados *pelos* visos das cordilheiras marítimas.'' (E. da Cunha, *Os Sertões*, 3.)

Nivelamento — *com:*

''Não lhe agradou, no colégio, o nivelamento *com* alunos de posição social inferior à sua.''

Nobre — *de, em, por:*

"Nobre *de* caráter, *de* sentimentos."

"Foi sempre nobre *em* todas as suas ações."

"Nobre *por* nascimento; nobre *por* seus atos."

Nobreza — *de, entre:*

"Nobreza *de* sentimentos, *de* atitude."

"São numerosos os casos deste teor revelando notável nobreza *entre* aqueles valentes desgarrados." (E. da Cunha, *Os Sertões,* 222.)

Noção — *acerca de, de, sobre:*

"Adquiridas essas noções *acerca do* aparelho fonador e dos sons que ele produz, podemos penetrar no estudo das alterações fonéticas." (Sousa da Silveira, *Lições de Português,* 67.) "Tudo isso é falso, e contravém às noções rudimentares *acerca do* que constitui a verdadeira instrução." (Rui, *Queda do Império,* I, 341.)

"Ele recebeu noções *de* várias matérias." (Fr. D. Vieira.) "Ter ou dar noção *de* alguma coisa." (Morais.) "Podia justificar o seu parecer .... com a noção menos científica do que sentimental que *da* natureza havia recebido." (Latino Coelho, *apud* Aulete.)

"Não lhes sucederia decerto o que sucedeu a uma criança a quem o pai não soube expor as noções essenciais *sobre* o transformismo." (Medeiros e Albuquerque, *Quando Eu Era Vivo,* 55.)

Nocividade — *a:*

"A nocividade de certas ervas *às* searas."

Nocivo — *a:*

"Rusgas de amor-próprio individual, estranhas e nocivas *aos* interesses do projeto." (Rui, *Réplica,* 29.) "A invasão dos ímpios, sendo nociva *a* toda a nação, tinha sido aprazível a seu filho." (Camilo, *As Três Irmãs,* 23.)

Noivado — *com:*

"Estava ansiosa por anunciar a todos seu noivado *com* o engenheiro."

Nojento — *a:*

"Ele sabe que é nojento *a* todos, e parece que se compraz nisso."

Nojo — *de, por:*

"Tinha nojo *de* beber pelos copos mal lavados." (Aluísio Azevedo, *O Mulato,* 269.)

"E tomou deveras um invencível nojo *por* aquela província indigna dele." (Aluísio Azevedo, *ob. cit.,* 149.)

Nomeação — *de, para:*

"Pertence ao governo a nomeação *dos* juízes." (Aulete.)

"Nomeação *para* um posto ou cargo." "O confucionismo é hoje a religião dos aristocratas chineses e dos sábios. Se um homem deseja arranjar nomeação *para* emprego público, deve submeter-se a um exame sobre os Nove Livros Sagrados de Confúcio." (*Maravilhas do Conhecimento Humano,* I, 319.)

Norma — *de:*

"A norma *de* viver, norma *das* ações." (Constâncio.) "Não contente de cometer essa inexação contra as normas *da* boa prosódia, ... dá um passo adiante a crítica do substitutivo." (Rui, *Réplica,* 74.)

Normal — *a, em:*

"Caminhos diretos e normais *à* costa, mais curtos porém interrompidos pelos paredões das serras." (E. da Cunha, *Os Sertões,* 95.)

"Caía a tarde; e a luz, até então normal *em* seu viço, começa a doirar-se em demasia." (Antero de Figueiredo, *Amor Supremo,* 13.)

Nostalgia — *de:*

"Quem a curará da nostalgia *das* restaurações?" (Rui, *Queda do Império,* I, 129.) "Clara faz mal em alimentar ainda nostalgias *de* vida religiosa." (Antero de Figueiredo, *Amor Supremo,* 208.)

Nota — *a, concernente a, de, sobre:*

"Preferiu dissimular, recorrendo à tática de submeter ao seu formidável escalpelo a gramática e o estilo da minha nota *a* esse trecho do projeto." (Rui, *Réplica,* 279.) "Notas preambulares *ao* estudo da teologia." (Idem, *Cartas de Inglaterra,* 60.) "Numa das notas *à* sua 'Seleta Clássica' escreve o insigne mestre Sr. João Ribeiro...." (Mário Barreto, *Através do Dicionário e da Gramática,* 142.)

"Notas e observações *concernentes à* história pátria." (E. Carneiro Ribeiro, *Serões Gramaticais,* 674.)

"É isto que se não pode dizer dos teólogos do nosso tempo, sem grande nota *de* sua ciência e diligência." (Vieira, *apud* Aulete.) "Uma cadeira de mármore encravada num ângulo da nave, com a nota *de* ter servido a certo São Gemns, bispo e mártir do século XIII." (Herman Lima, *Outros Céus, Outros Mares,* 199.)

"Lamentamos não ter à mão uma excelente nota de Rui Barbosa *sobre* os nomes de cores na língua portuguesa." (João Ribeiro, *Curiosidades Verbais,* 46.)

Notado — *por:*

"Oito anos depois, foi para o Minho, e só daqui a cinco anos Camões se fez notado *pela* sua primeira deportação." (Camilo, *Boêmia do Espírito,* 191.)

Notável — *em, por:*

"É um cientista notável *em* biologia." "Chamou a si uma dançarina notável *no* teatro da Corunha e pediu-lhe que aperfeiçoasse a sua discípula para pisar o palco." (Camilo, *A Enjeitada,* 113.)

"Suas églogas .... tornaram-se notáveis *pelos* toques de ingênua brandura e de namorada saudade." (Rebelo da Silva, *apud* Aulete.) "Uma expressão notável *pela* beleza, precisão, graça ou energia." (Rui, *Réplica,* 423.)

Notícia — *acerca de, de, para:*
"Não vem ao ponto amiudar notícias *acerca das* campanhas repetidas em redor desta heróica cidade." (Camilo, *As Três Irmãs,* 269.)
"Não deixaria folgar os ismaelitas com a notícia *da* morte daquele que por tantos anos lhes fora flagelo e destruição." (Herculano, *O Bobo,* 2.)
"Não havia notícias *da* 1.ª brigada." (E. da Cunha, *Os Sertões,* 442.) "Que lhe dirás, se ela te pedir notícias *desse* mau humor?" (Camilo, *A Neta do Arcediago,* 70.)
"Tomava notas numas tiras de papel: notícia *da* festa *para* os jornais." (Afrânio Peixoto, *A Esfinge,* 168.)

Noticiado — *a:*
"Este acontecimento, noticiado *ao* marquês, impressionou-o muito. Lembrou-lhe então o lance desde muito esquecido, o punhal no retrato, e a ameaça de um suposto pai de Laura." (Camilo, *Livro Negro,* 57.)

Notificação — *para:*
"Recebeu notificação *para* suspender os serviços."

Notificado — *a, por:*
"Citação notificada *ao* réu." (Morais.)
"Foi notificado este milagre *por* toda a Espanha." (Morais.)

Notório — *em:*
"A repetição é notória *nos* fenômenos duradouros e contínuos." (João Ribeiro, *Curiosidades Verbais,* 110.)

Nova — *de:*
"Antônio Pereira, como recebesse a nova *da* saída de Eulália, voltou da casa do lavrador para a sua, e despediu os criados de Duarte." (Camilo, *As Três Irmãs,* 90.) "Em uma ocasião em que vinha procurar novas *de* V. S.ª" (Idem, *Mistérios de Lisboa,* II, 170.)

Novato — *em:*
"Pois o doutor é tão novato assim *em* viagens?" (Taunay, *Inocência,* 33.)

Novena — *a, de:*
"Certa vez, saindo da igreja das Recolhidas, por ocasião da novena *a* Santa Rita, ... o Governador se referira com azedume aos auxiliares." (Alberto Rangel, *Fura-Mundo,* 43.)
"Vou até a velha igreja de Santa Maria, ouvir a novena *de* maio." (Herman Lima, *Outros Céus, Outros Mares,* 319.)

Noviciado — *de, em:*
"Ensaio ou noviciado *dos* maiores trabalhos." (Dic. de Morais.)
"Todos os povos que a souberam alcançar tiveram *na* revolução o seu duro noviciado." (Latino Coelho, *apud* Aulete.)

Noviço — *em:*
"Você é ainda noviço *em* política."

Novidade — *de, para:*
"Grande safra de milagres, e novidade *de* maravilhas." (Dic. de Morais.) "A novidade *da* matéria, *da* questão." (Idem.)
"Falei-lhe em uns tiros que se ouviram por aqueles sítios, respondeu-me que eram novidade *para* ele." (Camilo, *Mistérios de Lisboa,* I, 102.) "Eis aí uma novidade *para* os espíritos nutridos na rígida lógica das raças latinas." (Rui, *Cartas de Inglaterra,* 383.)

Novo — *em:*
"Uma e outra conspiraram, para dar a maior notoriedade a esse opúsculo, absolutamente novo *no* assunto." (Rui, *Cartas de Inglaterra,* 41.) "Novo *em* alguma coisa, novato, noviço, bisonho." (Morais.)

Nu — *de:*
"Nua *dos* pés, cabelo solto ao vento." (Dic. de Morais.) "Caminharam para o terraço, nu *de* vultos indiscretos." (Ferreira de Castro, *Eternidade,* 156.) "Dizia mais que o vira sem bigode, com a cabeça nua *de* cabelos, tonsura absurda e fradesca numa época em que as cabeleiras de cachos saudavam a época do grande rei eram a paixão mais preeminente do espírito do século." (Camilo, *Livro Negro,* 164.)

Nulificado — *em:*
"Tribunal Revolucionário abastecido de vítimas pela suspeita, orientado pela delação, nulificado *na* defesa." (Rui, *Colunas de Fogo,* 198.)

Nutrido — *com, de, em:*
"Nutrido *com* a leitura de Tácito e de Tito Lívio, adquirira nas obras destes grandes historiadores o culto da eloqüência." (Mário Barreto, *Cartas Persas,* XII.)
"Vinham de longe aqueles magotes heróicos, atravessando montanhas e planícies, por estradas ásperas, quase nus, nutridos *de* cardos, raízes intoxicantes e palmitos amargos." (Domingos Olímpio, *Luzia-Homem,* 2.)
"Eis aí uma novidade para os espíritos nutridos *na* rígida lógica das raças latinas." (Rui, *Cartas de Inglaterra,* 383.)

O

Obcecado — *em, por:*

"Almas obcecadas *nas* idéias religiosas de uma nova era." (Antero de Figueiredo, *Amor Supremo,* 85.)

"Obcecado *por* cegueira voluntária."

Obediência — *a:*

"Obediência *à* lei, *ao* dever, *às* autoridades." (E. Carneiro Ribeiro, *Serões Gramaticais,* 671.) "A obediência *aos* pais traz a sua origem desde o berço, e começa com o respeito." (Camilo, *As Três Irmãs,* 36.) "E viviam todos em verdadeira bem-aventurança: os escravos na obediência absoluta *aos* senhores, os outros num estado de meia servidão consentida." (Xavier Marques, *As Voltas da Estrada,* 14.)

Obediente — *a:*

"Obediente *aos* deveres." (E. Carneiro Ribeiro, *Serões Gramaticais,* 674.) "Fôste sempre obediente *a* teus pais; devo crer que serás obediente *a* teu marido." (Camilo, *As Três Irmãs,* 36.)

Óbice — *a:*

"Rosas, no começo do seu reinado, não levantara óbices *à* emigração dos seus antagonistas." (Rui, *Cartas de Inglaterra,* 322.)

Objeção — *a, contra:*

"Não está o sábio filólogo baiano pelas minhas objeções *a* esta palavra." (Rui, *Réplica,* 133.) "A farda, que ele veste, não constitui objeção *ao* exercício dessa magistratura." (Idem, *Cartas Políticas e Literárias,* 157.) "Por isso — e isto mostra que teia emaranhada pode a diplomacia tecer, — a França não fez objeção *à* invasão da Etiópia por Mussolini, pois estava ligada à Itália por um entendimento secreto." (*Maravilhas do Conhecimento Humano,* I, 96.)

"Essa objeção *contra* o arcebispo acha-se confirmada ainda pelo uso da palavra no antigo português." (João Ribeiro, *Curiosidades Verbais,* 84.)

Objetivo — *de:*

"A lenda emocionante do monge que ali viveu em companhia de uma onça — tornou-o objetivo predileto *de* romarias piedosas." (E. da Cunha, *Os Sertões,* 221.)

Objeto — *de:*

"E assim ia Raimundo sendo, inconscientemente, objeto *de* mil comentários diversos e estúpidas conjeturas." (Aluísio Azevedo, *O Mulato,* 124.) "A loucura, objeto *dos* meus estudos, era até agora uma ilha perdida no oceano da razão; começo a suspeitar que é um continente." (Machado de Assis, *Papéis Avulsos,* 20.)

Oblíquo — *a:*

"Uma linha oblíqua *a* outra."

Obra — *de, sobre:*

"Obras *de* misericórdia; obras *de* caridade."

"Na sua grande obra *sobre* a marinha militar, sintetiza a grande campanha nestes termos." (Rui, *Cartas de Inglaterra,* 140.)

Obrigação — *a, concernente a, de, para com:*

"Aceitei o dinheiro na presença de sua filha, para que ela se persuada que é sua mãe que a sustenta, e não se considere em obrigação *a* estranhos." (Camilo, *A Neta do Arcediago,* 78.)

"Este código regula os direitos e obrigações particulares *concernentes às* pessoas." (Rui, *Parecer,* 31.)

"Não tinha obrigação *de* lhe dar mais nada." (Camilo, *As Três Irmãs,* 102.) "Impuseram à honra do redator desta folha a obrigação *de* mostrar que, se colaborara na transformação de um para o outro regime, foi com a lisura de quem trabalha para um progresso." (Rui, *Colunas de Fogo,* 190.) "Já agora, Inácio tinha obrigação *de* lhe dizer o resto. Hesita ao entrever, de novo, os seus companheiros." (Ferreira de Castro, *A Tempestade,* 125.)

"Estar em obrigação *para com* alguém, ter de satisfazer os compromissos que contraiu com alguém." (Aulete.)

Obrigado — *a, em, por:*

"Poucos se julgaram obrigados *a* partilhar do destino da monarquia." (Luiz Viana Filho, *A Vida de Rui Barbosa,* 137.) "Obrigado *ao* seu favor." (C. de Figueiredo, *Lições Práticas,* I, 72.) "Era conveniente ao romance que o leitor ficasse muito tempo sem saber quem era Miss Dollar. Mas, por outro lado sem a apresentação de Miss Dollar, seria o autor obri-

gado *a* longas digressões, que encheriam o papel sem adiantar a ação.'' (M. de Assis, *Contos Fluminenses,* 1.)
''Juro-lhe, estou-lhe muito obrigada *em* me avisar. Fez muito bem, Sebastião.'' (Eça, *O Primo Basílio,* 182.)
''O escrivão, obrigado *pelo* instinto, farejando no rasto do sangue um processo, perguntou o que era aquilo.'' (Camilo, *Mistérios de Lisboa,* I, 205.) ''E passadas as oito horas da noite, os vendeiros fechavam seus estabelecimentos, obrigados *por* decisão do almotacé.'' (Alberto Rangel, *Fura-Mundo,* 171.)

Obrigatório — *a, em:*
''Lealdade a seu rei, tão obrigatória *a* todos os súditos.'' (Dic. de Morais.) ''Tudo o que tendes haveis por obrigatório *ao* vosso estado.'' (Constâncio.)
''A honra é ainda mais obrigatória *nos* que representam as nações, do que *nos* que só se representam a si mesmos.'' (Rui, *Campanha Presidencial,* 84.)

Obscurecido — *por:*
''Muito da beleza dos primitivos ensinamentos de Maomé foi obscurecido *pela* asperidão de suas posteriores invectivas. Suas preces se mudaram em pragas e seu amor pela paz numa concupiscência da guerra.'' (*Maravilhas do Conhecimento Humano,* I, 320.)

Obséquio — *a, de:*
''Se há inocência, é dever santo conservá-la. Se dissimulação, é obséquio *à* história das nossas virtudes dissimularmos também.'' (Camilo, *A Enjeitada,* 5.) ''A benemérita redação da 'Gazeta de Notícias', cujos obséquios *ao* redator-chefe desta folha são antigos ....'' (Rui, *Queda do Império,* I, 297.)
''Enderecei à diretoria da S. Cristóvão a seguinte comunicação, que me fez o obséquio *de* entregar ao seu presidente, no dia imediato.'' (Rui, *Colunas de Fogo,* 128.)

Obsequiosidade — *com, para com:*
''Obsequiosidade *com* alguém ou *para com* alguém.''

Obsequioso — *com, de, para, para com:*
''Obsequioso *com* os amigos.'' (E. Carneiro Ribeiro, *Tréplica,* 580.)
''Não — dizia-me há dias um filósofo mui obsequioso *das* damas —, a natureza nunca ditou semelhante lei.'' (Mário Barreto, *Cartas Persas,* 79.)
''Obsequioso *para* os amigos.' (E. Carneiro Ribeiro, *Tréplica,* 580.)
''Obsequioso *para com* todos.'' (E. Carneiro Ribeiro, *Serões Gramaticais,* 674.)

Observação — *a, acerca de, concernente a, sobre:*
''Na observação final *à* sua edição dos ''Lusíadas'' diz a ilustre e sábia escritora portuguesa: ....'' (Mário Barreto, *Através do Dicionário e da Gramática,* 254.)
''Observações moralizadoras *acerca de* cada escândalo.'' (Camilo, *Mistérios de Lisboa,* II, 121.)
''Notas e observações *concernentes à* história pátria.'' (E. Carneiro, *Serões Gramaticais,* 674.)
''Colheita de informes e observações *sobre* a vida e a natureza das regiões do norte do Brasil.'' (Veiga Miranda, *A Eterna Canção,* 99.)

Observado — *em, por:*
''Há uma defesa dos corpos duros, bem observada *nas* ligas metálicas.'' (Afrânio Peixoto, *A Esfinge,* 186.) ''Questiona-se habitualmente se se deve dizer ''almóços'' e ''bólsos'', seguindo a regra habitual observada *em* ''osso'' e ''óssos'', ''caroço'' e 'caróços'.'' (João Ribeiro, *Curiosidades Verbais,* 115.)
''Raimundo surpreendeu-se parado na rua, a fazer estas considerações, como um tonto, observado *pelos* transeuntes.'' (Aluísio Azevedo, *O Mulato,* 296.)

Observância — *a, de, em:*
''Em observância *à* lei que já citamos.'' (Júlio Nogueira, *O Exame de Português,* 67.)
''Os atos religiosos mais indispensáveis são a observância *das* leis, o amor aos homens e o afeto filial.'' (Mário Barreto, *Cartas Persas,* 91.) ''A observância *dos* mandamentos de Jesus tem o seu prêmio nesta vida.'' (Camilo, *As Três Irmãs,* 299.) ''Não há poder algum criado .... que possa impedir ao mais fraco homem a observância *da* Lei divina.'' (Vieira, *Sermões,* IX, 15.)
''Defini eu .... as regras, a meu ver, dignas de observância *no* uso do infinito pessoal.'' (Rui, *Réplica,* 243.)

Observante — *de:*
''É muito observante *das* regras gramaticais; observante *da* lei.''

Obsessão — *de:*
''Sempre a obsessão *de* supor que, com indigitar nódoas minhas, se abluiria das suas.'' (Rui, *Réplica,* 279.) ''Sei ainda duma curiosa espécie — a dos que têm a obsessão *do* heroísmo e anseiam pela hora decisiva.'' (Erico Verissimo, *Saga,* 48.)

Obsesso — *de:*
''Obsesso *do* demônio, aquele a quem o diabo vexa e persegue.'' (Morais.) ''É o que se dá com esses críticos do ''as não'', que os nossos gramáticos, obsessos *de* uma idéia imponderada, copiando-se uns aos outros, argúem de cacofonia.'' (Rui, *Réplica,* 394.)

Obstáculo — *a, para:*
''Aqui, a austeridade do imperador será obstáculo *à* vitória destes processos.'' (Afrânio Peixoto, *A Esfinge,* 82.) ''Os obstáculos *ao* nosso casamento são invencíveis.'' (Camilo, *A Neta do Arcediago,* 67.) ''O mecanismo oficial, instituído para o abastecimento dágua

desta cidade, se tornou, irremediavelmente, o maior obstáculo *aos* fins a que o destinaram.'' (Rui, *Queda do Império*, I, 445.)

''Quantas vezes eu terei sido obstáculo *para* esses heroísmos ....!'' (Camilo, *Mistérios de Lisboa*, III, 62.)

Obstinação — *em:*

''Sua obstinação *em* prosseguir a viagem, apesar do mau tempo, trouxe-lhe sérios embaraços.''

Obstinado — *a, em:*

''Recalcava assim os desejos tenebrosos e violentos, obstinados *a* voltarem com as mesmas asas irrestíveis e sutis de seu revôo de má tentação.'' (Alberto Rangel, *Fura-Mundo*, 260.)

''Homem obstinado *no* pecado.'' (Morais.) ''Dr.Álvaro, obstinado *em* socorrer a Dio, andava a uma e outra parte, errando.'' (Dic. de Fr. D. Vieira.)

Obstrução — *de, em:*

''Ingurgitamento ou obstrução *de* vaso do corpo humano.'' (L. Freire, voc. *angienfraxia.*)

''Obstrução *num* vaso sangüíneo.'' (C. de Figueiredo, voc. *angienfraxia.*)

Obstruído — *de, por:*

''Obstruídos (os ribeirões), na maioria, *de* espessos lastros de blocos.'' (E. da Cunha, *Os Sertões*, 17.)

''Caminho obstruído *pela* multidão.'' (Fr. D. Vieira.) ''Aí o caminho, que era uma breve ladeira cavada entre pedroiços, estava obstruída *por* um grupo de três indivíduos, uma família que subia a passo tardo, tangendo um velho burro, pelado e esquelético.'' (Domingos Olímpio, *Luzia-Homem*, 209.)

Obtido — *de, em, por, sobre:*

''Confissão obtida *do* réu, por meios violentos.''

''A seriedade dos conhecimentos obtidos *nos* vários ramos das disciplinas preparatórias não se pode avaliar com acerto por exames esparsos.'' (Rui, *Queda do Império*, I, 280.)

''Em vez das opiniões alheias do político, tinha as suas, obtidas *por* comparação.'' (Afrânio Peixoto, *A Esfinge*, 142.) ''A ilegitimidade da prepotência obtida *por* um crime não se mantém senão a poder de outros.'' (Rui, *Colunas de Fogo*, 71.)

''Guerrilhas assanhadas com as primeiras vitórias obtidas *sobre* Soult, o devastador insigníssimo em latrocínio.'' (Camilo, *A Enjeitada*, 125.)

Ocasião — *a, de, para; em, por:*

''Assim me dá ocasião *a* que, em público, me penitencie dum erro cometido numa das minhas primeiras e mais juvenis composições gramaticais.'' (Mário Barreto, *Através do Dicionário e da Gramática*, 357.) ''Deu ocasião *ao* provérbio 'mata, que el-rei perdoa'.''(Vieira, *apud* Aulete.)

''Desejei uma ocasião *de* mostrar-me grata: encontrei-a, e fui quanto pude, e enquanto pude.'' (Camilo, *A Neta do Arcediago*, 92.) ''Crescia cada dia a população, tanto que os trogloditas julgaram ser ocasião *de* escolherem um rei.'' (Mário Barreto, *Cartas Persas*, 30.) ''Tivemos já ocasião *de* falar dos patronímicos.'' (João Ribeiro, *Curiosidades Verbais*, 130.) ''A porta abriu-se e apareceu o homem magro com a chinela na mão. Duarte, convidado a aproximar-se da luz, teve ocasião *de* verificar que a pequenez era realmente miraculosa.'' (Machado de Assis, *Papéis Avulsos*, 120.)

''Não tenho ocasião *para* te ouvir.'' (Aulete.) ''Não lhe faltaram ocasiões *para* fazer discursos.'' (Gastão Cruls, *Ao Embalo da Rede*, 86.)

''As expressões .... com que V. S.ª me tem honrado *em* diversas ocasiões.'' (Dic. de Aulete.) ''Voltam os dias torturantes; .... e *nas* ocasiões em que os estios se ligam sem a intermitência das chuvas — o espasmo assombrador da seca.'' (E. da Cunha, *Os Sertões*, 51.)

''*Por* ocasião da queda do Império Romano.'' (Júlio Nogueira, *O Exame de Português*, 146.)

Ocasionado — *a, por:*

''Contratempos ocasionados *aos* viajantes *por* simples imprudência.''

''Entre as modificações ocasionadas *por* influência de sons, há que notar as que parecem devidas à situação da palavra numa série.'' (Sousa da Silveira, *Lições de Português*, 68.)

Ocorrente — *em:*

''Sofre ela (a linguagem) uma derrogação manifesta, que só à conta das negligências ocorrentes *nos* melhores exemplares se poderá lançar.'' (Rui, *Réplica*, 202.)

Ocorrido — *com, em, entre:*

''Não sei onde li, já há muitos anos certo episódio ocorrido *com* um caçador.'' (Gastão Cruls, *Ao Embalo da Rede*, 169.)

''Um episódio inteiramente exato, ocorrido *nessa* época *com* Quintino Bocaiúva.'' (Medeiros e Albuquerque, *Quando Eu Era Vivo*, 100.)

''É comovedor, por exemplo, aquele episódio ocorrido *entre* os escravos que, para libertar o seu rei, se cotizaram e conseguiram comprar-lhe a alforria.'' (*Maravilhas do Conhecimento Humano*, I, 187.)

Oculto — *a, em, por, sob:*

''Anunciando em voz alta os crimes de cada um, não só os divulgados, mas ainda os ocultos *à* maioria das pessoas.'' (Antero de Figueiredo, *Jornadas em Portugal*, 63.) ''De mim, se lhe interessa uma história triste, hei de contar-lhe alguma vez. Escrevi-a em páginas que trago sempre ocultas *à* vista de todo o mundo.'' (Camilo, *Livro Negro*, 86.)

''O adversário tem, daquela hora em diante, visando-o pelo cano da espingarda, um ódio inextinguível, oculto *no* sombreado das tocaias.'' (E. da Cunha, *Os Sertões*, 121.) ''Pirunga fumava com o cigarro oculto *no* côncavo da mão.'' (J. Américo de Almeida, *A Bagaceira*, 66.)

''Mostrou-lhe a menina através da porta, meio oculto *pela* tapeçaria, ao moço que ficava à esquerda.'' (Afrânio Peixoto, *A Esfinge*, 181.)

''Volta e meia topava em um socalco ou batia fundo em caldeirões ocultos *sob* o ervaçal.'' (C. Neto, *A Cidade Maravilhosa*, 25.)

Ocupação — *com, de, para, por:*

''Ocupação *com* coisas fúteis.''

''A ocupação *da* ilha de Chipre *pelas* tropas inglesas.'' (Aulete.)

''Tudo isto, que lhe parecia apenas ocupação *para* algumas horas, arrastava-se sem querer acabar.'' (Afrânio Peixoto, *A Esfinge*, 357.)

Ocupado — *a, com, de, em, por:*

''Você não se apronta, seu Dias?... perguntou-lhe o Cordeiro, ocupado *a* enfiar um par de calças cor de alecrim.'' (Aluísio Azevedo, *O Mulato*, 161.) ''É um meticuloso, um precioso, um plástico ocupado *a* cinzelar, como ele próprio diz, 'a expressão absoluta'.'' (Fialho de Almeida, *Os Gatos*, 245.) ''Amâncio não respondeu logo, porque estava muito ocupado *a* apanhar do chão uma grande pilha de camisas engomadas que Amelinha deixara cair.'' (Aluísio Azevedo, *Casa de Pensão*, 125.)

''D. Vasco Mascarenhas .... sempre ocupado na corte *com* os negócios políticos.'' (Rebelo da Silva, *Contos e Lendas*, 54.) ''Corredor estreito e comprido, ... todo ocupado *com* duas filas de mesa.'' (Fialho de Almeida, *Os Gatos*, 46.) ''Unicamente ocupada esta nação belicosa *com* a sua glória presente, ... não pensou em se assinalar no futuro pela memória das suas passadas conquistas.'' (Mário Barreto, *Cartas Persas*, 175.) ''— Faz uma semana que ela me chama para mostrar esses arranjos de Natal, prosseguiu Nicolau Varejão. E eu, ocupado *com* a lavoura, o ocultismo, a política.... Sou um ingrato.'' (Graciliano Ramos, *Caetés*, 193.)

''Assim, quando o vale fosse ocupado *dos* sarracenos, os cristãos poderiam defender-se por largo tempo, obtendo por esse caminho oculto os socorros dos montanheses.'' (Herculano, *Eurico*, 262.) ''Igreja .... muito pequena .... além disto ocupada *de* círios.'' (Dic. de Morais.)

''Duarte andava, de muito, ocupado *em* obras na casa, por lhe parecer indigna da esposa a velha habitação.'' (Camilo, *As Três Irmãs*, 40). ''As amarguras respeitam o espírito ocupado *em* qualquer trabalho.'' (Idem, *ibidem*, 194.) ''Bela coisa era ver os dois corpos mais respeitáveis da Europa ocupados *em* decidir da sorte de uma letra do a-bê-cê (Mário Barreto, *Cartas Persas*, 229.)

''O terreno ocupado *por* este edifício.'' (Fr. D. Vieira.) ''Com um livro debaixo do braço e as mãos ocupadas *pela* sombrinha.'' (Afrânio Peixoto, *A Esfinge*, 32.)

Ódio — *a, contra, entre, para com:*

''Hermengarda só vira afronta e opróbrio nas palavras do amir, e o ódio *a* este homem .... tornou-se ainda maior ao ouvi-lo.'' (Herculano, *Eurico*, 193.) ''Eu tenho hoje ódio *a* esse homem, porque me vejo amada de todas as pessoas, e aborrecida por ele.'' (Camilo, *A Neta do Arcediago*, 83.) ''O horror à crítica, a intransigência com a censura, o ódio *às* oposições.'' (Rui, *Colunas de Fogo*, 190.)

''Saturado de ódio *contra* o mundo.'' (Camilo, *O Bem e o Mal*, 215.) ''Atribuía à influência de Gonçalo Mendes da Maia este sucesso, e o seu ódio *contra* ele tinha subido de ponto.'' (Herculano, *O Bobo*, 91.) ''É .... a eterna história dos ódios da intolerância *contra* os espíritos liberais.'' (Rui, *Cartas de Inglaterra*, 393.)

''Jamais se extinguirá esse ódio *entre* nós dois.'' ''Quando um grande risco ameaça a pátria, não há ódios *entre* os godos: todos eles são irmãos, porque todos eles são filhos desta nobre terra de Espanha.'' (Herculano, *Eurico*, 107.)

''Sentir ódio *para com* alguém.''

Odioso — *a, para, por:*

''E que razão teve S. Paulo para um preceito tão universal e tão odioso *à* metade do gênero humano...?'' (Vieira, *Sermões*, IX, 146.) ''Há bizantinismo demais, para um inimigo daquele Baixo Império tão odioso outrora *ao* ministro do império atual, nessa distinção.'' (Rui, *Queda do Império*, I, 102.) ''Para ali diziam os Lucenas que o monarca transferira a dama, odiosa *à* rainha. Parecia, pois, que a folhagem do arvoredo estava rumorejando uma crônica de reais amores.'' (Camilo, *O Bem e o Mal*, 175.)

''Aquele seu Ernesto .... ficava *para* Joaquim mais odioso naqueles momentos.'' (J. Lins do Rego, *Usina*, 127.)

''Fez-se odioso *pelas* suas injustiças.'' (Constâncio.)

Ofendido — *com, de, em, por:*

''Ofendidos *com* aquele pudor de consciência, meio despeitados e sem coragem para assumirem posição idêntica, alguns liberais consideraram a proposta uma traição.'' (Luiz Viana Filho, *A Vida de Rui Barbosa*, 62.) ''Ofendido *com* aqueles cuidados de prevenção meramente científica.'' (Taunay, *Inocência*, 97.) ''Diretamente ofendido *com* a sorte de seus argumentos, deixou pesarem nas conveniências de súbita mudez as disposições inatas de homem que não quer mais comprometer-se.'' (Alberto Rangel, *Fura-Mundo*, 164.)

''Tenho este braço ofendido *da* queda.'' (Morais.) ''O ânimo ofendido *das* injúrias que se lhe fizeram.'' (Idem.)

''Se um vassalo se considerar ofendido *na* sua honra *pelo* príncipe, ou seja *por* alguma preferência, ... deixa imediatamente a corte, o emprego.'' (Mário Barreto, *Cartas Persas*, 189.) ''O iracundo Governador, na indignação de ofendido *no* seu amor-próprio, estendia aos grandes paulistas .... o travo de sua queixa particular.'' (Alberto Rangel, *Fura-Mundo*, 54.)

''Continuou Ricarda, ofendida *pelo* silêncio de João à última pergunta.'' (Camilo, *A Neta do Arcediago*, 12.) ''Pergunta-lhe se quer casar com meu filho.... — disse Jaquelina a rir de irritada e ofendida *pela* dúvida.'' (Idem, *A Enjeitada*, 176.)

Ofensa — *a, contra, de:*

''Se houvesse pior ofensa *a* um caráter que a de o figurar autômato de amizades indígnas.'' (Rui, *Colunas de Fogo*, 102.) ''Tal recusa significa uma ofensa direta *à* quem fez o pedido.'' (Aluísio de Azevedo, *O Mulato*, 249.) ''Que importa a esse estroinaço mais uma ofensa *aos* bons costumes?'' (Alberto Rangel, *Fura-Mundo*, 52.)

''As ofensas *contra* os senhores, suas famílias .... recebiam a repressão na vindita popular.'' (Rui, *Queda do Império*, II, 212.)

''Duarte ouvia com menospreço e ofensa *do* seu orgulho reflexões destas.'' (Camilo, *As Três Irmãs*, 119.) ''Este sucesso .... pode, cremos nós, sem ofensa *das* pias orelhas dos críticos, ter cabida na gravíssima biografia do nosso Dom Bibas.'' (Herculano, *O Bobo*, 47.) ''Reputo ofensa *dos* deuses que vos castigam, opor algum embargo a sua justa cólera.'' (Mário Barreto, *Cartas Persas*, 24.)

Ofensiva — *contra:*

''Os alemães sofreram grandes reveses em sua ofensiva *contra* a Rússia.''

Ofensivo — *a, de, para, para com:*

''Leituras ofensivas *à* moral.'' ''Escritos ofensivos *ao* Governo.''

''Em toda ela (linguagem) não há o mínimo traço de agastamento, a mais leve observação ofensiva *do* projeto.'' (Rui, *Réplica*, 482.) ''Com trajes algo ofensivos *da* moral.'' (Mário Barreto, *Através do Dicionário e da Gramática*, 43.)

''Escarrou com tanta fleuma, e afagou os seus cães de modo tão ofensivo *para* os homens, que não me cansava de o admirar.'' (Mário Barreto, *Cartas Persas*, 160.)

''Era (Braddock) assomadiço, obstinado e impiamente ofensivo *para com* os rudes pioneiros que tentavam aconselhá-lo.'' (*Maravilhas do Conhecimento Humano*, I, 112.)

Oferecido — *a, por:*

''Imagens de cera oferecidas *aos* santos.'' ''Mimos oferecidos *às* crianças.''

''Gassiot rejeitava os recursos oferecidos *por* seus tios e dizia estar bem onde estava.'' (Camilo, *A Enjeitada*, 133.)

Oferecimento — *a:*

''Seu oferecimento *à* causa foi bem recebido.''

Oferenda — *a:*

''As oferendas *à* divindade eram ricas e numerosas.''

Oferta — *a:*

''As mercadorias .... se acumulavam no chão, nos surrões abertos ou nos couros estendidos em oferta *aos* compradores.'' (Afrânio Peixoto, *A Esfinge*, 293.)

Ofuscado — *com, de, por:*

''Cego já *co*'os deleites e ofuscado.'' (Dic. de Morais.) ''As estrelas menores aparecem ofuscadas *com* o brilho das maiores.''

''Mas a amiga torceu cara à banda, baixando os olhos, como ofuscada *de* tais requebros.'' (Aquilino Ribeiro, *Andam Faunos*, 27.)

''Com a mente ofuscada *pelas* sombras letais.'' (Rebelo da Silva, *apud* Aulete.)

Ojeriza — *a, com, contra, por:*

''‹Porcos› e ‹marranos› eram os nomes de desprezo contra os judeus e os sectários de Mafoma, talvez pela ojeriza que tinha essa gente *à* carne de porco.'' (João Ribeiro, *Curiosidades Verbais*, 32.)

''*Com* quem sempre teve ojeriza.'' (Vieira, *apud* E. Carneiro Ribeiro, *Tréplica*, 584.)

''Essa ojeriza *contra* o mata-borrão lhe viera dos tempos da guerra do Paraguai.'' (Medeiros e Albuquerque, *Quando Eu Era Vivo*, 119.)

''Sempre demonstrou grande ojeriza *por* ele.'' ''Aquele aperto.... dava-lhe grata sensação, levando-o a esquecer a sua ojeriza *pelo* condutor.'' (Ferreira de Castro, *A Tempestade*, 50.)

Ondulado — *por:*

''Tem (Alves Mendes) a magia dos períodos brilhantes em que lampejam cintilações de lágrimas, unções, arroubos de piedade, a força hercúlea da imagem ondulada *pela* música dulcíssima da frase.'' (Camilo, *Boêmia do Espírito*, 212.)

Onerado — *com:*

''A viscondessa via-se um pouco mais onerada *com* a expedição de ordens à criadagem — uma coorte de cozinheiros, forneiros, pasteleiros.'' (Xavier Marques, *As Voltas da Estrada*, 26.)

Oneroso — *a, para:*

"Contrato oneroso *à* municipalidade." "Este rapaz foi sempre oneroso *à* família."

"Não têm (os príncipes) força para resistir a solicitações sempre onerosas *para* os que nada solicitam." (Mário Barreto, *Cartas Persas,* 261.)

Onipotente — *contra, para:*

"Sente-se grande, onipotente *contra* todos os vexames do infortúnio." (Camilo, *Mistérios de Lisboa,* I, 183.)

"O jogo livre da palavra e da publicidade é tão incapaz de mal, quão onipotente *para* o bem." (Rui, *Queda do Império,* I, 127.)

Opção — *entre, por:*

"Cabendo a este (dono do prédio) a opção *entre* aquiescer a que se renove a parte acrescida, ou indenizar ao reclamante." (Rui, *Parecer,* 245.)

"Sua opção *pelo* emprego federal foi acertada."

Operado — *em, por:*

"As alterações operadas *nos* fonemas dos vocábulos latinos quando se iam transformando em portugueses obedeceram a leis constantes e invariáveis durante certa época." (Sousa da Silveira, *Lições de Português,* 22.)

"Prodígio operado *pelo* céu." (Fr. D. Vieira.)

Opimo — *de, em:*

"Opimo *em* frutos ou *de* frutos." (E. Carneiro Ribeiro, *Serões Gramaticais,* 676.)

Opinião — *acerca de, a respeito de, com, de, em, para com, quanto a, sobre:*

"Resume em estudo condensado os fatos, os documentos e o estado geral da opinião *acerca de* um dos tipos mais notórios do caos republicano na América do Sul." (Rui, *Cartas de Inglaterra,* 273.) "Também das nossas opiniões *acerca da* agitação que aclama a república, seria temeridade coligir sentimentos de adesão imediata à revolução republicana." (Idem, *Queda do Império,* I, 110.)

"Nesse capítulo .... tinha eu uma gorda nota comprobativa da minha opinião ideológica *a respeito de* mulheres." (Camilo, *Cenas da Foz,* 87.) "— Devo todavia, dizer-vos que compreendi durante algumas horas uma opinião injusta *a respeito da* senhora duquesa." (Camilo, *Livro Negro,* 94.)

"Não queiras ter tal opinião *com* os reis." (Vieira, *Sermões,* IX, 166.)

"Tenho .... diferente opinião *do* seu valor." (Vieira, *apud* Aulete.) "A crítica tinha hoje a mesma opinião *da* sua arte." (Afrânio Peixoto, *A Esfinge,* 141.)

"Não me refiro a nada que possa ser questão, mas só àquilo *em* que não pode haver duas opiniões." (C. de Figueiredo, *Lições Práticas,* I, 37.)

"Melhor é para os tais casos ser reputado por menos douto, e não ter *para com* os reis opinião de sábio." (Vieira, *Sermões,* IX, 166.)

"Abraçam a opinião de Diez *quanto à* sintaxe do infinito pessoal." (Rui, *Réplica,* 258.)

"Dignou-se o autocrata perguntar a este seu súdito .... a sua opinião *sobre* o movimento que iniciara." (Rui, *Colunas de Fogo,* 84.) "Esta opinião injuriosa *sobre* as mulheres é, em geral, corrente nos nossos sertões." (Taunay, *Inocência,* 42.) "É tolice querer uma pessoa ter opinião *sobre* assunto que desconhece." (Graciliano Ramos, *S. Bernardo,* 130.) "E, quando se dispunha a dar afinal a sua esperada opinião *sobre* o casamento, a pobre enferma, muita sentida com o que vociferava o tagarela a seu respeito, abriu a soluçar estrepitosamente." (Aluísio Azevedo, *Casa de Pensão,* 138.)

Oportunidade — *de, para:*

"Ainda havemos de ter oportunidade *de* presenciar o fenômeno." (Sousa da Silveira, *Lições de Português,* 75.) "Sua primeira oportunidade *de* experimentar sua teoria ocorreu quando servia ele no corpo de sinaleiros do exército italiano." (*Maravilhas do Conhecimento Humano,* I, 288.)

"O Senado, receoso de conceder uma oportunidade *para* tocar-se na vitaliciedade dos membros da câmara alta, opunha-se à orientação de Sinimbu." (Luiz Viana Filho, *A Vida de Rui Barbosa,* 69.) "Realizavam apenas uma demonstração ligeira, deixando escapar a oportunidade *para* acometimento sério." (E. da Cunha, *Os Sertões,* 459.) "Um dia não houve sol e dessa forma não podia o espelho ser utilizado. Era a oportunidade *para* Marconi. Inventou um instrumento para produzir impulsos elétricos e outro para recebê-los." (*Maravilhas do Conhecimento Humano,* I, 288.)

Oportuno — *a, para:*

"O momento não é oportuno *a* discussões estéreis."

"Não acho oportuna a ocasião *para* zombarias." (Camilo, *Mistérios de Lisboa,* II, 202.)

Oposição — *a, com, de, entre; em, por:*

"A nota de 'purismo', isto é, de oposição desenganada e sistemática *às* neologias, encontra no próprio substitutivo e suas notas a prova do falso testemunho que me levanta." (Rui, *Réplica,* 568.) "Minha oposição *a* Prudente de Morais fez que, por ocasião da tentativa de assassinato que contra ele realizaram, Prudente quisesse prender-me e desterrar-me para Fernando Noronha." (Medeiros e Albuquerque, *Quando Eu Era Vivo,* 158.) "Lafaiete, vendo crescer na Câmara a oposição *ao* ministério, apresentou ao Imperador a demissão coletiva do gabinete." (Luiz Viana Filho, *A Vida de Rui Barbosa,* 90.)

"Ei-la, pois, em oposição *com* os estatutos de todos os patriarcas que apadroaram conventos." (Camilo, *A Neta do Arcediago*, 49.) "A oposição dos braços *com* os pés." (Fr. D. Vieira.)

"Oposição *de* caracteres." (Aulete.)

"A oposição invencível que existe *entre* os dois partidos." "A oposição, por exemplo, *entre* 'marfini' e 'ebúrneo' tem não sei que de estranho." (Mário Barreto, *Através do Dicionário e da Gramática*, 292.)

"A poesia parece denunciar, para assim dizer, um estado de alma *em* oposição direta *com* essa impassibilidade que é a condição primeira do realismo conseqüente." (Fialho de Almeida, *Os Gatos*, 242.)

"'Idiota', entre os gregos 'idiotes', era chamado o homem particular *por* oposição ao que tinha ofício ou encargo." (João Ribeiro, *Curiosidades Verbais*, 23.)

Oposto — *a, de, em:*

"Se o Dr. Clóvis não começasse a citação de meio texto, ver-se-ia quão oposta é *ao* interesse de quem a faz." (Rui, *Réplica*, 523.) "Rolam as águas num sentido oposto *à* costa." (E. da Cunha, *Os Sertões*, 82.) "Ao menos não tereis inspirado n'alma do soldado a mentira, a baixeza, a hipocrisia, os vícios mais opostos *à* lealdade e *à* inteireza." (Rui, *Queda do Império*, I, 223.)

"Romão Pires, tirando a estafada repetição de suas campanhas, representava em tudo o oposto *dela*." (Rebelo da Silva, *Contos e Lendas*, 50.)

"É oposto *ao* irmão *em* tudo: *nas* feições e *no* gênio."

Opressão — *contra, de, entre:*

"Aí tem o nobre presidente do Conselho a linguagem tradicional dos assalariados da opressão *contra* os mais ilibados amigos das causas liberais." (Rui, *Discursos e Conferências*, 165.)

"Com opressão *dos* pobres." (Morais.)

"Baixou a cabeça, levou o lenço à boca e viu o sangue, o sangue vivo, numa posta rubra que lhe saía como de uma ferida e mais sentia grosso e quente, aos gorgolões, como se todas as artérias houvessem rebentado naquele esforço, naquela opressão *entre* a gente bárbara." (C. Neto, *Treva*, 124.)

Opresso — *de:*

"Teve febre e ânsias que o arrancavam aos travesseiros, à falta de ar, numa agonia opressa *de* sufocação." (C. Neto, *Treva*, 104.)

Oprimido — *com, de, em, por:*

"A razão oprimida *com* o peso de tanta magnificência." (Mont'Alverne, *apud* Aulete.)

"Assim baixou Santa Inez a consolar seus pais, oprimidos *de* tristeza." (Bernardes, *apud* C. Góis, *Sintaxe de Regência*, 96.) "Acabou sem remédio nem resistência, não vencido no valor, mas oprimido *da* multidão." (Vieira, *Sermões*, IX, 107.)

"De repente um brado estrondou. Desempanou-se-lhe o olhar e viu-se abafadamente oprimido *no* meio do povo que se levantara murmurando." (C. Neto, *Treva*, 123.) "Se se trata do remédio aos oprimidos *na* sua liberdade, já eles o tentaram." (Rui, *Colunas de Fogo*, 153.)

"Antes assim, murmurou Fura-Mundo, um pouco oprimido *por* todo aquele gasto de sobressaltos para coisa nenhuma." (Alberto Rangel, *Fura-Mundo*, 217.)

Opróbrio — *de:*

"Digo-o em opróbrio *do* gênero humano: a Lei proíbe aos nossos príncipes o uso de vinho, e eles o bebem com um excesso que afronta a humanidade." (Mário Barreto, *Cartas Persas*, 68.)

Opulentado — *de, por:*

"Opulentada *de* esplêndidas minas, aquela paragem, malsina-a a própria opulência." (E. da Cunha, *Os Sertões*, 217.)

"Vocabulário grandemente opulentado *por* numerosas palavras indígenas e africanas." (Sousa da Silveira, *Lições de Português*, 19.)

Opulento — *de, em, por:*

"A primeira sala, forrada de ricos tapetes, opulenta *de* luxo e mau gosto ...." (Camilo, *A Neta do Arcediago*, 65.) "A pedra que aí vê, em cima, é um minério deste extraordinário Brasil, tão rico de grandes prendas, como opulento *de* ridículas misérias." (Alberto Rangel, *Fura-Mundo*, 308.)

"Ásia começa aqui .... *em* reinos opulenta." (Camões, *apud* Aulete.)

"Opulenta *pelo* comércio dos seus habitantes, Ceuta competia com os melhores alfagemes de Damasco." (Rebelo da Silva, *Contos e Lendas*, 260.)

Oração — *a, contra, por:*

"Jamais deixei de pedir por ele em minhas orações *à* Virgem."

"Pedro tinha oração, e muito boa oração *contra* arma de fogo." (Afonso Arinos, *Pelo Sertão*, 142.) "No exórdio da sua oração *contra* D. Ângela de Lima, a Condessa de Penacova pediu a um cavalheiro que lhe desse o seu lenço." (Camilo, *Mistérios de Lisboa*, I, 195.)

"Aqueles derradeiros fragmentos das preces .... assemelhavam-se aos ecos das orações *por* finado repercutidas por abóbadas de igreja." (Herculano, *O Bobo*, 69.) "Insensivelmente Duarte curvou o joelho, e lembrou-se de sua mãe, porque sua mãe lhe ensinara a oração *pelos* mortos." (Camilo, *As Três Irmãs*, 17.)

Oráculo — *em:*

"O padre-mestre de crer é que fosse sempre oráculo *n*estas frases de melhor e menos aldeã compostura." (Camilo, *As Três Irmãs,* 227.)

Ordem — *a, contra, de, para:*

"Além das ordens *a*s diversas autoridades para que se ponham as cautelas necessárias no Registro, ... organizar-se-ão três patrulhas volantes para os baixos e freguesias de S. Paulo." (Alberto Rangel, *Fura-Mundo,* 160.)

"Nesses registros se acha consignada explicitamente a ordem peremptória de incomunicabilidade transmitida, *contra* os três oficiais, àquela repartição naval." (Rui, *Colunas de Fogo,* 200.)

"Era a ordem *de* paralisação das obras. O governo não tinha dinheiro." (J. Américo de Almeida, *O Boqueirão,* 185.) "O marido da duquesa recebeu irrevogável ordem *de* comandar um exército 'longe de sua mulher'. O Bonaparte de Montebelo cuidava servir assim o enviado da Inglaterra." (Camilo, *Livro Negro,* 95.)

"Os arcebispados expediram aos sacerdotes dos dois cleros ordem *para* dizerem nas missas a oração 'Pro pace'." (E. da Cunha, *Os Sertões,* 367.) "Durante o seu trajeto do Rio para Lisboa o ministério que o nomeara caiu, e ele achou em Lisboa ordem *para* regressar." (Medeiros e Albuquerque, *Quando Eu Era Vivo,* 28.) "Alguma ordem *para* meter na grilheta o infrator dos mandados reais." (Alberto Rangel, *Fura-Mundo,* 15.) "— Já dei ordem *para* que levem a tua bagagem à casa. — Entraram na caleche e o cocheiro zurziu as bestas, que partiram." (Coelho Neto, *Treva,* 25.)

Ordenado — *a, em, para, por:*

"Coisas ordenadas *a*o comércio." (Fr. D. Vieira.)

"A guarnição estava ordenada *em* círculo."

"Iam ordenados *para* andarem com Afonso de Albuquerque." (Dic. de Morais.)

"Escritas por ele e *por* ele ordenadas aquelas publicações." (Afrânio Peixoto, *A Esfinge,* 111.)

Orfanado — *de, por:*

"Dali foi o féretro levado a mão por entre as lágrimas e orações da comunidade orfanada *d*a sua maior glória." (Castilho, *apud* Aulete.)

"Os verdugos não acariciavam com palavras de simpatia, nos braços das mães, as criancinhas *por* êles orfanadas." (Rui, *Cartas de Inglaterra,* 311.)

Órfão — *de:*

"órfão *de* pai e mãe." (E. Carneiro Ribeiro, *Serões Gramaticais,* 674.) "Dissera muitas vezes D. Teresa que assaz grato lhe seria vê-lo bispo da sua sé, a qual então se achava órfã *de* pastor." (Herculano, *O Bobo,* 88.)

"Ele, que sempre vivera órfão *de* afeições legítimas e duradouras, como então seria feliz!" (Aluísio Azevedo, *O Mulato,* 53.)

Organizado — *com, em, por:*

"Resistência organizada *com* elementos civis."

"Era a devassa pública organizada *em* instituição local." (Antero de Figueiredo, *Jornadas em Portugal,* 63.) "Eram os comboios de víveres assaltados por bandos de famintos, malfeitores e bandidos, organizados *em* legiões de famosos cangaceiros." (Domingos Olímpio, *Luzia-Homem,* 39.)

"Prestar-lhes-ão sinalados serviços os volumes da "Antologia Portuguesa", organizada *pelo* esmerado escritor Sr. Dr. Agostinho de Campos." (Mário Barreto, *Através do Dicionário e da Gramática,* 216.)

Orgulho — *de, por:*

"Ameacei .... para que V. S.ª tenha um justo orgulho *de* ser pai, quando eu lhas entregar educadas." (Camilo, *As Três Irmãs,* 215.) "Devemos ter orgulho *d*ela e não apenas olhá-la pelo prisma do nosso interesse." (Mário Sete, *Os Azevedos do Poço,* 92.) "Não tinha orgulho *de* sair de casa e ir falar com os moradores." (J. Lins do Rego, *Usina,* 72.) "Monfort teve orgulho *de* desembainhar a espada ao pé de um homem, que sorria a cada zumbido de bala, que passava entre os bravos de Revoredo, deixando um sulco de sangue sobre uma esteira de cadáveres." (Camilo, *Livro Negro,* 74.)

"A tua docilidade encheu-me de orgulho e alegria, orgulho *por* ter tal filha, alegria por ver tão galardoados os meus sacrifícios." (Camilo, *Cenas da Foz,* 208.)

Orgulhoso — *com, de, em, por:*

"Fiquei muito satisfeito e orgulhoso *com* esse incomparável triunfo." (*Apud* Luiz Viana Filho, *A Vida de Rui Barbosa,* 111.) "Seria, porém, absolutamente injusto acusar Quintino de se ter tornado orgulhoso *com* a subida ao poder." (Medeiros e Albuquerque, *Quando Eu Era Vivo,* 101.) "Ontem entrei para casa tão orgulhoso *com* o teu abraço, que escrevi uma ode, e assim manifestou-se em mim a veia lírica, depois da cômica e da clássica." (M. de Assis, *Contos Fluminenses,* 127.)

"Mais aflito com os desastres do que orgulhoso *d*os triunfos." (Ricardo Jorge, *Sermões dum Leigo,* 76.) "O cangaceiro é sagaz, precatado e cauteloso, de uma pertinácia a toda prova, orgulhoso *de* seus feitos e extremamente traiçoeiro." (Gustavo Barroso, *Terra de Sol,* 128.) "Todos estes senões porém são passageiros, e filhos da misantropia dum espírito sozinho, orgulhoso *de* si, mas não podendo adivinhar, é claro, o que não vê." (Fialho de Almeida, *Os Gatos,* 231.)

"Seja orgulhoso *n*a renúncia da sua alma." (Camilo, *Mistérios de Lisboa,* I, 253.)

"Sinto-me orgulhoso *por* poder assistir a teus triunfos." "Luís XVI, rapazola inofensivo, que não se sentia particularmente orgulhoso *pelo* fato de ser rei, reuniu em assembléia os nobres e o clero e dirigiu-lhes as seguintes palavras: — Senhores, parece-me que não se pode mais extorquir um vintém do povo. Por isso tereis de pagar alguns impostos até que o governo se reajuste." (*Maravilhas do Conhecimento Humano*, I, 76.)

Orientação — *a, para, sobre:*

"Termina com uma série de reflexões históricas que podem servir de orientação *aos* pesquisadores futuros." (João Ribeiro, *Curiosidades Verbais*, 147.)

"Atribuía à nossa magistratura o propósito de aguardar, como orientação *para* o seu procedimento, as deliberações legislativas." (Rui, *Cartas de Inglaterra*, 337.)

"Ainda não tenho uma segura orientação *sobre* o assunto que se discute."

Orientado — *para:*

"João de Lima tinha a consciência coletiva, constantemente orientada *para* o seu restrito meio aristocrático." (Xavier Marques, *As Voltas de Estrada*, 106.)

Originado — *de, por:*

"Todos sois originados *do* barro de Adão." (Dic. de Morais.) "O delegado saltou os degraus da escada e partiu como um raio para dissolver o préstito e impedir a manifestação popular originada *de* um equívoco." (Xavier Marques, *As Voltas da Estrada*, 129.)

"O que surpreende é a surpresa originada *por* tal fato." (E. da Cunha, *Os Sertões*, 363.)

Originário — *de:*

"O camelo é originário *da* Ásia." (Aulete.) "Pode também um vocábulo de outra língua, mas originário *do* latim, ser incorporado em nosso léxico." (Sousa da Silveira, *Lições de Português*, 23.)

Oriundo — *de:*

"Oriundo *de* Portugal." (Fr. D. Vieira.)

Orlado — *com, de, por:*

"Duas nuvens no horizonte brancas, orladas *com* listões de fogo." (G. Dias, *apud* Aulete.)

"O próprio mérito e glória lhe puseram nas mãos a palheta do seu antecessor, a gorra asiniauricular, o gibão de mil cores e o saio orlado *de* guizos." (Herculano, *O Bobo*, 25.) "O seu maior rio, que segue entre campos baixos orlados *de* amieiros, chama-se Ave." (Antero de Figueiredo, *Jornadas em Portugal*, 104.) "O carmim desmaiou em súbito mármore. Os olhos esgazeados fundaram-se nas órbitas orladas *de* roxo." (Camilo, *Livro Negro*, 132.)

"Todos os estados orlados *pelo* mar necessitam de ser fortes no mar." (Rui, *Cartas de Inglaterra*, 153.)

Ornado — *com, de:*

"As paredes de toda a casa em roda estavam ornadas *com* sete palmas." (Vieira, *Sermões*, IX, 133.)

"O toucador, alto, estava entre duas janelas, sob um dossel de renda grossa, muito ornado *de* frascos facetados." (Eça, *O Primo Basílio*, 25.) "Ó tu, sábio daroês, cujo espírito está ornado *de* tantos conhecimentos, escuta o que te vou dizer." (Mário Barreto, *Cartas Persas*, 202.) "Os olhos tinham ainda muita vida, brilhavam ardentemente e a boca pequena, vermelha, de lábios finos, ornada *de* dentes magníficos, era imperiosa, enérgica." (Coelho Neto, *Treva*, 70.)

Ornamentação — *com:*

"Nem todos apreciam ornamentação *com* flores naturais."

Ornamento — *com, de, para:*

"Ornamento ou guarnecimento *com* cortinas." (L. Freire, voc. *acortinamento*.)

"Este orador é um dos ornamentos *da* tribuna portuguesa." (Aulete.)

"Por que a escolhi? — Porque me supõe ornamento *para* sua casa." (Afrânio Peixoto, *A Esfinge*, 165.)

Orvalhado — *de:*

"Mulher que lhe há de encravar bem dentro na fronte os espinhos que nasceram do túmulo de Branca, nutridos em veneno, e orvalhados *dum* sangue que clama justiça ao céu." (Camilo, *Livro Negro*, 246.)

Oscilação — *entre:*

"Sua oscilação *entre* as duas propostas durou pouco."

Oscilante — *de .... a, entre:*

"Uma temperatura anual média oscilante *de* 17° *a* 20°, num jogo mais harmônico de estações." (E. da Cunha, *Os Sertões*, 79.)

"Cuidados assoberbadores de uma situação ainda oscilante *entre* o antigo e o novo regime." (Rui, *Réplica*, 61.)

Ousadia — *de, para:*

"Teve a ousadia *de* competir com Palas." (Dic. de Morais.) "Relevem-nos os colegas a ousadia *da* iniciativa." (Rui, *Queda do Império*, I, 187.)

"Entontece sempre e pode dar, se não falta ousadia *para* fazê-lo beber à farta, na perdição completa." (Afrânio Peixoto, *A Esfinge*, 119.)

Ouvido — *de, em, por, sobre:*

"Reza só ouvida *de* Deus e *dos* quietos ossos que ali jaziam." (Castilho, *apud* Mário Barreto, *Através do Dicionário e da Gramática*, 300.) "É que certas palavras, ouvidas *da* boca de quem vai morrer .... mexem com a gente." (Aluísio Azevedo, *O Mulato*, 240.)

"Este grito, se não é ouvido *nos* céus, é o precursor de uma blasfêmia, que deve ser ouvida *nos* infernos.'' (Camilo, *Mistérios de Lisboa,* I, 84.) ''Antônia! essas orações são ouvidas *no* céu.'' (Idem, *ibidem,* II, 132.)

''Nem chegou a ser ouvida (a detonação) *por* todas as pessoas do séquito imperial.'' (Fialho de Almeida, *Os Gatos,* 31.)

''A Academia Francesa foi ouvida *sobre* o caso.'' (C. de Figueiredo, *Falar e Escrever,* II, 309.)

Ovação — *a:*

''O seu chefe, genuíno patriarca, congregara filhos, netos e bisnetos em ovação ruidosa *ao* marechal.'' (E. da Cunha, *Os Sertões,* 527.)

Oxalá — *quão, que:*

''Oxalá nunca saibas *quão* intenso e atroz é o meu tormento.'' (Herculano, *Eurico,* 45.)

''Oxalá *que* me engane, *que* os meus ilustres amigos tenham razão.'' (Rui, *Cartas Políticas e Literárias,* 169.) ''Oxalá *que* em breve nos tornemos a ver.'' (Mário Barreto, *Cartas Persas,* 52.)

P

Pachorra — *de:*

"Tinha o instinto das elegâncias, o amor do supérfluo, da boa chira, das belas damas. .... Mas não tinha dinheiro; nem dinheiro, nem aptidão ou pachorra *de* o ganhar." (M. de Assis, *Papéis Avulsos,* 214.)

Paciência — *com, de, em, para:*

"Tenha paciência *com* estes cálculos; mas creia que eles vingarão, ajudados pela minha força de vontade." (Camilo, *As Três Irmãs,* 208.)

"Não tive paciência *de* esperar as quarenta e oito horas." (Gastão Cruls, *Ao Embalo da Rede,* 200.) "O sol matutino .... era como amigo que ficou de fora e perdeu a paciência *de* esperar." (Aquilino Ribeiro, *A Batalha sem Fim,* 83.)

"O sagrado dever de cada um não é só a paciência *nos* reveses." (Camilo, *As Três Irmãs,* 272.)

"Teve S. Iria paciência *para* sofrer, e não Deus *para* esperar." (Vieira, *Sermões,* IX, 26.) "Deus me dê paciência *para* transpor o muladar." (Rui, *Réplica,* 487.) "Falta-lhe paciência *para* viver alguns meses na tristonha casa da serra?" (Camilo, *O Bem e o Mal,* 132.)

Paciente — *com, de, em:*

"É muito paciente *com* as crianças." "Leonel mostrava-se muito paciente *com* a filha. Chegados à fazenda, graças aos cuidados excepcionais de Pretinha, Sianinha começou a recuperar em breve as suas energias perdidas." (Abílio Barreto, *A Noiva do Tropeiro,* 57.)

"Paciente *de* duros tratos." (E. Carneiro Ribeiro, *Serões Gramaticais,* 674.)

"Paciente *em* aguardar, manso e apagado, com um ar de mistério." (Fialho de Almeida, *Os Gatos,* 27.)

Pacto — *com, entre:*

"O presidente do Conselho soube desempenhar, com uma rigidez digna de outra coisa, o seu pacto *com* a família imperial." (Rui, *Colunas de Fogo,* 29.) "Só um pacto reservado *com* os herdeiros do trono explica razoavelmente a imutabilidade provocadora de uma política .... que parece fortalecer-se na gravidade mesma das suas culpas." (Idem, *Queda do Império,* I, 247.)

"Graças a este tratado ...., consegue a França, há alguns anos, descansar dos receios do pacto *entre* os governos de Roma, Viena e Berlim." (Rui, *Colunas de Fogo,* 209.)

Paga — *de:*

"Fundas dores seriam a paga *de* tantas vitórias." (Gustavo Barroso, *A Ronda dos Séculos,* 237.) "E imaginou que ela, em paga *de* tantos sacrifícios, ia ficando alva, toda branquinha." (J. Américo de Almeida, *A Bagaceira,* 217.) "Sou como proscrito. Servindo à França, tive em paga *de* meus serviços um desterro. Privaram-me de amigos, de irmãos, de mãe e de.... tudo que me era mais precioso que esta tardia existência, que as balas respeitam." (Camilo, *Livro Negro,* 119.)

Pago — *a, com, de, por:*

"A solidão, o pungente desprezo com que as minhas lágrimas eram recebidas, o mudo escárnio daqueles frades, que repartiam o tempo entre a devassidão e o culto pago *a* ouro, converteram o meu padecimento surdo em entranhado rancor a meu pai." (Camilo, *Livro Negro,* 234.)

"Teu coração é nobre demais para ser pago *com* dinheiro." (Camilo, *Mistérios de Lisboa,* I, 70.)

"E contudo se dão por bem pagos *de* suportar todo o trabalhoso da virtude, só por conseguir o honroso dela." (Vieira, *Sermões,* IX, 18.) "Os reis estão sempre bem pagos *do* bem que praticam, *com* o bem que recebem da nação." (Rui, *Queda do Império,* I, 192.)

"O mancebo desprezava o perigo, e pago até *da* morte *pel*os sorrisos que seus olhos furtavam de longe, levou o arrojo a arrepiar a testa do touro com a ponta da lança." (Rebelo da Silva, *Contos e Lendas,* 144.)

Paixão — *de, para, por:*

"Vida gloriosa e encantada na paixão *da* ciência e *da* música, *das* rosas e *dos* doentes." (Ricardo Jorge, *Sermões dum Leigo,* 76.) "À medida que vão envelhecendo, cobra forças a paixão *do* jogo, e enche esta paixão o vácuo de todas as demais." (Mário Barreto, *Cartas Persas,* 117.) "A sua paixão *do* Belo enquadrou-se no entendimento geral das coisas.'' (Antero de Figueiredo, *Amor Supremo*, 220.)

''Consumia-os, porém, uma ânsia de justiça e uma paixão *de* misericórdia. Tomavam sempre o partido do pobre contra o opressor.'' (*Maravilhas do Conhecimento Humano*, I, 319.)

''A paixão *do* belo ou *para* o belo.'' (E. Carneiro Ribeiro, *Serões Gramaticais*, 671.)

''Disse-me que tinha paixão *por* Eulália, e casaria com ela, se fosse vontade do pai da menina.'' (Camilo, *As Três Irmãs*, 26.) ''Paixão *pelas* danças e torneios.'' (Herculano, *O Bobo*, 23.) ''Esse cargo e o que mais tarde também tive .... me deram a noção de como se pode ter paixão *por* certos empregos administrativos.'' (Medeiros e Albuquerque, *Quando Eu Era Vivo*, 183.) ''Durante cerca de cinco anos, viveu relativamente feliz. Sua paixão *pela* corista fôra esquecida. Mas depois, num dia fatal, volveu a encontrá-la.'' (*Maravilhas do Conhecimento Humano*, I, 251.)

Palavra — *a, a respeito de, relativa a, sobre:*

''Sem uma palavra de despedida *à* sua musa.'' (Veiga Miranda, *A Eterna Canção*, 13.)

''Eu respeito o mistério: nem mais uma palavra *a* tal *respeito*.'' (Camilo, *A Neta do Arcediago*, 100.)

''Denuncia-se a origem espanhola em certas palavras *relativas a* danças.'' (Júlio Nogueira, *O Exame de Português*, 49.)

''Não há uma palavra *sobre* inevitáveis assaltos repentinos.'' (E. da Cunha, *Os Sertões*, 261.) ''Lá (nos Estados Unidos) a Constituição Federal não diz nem uma palavra *sobre* religião.'' (Medeiros e Albuquerque, *Quando Eu Era vivo*, 241.) ''Em casa não disse palavra *sobre* o achado que fizera, certo de que, imediatamente, todos haviam de querer ver a «curiosidade» e o seu sonho artístico seria sacrificado.'' (C. Neto, *Treva*, 99.)

Palestra — *com, entre, sobre:*

''Encontrei-o em palestra *com* o médico.''

''A palestra *entre* eles durou cerca de uma hora.''

''Aí estão as palavras preliminares que se me afiguram as mais próprias para encetar as minhas rápidas palestras *sobre* as curiosidades de linguagem.'' (João Ribeiro, *Curiosidades Verbais*, 9.)

Pálido — *de:*

''E, agora, ... via-o, pálido *de* tuberculose, assomado ao miradouro.'' (Ferreira de Castro, *Eternidade*, 43.) ''Nunca, nunca! retrucou este, pálido *de* raiva.'' (Alberto Rangel, *Fura-Mundo*, 55.) ''Com o peito ofegante, pálida *de* aflição, o ouvido atento ao menor ruído, a moça ajoelhou, e, com um esforço sobreposse, ergueu um dos ângulos do caixão.'' (Domingos Olímpio, *Luzia-Homem*, 165.)

Palpitante — *de:*

''A fisionomia tinha entretanto harmonia na expressão, palpitante *de* vida e de esperança.'' (Afrânio Peixoto, *A Esfinge*, 375.) ''Conversas sempre palpitantes *de* interesse.'' (Camilo, *Mistérios de Lisboa*, II, 239.)

Palpite — *sobre:*

''Mastigando o cachimbo e dando palpites *sobre* tudo, Smith se exprime num modelo de linguagem acanalhada.'' (Guilhermino Cesar, *Sul*, 13.)

Pancas — *em:*

''Meu tio-bisavô José Luís Correia Botelho .... viu-se *em* pancas para contraditar as testemunhas do inquérito, que uniformemente asseveraram ser ele terceiro neto do cavaleiro de S. Tiago, Martim Machado Botelho.'' (Camilo, *Boêmia do Espírito*, 26.)

Panegírico — *de, por:*

''Já se tentou no parlamento republicano o panegírico *do* jogo.'' (Rui, *Campanha Eleitoral*, 78.)

''O panegírico de Trajano *por* Plínio o moço.'' (Fr. D. Vieira.)

Papel — *de, em, em relação a, para:*

''Papel *de* impressão.'' (Aulete.) ''Papel *de* escrever.'' (Constâncio.)

''A importância extraordinária do seu papel *na* história do povo inglês.'' (Rui, *Cartas de Inglaterra*, 51.)

''Este o seu papel *em relação à* lei, iniciada no senado por colaboração de vários espíritos eminentes.'' (Rui, *Cartas de Inglaterra*, 459.)

''Papel *para* escrever. Papel *para* forrar casas.'' (Aulete.)

Par — *com, de; a, de:*

''Agora, que novamente se imprime o livro, novos melhoramentos lhe introduzi, de par *com* algumas ligeiras modificações.'' (C. de Figueiredo, *Lições Práticas*, I, 18.) ''Francisco Proença, arrebatado pelo fúnebre do lance, ajoelhou a par *com* ela.'' (Camilo, *Cenas da Foz*, 225.)

''Seu autor mostra andar a par *do* movimento filológico.'' (Mário Barreto, *Através do Dicionário e da Gramática*, 363.) ''Para substantivar palavras, a par *da* determinação, há o processo contrário.'' (Júlio Nogueira, *O Exame de Português*, 42.)

''Quanto ao mais, não sabia de nada, não estava *a* par dos planos.'' (Ciro dos Anjos, *O Amanuense Belmiro*, 84.) ''Um mês depois dava um passeio de sege, ao escurecer, *a* par da sua estremecida amiga.'' (Camilo, *A Neta do Arcediago*, 82.) ''O bloqueio marítimo .... havia de insular da Europa a coligação separatista, para *a* par com o bloqueio fluvial.'' (Rui, *Cartas de Inglaterra*, 142.)

"Virá a estatística almejada, e, *de* par com ela, as antecedências da questão, a política do assunto." (Rui, *Colunas de Fogo,* 106.) "Estou com o Padre Vieira (e *de* par com ele todos os mestres)." (Idem, *Réplica,* 393.)

Parabém — *de, por:*

"Não dou a Vossa Ilustríssima o parabém *da* que os outros chamam promoção." (Vieira, *apud* Mário Barreto, *Através do Dicionário e da Gramática,* 329.) "Deram a seu amigo os parabéns *do* feliz sucesso daquela empresa." (Bernardes, *apud* Mário Barreto, *ob. cit,* 330.) "Antecipou-lhe, por conta, ouro de fascinar um miserável, e deu-se os parabéns *de* matar a víbora da vingança que lhe mordia o seio." (Camilo, *Livro Negro,* 198.)

"O Governo Português compreendeu que um homem, a quem o Senado inteiro de uma nação mandava parabéns *pelo* seu natalício, era um diplomata realmente estimado." (Medeiros e Albuquerque, *Quando Eu Era Vivo,* 142.) "Aceite, pois, os meus agradecimentos pela estimável fineza e os meus parabéns *pelo* bom serviço que acaba de fazer às letras pátrias." (Rui, *Cartas Políticas e Literárias,* 60.)

Paradeiro — *a:*

"Que faz esta administração, ... que não descobre em sua audácia um paradeiro heróico *a* tão incomportável desgraça?" (Rui, *Queda do Império,* I, 270.)

Paraíso — *de:*

"A Inglaterra é o paraíso *dos* conversos." (Rui, *Cartas de Inglaterra,* 390.)

Paralelamente — *a:*

"Cordas de serras que se alinham para nordeste paralelamente *à* monção reinante." (E. da Cunha, *Os Sertões,* 35.) "Paralelamente *ao* bloqueio interno, o bloqueio exterior estendia, entanto, a sua obra esmagadora." (Rui, *Cartas de Inglaterra,* 147.)

Paralelismo — *com, de, entre:*

"Açúcar branco, açúcar mulatinho, açúcar mascavado, assim eram classificados os produtos da grande indústria regional, em paralelismo *com* os três tipos representativos da raça." (Xavier Marques, *As Voltas da Estrada,* 12.)

"O paralelismo *do* eixo da terra." (Aulete.) "Há um paralelismo eloqüente *entre* a história das deslocações *da* supremacia marítima e a das culminações do progresso." (Rui, *Cartas de Inglaterra,* 207.) "O paralelismo *entre* dois gêneros de aves." (Aulete.)

Paralelo — *a, com, de, entre:*

"Situação da esfera em que o equador é paralelo *ao* horizonte." (Fr. D. Vieira.) "As suas tendências andavam paralelas *às* de Artigas." (Rui, *Cartas de Inglaterra,* 290.) "O desenvolvimento do comércio é geralmente paralelo *ao* da indústria." (Aulete.)

"Se, pretendendo minar a sutil trama de estofo e filiação industrial em paralelo *com* a farófia gálica ou britânica ...." (Fialho de Almeida, *Os Gatos,* 302.)

"O paralelo *de* César e Catão, feito por Salústio, é um modelo do gênero" (Aulete.)

"O eminente Manuel Bento de Sousa .... traçou paralelo *entre* os mestres da cirurgia e os mestres das letras." (Ricardo Jorge, *Sermões dum Leigo,* 28.) "Há, como Edward Everett Hale uma vez observou, curioso paralelo *entre* muitas das importantes datas da história inglesa e os incidentes de *Robinson Crusoé.*" (*Maravilhas do Conhecimento Humano,* II, 86.)

Paralisado — *de, em, por:*

"Um homem paralisado *de* metade do corpo." (Fr. D. Vieira.)

"Luísa, paralisada *em* espanto, andava com os olhos tontos de um para outro lado." (C. Neto, *Miragem,* 19.) "Homens macilentos, em grupos imóveis, paralisados *na* quietude de exaustão completa." (E. da Cunha, *Os Sertões,* 525.)

"Minha mãe transfigurou-se rapidamente, perdendo a vivacidade que há poucas horas principiava a agitar-lhe as feições, de antes paralisadas *pela* dor." (Camilo, *Mistérios de Lisboa,* I, 73.)

Paramentado — *com, de:*

"O Padre Lamparinas apareceu, todo paramentado *com* a sua sobrepeliz nova." (Aluísio Azevedo, *O Mulato,* 191.)

"Aquela mocetona, acessível a custa de tantos sacrifícios e paramentada *de* várias jóias e do seu grande brilhante, inquietava todas as almas." (Alberto Rangel, *Fura-Mundo,* 93.)

Parceiro — *com, em:*

"Fez-se parceiro *com* os negociantes de gado." "Se fez parceiro *com* .... e por conta de cada um deles vinha metade desta armada." (Dic. de Morais.)

"Parceiro *em* negócio, *no* ofício, *no* serviço da casa." (Fr. D. Vieira.)

Parceria — *com:*

"Pequenos criadores, vaqueiros crédulos e possantes, de parceria, na mesma congérie, *com* os vários tipos da mangalaça sertaneja." (E. da Cunha, *Os Sertões,* 306.) "A misericórdia anda de parceria *com* a justiça." (Morais.) "De parceria *com* Antônio das Uchinhas, bento e santarrão, batera o pinhal do Urso de cabo a rabo." (Aquilino Ribeiro, *A Batalha sem Fim,* 71.)

Parcial — *em:*

"O Juiz mostrou-se muito parcial *naquela* sentença." (Aulete.) "Igualmente parciais *na* glória e *no* perigo." (Morais.)

Parcialidade — *em, por:*

"Sua parcialidade *nessa* crítica denuncia-se a cada momento."

"A despeito de toda a vossa parcialidade *pela* casa dos Stuarts, haveis de confessar que o próprio Carlos II coraria desses incitamentos declarados." (Rui, *Queda do Império,* I, 114.)

Parcimônia — *em:*

"Como eu notasse ao projeto, em certos lances, parcimônia excessiva *no* virgular, desforra-se o Professor Carneiro, acoimando-me de prodigalidade na virgulação." (Rui, *Réplica,* 430.)

Parco — *com, de, em:*

"Somente *con*sigo é parco. Satisfaz-se com frutas, e dessedenta-se com água." (Dic. de Fr. D. Vieira.)

"Tenaz e parco *de* suas coisas." (Dic. de Morais.)

"Parco *em* louvor; escritor parco *em* figuras de estilo."

Parecença — *com, de, entre:*

"Tem grande parecença *com* o avô." (Constâncio.) "É bonita: dá parecença *com* ela." (J. Américo de Almeida, *A Bagaceira,* 113.) "De indivíduos das minhas relações o que tem parecença moral *com* antropófago é o Miranda, mas o Miranda é inteligente, não serve para caeté." (Graciliano Ramos, *Caetés,* 182.)

"Dá parecenças *de* querer ajudar o envolto cérebro a desligar idéias mal distintas." (Garrett, *apud* Fr. D. Vieira.) "O doutor exaltou a bizarria de Fernando de Ataíde, aconselhando Antônio de Azevedo a não dar à sua dignidade umas parecenças *de* soberba." (Camilo, *Estrelas Propícias,* 165.)

"Não existe a mínima parecença *entre* o original e a cópia."

Parecer — *acerca de, de, em, sobre:*

"Dei *acerca do* ponto questionado o meu parecer por escrito." (Rui, *Colunas de Fogo,* 125.)

"E pensava, em seguida, lançar o parecer *do* caso delicado, relativo a certas imiscuições da Câmara em terrenos pertencentes à Cúria." (Alberto Rangel, *Fura-Mundo,* 26.)

"Como, porém, V. Ex.ª faz questão do meu parecer *no* assunto sobre que se tem de resolver esta noite, dá-lo-ei por escrito." (Rui, *Cartas Políticas e Literárias,* 41.)

"Viera encontrar-se comigo em Natal, a fim de que, juntos, ele como engenheiro e eu como médico, déssemos parecer *sobre* as condições sanitárias do local." (Gastão Cruls, *Ao Embalo da Rede,* 14.) "Invocando o parecer parlamentar de 1865 *sobre* a lei de segurança pública, ... insistiu no intuito de ser implacável no reprimir, e perspicaz no velar." (Rui, *Queda do Império,* I, 123.)

Parecido — *a, com, em:*

"O caso é parecido *ao* de outra epístola ciceroniana." (Rui, *Réplica,* 83.) "Só desejo que Deus me dê ocasião de estar ao lado de vossa mercê em dia parecido *ao* de Aljubarrota." (Rebelo da Silva, *Contos e Lendas,* 204.)

"João da Cunha, admoestando o filho, encontrou-o um pouco parecido *com* o que fôra em tempo." (Camilo, *A Neta do Arcediago,* 50.) "Os reis são parecidos *com* os deuses, e, enquanto vivem, devem ser tidos como imortais." (Mário Barreto, *Cartas Persas,* 225.) "O filho mais parecido *com* a mãe, *em* tudo, era Afonsinho." (Mário Sete, *Os Azevedos do Poço,* 29.) "— Imaginai, sr. duque, uma hipótese que pode aliviar o vosso pesar; parecido *com* um remorso, mas que não deve passar de compaixão." (Camilo, *Livro Negro,* 178.)

"Eu conheço dois irmãos .... tão semelhantes e parecidos *em* tudo, que só os distingue quem os comunica, ainda com familiaridade, pela diferença dos vestidos." (Dic. de Fr. D. Vieira.)

Parente — *de, por:*

"Parente *do* rei passado." (Morais.

"Parente *por* consangüinidade; parente *por* afinidade." (Aulete.)

Parentesco — *com, entre:*

"Ana Rosa pouco, ou nada, sabia ao certo do grau do seu parentesco *com* ele." (Aluísio Azevedo, *O Mulato,* 93.) "Na palavra de origem grega necromância .... julgar ver os eruditos parentescos *com* o latim "niger", negro, e disseram 'nicromancia'." (Mário Barreto, *Através do Dicionário e da Gramática,* 127.) "Por sua descomunal estatura e rotundidade, fôra alcunhado «o Ribeirão». Tinha um parentesco longe *com* Raul César. Vivia em concubinato com uma bastarda branca de João de Lima." (Xavier Marques, *As Voltas da Estrada,* 23.)

"Não havia *entre* as duas realezas parentesco mais que o de exterioridades superficialíssimas." (Rui, *Cartas de Inglaterra,* 405.) "Serve (o radical) para restabelecer útil parentesco *entre* os termos que se tornaram à primeira vista estranhos uns aos outros." (Mário Barreto, *Através do Dicionário e da Gramática,* 340.)

Paridade — *com, em, entre:*

"Paridade *com* a libra, *com* o dólar."

"Paridade *na* qualidade física ou moral." (Morais.)

"Ninguém, falando sério, acharia paridade *entre* os dois casos." (Rui, *Réplica,* 110.)

Paródia — *a, de:*

"Os animais falavam, iluminados com a razão que Deus nos dera. Os mesmos vícios, ardilezas e paixões lhes sublinhavam os atos da paródia *aos* humanos." (Alberto Rangel, *Fura-Mundo,* 234.)

"O outro, a metodização da chacina humana pela mais ignóbil paródia *da* justiça." (Rui, *Colunas de Fogo*, 60.)

Parte — *em; a, de, em, por; toda:*
"Ter parte *em* alguma coisa." (Aulete.) "Teve parte *n*aquele crime." (Idem.)

"Os besteiros do conto, *à* sua parte, formavam um corpo de cinco mil soldados." (Rebelo da Silva, *apud* Aulete.)
"Chamou *de* parte sua mulher, e disse-lhe rindo: ...." (Camilo, *As Três Irmãs*, 106.) "*Da* parte do sul." (Aulete.)
"Lembra-me havê-lo encontrado *em* alguma parte." "Deitou um cáustico *na* parte doente." (Aulete.) "*Em* parte tua mãe tem razão." (C. Neto, *Miragem*, 79.)
"Também *pela* minha parte já entretive, neste assunto, ilusões análogas." (Rui, *Cartas de Inglaterra*, 292.)
"Bandidos e malfeitores de *toda* parte." (Júlio Nogueira, *O Exame de Português*, 55.) "Era o sentimento geral, na Alemanha, na Inglaterra, em *toda* parte." (Rui, *Colunas de Fogo*, 85.) "Por *toda* parte e por um quase consenso unânime deram nomes graciosos a um animalzinho sanguinário e carniceiro, indigno de tamanha lisonja." (João Ribeiro, *Curiosidades Verbais*, 95.) — "Daí o grande êxito de certas palavras pedidas de empréstimo e que estão hoje espalhadas por *toda* a parte." (Mário Barreto, *Através do Dicionário e da Gramática*, 67.) "Aqui não é como na Ásia, onde por *toda* a parte são as mesmas as regras da política." (Idem, *Cartas Persas*, 171.) "Por *toda* a parte a aridez dos montes tosquiados, magros, ossudos." (Antero de Figueiredo, *Jornadas em Portugal*, 23.)

Participação — *a, em:*
"Sua participação *ao* pai chegou com atraso."
"Mostre-se a todas as luzes .... qual a sua participação brilhante *na* gênese da literatura e da ciência universais." (Ricardo Jorge, *Sermões dum Leigo*, 228.) "Minha participação *no* serviço ordinário do Senado." (Rui, *Cartas Políticas e Literárias*, 198.) "O poeta Cláudio Manuel da Costa suicidara-se na prisão. Os outros negavam a sua participação *na* conjura, faziam protestos de fidelidade à coroa portuguesa, acusavam-se uns aos outros." (*Maravilhas do Conhecimento Humano*, I, 168.)

Participante — *de, em:*
"De longe me anunciei como participante *da* celebração." (Ricardo Jorge, *Sermões dum Leigo*, 240.)
"Participante *dos* conselhos ou *nos* conselhos." (E. Carneiro Ribeiro, *Serões Gramaticais*. 676.) "Por ser mouro como eles (antes era participante *em* quanto maquinavam), a tenção lhe descobre." (Camões, *Os Lusíadas*, IX, 6.)

Partícipe — *de, em:*
"Partícipe *do* delito." (E. Carneiro Ribeiro, *Serões Gramaticais*, 673.) "Partícipe *d'*esperanças." (Morais.)
"Partícipe *n*uma reunião; partícipe *em* alguma conspiração, revolta."

Particular — *de:*
"Este vício de olhar em agouros é ordinário em muita gente, e foi particular *da* antiga gentilidade." (F. L. de Sousa, *apud* Mário Barreto, *Através do Dicionário e da Gramática*, 393.) "Podiam duvidar .... se seria contra as leis da verdadeira e fiel companhia não ser comum de todas, o que era particular *de* algumas." (Vieira, *Sermões*, IX, 110.)

Partida — *de, para:*
"Sua partida *da* América do Norte foi adiada."
"O dia da partida *para* França." (Morais.)

Partidário — *de:*
"O próprio primeiro-ministro João Alfredo .... fizera-se partidário *da* emancipação." (Luiz Viana Filho, *A Vida de Rui Barbosa*, 113.)

Partido — *a, com, de, em, entre, por:*
"O escudo partido *ao* meio." (Constâncio.)
"Tinha a cabeça partida *com* uma pedrada."
"O Conde de Matozinhos, partido *da* sua aldeia com um saco de roupa e um chapéu braguês ...." (Fialho de Almeida, *Os Gatos*, 41.)
"A esplanada .... acha-se agora partida *em* três bocados." (Fialho de Almeida, *ob. cit.*, 191.) "Conselho partido *em* pareceres." (Constâncio.)
"A herança partida *entre* os filhos." (Constâncio.)
"Erguendo a canela partida *por* uma paulada." (Camilo, *Cenas da Foz*, 86.)

Pasmado — *com, de, para:*
"Um está pasmado *com* a sua pobreza, o outro *com* a sua abundância." (Mário Barreto, *Cartas Persas*, 205.)
"Ficou toda pasmada *de* encontrar o seu coração vazio." (Eça, *O Primo Basílio*, 261.) "Meu pai! — atalhou Luís, pasmado *da* desordenada eloqüência." (Camilo, *A Neta do Arcediago*, 38.) "Eu estava pasmado *de* tamanho descôco." (Mário Barreto, *Cartas Persas*, 104.) "— Pois é casar-se, meu amigo.... aconselhou a mulher do Campos, pasmada *de* ouvir Amâncio falar daquele modo." (Aluísio Azevedo, *Casa de Pensão*, 118.)
"Há uma hora contada que devíeis ter chegado, e ainda venho achar-vos aqui pasmado

para essas figuras.'' (Rebelo da Silva, *Contos e Lendas,* 198.)

Pasmo — *de:*

''O Sr. Dr. Estêvão Soares levou a sua amabilidade a ponto de pedir a comédia para ler segunda vez, e ontem ao encontrar-se na rua com o Sr. Oliveira, de tal entusiasmo vinha possuído, que o abraçou estreitamente, com grande pasmo *dos* numerosos transeuntes.'' (M. de Assis, *Contos Fluminenses,* 126.)

Passado — *a, com, de, em, por:*

''Centenas de prisioneiros foram barbaramente passados *a* espada.''

''Fiquei passado *com* o que lhe ouvi dizer.'' (Aulete.) ''Passado *com* a lança.'' (Morais.)

''Fazia pena o estado da coitadinha. Estava passada *de* fome.'' (Gastão Cruls, *Ao Embalo da Rede,* 19.) ''Tive de revelar-lhe um segredo que a deixou passada *de*sse singelo terror que devia preceder uma fervente compaixão.'' (Camilo, *Mistérios de Lisboa,* I, 122.) ''Fiquei passada *de* medo, e parece que a luz dos olhos se me toldava.'' (Idem, *Cenas da Foz,* 201.)

''Estremeceu-se a saúde de Alfredo Gassiot, depois de muitas noites fugidas do lado de sua família e passadas *no* quietismo da meditação.'' (Camilo, *A Enjeitada,* 132.)

''Era a certidão passada *pelo* fiscal do hospício de enjeitados.'' (Camilo, *A Enjeitada,* 95.) ''Passado *pel*as armas.''

Passagem — *a, de, para, por:*

''Oclusão consiste na passagem das vogais extremas .... *a* semivogais.'' (Sousa da Silveira, *Lições de Português,* 70.) ''Na passagem do latim *ao* português ocorreu, por vezes, que uma branda fosse substituída por outra branda homorgânica.'' (Júlio Nogueira, *O Exame de Português,* 67.)

''A passagem *do* rio.'' (Constâncio.) ''Moltke qualificava a dupla passagem *dos* Dardanelos *por* Duckwort, em 1807, apenas como exemplo notável de afoitezas felizes.'' (Rui, *Cartas de Inglaterra,* 195.)

''Uma pequena porta dava passagem *para* extenso e escuro corredor.'' (Herculano, *O Bobo,* 98.) ''Tem qualquer coisa de transcendente mistério essa passagem *da* sombra *para* a luz.'' (Herman Lima, *Outros Céus, Outros Mares,* 189.) ''A passagem de tão avultado número de gôdos *para* os inimigos e o crepúsculo que descia obrigaram Ruderico a fazer cessar o combate.'' (Herculano, *Eurico,* 108.)

''Passagem *pel*as suas terras.'' (Constâncio.) ''Muitos estudos de geografia, de botânica e de geologia assinalaram a passagem dos dois sábios *pelo* território da península.'' (Latino Coelho, *apud* Aulete.)

Passante — *de:*

''Entrei e vi, na sala de fora, passante *de* vinte pessoas.'' (Afonso Arinos, *Pelo Sertão,* 131.) ''Seriam entre adultos, mulheres e crianças, passante *de* cem.'' (Aquilino Ribeiro, *A Batalha sem Fim,* 53.)

Passaporte — *para:*

''O velho esperava, a cada momento, o algoz, quando um desconhecido o procurou no seu esconderijo, e depositou nas mãos de seu filho adotivo um passaporte *para* Inglaterra.'' (Camilo, *Livro Negro,* 56.)

Passeio — *a, por:*

''Para o ano pretendo fazer um passeio *a* Pelotas.'' ''Mas o passeio *a* Botafogo era tão comum, que não podia distraí-lo. Lembraram-se de ir ao Corcovado, idéia que foi aceita e executada imediatamente.'' (M. de Assis, *Contos Fluminenses,* 48.) ''Os filhos consumiam o tempo a estafar os mais formosos animais de sela em cavalgadas e passeios *à* cidade, fazendo-se acompanhar de luzida guarda de escravos.'' (Xavier Marques, *As Voltas da Estrada,* 19.)

''Davam passeios *pel*as matas de cajus ou pelo alto da Sé.'' (Mário Sete, *Os Azevedos do Poço,* 29.) ''Os meninos faziam passeios *pel*os engenhos dos parentes.'' (J. Lins do Rego, *Usina,* 75.)

Passível — *de:*

''O costume de xingar com os nomes de animais desde a Idade Média era passível *de* pena.'' (João Ribeiro, *Curiosidades Verbais,* 33.) ''Pondo de lado os fatores determinantes do flagelo, oriundos da fatalidade de leis astronômicas ou geográficas inacessíveis à intervenção humana, são, aquelas, as únicas passíveis *de* modificações apreciáveis.'' (E. da Cunha, *Os Sertões,* 60.)

Passo — *com, para; a, de:*

''Tive *com* ele passos engraçados.'' (Fr. D. Vieira.)

''É o primeiro passo *para* a neurastenia.'' (Fialho de Almeida, *Os Gatos,* 248.)

''Coronéis, capitães absorvem o orçamento militar, e enriquecem, *ao* mesmo passo que as praças de pré são roubadas e reduzidas à fome.'' (Rui, *Cartas de Inglaterra,* 121.) ''Sou velho e *ao* mesmo passo razoável.'' (Camilo, *Estrelas Propícias,* 194.) ''A verificação científica descobre, *a* cada passo, as maiores discrepâncias entre a realidade objetiva e as formas sob que a apreende o espírito humano.'' (Rui, *Cartas de Inglaterra,* 82.)

''Agravam, *do* mesmo passo, a crestadura dos estios e a degradação intensiva das torrentes.'' (E. da Cunha, *Os Sertões,* 59.) ''Cada uma (construção) era, *do* mesmo passo, um lar e um reduto.'' (Idem, *ibidem,* 188.)

Pasto — *a, de:*

''Algumas daquelas frases .... serviam de saboroso pasto *às* risadas dos príncipes.'' (Rebelo da Silva, *Contos e Lendas,* 245.) "Tudo isso era precioso pasto *à* tagarelice de desocupados." (Alberto Rangel, *Fura-Mundo,* 57.)

"O pasto espiritual *das* almas é a palavra de Deus." (Dic. de Morais.)

Patente — *a:*

"Os campos do sul aí estão patentes *à* ambição dos ousados." (Herculano, *O Bobo,* 57.)

Patife — *em:*

"Mas os jesuítas não tinham implicância com essas carnificinas, nem disputavam aos dominicanos o direito de concitarem o ódio contra os judeus laboriosos, ricos e suficientemente patifes *nas* suas veniagas mercantis." (Camilo, *Boêmia do Espírito,* 49.)

Patível — *com:*

"A clareza não é patível *com* a incorreção." (Pedro A. Pinto, *apud* L. Freire.)

Pauta — *de:*

"Tem o talento transcendente crises vertiginosas, doidices sublimes que o extraviam da pauta *do* bom viver." (Camilo, *Boêmia do Espírito,* 192.)

Pautado — *por:*

"Uma introdução, medida e pautada *pel*as regras, não se traça de repente." (Rebelo da Silva, *Contos e Lendas,* 153.)

Pávido — *de:*

"E foram assim por muito tempo, um pouco pávidos *da* solidão." (Aquilino Ribeiro, *A Batalha sem Fim,* 64.)

Pavor — *a, de:*

"Nenhum povo tem mais pavor *aos* terremotos que o peruano; e no Peru as crianças ao nascerem têm o berço embalado pelas vibrações da terra." (E. da Cunha, *Os Sertões,* 132.) "Criança, tivera pavor *às* trevas em que Milonga o deixava; homem feito, tinha medo da luz." (J. Américo da Almeida, *A Bagaceira,* 30.)

"Voltava às suas histórias com extremo pavor *da* tia Brízida, confidente dos seus segredos." (Rebelo da Silva, *Contos e Lendas,* 10.) "Flávia retraiu-se, cobrou pavor *do* mundo, horrorizou-se da mentira e da ingratidão." (Camilo, *A Enjeitada,* 202.)

Paz — *com, entre:*

"Assentar pazes *com* o inimigo." (Dic. de Morais.) "Deus nos dê por muitos anos paz *com* as nações que nos cercam." (Rui, *Cartas de Inglaterra,* XII.)

"É difícil uma perfeita paz *entre* nações belicosas."

Peado — *de:*

"E o relincho triunfante do fogoso cavalo castanho, a galopar peado *das* mãos, de crinas eriçadas, de orelhas espetadas e de rúbidas narinas acesas." (Domingos Olímpio, *Luzia-Homem,* 68.)

Peça — *de, para:*

"Peças *de* bater, artilharia grossa." (Morais.)

"Peça *para* segurar as vergas do navio." (Aulete, voc. *antigalho.*)

Pecado — *contra, de:*

"Neste caso, será um pecado *contra* a moral, mas pode não ser um pecado *contra* a arte." (Antero de Figueiredo, *Amor Supremo,* 55.) "Recuso, no assunto, esses padrinhos, quando incursos em pecado manifesto *contra* as leis da harmonia na linguagem." (Rui, *Réplica,* 106.)

"Estás sempre em pecado *de* murmuração!"

Peco — *de:*

"Pecos *de* imaginação, sim; mas arreados de fantasias que desdouram o meu próximo, isso nunca." (Camilo, *A Neta do Arcediago,* 20.)

Peculiar — *a, de:*

"Faculdade peculiar *ao* homem." (Júlio Nogueira, *O Exame de Português,* 14.) "Independência peculiar *a* este termo da proposição." (Augusto Moreno, *Lições de Linguagem,* II, 132.) "Singularidade peculiar *à* língua francesa." (Rui, *Réplica,* 479.) "Bonaparte, por um desses caprichos peculiares *aos* homens extraordinários, chamara o jovem à sua intimidade." (Camilo, *Livro Negro,* 73.)

"Conquanto o rasgo peculiar *do* medalhão seja uma certa atitude do deus Término, e as ciências sejam obra do movimento humano, como tens de ser medalhão mais tarde, convém tomar as armas do teu tempo." (M. de Assis, *Papéis Avulsos,* 99.) "Peculiar *a* ou peculiar *de.*" (Carlos Góis, *Sintaxe de Regência,* 98.) "Faleciam-lhe os conhecimentos peculiares *do* fraseado jurídico, para dar ao projeto a devida propriedade." (Rui, *Réplica,* 11.) "Olhei-me de alto a baixo, por uma intuspecção peculiar *dos* grandes tolos, e vi-me grande, extraordinário e fadado para grandes lances." (Camilo, *Cenas da Foz,* 158.)

Pedido — *a, para:*

"Seus pedidos *ao* chefe são quase sempre atendidos." "O anjo da sua infância, o fantasma de seis anos, a sombra implacável, sempre erguida entre ela e uma felicidade em vão, pedida *a* Deus, ia erguer-se, na realidade, diante de si." (Camilo, *Livro Negro,* 154.)

"Meu pedido *para* ausentar-me do serviço durante uma semana ainda não teve resposta." "Nada de lastimações por causa de comida e de pagamento, nada de pedidos *para* saídas às quintas-feiras a noite e aos domingos." (*Maravilhas do conhecimento Humano,* I, 303.)

Pegado — *a, com, de, em:*
"Casa pegada *a* outra." (E. Carneiro Ribeiro, *Serões Gramaticais,* 675.) "Casa pegada *à*quela em que viveu até casar." (Eça, *O Primo Basílio,* 41.) "Pegado *a*os divertimentos, *à*s vaidades." (Morais.)
"Fruto arredondado e carnudo, pegado *com* o cálice." (C. de Figueiredo, voc. *acrossarco.*) "E outros e outros que uma vez pegados *com* o Algôdres nunca mais descolaram." (Aquilino Ribeiro, *A Batalha sem Fim,* 11.) "Casa pegada *com* a igreja; pegado *com* alguém." (Constâncio.)
"Quando o pilhou bem pegado *do* sono, introduziu-lhe, movido de curiosidade, mão sorrateira no saquitel que trazia a tiracolo e não largava." (Aquilino Ribeiro, *A Batalha sem Fim,* 9.)
"O cão destemeroso, afeito a dependurar-se no focinho dos barbatões ferozes, tinha o rabo entre as pernas, pegado *n*a barriga." (J. Américo de Almeida, *A Bagaceira,* 34.) "Acordava de manhã com ele pegado *no* sono." (J. Lins do Rego, *Usina,* 63.)

Pejado — *com, de:*
"Solenes abóbadas onde ressoava outrora o clangor dos Te-Deums, ao retorno das caravelas pejadas *com* os tesouros da Ásia, da África e da América." (Herman Lima, *Outros Céus, Outros Mares,* 204.) "O rio pejado *com* estacas." (Morais.)
"Com as algibeiras pejadas *de* notas e recibos." (Aluísio Azevedo, *O Mulato,* 32.) "Talvez esperassem a revelação oracular de uma página de livro verde ou azul, pejado *de* segredos terríveis." (Afrânio Peixoto, *A Esfinge,* 147.) "E as embarcações foram desamarradas e largaram, rodando pejadas *de* carga e de gente, às surriadas da escopeta." (Alberto Rangel, *Fura-Mundo,* 190.)

Pejo — *a, de:*
"Perder o pejo *à* verdade, faltar a ela." (Fr. D. Vieira.)
"Não tenha pejo *de* me dizer toda a verdade." "Contrista-me a idéia de que A. Herculano, na congregação cosmopolita de Josafá .... sentirá pejo *de* se ver ao lado de uns companheiros de jazigo que foram infamados de judeus." (Camilo, *Boêmia do Espírito,* 26.)

Peleja — *com, contra, entre, por:*
"A peleja *com* os índios foi demorada."
"Toda a sua vida foi uma peleja *contra* as grandes moléstias extermináveis." (Ricardo Jorge, *Sermões dum Leigo,* 26.)
"Como quer que fosse, a peleja *entre* os dois esposos começara para toda a vida." (Camilo, *A Enjeitada,* 188.)
"Não compreendo semelhante peleja *por* uma causa tão inglória."

Pena — *de, para:*
"Tinha Lúcia pena *de* não poder levar todas." (Afrânio Peixoto, *A Esfinge,* 51.) "Eram firmas comerciais, dando as suas ordens, ordens secas, resolvendo tudo sem pena *de* ninguém." (J. Lins do Rego, *Usina,* 191.)
"Só haverá uma salvação para a sociedade: é a lei incluir penas *para* as ofensas e todas as ações alusivas que importem desrespeito às autoridades e aos homens de posição." (Xavier Marques, *As Voltas da Estrada,* 78.)

Pendência — *com, entre:*
"Ter pendências *com* alguém." (Morais.) "Venho .... oferecer-vos o nosso auxílio em uma pendência de honra, que tendes *com* o Sr. Alberto de Magalhães." (Camilo, *Mistérios de Lisboa,* III, 152.)
"Não sucede o mesmo nas pendências *entre* particulares." (Mário Barreto, *Cartas Persas,* 198.)

Pendente — *de, sobre:*
"Com o 'manteau' carmesim pendente *d*os ombros." (Veiga Miranda, *A Eterna Canção,* 123.) "Copas das velhas carvalheiras que, pendentes *d*os valados, mancham os caminhos amarelos de sombras violáceas." (Antero de Figueiredo, *Jornadas em Portugal,* 30.) "E acenderam-se ainda, por tradição, as desusadas serpentinas, espécie de lâmpadas votivas para iluminar os deuses lares, pendentes *d*as paredes." (Xavier Marques, *As Voltas da Estrada,* 28.)
"A espada estava pendente *sobre* a cabeça do infeliz." (Constâncio.) "A espada pendente *do* teto *sobre* a cabeça do lisonjeiro." (Morais.)

Pendido — *a, de, para, sobre:*
"Pendido *a* um lado." (E. Carneiro Ribeiro, *Serões Gramaticais,* 676.) "Espada pendida *a*o flanco."
"Pendida *de* um lado." (E. Carneiro Ribeiro, *Serões Gramaticais* 676.) "Um jirau pendido *d*o teto." (E. da Cunha, *Os Sertões,* 185.)
"Pendido *para* um lado." (E. Carneiro Ribeiro, *Serões Gramaticais,* 676.) "Pernas coladas ao bojo da montaria, tronco pendido *para* a frente." (E. da Cunha, *Os Sertões,* 115.) "Andava arrimado a um bastão, já pendido *para* o solo que o haveria de receber em breve prazo." (Gustavo Barroso, *Terra de Sol,* 178.)
"Pendida a nau *sobre* as ondas." (E. Carneiro Ribeiro, *Serões Gramaticais,* 676.) "Pereira tinha a cabeça pendida *sobre* o peito." (Taunay, *Inocência,* 213.) "A pobre menina, quando chorava, com meio corpo pendido *sobre* o saguão, sentiu a atração do abismo, e quis precipitar-se." (Camilo, *Mistérios de Lisboa,* II, 94.) "O tronco aparentava o todo de um homem ajoelhado, as mãos postas a cabeça pendida *sobre* o peito rugoso." (C. Neto, *Treva,* 96.)

Pendor — *entre, para, por:*
"É o nome comum a todas aquelas (modalidades), onde se note esse mútuo pendor *entre* dois elementos da oração." (Rui, *Réplica,* 153.) "E sempre foi pendor geral *entre* os príncipes de molde antigo regime entregarem-se à adulação das cortes, até acabarem vitimados por elas." (Idem, *Queda do Império,* I, 244.)
"Ter pendor *para* alguma coisa." (Fr. D. Vieira.) "Nos mortais em geral dá-se um pendor inato *para* absorverem crença." (Castilho, *apud* Aulete.)
"Francisco Glicério, seu companheiro de ministério no Governo Provisório, e *por* quem demonstrara sempre certo pendor, escreveu-lhe aconselhando moderação." (Luiz Viana Filho, *A Vida de Rui Barbosa,* 173.)

Pendurado — *a, de, em, por:*
"Pendurados *a*os cantos, viam-se insignificantes acessórios." (E. da Cunha, *Os Sertões,* 185.) "O chocalho da cascavel, fechado num saquitel e pendurado *ao* pescoço, livra de dores de ouvidos." (Gustavo Barroso, *Terra de Sol* 163.)
"Conforme o uso daquele tempo, pudera levantar troféus, que eram árvores, desgalhados os ramos, e penduradas *d*elas as armas e despojos dos inimigos." (Vieira, *Sermões,* IX, 106.) "Cabresto de relho pendurado *de* um cambito." (Gustavo Barroso, *Terra de Sol,* 77.)
"Iam (os raios do sol) refletir-se tremulos no orvalho pendurado *n*as folhinhas da relva." (Herculano, *O Bobo,* 37.) "E os três puseram-se a andar, de mala pendurada *na* mão." (Aluísio Azevedo, *O Mulato,* 212.)
"Fomos bater a uma casinha branca, quase pendurada *pel*a ribanceira, metida dentro de um palmito de faias." (Rebelo da Silva, *Contos e Lendas,* 159.) "As colinas, povoadas de castanheiros e de videiras penduradas *pel*os declives, arqueavam-se risonhas." (Idem, *ibidem,* 189.)

Penetração — *de, em:*
"Tem uma grande penetração *de* espírito."
"A penetração do azougue *n*os poros de um corpo." (Morais.) "Sua penetração *n*os sertões virgens das terras descobertas." (Sousa da Silveira, *Lições de Português,* 20.)

Penetrado — *de:*
"Eu não me sinto muito penetrado *de* admiração pelas primeiras providências." (Camilo, *Perfil do Marquês de Pombal,* 94.) "Penetrada *d*este lirismo nostálgico, Mafalda esmorece na alma sua alegria de sempre." (Antero de Figueiredo, *Amor Supremo,* 77.) "E o rebanho já longe, fazia no toque dos chocalhos plangente, uma poesia rústica, simples e penetrada *de* melancolias." (Fialho de Almeida, *A Cidade do Vício,* 108.)

Penhor — *de, para:*
"Em penhor *d*o que dizia, dava sua cabeça." (Dic. de Morais.) "Bastam em penhor e sinal *d*a sua legitimidade os (exemplos) que acima mencionamos." (Mário Barreto, *Através do Dicionário e da Gramática,* 116.)
"O mais seguro penhor *para* uma indústria atingir a idade adulta." (Fialho de Almeida, *Os Gatos,* 300.)

Penhorado — *a, com, de, por:*
"Ainda que penhorado *a* prova de tanta deferência, Roberto não ficou muito satisfeito com essa solução." (Gastão Cruls, *Ao Embalo da Rede,* 82.) "Penhorado sempre *a* esses obséquios, tantos e tão imerecidos...." (Rui, *Queda do Império,* I, 297.)
"Ficava penhorado *com* os testemunhos de amizade que sua majestade cristianíssima lhe tinha dado." (Camilo, *Perfil do Marquês de Pombal,* 46.) "Fiquei penhorado *com* tantos favores." (Aulete.)
"Retiro-me penhorado *d*as suas atenções." (Camilo, *Mistérios de Lisboa,* I, 11.)
"*Por* essa graça, ainda mais penhorado ficará *a* V. Ex.ª o amigo muito obrigado." (Rui, *Cartas Políticas e Literárias,* 43.) "Sumamente penhorado *pel*as atenciosas maneiras com que os seus numerosos amigos têm recebido esta sua primogênita criatura." (Camilo, *Cenas da Foz,* 87.)

Penitência — *por:*
"Fazei penitência *por* vossos pecados, se quereis entrar no céu."

Penoso — *a, para:*
"Avisamos o público de que motivos imperiosos constrangiam a persistir nessas férias, tão penosas *ao* seu temperamento, o diretor deste jornal." (Rui, *Colunas de Fogo,* 149.) "Se, passados alguns dias, *lhe* fôr aqui penosa a sua residência, retire-se." (Camilo, *Mistérios de Lisboa,* I, 11.)
"A crise era penosa *para* todos." (Camilo, *Mistérios de Lisboa,* I, 216.) "Esta crise passou: mas outra mais penosa *para* o pupilo de Alberto de Magalhães sucedeu àquela." (Idem, *ibidem,* III, 102.)
"Serra do Mendanha, ... que era o desespero de todos os tropeiros daquela região. tão bela de aspectos naturais como penosa *para* as tropas carregadas." (Abílio Barret, *A Noiva do Tropeiro,* 72.)

Pensamento — *acerca de, contra, em:*
"Expunha com justeza de palavras .... seus pensamentos *acerca d*aqueles assuntos de filosofia." (Antero de Figueiredo, *Amor Supremo,* 106.)
"Desse pensamento perverso *contra* a raça emancipadora e a raça emancipada nasceu o artifício de organizar em batalhões da princesa os homens de cor." (Rui, *Queda do Império,* I, 133.)

"Com o pensamento sempre *em* coisas tristes, jamais terás energia para lutar."

Penúria — *de:*

"Penúria *de* víveres, dinheiro, munições." (Morais.) "Penúria *de* bons engenhos, *de* virtude." (Constâncio.)

Pequenez — *de:*

"Pequenez *de* alma. Pequenez *de* sentimentos." (Aulete.)

Pequeno — *de, em, para:*

"Pequeno *de* corpo e *de* alma." "Pequeno *de* coração." (Aulete.)

"Sou pequeno *em* virtude, ao pé da obduração em que está sua alma." (Camilo, *Mistérios de Lisboa,* II, 202.) "Só se admiraria de um rasgo de generosidade em príncipe tão pequeno *nas* afeições como *na* má vontade." (Rebelo da Silva, *apud* Aulete.)

"A casa da Avenida Koeler, aos sábados, era pequena *para* comportar as senhoras e cavalheiros que desde as quatro e meia começavam a chegar." (Afrânio Peixoto, *A Esfinge,* 57.) "Com o peito pequeno *para* os saltos do coração, o terror na face, e a cabeça estéril de recursos ...." (Camilo, *Mistérios de Lisboa,* III, 24.)

Percebido — *de, por:*

"O tato dá aos cegos inúmeras certezas agradáveis que .... não são percebidas *dos* videntes." (João Ribeiro, *Curiosidades Verbais,* 45.)

"Este movimento foi instantâneo e foi, afinal, a única manobra percebida *pelos* que testemunhavam a ação." (E. da Cunha, *Os Sertões,* 233.) "O lenço deixou escorregar a carta, apenas percebida *por* Alberto de Magalhães." (Camilo, *Mistérios de Lisboa,* I, 195.)

Perceptível — *a:*

"Perceptível *à* vista." (Morais.) "Verdade tanto pode ser o que se nos manifesta à vista, perceptível *aos* sentidos, como o que apenas se nos afigura vagamente em impressões." (C. Neto, *A Cidade Maravilhosa,* 116.)

Perda — *de, para:*

"Perda *dos* bens, *da* saúde, *do* tempo." (Morais.) "No organismo pode às vezes haver perda *de* sensibilidade da dor." (Mendes dos Remédios, in Morais, *Dicionário.*)

"Sua morte foi uma grande perda *para* as letras nacionais."

Perdão — *de, para:*

"Minha mãe, peça perdão a Deus *de* ter injuriado uma mártir." (Camilo, *Cenas da Foz,* 196.) "Em intervalos de juízo turvado, chamava a si Eulália, e pedia-lhe perdão *das* ofensas." (Idem, *As Três Irmãs,* 94.) "Dias depois, recebi de Manuel de Melo uma carta que traslado, e não peço perdão *da* imodéstia com que o faço, porque realmente me sinto muito vaidoso da posse deste quarto de papel." (Camilo, *Boêmia do Espírito,* 217.)

"A religião.... operara em sua alma a maravilha do perdão *para* todas as injúrias. donde quer que elas viessem." (Camilo, *A Neta do Arcediago,* 95.)

Perdição — *de, por:*

"Perdição *da* alma." (Constâncio.)

"Francisquinha, até ao momento da sua perdição *por* aquele homem, queria ser freira." (Camilo, *Mistérios de Lisboa,* I, 258.)

Perdido — *com, de, em, entre, para, por:*

"Dividido o país entre os jacobinos, que sonham com a volta do mundo perdido *com* a morte de Floriano, e os correligionários de Prudente de Morais ...." (Luiz Viana Filho, *A Vida de Rui Barbosa,* 197.)

"Perdido *de* amores." (Constâncio.) "Perdido *de* riso, que não pode conter o riso." (Aulete.)

"Está tonto, perdido *em* conjeturas." (Guilhermino Cesar, *Sul,* 202.) "A campanha de Canudos despontou da convergência de todas essas forças, desvairadas, perdidas *nos* sertões." (E. da Cunha, *Os Sertões,* 223.) "Aquele vulto de mulher semelhava-se a um anjo perdido *nas* trevas do mundo e da noite." (Herculano, *O Bobo,* 132.)

"De "cinco" em diante, os números esmaecem e apagam-se perdidos *entre* as abstrações." (João Ribeiro, *Curiosidades Verbais,* 165.) "As tradições beneditinas de arte, de Cluny e São Bernardo, vão perdidas *entre* nós." (Antero de Figueiredo, *Amor Supremo,* 108.)

"Tinha esse antigo filólogo a simpleza de cuidar irremediavelmente perdidos *para* o nosso idioma todos esses termos." (Rui, *Réplica,* 449.)

"Outros, mais infelizes, não apareciam mais, perdidos *por* aqueles ermos." (E. da Cunha, *Os Sertões,* 434.) "Tinha uma assinatura no Gabinete Português, a qual lhe aproveitava menos a ele do que à filha, que era perdida *pelo* romance." (Aluísio Azevedo, *O Mulato,* 17.)

Perdoável — *a, em:*

"É uma ação somente perdoável *a* crianças ou *a* indivíduos irresponsáveis." "Erro perdoável *a* principiantes."

"Como descuido, perdoável *nos* escritos mais ou menos passageiros de um autor que não conte com a posteridade, seria menos desculpável na obra longeva de uma codificação." (Rui, *Réplica,* 73.) "Uma só maneira imprópria notei ...., uma daquelas formas dialetais em que confessas cair de vez em quando, e, que por esta razão é *em* ti perdoável." (Mário Barreto, *Através do Dicionário e da Gramática,* 369.)

Peregrinação — *a, em, por:*

"Peregrinação dos cristãos *a* Jerusalém, dos muçulmanos *a* Meca." (Constâncio.) "Peregrinação *a* Lourdes." (Aulete.)

"Não tens ouvido dizer ao teu mestre que a peregrinação trabalhosa *neste* mundo é o caminho suave do céu?" (Camilo, *Mistérios de Lisboa,* I, 110.) "A lamentável peregrinação de Elias Carrilho Bueno do Prado *nas* ruelas de S. Paulo .... era de tomo a legitimar a concorrência do poviléu que lhe enquadrava os passos." (Alberto Rangel, *Fura-Mundo,* 84.)

"Vinha de uma peregrinação incomparável, de um quarto de século, *por* todos os recantos do sertão." (E. da Cunha, *Os Sertões,* 226.) "Esse malbarato do sangue dos contribuintes, que assinala as peregrinações de el-rei *pelos* seus Estados." (Rui, *Colunas de Fogo,* 9.) "Um mesmo termo latino pode vir a português por via popular ou literária, diretamente ou após peregrinação *por* outros povos." (Sousa da Silveira, *Lições de Português,* 23.)

Perfeição — *de, em; com, em:*

"Que perfeição *de* rosto!" (Aulete.)

"A perfeição *na* observância das leis morais." (Morais.)

"*Com* perfeição, com todo o cuidado." (Fr. D. Vieira.)

"Espada acabada *em* toda a perfeição." (Morais.) "Porque falava inglês *na* perfeição, era havido como excelente marinheiro." (Afrânio Peixoto, *A Esfinge,* 68.)

Perfeito — *de, em:*

"Perfeita *de* espírito, atenderá às imperfeições corpóreas." (Camilo, *Cenas da Foz,* 69.)

"Um poema perfeito *na* traça e *no* debuxo." (Latino Coelho, *apud* Rui, *Réplica,* 254.) "Mostre a sua mãe que é um homem perfeito *em* sofrimento." (Camilo, *Mistérios de Lisboa,* I, 51.)

Perfumado — *com, de, por:*

"Roupa alva e perfumada *com* aromas esquisitos."

"Quadras de candura emotiva, perfumadas *do* ar dos campos." (Ricardo Jorge, *Sermões dum Leigo,* 188.) "Antegostava as delícias das noites estivas, com o ambiente perfumado *de* laranjeira." (Camilo, *As Três Irmãs,* 68.)

"Ar perfumado *pelas* flores.'

Perfume — *a, de:*

"A carta exalava um forte perfume *a* almíscar." (Mário Barreto, *Através do Dicionário e da Gramática,* 398.)

"O perfume *da* baunilha, *da* violeta." (Aulete.)

Pergunta — *a, acerca de, sobre:*

"Todas as perguntas *ao* acusado ficaram sem resposta."

"Perguntava se era rica, porque aprendi em Paris a fazer esta pergunta *acerca de* cada pessoa que nos cumprimenta." (Camilo, *Mistérios de Lisboa,* III, 76.) "E fez-lhe várias perguntas *acerca dos* sucessos da véspera, ataque, defesa, adesão dos dragões, resistência da câmara, etc." (M. de Assis, *Papéis Avulsos,* 62.)

"Antes que respondesse às perguntas que lhe faziam *sobre* o que desejava, já três chícaras de chá, sustentadas por três mãos deliciosas, se estendiam para ele simultaneamente." (Afrânio Peixoto, *A Esfinge,* 65.)

Perguntado — *acerca de, por, sobre:*

"Perguntado *acerca de* sua profissão, vacilou."

"Perguntado *por* sua nacionalidade, afirmou ser italiano."

"Perguntado *por* um discípulo *sobre* o livro que devia ler para completar sua educação de médico, respondeu: — leia o "D. Quixote", que nunca deixo de reler." (Ricardo Jorge, *Sermões dum Leigo,* 192.) "Perguntado *sobre* seus padecimentos, L. B. naturalmente respondeu que não padecia nada." (Camilo, *Duas Horas de Leitura,* 91.)

Perícia — *em:*

"Perícia *em* alguma ciência ou arte." "Construções dessa espécie, bem como a invenção do nilômetro, aparelho para anunciar o começo e o fim das cheias do rio, o primoroso sistema postal egípcio .... e as listas censitárias, tudo só se pôde fazer graças a um alto grau de perícia *na* ciência do cálculo e da medida." (*Maravilhas do Conhecimento Humano,* I, 232.)

Perigo — *de, em, para:*

"Estar em perigo *de* vida." (Constâncio.)

"Não há perigo *em* atravessar o rio neste ponto."

"Mantinham-se sempre despertas as ambições sem perigo *para* a liberdade." (Mário Barreto, *Cartas Persas,* XIX.) "Vida de usina ela era um perigo *para* meninos." (J. Lins do Rego, *Usina,* 103.) "Facílimo seria demonstrar que, aqui, os perigos, *para* o trono, são incalculavelmente maiores." (Rui, *Queda do Império,* I, 263.)

Perigoso — *a, de, para:*

"Ambiente perigoso *à* mocidade."

"— Peço-lhe, senhor, a mercê de retirar-se daqui.... A sua presença é perigosa *a* este desgraçado...." (Camilo, *Livro Negro,* 231.)

"Lugar perigoso *de* entrar." (Vieira, *apud* (Morais.)

"Aliança perigosa *para* a monarquia." (Luis Viana Filho, *A Vida de Rui Barbosa,* 113.) "Não me dissera ele que a mãe-d'água era sobretudo perigosa *para* os indivíduos moços." (Gastão Cruls, *História Puxa História,* 41.)

Perito — *em:*
"Perito *numa* arte." (E. Carneiro Ribeiro, *Serões Gramaticais,* 675.) "Não menos perito *nas* artes da guerra marítima, do que Álvaro Gonçalves Camelo *nas* pelejas e assaltos de terra." (Rebelo da Silva, *Contos e Lendas,* 245.) "Perita *no* fabrico de bruxas com olhos de contas e cabeleiras de retroz." (Mário Sete, *Os Azevedos do Poço,* 72.)

Perjúrio — *a:*
"Afastado de minha mãe, era um quase perjúrio *às* derradeiras súplicas de D. Pedro da Silva." (Camilo, *Mistérios de Lisboa,* I, 249.)

Permanência — *em, junto de:*
"Aquele funcionário tinha, pela permanência *no* cargo, a sua confiança plena." (E. da Cunha, *Os Sertões,* 442.) "Depois de cursos e trabalhos em Paris, uma permanência longa *em* Florença, Roma e Nápoles, ... Paulo fôra ter à Grécia." (Afrânio Peixoto, *A Esfinge,* 18.) "O chefe do Estado lhe exigiu a permanência *na* administração do Tesouro." (Rui, *Colunas de Fogo,* 110.)
"Não lhe sobravam muitos momentos, como este, de permanência *junto de*la." (Afrânio Peixoto, *A Esfinge,* 160.)

Permeável — *a:*
"Permeável *à* luz, *ao* ar." (Morais.) "Homem grave, de boas maneiras, e com o espírito permeável *às* reformas do seu tempo." (Luiz Viana Filho, *A Vida de Rui Barbosa,* 8.) "Ninguém mais permeável *a* qualquer razão que se lhe apresentasse." (Medeiros e Albuquerque, *Quando Eu Era Vivo,* 29.)

Permeio — *com:*
"Ali chegavam, de permeio *com* os matutos crédulos e vaqueiros iludidos, sinistros heróis da faca e da garrucha." (E. da Cunha, *Os Sertões,* 193.) "De permeio *com* essas vivendas, dolorosamente sacrificadas, rolam ainda, de vez em quando, os descampados tristes." (Herman Lima, *Outros Céus, Outros Mares,* 325.)

Permissão — *de, para:*
"Apenas pude haver alguns (prédios) de meu, particulares bens, com a permissão *de* conservar um aposento na mesma quinta em que então morava." (Filinto Elísio, *apud* Fr. D. Vieira.) "Não tiveram permissão *de* andar à vontade." (E. da Cunha, *Os Sertões,* 450.)
"Pediu permissão a Roberto *para* chegar ao aparelho." (Gastão Cruls, *Ao Embalo da Rede,* 95.)

Permissível — *a:*
"Essas coisas não são permissíveis *a* você."

Permuta — *com, entre:*
"Podem exigir os meus concidadãos a iníqua permuta da utilidade deles *com* a minha desesperação própria?" (Mário Barreto, *Cartas Persas,* 164.)
"Uma nação escravizadora de homens pode consentir em que a escravizem: é uma permuta *entre* duas indignidades, uma compensação entre duas espoliações, um equilíbrio entre duas tiranias." (Rui, *Queda do Império,* I, 191.)

Pernicioso — *a:*
"Pernicioso *à* saúde." (Constâncio.) "O desgoverno é mais pernicioso *à* república do que algum mau governo." (Morais.)

Pernoite — *em:*
"O pernoite *na* vila foi acidentado."

Perpendicular — *a:*
"Plano perpendicular *a* outro." (Constâncio.) "Falta às terras flageladas do norte uma alta serrania que, correndo em direção perpendicular *à*quele vento, determine a 'dynamic colding', consoante um dizer expressivo." (E. da Cunha, *Os Sertões,* 35.)

Perpetuado — *em:*
"D. Francisco Manuel de Melo tem duas celebridades: talento e desgraça. Da fama que lhe apregoa o espírito mais culto e universal do seu tempo, revive a prova perpetuada *em* livros numerosos, ainda hoje relidos com prazer e por estudo." (Camilo, *Boêmia do Espírito,* 95.)

Perplexidade — *em:*
"Um fenômeno característico na formação das línguas romanas ou latinas foi a perplexidade *na* escolha dos termos usuais, no tempo das invasões bárbaras." (João Ribeiro, *Curiosidades Verbais,* 102.)

Perplexo — *com, diante de, em, entre:*
"D. João I, cada vez mais confuso perante a gravidade do prior, e cada vez mais perplexo *com* a sua estranha pertinácia, correu a vista pelo parecer de todos." (Rebelo da Silva, *Contos e Lendas,* 232.)
"Apertou com ternura a mão do amigo, quando entraram visitas que paravam perplexas *diante d*aquela cena inconcebível." (Camilo, *Livro Negro,* 88.)
"Decidir qual dos dois sexos seja melhor de curar é dos pontos mais perplexos *na* arte de medicar." (Castilho, *apud* Aulete.) "Perplexo *no* meio desta incerteza." (Vieira, *apud* Morais.)
"E ela saboreava a tranqüilidade da alma, comparando a sua serenidade presente à vacilação e o tumulto de outras religiosas e mundanas amigas, perplexas *entre* o convento e o casamento." (Antero de Figueiredo, *Amor Supremo,* 203.) "Carlos, perplexo *entre* a irreflexão do seu gesto e a inesperada reação com que Noêmia o repelira, mantinha-se estatelado diante dela." (Gastão Cruls, *História Puxa História,* 77.)

Perseguição — *a, contra, de:*

"Funda-se a estima na venalidade; organiza-se a perseguição *ao* patriotismo; fomenta-se a guerra entre as classes." (Rui, *Queda do Império,* I, 263.)

"Que fez o acusado com a lei de 13 de maio? Blasfemou-a transvertendo-a em fórmula de perseguição *contra* os que aceitaram com patriotismo o golpe desfechado na sua fortuna por essa medida reabilitadora." (Rui, *Queda do Império,* II, 297.) "Em boa parte do Apocalipse estão historiadas as perseguições da seita maometana *contra* a Igreja." (Vieira, *Sermões,* IX, 77.)

"O ardor na perseguição *do* touro selvagem." (Afonso Arinos, *Pelo Sertão,* 69.) "Inclina-se toda para trás, em cima do seu cavalo a galope largo, na perseguição *do* raposo esbaforido." (Antero de Figueiredo, *Amor Supremo,* 70.)

Perseguido — *de, por:*

"E ali *de* todos eles perseguido, bem resiste com ânimo esforçado." (Dic. de Fr. D. Vieira.)

"Homens mascarados perseguidos *pela* polícia." (Veiga Miranda, *A Eterna Canção,* 93.) "Ela viu-lhe, porém, num instante rápido, o rosto pálido e descomposto, por entre a sombra, como um alucinado que foge perseguido *pela* sua tortura." (Afrânio Peixoto, *A Esfinge,* 386.)

Perseverança — *em:*

"Perseverança *no* estudo; perseverança *no* desempenho das obrigações; perseverança *na* fidelidade prometida." (Morais.)

Perseverante — *em:*

"Perseverante *nas* opiniões, *na* crença, *nos* trabalhos." (Constâncio.) "Perseverante *na* virtude, *no* erro." (Morais.)

Persistência — *em:*

"Persistência *na* união, *nos* sentimentos, *na* resolução, *no* mal, *na* virtude, *nos* vícios." (Constâncio.)

Persistente — *em:*

"O coração humano .... é pouco persistente *em* um afeto." (Morais.) "Havia, como se vê, persistente *na* maioria dos ânimos, o intento de se não executar o que a campanha desde o começo reclamava." (E. da Cunha, *Os Sertões,* 449.)

Personalizado — *em:*

"Rosas reerguera a legalidade, personalizada *na* representação popular." (Rui, *Cartas de Inglaterra,* 283.)

Personificado — *em:*

"Agora o desafio de Urquiza trazia-o outra vez à presença da nação, legalmente personificada *nos* seus representantes." (Rui, *Cartas de Inglaterra,* 327.) "Se Sua Alteza quisesse agüentar a reação escravista, personificada *no* gabinete de 20 de agosto." (Idem, *Queda do Império,* I, 332.)

Perspectiva — *a, de:*

"O fato abriu novas perspectivas *à* carreira de Rui." (Luiz Viana Filho, *A Vida de Rui Barbosa,* 61.)

"Perspectiva *de* brilhante fortuna *de* prósperos sucessos." (Constâncio.)

Perspicaz — *em:*

"Insistiu no intuito de ser implacável no reprimir, e perspicaz *no* velar." (Rui, *Queda do Império,* I, 123.)

Persuadido — *a, de:*

"Mostrou-se persuadido *a* prosseguir a viagem."

"Mas também estou persuadida *de* que, logo que passes a barra, tudo muda de figura." (Aluísio Azevedo, *Casa de Pensão,* 274.) "Não se dê por achado .... finja que está deveras persuadido *da* partida de Raimundo." (Aluísio Azevedo, *O Mulato,* 313.) "Eu vivia persuadido *de* que o céu não importava aquele gênero." (Camilo, *Cenas da Foz,* 24.)

Persuasão — *de:*

"Até a curiosidade .... definhará, sob a persuação *de* que .... se desatará jamais o vínculo que sujeita a razão, como os apetites, ao cativeiro hereditário das nossas necessidades materiais." (Rui, *Cartas de Inglaterra,* 79.)

Pertencente — *a:*

"Bens pertencentes *à* nação." (E. Carneiro Ribeiro, *Serões Gramaticais,* 674.) "Pouco afastada, estava uma outra quinta, por igual aprazível, pertencente *a* um ministro criminal." (Camilo, *A Enjeitada,* 20.)

Pertinácia — *de, em:*

"A pertinácia *de* errar." (Vieira, *apud* Morais.) "A pertinácia *de* tentar e prescrutar os segredos da natureza." (Morais.)

"Pertinácia *no* trabalho, *nas* opiniões." "Essa pertinácia *em* sustentar a verdade." (Morais.)

Pertinaz — *em:*

"Pertinaz *em* defender, sustentar, negar; pertinaz *no* erro, *na* heresia; pertinaz *no* propósito." (Constâncio.)

Pertinente — *a:*

"Casualmente ouviu falar do general francês Alfredo Gassiot, nome que ele tinha lido nos extratos da "Gazeta de Lisboa", pertinentes *às* últimas batalhas." (Camilo, *A Enjeitada,* 128.)

Perturbação — *de, em:*

"Servindo, esta desunião de pareceres, de grande confusão e perturbação *das* consciências." (Vieira, *apud* Fr. D. Vieira.) "Perturbação *do* Estado, *do* espírito" (Constâncio.)

"Perturbação *no* desenvolvimento das cartilagens." (Pedro A. Pinto, *Dicionário de Termos Médicos,* 17.)

Perturbado — *com, de, em, por:*
"Natureza perturbada *com* remédios mal aplicados." (Cf. Morais.) "Ficou perturbado *com* a presença da moça." "Nação perturbada *com* revoluções." "Luzia, perturbada *com* a súbita presença do terrível soldado, não ousou proferir palavra." (Domingos Olímpio, *Luzia-Homem*, 75.)
"Entretanto, por elas passa, interferindo a fronteira ideal dos hemisférios, o equador termal, de traçado perturbadíssimo *de* inflexões vivas." (E. da Cunha, *Os Sertões*, 52.)
"Embora perturbado *na* sua timidez, gostava daquele tom ousado e maldoso da moça." (Mário Sete, *Os Azevedos do Poço*, 22.)
"A vida inteira de sociedade em Petrópolis, nesta estação, está perturbada *por* esse sujeito." (Afrânio Peixoto, *A Esfinge*, 67.) "Uma beleza olímpica ressurgia na moldura firme de um perfil judaico, perturbados embora os traços impecáveis *pela* angulosidade dos ossos." (E. da Cunha, *Os Sertões*, 523.)

Perturbativo — *de:*
"Opiniões perturbativas *do* sossego público." (Morais.)

Perversão — *de, em:*
"Perversão *do* sentido." (Constâncio.) "A perversão *dos* costumes." (Fr. D. Vieira.)
"Nunca houve perversão *num* povo, que não precedessem grandes pecados." (Dic. de Morais.)

Pervertido — *com, por:*
"Ânimos pervertidos *com* doutrinas enganosas."
"Vimo-la, neste instante (a alma do matuto), pervertida *pelo* fanatismo. Vejamo-la transfigurada pela fé.... (E. da Cunha, *Os Sertões*, 144.) "A coragem arrefeceu-lhe no coração pervertido *pela* ambição." (Camilo, *Mistérios de Lisboa*, II, 210.) "Desleixada no trajo, encarquilhada, agitável, com a alma azeda, pervertida *pela* contínua luta doméstica, havia perdido todos os traços simpáticos da mocidade." (Xavier Marques, *As Voltas da Estrada*, 88.)

Pesado — *a, de:*
"Pesado *a* ouro, diz-se do que tem custado muito caro." (Aulete.) "Este homem faz-se pesado *a* todos." (Constâncio.) "É com as minhas orações e mezinhas que arranjo o bocado para a boca, sem ser pesada *a* ninguém." (Domingos Olímpio, *Luzia-Homem*, 184.)
"Era a primeira enxurrada grossa, pesada *de* vasculhos." (J. Américo de Almeida, *O Boqueirão*, 141.) "Uma noite, Granadina dançou tão contra vontade, tão desairosa, tão sem garbo e pesada *de* aborrecimento, que os enfadados mostraram sinais de desaprovação." (Camilo, *A Enjeitada*, 122.)

Pêsames — *de, para, por:*
"Francisco de Proença estava então no Porto, e mais de um amigo lhe repetiu os pêsames *da* fatal viuvez, que o privava de alguns milhões." (Camilo, *Cenas da Foz*, 243.)
"Pode retirar-se, sargento-mor, com os meus pêsames *para* o banazolo senhor capitão-mor." (Alberto Rangel, *Fura-Mundo*, 125.)
"Apresentar pêsames a alguém, *por* algum acontecimento infausto ou lutuoso."

Pesar — *de:*
"Morrerei do pesar *de* ter visto, quando nasci, livres os trogloditas e de vê-los hoje vassalos." (Mário Barreto, *Cartas Persas*, 30.) "Não levas deste mundo mais que o pesar *de* ter ofendido a Deus?" (Rebelo da Silva, *apud* Aulete.) "Vivia ansioso de experimentar todas as emoções humanas e, um dia, exprimiu seu pesar *de* nunca ter sentido a sensação do assassínio." (*Maravilhas do Conhecimento Humano*, II, 100.)

Pesaroso — *com, de, por:*
"Ficou muito pesaroso *com* a morte do amigo."
"Pesaroso *de* não ter inventado a palavra 'honorabilidade', ... exprime igualmente a sua mágoa de não ter forjado também o 'insolvabilidade'." (Rui, *Réplica*, 478.) "Rodrigo Felner, prefaciando os escritos inéditos de Simão Botelho, mostrou-se pesaroso *de* não saber o fim daquele homem, ‹um dos mais ilustrados do seu tempo, e alma incorruptível›." (Camilo, *Boêmia do Espírito*, 198.)
"Fingiu espanto diante do horror demonstrado pelos seus convidados e, declarando-se pesaroso *por* não haver sabido bem satisfazer o gosto deles, mandou que fossem servidas iguarias mais agradáveis." (*Maravilhas do Conhecimento Humano*, I, 49.)

Pesquisa — *para:*
"Mesmo no tempo de Aristóteles, a hipótese de que todas as coisas se originavam de um comparativamente pequeno número de elementos já ia bem adiantada. Mas somente quase dois mil anos mais tarde é que este fato foi estabelecido como uma definitiva lei da natureza. E então começou a lenta pesquisa *para* isolar todos os elementos." (*Maravilhas do Conhecimento Humano*, I, 269.)

Pessoal — *a:*
"As circunstâncias pessoais *ao* redator-chefe d''A Imprensa', que o obrigam a licenciar-se por algum tempo...." (Rui, *Colunas de Fogo*, 143.) "Figuremos um caso pessoal *ao* autor destas linhas e *ao* Dr. Campos Sales." (Idem, *ibidem*, 176.)

Petulância — *com, de, para com:*
"Deixe de petulância *comigo*!"
"Tal é o meu caso com D. Marcolina, se me permitem a petulância *do* paralelo." (Ga-

leão Coutinho, *Memórias de Simão, o Caolho,* 18.) "Será freira, já que tem a petulância *de* opor tamanha arrogância às minhas ordens." (Castilho, *apud* Aulete.)

"Leva a sua inofensiva petulância *para com* o príncipe dos épicos e líricos das Espanhas a afirmar que é um pleonasmo que tresanda a tolice." (Mário Barreto, *Através do Dicionário e da Gramática,* 247.)

Picado — *com, de, por:*

"Acontecia, porém, não raro, que o nosso criado, picado *com* as observações de Cassiano, me servia muito melhor do que a ele." (Medeiros e Albuquerque, *Quando Eu Era Vivo,* 120.)

"Debruçando-se sobre as ameias, ficava a olhar o burgo picado *de* lumes, que eram os fogos do casario." (C. Neto, *Imortalidade,* 117.) "Lúcio não se teve em si: picado *de* curiosidade, foi direito aonde eles estavam." (J. Américo de Almeida, *A Bagaceira,* 18.) "Meio nus, encardidos, picados *das* bexigas." (Aquilino Ribeiro, *A Batalha sem Fim,* 54.)

"O corpo picado *pelas* mesmas espetadelas." (Gastão Cruls, *História Puxa História,* 28.) "Apenas escreve a história antiga com o mau humor que lhe inspiram os tempos de hoje.... replicou o conselheiro, picado *pela* divergência." (Afrânio Peixoto, *A Esfinge,* 155.)

Piedade — *com, de, para, para com, por:*

"A piedade *com* os pobres." (E. Carneiro Ribeiro, *Serões Gramaticais,* 671.) "Os príncipes cristãos que se desviaram desse antigo, e bom costume, parece que tacitamente prometeram usar piedade *com* aqueles que não ouviam: essa pode ser que fosse a causa de se mudar este costume." (Camilo, *Boêmia do Espírito,* 99.)

"Tende piedade *de* mim, e sentireis menos as vossas dores." (Camilo, *Mistérios de Lisboa,* III, 131.) "Na ironia tranqüila que andava por seus olhos malignos, não se podia adivinhar se era de piedade *dos* algozes ou de simpatia pelas vítimas." (Afrânio Peixoto, *A Esfinge,* 348.) "Quanto tédio do mundanismo frívolo e falso; e, também, quanta piedade *dos* espíritos mal educados, mal instruídos ....!" (Antero de Figueiredo, *Amor Supremo,* 143.)

"Piedade de filho *para* o pai." (Dic. de Morais.) "— Pois que disse eu, meu Deus!... perdoa-me, duque! Piedade *para* o infortúnio, meu querido amigo!" (Camilo, *Livro Negro,* 133.)

"Tenho de ser misterioso, por piedade *para contigo* e *para comigo.*" (Camilo, *Mistérios de Lisboa,* II, 246.) "Sentia que a sua piedade *para com* os outros não era mais do que uma forma da piedade devida a si mesmo." (J. Américo de Almeida, *A Bagaceira,* 219.) "Piedade dos pais *para com* os filhos." (Constâncio.)

"Passando-lhe a mão pelo corpo magro, sentiu imensa piedade *pelo* cão que andara errando pelos caminhos." (C. Neto, *Miragem,* 60.) "A selvageria impiedosa amparava-se à piedade *pelos* companheiros mortos." (E. da Cunha, *Os Sertões,* 569.) "Como se aquele trecho doloroso de sua vida fosse vivido por outrem, com piedade *pela* mágoa estranha." (Afrânio Peixoto, *A Esfinge,* 341.)

Piedoso — *com, de, para, para com:*

"Pois se ele (Deus) não faz esta exceção, por que a fazes tu, em tudo o mais cruel, e só *com* a boca piedoso?" (Vieira, *Sermões,* IX, 228.)

"Piedoso *de* seus donos." (Dic. de Morais.)

"Maria, a intervalos longos, pensava na incomportável desgraça; mas acabava com o seu receio pela impossibilidade de tamanha dor, sendo Deus tão piedoso *para* quem é bom." (Camilo, *As Três Irmãs,* 286.)

"Piedoso *para com* Deus." (E. Carneiro Ribeiro, *Tréplica,* 579.)

Pilhéria — *com:*

"Lembre-se de que não gosto de pilhérias *com*igo."

Pintado — *a, com, de, em:*

"Quadro pintado *a* óleo."

"Pintado *com* cores feias ou carregadas." (Aulete, voc. *afeado.*)

"Aqui e além, cadeiras de Évora, pinho pintado *de* flores de rosa e de eloendro." (Fialho de Almeida, *Os Gatos,* 265.) "Casas pequenas, desgraciosas, ... pintadas *de* cores extravagantes e irrisórias." (Afrânio Peixoto, *A Esfinge,* 221.)

"As largas embarcações, com seus nomes, nas proas, pintados *em* cores garridas, enchem-se de gentes de coloridos trajes ribatejanos." (Antero de Figueiredo, *Amor Supremo,* 64.) "O nosso hóspede esperava-nos, e recebeu-nos com o riso na boca, e a boa-vontade pintada *no* semblante." (Rebelo da Silva, *Contos e Lendas,* 159.) "O terror está pintado *em* todas as fisionomias." (Camilo, *Mistérios de Lisboa,* II, 198.)

Pirraça — *a:*

"Como que para fazer pirraça *aos* progressos da anti-sepsia, parece refinar-se a peçonha que se instila nos traumas." (Ricardo Jorge, *Sermões dum Leigo,* 100.)

Pisado — *a, com, de, em, por:*

"Pisado *aos* pés, humilhado." (Constâncio.)

"Pisado o rosto *com* punhadas, murros."

"A estrada, pisada *de* automóvel, os partidos de cana subindo para altos aonde nunca foram." (J. Lins do Rego, *Usina,* 106.) "Não está D. Zuleima a esta hora em Coimbra, pisada *dos* murros e repelões dos vilões ruins da Portagem?" (Rebelo da Silva, *apud* Aulete.) "— Luzia — continuou Alexandre, fitando-lhe uns olhos pisados *de* mágoa — você tem sido, abaixo de Deus, minha protetora, meu anjo da guarda nesta desgraça.'' (Domingos Olímpio, *Luzia-Homem*, 116.) ''As nádegas pisadas *no* sacolejo do trote chasqueiro de sua égua ruana.'' (Alberto Rangel, *Fura-Mundo*, 371.)

''Até baquear no chão — cosido a faca e moído a pauladas, pisado *pela* alpercata dura, o lutador imprudente.'' (E. da Cunha, *Os Sertões*, 338.) ''Bácoros pisados *pelo* cavalicoque de Isaías grunhiram desesperadamente.'' (Alberto Rangel, *Fura-Mundo*, 174.)

Plano — *a respeito de, contra, de, sobre:*

''Mas em Roma havia um rapaz que tinha outros planos *a respeito do* mundo. Esse homem era um sobrinho de César, chamado Otávio.'' (*Maravilhas do Conhecimento Humano*, I, 136.)

''Plano *contra* a pátria.'' (Rui, *Colunas de Fogo*, 19.)

''Os guardas podiam desconfiar de que estivesse com alguma coisa no juízo, algum plano *de* fugida.'' (J. Lins do Rego, *Usina*, 23.)

''Os planos de Rui *sobre* as suas obras haviam malogrado inteiramente.'' (Luiz Viana Filho, *A Vida de Rui Barbosa*, 111.)

Pleito — *com:*

''A justiça deu-lhe ganho de causa no pleito *com* o vizinho.''

Pleno — *de:*

''Agitado pelo borbotão das suas idéias francas, plenas *de* sol, derivava ao esplendoroso poder da Verdade.'' (Antero de Figueiredo, *Amor Supremo*, 115.) ''Sempre fôra feliz, a sua vida com o Juca fôra plena *de* felicidade.'' (J. Lins do Rêgo, *Usina*, 74.)

Pletórico — *de:*

''Os proprietários rurais e açucareiros formavam uma espécie de casta nobre, a nobreza não tradicional, mas convencional do Império. Havia-os agraciados com viscondados, baronatos e comendas. Tipos transbordantes, pletóricos *de* vontade e arbítrio, requintados nos caprichos, em bem e em mal, davam com que erigir uma galeria de excêntricos.'' (Xavier Marques, *As Voltas da Estrada*, 12.)

Pobre — *de, em:*

''Abandonando novamente parte das munições, seguia (a expedição) como se, pobre *de* recursos em Queimadas, ... ela fosse abastecer-se em — Canudos.'' (E. da Cunha, *Os Sertões*, 261.) ''Devota, e caritativa com os pobres *de* pão, não o era menos com os mendigos de consolações.'' (Camilo, *Mistérios de Lisboa*, I, 24.)

''Ali vejo Sonini, a quem Fortuna .... pobre *na* vida fez, na morte inglório.'' (J. A. de Macedo, *apud* Fr. D. Vieira.) ''Senhor, por que nos deste uma língua tão pobre *na* gratidão?'' (Rui, *Coletânea Literária*, 197.)

Pobreza — *de:*

''Pobreza *de* faculdades, *de* espírito.'' (Aulete.) ''Temia principalmente essa pobreza *das* palavras, que não podem e não sabem traduzir os nossos sentimentos.'' (Afrânio Peixoto, *A Esfinge*, 95.)

Poder — *de, em, para, sobre:*

''O poder *de* fazer e ab-rogar as leis.'' (Morais.) ''Encarregar, incumbir, enviar alguém com poder *de* julgar, *de* resolver, *de* obrar.'' (Aulete, voc. *delegar*.)

''Tal é o poder do hábito *nestas* construções, que a ninguém, procedendo espontaneamente, ocorrerá colocar essas palavras na ordem que deveram ter.'' (Mário Barreto, *Através do Dicionário e da Gramática*, 269.) ''Mas se é certo que o poder que *nas* mulheres temos é tirânico, não o é menos que têm elas em nós um império natural, que é o da beleza.'' (Idem, *Cartas Persas*, 79.) ''E outros *em* quem poder não teve a morte.'' (Camões, *Os Lusíadas*, I, 14.)

''Uma tal música .... não tem poder *para* evocar dentro de nós estados plásticos.'' (Fialho de Almeida, *Os Gatos*, 49.)

''Juntai a isso a fraqueza do poder federal *sobre* as desordens locais, ... e teremos uma situação de infinitos perigos.'' (Rui, *Cartas de Inglaterra*, 349.) ''Está aí uma mulher .... que teu marido revestiu de plenos poderes *sobre* os desejos mais santos do teu coração.'' (Camilo, *Mistérios de Lisboa*, I, 60.)

Poderoso — *com, contra, de, em, para, para com, sobre:*

''É tão poderosa (a malícia humana) *com* os pecadores, que os cativa e amarra como a próprios escravos.'' (Dic. Acad. Lisboa.)

''Poderoso *contra* o mal.'' ''Remédio poderoso *contra* tosses.''

''Poderoso *de* dinheiro.'' (E. Carneiro Ribeiro, *Serões Gramaticais*, 675.) ''Poderoso *de* gente, que tem grandes exércitos.'' (Constâncio.)

''Poderoso *em* dinheiro.'' (E. Carneiro Ribeiro, *Serões Gramaticais*, 675.) ''Montanha rude e silvestre, ... poderosa *em* tempestades, em frutos magra.'' (Castilho, *apud* E. Carneiro Ribeiro, *Serões Gramaticais*, 676.) ''Poderoso *em* riquezas.'' (Morais.)

''Exército bastante poderoso *para* enfrentar com vantagem as hordas invasoras.''

''A honra é o segundo anjo da guarda da virtude, e mais poderoso *para conosco* que todos os anjos.'' (Vieira, *Sermões*, IX, 16.)

''É-me dificílimo reagir contra essa influência poderosa *sobre* o meu espírito e cara ao meu coração.'' (Rui, *Cartas Políticas e Literárias*, 30.)

Podre — *de:*

''Podres *de* ricos, na terra da fome.'' (J. Américo de Almeida, *O Boqueirão*, 132.)

Poema — *sobre:*
"Versos de ardor cívico, um poema *sobre* a Revolução de 1817." (Veiga Miranda, *A Eterna Canção,* 85.)

Polêmica — *com, entre:*
"E mudando de assunto, começou o relato do que fôra a tal polêmica artístico-filosófica *com* o P. Silveira." (Antero de Figueiredo, *Amor Supremo,* 100.)
"A polêmica *entre* os dois escritores foi longa e ardorosa."

Polidez — *com, para com:*
"Ter polidez *com* alguém ou *para com* alguém."

Polido — *com, em, para com:*
"Não foi muito polido *com* as visitas."
"Polido *nas* maneiras." "Polido *nas* letras." (Morais.)
"Era *para com* ela glacial e polido." (Eça, *O Primo Basílio,* 38.)

Polvilhado — *de:*
"Rebolando por cima das ovelhas amadornadas com a cresta, a Ana Olaia, rosto sobre o comprido, terroso, polvilhado *de* cinza pelos cabelos ruços." (Aquilino Ribeiro, *Andam Faunos,* 13.)

Ponderação — *a respeito de, de, em, sobre:*
"Instalara-se na sua mesa o secretário, aprestando-se a certas ponderações *a respeito do* extravio de algumas barricas de pinhões." (Alberto Rangel, *Fura-Mundo* 25.)
"Os proprietários das gazetas recomendaram-lhe mais política e menos idealidades, mais análises dos homens e menos ponderações *dos* princípios." (Camilo, *As Três Irmãs,* 275.)
"É preciso teres mais ponderação *em* tuas decisões."
"Ponderação *sobre* um assunto, um negócio."

Ponto de vista — *de, em, sob:*
"As orações são muito interessantes *do* ponto de vista da mistura das crendices de raças inferiores ao culto católico do nortista." (Gustavo Barroso, *Terra de Sol,* 182.) "Portou-se (a rainha) de um modo inconvenientíssimo, *do* ponto de vista do protocolo, porque não teve dúvida em tomar a iniciativa da conversa." (Medeiros e Albuquerque, *Quando Eu Era Vivo,* 154.)
"Lembremos também o latim ' necare ', matar, especializado no francês ' noyer ' e no espanhol ' anegar ', os quais representam, *no* ponto de vista semasiológico, a combinação 'necare aqua'." (Mário Barreto, *Através do Dicionário e da Gramática,* 139.)
"*Sob* este ponto de vista, diverge o autor." (C. de Figueiredo, *Lições Práticas,* I, 9.)

Pontual — *em:*
"Pontual *em* seus pagamentos." (E. Carneiro Ribeiro, *Serões Gramaticais,* 675.) "Sempre vivera ali gozando de crédito, pontual *nas* obrigações, estimado por todos." (Guilhermino Cesar, *Sul,* 7.)

Pontualidade — *de:*
"A pontualidade *d*estas informações devia-se a um jornaleiro de Vila Cova, o qual, industriado por Ladislau, fôra a Miranda pedir trabalho à casa dos Alarcões, e lá ficara servo de lavoura." (Camilo, *O Bem e o Mal,* 146.)

Porfia — *com, em, entre, para:*
"*Com* o mar um tempo andamos em porfias." (Camões, *Os Lusíadas,* V. 66.)
"É extraordinária sua porfia *no* estudo."
"E nessa porfia *entre* o mais fraco, *para* evitar a peleja, e o mais forte, *para* o compelir a ela ...." (Rui, *Cartas de Inglaterra,* 172.)

Porfioso — *em:*
"Porfioso *no* trabalho, *nos* propósitos."

Portento — *de:*
"Era um portento *de* valor e discrição." (Morais.) "Ó espetáculo, ó portento *de* desumanidade nunca visto!" (Vieira, *Sermões,* IX, 177.)

Posição — *com, em, entre, para com:*
"O Duque de Cliton, absorvido no turbilhão de conjeturas em que o deixaram as revelações incompletas da duquesa, procurava aquietar as suas idéias para definir a sua posição *com* tal mulher." (Camilo, *Livro Negro,* 84.)
"Não é surpresa para mim a sua posição brilhante *na* República." (Afrânio Peixoto, *A Esfinge,* 82.)
"Apesar, todavia, dessa posição única *entre* as grandes potências militares, é a Rússia, presentemente, a que, a todas as outras leva a dianteira." (Rui, *Colunas de Fogo,* 83.)
"A posição do honrado colega *para conosco* .... não tem antecedências em a nossa imprensa." (Rui, *Queda do Império,* I, 400.)

Posse — *de, em, para:*
"Contentar-se-ão, talvez, com as riquezas aqui amontoadas imprudentemente e com a posse *d*estes lugares." (Herculano, *Eurico,* 139.)
"Será amanhã sua posse *no* cargo de chefe de polícia."
"Ia ser rico, fabulosamente rico, com posses *para* trazer navios no mar, adquirir quintas." (Aquilino Ribeiro, *A Batalha sem Fim,* 66.) "Não ter posses *para* essa despesa." (Constâncio.)

Possesso — *de, por:*
"Possessa *de* rancor impotente, cruzando a sala a passos largos, ... a vaidosa duquesa acusava a sua própria covardia." (Camilo, *Mistérios de Lisboa,* III, 34.)
"Possesso *do* demônio ou *pelo* demônio."

Possibilidade — *de, para:*
"Uma perfeita dona de casa — acrescentava — como a sugerir aos rapazes uma boa possibilidade *de* casamento." (Guilhermino

Cesar, *Sul,* 55.) "Era desses ânimos débeis a quem a emoção corta todas as possibilidades *de* reação eficaz." (Afrânio Peixoto, *A Esfinge,* 388.) "Convença pelo procedimento as pessoas que já não acreditam na possibilidade *da* sua emenda." (Camilo, *A Neta do Arcediago,* 30.) "A direção adiara, durante, uma semana, a resolução do caso; depois, como as informações colhidas dessem Machado e o seu fiador sem possibilidades *de* resolverem o encargo, recusara." (Ferreira de Castro, *A Tempestade,* 146.)

"A substituição do diretor é uma possibilidade *para* tua nomeação."

Possível — *a, de:*

"Estavam esgotados os candidatos possíveis *ao* governo, não havendo mais parentes, ou aderentes seus, em quem incidir o voto." (Rui, *Cartas de Inglaterra,* 293.)

"Caminho possível *de* ser transitado."

Possuído — *de, por:*

"Possuídos *da* mesma emoção, andamos calados por algum tempo." (Gastão Cruls, *Ao Embalo da Rede,* 23.) "Sente-se possuída *de* alguma paixão, que a atormenta?" (Aluísio Azevedo, *O Mulato,* 326.) "Possuído *do* mistério da noite, o Marrazes tirou o chapéu e pôs-se a rezar em voz alta." (Aquilino Ribeiro, *A Batalha sem Fim,* 64.) "Começou, então, a descer a encosta pedregulhosa, possuído *de* uma ansiedade jamais sentida." (Abílio Barreto, *A Noiva do Tropeiro,* 78.)

"No resguardo pudico de sua túnica abrigar-se-ia um corpo possuído *por* vibração interior." (Afrânio Peixoto, *A Esfinge,* 342.)

Postado — *a:*

"Declaro mais que fui eu quem afugentou a companhia, postada *às* portas de Casimiro, na intenção de o arrancar às garras da justiça." (Camilo, *O Bem e o Mal,* 195.)

Posterior — *a:*

"São (os dicionários) mui posteriores *à* entrada em circulação deste vocábulo no Brasil." (Rui, *Réplica,* 172.) "Há naturezas em quem a emoção é posterior *ao* raciocínio." (Ricardo Jorge, *Sermões dum Leigo,* 115.)

Posteriormente — *a:*

"Este ato praticou-se posteriormente *à*quele a que quereis aludir." (Fr. D. Vieira.)

Posto — *a, em, entre:*

"Capital posto *a* juros." "Posto *a* fazer alguma coisa." (Constâncio.)

"A torre bizantina de Cinatti, posta *no* ângulo sólido do edifício." (Fialho de Almeida, *Os Gatos,* 73.)

"É .... um entretém de encantadora contextura, posto *entre* a talha manuelina e as figuras dramáticas do Buçaco." (Fialho de Almeida, *Os Gatos,* 281.)

Pouco — *para:*

"O duque sentiu pelo visconde uma dedicação distinta. Precisava de uma outra alma, porque a de Napoleão era pouca *para* as vertigens da glória." (Camilo, *Livro Negro,* 77.)

Poupado — *a, em, para, por:*

"Assim, graças à solicitude do Sr. Pádua, não poucas vezes me vi poupado *ao* suplício do indefectível "Hotel dos Viajantes" de quase todas as cidades do interior." (Gastão Cruls, *Ao Embalo da Rede,* 15.)

"Com efeito o Dr. Câmara podia, e não era poupado *n*este gênero de glória, elogiar-se em todos os diários do Rio." (Afrânio Peixoto, *A Esfinge,* 107.)

"Dinheiro poupado *para* a velhice."

"Raros foram poupados *pela* fúria do assassino."

Pousada — *em:*

"A vista fugia com a vontade e com o coração para aqueles casais, debruçados das colinas, fazendo nascer desejos de pedir pousada *em* algum deles." (Rebelo da Silva, *Contos e Lendas,* 12.)

Pousado — *em, sobre:*

"Lembrou-se do algodoal sertanejo como uma nuvem branca pousada *na* várzea." (J. Américo de Almeida, *A Bagaceira,* 41.)

"Ficou abraçada em mim, com a face pousada *sobre* o meu ombro." (Camilo, *Mistérios de Lisboa,* I, 51.)

Pouso — *em:*

"Não é fácil pouso *n*estas paragens."

Povoado — *de, por:*

"O vale de S. Francisco, já aliás muito povoado *de* paulistas e de seus descendentes desde o século XVIII, tornou-se uma colônia quase exclusiva deles." (*Apud* E. da Cunha, *Os Sertões,* 97.) "Ele surdia — esquálido e macerado — dentro do hábito escorrido, sem relevos, mudo como uma sombra das chapadas povoadas *de* duendes." (E. da Cunha, *ob. cit.,* 162.) "Bicho por toda parte, mundéus traiçoeiros, a floresta povoada *de* juruparis e curupiras." (Graciliano Ramos, *Caetés,* 253.)

"Invoco o testemunho daquelas ilhas povoadas *por* enfermos abandonados por alguns navios." (Mário Barreto, *Cartas Persas,* 255.)

Praga — *a, contra:*

"Bernardo retirou-se, murmurando uma ladainha de pragas *ao* conde." (Camilo, *Mistérios de Lisboa,* I, 48.)

"Estava de cócoras sobre a cama, lendo a "Gazeta de Lisboa", e vociferando pragas *contra* o Saldanha." (Camilo, *Cenas da Foz,* 112.) "Quando rogam pragas *contra* um de seus inimigos, não lhe desejam outro mal senão que se veja obrigado a lavrar um campo." (Mário Barreto, *Cartas Persas,* 252.)

Pranto — *de, por:*
"Pranto *de* amargura." (Morais.)
"Seu pranto *pelo* filho, morto desastrosamente, foi violento."

Prática — *acerca de, com, de, em:*
"Terminado o jantar, apagado o afogo dos brindes, e travada serena prática *acerca dos* verdadeiros bens da vida, Bernardo Taveira falou assim: ...." (Camilo, *Estrelas Propícias,* 155.)
"A vida ordinária do doutor eram as práticas *com* sua família." (Camilo, *As Três Irmãs,* 275.) "Mais privadas eram ainda as práticas de Bonaparte *com* o seu ajudante. O espírito do futuro imperador dos franceses expandia-se às vezes em revelações que o atraiçoariam, se as deixasse transpirar na presença dos velhos generais." (Camilo, *Livro Negro,* 73.)
"Ter prática *da* medicina, *do* foro." (Constâncio.) "Calejado no coração pela prática habitual *dos* vícios que emasculam o caráter." (Rui, *Cartas de Inglaterra,* 6.)
"Tem muita prática *em* mecânica."

Praticado — *a bem de, contra, em, por:*
"Os homicídios políticos, praticados *a bem do* seu interesse, eram confessadamente obras do seu punhal." (Rui, *Cartas de Inglaterra,* 311.)
"Avultavam na imaginação popular os crimes praticados *contra* os escravos." (Afrânio Peixoto, *A Esfinge,* 253.)
"Roubos praticados *em* confrarias, e até esse dia desconhecidos." (Antero de Figueiredo, *Jornadas em Portugal,* 66.)
"Nunca atribuía aos seus ministros a responsabilidade dos atos praticados *por* influência sua." (Rui, *Queda do Império,* I, 395.)

Prático — *em:*
"Prático *nas* línguas, *na* navegação." (Morais.) "Práticos *nas* vicissitudes das lutas sertanejas, tinham organização militar correlativa." (E. da Cunha, *Os Sertões,* 238.)

Prazer — *com, de, em:*
"Tive grande prazer *com* sua visita."
"Há, na amarugem de tristeza que ressumam, traços desse prazer *do* ideal, que conforta os desalentados." (Rui, *Colunas de Fogo,* 42.) "Não tenho o prazer *de* o conhecer." "Não me despeço ainda dos cavalheiros obsequiosos; e, na minha volta a Angouleme, espero ter o prazer *de* encontrar a senhora duquesa mais disposta que hoje a ouvir um gárrulo viajante...." (Camilo, *Livro Negro,* 159.)
"— Que prazer tem o senhor *em* jogar comigo? Ganha sempre. Vim apenas saber da saúde. Parece que está bom." (Graciliano Ramos, *Caetés,* 238.) "Sinto um prazer amargo *em* me ir aproximando do seu ermo." (Camilo, *Estrelas Propícias,* 68.) "Sinto um estranho prazer *em* passar a mão por estas pedras milenares." (Erico Verissimo, *Saga,* 58.) "Nem todos têm prazer *em* representar esse papel." (Rui, *Colunas de Fogo,* 123.)

Precaução — *contra:*
"Fê-los reparar as faltas anteriores, e adotou precauções *contra* as futuras." (Rui, *Cartas de Inglaterra,* 259.) "Escrevia com as mãos lavadas de sangue inocente do índio, a quem apenas os conquistadores concediam terra para sepultura como precaução *contra* a peste dos cadáveres insepultos." (Camilo, *Boêmia do Espírito,* 188.)

Precavido — *contra, para:*
"Precavido *contra* as tentações do mundo."
"Sempre estou precavido *para* o que der e vier."

Prece — *a, por:*
"Em suas preces *à* Virgem, nunca pedia para si."
"Derradeiros fragmentos das preces *pelos* extintos, entoados lugubremente." (Herculano, *O Bobo,* 69.)

Precedência — *a, em:*
" 'Mais' é outro advérbio, cuja presença na frase em precedência *ao* verbo atrai igualmente para antes dele, segundo o professor Carneiro, o pronome regime." (Rui, *Réplica,* 323.) "Embora ambos (decretos) se promulgassem na mesma data, o do "Código Civil" teve, na ordem oficial dos atos imperiais, precedência *à* 'Lei Preliminar'." (Idem, *ibidem,* 66.)
"Tem a precedência *na* nomeação para o cargo, por antigüidade."

Precedido — *de, por:*
"Essa desinência passou a ser 'ndo', precedida apenas *da* vogal temática." (Júlio Nogueira, *O Exame de Português,* 179.) "Entre os antigos o gerúndio era precedido às vezes *de* 'em', às vezes *de* 'sem'." (Rui, *Réplica,* 259.)
"Cada um deles (volumes) precedido *por* um estudo sobre a obra do escritor." (Mário Barreto, *Através do Dicionário e da Gramática,* 233.) "Em geral, ela chegava à boca da noite, no seu palanquim carregado por dois escravos, ... precedida *por* um preto encarregado de alumiar a rua." (Aluísio Azevedo, *O Mulato,* 78.)

Precioso — *a, para:*
"Os louros, preciosos *aos* netos dos conquistadores, tocaram o seu outono, ao cabo de séculos." (Camilo, *Mistérios de Lisboa,* I, 251.)
"E, experimentando o reverso dos aplausos, não sofreu o da consideração, infinitamente mais preciosa *para* as almas de valor que a moeda barata dos fugaces entusiasmos." (Rui, *Colunas de Fogo,* 117.) "Vi o jovem monarca. A vida dele é muito preciosa *para* os seus vassalos, e não menos *para* a Europa inteira." (Mário Barreto, *Cartas Persas,* 225.) "Quando um selvagem primitivo dava a si mesmo um

nome de animal e o chamava seu irmão, esse animal se chamava seu *totem*. Esse totem era precioso *para* ele e tinha-o como a menina de seus olhos.'' (*Maravilhas do Conhecimento Humano*, I, 308.)

Precipitação — *em:*

''Não curo de defeitos que derivam da precipitação *na* escrita.'' (C. de Figueiredo, *Lições Práticas*, I, 47.) ''Antes, bem ao contrário, as declarei irresponsáveis pelos defeitos naturais da precipitação *no* projeto do código civil.'' (Rui, *Réplica*, 45.)

Precipitado — *de, em:*

''Sebastião ficara em poder de Laura, seduzida pelo marquês, e tão depressa precipitada *das* suas ilusões de alguns meses.'' (Camilo, *Livro Negro*, 18.)

''Homem precipitado *nos* conselhos e resoluções.'' (Morais.) ''Depois principiou um murmurinho de água, precipitada *nos* socalcos da montanha.'' (Alberto Rangel, *Fura-Mundo*, 87.)

Precisão — *de, em:*

''Deus sabe que precisão eu tenho *de* um amigo.'' (Camilo, *Cenas da Foz*, 155.) ''Ter precisão *de* alguma coisa.'' (Constâncio.) ''A precisão *de* um discurso.'' (Aulete.) ''Precisão *de* estilo.'' ''O Visconde de Armagnac não podia revelar ao duque as suspeitas.... Seria colocar Branca na precisão *de* mostrar a carta que recebera.'' (Camilo, *Livro Negro*, 163.)

''Rigor e precisão *no* estilo.'' (C. de Figueiredo, voc. *acribologia*.) ''Precisão *nos* cálculos aritméticos.''

Preciso — *a, em, para:*

''Não confio que a situação do país, anarquizado como está, me deixe a tranqüilidade precisa *a* um trabalho exigente de meditação e calma.'' (Rui, *Cartas Políticas e Literárias*, 210.) ''A submissão é tão precisa *à* esposa como *à* filha.'' (Camilo, *As Três Irmãs*, 37.)

''Desembaraçada (a língua) de partículas inúteis, precisa *nos* conceitos, rápida nas máximas.'' (Antero de Figueiredo, *Jornadas em Portugal*, 46.)

''Um corpo mobilizável, dotado de pessoal especializado e do arsenal preciso *para* a debelação epidêmica.'' (Ricardo Jorge, *Sermões dum Leigo*, 297.) ''Toda a família trabalhava com a intenção de reunir a quantia precisa *para* o resgate.'' (Mário Barreto, *Cartas Persas*, X.)

Precocidade — *de, em:*

''A precocidade *de* um fruto. A precocidade da inteligência.'' (Aulete.)

''Apostolando à geração nova, ameaçada pela precocidade *na* decadência.'' (Rui, *Colunas de Fogo*, 41.)

Preconceito — *de, sobre:*

''Tem o preconceito *de* nada empreender à terça-feira.'' (Aulete.)

''Juntem-se a isto os preconceitos *sobre* o recato doméstico, a responsabilidade de vedar o santuário da família aos olhos de todos.'' (Taunay, *Inocência*, 95.)

Predestinação — *para, sobre:*

''Predestinação, de certos indivíduos, *para* realizar grandes feitos.''

''Ninguém sentiu ainda melhor vontade de crer na predestinação divina dos reis *sobre* o destino dos povos.'' (Fialho de Almeida, *Os Gatos*, 85.)

Predestinado — *a, para:*

''Sentia-se predestinado *a* participar dos seus maus fados.'' (J. Américo de Almeida, *A Bagaceira*, 152.) ''Surge junto a um cabecilha de primeira linha, Norberto, predestinado *à* chefia suprema nos últimos dias de Canudos.'' (E. da Cunha, *Os Sertões*, 201.)

''Predestinado *para* gozar a bem-aventurança celeste.'' ''Havia, então, criaturas predestinadas *para* o bem e para o mal? Nasciam umas para o sofrimento, outras para o gozo, da mesma forma que as havia destinadas ao céu ou ao inferno?'' (Domingos Olímpio, *Luzia-Homem*, 111.)

Predileção — *em, para com, por:*

''Um livro houve que a penetrou fundo, belamente lhe iluminou, pelas alturas, sua alma devota, e vincou nela mística predileção *na* escolha a fazer um dia.'' (Antero de Figueiredo, *Amor Supremo*, 182.)

''Nem a rainha Vitória, ... quando os primeiros atos do seu reinado parecia denotarem predileções particulares *para com* os 'whigs' , atravessou imune o conflito dos partidos.'' (Rui, *Queda do Império*, I, 117.)

''Conserva a antiga predileção *pela* vida britânica.'' (Luiz Viana Filho, *A Vida de Rui, Barbosa*, 205.) ''A sua predileção *pelas* charadas tornava-o o mais remordido e insuportável dos maníacos.'' (Alberto Rangel, *Fura-Mundo*, 16.) ''A predileção que sempre mostrava *pelo* seu mosteiro e *por* ele.'' (Herculano, *O Bobo*, 90.) ''— Pois chamem-lhe balda, se quiserem, a esta minha predileção *pelos* antigos.'' (Aquilino Ribeiro, *Andam Faunos*, 91.)

Predileto — *a:*

''É natural que seja Monte Santo, desde muito, uma paragem remansada, predileta *aos* que se aventuram naquele sertão bravio.'' (E. da Cunha, *Os Sertões*, 252.)

Predisposição — *para:*

''Houve, talvez, uma predisposição *para* tudo isso.'' (Gastão Cruls, *Ao Embalo da Rede*, 125.)

Predisposto — *a, para:*
"A vida selvagem do cangaço atrai os cérebros predispostos *ao* crime, encanta-os, prende-os, fascina-os." (Gustavo Barroso, *Terra de Sol,* 127.)
"De sorte que o espírito predisposto *para* a rebeldia franca contra a ordem natural, cedeu à única reação de que era passível." (E. da Cunha, *Os Sertões,* 153.)

Predominância — *em, sobre:*
"Depois de militar longos anos na política e ter conquistado uma sólida predominância *no* seu partido, Dantas já não temia a concorrência dos jovens." (Luiz Viana Filho, *A Vida de Rui Barbosa,* 28.)
"A predominância do bem *sobre* o mal."

Predominante — *a:*
"A águia e o louro não são dominados, mas predominantes *ao* raio." (Vieira, *Sermões,* IX, 176.)

Predomínio — *contra, de, em, sobre:*
"Freqüentes espécimes nos oferecem os poetas, desse predomínio do ritmo *contra* as regras da sintaxe, na colocação das enclíticas pronominais." (Rui, *Réplica,* 322.)
"Como se tivera o predomínio *do* mar e *da* terra." (Vieira, *apud* Morais.)
"O predomínio que a beneficência tem *nos* ânimos gratos." (Morais.)
"E o Dias, o inalterável Dias, ia surdamente ganhando certo predomínio *sobre* os seus colegas." (Aluísio Azevedo, *O Mulato,* 334.) "Ter predomínio *sobre* as paixões." (Constâncio.) "Em todas as outras fisionomias, mais ou menos expressivas de surpresa, observou Padre Diniz predomínio da moral *sobre* a corrupção." (Camilo, *Mistérios de Lisboa,* I, 180.)

Preeminência — *de, sobre:*
"Preeminência *de* mérito, talento." (Constâncio.) "Teve Humboldt a singular preeminência *de* pertencer a dois séculos...." (Latino Coelho, *apud* Aulete.)
"Esta preeminência da casa estrangeira *sobre* a dinastia nacional colocará o príncipe consorte numa situação ilegítima, abusiva, malquistadora." (Rui, *Queda do Império,* I, 248.)

Preexcelência — *sobre:*
"Sustentam a preexcelência da república, em princípio, ou em essência, *sobre* as outras formas livres de governo." (Rui, *Cartas de Inglaterra,* 401.)

Preexistência — *em:*
"Uma surpresa assim traz consigo um terror santo, que deve ser a preexistência do homem *na* presença de Deus." (Camilo, *Mistérios de Lisboa,* I, 31.)

Prefácio — *a, de:*
"No prefácio *a* essa versão admirável o célebre professor de Oxford nos familiariza com as regras do critério a que submeteu o seu trabalho." (Rui, *Réplica,* 58.) "Certamente, o apaixonado autor do prefácio *ao* "O Papa e o Concílio" iria atirar-se com furor sobre os seus antigos adversários." (Luiz Viana Filho, *A Vida de Rui Barbosa,* 140.)
"O prefácio *do* drama 'Cromwell', de Vítor Hugo, foi o manifesto da escola romântica em França." (*Enciclopédia e Dicionário Internacional.*) "No prefácio *da* minha versão de 'Cartas Persas', lê-se esta frase." (Mário Barreto, *Através do Dicionário e da Gramática,* 77.)

Preferência — *a, de, em, para, para com, por, sobre:*
"Quando Ana sucedeu no trono inglês a Guilherme III, viviam ainda o pai e o irmão da rainha; e qualquer dos dois, segundo as leis constitucionais da sucessão, tinha sobre ela preferência *à* coroa." (Rui, *Discursos e Conferências,* 30.)
"Não é desarrazoado supor que esse habitualismo influísse pelo menos na preferência *de* outros vocábulos." (João Ribeiro, *Curiosidades Verbais,* 110.)
"Na convivência desses mestres aprendi a não ter preferências abstratas *em* matéria de formas de governo." (Rui, *Cartas de Inglaterra,* 210.)
"Requeiro preferência *para* o meu invento. Hei de granjear preferência *para* o meu traçado." (Rui, *Réplica,* 136.) "A preferência de Maria *para* as suas leituras." (Castilho, *apud* E. Carneiro Ribeiro, *Tréplica,* 73.)
"O povo inglês é fiel à casa de Hanôver, não por vã preferência *para com* esta família em relação a qualquer outra, mas por estar convencido de que o estabelecimento desta casa é necessário." (Rui, *Discursos e Conferências,* 33.)
"Na aberração dessas preferências *pelo* vicioso, *pelo* maculado, *pelo* disforme não se pode enxergar o critério ou a intuição da arte." (Rui, *Réplica,* 561.) "Mas quem me deu a preferência *a* mim, *ao* meu plano, *ao* meu livro, *à* minha idéia, *ao* meu projeto, mostrado tem a sua preferência *para com* ou *pelo* meu projeto, *pela* minha idéia, *pelo* meu livro, *pelo* meu plano." (Idem, *ibidem,* 137.)
"'Naipe de preferência', o que em certos jogos de cartas .... dá ao parceiro que o tem a preferência *sobre* os outros parceiros." (Aulete.)

Preferido — *a, de, para, por:*
"O mesmo nome de 'N. Senhora' ou 'Notre-Dame' ou 'Madonna' ou a 'Virgem' é preferido naturalmente *ao* de Maria." (João Ribeiro, *Curiosidades Verbais,* 121.) "Os espetáculos de funâmbulos são preferidos *aos* dos outros teatros, principalmente por três causas." (Fialho de Almeida, *Os Gatos,* 113.)

"E andava pesquisando, escarafunchando por aquelas dependências de casa nobre, ora desbeiçadas, sítio preferido *das* lagartixas." (Afonso Arinos, *Pelo Sertão,* 21.)

"O verso sempre foi, pela facilidade de ser guardado de memória, preferido *para* imortalizar as tradições das gentes." (Gustavo Barroso, *Terra de Sol,* 247.)

"Este é o sítio preferido *pelos* namorados."

Preferível — *a:*

"É preferível retocar e ampliar os moldes de barro antigo *a* empreender novos esboços." (Veiga Miranda, *A Eterna Canção,* 117.) "O Conde de Santa Bárbara há de dar-lhe quarenta contos, porque a vida é preferível *a* quarenta contos." (Camilo, *Mistérios de Lisboa,* I, 115.)

Pregação — *a:*

"A pregação *aos* índios é uma espinhosa missão."

Pregado [1] — *a, com, em, sobre:*

"Resfolegando de cansaço e fraqueza, arquejando ao calor, os olhos vítreos pregados *ao* solo, e mugindo, dolorosamente mugindo." (Gustavo Barroso, *Terra de Sol,* 14.)

"Tem o quer que seja de um gelo de sudário estendido sobre o cadáver da terra e todo pregado *com* alfinetes de estrelas." (Fialho de Almeida, *Cidade do Vício,* 44.)

"E com uma das mãos pregada *no* peito, como se intentasse apalpar e conter o coração, ... o capitão-general começou a repetir em exclamações de demente: ...." (Alberto Rangel, *Fura-Mundo,* 167.) "Demorei-me alguns minutos, ... com os olhos pregados *no* ponto em que, a cada instante, esperava ver assomar o vulto de Ângela." (Camilo, *Mistérios de Lisboa,* I, 99.)

"A nau quase pregada *sobre* a lajem." (Dic. de Morais.)

Pregado [2] — *a:*

"Sermão de Santa Catarina, pregado *à* Universidade de Coimbra." (Mário Barreto, *Através do Dicionário e da Gramática,* 178.)

Pregueado — *de:*

"D. Luís Antônio, assombrado, afundou mais na cadeira de estado, retovada e larga, pregueada *de* tachas." (Alberto Rangel, *Fura-Mundo,* 119.)

Preguiça — *de, em:*

"Teve Paulo preguiça *de* rebater argumentos inconsistentes, mas os insultou de idéias gerais com que a gente se arma, cuidando defender opiniões razoáveis." (Afrânio Peixoto, *A Esfinge,* 324.)

"Que preguiça *nos* movimentos!"

Preguiçoso — *em:*

"Preguiçoso *em* fazer alguma coisa." (E. Carneiro Ribeiro, *Serões Gramaticais,* 675.)

Preito — *a, com:*

"Era de crer que o seguirmos os membros do segundo a lição firmada pelo outro, a este se afigurasse testemunho de harmonia com os seus intuitos e preito *aos* seus ditames." (Rui, *Réplica,* 6.) "Não há como um latinoriozinho, excelentíssimo, para solenizar devidamente o preito *aos* que merecem a consagração da História." (Alberto Rangel, *Fura-Mundo,* 21.) "Ainda fica ouro com que lhes construir um turíbulo, e gomas finas para queimar em preito *ao* seu valor." (Fialho de Almeida, *Os Gatos,* 238.)

"Guerra do imperador? Não quebramos até hoje nosso preito *com* ele." (Herculano, *O Bobo,* 63.)

Prejudicial — *a:*

"Sua expulsão (dos cristãos) foi muito prejudicial *aos* espanhóis." (Mário Barreto, *Cartas Persas,* 126.) "Seriam atritos e desaguizados, sempre desagradáveis e prejudiciais *à* marcha dos públicos negócios." (Afrânio Peixoto, *A Esfinge,* 104.) "Foram quase às vias de fato, e no decurso da contenda surgiram referências prejudiciais *à* honra de sua excelentíssima consorte." (Graciliano Ramos, *Caetés,* 263.)

Prejuízo — *de, para:*

"Foram em número reduzido os comparativos sintéticos que o português admitiu, em prejuízo *da* forma analítica." (Júlio Nogueira, *O Exame de Português,* 161.) "Esta guerra compreendo-a como luta entre escravos e senhores, entre o prejuízo *das* raças e a subserviência humilhante de milhares de homens." (Camilo, *As Três Irmãs,* 265.) "Antes, esse favor os desserve, os diminui; mormente quando se exerce em prejuízo *do* direito." (Rui, *Queda do Império,* I, 316.)

"Havia todas as vantagens para mim e, se assim posso dizer, quase nenhum prejuízo *para* a própria vítima." (Gastão Cruls, *Ao Embalo da Rede,* 134.)

Preleção — *acerca de, sobre:*

"Preleção de um mestre *acerca de* ou *sobre* uma disciplina."

Prelúdio — *de:*

"Era como o prelúdio medonho *de* um cântico infernal." (Herculano, *O Bobo,* 52.) "E as linhas do telégrafo transmitiram ao país inteiro o prelúdio *da* guerra sertaneja." (E. da Cunha, *Os Sertões,* 235.)

Prematuridade — *de, em:*

"A prematuridade *de* uma revolução." "A prematuridade *dos* frutos, os que vêm antes do tempo próprio." (Fr. D. Vieira.)

"E é ele, o Dr. Clóvis, quem .... me vem increpar, a mim, de prematuridade *na* revisão literária e gramatical." (Rui, *Réplica,* 55.)

Premiado — *com, por:*
"Fora premiado *com* medalha honorífica." (Afrânio Peixoto, *A Esfinge*, 183.)
"Premiado *pelos* grandes serviços prestados à pátria."

Premido — *em, entre, por:*
"A imaginação superexcitada e premida *num* círculo de angústias, açula a matilha das dúvidas sobre o raciocínio." (Gastão Cruls, *Ao Embalo da Rede*, 125.)
"Premido *entre* o trabalho e o horário das reuniões." (Luiz Viana Filho, *A Vida de Rui Barbosa*, 225.)
"Rompeu por entre a soldadesca desordenada, e foi abraçar o alferes de voluntários da rainha, que fraqueou premido *pelo* abraço do filho." (Camilo, *As Três Irmãs*, 249.)

Prêmio — *a, de, para; como, em, por:*
"Pediria retirasse o projeto, com que ali me honrou ontem, de um prêmio pecuniário *aos* trabalhos do embaixador do Brasil na Conferência de Haia." (Rui, *Cartas Políticas e Literárias*, 99.) "Aprimorou-se Deus compondo o prêmio *ao* guerreiro da cruz." (Castilho, *apud* Aulete.)
"Prêmio *de* serviço." (Constâncio.) "Deus sabe que precisão eu tenho de um amigo.... Quantas vezes eu lhe peço uma alma sensível, como prêmio *do* muito que tenho penado...." (Camilo, *Cenas da Foz*, 155.)
"É preciso que, de par com prêmios *para* a virtude, haja também castigos para o vício." "— Barão, você estará vingado amanhã mesmo, quando ele se vir vencido nas carreiras, sem um prêmio *para* ofertar a quem quer que seja...." (Xavier Marques, *As Voltas da Estrada*, 53.)

"Tiram das algibeiras a maçã que trouxeram escondida para oferecer ao derriço, *como* prêmio augusto destas rústicas cortes de amor." (Antero de Figueiredo, *Jornadas em Portugal*, 112.) "A glória do céu lhe seja dada *como* um prêmio de virtudes na terra." (Camilo, *A Neta do Arcediago*, 73.)
"*Em* prêmio de tanto zelo e capacidade fora o morgado de Mateus autorizado a reclamar a entrega dos territórios." (Alberto Rangel, *Fura-Mundo*, 13.)
"Na corte de Cristo não é assim; os que têm por profissão ser verdadeiros, são os que têm *por* prêmio ser amados." (Vieira, *Sermões*, IX, 206.)

Prenhe — *de:*
"Nuvens prenhes dágua, país prenhe *de* matagais." (E. Carneiro Ribeiro, *Serões Gramaticais*, 673.) "Quisera, então, largar da cidade prenhe *de* recordações, mas todas as outras cidades em que pensava lhe falavam da morta." (Ferreira de Castro, *Eternidade*, 93.)

Preocupação — *com, de, por, relativa a:*
"A preocupação sentimental *com* o velho cão, e a saudade sincera e meiga dos que haviam ficado na terra natal." (C. Neto, *Miragem*, 103.)
"Assim, pois, a preocupação *das* mesmas idéias ressurte ainda nas mais diversas formas." (Camilo, *Amores do Diabo*, 17.) "Com as suas preocupações *de* economia doméstica." (Aluísio Azevedo, *O Homem*, 36.) "Preocupação *de* esmero literário." (Rui, *Réplica*, 5.) "Foi para a companhia de uns colegas, e só então começou a gozar deliciosamente a vida acadêmica, sem a preocupação medrosa *de* perder a hora do chá." (C. Neto, *Treva*, 5.)
"Demonstra muita preocupação *pelo* futuro dos filhos."
"Na maior parte de seus livros ressai o sinete de suas preocupações *relativas à* ciência cabala." (Camilo, *Amores do Diabo*, 32.)

Preocupado — *com, de, em, por:*
"Preocupados, unicamente, *com* a Razão e *com* fabricar saber à custa de outras faculdades." (Antero de Figueiredo, *Amor Supremo*, 109.) "O visconde, preocupado *com* a alta e baixa de fundos, esqueceu a afronta recebida." (Camilo, *A Neta ao Arcediago*, 85.) "Não se podia imaginar administrador mais preocupado *com* os seus deveres." (Medeiros e Albuquerque, *Quando Eu Era Vivo*, 185.)
"Neste tempo, o advogado .... andava preocupado *da* política, e pertencia de coração à seita liberal." (Camilo, *As Três Irmãs*, 230.) "Toda a vida expulsa da paixão, ... e que enfim na extrema hora, só preocupada *de* Deus, dizem, rendera o espírito." (Fialho de Almeida, *Os Gatos*, 175.)
"D. Sinhá ia de um lado para outro, muito preocupada *em* facilitar a arrumação em Sabará." (Guilhermino Cesar, *Sul*, 199.)
"O cônego parecia preocupado *pela* lembrança da tapera." (Aluísio Azevedo, *O Mulato*, 35.) "Verdade era que nunca se sentira tão preocupado *por* outra mulher." (Idem, *ibidem*, 196.) "Sentado em uma caixa, com o coração preocupado *por* tudo que era misterioso e extraordinário." (Camilo, *Mistérios de Lisboa*, II, 107.)

Preparação — *de, para:*
"Preparação *de* materiais para a obra; *de* armas para a guerra." (Morais.)
"A preparação *para* o ensino superior não há de ser, como é entre nós, um xadrez de estudos avulsos no espírito do aluno." (Rui, *Queda do Império*, I, 276.)

Preparado — *a, com, contra, para, por:*
"Preparado *a* fazer alguma coisa." (E. Carneiro Ribeiro, *Serões Gramaticais*, 674.) "Elias, de ânimo preparado *a* impressões for-

tes, desde que pusera os pés na soleira da entrada no Palácio, sentiu fugir-lhe entretanto as tábuas do soalho em que pisava.'' (Alberto Rangel, *Fura-Mundo*, 305.)

''Medicamento preparado *com* essa planta.'' (L. Freire, voc. *acônito*.) ''A moça .... dispôs-se a ouvi-lo, preparada *com* aquele tom de graça leviana que a dissimulava tão bem nas ocasiões difíceis.'' (Afrânio Peixoto, *A Esfinge*, 160.)

''Ardil preparado *contra* o inimigo.'' ''Já preparado *contra* aqueles remoques, encarei Nazaré friamente e, simulando indiferença: — O senhor freqüenta a casa dele tanto quanto eu, ou mais.'' (Graciliano Ramos, *Caetés*, 239.)

''Preparado *para* fazer alguma coisa.'' (E. Carneiro Ribeiro, *Serões Gramaticais*, 674.) ''A eloqüência tonitruosa dos demagogos, acesa em semear a selvajaria no solo preparado *para* a paz liberal.'' (Rui, *Queda do Império*, I, 203.) ''Estavam bem preparados *para* defender-se.'' (Mário Barreto, *Cartas Persas*, 29.)

''Tomei outros remédios, todos de plantas nossas e sempre preparados *por* ela.'' (Gastão Cruls, *História Puxa História*, 32.)

Preparativo — *afim de, de, para:*

''Faziam-se grandes preparativos *afim de* surpreender o inimigo, e compeli-lo a decidir da sorte de Quebec, numa batalha.'' (*Maravilhas do Conhecimento Humano*, 113.)

''Durante o dia, Eugênia não viu seus irmãos nem tio. Sabia que se faziam preparativos *de* viagem.'' (Camilo, *O Bem e o Mal*, 176.)

''Faziam-se já no acampamento preparativos *para* a volta.'' (E. da Cunha, *Os Sertões*, 580.)

''Mas o amigo Venâncio estava admirado daquela pontualidade do José Lucas e dos cuidados que punha nos preparativos *para* a festa.'' (Abílio Barreto, *A Noiva do Tropeiro*, 85.)

Preparatório — *a, de, para:*

''Como fundar a instrução científica, lutando com a concorrência privilegiada, cínica, onipotente, que domina os exames preparatórios *ao* ensino superior?'' (Rui, *Queda do Império*, I, 294.)

''Entendimentos e conchavos preparatórios *de* uma conspiração.''

''Um lance de olhos pelo regime dos estudos preparatórios *para* a universidade, na Prússia, dará certas noções da reforma que propomos.'' (Rui, *Queda do Império*, I, 411.)

Preparo — *de, para:*

''O preparo *de* gente para a guerra.''

''Eram exercícios práticos, indispensáveis *ao* preparo *para* recontros mais valentes.'' (E. da Cunha, *Os Sertões*, 195.)

Preponderância — *em, sobre:*

''Pantaleão cedeu às razões do genro, e às minhas, que tiveram sempre uma tal ou qual preponderância *na* opinião *dos* parvos.'' (Camilo, *Cenas da Foz*, 116.)

''É grande sua preponderância *sobre* os demais membros do partido.''

Preponderante — *em, sobre:*

''Mas, seja este, ou aquele o objeto preponderante *nesse* tirocínio, demore-se mais a preparação naval nos bancos da classe.'' (Rui, *Cartas de Inglaterra*, 181.)

''O espírito deve sempre ser preponderante *sobre* a matéria.''

Preposto — *a:*

''Não se concebe .... que o poder público, preposto *à* defesa material e moral de uma nação, lhe inflija o labéu que deve acabar de enxovalhá-lo.'' (Rui, *Colunas de Fogo*, 91.) ''Provavelmente obrava assim menos por falta de confiança nos indivíduos prepostos *a* tais cargos, do que para lhes mostrar a delicadeza com que queria que procedessem.'' (Idem, *Cartas de Inglaterra*, 260.)

Prerrogativa — *de:*

''Confere à polícia de sua nomeação a prerrogativa *de* indulgenciar, ou suspender, como se autorizam, ou proíbem, as invenções burlescas do carnaval.'' (Rui, *Queda do Império*, I, 90.)

Presença — *de, em:*

''Era urgente a presença *do* duque *em* Paris. Esta surpresa não foi punhalada que entrasse dentro do coração endurecido do soldado.'' (Camilo, *Livro Negro*, 95.)

''Faço questão de sua presença *na* reunião de hoje.'' ''A presença dos alimentos *no* estômago.'' (Aulete.)

Presente — *a:*

''Presente *a* algum ato.'' (E. Carneiro Ribeiro, *Serões Gramaticais*, 674.) ''Bebo à prosperidade de duas pessoas, que se acham presentes *a* nós, e presentes um *ao* outro, em toda a parte.'' (Camilo, *As Três Irmãs*, 45.) ''Afinal de contas, seria até uma indelicadeza se ele não estivesse presente *à* chegada do Dr. Isaías.'' (Gastão Cruls, *História Puxa História*, 68.)

Preservação — *contra, de:*

''Preservação *contra* moléstias contagiosas.''

''Preservação *das* carnes, *dos* víveres.'' (Constâncio.)

Preservado — *de, por:*

''Não confiaram uns nos outros, senão porque se julgavam preservados, *pela* lealdade comum a todos os sócios, *de* uma indiscrição fatal.'' (Rui, *Colunas de Fogo*, 176.)

Preservativo — *contra, de:*

''Um pensamento bom, em que se fixe o espírito — dizia Bacon — é o melhor preservativo *contra* as dores da morte.'' (Rui, *Cartas de Inglaterra,* 52.) ''Preservativo *contra* os insetos.'' (L. Freire, voc. *acajucica.*)

''Preservativo *da* honestidade, *da* inocência.'' (Constâncio.) ''O recolhimento nas donzelas é o melhor preservativo *da* sua honestidade.'' (Morais.)

Preso — *a, com, como, de, em, entre, para, por:*

''Raspada a mandioca, ralam-na num 'caititu' de lata, preso *a* uma espécie de mesa.'' (Gustavo Barroso, *Terra de Sol,* 66.) ''Sua vida está sempre presa *a*os latejos das águas plácidas ou correntes.'' (Alberto Rangel, *Fura-Mundo,* 177.) ''Preso *a* tantos interesses, era aliado seguro com que o Câmara contava.'' (Afrânio Peixoto, *A Esfinge,* 107.)

''Tinha as mãos presas *com* grossas cordas.''

''Foi preso *como* cúmplice no roubo.''

''E, vibrando uníssonas todas as almas, presas *d*o mesmo contágio, sugestionadas pelas mesmas imagens, todas as individualidades se apagaram no anonimato.'' (E. da Cunha, *Os Sertões,* 488.) ''Levantavam os braços e respondiam também aos vivas festivos, presos *d*a alegria comunicativa da recepção.'' (Afrânio Peixoto, *Bugrinha,* 30.)

''E as areias móveis .... imobilizam-se a pouco e pouco, presas *n*as radículas das gramíneas.'' (E. da Cunha, *Os Sertões,* 53.) ''Todo preso *n*a postura de respeitosa atenção, conservava o chapelão de pasta, realçado de tope e cadarços, na mão.'' (Alberto Rangel, *Fura-Mundo,* 49.) ''Homem balofo e de óculos, os queixos presos *n*um açaimo de barba de couro.'' (Fialho de Almeida, *Os Gatos,* 47.)

''Ali .... se alteava, oblíqua e mal tocando por um dos extremos o solo, imensa lajem presa *entre* duas outras.'' (E. da Cunha, *Os Sertões,* 273.) ''A envergadura de ferro de um exército .... se sentia inopinadamente manietada, presa *entre* tabiques vacilantes.'' (Idem, *ibidem,* 335.) ''Rede com peixes, circuitando o bojo numa espécie de tufo preso *entre* dois pequenos frisos salientes.'' (Fialho de Almeida, *Os Gatos,* 275.)

''Tenho as mãos presas *para* a defesa.'' (Constâncio.)

''Trajado à fidalga, colarinho preso *por* travessão de prata.'' (Aquilino Ribeiro, *A Batalha sem Fim,* 79.) ''Caem, presos *pel*os laços corredios dos quipás reptantes.'' (E. da Cunha, *Os Sertões,* 241.) ''Tratava-se de um in-fólio grossíssimo, a letra garranchenta, as folhas de papel de grande marca presas *por* um grosseiro alinhavo de cordel.'' (Alberto Rangel, *Fura-Mundo,* 34.)

Pressa — *a, de, em:*

''Dar-se pressa *a* caminhar, *a* executar alguma coisa.'' (Morais.) ''Nuno Fernandes .... se deu pressa *a* picar-lhes a retirada.'' (Filinto Elísio, *apud* Aulete.)

''Com uma pressa danada *de* aparecer, *de* castigar o mais possível os pobres homens perdidos naqueles ermos.'' (J. Lins do Rego, *Usina,* 15.) ''Já não tinha pressa *de* partir.'' (Afrânio Peixoto, *A Esfinge,* 326.)

''Não tinham pressa *em* chegar, porque não sabiam aonde iam.'' (J. Américo de Almeida, *A Bagaceira,* 9.) ''Deu-se pressa o abade *em* avisá-lo que procurasse as chaves em casa do seu reitor.'' (Camilo, *apud* Mário Barreto, *Através do Dicionário e da Gramática,* 385.) ''Os que não tiverem pressa *em* discordar, vão já concordar conosco.'' (Rui, *Queda do Império,* I, 373.)

Presságio — *a, de:*

''Ocupando o temor o peito duro, presságio *a*o coração *d*o mal futuro.'' (Dic. de Morais.)

Pressago — *de:*

''Alvoroçado se embarcou no primeiro navio, parece que já pressago *d*os futuros triunfos.'' (J. Freire de Andrade, *apud* Aulete.)

Pressão — *em, sobre:*

''A pressão dos líquidos *n*o fundo e lados dos vasos que os contêm.'' (Morais.)

''A pressão dos líquidos *sobre* o fundo dos vasos.'' (Aulete.)

Pressentimento — *de:*

''— Que é isto? Pressentimento *de* algum mal que lhe vai suceder?'' (Xavier Marques, *As Voltas da Estrada,* 140.)

Pressuroso — *de:*

''Soldados pressurosos *de* entrar em combate.''

Prestadio — *a:*

''Como era obsequioso e prestadio *a* jornalistas e repórteres, sempre fora acatado na imprensa.'' (Afrânio Peixoto, *A Esfinge,* 101.)

Prestante — *a:*

''Depois que me ouviu com desdenhoso sorriso, replicou que o médico mais prestante *à* humanidade tinha sido Molière!'' (Camilo, *Livro Negro,* 153.)

Prestes — *a, em, para:*

''Prestes *a* sair.'' (E. Carneiro Ribeiro, *Serões Gramaticais,* 674.) ''Talvez lhe sustivésseis o braço prestes *a* ferir.'' (Camilo, *apud* Aulete.)

''Prestes *em* sair.'' (E. Carneiro Ribeiro, *Serões Gramaticais,* 674.)

''Os exércitos, ainda em via de organização, não estavam sequer prestes *para* combate.'' (Rui, *Cartas de Inglaterra,* 143.) ''Não está prestes o povo *para* a reação armada.'' (Idem, *Queda do Império,* I, 102.) ''No mesmo tempo que em Lisboa se fazia prestes *para* se embarcar por governador da Índia.'' (Fr. Luiz de Sousa, *apud* Aulete.)

Prestígio — *em, entre:*

"As boas qualidades do rapaz ganharam novo prestígio *no* espírito da irmã." (Aluísio Azevedo, *O Homem,* 23.) "A família da noiva, gente rica e de prestígio *na* nossa melhor sociedade, não via com bons olhos o estudantinho modesto." (Gastão Cruls, *Ao Embalo da Rede,* 157.) "Ali o jovem Marco Polo caiu nas graças do imperador, pela sua linguagem chistosa e adquiriu alto prestígio *nos* conselhos da Corte." (*Maravilhas do Conhecimento Humano,* I, 53.)

"Modernamente ganhou grande prestígio *entre* as roupas menores o 'pijama', por influxo do inglês." (João Ribeiro, *Curiosidades Verbais,* 93.)

Presumido — *com, de:*

"Mostra-se muito presumido *com* o alto cargo que lhe deram."

"Por uma parte tão supersticiosos da religião, e por outra tão presumidos *da* sabedoria." (Vieira, *Sermões,* IX, 157.) "É uma descoberta minha, *de* que estou vaidoso e presumido." (Garrett, *apud* Aulete.)

Presunção — *contra, de:*

"*Contra* quem traz armas de defesa há a presunção *de* que ia cometer algum delito." (Dic. de Morais.)

"Apontavam-se influentes mandões locais, cujas velhas relações com o Conselheiro sugeriam, veemente, a presunção *de* que o estivessem auxiliando à socapa." (E. da Cunha, *Os Sertões,* 261.) "Tem a presunção *de* ser um grande historiador."

Pretendente — *a, de:*

"Nesse terreno é que Robespierre se queria assegurar o cetro. Pretendente *a* ele, defende-se Danton, exibindo a sua crônica de proscrito." (Rui, *Colunas de Fogo,* 69.) "Duas pretendentes *ao* mérito da superioridade na elaboração das convicções humanas." (Idem, *Cartas de Inglaterra,* 65.)

"Esta era a conjunção favorável de Joaquim Luís falar ao pretendente *de* sua filha em assunto de dote." (Camilo, *As Três Irmãs,* 48.)

Pretensão — *a, com, de, sobre:*

"Um espírito que dificilmente justificaria, noutro qualquer país, a pretensão *a* créditos de liberal." (Rui, *Queda do Império,* I, 305.) "Relevem ao curioso, sem pretensões *à* mínima sabença num assunto em que não passa de mirão, a liberdade, que toma, de exprimir o que sente." (Idem, *Colunas de Fogo,* 45.) "Tem pretensões *a* engraçado." (Aulete.)

"Ter pretensão *com* alguém." (Morais.)

"Nesses escritores este artifício tinha a pretensão *de* beleza e atavio." (Rui, *Réplica,* 281.) "Não tenho a pretensão *de* te convencer." (Aulete.)

"Ter pretensões *sobre* alguma coisa." (Morais.) "Andara, portanto, a espionar Cecília, para o poder ridicularizar a ele. Mas não ... não devia ser só por isso ... É porque tinha ainda pretensões *sobre* Cecília." (Ferreira de Castro, *A Tempestade,* 121.)

Preterição — *de:*

"Injustiça tríplice: no excluírem da sua cadeira o Dr. José Felix; na interinidade, a que o degradaram para outra; na preterição *dos* substitutos, a quem tocava essa interinidade." (Rui, *Queda do Império,* I, 271.) "A ignorância, porém, da história naval e a preterição *dos* ditames da estratégia naval colocaram o General Yamagata de Ping Yang." (Idem, *Cartas de Inglaterra,* 126.)

Preterido — *em, por:*

"Beleguins politiqueiros que se viram preteridos *no* emprego ambicionado." (Antero de Figueiredo, *Jornadas em Portugal,* 64.) "Filho preterido *no* testamento." (Constâncio.)

"O oficial antigo foi preterido *por* um afilhado do ministro."

Pretexto — *a, de, para; a, com, sob:*

"Ficção de ficção é sombra de sombra: pode servir de pábulo a retóricos, ou de pretexto *a* espertos; mas não é poder, nem força; não é direito, nem ação." (Rui, *Queda do Império,* II, 310.) "Em regra as festas dos amparenses eram de caráter religioso, mas todas exertadas de reviviscências pagãs, serviam de pretexto *a* ruidosas folias populares." (Xavier Marques, *As Voltas da Estrada,* 13.)

"Entendeu de si para si sobreestar nas diligências encetadas, sob o futilíssimo pretexto *de* ser extraordinária a despesa, solicitando nova autorização do novo ministro." (Rui, *Queda do Império,* I, 26.) "Como um diversivo, ou um pretexto *de* afastar por alguns dias, de Monte Santo, mil e tantos concorrentes ...." (E. da Cunha, *Os Sertões,* 375.) "E, se (a conjunção) distingue ou exclui, não é sensato retirar-lhe o sinal ortográfico desse fato, sob o inexato pretexto *de* que 'liga'." (Rui, *Réplica,* 437.) "Outra razão serviu de estímulo para a partida dos filhos da casa, dissimulada com o pretexto *da* necessidade da mudança de ares." (Rebelo da Silva, *Contos e Lendas,* 54.)

"É mais um pretexto *para* o chope, que Mariana anda restringindo." (Ciro dos Anjos, *O Amanuense Belmiro,* 80.) "A índole inquieta dos barões leoneses, galegos e castelhanos facilmente achou pretextos *para* dar largas às suas ambições." (Herculano, *O Bobo,* 1.) "Neste ponto há pretextos *para* divergências." (C. de Figueiredo, *Lições Práticas,* I, 70.) "Voltei ao quarto, mudei a roupa e saí, satisfeito por ter achado um pretexto *para* abandonar aquela estopada." (Graciliano Ramos, *Caetés,* 125.)

"Observei-lhe que o conde voltara de Santarém, *a* pretexto de curar-se de uma enfermidade que subitamente o atacara." (Camilo, *Mistérios de Lisboa,* I, 115.)

"*Com* pretexto de algumas zombarias que supõe ter eu dito acerca da sua infeliz sorte, pôs-me mal com o teu primeiro jardineiro." (Mário Barreto, *Cartas Persas,* 84.)

"Mas não proponho o termo abominável *sob* pretexto de vernaculismo." (João Ribeiro, *Curiosidades Verbais,* 34.) "Viria vê-la *sob* o pretexto de visitar o tio."

Prevenção — *a, com, contra, de, para:*

"Sua presença (do mulato) arrepiou melindres de branquidão. Cochichos de prevenção *às* filhas. — Não dance com aquele moleque!" (Mário Sete, *Os Azevedos do Poço,* 33.)

"Estar de prevenção *com* uma pessoa ou coisa, ter razões para estar contra ela antecipadamente." (Aulete.)

"A argüição pertence, por sua natureza, ao número das que mais tendem a suscitar prevenções imediatas *contra* o acusado." (Rui, *Cartas de Inglaterra,* 23.) "A falar verdade, o único defeito que Mendonça lhe achou foi a cor dos olhos, não porque a cor fosse feia, mas porque ele tinha prevenção *contra* os olhos verdes." (M. de Assis, *Contos Fluminenses,* 12.) "O senhor porém não imagina o que é por cá a prevenção *contra* os mulatos." (Aluísio Azevedo, *O Mulato,* 251.) "Essa aliança teria de ser necessariamente uma aliança de suspeita e prevenção *contra* o Chile." (Rui, *Colunas de Fogo,* 212.)

"E que estes poucos dias que me podem restar de vida os aplique totalmente à prevenção *da* jornada." (Vieira, *apud* Aulete.)

"Prevenção *para* remediar algum mal."

Prevenido — *com, contra, de, para, por:*

"Mas, por nosso mal, a galeria nunca está bastantemente prevenida *com* esses turunas da embustaria nacional." (Rui, *Campanha Presidencial,* 61.)

"A aparência é enganosa como a maioria das aparências, e *contra* ela é preciso estar muito prevenido." (Augusto Moreno, *Lições de Linguagem,* II, 11.) "E para estarem prevenidas *contra* possíveis agressões, arruínam-se na paz armada." (Afrânio Peixoto, *A Esfinge,* 158.) "O novo ministro, C. A., assim que chegou, veio prevenido *contra* mim." (Medeiros e Albuquerque, *Quando Eu Era Vivo,* 90.)

"Foi prevenido *do* perigo." (Constâncio.) "Prevenido *de* que conspiravam contra ele, tomou providências extremas."

"Estava prevenido *para* a guerra." (Constâncio.) "D. Mafalda, prevenida *para* serenar a cólera de seu primo, acudiu aos berros." (Camilo, *Cenas da Foz,* 115.) "Ânimo prevenido *para* qualquer trabalho." (Morais.)

"Já prevenido *por* suspeitas, o doutor reparou que o mancebo ouvira em sobressaltos os termos banais da etiqueta." (Camilo, *Mistérios de Lisboa,* III, 123.) "Prevenido *por* um empregado da polícia, publiquei o fato no 'Novidades'." (Medeiros e Albuquerque, *Quando Eu Era Vivo,* 69.)

Preventivo — *contra, de:*

"Um preventivo *contra* a gripe."

"Preventivo *de* epidemias." (Aulete, voc. *antiepidêmico.*)

Previsão — *de, sobre:*

"A previsão *do* pecado." (Vieira, *apud* Morais.)

"Naquela época, fazia .... sombrias previsões *sobre* o meu futuro." (Gastão Cruls, *História Puxa História,* 15.)

Previsto — *de, em, por:*

"A temerosa meta prevista *dos* profetas." (G. Dias, *apud* Aulete.)

"Verdadeiro em falar, justo em julgar, previsto *em* aconselhar." (Dic. de Morais.) "Um crime previsto *na* lei." (Aulete.)

"Foi seu glorioso martírio previsto com profético lume *pelo* mesmo padre." (Bernardes, *apud* Morais.)

Primazia — *em, entre, sobre:*

"Atribui-se às mulheres a primazia *na* virtude." "A alguns metros da casa do visconde, a quem cabia de juro, a primazia *nas* homenagens, estenderam-se em fila os cavaleiros." (Xavier Marques, *As Voltas da Estrada,* 67.)

"*Entre* irmãos não há primazia."

"Se quiséssemos determinar a qualidade que nos dá, na criação, a primazia *sobre* o bruto, havíamos de buscá-la .... em a nossa aptidão mútua de exercer e receber o influxo da autoridade." (Rui, *Cartas de Inglaterra,* 66

Primeiro — *a, de, em, entre, que:*

"Um dos primeiros *a* felicitá-lo pelo bom êxito alcançado pelo discurso foi o ministro da Argentina." (Luiz Viana Filho, *A Vida de Rui Barbosa,* 198.) "O primeiro *a* subir." (Herculano, *apud* Aulete.)

"O meu Brinquinho — conheci a voz — acuou primeiro *de* todos." (Monteiro Lobato. *Cidades Mortas,* 82.) "A velocidade se tornou a primeira *das* armas." (Rui, *Cartas de Inglaterra,* 172.) "Primeiro *de* que tudo é Montesquieu um homem laborioso e um sábio." (Mário Barreto, *Cartas Persas,* VIII.)

"Os mais furibundos na ortodoxia são de ordinário os primeiros *na* deserção." (Rui. *Colunas de Fogo,* 191.) "Podeis dizer aos nossos irmãos que o primeiro *em* fugir foi aquele que nunca fugiu." (Herculano, *Eurico,* 217.) "O primeiro *em* dignidade; ser o primeiro *nos* perigos." (Morais.)

"É o primeiro *entre* os colegas."

"Fui eu o primeiro concitador do motim popular? Fui eu o primeiro *que* clamei?" (Herculano, *apud* Aulete.)

Primor — *de:*
"Um primor *de* arte." (Aulete.)

Primoroso — *em:*
"Artífice primoroso *na* sua arte." (Morais.)

Príncipe — *de, em:*
"O Tejo, príncipe *de* todos os rios de Espanha." (Vieira, *Sermões*, IX, 27.) "O príncipe *dos* poetas, *dos* oradores." (Morais.) "Príncipe *na* imprensa, mestre da tribuna, chefe nos partidos." (Rui, *Colunas de Fogo*, 117.)

Princípio — *de, sobre:*
"Princípios *de* álgebra; princípios *de* direito administrativo." (Aulete.) "Mas o maior cientista do século foi Isaac Newton (1642-1727), que inventou o Cálculo (um grande e novo ramo das matemáticas), descobriu a lei da gravitação universal e formulou muitos dos princípios *da* óptica." (*Maravilhas do Conhecimento Humano*, I, 234.)
"Ou é verdadeiro o critério em que Diez assenta a sua primeira lei, o seu princípio geral *sobre* a conjugação do infinito português; e, nesse caso, falsa é a segunda regra." (Rui, *Réplica*, 254.)

Prisão — *a, de, em:*
"Aquela prisão *à* terra da lezíria, que já fora de seus pais e avoengos." (Antero de Figueiredo, *Amor Supremo*, 130.)
"A música, prisão *da* alma." (Morais.)
"A longa prisão *em* cárceres infetos abalou-lhe a saúde."

Privação — *de:*
"Privação *da* vista, privação *dos* sentidos." "Privação *da* vista, *dos* direitos civis." (Lelo.) "Os primeiros anos da vida no mundo .... ali os passou a jovem senhora no enfado e nas privações *de* uma cidade sitiada." (Garrett, in Morais, *Dicionário*.)

Privado — *de:*
"Custódio de Melo, aquele ministro outrora tão empenhado em evitar a eleição de Rui e já privado *das* graças do ditador, chefiava a revolta." (Luiz Viana Filho, *A Vida de Rui Barbosa*, 178.) "Privado *dessa* ilusão, o homem é um manequim sem molas." (Afrânio Peixoto, *A Esfinge*, 366.) "Privados rigorosamente *de* qualquer comunicação com os amigos." (Rui, *Colunas de Fogo*, 199.)

Privança — *com, de:*
"Ter privança *com* alguém." (Constâncio.) "O bom do velho torcia sem rebuço o nariz a tão íntima privança do Conde Fernando Peres *com* a rainha." (Herculano, *O Bobo*, 49.)
"Não os assombrava tão de perto a privança *do* ministro." (Rebelo da Silva, *Contos e Lendas*, 139.) "Da privança *de* el-rei lograva a melhor parte." (J. Freire de Andrade, *apud* Aulete.) "Tudo a estimável Camila apropriara às suas relações de sociedade, chegando a parecer que ela, na privança *de* algumas atrizes célebres, não desempenhasse somente o papel de cabeleireira." (Fialho de Almeida, *Os Gatos*, 173.)

Privativo — *de:*
"Direito privativo *dos* pais de famílias." (Morais.) "A idéia de grau nem sempre foi privativa *dessas* duas categorias gramaticais." (Júlio Nogueira, *O Exame de Português*, 160.)

Privilegiado — *em:*
"Era um espírito privilegiado *nas* coisas de governo." (Rui, *Cartas de Inglaterra*, XIII.) "Desses rasgos, em que se assinala a maestria dos privilegiados *no* escrever, têm o segredo os que sabem a língua." (Idem, *Réplica*, 73.)

Privilégio — *de, sobre:*
"É um orador que tem o privilégio *de* afugentar o auditório." (Aulete.) "Eu não podia ter o privilégio *de* forrar-me .... a essas inadvertências da oficina, que os mais severos mestres não evitaram." (Rui, *Réplica*, 241.)
"Grande privilégio da luz *sobre* o sol." (Vieira, *Sermões*, IX, 267.)

Probabilidade — *contra, de:*
"Havia dez probabilidades *contra* uma *de* que duvidasse dele e tivesse como fumos de fantasia o que era obra amadurada pela reflexão." (Aquilino Ribeiro, *A Batalha sem Fim*, 84.)
"Jogador que tem escrúpulo em deitar a perder uma milionésima probabilidade *de* ganhar vaza." (Aquilino Ribeiro, *ob. cit.*, 95.)

Probidade — *em:*
"Os cidadãos incumbidos pelo Governo da penosa tarefa de distribuir socorros, desempenhavam com excepcional e caridosa dedicação os seus deveres, mantendo o mais escrupuloso zelo e probidade *na* administração do serviço." (Domingos Olímpio, *Luzia-Homem*, 48.)

Problema — *relativo a, para:*
"Inventou (Huyghens) o pêndulo para regular o relógio e resolveu muitos problemas *relativos à* suspensão de correntes e arcos, soluções que são empregadas hoje na construção de nossas grandes pontes suspensas." (*Maravilhas do Conhecimento Humano*, I, 234.)
"A fortaleza da impressão enervou-lhe depressa a sensibilidade; e essa mulher, que deveria ser toda a vida um problema *para* ele, passados meses, era-lhe apenas uma lembrança indiferente, a página de um romance, que ele prometia escrever um dia." (Camilo, *Livro Negro*, 95.)

Procedente — *de:*
"Procedente *de* família ilustre." (E. Carneiro Ribeiro, *Serões Gramaticais*, 673.)

Procedimento — *com, para com:*
"Uma tal confissão feita por V. Ex.ª priva-o de encaminhar sua narração até encontrar justiça para o seu mau procedimento *com*

a desgraçada filha do pior dos pais.'' (Camilo, *Mistérios de Lisboa*, I, 164.)

''É injustificável teu procedimento *para com* ele.''

Processo — *contra, de, para:*

''Rengger e Longchamp são testemunhas no processo *contra* Frância.'' (Rui, *Cartas de Inglaterra*, 255.) ''Um processo por perdas e danos, *contra* ele.'' (Veiga Miranda, *A Eterna Canção*, 91.)

''Extraindo dele (vocábulo) tudo que podia dar pelos processos *de* formação espontânea.'' (Júlio Nogueira, *O Exame de Português*, 116.) ''Este é o processo *de* pegar todo e qualquer bovino em qualquer parte.'' (Gustavo Barroso, *Terra de Sol*, 52.)

''Um processo *para* criar novos nomes .... consiste em aplicar ao objeto novo um nome genérico e pôr-lhe um adjetivo que o determine.'' (Mário Barreto, *Através do Dicionário e da Gramática*, 221.)

Procura — *de:*

''Andava Casimiro em procura *de* casa, quando recebeu a seguinte carta de Ladislau ....'' (Camilo, *O Bem e o Mal*, 128.)

Prodigalidade — *com, de, em:*

''Nem podia ocultar-me que era rica a prodigalidade que meu pai *com*igo usava.'' (Filinto Elísio, *apud* Fr. D. Vieira.)

''Escreveu-me com tal prodigalidade *de* discrições, que me pôs a boca na orelha de pasmo.'' (Sá de Miranda, *apud* Constâncio.)

''Desforra-se o Professor Carneiro, acoimando-me de prodigalidade *na* virgulação.'' (Rui, *Réplica*, 430.)

Prodígio — *de:*

''As damas da corte de D. João V eram prodígios *de* galanteria.'' (Camilo, *Perfil do Marquês de Pombal*, 20.) ''É um prodígio *de* engenho, *de* virtude.'' (Constâncio.)

Pródigo — *a, com, de, em, para com:*

''Política sem ideal, avara às exigências da bondade, e pródiga *às* da corrupção.'' (Rui, *Colunas de Fogo*, 205.)

''A natureza foi pródiga *con*tigo.'' (Aulete.)

''E desde então viam-no sempre muito atarefado, ... com localistas, com atores, muito pródigo *de* cafés e de conhaques.'' (Eça, *O Primo Basílio*, 43.) ''Era pródiga *de* atenções para o hóspede que, por algumas horas, lhe vinha quebrar a monotonia da vida.'' (Gastão Cruls, *Ao Embalo da Rede*, 162.) ''Gervásio foi pródigo *de* carinhos a sua filha durante aquele dia.'' (Camilo, *Cenas da Foz*, 212.)

''Sua família foi sempre considerada entre as melhores, das muitas *em* que esta terra, abençoada em talentos e glórias, é pródiga.'' (Afrânio Peixoto, *A Esfinge*, 243.)

''De lá pedia a Jerônima que fosse menos pródiga *em* benefícios *para com* ele.'' (Camilo, *As Três Irmãs*, 240.)

Proêmio — *a, de:*

''Tomem o último dos meus trabalhos, por exemplo, o proêmio *a*os discursos do Dr. Francisco de Castro.'' (Rui, *Réplica*, 302.)

''O proêmio *de* um discurso, *de* um sermão.''

Profano — *em:*

''Nunca, até então, se cometera a um professor de línguas, profano *em* coisas jurídicas, a redação de um código civil.'' (Rui, *Réplica*, 10.)

Proferido — *contra, em:*

''Os pormenores da degradação, concebidos e postos por obra .... semanas depois da sentença proferida *contra* o infeliz, deixam-nos a impressão de uma penalidade quase materialmente idêntica à tortura.'' (Rui, *Cartas de Inglaterra*, 4.)

''O som 'i' é sonoro e agudo, e por isso mesmo proferido *em* palavras que se relacionam à voz e ao som.'' (João Ribeiro, *Curiosidades Verbais*, 116.)

Professor — *de, em:*

''Professor *de* retórica, *de* filosofia.'' (Constâncio.)

''O Barão de Sá, posto que professor *no* pugilato, ... há quem diga que não saiu de casa três dias.'' (Camilo, *Mistérios de Lisboa*, III, 60.)

Profundeza — *de:*

''A profundeza *de* um mistério.'' (Aulete.) ''Pela profundeza *d*as reflexões, pela moderação dos juízos, ... 'Cartas Persas' é um livro genial.'' (Mário Barreto, *Cartas Persas*, XII.)

Profundo — *em:*

''Olhos grandes e negros, profundos *no* olhar, faltava-lhes só o movimento vertiginoso nas órbitas, o lance perscrutador e febril.'' (Camilo, *Livro Negro*, 76.)

Profusão — *em:*

''Minha pontuação, menos parca, admito, que a de outros, bem longe, todavia, está da profusão *no* uso das vírgulas, a que o exemplo de modelos de primeira ordem me poderia tentar.'' (Rui, *Réplica*, 441.)

Profuso — *em:*

''Mão profusa *em* dar e gastar.'' (Morais.) ''Nem por isso são menos profusos *na* expressão do seu reconhecimento.'' (Rui. *Cartas de Inglaterra*, 59.)

Programa — *contra, de, para:*

''Esse nome era um programa *contra* a marinha.'' (Rui, *Colunas de Fogo*, 23.)

''O programa *de* uma tourada, *de* um concerto musical.'' (Aulete.) ''Aventurou-se a apresentar o programa *do* seu plano, concebido em poucos minutos.'' (Camilo, *Mistérios de Lisboa*, II, 57.)

''O programa *para* o concurso de física.'' (Aulete.)

Progresso — *de, em:*
"A eletricidade é a «fonte explosiva» que provocou nova vida, nova energia e nova ambição no até então lerdo progresso *da* raça humana." (*Maravilhas do Conhecimento Humano*, I, 293.)
"E referia-se aos seus progressos *na* escultura, calando, com escrupuloso pudor, toda a alusão aos estudos." (Coelho Neto, *Treva*, 16.) "Fazem progressos *nos* estudos, *nas* artes, *nas* ciências, *na* virtude." (Constâncio.)

Proibição — *a, de:*
"Estabelecendo desde logo, como corretivo único, severa proibição *ao* corte das florestas." (E. da Cunha, *Os Sertões*, 55.)
"A proibição *do* 'meeting' de 11 do corrente fundou-se na permanência do edital a que a agitação republicana se submeteu em 30 de dezembro." (Rui, *Queda do Império*, I, 93.)

Projeção — *em, sobre:*
"A projeção imensa do seu vulto *na* administração nacional." (Rui, *Colunas de Fogo*, 164.)
"Projeção de um ponto *sobre* um plano." (Fr. D. Vieira.)

Projeto — *a respeito de, de, para, sobre:*
"Esse seu primo era um velhaco dissoluto. Tinha seus projetos *a respeito do* trono, e não lhe convinha partilhá-lo com Maria." (*Maravilhas do Conhecimento Humano*, I, 138.)
"Há cinco anos que fazemos projeto *de* ir à capital e não temos um mês de férias." (Afrânio Peixoto, *A Esfinge*, 228.) "Quem te assim vir abarbada de projetos *de* ganhar dinheiro, há de cuidar que estás devorada de ambição." (Camilo, *As Três Irmãs*, 63.)
"Projeto *para* um estabelecimento de escola de agricultura." (Camilo, *Perfil do Marquês de Pombal*, 89.)
"Pouco tempo depois apresentava à Câmara um vasto projeto *sobre* a reforma do ensino secundário e superior." (Luiz Viana Filho, *A Vida de Rui Barbosa*, 79.) Resolveram confiar-me a tarefa de relatar o projeto da Câmara dos Deputados *sobre* este assunto." (Rui, *Cartas Políticas e Literárias*, 125.)

Prólogo — *de:*
"Prólogo *dos* sermões, *de* alguma obra histórica." (Morais.) "Era o prólogo invariável *de* uma cena cruel." (E. da Cunha, *Os Sertões*, 563.)

Promessa — *a, de:*
"O negociante chorava como um perdido, enquanto a mulher fazia promessas *aos* santos da sua devoção." (Aluísio Azevedo, *O Mulato*, 61.) "Quando adoecia mandava logo vir o médico, comprava um ror de medicamentos e fazia promessas *a* Nossa Senhora de Nazaré, que custavam muito dinheiro." (Ferreira de Castro, *A Tempestade*, 236.)
"A promessa *de* seres brevemente despachado não é dar-te a mercê que tens pedido." (F. de Andrade, *apud* Fr. D. Vieira.)

Prometido — *a, em:*
"O príncipe com a vida desempenhou a fidelidade prometida *ao* Estado." (J. Freire de Andrade, *apud* Fr. D. Vieira.)
"E me parece que chegara o tempo prometido *no* estático profeta." (J. Agostinho de Macedo *apud* Fr. D. Vieira.)

Promiscuidade — *de, entre:*
"A promiscuidade *dos* casamentos entre as diversas castas." (Morais.) "Não é para admirar que se esboçasse logo, em Canudos, a promiscuidade *de* um hetairismo infrene." (E. da Cunha, *Os Sertões*, 192.)
"Alexandre não se conformara com a promiscuidade *entre* criminosos dos mais abjetos." (Domingos Olímpio, *Luzia-Homem*, 60.)

Promoção — *a:*
"A promoção de um alferes *a* tenente." (Aulete.)

Promovido — *a:*
"Depois da batalha todos os oficiais foram promovidos *a* altos postos." (Constâncio.) "Sebastião de Carvalho esperava ser promovido *a* oficial, porém foi excluído duma grande promoção em que os criados de alguns fidalgos passaram a capitães." (Camilo, *Perfil do Marquês de Pombal*, 34.) "Pedira a Napoleão a licença de Lacroze, e essa licença fora-lhe concedida. Vira-o depois promovido *a* marechal, na ordem do dia." (Camilo, *Livro Negro*, 160.)

Pronto — *a, em, para:*
"Rompe os estios (a planta), pronta *a* transfigurar-se entre os deslumbramentos da primavera." (E. da Cunha, *Os Sertões*, 40.) "Sempre pronto *a* esquecer essas questões pessoais quando se tratava de favorecer a vitória das suas idéias." (Luiz Viana Filho, *A Vida de Rui Barbosa*, 292.) "Estamos prontos *a* revelar essa origem ao governo." (Rui, *Queda do Império*, I, 452.)
"Ele é muito pronto *no* serviço." (Aulete.) "O disforme dos seus apêndices maxilares, o hostil dessas pinças prontas *na* agressão e inócuas na mordedura." (Rui, *Coletânea Literária*, 235.)
"Aqui estamos prontos *para* obedecer." (Vieira, *Sermões*, IX, 175.) "Cheio de bom humor, pronto *para* receber com sobranceria os ataques." (Luiz Viana Filho, *A Vida de Rui Barbosa*, 78.) "Mais valeria aproveitar outras várzeas naturais, já quase prontas *para* o plantio." (Gastão Cruls, *História Puxa História*, 37.)

Pronunciado — *em:*
"Pronunciados *num* sumário de crime civil, esses três militares estão ainda sob a vara da justiça comum" (Rui, *Colunas de Fogo*, 193.)

Propaganda — *de:*
"Tiradentes, que se achava no Rio, em ativa e franca propaganda *da* rebelião, foi também detido." (*Maravilhas do Conhecimento Humano,* I, 168.)

Propelido — *por:*
"João Correia Botelho .... viera de longe, propelido *por* uma grande catástrofe." (Camilo, *Boêmia do Espírito,* 23.)

Propensão — *a, de, para, por:*
"Se bem que o abade não conhecesse outra coisa, por esta propensão *à* linguarice tão ao gosto de eclesiásticos, prestou ouvidos atentos ao colega." (Aquilino Ribeiro, *Andam Faunos,* 20.)
"Trouxe do peito materno a propensão natural *de* se comunicar." (Vieira, *apud* Morais.)
"O modo de acabar com uma propensão, que o meu Duarte tem *para* a extravagância, é casá-lo." (Camilo, *As Três Irmãs,* 27.) "A propensão *para* o misterioso encarregara-se de o celebrizar." (Idem, *Mistérios de Lisboa,* I, 191.)
"Essa propensão *pela* bebida salvou os homens de Young noutra ocasião." (*Maravilhas do Conhecimento Humano,* I, 119.)

Propenso — *a, para:*
"E os portugueses, já menos propensos *às* conquistas da África e da Índia, emigraram aos milhares para a colônia americana." (Luiz Viana Filho, *A Vida de Rui Barbosa,* 1.) "Não há razão para desanimarem os escritores propensos *a* escreverem neste gênero chão." (Camilo, *As Três Irmãs,* 11.) "Homem de lei, pouco propenso *a* zumbaias e censuras, afeito a deliberar por si mesmo." (Rui, *Colunas de Fogo,* 183.)
"Propenso *para* o mal, *para* o bem." (E. Carneiro Ribeiro, *Serões Gramaticais,* 674.) "Propenso *para* cogitações elevadas, erguendo os olhos ao céu, via eu, muitas vezes, voar um passarinho." (Camilo, *Mistérios de Lisboa,* I, 16.)

Propício — *a, para:*
"Em matéria lexicográfica, de índole tão delicada e sobretudo tão propícia *a* controvérsias, errar é facílimo." (Mário Barreto, *Através do Dicionário e da Gramática,* 290.) "O transviado encontra meio propício *ao* contágio da sua insânia." (E. da Cunha, *Os Sertões* 144.)
"Era mal propícia aquela razão *para* atenuar a despesa pública." (Latino Coelho, *apud* Aulete.) "Rui era o orador, e a oportunidade foi propícia *para* iniciar o ataque contra Saraiva." (Luiz Viana Filho, *A Vida de Rui Barbosa,* 105.) "O sentimentalismo nacional encontrava na vida trabalhosa e sofredora do escravo, terreno propício *para* os arrebatamentos de seus impulsos generosos." (*Maravilhas do Conhecimento Humano,* I, 187.)

Propínquo — *a:*
"Propínquo *ao* rio, *ao* mar." (Constâncio.) "Capela propínqua *ao* rio." (Dic. de Morais.)

Proporção — *a, com, de, entre:*
"A recompensa não está em proporção *ao* trabalho."
"A proporção do ouro *com* a prata tem variado muito em todos os tempos." (Fr. D. Vieira.) "A moralidade do povo está em proporção *com* a sua instrução." (Aulete.)
"Contribuam à proporção *de* suas posses." (Morais.) "As contribuições, as quais se aumentam à proporção *do* número de contribuintes." (Mário Barreto, *Cartas Persas,* 247.)
"*Entre* 2, 4, 8 há proporções, porque a mesma razão que há entre 2 e 4, há entre 4 e 8." (Morais.) "O costume .... transtorna a proporção *entre* os delitos e as penas." (Mário Barreto, *Cartas Persas,* 213.)

Proporcionado — *a, com:*
"A criatura, ainda que conservando o seu livre alvedrio, recebe de Deus qualidades proporcionadas *à* elevação a que Ele a destina." (Mário Barreto, *Cartas Persas,* XXI.) "Delicadezas de pena mais proporcionada *ao* ânimo de tão insultantes disposições fiquem para mais tarde." (Alberto Rangel, *Fura-Mundo,* 77.)
"Castigo proporcionado *com* o crime; alicerce mal proporcionado *com* o edifício."

Proporcional — *a:*
"Proporcional *a* seus haveres." (E. Carneiro Ribeiro, *Serões Gramaticais,* 675.) "Forças proporcionais *à* idade, *à* saúde." (Constâncio.)

Propósito — *de:*
"O propósito *de* falar à maneira clássica." (Júlio Nogueira, *O Exame de Português,* 58.) "Timbrando em dar às suas idéias o relevo necessário a esse propósito *de* vulgarização, o autor quis defini-las por um contraste incisivo com o outro sistema." (Rui, *Cartas de Inglaterra,* 63.) "Depois, como o atordoado fidalgo escoiceasse os coices instintivos da defesa, o agressor abarcou-o pela cintura, no propósito *de* o despejar ao Mondego." (Camilo, *O Bem e o Mal,* 144.)

Proposta — *a, para:*
"Sua proposta *à* Editora foi aceita."
"As propostas *para* a paz foram aceitas pelos beligerantes." (Aulete.)

Proposto — *a:*
"Nos volumes desta coleção encontram-se dois remédios eficazes: justa medida nas leituras propostas *aos* nossos rapazes, e notas oportunas, comentários e observações." (Mário Barreto, *Através do Dicionário e da Gramática,* 216.)

Próprio — *a, de, para:*
"Certo nervosismo próprio, aliás, *às* aglomerações que não dispõem de programa ante-

rior ou de comando efetivo, ia-se apoderando dos grupos.'' (Alberto Rangel, *Fura-Mundo,* 87.) ''A serra feita dessa massa de quartzito, tão própria *às* arquiteturas monumentais da Terra, alteia-se ao longe.'' (E. da Cunha, *Os Sertões,* 253.) ''Escolhe-se um campo, um tabuleiro, um vasto prado, próprio *às* proezas *da* estardiota sertaneja.'' (Gustavo Barroso, *Terra de Sol,* 51.)

''Desde que não faltem *à* compostura própria *do* sexo.'' (Rui, *Colunas de Fogo,* 243.) ''Vestuário próprio *do* clero daquele tempo.'' (Herculano, *O Bobo,* 41.) ''Mas um tal pensamento, uma tal vingança não era própria *da* minha idade.'' (Camilo, *Mistérios de Lisboa,* I, 33.)

''Ao manipanço grotesco das senzalas, próprio *para* a gente d'África, sucedia o feiticismo da idolatria áulica.'' (Rui, *Queda do Império,* I, 133.) ''Que coisa há mais própria *para* animar o seu fervor do que a sua multiplicidade?'' (Mário Barreto, *Cartas Persas,* 181.) ''Aí estão as palavras preliminares que se me afiguram mais próprias *para* encetar as minhas rápidas palestras.'' (João Ribeiro, *Curiosidades Verbais,* 9.)

Prorrogação — *de, para:*

''Prorrogação *da* sessão legislativa.'' (Aulete.) ''Prorrogação *da* jurisdição.'' (Constâncio.)

''Forçado a pedir prorrogação *para* seus compromissos.'' (Luiz Viana Filho, *A Vida de Rui Barbosa,* 87.)

Prosa — *com, entre:*

''Deixe de prosa *com* quem está trabalhando.''

''A prosa *entre* os dois velhos conhecidos foi longa.''

Prostrado — *a, ante, com, de, em, por, sobre:*

''Prostrado *aos* pés do monarca.''

''Prostrado *ante* a majestade.'' (Vieira, *apud* Morais.)

''Prostrado *com* uma bordoada.''

''Forças prostradas *da* doença. Prostrado *das* forças.'' (Morais.) ''Prostrado *de* joelhos.'' (Constâncio.) ''Ao choque destas palavras de condenação implacável, Teresinha cambaleou, e caiu prostrada *de* dor, nos braços da mãe angustiada.'' (Domingos Olímpio, *Luzia-Homem,* 213.)

''Prostrado *em* terra.'' (Dic. de Morais.)

''Prostrado *por* terra.'' (Fr. D. Vieira.) ''Ergueu-se do leito em que jazia prostrado *pelo* mais cruel desalento.'' (Taunay, *Inocência* 139.)

''Entrou e viu prostrado *sobre* a cama do monge um oficial francês.'' (Camilo, *A Enjeitada,* 14.)

Proteção — *a, contra, de, para:*

''Proteção *às* artes; proteção *aos* menores abandonados.''

''Proteção *contra* as moléstias infecciosas.''

''Na Alemanha a proteção *das* costas foi cometida à marinha.'' (Rui, *Cartas de Inglaterra,* 200.) ''Seria reduzir os chefes de Estado a uma terrível condição de inferioridade perante os cânones universais de proteção *da* vida humana.'' (Idem, *Colunas de Fogo,* 217.)

''Industrial dos que mais se esfalfaram a pedir proteção *para* as indústrias.'' (Fialho de Almeida, *Os Gatos,* 294.) ''Pedia a minha proteção *para* voltar à pátria, visto que o desterraram. Deve estar hoje em França.'' (Camilo, *Livro Negro,* 133.)

Protegido — *com, contra, de, por:*

''Protegido *com* o prestígio do ministro, pôde realizar facilmente seus projetos.''

''Era um sítio a meia altura da serra, protegido *contra* os ventos impetuosos por um recinto de pedras.'' (Afrânio Peixoto, *A Esfinge,* 252.)

''Um homem cuja fortuna protegida *do* céu não conhece desgraça.'' (Fr. D. Vieira.) ''Ele é protegido *do* ministro.'' (Aulete.)

''Aqui me tens vivo, sem ferimento, protegido sempre *por* tuas orações.'' (Camilo, *As Três Irmãs,* 268.) ''Partira em primeiro lugar, no dia 14, a comissão de engenharia, protegida *por* uma brigada.'' (E. da Cunha, *Os Sertões,* 379.) ''Os ossos, que são 214, no corpo humano, mostram-se engenhosamente protegidos *por* tecidos cartilaginosos, ou pára-choques, e são constantemente lubrificados pelo seu próprio inesgotável reservatório de óleo.'' (*Maravilhas do Conhecimento Humano,* I, 259.)

Protesto — *contra, de:*

''Esse culto do passado pode ser um protesto inútil *contra* o presente, uma aspiração eficaz para o futuro.'' (Rui, *Colunas de Fogo,* 1.) ''Atirado (o livro) à publicidade, sem amparo de qualquer natureza, para que os protestos *contra* as falsidades que acaso encerrasse se exercitassem perfeitamente desafogados.'' (E. da Cunha, *Os Sertões,* 615.)

''Fazer protesto *de* fidelidade ao rei.'' (Aulete.) ''Fez um protesto *de* não voltar àquela casa.'' (Idem.)

Prova — *a, contra, de:*

''Seguiam para a batalha rezando, cantando — como se procurassem decisiva prova *às* suas almas religiosas.'' (E. da Cnnha, *Os Sertões,* 232.)

''Um dos centuriões romanos .... trouxe provas *contra* Jesus.'' (Gastão Cruls, *Ao Embalo da Rede,* 33.) ''O traste não tem nenhuma prova *contra* mim.'' (Aluísio Azevedo, *O Mulato,* 340.) ''Mas tudo isto, suposto fizesse prova, não era prova *contra* ninguém.'' (Camilo, *Mistérios de Lisboa,* II, 126.)

''Eis aqui as provas *de* uma verdade que nunca devera sair do vosso coração.'' (Monte Alverne, *apud* Aulete.) ''Há outras provas *da* sua vinda e *da* sua existência.'' (Camilo, *Perfil do Marquês de Pombal,* 117.) ''A idolatria da frase, quando levada ao exagero, é uma prova *da* impotência criadora.'' (Fialho de Almeida, *Os Gatos,* 246.) ''Até agora, porém, não temos provas lógicas *dessa* teoria e as duas questões permanecem: que é a vida? e quando começa?'' (*Maravilhas do Conhecimento Humano,* I, 266.)

Provado — *com, em:*

''Homem provado *com* tentações, trabalhos, infortúnios.'' (Constâncio.)

''Sentença é divina, tão infalível na verdade como provada *na* experiência.'' (Vieira, *Sermões,* IX, 6.) ''Apesar do rijo cerne, provado *na* resistência a todas as surpresas, o tabaréu pasmou-se de alto a baixo.'' (Alberto Rangel, *Fura-Mundo,* 207.)

Provecto — *em:*

''Desencadeava as manobras, estadeando ardilezas de facínora provecto *nas* correrias do sertão.'' (E. da Cunha, *Os Sertões,* 271.)

Proveito — *a, de, em, para:*

''Esse exemplo será de proveito *a* muitos pessimistas.''

''As esmolas do Divino queimadas, sem proveito *de* ninguém?!'' (Afrânio Peixoto, *Bugrinha,* 108.) ''Com honra da República e proveito *da* nação, brilhantemente serve ao novo regime.'' (Rui, *Cartas Políticas e Literárias,* 74.)

''Não via proveito *em* percorrer, nas arrumações das mesas e balcões, as novidades apenas chegadas.'' (Afrânio Peixoto, *A Esfinge,* 346.)

''Processo que se empregou mesmo no latim, e que depois se fixou no português com grande proveito *para* a clareza e variedade da frase.'' (Augusto Moreno, *Lições de Linguagem,* II, 113.) ''Não seria, em verdade, de exíguo proveito *para* o gênero humano a ampliação à guerra naval dos artigos da convenção de Genebra.'' (Rui, *Colunas de Fogo,* 86.)

Proveitoso — *a, para:*

''Esta contribuição dos médicos veterinários foi deveras proveitosa *à* bacteriologia nascente.'' (Ricardo Jorge, *Sermões dum Leigo,* 283.) ''Foste tu quem pensou uma coisa bem proveitosa *ao* povo, ou antes, *à* salvação pública.'' (Rui, *Colunas de Fogo,* 231.)

''Como, por outro lado, contêm todas as religiões preceitos proveitosos *para* a sociedade, convém que sejam pontualmente observadas. (Mário Barreto, *Cartas Persas,* 181.)

Proveniente — *de:*

''Glossário de palavras provenientes *do* árabe.'' (Júlio Nogueira, *O Exame de Português,* 113.)

Providência — *acerca de, contra, de, para, sobre:*

''Todas as encomiadas providências de Sebastião de Carvalho *acerca da* moeda, *das* Companhias na América .... encontram-se *nos* escritos de Gusmão.'' (Camilo, *Perfil do Marquês de Pombal,* 82.)

''A continuarem as coisas por aquele modo, ele ver-se-ia obrigado a tomar sérias providências *contra* semelhante abuso.'' (Aluísio Azevedo, *O Homem,* 57.) ''As providências repressivas da polícia londrina *contra* os amotinadores de Trafalgar-Square.'' (Rui, *Queda do Império,* I, 124.)

''Os estadistas portugueses consultavam Ribeiro Sanches sobre variadas providências *da* reformação.'' (Camilo, *Perfil do Marquês de Pombal,* 88.) ''Nenhuma diligência em recuperar o perdido poderá igualar a providência *de* o poupar.'' (Vieira, *apud* Morais.)

''A polícia anunciara que tinha tomado todas as providências *para* proteger o soberano.'' (Medeiros e Albuquerque, *Quando Eu Era Vivo,* 45.)

''As providências do Conde de Oeiras *sobre* inquisição e igualdade de cristãos novos e velhos acham-se elaboradas na dissertação de Ribeiro Sanches.'' (Camilo, *Perfil do Marquês de Pombal,* 89.)

Provido — *com, de, em:*

''Mesa provida *com* boas iguarias.''

''Bolsa provida *de* dinheiro.'' (Morais.) ''Animal provido *de* garras, cornos.'' (Constâncio.) ''O rapaz está provido *de* tudo! disse em voz baixa. E, depois, acrescentou alto, rindo: — Podia até casar, se quisesse!'' (Aluísio Azevedo, *Casa de Pensão,* 123.)

''Foi provido *no* agravo.'' (Morais.) ''Nenhuma judicatura fosse provida senão *nas* pessoas mais aptas.'' (Rebelo da Silva, *apud* Aulete.)

Provimento — *em:*

''Provimento de alguém *num* cargo, ofício.''

Provisão — *de, para:*

''Fazer provisão *de* mantimentos, armas, pólvora.'' (Constâncio.)

''Deixando provisões *para* sua despesa.'' (Dic. de Morais.)

Provocação — *a, em, para:*

''Eu não podia pronunciar uma palavra que não fosse uma provocação *aos* ódios sanguinários do meu carcereiro.'' (Camilo, *Mistérios de Lisboa,* I, 57.)

''Esquecei-vos do nome da Duquesa de Boullon, indignamente envolvido *na* minha imprudente provocação ao meu amigo.'' (Camilo, *Livro Negro,* 89.)

''Provocação *para* a luta.''

Provocado — *a, com, por:*

''Provocado *a* cometer desatinos.'' ''Provocado *a* mais coragem.'' (Fr. D. Vieira.)

''Provocado *com* ironias.''

''Com a Bélgica ocorrera, em 1854, dificuldade semelhante, provocada *por* uma reclamação das Tulherias.'' (Rui, *Colunas de Fogo,* 218.)

Proximidade — *de, em:*
"Um terreno muito acidentável pela sua proximidade *de* um vulcão." (Aulete, voc. *acidentável.*) "Tem (a Lua) apenas um centésimo do tamanho da Terra e a Terra é um dos menores planetas. Pequena, porém, como é a Lua, sua relativa proximidade *da* Terra tem permitido que façamos cuidadosos estudos de seu caráter." (*Maravilhas do Conhecimento Humano,* I, 205.)
"Proximidade *nos* graus de parentesco." (Morais.)

Próximo — *a, de:*
"Perdiam-se nos pardieiros próximos *ao* santuário." (E. da Cunha, *Os Sertões,* 560.) "São freqüentadas (as hospedarias) por pessoas que têm negócios, e preferem as mais próximas *ao* centro do comércio." (Camilo, *Mistérios de Lisboa,* I, 9.)
"Isso enfraqueceu os conservadores, já gastos pela abolição, e os liberais ficaram mais próximos *do* poder." (Luiz Viana Filho, *A Vida de Rui Barbosa,* 118.) "Nos Olivais, povoação próxima *de* Lisboa, havia parentes do regicida." (Camilo, *Perfil do Marquês de Pombal,* 45.) "Num gabinete próximo *do* salão, homens graves conversavam." (Afrânio Peixoto, *A Esfinge,* 79.)

Prudência — *com, de, em:*
"Cuidado, Sr. Ledesma, cuidado! Prudência *com* esses excitantes!" (Eça, *O Primo Basílio,* 45.)
"Não escapando dos adeptos dessa bandeira senão aqueles que tiveram a prudência *de* não arvorá-la no combate." (Rui, *Colunas de Fogo,* 29.) "Pela prudência *das* aspirações, e ao mesmo tempo pela graça da forma, ... as 'Cartas Persas' é um livro genial." (Mário Barreto, *Cartas Persas,* XII.)
"Mas, como seu ajudante .... lhe aconselhasse mais prudência *nas* expressões, revidou-lhe o patrão." (Alberto Rangel, *Fura-Mundo,* 68.)

Pudor — *de:*
"Tem o coração às vezes pudor *de* falar: sente, e faz-se adivinhar." (Afrânio Peixoto, *A Esfinge,* 259.) "Tinham pudor *de* falar; só não tinham pudor *de* sorrir." (J. Américo de Almeida, *O Boqueirão,* 17.)

Pugna — *com, contra, entre, por:*
"A pugna *com* os invasores foi cruenta e prolongada."
"Tu me apareces como .... a narração comovida das pugnas *contra* os homens de além." (Afonso Arinos, *Pelo Sertão,* 52.)
"A pugna *entre* dois adversários fortes é sempre longa."
"Essa pugna gigantesca *pelos* interêsses espirituais da fé .... abalava o mundo inteiro." (Rui, *Cartas de Inglaterra,* 396.)

Pujança — *de:*
"Pujança *de* formas." "Entre os alvenéis estava um sujeito na pujança *dos* anos." (Camilo, *apud* Aulete.)

Pujante — *de:*
"Pujante *de* beleza."

Pungido — *com, de, por:*
"Pungido *com* o aguilhão do ciúme."
"Sentia-se o homem pungido *de* remorsos de ter escrito a carta." (Camilo, *A Enjeitada,* 103.) "Pungido *de* dor, *das* invejas de glória." (Morais.)
"Pungido *pela* dúvida."

Punhalada — *em:*
"O companheiro, que presenciara com reverência cômica a solenidade da punhalada *na* tela, disse consigo: — Bem-aventurados os que são apunhalados em efígie!" (Camilo, *Livro Negro,* 38.)

Punição — *contra, de:*
"Não se abrirá o terrível exemplo de uma punição fulminante *contra* os que matam por devoção à rainha." (Rui, *Queda do Império,* II, 93.)
"A punição *dos* delitos e crimes é da alçada dos juízes criminais." (Fr. D. Vieira.)

Punido — *com, de, por:*
"Supunha ver, no seu curto horizonte, a Feitoria inglesa, punida *com* a instituição da Companhia." (Camilo, *Perfil do Marquês de Pombal,* 107.)
"A estas horas estaria eu amargamente punida *do* meu delito." (Camilo, *Cenas da Foz,* 155.)
"O Mal é sempre punido *pelas* suas próprias conseqüências." (Camilo, *Mistérios de Lisboa,* I, 99.)

Pureza — *de, em:*
"Pureza *de* intenções, *de* sentimentos." (Aulete.) "Pureza *de* linguagem."
"Pureza *nos* pensamentos."

Puro — *de, em:*
"Puro *de* inveja, *de* avareza." (E. Carneiro Ribeiro, *Serões Gramaticais,* 674.) "Homem bondoso, puro *de* coração." "A poesia destes é límpida e pura *de* sentido, acessível a todos." (Fialho de Almeida, *Os Gatos,* 251.)
"Puro *em* sentimentos."

Puxado — *a, para, por:*
"Os transportes marítimos dependiam então de vagarosas barcas, a vela e a remo, e, às vezes, puxadas *a* cordas nos igarapés." (Aluísio Azevedo, *O Mulato,* 55.)
"Puxado *para* fora, *para* cima."
"Brás Bueno, muito puxado *pela* auditora e para condescender, se animava a recitar episódios de sua existência de mateiro." (Alberto Rangel, *Fura-Mundo,* 232.)

Q

Qualificado — *como, de, para, por:*

"Proferiu uma oração qualificada *como* o maior surto de eloqüência de que há memória naquele tribunal durante estes cinqüenta anos." (Rui, *Cartas de Inglaterra,* 357.) "Determinou el-rei .... que nenhuma judicatura fosse provida senão nas pessoas mais aptas e qualificadas *como* tais." (Rebelo da Silva, *apud* Aulete.)

"Ação qualificada *de* crime de lesa-majestade." "Proposição qualificada *de* errônea." (Fr. D. Vieira.)

"Sujeito qualificado *para* alguma dignidade." (Morais.)

"E' de rigor precedê-lo de artigo definido, desde que tal substantivo seja qualificado *por* adjetivo." (Augusto Moreno, *Lições de Linguagem,* II, 1.) "Ação qualificada *por* boa."

Quebra — *de, em:*

"Vieram (os bárbaros) a adotar o latim e se tornaram novos elementos perturbadores da língua, e, ainda, com a quebra *da* unidade política ...., as diferenciações acentuaram-se mais." (Sousa da Silveira, *Lições de Português,* 17.) "Uma quebra formal *de* relações." (Fialho de Almeida, *Os Gatos,* 303.)

"Quebra *nos* rendimentos." (Aulete.)

Quebrado — *de, em, por, sobre:*

"O corpo ainda meio quebrado *da* viagem." (Aluísio Azevedo, *O Mulato,* 55.) "Daí a pouco, quebrada *da* agitação do dia, adormecera." (Eça, *O Primo Basílio,* 330.) "Corpo quebrado *de* forças." (Morais.)

"Destruído e quebrado *no* ânimo." (Dic. de Morais.) "Quebrado *no* ânimo." (Constâncio.) "Atiçar o fogo, preparar o café e uma sopa com grandes bolachas duras, quebradas *em* pedaços miúdos." (Domingos Olímpio, *Luzia-Homem,* 31.)

"Olhando longe, sem ver, os olhos quebrados *pela* longa sombra que os grandes cílios encurvados lhe projetavam na chama negra do olhar." (Afrânio Peixoto, *Bugrinha,* 84.) "E se recolhe no grande silêncio do sertão combusto, somente quebrado *pelo* som de picaretas que escavam a terra." (Gustavo Barroso, *Terra de Sol,* 14.)

"A jovem feiticeira deixava-se ir languidamente quebrada *sobre* o ombro do cavalheiro." (Camilo, *Mistérios de Lisboa,* II, 139.)

Quebrantado — *de, em, por:*

"E' ordinário pensar erradamente o homem, quebrantado *de* um amor sem esperança, que o Criador fez uma só mulher para o molde dos seus desejos." (Camilo, *As Três Irmãs,* 182.) "Só recebeu recusas, e voltou para seu país, pobre e quebrantado *das* fadigas de tão longa viagem." (Mário Barreto, *Cartas Persas,* 23.)

"Quebrantado *no* corpo ou *no* espírito." (Dic. de Morais.)

"Quebrantado *por* trabalhos superiores às suas forças." (Camilo, *As Três Irmãs,* 200.) "Era homem já de idade, muito mais quebrantado *por* enfermidades que *pelos* anos." (Taunay, *Inocência,* 122.)

Quebrantamento — *de, em:*

"Seria um formal quebrantamento *da* palavra dada." (Camilo, *As Três Irmãs,* 174.) "O amor de Deus não é o quebrantamento *de* todos os laços que nos prendem ao mundo." (Idem, *Mistérios de Lisboa,* II, 6.)

"Quebrantamento *na* carne, *no* corpo." (Constâncio.)

Queda — *de, em, para:*

"Levou uma queda *de* grande altura." "Viam-se ainda aí alguns templos .... como monumentos da queda *de* toda a crença." (Herculano, *apud* Aulete.)

"Houve mudança, perda e queda *nas* outras." (Dic. de Morais.)

"Todos têm queda *para* malucos." (Taunay, *Inocência,* 169.) "E' um rapaz muito jeitoso e que tem bastante queda *para* as letras." (Gastão Cruls, *Ao Embalo da Rede,* 93.) "Os homens de lá não ligam as mulheres daqui, mas sertaneja tem queda *p'ra* brejeiro." (J. Américo de Almeida, *A Bagaceira,* 105.) "Era um pouco pálida, e os poetas em todos os tempos tiveram sempre queda *para* as criaturas descoradas." (M. de Assis, *Contos Fluminenses,* 135.)

Queimado — *com, de, por:*

"E foi ver Soledade que estava queimada *com* Pirunga, porque a carregara nos braços." (J. Américo de Almeida, *A Bagaceira,* 96.)

"Vinha queimado *do* sol da Ásia." (Camilo, *A Enjeitada,* 160.) "Dois rapazes, um de 13 e o outro de 12 anos, queimados *de* sol, soltos pelas terras camaradas do Santa Rosa.'' (J. Lins do Rego, *Usina*, 75.)

''Queimada sua flor *pelos* calores do estio.'' (Antero de Figueiredo, *Jornadas em Portugal*, 110.) ''Moço alto, magro, nervoso, com um bigode sujo e queimado *pelo* fumo.'' (Afrânio Peixoto, *A Esfinge*, 241.) ''Cofiando as barbas agrestes, queimadas *pelo* sarro do pixuá'' (Alberto Rangel, *Fura-Mundo*, 220.)

Queimadura — *com, em:*

''Foi vítima de uma queimadura *com* álcool.''

''Tem uma queimadura *na* mão.'' (Morais.) ''A queimadura *na* perna tem-no incomodado muito.''

Queixa — *contra, de, quanto a, sobre:*

''Os anais do foro nos Estados Unidos registram um caso, que agora me acode, a propósito das queixas do atassalhador *contra* a veemência da minha linguagem.'' (Rui, *Colunas de Fogo*, 142.) ''Nenhuma (voz) se lhe ouviu, nem de queixa *contra* seus atormentadores, nem de resistência ou repugnância contra os tormentos.'' (Vieira, *Sermões*, IX, 231.) ''Não ousava tocar na melindrosa questão, bem que as contínuas queixas de Pereira *contra* Meyer lhe dessem ensejo mais ou menos favorável para desembaraçadamente encetá-la.'' (Taunay, *Inocência*, 151.)

''Fazer queixa *de* alguém.'' (Constâncio.) ''Tenho queixas *do* meu antigo companheiro de casa.'' (Aulete.)

''O assunto era, então, as queixas do capitalista *quanto às* crises de seu fígado.'' (Mário Sete, *Os Azevedos do Poço*, 11.)

''Vieram as queixas habituais *sobre* seu marido.'' (Eça, *O Primo Basílio*, 25.) ''Era (a carta) de Portel, com muitas queixas *sobre* o calor, *sobre* as más estalagens.'' (Idem, *ibidem*, 137.)

Queixoso — *de:*

''O prior, levado pela ambição, e queixoso *do* agravo da sua prisão, não duvidara efetivamente vender a espada ao rei de Castela.'' (Rebelo da Silva, *Contos e Lendas*, 201.)

Querela — *com, contra:*

''Se desejamos entrada brilhante na civilização, armemo-nos, procuremos querela *com* uma nação européia.'' (Afrânio Peixoto, *A Esfinge*, 146.)

''Dar querela *contra* alguém.'' (Aulete.)

Querido — *a, de, em, por:*

''Luís tem alguma coisa fatal, que o faz querido *a* muitas mulheres.'' (Camilo, *A Neta do Arcediago*, 40.)

''Luís Macedo, o poeta festejado e querido *das* mulheres, ... aproximou-se.'' (Afrânio Peixoto, *A Esfinge*, 66.) ''Tudo concorria a deliciar-lhe a consciência de ser querida *de* todos.'' (Camilo, *A Enjeitada*, 138.) ''Imaginando as delícias duma alma de homem que estivesse, àquela hora, sendo querido *de* uma das duas meninas.'' (Idem, *ibidem*, 25.) ''Sebastião era o querido *de* ambos, e mais querido, se possível, do pai de Susana, camarista do rei.'' (Camilo, *Livro Negro*, 44.)

''Tinha um círculo vasto de relações e era acatada e querida *na* sociedade.'' (Afrânio Peixoto, *A Esfinge*, 121.)

''E' um rapaz querido *por* todos os companheiros.''

Questão — *acerca de, com, concernente a, de, entre, por, sobre:*

''Levantam mil novas questões *acerca da* religião.'' (Mário Barreto, *Cartas Persas*, 62.)

''Os senhores sabem que eu tive ontem uma questão *com* o Sr. Marques de Oliveira.'' (Medeiros e Albuquerque, *Quando Eu Era Vivo*, 30.) ''Brício anda sempre metido em questões *com* meio mundo.'' (C. Neto, *A Cidade Maravilhosa*, 24.)

''Questões *concernentes ao* lugar dos pronomes complementos na sentença.'' (Rui, *Réplica*, 310.)

''Não entro na questão *da* ortografia etimológica.'' (C. de Figueiredo, *Lições Práticas*, I, 37.) ''E' que é uma questão *de* gratidão, para mim.'' (Eça, *O Primo Basílio*, 12.) ''Questões *de* família o obrigaram a expatriar-se.'' (Aulete.) ''Não obstante, também fazia questão *de* dizer o que bem entendia, sem prestar atenção aos pés em que pisavam.'' (*Maravilhas do Conhecimento Humano*, II, 80.)

''Avistei as chaminés do engenho do Mendonça e a faixa de terra que sempre foi motivo de questão *entre* ele e Salustiano Padilha.'' (Graciliano Ramos, *S. Bernardo*, 27.)

''Catunda, que dispunha de um mundo de terras, fazendo questão *por* um engenho que mais servia à outra usina.'' (J. Lins do Rego, *Usina*, 85.)

''Excitando Plutarco, e disputando uma questão *sobre* a fortuna do Império Romano, diz assim: ....'' (Vieira, *Sermões*, IX, 128.)

Questiúncula — *sobre:*

''Um pobre homem de boa fé, colocado em um grêmio de cretinos, persuadido de que as questiúnculas *sobre* infalibilismo, fora das aulas, ... podem preocupar as vigílias de pessoas que estudam.'' (Camilo, *Boêmia do Espírito*, 341.)

Quietude — *de, para:*

''A quietude *do* ambiente, quietude *das* águas.''

''Não podia haver quietude *para* os seus guias.'' (Rui, *Queda do Império*, I, 146.)

Quinau — *a, de:*

''Este foi o triunfo da paciência de Estêvão, em que não digo que deu quinau *à* de Jó, mas que mereceu um paralogismo de maior louvor que a sua.'' (Vieira, *Sermões*, IX, 251.)

''Sobre dar, num e noutro (texto), um errado quinau *de* linguagem, viciou, no primeiro, o texto com uma erronia jurídica.'' (Rui, *Réplica*, 33.)

Quinhão — *de, em:*
"Não devo tentar a felicidade, *da* qual não tenho direito ao menor quinhão." (Camilo, *Mistérios de Lisboa,* I, 67.) "Não queremos o nosso quinhão *de* publicidade, senão em severidade e dureza." (Rui, *Queda do Império,* I, 353.)
"Parece que tens *nisto* algum quinhão." (Dic. de Morais.) "Eu tenho um quinhão *na* herança." (Castilho, *apud* Aulete.)

Quinhoẹiro — *de, em:*
"Não caso pobre com Corina, e também não a faço quinhoeira *da* minha dependência." (Camilo, *Estrelas Propícias,* 162.)
"Quinhoeiro *na* demanda." (Fr. D. Vieira.) "Os antigos biógrafos e comentaristas não o condecoram como quinhoeiro *nos* fastos das carnificinas memorandas." (Camilo, *Boêmia do Espírito,* 188.)

Quite — *de:*
"Primeiro que el-rei D. Manuel desse el-rei de Ormuz quite *das* impostas páreas." (Rebelo da Silva, *apud* Aulete.)

Quizília — *com, contra:*
"Eu sempre tive quizília *com* tua filha e com o mulato; por alguma coisa era." (Camilo, *A Neta do Arcediago,* 52.)
"Sobral é impenitente ironista e daí a sua quizília *contra* ele." (Afrânio Peixoto, *Bugrinha,* 201.)

R

Rabicho — *por:*

"Eu já tinha um rabicho doido *por* ela." (Gastão Cruls, *Ao Embalo da Rede,* 71.)

Radiante — *com, de, por:*

"O aluno ficou radiante *com* o prêmio que recebeu."

"Estava sobressaltada e ao mesmo tempo radiante *de* satisfação." (Aluísio Azevedo, *O Mulato,* 334.) "Quando voltei condecorado e engrandecido, capitão aos vinte e um anos, radiante *de* glória, a procurar a minha ovação nos braços de minha mãe, já a não encontrei." (Camilo, *A Enjeitada,* 27.) "Apreciais-me mais nas lágrimas? Mau coração é o vosso! Recebei-me assim, radiante *d*este júbilo, que eu quisera repartir por vós...." (Camilo, *Livro Negro,* 108.)

"Sentia-se radiante *por* ver que todos os mais não abriam a boca, enquanto ele estivesse com a palavra." (Aluísio Azevedo, *Casa de Pensão,* 113.)

Raiva — *a, de, por:*

"A sua criada tem raiva *à* minha cabra." (Mário Barreto, *Através do Dicionário e da Gramática,* 356.)

"Todos tinham raiva *d*o mar." (J. Lins do Rego, *Usina,* 21.) "Ele não era como Deodato, com raiva *de* todo mundo." (Idem, *ibidem,* 40.) "Tomou raiva *de* sua mulher Popéia, que estava grávida, e deu-lhe um pontapé no ventre." (*Maravilhas do Conhecimento Humano,* I, 38.)

"E sentia uma raiva mortal *por* tudo e *por* todos." (Aluísio Azevedo, *O Mulato,* 300.) "E adormeci sentindo no peito uma raiva surda *pelo* meu tio, o único culpado se tamanha barbaridade acontecesse." (Gastão Cruls, *História Puxa História,* 41.)

Raivoso — *de, por:*

"Que máquinas e invenções de atormentar não excogitou a sevícia, raivosa *de* se ver vencida, para combater e tentar vossa fortaleza?" (Vieira, *Sermões,* IX, 47.)

"Raivoso *por* ser forçado a expatriar-se."

Rajado — *de:*

"O céu, rajado *de* branco e preto, um céu grisalho, anunciava a ante-manhã." (J. Américo de Almeida, *O Boqueirão,* 190.)

Ralado — *de, em, por:*

"E eu, velho e enfermo, ralado *de* saudades do coração que consumi, ... fiquei por cá, quinze anos depois dela." (Camilo, *Cenas da Foz,* 163.) "Coração ralado *de* amarguras." (Garrett, *apud* Aulete.)

"Gente simples, medíocre de fantasia, ralada *n*a peneira do ramerrão quotidiano." (Alberto Rangel, *Fura-Mundo,* 182.)

"Eu, com quarenta e cinco anos de idade, ralado *por* desgostos de todos os gêneros e feitios, herdava da mãe de minha filha o maior de todos." (Camilo, *Cenas da Foz,* 179.)

Ralhos — *com:*

"Deixe de ralhos *com* as crianças."

Ramificação — *em:*

"Ramificação do ensino *em* primário, secundário e superior."

Rancor — *a, contra, por:*

"Tem grande rancor *a* tudo que é inglês." "Homem que conserva rancor *a* alguém." (Constâncio.) "Explodiu o seu rancor *a*o delegado, até achar pretexto para o desafiar." (Camilo, *Boêmia do Espírito,* 94.)

"Surgiam já, traduzindo-se em alusões acerbas, surdos rancores *contra* imaginários responsáveis por aquelas desventuras." (E. da Cunha, *Os Sertões,* 442.)

"E, assim, se explicaria o rancor persistente de Tito *pelo* padrinho." (Medeiros e Albuquerque, *Quando Eu Era Vivo,* 66.)

Rancoroso — *contra:*

"Está cada vez mais rancoroso *contra* o genro."

Rapidez — *de, em:*

"Veja que rapidez *de* movimentos!"

"O merecimento começou a medir-se, nos alunos, pela rapidez *em* atabalhoar exames." (Rui, *Queda do Império,* I, 290.)

Rápido — *em:*

"Rápido *n*os movimentos." "Precisa (a língua) nos conceitos, rápida *n*as máximas, evidente nos conceitos." (Antero de Figueiredo, *Jornadas em Portugal,* 46.)

Raro — *de, em:*

"E' um livro raro *de* encontrar." "As intenções irônicas (são) sublinhadas tão de manso, que se adivinha logo um mestre miniaturista, ... raro *de* sabor entre sensaborões que por aí medram.'' (Fialho de Almeida, *Os Gatos*, 234.)

''Mostrava-se raro e difícil *em* assunto de arte dramática.'' (Afrânio Peixoto, *A Esfinge*, 143.)

Rasgado — *a, com, de, em, entre, por:*

''Esses novos horizontes rasgados *a* seu futuro deslumbram-no.''

''Tinha o peito rasgado *com* a lança.'' ''As faces rasgadas *com* as unhas.'' (Morais.)

''Vou-me longe, e o peito levo rasgado *de* acerba dor.'' (G. Dias, *apud* Aulete.)

''A misteriosa veia vai rasgada *em* esteiros variados.'' (Filinto Elísio, *apud* Fr. D. Vieira.) ''Um velho cor de bronze, todo rasgado *no* fato como um doido.'' (Fialho de Almeida, *Os Gatos*, 56.)

''Haviam-se esquadrinhado todas as anfractuosidades, e todos os dédalos rasgados *entre* pedras, e todos os algares fundos.'' (E. da Cunha, *Os Sertões*, 286.)

''Mostra-nos os campos rasgados *pel*as granadas, as vinhas derribadas e os escombros de sua casa.'' (Erico Verissimo, *Saga*, 110.) ''Uma velhice extemporânea arregoou-lhe profundamente os tegumentos do rosto, que parecem rasgados *pel*a proeminência dos ossos.'' (Camilo, *Mistérios de Lisboa*, II, 198.)

Rasgo — *de, em:*

''Um rasgo *de* caridade.'' (Fr. D. Vieira.) ''Rasgos *de* eloqüência.'' (Morais.) ''Rasgo sublime *de* virtude, patriotismo.'' (Constâncio.)

''A revolução abolia de um só rasgo *n*a cronologia da humanidade os tempos anteriores a 89. (Latino Coelho, *apud* Aulete.)

Raso — *com, de:*

''Uma (estrela), entretanto, maior, bem perto, rasa *com* o horizonte, chamou o seu olhar e prendeu-o, demorado na contemplação.'' (Afrânio Peixoto, *A Esfinge*, 127.)

''Eu o fiz com os olhos rasos *de* lágrimas.'' (Medeiros e Albuquerque, *Quando Eu Era Vivo*, 67.) ''Parece que lhe estou vendo ainda os olhos rasos *de* lágrimas de felicidade com que ele tantas vezes me contemplava.'' (Camilo, *Cenas da Foz*, 199.)

Razão — *de, em, para:*

''A imprensa não tem grandes razões *de* estar contente consigo, porque o mundo oficial esteja com ela satisfeita.'' (Rui, *Colunas de Fogo*, 143.) ''Perguntava muita gente a razão fisiológica *d*a cor africana de Luís, tão diversa da alvura inglesa de seu pai.'' (Camilo, *A Neta do Arcediago*, 6.) ''Ele acabou por dizer que não podia viver sem mim, que eu era a única razão *d*a sua vida.'' (Ferreira de Castro, *Eternidade*, 121.)

''Carlyle tem razão *n*o apelo dirigido aos gênios paraguaios, que saibam ler e escrever, a fazerem dessa biografia o campo dos seus melhores talentos.'' (Rui, *Cartas de Inglaterra*, 244.) ''Há razão *em* ser adulada: é tão diferente das outras....'' (Afrânio Peixoto, *A Esfinge*, 72.)

''Não há razão *para* desanimarem os escritores propensos a escreverem neste gênero.'' (Camilo, *As Três Irmãs*, 10.) ''Os que não confiam nele (exército) é porque têm razões *para* desconfiar da nação.'' (Rui, *Colunas de Fogo*, 24.) ''Entendo que não há razão *para* um homem preferir os livros novos, sem haver lido antes todos os antigos.'' (Mário Barreto, *Cartas Persas*, 227.)

Razoável — *em, para:*

''O nosso amigo está muito razoável *n*os seus discursos.'' (Camilo, *A Neta do Arcediago*, 172.)

''Acho esta casa razoável *para* mim.'' (Fr. D. Vieira.)

Reação — *a, contra, diante de, em favor de, para:*

''A reação *a* esse ultraje não se fez esperar.''

''A reação republicana *contra* a monarquia procede, direta e beneficamente, da reação monárquica *contra* as leis.'' (Rui, *Queda do Império*, I, 81.) ''Donde poderia vir a reação *contra* tais males ....? (Idem, *ibidem*, 294.) ''O meio, desenvolvendo-lhes o gosto do sacrifício na reação *contra* não importa quem, e desse no que desse, obrigava-os a esse desígnio de ataque.'' (Alberto Rangel, *Fura-Mundo*, 332.)

''Tenho observado as minhas reações *diante d*a vida, quero agora ver como me porto em face da morte.'' (Erico Verissimo, *Saga*, 63.)

''Opera-se uma forte reação *em favor d*a língua latina.'' (Júlio Nogueira, *O Exame de Português*, 21.)

''No ânimo do chefe expedicionário pairara o temor de um assalto noturno *para* o qual não havia reação possível.'' (E. da Cunha, *Os Sertões*, 468.)

Realçado — *com, de, por, sobre:*

''Saber realçado *com* a santidade de costumes.'' (Dic. de Morais.)

''E' tudo simples e dum gosto sério, realçado *de* riqueza e elegância.'' (Fialho de Almeida, *Os Gatos*, 193.)

''A emoção estranha de altura imensa, realçada *pel*o aspecto da pequena vila, embaixo, mal percebida na confusão caótica dos telhados.'' (E. da Cunha, *Os Sertões*, 146.) ''O merecimento realçado *pel*a modéstia.'' (Constâncio.)

''Coisa tão alta, e realçada *sobre* meu entendimento grosseiro.'' (Dic. de Morais.)

Realização — *em:*

''Férteis têm sido nossas realizações *n*este campo, porque, ajuntando levemente aqui ou subtraindo ali, podemos combinar velhos elementos em novos e admiráveis objetos.'' (*Maravilhas do Conhecimento Humano*, I, 270.)

Reanimado — *com, de, para, por:*

''Reanimado *com* os conselhos paternos.''

''Levantou-se reanimado *dos* calafrios da luta.''

''Aplaudido de todos, senti-me reanimado *para* o certame.'' (*Apud* Carlos Góis, *Sintaxe de Regência*, 96.)

''Reanimado *pelo* bom acolhimento, o nosso Vasco, pouco a pouco, deu liberdade ao coração, e disse quanto podia.'' (Camilo, *Cenas da Foz*, 164.) ''Minha mãe, reanimada *pelo* excesso de vida que tais comoções lhe deram ao espírito, achou-se mais confortada no corpo.'' (Idem, *Mistérios de Lisboa*, I, 216.)

Rebaixado — *a, de, por:*

''És tu, Luís Antônio, pedaço d'asno, bruto, rebaixado *a* esses caifases do sertão, esticando a muçurana em torno à vítima inocente?'' (Alberto Rangel, *Fura-Mundo*, 142.)

''O Dr. Valadares Ribeiro, rebaixado *de* substituto a coadjuvante.'' (Rui, *Queda do Império*, I, 272.)

''Saía do cárcere rebaixado *pelo* desbrio com que implorara o perdão, e réu confesso de uma vingança por motivos menos honestos aos olhos dos velhos sérios.'' (Camilo, *Boêmia do Espírito*, 182.)

Rebaixamento — *a:*

''Rebaixamento *aos* poderosos.'' ''E' inexplicável seu rebaixamento *ao* papel de lacaio dos políticos influentes.''

Rebatido — *a, com:*

''Rebatido *a* braços.'' (Dic. de Morais.)

''Pretensões desprezíveis e rebatidas *com* um desdém igual ao enojo.'' (Camilo, *A Enjeitada*, 201.)

Rebelado — *contra:*

''E' obra da atitude da raça escrava, rebelada *contra* os feudos pela invasão do evangelho abolicionista na região tenebrosa das senzalas.'' (Rui, *Queda do Império*, I, 309.) ''Os ducados de Schleswig e Holstein, rebelados *contra* a constituição imposta pelo governo de Copenhague, foram invadidos pelas tropas dinamarquesas.'' (Idem, *Cartas de Inglaterra*, 135.)

Rebelde — *a, contra, em, para:*

''Não contente de me criminar como rebelde *à* gramática, me argúi, até, de atentar contra a visiva dos leitores.'' (Rui, *Réplica*, 440.) ''A paciência triunfa de ânimos rebeldes *ao* império da razão e do dever.'' (Camilo, *As Três Irmãs*, 71.) ''Paixões rebeldes *à* lei, *à* razão, *à* prudência.'' (Morais.)

''Chamais ao infante rebelde *contra* sua mãe.'' (Herculano, *O Bobo*, 59.)

''Rebelde *em* aprender, *em* cumprir com suas obrigações.''

''Anexim que o filho da senhora Ana Canastreira retivera na memória, rebelde sempre *para* o imperativo do verbo 'laudo'.'' (Camilo, *A Neta do Arcediago*, 25.)

Rebeldia — *a, com, contra:*

''O sulista, absolutamente alheio àquela agitação, revelava, na rebeldia *aos* decretos da metrópole, completo divórcio com aqueles lutadores.'' (E. da Cunha, *Os Sertões*, 83.) ''Como suportara com paciência os efeitos de sua rebeldia *à* vontade do pai, estava absolta no juízo divino.'' (Camilo, *A Enjeitada*, 260.) ''Rebeldia da doença *aos* remédios.'' (Constâncio.)

''Homenagem ao francês, em rebeldia *com* as regras vernáculas do plural dos nomes.'' (Rui, *Réplica*, 560.)

''O espírito, predisposto para a rebeldia franca *contra* a ordem natural, cedeu à única reação de que era passível.'' (E. da Cunha, *Os Sertões*, 153.) ''Viu a República com maus olhos e pregou, coerente, a rebeldia *contra* as novas leis.'' (Idem, *ibidem*, 180.)

Rebelião — *contra:*

''Eu sou um daqueles anjos decaídos que acompanharam Belzebu na antiga rebelião *contra* Deus.'' (João Ribeiro, *Floresta de Exemplos*, 70.) ''A sua força moral de mãe acabara, perdera-se desde que ela animara a filha à rebelião *contra* os brios de seu pai.'' (Camilo, *A Enjeitada*, 252.)

Rebuçado — *com, em:*

''Na constituição de 1822 chama-se-lhe conselho de estado, rebuçada *com* este nome impróprio a idéia, que então julgou impopular, de uma segunda câmara.'' (Garrett, *apud* Aulete.)

''À baiúca vão procurá-lo de noite, rebuçados *em* mantéus de zurame, várias figuras de judeus, mercadores, físicos.'' (Antero de Figueiredo, *Jornadas em Portugal*, 82.) ''Descera Querubina, muito senhora de si, rebuçada *numa* capa de lanilha fusca e entrara numas andas enxaireladas.'' (Alberto Rangel, *Fura-Mundo*, 148.)

Recado — *a, de:*

''Adeus, recados *ao* Jorge.'' (Eça, *O Primo Basílio*, 256.)

''De Abrantes mandou recado a sua senhoria, *de* como em dois dias, o mais tardar, viria beijar-lhe a mão.'' (Rebelo da Silva, *Contos e Lendas*, 186.)

Recalcado — *de, em, por:*

''Pleitos recalcados *de* dobrez e malícia.'' (Constâncio.)

''O amor do homem, recalcado *no* coração *pela* indiferença daquela a quem no abismo do seu orgulho disse: <tu serás minha!>'' (Herculano, *O Bobo*, 47.)

''Recalcado *pela* disciplina vigorosa de uma sociedade culta, a sua nevrose explodiria na revolta, o seu misticismo comprimido esmagaria a razão.'' (E. da Cunha, *Os Sertões*, 153.)

Recamado — *de:*
"Ramos .... recamados *de* flores alvíssimas." (E. da Cunha, *Os Sertões*, 43.) "O manto da noite recamado *de* estrelas." (Constâncio.)

Recambiado — *a, por:*
"Título recambiado *ao* sacador."
"Mas toda a ardência reflui sobre ela (terra), recambiada *pelas* nuvens." (E. da Cunha, *Os Sertões*, 28.)

Recatado — *contra, de, em:*
"Trazia as filhas recatadas *contra* as tentações mundanas."
"Sítio recatado *das* vistas curiosas." "Temno recatado *de* todos os perigos." (Morais.)
"Fé recatada *no* íntimo da alma."

Recato — *em:*
"Recato *nos* modos, *no* vestir, *no* falar."

Recebido — *a, com, como, de, em, por:*
"Recebido *à* mesa, portou-se com modéstia e discrição." "A inocência, que algumas pessoas apregoavam, era em geral recebida *a* riso, como um paradoxo." (Camilo, *O Bem e o Mal*, 188.)
"A lição não podia vir de maior autoridade. Mas há de ser recebida *com* desdém e galhofa." (Rui, *Colunas de Fogo*, 228.) "Uma paixão recebida *com* desprezo.... e depois acolhida com piedade." (Camilo, *Livro Negro*, 177.)
"A razão natural obriga-nos a defender nossa honra e nossas palavras quando são recebidas *como* calúnias." (Camilo, *A Enjeitada*, 87.)
"O auxílio recebido *do* Instituto pouco lhe serviu." "As afrontas, recebidas *do* amigo, são duas vezes ignominiosas." (Camilo, *Livro Negro*, 86.)
"Minha filha virá então para mim, e será recebida *no* seio da abundância e do contentamento." (Camilo, *A Enjeitada*, 58.)
"As palavras latinas que sofriam tais mudanças fonéticas eram as que, recebidas *pelo* ouvido, rolavam de boca em boca, no largo período em que não se escrevia o romance." (Sousa da Silveira, *Lições de Português*, 22.) "Em Lisboa fora bem recebido, particularmente *por* João da Cunha e Faro." (Camilo, *A Neta do Arcediago*, 20.)

Recebimento — *em:*
"Seu recebimento *na* Academia revestiu-se de grande solenidade."

Receio — *a, de, em, por:*
"Afizera o espírito ardente da jovem nacionalidade a dizer alto as suas angústias e os seus sonhos, sem receio *às* revinditas dinásticas." (Fialho de Almeida, *Os Gatos*, 38.)
"Os mateiros, ... no receio *de* que lhes fizessem pagar caro ter olhos e olharem, fugiram a unhas de cavalo." (Aquilino Ribeiro, *A Batalha sem Fim*, 70.) "Alguns fidalgos de Guimarães, ... vencendo o seu horror a franceses e o receio *da* pecha de jacobinos, freqüentavam a conversação do coronel. (Camilo, *A Enjeitada*, 18.) "A primeira função da história é patentear as ações virtuosas e inspirar o receio *da* infâmia, que, na posteridade, acompanha as palavras e ações criminosas." (Rui, *Queda do Império*, I, 222.)
"Via aumentar o receio *em* abrigar tão perigoso sedutor." (Taunay, *Inocência*, 95.) "Para essa lentidão, esse receio das raças transoceânicas *em* demandar os nossos climas, nada tem contribuído tanto como a sinistra influência do pesadelo amarelo." (Rui, *Colunas de Fogo*, 90.)
"Infelizes são todos os moradores de Covadonga — acudiu Pelágio; — mas o que à desventura comum ajunta receios bem fundados *pela* honra ou, ao menos *pela* vida daqueles que muito amou é mil vezes mais desventurado." (Herculano, *Eurico*, 169.)

Receoso — *de:*
"D. Perpétua, receosa *dos* resultados, chamara médico." (Camilo, *A Neta do Arcediago*, 74.) "O padre, receoso *de* algum salto traiçoeiro, coseu-se com a parede." (Idem, *Mistérios de Lisboa*, I, 210.) "Receoso *de* a haver ofendido com um ciúme injusto." (Afrânio Peixoto, *A Esfinge*, 95.) "— Isso arranja-se.... disse Amâncio timidamente, receoso *de* humilhar o colega." (Aluísio Azevedo, *Casa de Pensão*, 49.)

Recepção — *a, de:*
"Lá entre a consciência do velho e o ministro de Deus se estava preparando uma branda recepção *a* Eulália." (Camilo, *As Três Irmãs*, 96.)
"E, sem que a chamassem, veio à lida caseira, ajudando à mãe no apresto da recepção *de* 'seu' Jorge, que havia de vir." (Afrânio Peixoto, *Bugrinha*, 76.)

Recheio — *com:*
"O recheio *com* passas torna o bolo muito saboroso."

Reclamação — *contra:*
"A imprensa tem publicado enérgicas reclamações *contra* o mau policiamento de certos bairros." "Novas reclamações do cabido *contra* o que fazia o arcebispo." (Dic. de Morais.)

Reclamo — *a:*
"Os estampidos da sua cólera são reclamos *ao* instinto da afinidade." (Rui, *Colunas de Fogo*, 69.)

Reclinado — *a, em, entre, para, sobre:*
"Tinha a cabeça reclinada *ao* ombro da filha."
"Um jovem cavaleiro em pé falava também em voz baixa com uma formosa donzela, que, reclinada *na* última almadraquexa, respondia entre risadas aos ditos do seu interlocutor." (Herculano, *O Bobo*, 40.)
"A orgulhosa senhora-moça, reclinada *entre* as mucamas pretas, com os olhos cerrados a

pretexto de defender-se da poeira do massapê, fingia não dar pela sua presença.'' (Xavier Marques, *As Voltas da Estrada*, 9.)

''Lili Veloso admirava as 'poses' de melancolia, que imitava: pernas traçadas, mãos sobre o joelho, busto reclinado *para* trás e olhar vago através das pálpebras descidas.'' (Afrânio Peixoto, *A Esfinge*, 58.)

''O padre, pensando que eu, assim reclinado *sobre* a face dela, devia incomodá-la, quis desenlaçar-me.'' (Camilo, *Mistérios de Lisboa*, I, 52.) ''Vasco estava arquejante, com a fronte reclinada *sobre* o travesseiro de sua mãe.'' (Idem, *Cenas da Foz*, 201.) ''Lúcia caminhava toda reclinada *sobre* ele, falando-lhe em tom mui vagaroso, com acentuações finas de boa educação.'' (Aluísio Azevedo, *Casa de Pensão*, 111.)

Recoberto — *com, de, por:*

''Uma parte do chão foi recoberta *com* areia trazida da Palestina.'' (Herman Lima, *Outros Céus, Outros Mares*, 116.)

''A mesa achava-se recoberta *de* flores.''

''Gemas de água puríssima, recobertas *pela* escória do cativeiro.'' (Rui, *Queda do Império*, I, 135.)

Recobro — *de:*

''Recobro *dos* sentidos perdidos.'' (Morais.) ''Negai-lhes tudo, levando a resistência e a ofensiva até às extremas da legítima defesa, até às últimas raias do recobro *da* legítima propriedade.'' (Rui, *Campanha Presidencial*, 68.)

Recolhido — *a, em:*

''Isso o fazia cada vez mais retirado, recolhido *ao* mundo das suas fantasias.'' (Luiz Viana Filho, *A Vida de Rui Barbosa*, 30.) ''Gonçalo Cristóvão não tinha irmãos, nem os presos profanos eram recolhidos *aos* mosteiros.'' (Camilo, *Perfil do Marquês de Pombal*, 67.) ''Recolhidos *à* fortaleza da ilha das Cobras desde 2 do mês passado, os três oficiais padecem, há quarenta dias, seqüestro absoluto.'' (Rui, *Colunas de Fogo*, 194.) ''Amâncio parecia aflito por se meter na cama; uma vez, porém, recolhido *ao* seu novo quartinho no primeiro andar, não sentia a menor disposição para dormir.'' (Aluísio Azevedo, *Casa de Pensão*, 166.)

''Mulheres recolhidas *em* mantilhas e senhoras com sevilhanas nos penteados altos.'' (Antero de Figueiredo, *Jornadas em Portugal*, 61.) ''Não dizia nada Paulo de Andrade, mudo e recolhido *em* sua apreensão.'' (Afrânio Peixoto, *A Esfinge*, 148.) ''Disse-lhe claramente que Flávia .... por causa dele tinha de ser recolhida *em* algum convento.'' (Camilo, *A Enjeitada*, 164.)

Recolhimento — *a, em:*

''E' preciso providenciar no recolhimento desses pobres *a* um asilo.''

''Recolhimento *em* algum mosteiro ou convento.''

Recolocação — *em:*

''Foi muito justa sua recolocação *no* posto que ocupava.''

Recomendação — *a, para:*

''Minha recomendação *a* ele não adiantou nada.''

''O assunto era, então, ... as recomendações da ciência *para* que fosse repetir a estação de águas no Gerez.'' (Mário Sete, *Os Azevedos do Poço*, 11.)

Recomendado — *a, de por:*

''Deixando-a partir (a filha), entregue à professora, e recomendada *a* amizades suas em Roma.'' (Afrânio Peixoto, *A Esfinge*, 18.)

''E' dever recomendado *de* pais a filhos.'' (Rui, *Queda do Império*, I, 155.)

''Dotados de folha corrida, de caligrafia passável e perfunctória redação oficial, recomendados *por* compadrio, a situação no entretanto não lhes trazia todas as vantagens materiais de seu requisito.'' (Alberto Rangel, *Fura-Mundo*, 45.)

Recomendável — *a:*

''E' um livro recomendável *a* todos os estudiosos da língua vernácula.''

Recompensa — *a, com, de; como, em para:*

''Em recompensa *aos* serviços à instrução pública, Lafaiete propôs ao Imperador que fosse dado a Rui o título de conselheiro.'' (Luiz Viana Filho, *A Vida de Rui Barbosa*, 90.) ''Sinhaninha era um grande tesouro que Deus lhe dera, como recompensa *a* todos os seus anteriores padecimentos.'' (Abílio Barreto, *A Noiva do Tropeiro*, 44.)

''A recompensa *com* dinheiro às vezes envolve humilhação.''

''E' uma justa recompensa *do* sentimento que me inspira há quinze anos.'' (Camilo, *Mistérios de Lisboa*, I, 144.) ''Em recompensa *dos* benefícios feitos, lhes pediram os tios que deixassem na companhia deles um dos filhos.'' (Idem, *A Enjeitada*, 133.)

''Não quero a sua conversação *como* recompensa da hospedagem.'' (Camilo, *Mistérios de Lisboa*, I, 11.)

''Devendo ter *em* recompensa unicamente a glória.'' (Herculano, *O Bobo*, 13.)

''*Para* recompensa de seus serviços, concedeu-lhe uma pensão.'' (Fr. D. Vieira.)

Recompensado — *com, de, por:*

''A virtude é recompensada *com* a paz da consciência.''

''Só poderei ser feliz, considerando-me útil e recompensada *de* minha utilidade.'' (Camilo, *As Três Irmãs*, 194.)

''Foi recompensado *pelos* bons serviços que prestou.''

Reconcentrado — *em:*
"Inveja reconcentrada *no* coração." (Dic. de Morais.) "Reconcentrada *no* espiritualismo das suas afeições, não sabe que os vôos da alma devem ser reprimidos pelas leis do decoro." (Camilo, *Mistérios de Lisboa,* I, 98.)

Reconciliação — *com, de, entre:*
"Tarde surgiam no ânimo do imperante as veleidades de reconciliação *com* o país." (Rui, *Colunas de Fogo,* 7.) "Reconciliação *com* a justiça, a lei e a ordem social." (Idem, *Queda do Império,* I, 200.) "Tudo se transformava com a intervenção da primeira chuva, como se a queda dágua fosse o hissope aspergido da reconciliação do céu *com* a terra precita." (J. Américo de Almeida, *A Bagaceira,* 240.)
"A reconciliação *dos* desavindos, *dos* litigantes."
"A recente lei, construída como obra de boa fé e reconciliação sincera *entre* as duas classes, poderia durar, debaixo das bênçãos de todos." (Rui, *Campanha Presidencial,* 142.) "A sua tiragem (do livro) em Lisboa embaraçava a reconciliação *entre* o ministério Hintze e o Marechal Peixoto." (Idem, *Cartas de Inglaterra,* 41.)

Reconfortado — *com:*
"A camaradagem, reconfortada *com* o jantar abundante, tagarelava e ria." (Afonso Arinos, *Pelo Sertão,* 14.)

Reconhecido — *a, como, de, por:*
"Estrangeira que se retirava de Portugal profundamente reconhecida *a* um dos primeiros e mais obsequiosos cavalheiros desta terra." (Camilo, *Mistérios de Lisboa,* III, 13.) "Valeu-lhe o vigário, Monsenhor Ramos, que também fora amigo do pai e se mostrava reconhecido *ao* que ele fizera pela matriz." (Mário Sete, *Os Azevedos do Poço,* 84.)
"Imposto .... reconhecido pelo governo *como* imposto sobre os ricos." (Rui, *Cartas de Inglaterra,* 376.)
"Saiu sem ser reconhecido *dos* circunstantes."
"Reconhecido na rua *pelo* rapaz que o tinha conduzido, negou-se obstinadamente a declarar-se autor do benefício." (Mário Barreto, *Cartas Persas,* X.) "Juro-lhe que lhe ficarei reconhecido *por* isso." (Aluísio Azevedo, *O Mulato,* 250.) "Era reconhecido *por* legítimo sucessor." (Morais.)

Reconhecimento — *a, de, em relação a, para com, por:*
"O marquês, em um excesso de reconhecimento *a* seu defunto irmão D. Teotônio de Mascarenhas, lhe rezara por alma, de um só jato, três padre-nossos." (Camilo, *Mistérios de Lisboa,* II, 196.) "Ainda não houve sociedade moralmente emancipada, que vacilasse em romper a sujeição colonial, para não faltar com o reconhecimento *à* nacionalidade que a tirou do seu seio." (Rui, *Queda do Império,* I, 193.)
"Reconhecimento *de* um filho, ato pelo qual os pais reconhecem um filho natural." (Aulete.) "Fazer o reconhecimento *de* um lugar."
"O 'Cromwell' de Carlyle fixou definitivamente o juízo, a admiração e o reconhecimento dos ingleses *em relação ao* grande Protetor." (Rui, *Cartas de Inglaterra,* 216.)
"Meu reconhecimento *para con*tigo será eterno."
"Tiraram os chapéus de couro e puseram as mãos, levantando os olhos aos céus, em profundo reconhecimento *pela* salvação." (Afonso Arinos, *Pelo Sertão,* 102.) "Possuído de um grande reconhecimento *por* essa bondade simples." (Afrânio Peixoto, *A Esfinge,* 311.) "A divergência que nos separou .... nunca alterou em mim o respeito que a sua alta personalidade me inspirava, nem o reconhecimento *pela* distinção com que tão benevolamente me distinguiu." (Rui, *Cartas Políticas e Literárias,* 237.)

Recontro — *com, de, entre:*
"Ali estava a mesma trilha que um mês antes haviam percorrido, impávidos ante quaisquer recontros *com* o adversário esquivo." (E. da Cunha, *Os Sertões,* 479.)
"O recontro *dos* dois exércitos foi duro e cruento." "O recontro *dessa* ala foi semelhante em tudo ao do grosso das duas hostes." (Herculano, *Eurico,* 99.)
"Recontro *entre* forças inimigas." (Aulete, voc. *ação.*)

Recordação — *de:*
"Distraía-se deixando vaguear a fantasia pelas recordações *do* passado." (Rebelo da Silva, *apud* Aulete.) "O sertanejo ainda guarda certas recordações *das* velhas lendas sobre a influência e o poder maléfico ou benéfico dos astros." (Gustavo Barroso, *Terra de Sol,* 267.)

Recortado — *a, de, em:*
"Eram humildes e sumárias figurinhas de papel recortado *a* tesoura, de todos os feitios e tamanhos." (Afrânio Peixoto, *A Esfinge,* 270.)
"Alcançavam a região característica de Canudos: .... recortada *de* regatos derivando em torcicolos — num crescente enrugamento da terra cada vez mais adversa." (E. da Cunha, *Os Sertões,* 321.) "Cristalizara (a campanha) num assédio platônico e dúbio, recortado *de* fuzilarias inúteis." (Idem, *ibidem,* 508.)
"Tinham (os reposteiros) nos centros o brasão dos Sousãs com os apelidos e o timbre recortados *em* panos de suas cores e metais." (Antero de Figueiredo, *Amor Supremo,* 45.)

Recostado — *a, em, sobre:*
"Manuel Alves, o primeiro em desmontar, quedava-se de pé, recostado *a* um moirão de braúna." (Afonso Arinos, *Pelo Sertão,* 9.) "A mulher, coitada, se demorava sempre recostada *aos* pés da cama, rezando." (Veiga

Miranda, *A Eterna Canção,* 33.) "E introduziu o médico na alcova, onde Adrião arquejava, recostado *a* uma pilha de travesseiros." (Graciliano Ramos, *Caetés,* 174.)

"O reverendo, ... recostado *no* espaldar de couro da vasta poltrona, ... não oferecia decerto a imagem dos piedosos extenuados monges que, em épocas de mais fé, edificava os fiéis com o exemplo de sua vida frugal." (Rebelo da Silva, *Contos e Lendas,* 81.) "Ao atravessar um gabinete de passagem, deu com o tio, o Almirante Aguiar, recostado *num* sofá." (Afrânio Peixoto, *A Esfinge,* 86.)

"Deixou-se ficar longo tempo, absorto, recostado *sobre* um coxim."

Recreio — *de, para:*

"Andava eu, há meses, no meu dileto recreio *de* observar ali as novas messes da morte." (Camilo, *As Três Irmãs,* 18.)

"Esse panorama foi um esplêndido recreio *para* meus olhos."

Recuo — *a, para:*

"Esse recuo *aos* negros dias do passado deu-lhe novo alento para prosseguir a luta por um futuro melhor."

"O comandante ordenou o recuo *para* as antigas trincheiras."

Recurso — *a, contra, de, para:*

"Legitimável o recurso *às* armas por dura necessidade." (Ricardo Jorge, *Sermões dum Leigo,* 111.) "O casamento realiza-se sacramentalmente ante o sacerdote, que o registra; e, só em caso de denegação sua, ... é que vem o recurso *à* autoridade leiga, perante quem, então, se celebra o contrato." (Rui, *Queda do Império, II,* 138.)

"E não há para o aluno reprovado nenhum recurso *contra* uma sentença que o condena a perder um ano de vida, um ano de mocidade." (Medeiros e Albuquerque, *Quando Eu Era Vivo,* 58.) "Mas não há outro recurso *contra* a fome senão pedir esmola?" (Camilo, *A Neta do Arcediago,* 146.)

"O último recurso *da* luta contra a seca é a cacimba." (Gustavo Barroso, *Terra de Sol,* 28.) "A história natural forneceu-lhe intuitivamente os recursos *de* derivação e criação de palavras novas." (João Ribeiro, *Curiosidades Verbais,* 13.) "Vêem (os fisiólogos e os poetas) no vocalismo um grande recurso *de* expressividade." (Idem, *ibidem,* 116.)

"A epêntese de vogal é um recurso *para* facilitar a pronúncia de valores consonantais diferentes." (Júlio Nogueira, *O Exame de Português,* 76.) "Necessito de recursos *para* a minha subsistência." (Rui, *Réplica,* 222.) "O Marechal sorriu, compreendendo perfeitamente o recurso astucioso *para* o tirar do perigo, e foi com o oficialzinho que o viera buscar." (Medeiros e Albuquerque, *Quando Eu Era Vivo,* 114.)

Recusa — *a, de:*

"Três motivos justificaram a recusa *ao* convite." (Luiz Viana Filho, *A Vida de Rui Barbosa,* 124.) "Como Tolstoi, acreditava na arma da não-resistência. Ensinava seu povo a combater seus inimigos pela simples recusa *ao* combate." (*Maravilhas do Conhecimento Humano,* I, 104.)

"O réu pode fazer recusa *de* um jurado." (Aulete.)

Redigido — *em:*

"Telegrama redigido *em* inglês."

Redução — *a, em:*

"A redução das cinco declinações latinas *a* três." (Júlio Nogueira, *O Exame de Português,* 146.)

"Redução da moeda estrangeira *em* moeda nacional." "Queda nos títulos nacionais: redução *no* preço dos produtos agrícolas e *no* valor da terra." (Rui, *Cartas de Inglaterra,* 345.)

Redutível — *a:*

"Fração redutível *a* outra mais simples."

Reduzido — *a, de, em:*

"Assim, o advérbio, hoje, em tal posição, está reduzido *ao* papel de simples eufemismo." (Augusto Moreno, *Lições de Linguagem,* II, 45.)

"Escreveu 'O Conde Roberto de Paris' e 'Castelo Perigoso' , e a dívida reduzida *de* outros dois mil contos." (*Maravilhas do Conhecimento Humano,* II, 95.)

"Vós sois os que vos haveis de sentir reduzidos ou atrasados *no* soldo e etapa." (Rui, *Campanha Presidencial,* 74.)

Referência — *a:*

"Era a referência insistente *a* dois misteriosos advogados." (Rui, *Colunas de Fogo,* 124.) "Eu tive a surpresa de encontrar em um caderno de notas íntimas, por ele escritas, algumas referências curiosas *à* sugestão mental." (Medeiros e Albuquerque, *Quando Eu Era Vivo,* 124.) "E' como se houvesse entre nós um tácito compromisso de não fazer a menor referência *a* esse fato." (Erico Verissimo, *Saga,* 96.) "Uma delas (anedotas) tinha referência *a* uma certa velha que fora aos tribunais por haver desancado as costelas do genro." (Aluísio Azevedo, *Casa de Pensão,* 137.)

Referente — *a:*

"Referente *às* ciências naturais." (E. Carneiro Ribeiro, *Serões Gramaticais,* 675.) "Assuntos referentes *à* situação financeira do país."

Referto — *de:*

"A massa restante dos fiéis volve-lhes .... olhares carinhosos, refertos *de* esperanças." (E. da Cunha, *Os Sertões,* 201.) "Largava pelas chapadas amplas, perdia-se no deserto referto *de* emboscadas." (Idem, *ibidem,* 380.)

Refletido — *em, por:*
"Ele escravizara-se às formas exteriores refletidas *em* sua sensibilidade." (J. Américo de Almeida, *A Bagaceira,* 214.) "Viu-se adorado nas imagens suas; viu-se imitado, refletido *nelas.*" (Garrett, *apud* Aulete.)
"A luz refletida *pelas* arestas talhadas do cristal e *pela* transparência agitada do líquido, dançou no movimento incerto da mão trêmula." (Afrânio Peixoto, *A Esfinge,* 165.)

Reflexão — *acerca de, a respeito de, em, sobre:*
"As reflexões melancólicas do capitão, *acerca da* rapidez da vida, não impressionaram Luís da Cunha." (Camilo, *A Neta do Arcediago,* 106.)
"A sensatez das suas reflexões *a respeito do* justo pranto da viúva, que perdeu um bom marido." (Camilo, *A Neta do Arcediago,* 111.)
"Fez-me excelentes reflexões *nesta* matéria." (Morais.) "A variabilidade do meio físico, e sua reflexão *na* História." (E. da Cunha, *Os Sertões,* 80.)
"Peço que façais reflexão *sobre* o que eu principalmente admiro." (Vieira, *Sermões,* IX, 74.) "Eu fazia mil reflexões *sobre* tudo isso." (Mário Barreto, *Cartas Persas,* 89.)

Reflexo — *de:*
"Teu filho será um dia o reflexo *das* virtudes de Ângela de Lima." (Camilo, *Mistérios de Lisboa,* II, 220.) "A beleza desta mulher é apenas um reflexo *do* passado." (Aulete.)

Refluxo — *a, para:*
"O refluxo do sangue *às* faces."
"Quase sempre as seções se baralhavam, sacudidas pelo mesmo espanto, numa desordem súbita, tendendo a um refluxo instintivo *para* a retaguarda." (E. da Cunha, *Os Sertões,* 263.)

Reforçado — *com, de, em, por:*
"O exército reforçado *com* dez regimentos." (Constâncio.)
"Sátrapa que a Coroa, reforçada *dos* arbítrios de um valido, impunha de fato tanto aos brancos como à cabroagem mulata." (Alberto Rangel, *Fura-Mundo,* 102.) "Aqui se deita o comissário Bernardino a rabo dele, reforçado *dum* capitão que assina Lírio." (Fialho de Almeida, *Os Gatos,* 33.)
"A estrutura, reforçada *no* movimento e brincada na graça." (Antero de Figueiredo, *Jornadas em Portugal,* 48.) "A armada reforçada *em* um ou três navios." (Morais.)
"E somente depois disto a coluna do major Febrônio .... seguiu reforçada *pela* tropa policial." (E. da Cunha, *Os Sertões,* 247.)

Reforço — *a, de:*
"Reuniu o resto dos homens válidos, cerca de seiscentos, seguindo em reforço *aos* companheiros." (E. da Cunha, *Os Sertões,* 279.)
"Vamos, em reforço *de* prova, a um livro clássico." (Rui, *Réplica,* 70.)

Reforma — *de, em:*
"Reforma *dos* costumes, *da* vida." (Constâncio.) "A reforma *de* uma nota promissória."
"Não há reforma possível *em* um filósofo descalço." (Camilo, *A Neta do Arcediago,* 100.)

Refratário — *a:*
"Refratário *às* admoestações." (E. Carneiro Ribeiro, *Serões Gramaticais,* 674.) "Só a classe médica se mostra refratária *ao* espírito associativo." (Ricardo Jorge, *Sermões dum Leigo,* 53.) "Entretanto, com esses predicados todos, parecia refratário *à* família." (Afrânio Peixoto, *A Esfinge,* 126.) "Não tendo eu por mim a clerezia infalibilista, nem o liberalismo racionalista com um Deus convencional, nem a demagogia refratária *a* todos os deuses, qual seria o grupo político que me comprou a pena, a consciência e o trabalho para escrever o Perfil do Marquês de Pombal!?" (Camilo, *Boêmia do Espírito,* 271.)

Refrigério — *de:*
"Cartas.... refrigérios *dos* ausentes." (Dic. de Morais.) "E, como refrigério *das* sedes que o calcinaram na mocidade, encontra na velhice.... um filho, que lhe encrava uma coroa de espinhos sobre o estigma do crime." (Camilo, *A Neta do Arcediago,* 38.)

Refúgio — *a, contra, de, em, para:*
"Os templos e os altares serviam de refúgio *aos* que tinham ido acoitar-se à sombra deles." (Herculano, *História da Inquisição,* I, 177.) "O viúvo Rui Borges passou logo a segundas núpcias, procurando em outra mulher a felicidade que não pudera dar-lhe a devota Catarina absorvida no misticismo, como num refúgio *aos* pungitivos espinhos da sua irremediável ingratidão." (Camilo, *Boêmia do Espírito,* 180.)
"Nessa crença nos aponta o eminente pensador o único refúgio possível *contra* a ação ainda mais perversiva de outro fator natural: a indiferença da natureza à virtude." (Rui, *Cartas de Inglaterra,* 98.) "Atormentavam-nos sem cessar estes espíritos malignos; investiam-nos na cama, acometiam-nos à mesa; nunca achavam refúgio *contra* eles." (Mário Barreto, *Cartas Persas,* 195.) "Não resta na terra refúgio *contra* a violência e a injustiça." (Idem, *ibidem,* 219.)
"A Virgem é o refúgio *dos* pecadores." (Aulete.) "Aqui, a religião, refúgio *de* pecadores; o silêncio, refúgio *de* tristes." (Camilo, *As Três Irmãs,* 14.)
"Veio a triste buscar, e achou, refúgio *em* vossa casa." (Morais.) "Os inimigos, destroçados em toda a parte, viram-se constrangidos a buscarem refúgio *nas* montanhas." (Herculano, *apud* Aulete.)
"A cama e a solidão são o pior dos refúgios *para* quem sofre da alma." (Camilo, *Mistérios de Lisboa,* III. 47.)

Rega — *com, de:*

"As chuvas atrasaram; torna-se necessária a rega *com* água dos poços."

"A rega *das* hortas, *do* pomar."

Regado — *a, com, de:*

"Recebia os amigos aos domingos, para paneladas ou sarapatéis afamados, ... regados *a* vinho figueira." (Mário Sete, *Os Azevedos do Poço,* 82.) "Não há como um bom assado de cabrito ou anho, regado *a* vinho velho." (C. Neto, *Imortalidade,* 22.)

"As sementes da paz são quase sempre regadas *com* sangue." "Bifes regados *com* vinho do Porto." (L. Freire.)

"Se o governo soubesse ser enérgico e leal, ... as ruas de S. Paulo não teriam sido regadas *de* sangue." (Rui, *Queda do Império,* I, 145.) "Caíam algumas lágrimas de reconciliação sobre esta terra tão regada *de* lágrimas de amargura." (Herculano, *apud* Aulete.) "Atravessou a povoação, tão regada *de* sol, que os seixos, a mica dos telhados velhos, os vidros das janelas fulguravam." (Aquilino Ribeiro, *A Batalha sem Fim,* 97.)

Regalado — *com, de:*

"Deitou-se satisfeito, o estômago regalado *com* suculento almoço."

"Corriam (os garotos) em torno do preso, pulando, assobiando, galhofando, regalados *do* espetáculo a que vinham acompanhando." (Alberto Rangel, *Fura-Mundo,* 61.)

Regido — *de, por:*

"O sujeito da frase não é regido *de*ssa partícula." (Julio Nogueira, *O Exame de Português,* 136.)

"O acusativo regido *por* um verbo transitivo é o que se costuma denominar 'objeto direto'." (Sousa da Silveira, *Lições de Português,* 44.)

Regime — *de, para:*

"O regime *das* prisões, *dos* hospitais." (Fr. D. Vieira.)

"O melhor regime *para* convalescermos desse achaque, consiste no uso da tribuna popular." (Rui, *Queda do Império,* I, 103.)

Registro — *de, em:*

"Fazer o registro *de* um documento, *de* uma carta *no* livro competente."

Regozijo — *por:*

"Jantar de regozijo *pel*as vitórias alcançadas sobre as armas francesas." (Camilo, *As Três Irmãs,* 150.)

Regra — *a respeito de, concernente a, de, em, para, quanto a, sobre:*

"Em português diz-se 'nada de novo' e 'nada novo' , sem que seja possível fixar uma regra *a* este *respeito.*" (Mário Barreto, *Através do Dicionário e da Gramática,* 43.)

"A todas as regras, pois, *concernentes à* inserção dos pronomes oblíquos haverá sempre meio de contrapor alguns exemplos autorizados por bons escritores." (Rui, *Réplica,* 93.)

"Essa regra *da* concentração da força ainda mais imperiosa é no mar do que em terra." (Rui, *Cartas de Inglaterra,* 171.) "As regras *de* pensar, *de* falar, *de* escrever; regra *de* fazer qualquer artefato." (Morais.) "Regra *de* bem viver." (Constâncio.)

"Nem sempre é lícito deixar passar sem reparo os seus juízos e as suas regras *em* matéria lexicográfica." (Mário Barreto, *Através do Dicionário e da Gramática,* 145.)

"Nunca foi (a etimologia) nem será regra absoluta *para* a boa linguagem escrita." (C. de Figueiredo, *Falar e Escrever,* II, 323.) "Não se podem dar regras gerais e fixas *para* uma língua determinada." (Mário Barreto, *Através do Dicionário e da Gramática,* 346.)

"O autor da mais notável monografia sobre o assunto, para .... chegar a certas regras gerais *quanto à* linguagem nessa espécie de leis, apura que ...." (Rui, *Réplica,* 75.)

"Daí ainda, entre as regras práticas *sobre* o estilo das leis, a fórmula que nos dá Rousset na sua vasta monografia." (Rui, *Réplica,* 531.) "As regras *sobre* o colocar dos pronomes quase todas claudicam ante o bom senso e o uso clássico." (Idem, *ibidem,* 88.)

Regresso — *a, contra, de:*

"Enganam-se infantilmente os que se voltam para trás, pondo as suas esperanças no regresso *ao* passado." (Rui, *Campanha Presidencial,* 54.) "Tivemos a honra de receber frases benévolas e afetuosas, votos insuspeitos e sinceros pelo nosso regresso *à* comunhão da imprensa." (Idem, *Colunas de Fogo,* 185.) "Regresso *à* pátria, *ao* lar."

"O portador que não tira em tempo útil o protesto, perde o direito de regresso *contra* o sacador, endossadores e avalistas." (L. Sousa Gomes, *Dicionário Econômico, Comercial e Financeiro,* 220.)

"Seu regresso *da* Europa está marcado para janeiro."

Regularidade — *de, em:*

"A regularidade *das* oscilações da pêndula." (Morais.) "Regularidade *de* movimento; regularidade *de* costumes." (Constâncio.)

"Regularidade *numa* figura." (Fr. D. Vieira.) "Todavia acho muito sensata a regularidade *nas* comidas." (Eça, *O Primo Basílio,* 278.)

Reincidência — *em:*

"Reincidência *em* culpa." (Constâncio.) "A reincidência *no* pecado." (Fr. D. Vieira.)

Reincidente — *em:*

"Cáfila de biltres, mais reincidentes *no* crime quanto mais completa a certeza de que a judiciária só se encoraja a montear ladrões sem domicílio." (Fialho de Almeida, *Os Gatos,* 304.)

Reintegração — *de, em:*
''Reintegração *de* bens.'' (Aulete.) ''Sua reintegração *na* sociedade carioca coincidira infelizmente com o ofuscamento político do marido.'' (Veiga Miranda, *A Eterna Canção,* 50.) ''Reintegração *num* cargo, *num* posto.''

Reintegrado — *em:*
''O coronel .... é reintegrado *no* seu posto, e embolsado dos vencimentos com generosa gratificação.'' (Camilo, *A Enjeitada,* 125.) ''Essas sub-raças de passagem tendem a desaparecer, reintegrada a raça branca *na* posse exclusiva da terra.'' (Afrânio Peixoto, *A Esfinge,* 399.)

Reivindicação — *contra, de:*
''Os que fizeram a República federativa não têm reivindicações *contra* as cinzas do velho Imperador, cujas virtudes eram muito maiores que os seus defeitos.'' (Rui, *apud* Luiz Viana Filho, *A Vida de Rui Barbosa,* 288.)
''Para tentar a reivindicação *d*esses vínculos, Sebastião de Carvalho tinha de mostrar, com certidões autênticas, que sua avó materna D. Joana de Mesquita era neta de Gaspar Leitão.'' (Camilo, *Perfil do Marquês de Pombal,* 96.)

Rejeição — *de, por:*
''Rejeição *da* proposição, *do* voto.'' (Morais.)
''A rejeição, *pelo* indivíduo, *dos* interesses da sociedade, a procura do bem individual, conduzem à preguiça.'' (Fialho de Almeida, *Os Gatos,* 249.)

Relação — *a, com, de, entre, para com; com, em:*
''Assim como não vem (a conferência) alterar em nada a situação das potências entre si, em nada virá melhorar com relação *a* elas a condição das nacionalidades fracas.'' (Rui, *Colunas de Fogo,* 86.)
''Raríssimas são as palavras sem relação alguma *com* outra.'' (Júlio Nogueira, *O Exame de Português,* 52.) ''O presidente da companhia, cujas relações *c*omigo nunca transpuseram os limites da cortesia e do respeito.... '' (Rui, *Colunas de Fogo,* 130.) ''Rompera de todo as relações *com* Flávia.'' (Camilo, *A Enjeitada,* 199.) ''Mendonça não contava com este incidente, e alegrou-se com ele por ter à mão o meio de tornar íntimas as relações superficiais que tinha *com* a família.'' (M. de Assis, *Contos Fluminenses,* 17.)
''Daí por diante as relações *de* Rui e D. Antônio não foram mais toldadas por motivos religiosos.'' (Luiz Viana Filho, *A Vida de Rui Barbosa,* 140.) ''Estudante, cultivara com discrição as boas relações *d*os colegas e *d*os mestres.'' (Afrânio Peixoto, *A Esfinge,* 97.)
''E lhe dou cordiais felicitações pelo seu trabalho, como princípio das relações literárias que desejo existam *entre* nós ambos.'' (Mário Barreto, *Através do Dicionário e da Gramática,* 367.) ''Com franqueza, eu não enxergo nenhuma relação *entre* esse caso do Crispim e a propaganda do novo regime.'' (Mário Sete, *Os Azevedos do Poço,* 102.) ''V. Ex.ª acompanhou ...., como intermediário em relações *entre* mim, o chefe do Estado e os meus companheiros de ministério .... as crises mais graves do Governo Provisório.'' (Rui, *Cartas Políticas e Literárias,* 51.) ''Não há relação nenhuma *entre* sensibilidade moral e as raízes capilares. Os tegumentos da cabeça ou pericrânio, não comunicam através da abóbada encefálica.'' (Camilo, *Livro Negro,* 154.)
''Quando o superlativo não está em relação alguma *para com* outro nome, tem a designação de 'absoluto'.'' (Júlio Nogueira, *O Exame de Português,* 163.)

''Nada me disse *com* relação a casamento.'' (Camilo, *Estrelas Propícias,* 42.)
''Ainda *em* relação a 'adorado' , aproveito o ensejo para retificar um erro que anda nos dicionários.'' (Augusto Moreno, *Lições de Linguagem,* II, 124.)

Relacionado — *com:*
''Trocou o dinheiro por letras, e enviou-as para o Brasil, encomendando a remessa à casa relacionada *com* seu pai.'' (Camilo, *As Três Irmãs,* 154.) ''Homem de superior ilustração e ciência, relacionado *com* todo o escol intelectual do seu tempo.'' (Ricardo Jorge, *Sermões dum Leigo,* 72.)

Relativamente — *a:*
''O obstáculo está na opinião corrente, que atribui aos juízos científicos uma situação privilegiada e exclusivista relativamente *a*os demais.'' (Rui, *Cartas de Inglaterra,* 89.)

Relativo — *a:*
''Relativo *a* seus interesses.'' (E. Carneiro Ribeiro, *Serões Gramaticais,* 675.) ''Denuncia-se a origem espanhola em certas palavras relativas *a* danças.'' (Júlio Nogueira, *O Exame de Português,* 49.)

Relaxação — *de, para com:*
''A relaxação e dispensação *d*esta lei.'' (Dic. de Morais.)
''O hábito de dispor da pessoa alheia inclina à relaxação *para com* a própria.'' (Rui, *Cartas de Inglaterra,* 249.)

Relaxado — *a, com:*
''Relaxado *à* justiça secular.'' (Morais.)
''Desvelando-se em conformar com o rigor da primitiva os costumes relaxados *com* o tempo.'' (Filinto Elísio, *apud* Aulete.)

Relaxamento — *em:*
''Relaxamento *em* cumprir suas obrigações: relaxamento *no* trajar.''

Relegado — *a, de:*

"As transformações a que aqui se alude, conquanto tratem de invadir a linguagem culta, são combatidas pelos preceptores e em lugares cuidadosos do bem falar ficam relegadas *à* linguagem plebéia." (Mário Barreto, *Através do Dicionário e da Gramática,* 126.)

"A família de Camões, no reinado de D. João III, esteve relegada *da* consideração da corte. O mais notável dessa família, o crúzio D. Bento, prior geral da sua Ordem, gozou apenas a prelazia monástica, mas sem influência civil e política d'alguma espécie." (Camilo, *Boêmia do Espírito,* 182.)

Relevante — *a, para:*

"São matizes da fraseologia jurídica, indiferentes aos leigos, mas relevantes *aos* olhos do profissional." (Rui, *Réplica,* 425.)

"Nem já negavam só os materiais para as casas, mas ainda o relevante *para* a sustentação." (Filinto Elísio, *apud* Aulete.)

Reloucado — *de:*

"Ultimando tudo, voltou o padre a Pinhel: ia reloucado *de* prazer, porque, à última hora, soubera que fora nomeado cônego da patriarcal." (Camilo, *O Bem e o Mal,* 217.)

Relutância — *em:*

"Sem dúvida teria havido da parte dele uma certa prevenção, uma certa relutância *em* afastar conceitos já firmados." (Gastão Cruls, *História Puxa História,* 226.)

Reluzente — *de:*

"O Dr. Passos, escovado, engomado, esticado, enluvado, reluzente *de* brilhantina, com a face redonda e feliz, propunha-se a ter opiniões políticas." (Afrânio Peixoto, *A Esfinge,* 145.) "No soalho, reluzente *de* cera puxada, um enorme Arraiolos bem toado nas suas tintas gastas." (Antero de Figueiredo, *Amor Supremo,* 29.) "Amâncio, muito pálido, a testa reluzente *de* suor, tinha os braços cruzados, a cabeça baixa, numa atitude dramática de altiva resignação." (Aluísio Azevedo, *Casa de Pensão,* 286.)

Remanescente — *de:*

"O remanescente *da* herança." (Fr. D. Vieira.)

Rematado — *com, em, por:*

"Ornada de leões de mármore nas bases e rematada *com* um brasão." (Rebelo da Silva, *apud* Aulete.)

"Um cancelo de madeira, com grades rematadas *em* pontas."

"Recordava a efêmera felicidade de alguns dias, rematados *por* uma hora de sangue." (Camilo, *A Neta do Arcediago,* 16.) "De sorte que a arremetida doida rematada *por* uma salva real, de balas, sobre Canudos, era a mais contraproducente das vitórias." (E. da Cunha, *Os Sertões,* 395.)

Remate — *a, de:*

"Em lugar de honrada morte, deram torpe remate *à* vida nas mãos da cobardia." (Filinto Elísio, *apud* Aulete.) "Pôs o remate *à* obra, *à* guerra." (Constâncio.)

"Restava ainda a cerimônia final do culto, remate obrigado *d*elas." (E. da Cunha, *Os Sertões,* 202.) "Para remate *de* suas desventuras." (Constâncio.)

Remediado — *de:*

"Pediu ela ao marido que se não esquecesse nunca do muito que lhe deviam, e lembrou-se de o mandar estudar para padre se algum dia fosse remediada *de* bens de fortuna." (Camilo, *O Bem e o Mal,* 102.)

Remédio — *a, contra, de, para:*

"Nenhum remédio havia *às* mortas reses." (Odorico Mendes, *Odisséia,* XII, 289.) "Mas os conselhos não lhe eram remédio *à* tristeza." (Camilo, *As Três Irmãs,* 69.) "Se se trata do remédio *aos* oprimidos na sua liberdade, já eles o tentaram." (Rui, *Colunas de Fogo,* 153.)

"Freitas gastava os lazeres a consultar tratados de medicina, a ver se descobria remédio *contra* aquele mal." (Aluísio Azevedo, *O Mulato,* 208.) "E' próprio da sabedoria oriental procurar remédios *contra* a tristeza." (Mário Barreto, *Cartas Persas,* 68.) "Que inventaram até hoje, para remédio *contra* o formidável sofrimento?" (Rui, *Colunas de Fogo,* 35.)

"Só os olhos, os lindos olhos, banhados em lágrimas, pediam a Deus a morte, remédio extremo *da* infâmia." (Rebelo da Silva, *Contos e Lendas,* 134.) "O remédio *d*este mal são as torrentes de lágrimas." (Camilo, *A Neta do Arcediago,* 72.) "Para remédio *d*este e dos outros pecados o Verbo, segunda pessoa da Trindade, sem deixar de ser Deus se fizera homem." (Vieira, *Sermões,* IX, 152.)

"Seria remédio seguro *para* esquecer-se e de novo achar sabor na vida." (Afrânio Peixoto, *A Esfinge,* 217.) "A construção acerca da qual me consulta o senhor Silva exige uma modifição, em que se encontrará o remédio *para* o leve equívoco que nela há." (Mário Barreto, *Através do Dicionário e da Gramática,* 35.)

Remendado — *em:*

"Casimiro debulhava-se em lágrimas, abraçado ao carpinteiro, que embebia as suas no canhão da jaqueta de saragoça remendada *nos* cotovelos." (Camilo, *O Bem e o Mal,* 88.)

Remetido — *a, para, por:*

"Redação votada pela Câmara e por esta remetida *ao* Senado." (Rui, *Réplica,* 458.)

"Traslado remetido *para* a sede da comarca."

"Amostra estrangeira remetida *pelo* mercador *ao* gerente da fábrica." (Fialho de Almeida, *Os Gatos,* 303.)

Remido — *com, de, por:*

"Pecados remidos *com* esmolas; pecadores remidos *com* sangue."

"Veio dizer-me que estava remida *das* suas dores." (Camilo, *apud* Aulete.)

"Pensando na maldade de Luís, e, não podendo explicá-la, atribuiu-a ao destino, interpretando assim do pior modo o livre arbítrio do homem remido *pelos* sacrifícios de Jesus." (Camilo, *A Neta do Arcediago,* 95.)

Reminiscência — *de:*

"Frância já não tinha reminiscência *das* ordens que dera; e no mesmo ponto as revoga." (Rui, *Cartas de Inglaterra,* 270.)

Remisso — *em:*

"Remisso *em* responder." (E. Carneiro Ribeiro, *Serões Gramaticais,* 675.) "Remisso *no* governo; remisso *em* castigar." (Constâncio.) "Sabe V. Ex.ª que, de todas as suas filhas, esta foi a mais remissa *em* aprender o pouco que sabe, sobejando-lhe talento para muito." (Camilo, *O Bem e o Mal,* 78.)

Remoção — *para:*

"Impossível a remoção dos feridos *para* a retaguarda." (Erico Verissimo, *Saga,* 137.)

Remontado — *a, de:*

"Remontado *aos* tiros da inveja." (Morais.)

"Empresas tão remontadas *dos* olhos dos homens." (Morais.)

Remordido — *de, por:*

"Consciência remordida *de* culpas, *de* remorsos." "Era mister que se desse mudança de vida irremediavelmente aflitiva e remordida *de* arrependimento para que o poeta se ufanasse de vingado." (Camões, *Boêmia do Espírito,* 181.)

"Tentou apagá-la (a data), remordido *por* essa lembrança." (J. Américo de Almeida, *A Bagaceira,* 26.)

Remorso — *de:*

"Às vezes tinha até remorso *de* viver assim, esquecendo a mulher." (J. Lins do Rego, *Usina,* 189.) "Açucena começa desde já a sentir o remorso *de* a ter matado." (Camilo, *A Neta do Arcediago,* 77.) "Não quereria retirar-me com o remorso *de* ter-lhe falado demasiadamente ao sentimento." (Camilo, *Livro Negro,* 158.)

Remoto — *de, em:*

"Os ângulos mais remotos *da* terra." (Fr. D. Vieira.) "Os portugueses (na Índia) tão remotos *da* sua pátria." (Dic. de Morais.)

"O mau aluno anda sempre remoto *em* alguma disciplina."

Removido — *de, para:*

"Dois, três ou quatro moribundos, diariamente removidos *dos* pontos avançados." (E. da Cunha, *Os Sertões,* 548.)

"Presos políticos removidos *para* uma fortaleza."

Remuneração — *com, de:*

"Nem a todos agrada a remuneração *com* dinheiro."

"Zangado, porém, com o menosprezo do capitão-mor, e nenhuma remuneração *de* seus serviços, respirou vingando-se." (Camilo, *A Enjeitada,* 105.) "Sem admitir outra remuneração *do* sacrifício, a não ser a consciência do dever satisfeito." (Rui, *Queda do Império,* I, 202.)

Rendição — *a:*

"Rendição de uma fortaleza *aos* sitiantes."

Rendido — *a, de:*

"Rendido *ao* amor, *às* súplicas." (Constâncio.)

"Rendido *das* virilhas, que tem rotura inguinal." (Aulete.)

Rendilhado — *de:*

"A noite colheu-a (a tropa) na marcha, feita ao brilho das estrelas, varando pelas veredas rendilhadas *de* espinhos." (E. da Cunha, *Os Sertões,* 316.)

Rente — *a, com, de, por:*

"Rente *à* parede." (C. Góis, *Sintaxe de Regência,* 99.) "Canudos era uma tapera dentro de uma furna. A praça das igrejas, rente *ao* rio, demarcava-lhe a área mais baixa." (E. da Cunha, *Os Sertões,* 189.) "Os cães, magros, rafados, andarilhavam às tontas, de focinho rente *à* terra, em farejo." (C. Neto, *Imortalidade,* 24.)

"Rente *com* a parede." (C. Góis, *Sintaxe de Regência,* 99.) "E foram-se amontoando a um canto do rancho, rentes uns *com* os outros, de armas aperradas." (Afonso Arinos, *Pelo Sertão,* 18.) "O horizonte trancava-se de um lado quase rente *com* os telhados e recuava, do outro lado, até a infinita perspectiva." (J. Américo de Almeida, *A Bagaceira,* 118.) "Ladislau ficou em pé, rente *com* o tocheiro de castanho tosco, donde tirara o círio." (Camilo, *O Bem e o Mal,* 52.)

"E dizendo adeus, ... afastou-se, curvado rente *do* muro." (Eça, *O Primo Basílio,* 144.)

"Passava rente *por* ela, à beira da estrada, e não a via sequer." (Afrânio Peixoto, *Bugrinha,* 70.) "— Deixa ver no que isto dispara. Lá vem outro estudante, rente *pela* parede dalém! Como ele se embuça!" (Camilo, *O Bem e o Mal,* 149.)

Renúncia — *a, de:*

"Ato de renúncia *a* si mesmo." (Fr. D. Vieira.)

"Deus me levará em conta esta renúncia *de* convivência com o meu bom amigo." (Camilo, *A Neta do Arcediago,* 164.) "Mas você sabe que a renúncia *de* um direito transmissível, como é dos vínculos, é nula." (Idem, *Estrelas Propícias,* 117.)

Reparação — *de:*

"Reparação *da* ponte, *das* estradas." (Constâncio.) "Reparação *de* honra, *de* injúrias." (Aulete.)

Reparado — *contra, de:*
"As casas fechadas e reparadas *contra* as injúrias do tempo." (Aulete.) "Reparado *contra* o frio." (Constâncio.)
"Julgava-se reparada *de* todos os homens." (Fialho de Almeida, *Os Gatos,* 174.) "Reparado *do* frio, *da* chuva."

Reparo — *a, concernente a, contra, de, em, quanto a:*
"Não quero fazer grande força no meu reparo *a* esta expressão." (Rui, *Réplica,* 274.)
"Não cita a 'Resposta' o artigo do substitutivo, como o não fez quanto ao art. 76 no reparo *concernente ao* verbo 'vigorar'." (Rui, *Réplica,* 466.)
"Reparo *contra* o vento, o frio." (Constâncio.) "Mas *contra* o fim fatal não há reparo." (Camões, *Os Lusíadas,* X, 96.)
"Reparo *do* dano, *da* injúria, *do* insulto." (Constâncio.) "Reparo *de* fortalezas, *de* baluartes, *de* pontes." (Aulete.)
"Mas os seus reparos *no* padre pareciam aumentar de interesse." (Camilo, *Mistérios de Lisboa,* I, 38.)
"Os seus reparos *quanto à* ignorância de Rosas em matéria de organização federativa não parecem de homem afeito à cena política daquele continente." (Rui, *Cartas de Inglaterra,* 291.) "Animei-me a alguns reparos, já *quanto à* escolha do codificador, já *quanto à* sua temeridade em ajustar para empenho tão difícil termo tão escasso." (Idem, *Réplica,* 51.)

Repartido — *a, com, em, entre, por:*
"Dinheiro repartido *aos* soldados; votos repartidos *aos* diversos candidatos."
"Mantimentos repartidos *com* os pobres."
"Caules circulares repartidos *em* colunas poliédricas." (E. da Cunha, *Os Sertões,* 42.) "O cabelo repartido *em* duas pastinhas sobre a testa." (Mário Sete, *Os Azevedos do Poço,* 41.)
"Embala com o pé o berço de seu filho e a cada instante conchega também o clérigo, repartida *entre* o velho e a criança." (Fialho de Almeida, *Os Gatos,* 211.) "Mas a missão da sua existência, repartida *entre* o ideal e a rotina, não se lhe cumpriu sem rudeza e sem fel." (Rui, *Coletânea Literária,* 228.)
"Repartido *por* muitas pessoas." (Constâncio.) "As tropas foram repartidas *pelos* pontos mais importantes da cidade."

Repassado — *de, em:*
"Novelas de caráter patriótico, tudo repassado *de* uma aura tremenda de romantismo." (Veiga Miranda, *A Eterna Canção,* 85.) "E a voz repassada *de* um terno chorar." (G. Dias, *apud* Aulete.) "Passou a fazer parte da família, pois não tinha ânimo de abandonar as duas criaturas, repassadas *de* amargos sofrimentos, sozinhas naquela casa." (Domingos Olímpio, *Luzia-Homem,* 26.)
"Tudo o que me dizia parecia vir repassado *na* mais sincera convicção." (Gastão Cruls, *Ao Embalo da Rede,* 123.) "A voz de um homem de ciência, repassada *no* exemplo da sua vida, apostolando à geração nova." (Rui, *Colunas de Fogo,* 41.)

Repelido — *de, por:*
"Os rebeldes decaíam tanto todos os dias, tão cheios de reveses e repelidos *dos* melhores pontos de apoio ...." (E. da Cunha, *Os Sertões,* 538.) "Repelido *de* uma posição."
"Constringe-se olhar repelido *por* toda a sorte de acidentes." (E. da Cunha, *Os Sertões,* 393.)

Repercussão — *em:*
"Esse acontecimento teve grande repercussão *nos* meios políticos."

Repleto — *com, de:*
"Já repletas *com* tão frugal repasto, ao leito foram." (Garrett, *apud* Aulete.) "Estômago repleto *com* iguarias finas."
"O discurso de Rui foi repleto *de* referências a exemplos britânicos." (Luiz Viana Filho, *A Vida de Rui Barbosa,* 34.) "Uma fé-de-ofício de burocrata inofensivo e tímido, repleta *de* encômios ao desempenho de missões pacíficas." (E. da Cunha, *Os Sertões,* 298.) "O mundo em que vivemos está repleto *de* milagres. Não nos apercebemos desses milagres porque são por demais abundantes." (*Maravilhas do Conhecimento Humano,* Prefácio.)

Réplica — *a:*
"Depois de fogosas tiradas do alfageme a Nuno, e réplicas deste *ao* alfageme, o fidalgo estende a mão ao plebeu." (Fialho de Almeida, *Os Gatos,* 204.) "Mas a breve trecho o perderam (o aprumo), num tumultuar de fileiras retorcidas, quando, em réplica *ao* bombardeio que tempesteava a um lado, correu vertiginoso .... um relampaguear de descargas terríveis." (E. da Cunha, *Os Sertões,* 396.)

Repousado — *de, em, sobre:*
"A alma repousada *das* paixões e aflições." (Constâncio.)
"Tranqüilo e repousado *no* ataúde." (Garrett, *apud* Fr. D. Vieira.)
"Repousado *sobre* o seguro (das pazes)." (Morais.)

Repreensão — *a, de:*
"A hesitação de D. Antônia era uma espécie de repreensão *à* sua mentira." (Camilo, *Mistérios de Lisboa,* I, 29.) "Respeitou (o marquês) com a máxima fidelidade as suas repreensões *aos* ministros misericordiosos que votavam mais pelo perdão que pela forca." (Idem, *Perfil do Marquês de Pombal,* 78.)
"Bordão dos fracos (refere-se a S. Lucas), repreensão *dos* judeus, rede universal das almas." (Dic. de Morais.) "Seja essa lei franca e protetora para a livre repreensão *dos* vícios, *dos* abusos, *dos* crimes." (Garrett, *apud* Aulete.)

Represado — *com, em, para, por:* "Lágrimas represadas *com* o dique da resignação."

"Água represada *no* açude." (Morais.) "Exclamação represada, longo tempo, *no* coração escurecido pela orfandade." (Camilo, *Mistérios de Lisboa,* I, 33.) "Tendo ao sopé as águas de um riacho represadas *em* açude farto." (E. da Cunha, *Os Sertões,* 485.)

"Depois, apareceu um riacho, represado *para* uma casa de máquinas." (Afrânio Peixoto, *A Esfinge,* 48.)

"Mas talvez .... sinta o pranto represado *pelo* seu muito sofrer." (G. Dias, *apud* Aulete.)

Represália — *a, com, contra, em, para com:* "A situação relacionara-o com o Dr. Tavares, o qual, um pouco em represália *ao* Coqueiro por havê-lo despedido de casa, ... mostrava-se ferozmente empenhado na questão." (Aluísio Azevedo, *Casa de Pensão,* 290.)

"Usar de represália *com* alguém."

"Era uma mentira, uma represália *contra* ele, causada pela decepção." (Afrânio Peixoto, *Bugrinha,* 135.)

"Fazer represália *em* alguém." (Aulete.)

"Usar de represálias *para com* alguém." (Aulete.)

Representação — *contra:* "Recuando ante a atitude vigorosa dos vinte e quatro membros do parlamento, na representação de 17 desse mês, *contra* as garrafadas das noites de 13 e 14, ... o Imperador exonerava, logo no dia 18, o seu ministro viajante." (Rui, *Colunas de Fogo,* 7.)

Representado — *em, por:* "O nosso idioma, representado aliás *em* monumentos de imperecível glória, tem resvalado na mais confusa anarquia." (C. de Figueiredo, *Lições Práticas,* I, 5.) "E entrava (a afronta) aos séculos porvindouros, representada *nos* descendentes do francês de Miquelina." (Camilo, *A Enjeitada,* 54.)

"Às vezes o regime acha-se representado *por* um dativo pessoal." (Mário Barreto, *Através do Dicionário e da Gramática,* 153.)

Repressão — *a, contra, de:* "Opunha-se-lhe (Rui) aos planos financeiros e censurava-lhe as medidas de repressão *à* propaganda republicana." (Luiz Viana Filho, *A Vida de Rui Barbosa,* 131.)

"Repressão *contra* as doutrinas extremistas."

"Ainda na repressão *da* última revolta não se pejava de violar abertamente os princípios cristãos encarnados no sacerdócio da Cruz Vermelha." (Rui, *Colunas de Fogo,* 86.) "A repressão *dos* vícios." (Morais.)

Reproduzido — *de, em:* "Ao centro, num fundo de azulejos mouriscos reproduzidos *da* Batalha, as armas da rainha Leonor." (Fialho de Almeida, *Os Gatos,* 277.)

"Estudos .... reproduzidos aqui *em* uma revista técnica do exército e da marinha." (Rui, *Cartas de Inglaterra,* 139.)

Reprovação — *a:* "Ela recebera Luisita com grande ternura, e ele, embora visse naquilo íntima reprovação *ao* procedimento de Cecília, sentira algum alívio com essa atitude de Renata." (Ferreira de Castro, *A Tempestade,* 74.)

Repto — *a, para:* "Aquele nome era apregoado com ruído, e o Diretório confiava nele o desempenho de um repto *a* toda a Europa." (Camilo, *Livro Negro,* 62.)

"Repto *para* jogar." (Morais.) "Repto *para* duelo; repto *para* lutar."

Repúdio — *de, por:* "O repúdio *de* todos os compromissos, o desprezo dos deveres cívicos." (Rui, *Queda do Império,* I, 118.)

"Roça-se aí o cotejo com o gênero da homilia, e apesar do repúdio juvenil *pelos* seus moldes, o leigo mete-se aqui a sermonar panegíricos." (Ricardo Jorge, *Sermões dum Leigo,* II.)

Repugnância — *a, com, de, em, para, por:* "Acho um pouco esquisita aquela repugnância *à* palavra 'aldeia'." (C. de Figueiredo, *Falar e Escrever,* II, 295.) "O ministério assinalou a sua ininteligência dessa reforma, ou a sua repugnância *a* ela." (Rui, *Queda do Império,* I, 459.) "Depois não se lhe viu mais a face que se voltava para o cepo, se sorriria ou se a vincavam as crispações de repugnância *ao* horrífico tormento." (Alberto Rangel, *Fura-Mundo,* 103.)

"Entendeu que a austera virtude da velha fazia repugnância *com* o espírito juvenil e pecador da dama." (Camilo, *A Enjeitada,* 53.)

"Repugnância *de* leis contraditórias." (Constâncio.) "Tinham repugnância *de* confessar." (Vieira, *apud* Morais.)

"O indígena tem uma invencível repugnância *em* dar feitio nacional aos vocábulos que importa." (C. de Figueiredo, *Falar e Escrever,* II, 315.) "Tenho repugnância *em* escrever." (Morais.) "O historiador .... terá muitas vezes repugnância *em* memorar entre os mais desnobres espécimes da degenerescência no homem civilizado os panegíricos da demagogia aos crimes cometidos contra ti pelo delírio anônimo das ruas." (Rui, *Coletânea Literária,* 153.)

"Tenho repugnância *para* esta mercadoria." (Camilo, *A Neta do Arcediago,* 141.)

"Então ainda se não dissipou a tua repugnância *pelo* convento?" (M. Pinheiro Chagas *A Mantilha de Beatriz,* 211.) "Conquista popular, arrancada às vacilações e repugnâncias da regente *pela* emancipação geral da província de São Paulo." (Rui, *Queda do Império,* I, 323.) "Por tudo isto, lhe minava o espírito uma surda repugnância *pela* província." (Aluísio Azevedo, *O Mulato,* 126.)

Repugnante — *a:*
"Abraão podia duvidar com grande fundamento, se um preceito tão novo e inaudito, e tão repugnante *às* promessas que o mesmo Deus lhe tinha feito era ilusão." (Vieira, *Sermões*, IX, 47.) "Causa de elas (as mulheres) se fazerem repugnantes *aos* maridos." (Mário Barreto, *Cartas Persas*, 252.) "— Não me amastes, Branca de Clermont; mas a vossa anuência a um próximo casamento dá-me licença de que eu me suponha menos repugnante hoje *à* vossa alma." (Camilo, *Livro Negro*, 104.)

Repulsa — *a, contra, de, por:*
"A restauração em Portugal veio alentar em toda a linha a repulsa *ao* invasor." (E. da Cunha, *Os Sertões*, 84.) "A repulsa de Raimundo (Correia) *à* gentileza do Presidente da República .... provava ainda uma vez a sua doentia sensibilidade." (Medeiros e Albuquerque, *Quando Eu Era Vivo*, 231.) "E vinha achar a .... repulsa silenciosa *à* queixa legítima de seu despeito...." (Afrânio Peixoto, *A Esfinge*, 77.)
"Não houve um breve simulacro de repulsa *contra* os inimigos." (E. da Cunha, *Os Sertões*, 351.)
"Mas não há repulsa *da* arte, não." (Antero de Figueiredo, *Amor Supremo*, 109.) "Repulsa *das* injúrias, *dos* agravos." (Constâncio.)
"E' um sentimento de choque, depois de revolta e finalmente de repulsa *pelo* chileno, *por* mim e *por* toda esta sangueira doida e sem propósito." (Erico Verissimo, *Saga*, 97.)

Repulsão — *de, por:*
"Tendência normal que nos aconselha a repulsão *de* coisas e *de* palavras rústicas e grosseiras." (João Ribeiro, *Curiosidades Verbais*. 32.)
"Tenho repulsão *por* esse indivíduo."

Repulsivo — *a:*
"Tal homem se fizera repulsivo *a* todos pelo desprezo com que a todos repelia." (Camilo, *A Neta do Arcediago*, 137.)

Reputação — *com, de:*
"Pôr-se em boa reputação *com* alguém." (Morais.)
"Mas a mulher do pastor fora em sua mocidade uma pessoa de maus costumes. Tinha reputação *de* ser uma *lupa* ou *loba*." (*Maravilhas do Conhecimento Humano*, I, 30.) "Ter a reputação *de* um homem franco e leal." (Fr. D. Vieira.) "Ser tido em reputação *de* santo." (Idem.)

Reputado — *como, de, em, por:*
"E' um homem reputado *como* o exemplo da honestidade."
"De todas estas (coisas), a mais reputada por eles, *de* estúpida e gentílica, é sem dúvida alguma a cozinha portuguesa." (Fialho de Almeida, *Os Gatos*, 166.)
"Orgulhoso, não se arriscava à derrota de seus amigos. Bem reputado *na* felicidade das suas pretensões, receava entrar com ânimo frio numa luta, donde poderia sair malferido no coração." (Camilo, *Livro Negro*, 97.)
"Se não fora heroicamente prudente, quando se viu infamada e reputada *por* louca, havia de perder totalmente o juízo." (Vieira, *Sermões*, IX, 10.)

Repuxado — *para:*
"Muito pálida, olhos grandes e bonitos, repuxados *para* os cantos exteriores, em um feitio acentuado de folhas de roseira." (Aluísio Azevedo, *Casa de Pensão*, 103.)

Requebrado — *em:*
"— Não diga isso que é uma blasfêmia — atalhou Teresinha, loura, delgada e grácil, de olhar petulante e irônico, toda ela requebrada *em* movimentos suaves de gata amorosa." (Domingos Olímpio, *Luzia-Homem*, 8.)

Requerido — *a, para, por:*
"Só o Algodres possuía os predicados requeridos *ao* desencantador." (Aquilino Ribeiro, *A Batalha sem Fim*, 104.)
"Das imaginações requeridas *para* o teatro, só possuímos a poética." (Fialho de Almeida, *Os Gatos*, 125.)
"Das quatro formas de imaginação capazes de impulsionar a arte do teatro, ... nós só possuiremos, quando muito, a última, e num grau de sonho, antagônico da ação requerida *pela* literatura de proscênio." (Fialho de Almeida, *Os Gatos*, 124.)

Requerimento — *a:*
"Meu requerimento *ao* ministro foi indeferido."

Requestado — *de, para, por:*
"Doía-lhe sobremaneira o indiferentismo daquela criatura requestada *de* todos." (Gastão Cruls, *Ao Embalo da Rede*, 187.)
"Amava a companhia dos moços, requestado sempre *para* os grupos mais seletos." (Veiga Miranda, *A Eterna Canção*, 43.)
"Criatura admirada pelas mulheres, requestada *por* mil e uma damas honestas." (Veiga Miranda, *ob. cit.*, 55.)

Requintado — *em:*
"Indivíduo requintado *na* ironia, *na* arte de galantear." "O tumulento fitava o ouvido, e respondia com roucos insultos requintados *em* obscenidades de alcoice." (Camilo, *O Bem e o Mal*, 204.)

Requisito — *de, para:*
"Tem todos os requisitos *de* um bom orador." (Aulete.) "Alimento puro, ar puro, pensamentos puros, são os três requisitos *duma* mente sã num corpo saudável." (*Maravilhas do Conhecimento Humano*, I, 324.)
"Os requisitos *para* se formar um perfeito orador." (Morais.) "Tem todos os requisitos *para* bem desempenhar os deveres do cargo." (Constâncio.)

Rescendente — *a:*
"Excelente expressão, viçosa, rescendente *a* novidade." (Rui, *Réplica*, 446.)

Reserva — *acerca de, com, de, para, para com, sobre:*
"Não fosse a reserva que ele sempre guardou *acerca da* sua obra literária, por certo se teria expandido, às primeiras referências." (Veiga Miranda, *A Eterna Canção*, 77.)
"Mas, enfim, sempre é bom uma certa reserva *com* esta vizinhança." (Eça, *O Primo Basílio*, 183.)
"Pôde uma reserva *de* dez mil turcos trocar a fortuna daquele dia." (Dic. de Morais.)
"Deixou uma reserva de infantaria *para* algum imprevisto."
"Não tem reservas *para com* os amigos." (Aulete.) "*Para* comigo não tens reserva." (Fr. D. Vieira.)
"Só desejava sua inteira reserva *sobre* o assunto." (Ciro dos Anjos, *O Amanuense Belmiro*, 111.)

Reservado — *a, com, com referência a, para, para com, por:*
"Na 'cadeira de ferro', o lugar de consideração, reservado *aos* chefes, o público vê sentado Fabre d'Églantine." (Rui, *Colunas de Fogo*, 67.) "Não faz, porém, deste nome privilégio reservado exclusivamente *a* tais casos." (Idem, *Réplica*, 153.) "*Hara-kiri* era um privilégio reservado *aos* homens. As mulheres não tinham permissão de recorrer a esse nobre processo de suicídio. Podiam contudo cortar a garganta com uma adaga e secionar as artérias." (*Maravilhas do Conhecimento Humano*, I, 88.)
"Apenas a timidez e o acanhamento o tornavam (a Rui) reservado *com* os estranhos." (Batista Pereira, *Coletânea Literária*, 24.)
"Ainda mais reservada fora Noêmia *com referência ao* seu casamento." (Gastão Cruls, *História Puxa História*, 71.)
"Angústias que deviam matar-me, se eu não estivesse reservado *para* maiores provações." (Camilo, *Mistérios de Lisboa*, I, 105.) "E, delimitando o ândito reservado *para* a cerimônia, um círculo de mastros empavesados." (C. Neto, *A Cidade Maravilhosa*, 38.)
"Nunca o vi tão reservado *para com* os amigos."
"O Infante, mais reservado *por* índole, também não pôde reprimir-se." (Rebelo da Silva, *Contos e Lendas*, 285.)

Resgatado — *a, com:*
"Resgatado *a* sangue, *a* preço de sangue." (Dic. de Morais.)
"Prisioneiros resgatados *com* dinheiro."

Resguardado — *com, contra, de, por:*
"Andavam apressurados, de fisionomia transformada e contraída, com a boca resguardada pela mão ou *com* o lenço." (Rui, *Queda do Império*, I, 469.)
"Casas resguardadas *contra* o frio."
"Ouvidos resguardados *de* calúnias, mentiras." (Morais.) "Plantas resguardadas *das* geadas." (Constâncio.)
"Embaixo, fluía a cascatinha resguardada *pelas* cajazeiras embrulhadas nos seus fichus de trepadeiras." (J. Américo de Almeida, *A Bagaceira*, 138.)

Resguardo — *a, contra, de, em:*
"Sem nenhum resguardo *aos* hábitos do nosso povo." (Afrânio Peixoto, *Poeira da Estrada*, 334.)
"Rotos, descalços, sem abrigo, sem tenda, nem resguardo algum *contra* o sol e o tempo." (Rui, *Queda do Império*, I, 443.)
"Seu resguardo *da* justiça." (Constâncio.)
"Deve haver um certo resguardo *na* escolha das pessoas." (Garrett, *apud* Aulete.)

Residência — *em:*
"Sua residência *no* interior foi curta."

Residente — *em:*
"Médico afamado e residente *na* pracinha." (Mário Sete, *Os Azevedos do Poço*, 84.)

Resignação — *a, de, em, em favor de, para:*
"A Inglaterra não tem a fortuna de possuir certas virtudes nacionais, a enfatuação, o nativismo, a resignação *ao* destino." (Rui, *Cartas de Inglaterra*, 129.)
"A resignação *de* um bispado." (Aulete.) "Resignação *do* cargo, *do* benefício." (Constâncio.)
"Um murmúrio de paz, de resignação *em* Deus." (Herculano, *Lendas e Narrativas*, II, 105.) "E a minha resignação *na* vontade celeste me deu a força com que sobrevivi à morte de vosso pai." (Filinto Elísio, *apud* Fr. D. Vieira.)
"Resignação *em favor de* alguém." (Fr. D. Vieira.)
"O que Deus me dava era coragem para futuros martírios; era resignação *para* esquecer-me dos passados." (Camilo, *Mistérios de Lisboa*, I, 54.)

Resignado — *a, com, em, para:*
"E alçando a mão direita e os ombros, com um ar de indiferença, parecia resignada *aos* golpes da fortuna." (M. de Assis, *Memórias Póstumas de Brás Cubas*, 166.) "Riu-se a moça satisfeita, resignada *à* impaciência exclusiva que a pretendia dominar." (Afrânio Peixoto, *A Esfinge*, 44.)
"Nossa mãe é tão sofredora e resignada *com* a vontade do Senhor, que, se a carga se perder, há de dizer-nos a todas que é pecado chorar por coisas que nada valem para a virtude." (Camilo, *As Três Irmãs*, 158.) "Voltemos ao capítulo em que a deixamos resignada *com* as austeridades do copista de música." (Idem, *Mistérios de Lisboa*, II, 138.)
"Resignado *nas* doenças." (Morais.)
"Minha mãe, essa parecia indiferente, ou pelo menos resignada não sei *para* que no-

vos tormentos.'' (Camilo, *Mistérios de Lisboa*, I, 77.)

Resistência — *a, contra:*

''Aqueles sertanistas .... semelhavam uma outra raça, no arrojo temerário e resistência *aos* reveses.'' (E. da Cunha, *Os Sertões*, 84.) ''A natureza o educa semibravio, rude e forte, com todas as qualidades de resistência *à* grande miséria impiedosa das longas estiagens.'' (Gustavo Barroso, *Terra de Sol*, 50.) ''D. Maria de Nazaré havia sido amante adúltera do primo Conde de Vidoedo. Daí a sua inquebrantável resistência *ao* casamento da filha.'' (Camilo, *Boêmia do Espírito*, 94.)

''Na sua resistência circunspeta, respeitosa, cordata *contra* o abuso, obedeceu o exército a princípios condenáveis, desconhecendo a razão e impondo o capricho?'' (Rui, *Colunas de Fogo*, 22.)

Resistente — *a:*

''E tudo isto são comércios resistentes *à* poesia.'' (Fialho de Almeida, *Os Gatos*, 243.) ''Recortam-na pequenos cursos dágua resistentes *às* secas.'' (E. da Cunha, *Os Sertões*, 252.)

Resolução — *de, em, sobre:*

''A definitiva resolução *de* afastar-se da política.'' (Luiz Viana Filho, *A Vida de Rui Barbosa*, 179.) ''Alguns neste momento decisivo mostraram a sua resolução firme *de* confiar na fortuna de D. Teresa.'' (Herculano, *O Bobo*, 87.)

''A resolução dos corpos *em* seus elementos e seus princípios.'' (Fr. D. Vieira.) ''Resolução da neve *em* água.'' (Aulete.)

''Dar uma resolução *sobre* uma questão qualquer.'' (Fr. D. Vieira.)

Resoluto — *a, de, em:*

''E exigem deles que lhes provem aquilo que estão resolutos *a* não crer.'' (Mário Barreto, *Cartas Persas*, 161.) ''Lopo Alves tomou lugar ao pé da mesa, tendo em frente o bacharel, que mergulhou o corpo e o desespero numa vasta poltrona de marroquim, resoluto *a* não dizer palavra para ir mais depressa ao termo.'' (M. de Assis, *Papéis Avulsos*, 111.)

''Deixamos Inocência tão abatida de corpo, quanto resoluta *de* espírito.'' (Taunay, *Inocência*, 210.)

''Homem resoluto *em* negócios.'' (Constâncio.)

Resolvido — *a, com:*

''Estou resolvido *a* partir amanhã.'' ''A pequena tinha toda a razão; Amâncio, se parecia resolvido *a* desistir da viagem, era porque nessa mesma tarde encontrara o Paiva e, na sua necessidade de expansão, levou-o para o fundo de um café e abriu-se com ele.'' (Aluísio Azevedo, *Casa de Pensão*, 276.)

''Antes de mais nada, responderemos que esta questão se acha resolvida *com* a primeira.'' (Rui, *Queda do Império*, I, 95.)

Respectivo — *a:*

''Os alvitres respectivos *às* freiras desenclaustradas, *aos* frades, *ao* culto e *às* procissões penitenciárias promanaram do patriarcado.'' (Camilo, *Perfil do Marquês de Pombal*, 96.) ''Os dois pilares da história sagrada e profana porfiavam em erudições respectivas *ao* casto.'' (Camilo, *Novelas do Minho*, II, 155.)

Respeitado — *entre:*

''Os que podiam arcar com as despesas, arranjaram ‹companheiras secundárias› e se tornavam muito respeitados *entre* seus pares, pois estavam contribuindo com muitos filhos e filhas para a pátria.''

Respeitador — *de:*

''Respeitador *dos* templos. Homem respeitador *das* leis sagradas.'' (Fr. D. Vieira.)

Respeito — *a, com, de, entre, para com, por; a, com, em:*

''E' mescla de respeito *à* força e *às* conveniências; é o produto do interesse, que calcula, e da razão, que duvida.'' (Rui, *Queda do Império*, I, 155.) ''A tropa teve o adminículo de mais uma vitória pouco lisonjeira e acrescido o respeito *ao* destemor do adversário.'' (E. da Cunha, *Os Sertões*, 439.)

''O respeito *com* os religiosos.'' (E. Carneiro Ribeiro, *Serões Gramaticais*, 671.)

''Sem temor de Deus nem respeito *dos* homens.'' (Fr. L. de Sousa, *apud* E. Carneiro Ribeiro, *Tréplica*, 582.) ''O respeito *das* leis, *dos* costumes.'' (Fr. D. Vieira.) ''Havia outrora sanções escritas, que asseguravam o respeito *das* coisas santas.'' (Rui, *Colunas de Fogo*, 240.)

''A guerra selou o respeito mútuo *entre* os combatentes.'' (Rui, *Queda do Império*, I, 206.)

''Respeito *para com* os velhos, *para com* os desgraçados.''

''Tive sempre grande respeito *pelos* velhos.'' (C. de Figueiredo, *Falar e Escrever*, II, 319.) ''Volta a jogar-se sem respeito *pelas* leis do país.'' (Mário Barreto, *Através do Dicionário e da Gramática*, 89.) ''Esqueceu-se do fingido respeito que em toda a parte mostrava *pela* rainha.'' (Herculano, *O Bobo*, 355.) ''O meu respeito *pela* sua juventude é igual à minha admiração pelas peregrinas qualidades que a fazem distinta na mais seleta sociedade.'' (Camilo, *Livro Negro*, 249.)

As mesmas faculdades extraordinárias em que, *a* respeito de Buenos Aires, o investira a respectiva assembléia.'' (Rui, *Cartas de Inglaterra*, 302.)

''*Com* respeito ao casamento, nada disseram.''

''O português fora bem acolhido por Mariana, *em* respeito a seu marido.'' (Camilo, *A Neta do Arcediago*, 138.) ''E tal digo eu que foi o sinal de Cristo Infante *em* respeito do martírio de Santo Estêvão.'' (Vieira, *Sermões*, IX, 222.)

Respeitoso — *com, de:*

''E' muito respeitoso *com* todos.''

''Conserva-se o varão exemplar, robusto de sentimentos nobres, respeitoso *dos* mandamentos da lei de Deus.'' (Alberto Rangel, *Fura-Mundo*, 162.)

Resplendente — *de:*

''A fêmea riçada nas penas níveas e o macho com o papo roliço e resplendente *da* comenda das Sete Cores do Íris.'' (Alberto Rangel, *Fura-Mundo*, 167.)

Responsabilidade — *de, em, para com, por:*

''Fui chamado para vê-la e tive de ficar, bem a contragôsto, com a responsabilidade *do* caso.'' (Gastão Cruls, *Ao Embalo da Rede*, 126.) ''Quis desviar de si a maior responsabilidade *do* infanticídio.'' (Camilo, *Mistérios de Lisboa*, I, 135.) ''Eu fui portanto o instrumento da vingança de Deus.... Não tenho a responsabilidade *dos* meus crimes.'' (Idem, *ibidem*, II, 181.) ''Simão Bacamarte alongava os seus (olhos) pelo horizonte adiante, deixando ao cavalo a responsabilidade *do* regresso.'' (M. de Assis; *Papéis Avulsos*, 17.)

''O Brasil desculpara-se alegando não ter qualquer responsabilidade *nas* palavras que Rui proferira como simples jurista.'' (Luiz Viana Filho, *A Vida de Rui Barbosa*, 264.) ''O que é certo é.... haver (eu) exculpado câmara e comissão de toda a responsabilidade *nos* erros do projeto.'' (Rui, *Réplica*, 62.) ''Provei a inocência do bárbaro ministro na morte de Garção, e a sua responsabilidade *no* castigo dos bêbados arruaceiros do Porto enforcados na Cordoaria.'' (Camilo, *Boêmia do Espírito*, 292.)

''Não se contesta que certos nomes tenham grandes responsabilidades *para com* a sua época.'' (Rui, *Colunas de Fogo*, 116.)

''A mora do credor subtrai o devedor isento de dolo à responsabilidade *pela* conservação da coisa.'' (Rui, *Parecer*, 353.) ''Livres assim .... de toda a responsabilidade *pelas* nódoas e errores do projeto, podiam recair sobre a câmara, ou sobre a comissão, as liberdades da minha linguagem no apreciá-los?'' (Idem, *Réplica*, 39.)

Responsabilizado — *por:*

''O homem responsabilizado *pela* morte de Darnley, cometida sem dúvida por sugestão da rainha Maria, era Bothwell, jovem oficial da guarda real.'' (*Maravilhas do Conhecimento Humano*, I, 138.)

Responsável — *a, de, por:*

''As repartições do Estado só podem ser geridas, neste país, por entidades responsáveis *ao* parlamento.'' (Rui, *Queda do Império*, I, 255.)

''E, a pretexto de remediar males, *de* que não são responsáveis, alteram a paz das famílias, e pisam aos pés a caridade.'' (Monte Alverne, *Obras*, I, 69.) ''Desse pecado da infância, absolvo-me eu; *dos* outros é responsável a sociedade.'' (Camilo, *A Neta do Arcediago*, 30.)

''Surgiam já, traduzindo-se em alusões acerbas, surdos rancores contra imaginários responsáveis *por* aquelas desventuras.'' (E. da Cunha, *Os Sertões*, 442.) ''Abandonar a pobre menina, que não era responsável *pelas* antipatias do padrasto.... (Camilo, *A Neta do Arcediago*, 101.)

Resposta — *a:*

''Em resposta *aos* dois reparos que nela me faz.'' (Mário Barreto, *Através do Dicionário e da Gramática*, 363.) ''O despropósito deste invento, já o discuti em artigo especial na resposta *ao* Dr. Carneiro.'' (Rui, *Réplica*, 492.)

Ressabiado — *por:*

''— Nem há desar nisso, acudiu João de Lima, ressabiado *pelo* tom humorístico do filho de Leôncio Rocha.'' (Xavier Marques, *As Voltas da Estrada*, 50.)

Ressentido — *com, de, em, por:*

''Quando a Sra. D. Madalena chamar por alguém, apresente-se e não se mostre ressentida *com* o que se deu.'' (Aluísio Azevedo, *O Homem*, 123.)

''Luiz da Cunha, ressentido *das* grosserias do filho do retroseiro da Rua das Flores, espaçou suas visitas a casa dele.'' (Camilo, *A Neta do Arcediago*, 50.)

''Ressentidas *no* seu apuradíssimo melindre, deixaram-na como selvagem.'' (Camilo, *Mistérios de Lisboa*, I, 255.)

''Não se abria (a casa) há mais de um ano, porque a tanto remontava a sua ausência, ressentido *por* desacato que sofrera.'' (E. da Cunha, *Os Sertões*, 209.)

Ressentimento — *com, contra, por:*

''Meu ressentimento *com* ele já passou.''

''Uma fé viva nas relações entre Deus e o homem, que não deixe lugar para o irreparável ressentimento *contra* a ordem providencial.'' (Rui, *Cartas de Inglaterra*, 100.)

''E, como se não tivesse guardado fundos ressentimentos *pela* exclusão inexplicável, Rui defendeu o ministério.'' (Luiz Viana Filho, *A Vida de Rui Barbosa*, 94.)

Ressurreição — *a:*

''Seu caso foi o que se pode chamar uma ressurreição *à* vida.''

Ressuscitado — *com, para, por:*

''As flores ressuscitadas *com* orvalhos matutinos.'' (Vieira, *apud* Aulete.)

''Velho espetáculo de dissabor e de remorso, ressuscitado especialmente *para* aumentar-lhe o carregamento das tristuras.'' (Alberto Rangel, *Fura-Mundo*, 287.)

''As flores ressuscitadas *pelo* orvalho.'' (Constâncio.)

Restante — *de, em:*

''Nas mais partes restantes *do* reino.'' (Dic. de Morais.) ''O restante *da* Espanha estava ainda em poder dos mouros.'' (Constâncio.) ''Gastou o restante *da* vida em orações.'' (Dic. de Morais.)

''A força viva restante *no* temperamento dos que vinham de romper o mar imoto, não se delia num clima enervante.'' (E. da Cunha, *Os Sertões*, 81.)

Restaurado — *de, em:*

''As falências, motivadas pelo saque e paralisação do tráfico, danificaram em muito o negociante, mal restaurado *da* grande perda.'' (Camilo, *As Três Irmãs*, 62.)

''Fora (a República) .... mantida no regime civil, restaurada *nas* suas finanças e era agora impulsionada para uma onda de progresso.'' (Afrânio Peixoto, *A Esfinge*, 167.) ''O marechal, enviado pelo rei Bourbon restaurado *no* trono, para prender-me, desatou a chorar quando me avistou e passou-se com toda a sua tropa para o meu lado.'' (*Maravilhas do Conhecimento Humano*, I, 83.)

Restituição — *a:*

''Restituição de uma coisa *ao* estado primitivo.''

Restituído — *a:*

''Restituído *aos* seus direitos, *às* honras de que fora privado.'' (Morais.) ''Livro restituído *a* seu legítimo dono.'' ''Alguns dias passados, Padre João Ferreira era restituído *à* posse da igreja, visto que ulteriores informações abonaram a regularidade do matrimônio acusado indevidamente.'' (Camilo, *O Bem e o Mal*, 116.)

Restrição — *a, de:*

''Restrição *a* um parecer, *a* uma proposta.''

''Tinham que aguardar, presos, mas sem outra restrição *dos* seus direitos individuais, a decisão dos recursos intentados.'' (Rui, *Colunas de Fogo*, 193.)

Restritivo — *de:*

''Lei restritiva *da* liberdade de imprensa.''

Restrito — *a:*

''A cor e o movimento ficaram restritos *à* tela.'' (Afrânio Peixoto, *A Esfinge*, 295.)

Resultado — *de:*

''Ora, o que se segue parece razoável, em resultado *das* muitas observações telescópicas que têm sido feitas para provar este ponto: que algum gênero de existência é perfeitamente provável.'' (*Maravilhas do Conhecimento Humano*, I, 207.)

Resultante — *de:*

''Senso político, resultante complexo *do* senso religioso e *do* senso comercial.'' (Rui, *Cartas de Inglaterra*, 49.) ''Esse fenômeno vergonhoso revela um estado moral, que não pode ser senão a resultante *de* causas muito antigas.'' (Idem, *ibidem*, 407.)

Resumido — *em:*

''Têm, todos, com o vaqueiro o mesmo trato de parceria, resumido *na* cláusula única de lhe darem, em troca dos cuidados que ele despende, um quarto dos produtos da fazenda.'' (E. da Cunha, *Os Sertões*, 124.) ''A verdade está resumida *num* escrito que ontem se nos deparou entre as publicações livres do 'Jornal do Comércio'.'' (Rui, *Queda do Império*, I, 245.)

Retalhado — *a, de, em:*

''Tinha o corpo retalhado *a* golpes de sabre.''

''Corpos combalidos, varados de balas e de espinhos, retalhados *de* golpes.'' (E. da Cunha, *Os Sertões*, 488.) ''Vai deste mundo retalhada *de* agonias.'' (Camilo, *Mistérios de Lisboa*, I, 170.)

''Baía retalhada *em* praias alvíssimas.'' ''País retalhado *em* pequenas províncias.''

Retaliação — *contra:*

''Três outros desses infelizes sucessivamente enforcados, por não se prestarem a delatar o esconderijo de um irmão. E isso em retaliação *contra* as faltas mais veniais.'' (Rui, *Cartas de Inglaterra*, 346.)

Retido — *por:*

''Bastos Leite continuava na cidade retido *pela* moléstia da filha e por seus interesses de proprietário e senhor de grande escravaria.'' (Xavier Marques, *As Voltas da Estrada*, 99.)

Retirada — *de:*

''A retirada *dessa* posição custou grandes perdas às nossas tropas.''

Retirado — *a, de:*

''Retirado *a* um canto da sala, um menino cochilava.''

''A Condessa de Santa Bárbara vivia na sua cela, quase retirada *do* trato das freiras.'' (Camilo, *Mistérios de Lisboa*, I, 255.)

Retorno — *a, de:*

''Festejando a glória do autor das ' Cartas ' e o seu retorno *à* pátria, a redação do 'Jornal do Comércio' ofereceu-lhe um banquete.'' (Luiz Viana Filho, *A Vida de Rui Barbosa*, 197.)

''A terra abrolhará espinhos em retorno *de* vossos suores.'' (Aulete, voc. *abrolhar.*)

Retraído — *a:*

''Dos estudos do seminário passara o presbítero à capelania do padrinho de Pinhel, fidalgo, como se disse intratável desde 1834, retraído *ao* seu quarto, em luta permanente com os achaques da alma, igualmente dolorosos que os do corpo.'' (Camilo, *O Bem e o Mal*, 55.)

Retransido — *de:*

''Passou pelas ruas entre ovações de esconjuros e pelos-sinais dos crentes assustados e das beatas retransidas *de* sustos.'' (E. da Cunha, *Os Sertões*, 167.)

Retratação — *de:*

''A retratação *de* um insulto, *de* uma calúnia.''

Retrocesso — *a:*

''Excluída a hipótese insensata de retrocesso *ao* escravismo, só remanesciam duas soluções ao problema servil.'' (Rui, *Queda do Império*, I, 181.)

Réu — *de, perante:*
''O público inferia a persistência de um oculto elemento hostil, de uma influência inconstitucional, não tardando em designar no príncipe Alberto o réu *desse* crime.'' (Rui, *Queda do Império*, I, 258.)
''E' réu *perante* a história.'' (Aulete.)

Reunido — *a, em volta de, para, por:*
''Do concurso desses elementos, reunidos *às* inconfidências e *às* meias verdades, ... havia de resultar, necessariamente, a idéia de uma ameaça.'' (Rui, *Colunas de Fogo*, 145.)
''Reunidos sempre *em volta da* bandeira do Divino, ... os jagunços enfiavam pelas ruas.'' (E. da Cunha, *Os Sertões*, 234.)
''E' incrível que um país tão maltratado por esse bárbaro se ache reunido em massa, *para* o sustentar.'' (Rui, *Cartas de Inglaterra*, 329.)
'' 'Ação', com o seu subseqüente 'omissão', ali se acham reunidos *pelo* epíteto 'voluntária', que os adjetiva, numa idéia comum.'' (Rui, *Réplica*, 440.)

Revel — *a:*
''Até a prelada regamboleava a perna, revel *à* disciplina do convento.'' (Camilo, *Romance de Um Homem Rico*, 61.) ''Foram revéis *à* honra Benjamim Constant e Deodoro?'' (Rui, *Colunas de Fogo*, 176.)

Revelação — *a:*
''Os 'sinais do tempo' deixaram de ser, desde ontem, uma revelação do incógnito *aos* videntes.'' (Fialho de Almeida, *Os Gatos*, 87.)

Reverência — *a, de, para com, por:*
''Religião cuja sinceridade se pode avaliar pelo zelo dos seus observantes na reverência *aos* emblemas da sua fé e no horror aos símbolos proscritos da incredulidade.'' (Rui, *Cartas de Inglaterra*, 312.) ''Consoante ao que me induz a crer a minha reverência *ao* mestre.'' (Idem, *Réplica*, 420.)
''Isto diz o mesmo papel em geral, sem individuar religião por reverência *das* pessoas.'' (Vieira, *apud* Aulete.) ''Sem nenhuma reverência *do* Senhor.'' (*Apud* E. Carneiro Ribeiro, *Tréplica*, 581.)
''E eles se calaram, ... numa reverência de desagravo *para com* o narrador.'' (Veiga Miranda, *A Eterna Canção*, 67.)
''Não demonstrou nenhuma reverência *pelo* lugar nem *pelas* pessoas que ali se viam.''

Reverenciado — *como:*
''O imperador residia num palácio, na antiga capital Quioto, onde era reverenciado *como* um deus e tinha licença de viver e morrer na pobreza, enquanto os Shoguns governavam o país.'' (*Maravilhas do Conhecimento Humano*, I, 88.)

Reverente — *a, com, para com:*
''E' muito reverente *a* Deus e *às* coisas sagradas.''
''Mostrar-se reverente *com* alguém ou *para com* alguém.''

Reversão — *a:*
''Não se trata de revolução, mas de reversão *aos* tradicionais princípios de nosso inacianismo.'' (Antero de Figueiredo, *Amor Supremo*, 114.)

Revestido — *com, de:*
''Revestido o muro *com* cal.'' (Morais.)
''O sentimento que o artista diz ter dos seres, das coisas — da vida — é pensamento revestido *de* tonalidade afetiva.'' (Antero de Figueiredo, *Amor Supremo*, 50.) ''Todo o meu corpo estava revestido *de* um pêlo grosso.'' (Gastão Cruls, *História Puxa História*, 29.)

Revestimento — *com, de:*
''Revestimento *com* gesso, *com* cimento.''
''Todo o pavimento é tijolo miúdo, sem revestimento *de* esteira ou tabuado.'' (Fialho de Almeida, *Os Gatos*, 285.)

Revezado — *com, de:*
''Façamos de conta que a virtude precisa de ser revezada *com* um pouquinho de maldade.'' (Camilo, *As Três Irmãs*, 101.)
''Nestes dias revezados *de* alegrias e amarguras, para eles, que já tinham aprazado o da fugida, o carpinteiro recebeu carta do filho, estabelecido no Brasil, e o primeiro donativo de dinheiro.'' (Camilo, *O Bem e o Mal*, 87.)

Revide — *a:*
''Não é revide *a* mim esta nota do Professor Carneiro, senão resposta dele a si próprio.'' (Rui, *Réplica*, 86.) ''Estes períodos tentam, evidentemente, ser, ponto por ponto, um revide irrespondível *à* minha oração de Buenos Aires.'' (Idem, *Campanha Presidencial*, 219.)

Reviramento — *em:*
''Notei, porém, grande reviramento *na* confiança que meu pai depositava em mim.'' (Camilo, *As Três Irmãs*, 177.)

Reviravolta — *de:*
''Seu irmão mais moço ficou tão aturdido com essa reviravolta *dos* acontecimentos, que abandonou uma pacífica carreira legal e mergulhou nos subterrâneos do movimento revolucionário da Rússia.'' (*Maravilhas do Conhecimento Humano*, I, 102.)

Revista — *a; em:*
''Imprimia Francisco José Freire as suas 'Reflexões sobre a Língua Portuguesa', em um de cujos capítulos dava revista *aos* arcaísmos de seu tempo.'' (Rui, *Réplica*, 448.) ''Montesquieu não se contenta com passar revista *aos* principais acontecimentos da época.'' (Mário Barreto, *Cartas Persas*, XI.) ''Vou passar uma revista *ao* exército de Itália. Temos bre-

vemente de dar um abraço em Viena, e é preciso insuflar no soldado o afago necessário para que o abraço seja bem carinhoso.'' (Camilo, *Livro Negro,* 71.)

———

''Passemos agora *em* revista exemplos de verbos unipessoais.'' (Augusto Moreno, *Lições de Linguagem,* II, 218.)

Revivido — *com:*

''Os amigos dos anos anteriores fugiam-lhe, e novos nenhum lhe apertava a mão. O opróbrio do fidalgo era ainda matéria de ociosos, revivido *com* a sua presença.'' (Camilo, *O Bem e o Mal,* 127.)

Revolta — *com, contra, para com, por:*

''Padre Diniz ia triste das tristezas eternas do gênio, e da virtude, em revolta *com* a ignorância e *com* o crime.'' (Camilo, *Mistérios de Lisboa,* I, 217.)

''Rui viu acercar-se dele um oficial, Sebastião Bandeira, que o avisou iniciar-se daí a algumas horas a revolta da Marinha *contra* Floriano.'' (Luiz Viana Filho, *A Vida de Rui Barbosa,* 177.) ''Desenvolveu e entretém a colisão por uma série de revoltas formais *contra* a legalidade e a dignidade militar.'' (Rui, *Colunas de Fogo,* 23.)

''E' inexplicável e condenável sua revolta *para com* uma pessoa que só lhe tem feito favores.''

''Compreendi que o seu pranto era mais de revolta *pelo* que ainda não tivera da vida, do que *pelo* que acabava de perder.'' (Gastão Cruls, *Ao Embalo da Rede,* 168.) ''Os sentimentos, confusos, numa perplexidade de terror e revolta *pelo* que vira e ouvira, apareciam no campo da consciência menos vagos e indecisos.'' (Afrânio Peixoto, *A Esfinge,* 389.)

Revoltado — *com, contra, por:*

''Revoltado *com* as dificuldades que encontrara, ... dispusera-se a ir celeremente ao couto dos rebeldes.'' (E. da Cunha, *Os Sertões,* 260.)

''Criaturas revoltadas *contra* toda a ordem que as peia e *contra* toda a justiça que as não favorece.'' (Antero de Figueiredo, *Jornadas em Portugal,* 66.) ''A viagem a Minas mostrou-lhe o coração do país revoltado *contra* a coroa.'' (Rui, *Queda do Império,* I, 395.) ''Um duro desgosto pela vida o levava a pensar na morte, revoltado *contra* o mundo, *contra* a sociedade, *contra* a sua família, *contra* a hora em que nascera.'' (Aluísio Azevedo, *Casa de Pensão,* 300.)

''Raimundo mostrava-se indulgente com o companheiro, mas aborrecia-se, intimamente revoltado *por* ter de aturá-lo.'' (Aluísio Azevedo, *O Mulato,* 221.)

Revoltante — *para:*

''Muitos de seus costumes eram revoltantes, mesmo *para* os antigos. O mais horrível deles era o sacrifício humano.'' (*Maravilhas do Conhecimento Humano,* I, 15.)

Revolução — *contra, em:*

''As revoluções de Pernambuco *contra* a tirania holandesa.'' (Dic. de Morais.) ''Contudo, Roberto excedeu-se nas liberdades tomadas. Tentou fomentar uma revolução *contra* a boa rainha.'' (*Maravilhas do Conhecimento Humano,* I, 71.)

''A revolução *na* arte.'' (Aulete.)

Rico — *de, em:*

''Rico *de* luzes, *de* sentimentos.'' (E. Carneiro Ribeiro, *Serões Gramaticais,* 673.) ''Ao cabo de três anos, rico *de* fatos e *de* idéias, voltou a França.'' (Mário Barreto, *Cartas Persas,* VII.) ''A pedra que aí vê, em cima, é um minério deste extraordinário Brasil, tão rico *de* grandes prendas, como opulento de ridículas misérias.'' (Alberto Rangel, *Fura-Mundo,* 308.) ''Vejo que é rico *de* boa ciência, e arrependo-me de o ter flagelado com alusões de Molière.'' (Camilo, *Livro Negro,* 155.)

''Um talento plástico e bastante rico *em* cambiantes.'' (Fialho de Almeida, *Os Gatos,* 234.) ''Rico *em* terras que cercavam o seu solar e senhor de extensas chãs ribeirinhas, dar-lhe-ia aquilo que a encantava: — a vida no campo.'' (Antero de Figueiredo, *Amor Supremo,* 129.)

Ridículo — *de, para:*

''E' um indivíduo de certa instrução, porém ridículo *de* maneiras.''

''A situação tornava-se ridícula *para* ele; ou antes, já o era há muito, mas Soares só então o compreendeu.'' (M. de Assis, *Contos Fluminenses,* 75.)

Rigidez — *com, de:*

''Às vezes é prejudicial muita rigidez *com* os filhos.''

''Rigidez *de* coração, *de* costumes, doutrinas, princípios.'' (Morais.)

Rígido — *com, de, para, para com:*

''E' excessivamente rígido *com* os alunos.''

''Rígido *de* costumes, *de* princípios.''

''Rígido *para* os filhos, ou *para com* os filhos.''

Rigor — *com, em, para com:*

''Teu rigor *com* os empregados é exagerado.''

''E o exortou a portar-se com inexorável rigor *na* correção.'' (Rebelo da Silva, *Contos e Lendas,* 273.) ''Rigor *na* pesquisa das questões.'' (L. Freire, voc. *acribia.*)

''Nota-se-lhe complacência para com uns e rigor *para com* outros.''

Rigoroso — *com, em, para com:*

''Você é rigoroso *com* o Marciano, Paulo.'' (Graciliano Ramos, *S. Bernardo,* 220.) ''D.

João I não era rigoroso *com* a mocidade.'' (Rebelo da Silva, *Contos e Lendas,* 265.)
''Rigorosa *em* assuntos de sexualidade.'' (Mário Sete, *Os Azevedos do Poço,* 73.) ''E' rigoroso *na* escolha de amizades.''
''E' muito rigorosa *para com* a sobrinha.''

Rijo — *de, em:*
''Rijo *de* ânimo, intrépido, constante.'' (Aulete.)
''Porquanto *em* castigar maldades era rijo, em acudir à pobreza compassivo.'' (Filinto Elísio, *apud* Aulete.)

Riscado — *de, em, por:*
''Levou ao bigode a mão enluvada de branco, riscada *de* sarja negra *no* dorso.'' (Afrânio Peixoto, *A Esfinge,* 80.)
''Para Valentim, o relâmpago riscado *na* treva era o núncio do inverno sertanejo, a promessa de retorno à sua terra.'' (J. Américo de Almeida, *A Bagaceira,* 75.)
''As areias móveis, riscadas *pelos* ventos, negando largo tempo a pega à planta mais humilde, imobilizam-se a pouco e pouco.'' (E. da Cunha, *Os Sertões,* 52.)

Risco — *de, em:*
''Respondeu-me se eu fazia o favor de lhe ir segurar a escada para que ela não balançasse quando ele descia, com grave risco *das* suas pernas, que ficavam enleadas nas cordas transversais.'' (Camilo, *A Neta do Arcediago,* 18.) ''Andava sempre por essas fragas acima em risco *de* malhar aos fundões.'' (Camilo, *O Bem e o Mal,* 64.)
''Pensei que corria grande risco *em* a conservar em casa.'' (Herculano, *O Monge de Cister,* I, 97.)

Risonho — *de, para:*
''Demais, a vida cortesã era tão risonha *de* saraus, *de* torneios, *de* banquetes, *de* festas!'' (Herculano, *O Bobo,* 21.)
''E' o Sr. Sebastião — veio dizer Juliana toda risonha *para* Jorge.'' (Eça, *O Primo Basílio,* 361.) ''Eu fui uma mulher frívola como todas as outras, risonha *para* todas as folias, sôfrega com todos os prazeres.'' (Camilo, *Livro Negro,* 131.)

Rival — *de, em:*
''Regalando o hóspede com algumas garrafas de vinho maduro, que Fr. João proclamou rival *do* melhor que se pudesse beber à mesa de el-rei.'' (Rebelo da Silva, *Contos e Lendas,* 80.)
''Nações rivais *na* glória, *no* comércio, *no* valor.'' (Morais.) ''Rival *em* amor, *no* poder, *nas* pretensões.'' (Constâncio.)

Rivalidade — *com, entre:*
''José Joaquim de Menezes, pernambucano sanhudo, célebre pela rivalidade sanguinolenta *com* os Mourões famosos.'' (E. da Cunha, *Os Sertões,* 155.)
''Rivalidade *entre* irmãos é coisa que não se justifica.''

Rixa — *com, entre:*
''Esta constituição está de todo em todo fora da Constituição Federal, e de todo o ponto em rixa aberta *com* ela.'' (Rui, *Campanha Presidencial,* 156.)
''Houve uma pequena rixa *entre* eles.''

Robustecido — *com:*
''Estas razões, ainda robustecidas *com* outras, não impediram que D. Francisco fosse condenado.'' (Camilo, *Boêmia do Espírito,* 119.)

Robustez — *de:*
''Que robustez *de* membros!'' ''A robustez *de* ânimo.'' (Aulete.)

Robusto — *de, em:*
''Robusto *de* corpo; robusto *de* caráter.''
''Corina da Soledade era de estatura mais que meã, refeita, robusta *na* aparência, mimosa de pele.'' (Camilo, *Estrelas Propícias,* 12.)

Rodeado — *por:*
''Descendo sempre, ora em retas, ora em ziguezagues, a estrada era um inferno de dificuldades, rodeada *por* um paraíso de belezas naturais.'' (Abílio Barreto, *A Noiva do Tropeiro,* 73.)

Roído — *de, por:*
''Roído *dos* enxurros, torturado pelos ventos, o vegetal parece derrear-se.'' (E. da Cunha, *Os Sertões,* 40.) ''À esquina da Rua Floriano Peixoto, o Neves farmacêutico, apertado num velho fraque de gola ensebada e roído *de* traças, perguntou-me se não ia ao baile da Prefeitura.'' (Graciliano Ramos, *Caetés,* 142.)
''Foi morrendo lentamente, roído *pela* fome e martirizado pela sede.'' (Gastão Cruls, *Ao Embalo da Rede,* 176.)

Romaria — *a:*
''Nossa visita a Lisboa termina com uma romaria *aos* seus templos de arte e de história.'' (Herman Lima, *Outros Céus, Outros Mares,* 203.) ''Faziam-se romarias *ao* quartel da Palma, onde estava ferido o Coronel Carlos Teles.'' (E. da Cunha, *Os Sertões,* 490.)

Rompente — *em:*
''Toda a imponência selvagem, toda a exuberância inconceptível .... ali estão francas, rompentes *em* cenários portentosos.'' (E. da Cunha, *Os Sertões,* 74.)

Rompimento — *com, entre:*
''Ao primeiro rompimento *com* a honra, ou a humanidade, a consciência do irremediável cava um abismo por trás do ambicioso.'' (Rui, *Colunas de Fogo,* 71.)
''Entre esses lances, porém, de uma estrela invejável, nenhum caiu mais a ponto que o rom-

pimento *entre* o Peru e a Bolívia.'' (Rui, *Queda do Império,* I, 147.)

Rotulado — *com:*

''O periódico é uma exibição quotidiana, ou intercadente, de fatos e idéias rotulados *com* a marca e assinatura, continuamente mutáveis, dos seus expositores.'' (Rui, *Réplica,* 514.)

Roxo — *de, para:*

''Tipo ordinário! — disse o Chico Perneta, roxo *de* raiva.'' (Guilhermino Cesar, *Sul,* 174.)

''Já vi que você está roxo *p'ra* dar uma espiada na prima da Luzia.'' (Galeão Coutinho, *Memórias de Simão, o Caolho,* 185.)

Rude — *com, de, em, para com:*

''Você foi um tanto rude *com* o rapaz.''

''Rude *de* maneiras.''

''Homem rude *nas* artes, ciências, letras.'' (Morais.) ''Rude *no* trato.''

''E' agrosseirado e rude *para com* todos.''

Rudeza — *de:*

''Adelaide tinha grande confiança no tio, até por causa da sua rudeza *de* maneiras.'' (M. de Assis, *C. Fluminenses,* 157.)

Rumo — *a, de, para:*

''E, subindo para a boléia, tocou em rumo *ao* sítio.'' (C. Neto, *A Cidade Maravilhosa,* 28.)

''Os periquitos passam em bandos, grasnando, rumo *das* praias.'' (Gustavo Barroso, *Terra de Sol,* 23.)

''Ao invés de prosseguirem em rumo *para* a direita, ... entraram os sapadores por um desvio, à esquerda.'' (E. da Cunha, *Os Sertões,* 385.)

Rumor — *sobre:*

''Talvez reflexo dos rumores desairosos *sobre* a honestidade do orador e que já circulavam em grande escala.'' (Luiz Viana Filho, *A Vida de Rui Barbosa,* 152.)

S

Sabedor — *de, em:*
"Não fui sabedor *d*isso." (Morais.)
"Era sabedor *na* guerra." (Idem.)

Sabido — *de, em, por:*
"Isso é fato já sabido *de* todos."
"É muito sabido *em* ciências matemáticas." (Aulete.)
"Sabido o caso *por* el-rei, mandou outro capitão com outra companhia do mesmo número." (Vieira, *Sermões*, IX, 193.)

Sábio — *em, para:*
"O mais velho dos que liam nos astros .... falou por todos os caldeus, sábios *em* vaticínios." (C. Neto, *A Cidade Maravilhosa*, 96.) "Homens aliás mui instruídos, verdadeiros sábios *em* outras matérias, cometem crassos erros de linguagem." (Sotero dos Reis, *apud* Rui, *Réplica*, 505.)
"Enganado pela falta de conhecimento científico, o próprio Aristóteles, que era bastante sábio *para* atribuir as causas do fenômeno às forças naturais, fez conjeturas bem distantes da verdade." (*Maravilhas do Conhecimento Humano*, I, 221.)

Sacado — *entre, sobre:*
"Esclarecerei com alguns casos sacados *entre* os profusos de que está cheia a galeria." (Fialho de Almeida, *Os Gatos*, 292.)
"Este homem era o portador de letras sacadas em Inglaterra *sobre* comerciantes de Paris." (Camilo, *Mistérios de Lisboa*, III, 61.)

Saciado — *de:*
"Os franceses, cansados mas não saciados *d*o saque no Porto, estenderam além do Douro a mão voraz e gotejante de sangue." (Camilo, *As Três Irmãs*, 22.) "Saciado *de* bulício estava ele. O que lhe aprazia mais era a solidão, povoada pela fantasia." (Idem, *Mistérios de Lisboa*, III, 79.)

Sacrificado — *a, por:*
"Basta ler os nomes dos sacrificados *à* nevrose da força." (Rui, *Colunas de Fogo*, 182.) "A realidade dos fatos foi sacrificada *a* uma bandeira que lhe emprestaram." (Camilo, *Perfil do Marquês de Pombal*, IX.) "Eu respeito a inteireza do caráter sacrificado *ao* mais absurdo dogma." (Camilo, *Boêmia do Espírito*, 66.)
"Tal deve estar sendo a esta hora, no mundo a vida de setecentos ou oitocentos infelizes, sacrificados *pe*la impaciência do público." (Fialho de Almeida, *Os Gatos*, 223.) "Sebastião, se adormecesse sono eterno, a par com sua mãe no esquife, seria um anjo na coroa de uma mártir, sacrificada *pe*la paixão." (Camilo, *Livro Negro*, 43.)

Sacrifício — *a, de, por:*
"Arte, ciência, ação, energia, só as fazemos como sacrifício *à* nossa única aspiração, que é amar." (Afrânio Peixoto, *A Esfinge*, 366.) "Haveria aí alguma idéia, na mais pura região das idéias, que, em sacrifício *a* frases como essas, recusasse alianças ativas, deliberadas e tenazes?" (Rui, *Queda do Império*, I, 164.)
"Fez sacrifício *d*os bens, *d*a vida." (Constâncio.) "Fazer sacrifício *d*os seus bens, *da* sua vida, *da* sua liberdade *à* utilidade pública." (Morais.) "Cumpre fazer justiça ao rapaz. O sacrifício que fez *de* transformar os seus hábitos de vida foi enorme, e a julgá-lo pelos seus antecedentes, ninguém o julgará capaz de tal." (M. de Assis, *Contos Fluminenses*, 57.)
"Fez grande sacrifício *pe*la educação de seu filho." (Fr. D. Vieira.) "Fez grandes sacrifícios *pe*la causa liberal." (Aulete.)

Sacudido — *de, em, por:*
"A velha mulata Rosária, arrasada em lágrimas e sacudida *de* soluços, ... acudiu com a vela benta acesa." (Alberto Rangel, *Fura-Mundo*, 386.) "E, sacudido *de* estranha condolência, imaginava o pobre desterrado saindo de sua aldeia em Portugal, atravessando os mares, atirado no convés de um navio." (Aluísio Azevedo, *Casa de Pensão*, 210.)
"Avolumada (a língua portuguesa) no discurso lento, sacudida *no* remoque vivaz do termo popular." (Antero de Figueiredo, *Jornadas em Portugal*, 47.) "Altares caídos, relíquias sacudidas *no* encaliçamento das paredes." (E. da Cunha, *Os Sertões*, 550.)
"Sacudido *por* convulsões retóricas." (Camilo, *Perfil do Marquês de Pombal*, 21.)

"Os palmares, ... sacudidos *pelo* vento fresco da manhã, estampavam o verde-negro de seus cocares no horizonte desmaiado." (Afrânio Peixoto, *A Esfinge,* 220.) "Aprumava-se na espinha acurvada como o pau torto sacudido *pelo* temporal." (J. Américo de Almeida, *A Bagaceira,* 201.) "Napoleão abraçara o moço, que tremia sacudido *pela* eletricidade das suas últimas palavras." (Camilo, *Livro Negro,* 72.)

Sagrado — *a, para:*

"O amigo será sempre sagrado *aos* nossos olhos, *à* nossa palavra." (Rui, *Queda do Império,* I, 408.)

"Aquela dor era sagrada *para* todos." (Camilo, *Mistérios de Lisboa,* I, 264.)

Saída — *de, para, por:*

"Sua saída *da* cidade causou grande pesar." "A morte, ... saída *das* misérias desta vida." (Dic. de Morais.)

"Membros da família real, que o tinham ido cumprimentar e acompanhar na saída *para* o Oriente." (Camilo, *Perfil do Marquês de Pombal,* 12.) "Roque apressurava neste em-meio a saída *para* Lisboa." (Idem, *O Regicida,* 146.) "Brites lá se finou em Recaldim, poucos meses depois da saída de D. Eugênia *para* o Brasil." (Camilo, *O Bem e o Mal,* 223.)

"Envergonhavam-se de serem surpreendidos em flagrante entrada ou saída *por* portas de casas onde a virtude tinha fugido pelas janelas." (Camilo, *Mistérios de Lisboa,* II, 91.)

Saldo — *a favor de, com, contra:*

"Balanceadas as contas, verificou-se um pequenino saldo *a favor do* freguês."

"Reconheceu que seu filho era a víbora, que ele trouxera no coração, para o morder com o remorso expiador do seu crime, cujo saldo *com* a Providência começava vinte e seis anos depois." (Camilo, *A Neta do Arcediago,* 23.)

"No final da transação houve um pequeno saldo *contra* o fornecedor."

Salpicado — *com, de, por:*

"Roupa salpicada *com* sangue e lama."

"O melão bravo, envolvendo um arbusto, todo salpicado *de* ouro, formava um ninho acintoso." (J. Américo de Almeida, *A Bagaceira,* 144.) "A faixa de pastagens, lado a lado do córrego, mostrava-se salpicada *de* clarões fixos ou intermitentes como fogos-fátuos." (Veiga Miranda, *A Eterna Canção,* 8.) "Ferindo-te, descobri-me: era necessário que saíssemos ambos salpicados *de* um inútil sangue, para que a vitória não fosse exclusiva de nenhum." (Camilo, *Livro Negro,* 88.)

"Tínhamos os olhos cravados na água estofa, agora salpicada aqui e ali *pelo* brilho dos vagalumes." (Gastão Cruls, *História Puxa História,* 44.)

Salpintado — *de:*

"Formações calcárias do rio das Velhas, salpintadas *de* lagos, solapada de sumidouros." (E. da Cunha, *Os Sertões,* 6.)

Salteado — *de, por:*

"Evolava-se um murmúrio vago de milhares de sílabas emitidas a meia voz, aqui, ali, repentinamente salteadas *de* risos joviais." (E. da Cunha, *Os Sertões,* 321.)

"Salteados *pelo* inimigo, os nossos reagiram imediatamente." "Salteado *pela* febre, *pela* tosse."

Salto — *a, de:*

"Deu um salto de cabo *a* capitão." (Aulete.)

"Um salto *do* terraço desse edifício seria fatal." "Dar um salto *do* muro abaixo." (Morais.)

Salva — *a:*

"É natural que a refrega resultasse inútil, traduzindo-se o bombardeio, estouraz e inofensivo, numa salva imponente *à* coragem dos matutos." (E. da Cunha, *Os Sertões,* 430.)

Salvo — *de, por; a, em:*

"A tropa prosseguiu para Penedo, salva *de* uma posição dificílima." (E. da Cunha, *Os Sertões,* 265.) "Salva *dos* ataques da borrasca *pelos* cuidados diligentes e astutos dos seus remeiros caboclos, a canoa foi avançando." (Alberto Rangel, *Fura-Mundo,* 196.)

"Interpretando assim do pior modo o livre arbítrio do homem remido pelos sacrifícios de Jesus, e salvo *pelas* suas obras meritórias de recompensa." (Camilo, *A Neta do Arcediago,* 95.)

"Poderiam, *a* salvo, deslocar-se para as posições inacessíveis do Caipã, ou qualquer outra de onde renovassem a resistência." (E. da Cunha, *Os Sertões,* 449.)

"Alguns avisos secretos obrigaram-me a que pensasse em pôr-me *em* salvo." (Mário Barreto, *Cartas Persas,* 13.)

São — *de:*

"São *de* corpo e doente do espírito."

Saque [1] — *a, contra, sobre:*

"Saque *a* oito dias de vista." (Aulete.)

"É a ruma dos meus saques *contra* o governo do Amazonas, que o odioso carapeteiro, na alucinação da sua mania, jura, rejura e trejura." (Rui, *Cartas Políticas e Literárias,* 327.)

"Um saque *sobre* Londres, *sobre* Buenos Aires.

Saque [2] — *a:*

"Trazia os haveres mais preciosos, pescados no saque formidável *às* bagagens do mouro." (Alberto Rangel, *Fura-Mundo,* 30.)

Sarapintado — *de:*
"E, de fato, Amélia nesse dia estava encantadora. Vestia fustão branco sarapintado *de* pequeninas flores cor-de-rosa." (Aluísio Azevedo, *Casa de Pensão,* 95.)

Sarcasmo — *contra:*
"Tanto, porém. subiu Gastão em sarcasmos *contra* o homem de Barcelos, que o visconde ergueu-se irado." (Camilo, *Estrelas Propícias,* 171.)

Sarjado — *a, de:*
"Peitos broqueados a bala ou sarjados *a* faca." (E. da Cunha, *Os Sertões,* 506.)
"Larga camada calcária .... sarjada *de* sulcos fundos de longas arestas rígidas e finas, feito lâminas de facas." (E. da Cunha, *ob. cit.,* 535.)

Satisfação — *a, de, em, por:*
"A morte trágica de Salomão da Rocha foi uma satisfação *ao* amor-próprio nacional." (E. da Cunha, *Os Sertões,* 365.) "Seu pai não apunhalava uma filha, porque tinha de dar ao público a razão por que o fizera, e nessa satisfação *ao* público era ferido o seu orgulho." (Camilo, *Mistérios de Lisboa,* I, 123.)
"Eu então lhe não recusarei justiça, e terei satisfação *de* confessar o meu erro." (Rui, *Cartas Políticas e Literárias,* 170.) "O advogado respondeu que fiava de si a satisfação *d*essas necessidades, e nunca firmara o futuro no dote de Maria." (Camilo, *As Três Irmãs,* 48.) "A mim basta-me a satisfação *de* ter descoberto estas pérolas." (Mário Barreto, *Através do Dicionário e da Gramática,* 297.)
"Os meus (erros), sempre tive especial satisfação *em* confessá-los, mal os reconheço." (Rui, *Cartas de Inglaterra,* 390.) "Sim, porque ele, apesar do que ela dizia e dos sacrifícios que isso lhe acarretava, tinha satisfação *em* trazê-la bem vestida." (Ferreira de Castro, *A Tempestade,* 85.)
"Creia que é grande e sincera minha satisfação *por* seus triunfos literários."

Satisfeito — *com, de, em, por:*
"Não satisfeito *com* o árduo quinhão que lhe tocara na vida, ainda ia aumentá-lo com as próprias mãos." (Luiz Viana Filho, *A Vida de Rui Barbosa,* 37.) "Despedira-se por não se encontrar satisfeita *com* os patrões." (Mário Barreto, *Através do Dicionário e da Gramática,* 325.) "Roberto não ficou muito satisfeito *com* essa solução." (Gastão Cruls, *Ao Embalo da Rede,* 82.)
"Satisfeito *da* habilidade com que o seu pajem parecia desempenhar a comissão que lhe dera, Fernando Peres voltou-se para dentro sorrindo de contentamento." (Herculano, *O Bobo,* 98.) "Cantarolando sempre, o olhar vivo, satisfeita *de* si, *da* sua vida que se tornava interessante, cheia de incidentes...." (Eça, *O Primo Basílio,* 178.) "Senhor, respondeu-me muito satisfeito *da* minha pergunta, sou casuísta." (Mário Barreto, *Cartas Persas,* 119.)
"Câmara sorriu de novo, debilmente, satisfeito *em* ter deixado o Maia entregue a uma discussão em que se arriscara a fazer-lhe má companhia." (Afrânio Peixoto, *A Esfinge,* 144.) "E, sem mais, afastava-se do caminho, satisfeito *no* seu desejo." (Idem, *ibidem,* 231.) "Se não serve, é porque esse partido, com razão, não se sente satisfeito *nos* seus cômodos." (Rui, *Colunas de Fogo,* 191.)
"Enfim, disse Manuel, procurando encerrar o discurso e satisfeito *pelo* ar atento e resignado da filha — nada temos que recear." (Aluísio Azevedo, *O Mulato,* 262.)

Saturação — *por:*
"A saturação dos álcalis *pel*os ácidos; a saturação do ar *pela* umidade." (Fr. D. Vieira.)

Saturado — *de, em:*
"Como se o mar, saturado *da* influência britânica, a fosse depositando ao longo das paragens desocupadas de suas costas." (Rui, *Cartas de Inglaterra,* 118.) "Ar saturado *de* umidade." (Fr. D. Vieira.) "Livros saturados *de* teologia, *de* filosofia, *de* história, hirtos em sua severa cultura." (Antero de Figueiredo, *Amor Supremo,* 107.) "Mais tarde, deitado na cama do "Coroa de Ouro", com o corpo moído, o espírito saturado *de* sensações, procurava recapitular o que tinha a fazer no dia seguinte." (Aluísio Azevedo, *Casa de Pensão,* 24.)
"Sem o cigano, ... seria hoje um perverso saturado *no* sangue, ou um nome que recordaria uma grande atrocidade e um cadafalso." (Camilo, *Mistérios de Lisboa,* I, 247.)

Saudação — *ao:*
"A primeira (fisionomia) é um adeus ao passado; a segunda é uma saudação *ao* futuro." (Camilo, *Livro Negro,* 108.)

Saudade — *de, por:*
"Saudades *de* que, ou *de* quem?" (Camilo, *Mistérios de Lisboa,* II, 140.) "Confessai que os vossos sentimentos são saudades *do* meu hóspede." (Idem, *ibidem,* III, 174.) "Uma saudade intensa *d*esses tempos simples de fé envolveu-o, na tristeza dos danos irreparáveis." (Afrânio Peixoto, *A Esfinge,* 296.)
"Curtir grandes saudades *por* aquela irmã, sua amiga, franca e delicada." (Aluísio Azevedo, *O Mulato,* 128.) "Tomara eu tornar a vê-la!... — disse eu com profunda saudade *por* ela." (Camilo, *Mistérios de Lisboa,* I, 29.)

Saudoso — *de, por:*
"Era ele que gemia, saudoso *das* terras que deixara, da campina viçosa onde as manadas corriam fustigadas pelo sol" (C. Neto,

Miragem, 151.) "Era, pois, lúgubre o meu cantar como o do cativo de Israel, saudoso *das* margens do seu rio." (Camilo, *Cenas da Foz,* 120.) "Morreu no exílio (D. Pedro II), saudoso *de* sua pátria, que sempre amara entranhadamente, contente por ter um pouco de terra do Brasil no travesseiro sobre que repousaria para sempre a sua cabeça encanecida." (*Maravilhas do Conhecimento Humano,* I, 173.)

"Ai! o pescado! — suspirou o Dias, saudoso *pela* terra." (Aluísio Azevedo, *O Mulato,* 47.)

Seco — *de, em, por:*

"Seco *de* palavras, pouco afável." (Constâncio.) "Os homens secos *de* condição.... não possuirão esta tranqüilidade." (Fr. Heitor Pinto, *apud* Aulete.) "Seco *de* sede, muito sequioso." (Fr. D. Vieira.)

"Seco *no* mandar, *no* ensinar."

"Estou seca, seu Jorge, *por* uma prosa.... então agora que o senhor estudou, quanta história bonita nos há de contar!" (Afrânio Peixoto, *Bugrinha,* 51.)

Sede — *de, em:*

"Sede *de* dinheiro." (E. Carneiro Ribeiro, *Serões Gramaticais,* 668.) "A sede *de* glória não se diferença daquele instinto de conservação que tem todas as criaturas." (Mário Barreto, *Cartas Persas,* 188). "Os milicianos e guerrilhas saíram da igreja com fome e sede *de* carne e sangue franceses." (Camilo, *A Enjeitada,* 11.)

"Esses diabos tinham uma sede *na* gente do patrão, porque diziam que ele fora o rebelde mais destemido destas beiradas." (Afonso Arinos, *Pelo Sertão,* 126.)

Sedento — *de:*

"A Alemanha, sedenta *de* prestígio no oceano, aparelha-se para rivalizar nele com os Estados Unidos, a Rússia e a França." (Rui, *Colunas de Fogo,* 86.) "Roberta, com o espírito sedento *das* santas águas do claustro, comia e bebia." (Camilo, *A Enjeitada,* 33.) "A multidão .... não arredava o pé da praça, sedenta *de* certificar-se do que seria feito enfim do famoso delinqüente." (Alberto Rangel, *Fura-Mundo,* 76.)

Seduzido — *com, por:*

"Apertaram-se as mãos, e o sertanejo ficara logo seduzido *com* o acolhimento do moço." (Afrânio Peixoto, *A Esfinge,* 267.)

"Rui, tão parco de entusiasmos pelos companheiros, fora seduzido *pela* inteligência vigorosa e amena do seu médico." (Luiz Viana Filho, *A Vida de Rui Barbosa,* 197.) "A princesa fica completamente seduzida *pelo* seu aspecto. Porém, tem um solene dever a cumprir." (*Maravilhas do Conhecimento Humano,* II, 45.)

Segredo — *de, em, entre, para, quanto a, sobre:*

"Busquei amparar-me nos braços de meu irmão, que me pedia o segredo *d*aquele escrito." (Camilo, *Mistérios de Lisboa,* I, 94.) "Estávamos de todo alheios do entendermos o segredo *d*esta novidade." (Fernão M. Pinto, *apud* Fr. D. Vieira.) "Por meio da química, o homem descobriu o segredo *de* prolongar não somente sua própria vida, mas a vida dos animais e das plantas." (*Maravilhas do Conhecimento Humano,* I, 279.)

"Recomendo-lhe todo o segredo *n*este fato." (Aulete.)

"Nunca houvera segredos *entre* ambos." (Luiz Viana Filho, *A Vida de Rui Barbosa,* 138.)

"Nunca tivera segredos *para* Luísa." (Eça, *O Primo Basílio,* 23.) "— Um segredo! Um segredo *para* a tua Cristina!" (Camilo, *O Bem e o Mal,* 121.)

"Delas (incorreções) me argúi, mas guardando segredo *quanto a*os lugares onde as encontrou." (Rui, *Réplica,* 240.)

"Pedi-lhe inviolável segredo *sobre* o meu destino." (Camilo, *Mistérios de Lisboa,* II, 27.) "Eram os guerrilheiros do exército abolicionista, e mantinha o maior segredo *sobre* o verdadeiro nome de cada qual." (Luiz Viana Filho, *A Vida de Rui Barbosa,* 93.)

Segregação — *de:*

"Sua segregação forçada *de* nosso clube magoou-o muito."

Segregado — *de, por:*

"Um povo não vive isolado, segregado *de* todos os outros povos do mundo." (Sousa da Silveira, *Lições de Português,* 22.) "Segregada *do* mundo, cortada lentamente em cada fibra, vivendo, esperando a morte redentora ...." (Camilo, *Mistérios de Lisboa,* II, 155.)

"Segregados assim *das* outras nações *pelas* leis do país, conservaram os seus antigos costumes." (Mário Barreto, *Cartas Persas,* 107.) "Noêmia, quase segregada *pela* parentela, tinha evasivas e punha-se a chorar nas poucas horas em que puderam se encontrar a sós." (Gastão Cruls, *História Puxa História,* 65.)

Seguido — *a, de, por:*

"Os dias de profunda melancolia, seguidos *a*os acessos de frenesi, reputavam-os beatério." (Camilo, *Mistérios de Lisboa,* III, 119.)

"Desaparecera (o infante) dos paços de Guimarães, seguido *de* vários ricos-homens e cavaleiros da sua parcialidade." (Herculano, *O Bobo,* 50.) "A cada passo usamos esta passiva impessoal, e até seguida *d*um nome predicativo." (Mário Barreto, *Através do Dicionário e da Gramática,* 152.) "Era a primeira vez que ele via o seu nome em letra redonda, seguido *de* alguns adjetivos laudatórios." (Aluísio Azevedo, *Casa de Pensão,* 272.)

"O cônego, discretamente risonho e sempre janota, vinha seguido *por* um padrezinho magricela." (Aluísio Azevedo, *O Mulato,* 157.) "O enterro do prestígio monárquico, amortalhado em veludilho de mágica, e seguido *por* macacos trajando à corte." (Fialho de Almeida, *Os Gatos,* 87.)

Seguimento — *de:*

"E continuando, sem cessar, neste mesmo desejo, em seguimento sempre *do* que tanto suspirava, rompeu neste amoroso afeto." (Vieira, *Sermões,* IX, 81.) "E sorria como se o céu lhe estivesse mostrando as suas delícias em seguimento *das* bem-aventuranças." (Camilo, *A Enjeitada,* 142.)

Seguinte — *a:*

"Esse natural constrangimento seguinte *às* apresentações." (Veiga Miranda, *A Eterna Canção,* 52.) "E, na noite seguinte *à* da minha visão, eu fui sentar-me entre os pinheiros." (Camilo, *Cenas da Foz,* 129.)

Segurança — *de, em:*

"Tenho segurança *de* que é aqui mesmo o local." (Gustavo Barroso, *A Ronda dos Séculos,* 43.) "Mau conselho o dos conselheiros da monarquia, que a induzem a impelir um contra o outro estes dois elementos, como se dessa colisão pudesse resultar a segurança *do* trono." (Rui, *Queda do Império,* I, 131.) "Segurança *das* vidas, pessoas." (Constâncio.)

"Ali, não ocultou aos chefes dos corpos a segurança absoluta *na* vitória." (E. da Cunha, *Os Sertões,* 319.)

Seguro — *com, contra, de, em, para, por:*

"Na Síria tem a França os privilégios .... que a expedição francesa de 1860 lhe assegurou, mas se não sabe se estarão seguros *com* a vizinhança moscovita." (Rui, *Colunas de Fogo,* 210.)

"E, chegando a esta conclusão, sentia-se feliz, independente, seguro *contra* as misérias da vida." (Aluísio Azevedo, *O Mulato,* 54.) "A situação republicana ali se tornou comparativamente segura, ao menos *contra* tentativas restauradoras." (Rui, *Cartas de Inglaterra,* 409.)

"Seguro *de* que não haveria quem lhe pedisse contas, nunca se preocupava com justificações." (Augusto Moreno, *Lições de Linguagem,* II, VIII.) "Segura *do* chamamento de Jesus, pensava, e bem, que a vocação é um aceno da consciência." (Antero de Figueiredo, *Amor Supremo,* 209.) "Sem isso .... não estaríamos nem um momento seguros *da* nossa fazenda, *da* nossa honra e *da* nossa vida." (Mário Barreto, *Cartas Persas,* 178.) "O médico, seguro *do* triunfo sobre a morte repentina que fugira diante da lanceta, garantia, em nome da ciência, e particularmente com o seu nome, a convalescença da duquesa." (Camilo, *Livro Negro,* 150.)

"Onde os professores das letras têm os argumentos seguros *na* adulação, e perigosos *na* verdade." (Vieira, *Sermões,* IX, 165.) "Para que ao amigo não faltassem essas consagrações, ele as compusera todas, em vários tons, discordes nas minúcias, mas seguras e definitivas *na* conclusão." (Afrânio Peixoto, *A Esfinge,* 367.)

"Acho mais seguro *para* você ir-se preparando desde já."

"Outros (lutadores), mal seguros *pelas* arestas pontiagudas das rochas atravessando-lhes as vestes, balouçavam-se sobre abismos." (E. da Cunha, *Os Sertões,* 286.)

Seleção — *de, entre:*

"O trabalho de joeiramento e seleção *dos* princípios e doutrinas." (*Apud* Rui, *Réplica,* 6.)

"Releva, porém, que os moços não adquiram desde a infância o hábito pernicioso de fazerem seleção *entre* os seus deveres." (Rui, *Queda do Império,* I, 417.)

Semeado — *de, em, entre, por:*

"E, nessas retiradas, os caminhos ficam semeados *de* ossadas que os urubus limpam e o sol, depois, embranquece." (Gustavo Barroso, *Terra de Sol,* 30.) "A terra semeada *de* trigo, o céu *de* estrelas." (Dic. de Morais.) "O comendador .... requintara o fulgor do indumento com uma capa de veludo preto toda semeada *de* estrelas de ouro." (Xavier Marques, *As Voltas da Estrada,* 61.)

"A fé semeada *no* mundo." (Lucena, *apud* Morais.)

"As rosas semeadas *entre* a neve das faces." (Dic. de Morais.)

"Mexeriquice, em desabono meu, semeada *no* Paraná, *pelos* intriguistas eleitorais." (Rui, *Cartas Políticas e Literárias,* 261.)

Semelhança — *a, com, de, entre:*

"Não basta a semelhança da forma portuguesa *à* latina ...." (Rui, *Réplica,* 347.)

"Embora se lhe atribuísse uma remota semelhança *com* uma tia-avó ...." (Mário Sete, *Os Azevedos do Poço,* 31.) "Tanta é a semelhança dos louquinhos mansos deste mundo *com* as altas inteligências engolfadas no seu Criador!" (Camilo, *A Enjeitada,* 44.)

"Que tem forma ou semelhança *de* campana." (L. Freire, voc. *acampanado.*) "A semelhança *dos* rostos, gênios, *dos* casos, sucessos." (Morais.)

"Não há a mínima semelhança física *entre* os dois irmãos."

Semelhante — *a, em:*

"Não houve teatro mais semelhante *ao* de Alexandria, em que estamos, que o outro famosíssimo de Mênfis." (Vieira, *Sermões,* IX, 142.)

"Duas parelhas semelhantes *no* sexo, iguais no número e diferentes no entendimento." (Vieira, *ob. cit.,* 137.)

Senador — *por:*

"A nomeação de um senador *pela* Bahia fora motivo para sérios aborrecimentos." (Luiz Viana Filho, *A Vida de Rui Barbosa,* 129.) "Ainda assim, não vimos tarde para oferecer destas colunas à atenção dos nossos leitores a carta do ex-senador *pelo* Estado do Rio de Janeiro." (Rui, *Colunas de Fogo,* 115.)

Senhor — *de:*

"El-rei de Orixá e el-rei de Bengala .... que são senhores *de* grandes Estados." (Barros, *apud* Aulete.)

Sensibilidade — *a, por:*

"Sensibilidade de certos vegetais *às* radiações." (C. de Figueiredo, voc. *actinotactismo.*) "Tanta sensibilidade *à* cortesia e tão pouca à verdade." (Rui, *Réplica,* 42.)

"O duque tinha os olhos rasos de lágrimas. O amor despertara-lhe toda a sensibilidade *pelo* infortúnio alheio." (Camilo, *Livro Negro,* 120.)

Sensível — *a, para:*

"Mas quem não sabe que o ouvido clássico era mui pouco sensível *a* essas desarmonias?" (Rui, *Réplica,* 99.) "Viveu num eterno sonho de beleza e tinha a alma sensível *às* mais sutis vibrações do universo." (Gastão Cruls, *Ao Embalo da Rede,* 76.) "Os que penaram no deserto moral do exílio, são infinitamente sensíveis *a* essas expressões de correspondência e solidariedade." (Rui, *Cartas de Inglaterra,* V.)

"A ausência de Rui do parlamento nesse ano fora sensível *para* os seus correligionários." (Luiz Viana Filho, *A Vida de Rui Barbosa,* 106.) "A causa da falta extraordinária, e sensível *para* a viscondessa, era o incômodo de João da Cunha, que periodicamente sofria acessos de sangue à cabeça." (Camilo, *A Neta do Arcediago,* 38.)

Senso — *de:*

"A opinião não perde na imbecilidade e no hábito do mal o senso *da* evidência e o instinto da honestidade." (Rui, *Colunas de Fogo,* 131.)

Sentado — *a, em, por, sob, sobre:*

"A mandioca, entulhada ao meio da casa, é, comumente, raspada por mulheres, sentadas *ao* chão, armadas de quicés." (Gustavo Barroso, *Terra de Sol,* 66.) "Sentado *à* mesa."

"Sentada *no* chão, com a filha no regaço, lhe dava tantos beijos quantas eram as lágrimas de alegria que caíam nas faces da menina." (Camilo, *A Enjeitada,* 64.) "Muita vez comi, sentado *em* duro couro, um pouco de ovelha cozida com pirão." (Gustavo Barroso, *Terra de Sol,* 80.)

"Arruado feito de taipa, com aquelas negras sentadas *pelo* chão, tirando as suas sestas." (J. Lins do Rego, *Usina,* 61.)

"Dirigimo-nos a um voluntário de aspecto incaracterístico, que está sentado *sob* uma das arcadas da galeria." (Erico Verissimo, *Saga,* 61).

"Maria Amália, sentada *sobre* a cama, ... parecia pedir como quem pede a morte." (Camilo, *Mistérios de Lisboa,* II, 96.) "Todo o seu corpo fica suspenso pelos dedos grandes dos pés, sentado *sobre* os calcanhares." (E. da Cunha, *Os Sertões,* 115.) "Os dois cavaleiros se acharam em uma espécie de jardinzinho pênsil, sentados *sobre* uma alta arcaria." (Herculano, *O Bobo,* 98.)

Sentença — *contra, em favor de:*

"Sentença *contra* a lei de 23 de março." (Rui, *Cartas de Inglaterra,* 378.)

"Sentenças *em favor* dos cidadãos de Lisboa e do Porto." (Dic. de Fr. D. Vieira.)

Sentido — *com, de, para; com, em:*

"Sentido *com* o passamento de Pedro Algodres, mestre e amigo de tantos anos, o Mira estarreceu no castelo de popa, lúgubre e meditabundo." (Aquilino Ribeiro, *A Batalha sem Fim,* 3.) "Estava ainda sentida *com* a partida da filha menor." (J. Lins do Rego, *Usina.* 70.)

"Por que se mostra sentido Pedro *da* dignidade que lhe dava Cristo?" (Vieira, *Sermões,* IX, 200.) "Silenciosos, sentidos *dos* azares da fortuna, Lázaro e mulher se afastaram dali." (Aquilino Ribeiro, *A Batalha sem Fim,* 45.)

"Quem possuísse sentidos *para* aprender e vontade para realizar, havia aí todo um mundo novo de sugestões e de promessas." (Afrânio Peixoto, *A Esfinge,* 92.)

"*Com* o sentido de despojo de guerra e de pirataria (roupa) sobreviveu na expressão proverbial: 'roupa de francês', bens de piratas e corsários." (João Ribeiro, *Curiosidades Verbais,* 90.)

"O latim pluralizava nomes próprios *em* sentido figurado." (Júlio Nogueira, *O Exame de Português,* 132.)

Sentimento — *a respeito de, contra, de, em relação a, para, para com, por:*

"— Como se dá ao debique!... Todos estão vendo que o sentimento de Augusta *a respeito d*ele não passa de resignação de uma injuriada." (Xavier Marques, *As Voltas da Estrada,* 110.)

"Inculcou-se votado ao nosso ódio, quando bem sabe que nenhum motivo aqui havia para tal sentimento *contra* ele." (Rui, *Colunas de Fogo,* 102.)

"Invadia-os o sentimento exato *de* seguirem para uma guerra externa." (E. da Cunha, *Os Sertões,* 521.) "Na idade de quem escreve estas linhas, com a sua têmpera, as suas convicções, os acidentes da sua vida e o sentimento *de* um grande dever, já se não teme senão a Deus." (Rui, *Colunas de Fogo*, 192.)

"Eis os homens, senhores, que se atrevem a chamar-me a contas dos meus sentimentos *em relação ao* operariado." (Rui, *Campanha Presidencial*, 119.)

"E como no corpo, depois de morto, não havia sentimento *para* padecer, ... por isso testou Cristo de seu sangue, e não de seu corpo." (Vieira, *Sermões*, IX, 204.)

"Conhece (o Sr. Cruls) os nossos sentimentos *para consigo*." (Rui, *Queda do Império*, I, 315.)

"Vinham respeitosamente depor .... os seus profundos sentimentos *pelos* incômodos do conde." (Camilo, *Mistérios de Lisboa*, I, 152.) "Fingira um sentimento nobre *por* D. Pedro da Silva." (Idem, *ibidem*, III, 140.) "Esta já não se preocupava em esconder os seus sentimentos *por* ele." (Gastão Cruls, *História Puxa História*, 65.) "Ao cabo de um mês não tinha perdido uma partícula sequer do sentimento que nutria *pela* viúva." (M. de Assis, *Contos Fluminenses*, 31.)

Separação — *de, entre:*

"Um qualquer velhaco que andasse na cata do segredo da separação *da* mãe e filha." (Camilo, *A Enjeitada*, 91.) "Este tabique é a única separação *dos* dois quartos." (Fr. D. Vieira.)

"A separação *entre* as palavras e os seus derivados faz que por vezes se reaja contra ela." (Mário Barreto, *Através do Dicionário e da Gramática*, 292.) "O outro, ... apóstolo da causa irlandesa e da separação *entre* a Igreja e o Estado, é o mais fervoroso panegirista do cristianismo entre os estadistas ingleses." (Rui, *Cartas de Inglaterra*, 107.)

Separado — *de, por:*

"Separados *de* seus compatriotas, que não eram dignos da sua presença, levavam vida feliz e tranqüila." (Mário Barreto, *Cartas Persas*, 25.) "Separado *dos* filhos." (E. Carneiro Ribeiro, *Serões Gramaticais*, 673.)

"Naquela praia atlântida, faminta e piolhosa, separada *do* mundo *por* léguas de florestas, as campanhas eram rivais." (Aquilino Ribeiro, *A Batalha sem Fim*, 47.) "É um corredor triangular entre duas massas de salão desagregável separadas talvez *por* alguma comoção subterrânea." (Fialho de Almeida, *Os Gatos*, 187.)

Seqüestrado — *a, de, por:*

"Seqüestrado *ao* mundo, *à* sociedade." "Patrimônio artístico seqüestrado *aos* espíritos tacanhos."

"Os fortes de Jackson e S. Filipe, seqüestrados *de* toda comunicação, capitulam poucos dias depois." (Rui, *Cartas de Inglaterra*, 145.) "Que infinitos horizontes para os anelos duma alma sozinha e seqüestrada *d*outras consolações!" (Camilo, *A Enjeitada*, 56.)

"Habitando um bairro de tumulto, e todavia seqüestrado *do* ruído *pela* vertiginosa altura dum quinto andar." (Fialho de Almeida, *Os Gatos*, 179.)

Sequioso — *de, por:*

"Sequioso *de* saber." (E. Carneiro Ribeiro, *Serões Gramaticais*, 674.) "Morreu sequioso *de* tormentos, porque ainda desejava mais o seu amor." (Vieira, *Sermões*, IX, 23.) "Aceitou as mais ásperas comissões, ávido de isolamento, sequioso *de* distâncias." (Gastão Cruls, *História Puxa História*, 66.)

"Nada lhe pareceu mais importante do que evitar a vitória dos ultrafederalistas, sequiosos *por* sacrificarem as rendas da União em benefício dos Estados." (Luiz Viana Filho, *A Vida de Rui Barbosa*, 152.) "O negócio correu a galope, visto que a propriedade era de um pândego sequioso *por* dinheiro." (Aluísio Azevedo, *Casa de Pensão*, 234.)

Serenidade — *de, para:*

"Não perdeu um momento a serenidade *de* ânimo." (Rebelo da Silva, *apud* Aulete.)

"Não tens serenidade *para* refletir." (Afrânio Peixoto, *A Esfinge*, 186.)

Sereno — *de:*

"Sereno *de* ânimo, calmo diante do perigo."

Serventia — *para:*

"Isso *para* mim tem pouca serventia."

Serviço — *a, em:*

"Poderia indicar, sem deslustre dos inestimáveis serviços desse filólogo *à* língua portuguesa, ... algumas omissões curiosas." (Rui, *Réplica*, 156.) "Os convivas entenderam que era um serviço *à* dona da casa o distraí-la com a conversação interessante." (Camilo, *Mistérios de Lisboa*, III, 110.) "Bonaparte protege-o, e ninguém ousa denegrir os bons serviços do ex-nobre *à* causa do povo." (Camilo, *Livro Negro*, 74.)

"A sua competência e os seus serviços *na* propugnação dos interesses rurais faziam dele, ao mesmo tempo, a maior autoridade e o centro das esperanças da lavoura." (Rui, *Cartas de Inglaterra*, 280.) "Tem oito anos de serviço *na* fileira." (Aulete.)

Servido — *com, de, por:*

"E o pintor continuaria neste mesmo tema de arte servido *com* a poesia do seu olhar enamorado, se um rapaz, loiro e triste, se não tivesse aproximado de Mafalda." (Antero de Figueiredo, *Amor Supremo*, 127.)

"Ainda havia de ser muito rica, e, no fim da vida, lhe daria com que viver regalada e servida *de* criadas." (Camilo, *A Enjeitada*, 108.) "Enquanto às damas, tão bem servidas as vejo *dos* seus cavalheiros, que seria importuná-las aumentar um servo bisonho num serviço tão melindroso.'' (Camilo, *Livro Negro,* 137.)

''As mesmas ousadias servidas *pel*as mesmas astúcias.'' (E. da Cunha, *Os Sertões,* 245.) ''Se só quer (a monarquia) ser servida *por* hipócritas, ou lacaios, e dá carta de adversário aos servidores leais, então perdeu o direito à estima da nação.'' (Rui, *Queda do Império,* I, 111.)

Servilismo — *a:*

''Desgraçados farrapos humanos, que vivem do servilismo *a*os poderosos.''

Severidade — *com, de, em, em relação a, no tocante a, para com:*

''Ah! quis eu severidade *com* a redação do código civil? Pois então, paguem as minhas apostilas.'' (Rui, *Réplica,* 411.) ''O padre que razão tem para tanta severidade *com* meu filho?'' (Camilo, *A Neta do Arcediago,* 17.)

''A severidade *d*os costumes e *d*o caráter de um indivíduo.'' ''A severidade *d*o castigo, *d*a pena, *d*a censura.'' (Morais.)

''Se a 'educação intelectual' do eminente professor o imbuiu realmente na crença de que à estese das construções jurídicas não importa a severidade *n*a obediência às leis gramaticais ....'' (Rui, *Réplica,* 504.)

''A aspereza das suas severidades *em relação a*o fundador do positivismo.'' (Rui, *ob. cit.,* 523.)

''É dotado de uma grande severidade *no tocante à* etiqueta.'' (Aulete.)

''Usa de muita severidade *para com* os filhos.''

Severo — *com, em, para, para com:*

''Caráter honrado, severo só *con*sigo, inflexível e incapaz de se torcer em pontos de consciência ou de melindre.'' (Rebelo da Silva, *Contos e Lendas,* 14.) ''Lançou suspeitas sobre a filantropia dos ingleses, foi severo *com* os plantadores da Nova Orleans.'' (Eça, *O Primo Basílio,* 354.)

''Era uma quadra um pouco severa *no* tom escuro dos móveis de pau-santo.'' (Antero de Figueiredo, *Amor Supremo,* 45.)

''Somos indulgentes para os defeitos próprios, e severos *para* os alheios.'' (Dic. de Séguier, voc. *defeito.*) ''É mais severo *para* os outros que *para* si mesmo.'' (Fr. D. Vieira.)

''É muito severo *para com* os alunos vadios.'' ''Um pai severo *para com* seus filhos.'' (Fr. D. Vieira.) ''— Você não pode imaginar, Pretinha, quanto me dói ter sido tão severo *para com* a Luíza! Hoje é que reconheço que ela não merecia.'' (Abílio Barreto, *A Noiva do Tropeiro,* 42.)

Significação — *de, entre, para:*

''A significação *de* um quadro, *de* um símbolo.'' (Fr. D. Vieira.) ''Em significação *de* benevolência.'' (Cf. Morais.) ''A tomarmos carinho na significação *de* 'afeto', será o afeto exaltado, estremecido, o 'ardor', o 'entusiasmo', a 'paixão'.'' (Rui, *Réplica,* 356.)

''Esta palavra não tem a mesma significação *entre* duas mulheres.'' (Camilo, *Mistérios de Lisboa,* I, 97.)

''Sou um estrangeiro que fala uma linguagem sem significação *para* o sacerdote.'' (Camilo, *ob. cit.,* 89.)

Significativo — *a, de, para:*

''Sorriu enternecido por esse carinho rústico, sem palavras, mas tão significativo *a* seu coração.'' (Afrânio Peixoto, *Bugrinha,* 182.)

''Dali por diante o espírito de Querubina começou a animar-se de alarmas e precauções, bem significativos *d*a excitação a que não saberia como furtar-se.'' (Alberto Rangel, *Fura-Mundo,* 263.)

''João da Cunha perguntou ao filho, ainda absorto num silêncio mui significativo *para* o pai: ....'' (Camilo, *A Neta do Arcediago,* 36.) ''As palavras sublinhadas foram pronunciadas com força muito significativa *para* o filho de Silvina.'' (Camilo, *Livro Negro* 70.)

Silêncio — *em, sobre:*

''Sócrates aconselhava aos seus discípulos três coisas, a saber: prudência no ânimo, vergonha no rosto e silêncio *n*a língua.'' (Fr. D. Vieira.)

''Pelo meu silêncio *sobre* o crime, exijo em troca o seu para a minha culpa.'' (Aluísio Azevedo, *O Mulato,* 59.)

Silencioso — *a, ante:*

''Silencioso *à* pergunta que lhe foi feita, o conde levou a mão direita aos cabelos.'' (Camilo, *Mistérios de Lisboa,* I, 173.)

''De bem longe, pois, vinha a nossa atitude constrangidamente silenciosa *ante* a política e administração.'' (Rui, *Colunas de Fogo,* 150.)

Simbolizado — *em:*

''Tentarei rapidamente mostrar o quinhão que teve o jesuitismo, simbolizado *n*a pessoa de Vieira, na restauração de Portugal.'' (Camilo, *Boêmia do Espírito,* 33.)

Simetria — *com, de, em, entre:*

''Simetria de uma peça *com* outra.''

''A simetria *d*os membros do corpo humano, ou *d*o edifício.'' (Constâncio.) ''Há uma como simetria *de* cores, *de* sons, *de* disposição.'' (Garrett, *apud* Aulete.) ''A simetria *de* uma plantação.'' (Fr. D. Vieira.)

''A pintura de Portugal restaurado com tal método no todo e tal simetria *n*as partes ....'' (Vieira, *apud* Aulete.)

''As partes desta pintura têm boa simetria *entre* si.'' (Dic. de Morais.)

Simétrico — *a, de, entre:*

''O primeiro ornato não é simétrico *a*o segundo.''

"Diz-se do órgão simétrico *da*quele que se estuda." (L. Freire, voc. *adelfo.*)

"Aquelas colunas não são simétricas *entre* si."

Similar — *a, de:*

"Aparelha-se o entendimento do homem por um princípio similar *ao* que nos dirige na fecundação do solo." (Rui, *Queda do Império,* I, 276.)

"Etiquetas peralvilhas das antigas cortes similares *da* de Luís XIV." (Fialho de Almeida, *Os Gatos,* 94.)

Simpatia — *a, com, de, entre, para com, por:*

"Calei-me — e não senti nenhuma simpatia *à* pobre da D. Glória." (Graciliano Ramos, *S. Bernardo,* 156.)

"A simpatia *com* a verdade." (E. Carneiro Ribeiro, *Serões Gramaticais,* 671.) "Simpatia *com* alguém." (Carlos Góis, *Sintaxe de Regência,* 100.) "Quem, sabido o meu horror *à* grosseria, o meu respeito aos infelizes, a minha simpatia *com* os pequenos, o meu interesse pelos fracos, acolheria essa paspalhíssima intriga?" (Rui, *Cartas Políticas e Literárias,* 330.)

"Por simpatia *de* pensamento, quase pressentiu a idéia que tumultuava na alma de Paulo." (Afrânio Peixoto, *A Esfinge,* 202.) "Em Minas .... as simpatias *do* radicalismo revolucionário cavam o mais profundo álveo de torrente que nunca ameaçou, no Brasil, o governo estabelecido." (Rui, *Queda do Império,* I, 246.) "A imprudência de uma decisão contrária às simpatias *da* multidão." (Idem, *Cartas de Inglaterra,* 363.)

"Há uma certa simpatia natural *entre* certos sons e as emoções de nossa alma." (Fr. D. Vieira.) "Foi a inteligência, ou o instinto dos interesses comuns — diz um publicista francês — o que determinou as simpatias manifestadas estes últimos anos *entre* franceses e russos." (Rui, *Colunas de Fogo,* 211.)

"Simpatia *para com* alguém." (C. Góis, *Sintaxe de Regência,* 100.) "Cabe perguntar se a dinastia reinante não encontra, no fundo de seus tesouros de bondade, mais um pouco de simpatia útil *para com* aquelas regiões da pátria." (Rui, *Queda do Império,* I, 468.)

"Desde o primeiro instante da conflagração, em agosto de 1914, tinham vibrado as suas velhas simpatias *pela* Inglaterra." (Luiz Viana Filho, *A Vida de Rui Barbosa,* 262.) "Na sua antiga simpatia *por* assuntos históricos, deleitava-se com livros de 'Memórias de notáveis figuras da corte francesa'." (Antero de Figueiredo, *Amor Supremo,* 182.) "Não lhes solicite a curiosidade para os seus segredos, não lhes acorde a simpatia *pelos* seus infortúnios." (Rui, *Colunas de Fogo,* 233.) "Monfort achava sempre abertos os braços do lorde, que sentia *pelo* rapaz uma simpatia verdadeiramente inglesa." (Camilo, *Livro Negro,* 62.)

Simpático — *a:*

"A diretoria eleita não era simpática *à* Casa Grande." (Guilhermino Cesar, *Sul,* 140.) "Desvairado pela ambição, começou a dar mostras de que era simpático *aos* inimigos de sua pátria." (Gastão Cruls, *Ao Embalo da Rede,* 176.) "Mas eu não quebrei o silêncio que me impus, e que os jornais *a* mim simpáticos por sua vez têm mantido." (Rui, *Cartas Políticas e Literárias,* 149.)

Simpatizante — *com:*

"Simpatizante *com* uma causa, *com* uma doutrina."

Simples — *em:*

"Simples *no* vestir." (Morais.) "Ser simples *nos* seus trajes, *nos* seus móveis." (Fr. D. Vieira.)

Simpleza — *de, em:*

"Tinha esse antigo filólogo a simpleza *de* cuidar irremediavelmente perdidos para o nosso idioma todos esses termos." (Rui, *Réplica,* 449.) "A rústica simpleza *dos* aviamentos de uma casa de farinha." (Gustavo Barroso, *Terra de Sol,* 69.)

"A sua simpleza *no* modo bambo de encostar-se, *nas* suas eternas posições de descanso, *no* seu modo de trajar é quase sombria." (Gustavo Barroso, *Terra de Sol,* 168.)

Simplicidade — *de, em:*

"A opulência de sua família, a simplicidade *dos* seus hábitos, a sua aversão ao jogo .... excluem a suspeita das seduções tenebrosas." (Rui, *Cartas de Inglaterra,* 6.)

"Entretanto, apesar dessa simplicidade extrema *nos* resultados imediatos, o problema .... permanece insolúvel." (E. da Cunha, *Os Sertões,* 33.)

Sinal — *com, de; de, em, por:*

"Os sinais *com* a mão, cabeça, *com* o bastão, *com* golpes de badalo no sino." (Morais.)

"Mas nas tábuas nem sinais *dos* finos gumes." (Rebelo da Silva, *Contos e Lendas,* 36.) "Bastam em penhor e sinal *da* sua legitimidade os (exemplos) que acima mencionamos." (Mário Barreto, *Através do Dicionário e da Gramática,* 116.) "Em sinal *de* reconhecimento." (Aulete.)

"Comprei-lhe hoje uma casa e dei-lhe *de* sinal dez moedas." (Aulete.)

"Os americanos moviam as sobrancelhas *em* sinal de indiferença." (J. Américo de Almeida, *O Boqueirão,* 185.)

"A ponto de quebrar lanças e conseguir para ele um lugar no escritório da Empresa de Vapores Recifenses onde, *por* sinal, o velho Marcolo gozara de um prestígio enorme." (Mário Sete, *Os Azevedos do Poço,* 85.)

Sinceridade — *com, de, em, para com:*
"Tive sempre a máxima sinceridade *com* ele."
"Travando-se entre os dois disputa acesa, no atinente à sinceridade *de* convicções antimonárquicas de cada qual." (Fialho de Almeida, *Os Gatos,* 32.)
"Sinceridade *nas* afeições, *nos* negócios."
"Usar de sinceridade *para com* alguém."

Sincero — *com, em, para com:*
"Sabes que sou *con*tigo absolutamente sincero." (Júlia Lopes de Almeida, *Ânsia Eterna,* 1.)
"É muito sincero *em* todos os seus atos."
"É muito sincero *para com* os amigos."

Sindicância — *de, sobre:*
"Aguardemos o resultado da sindicância *d*essa falência."
"A sindicância *sobre* os antecedentes do candidato é indispensável."

Sinonímia — *com, de, entre:*
"Logo, na dialética do mestre, 'desolação' ali está em sinonímia *com* 'luto'." (Rui, *Réplica,* 384.)
"A sinonímia *de* palavras ou idéias não implica a identidade de análise das expressões sinônimas." (Augusto Moreno, *Lições de Linguagem,* II, 28.)
"Disserta apenas da etimologia latina, 'incidere', do verbo 'incidir', da sinonímia *entre* o 'incidere' e o 'incurrere' no latim." (Rui, *Réplica,* 204.) "Fui eu o primeiro a registrar que da sinonímia *entre* 'carecer' e 'necessitar' havia exemplos." (Idem, *ibidem,* 138.)

Sinônimo — *de:*
"Juventude" é sinônimo *de* "mocidade".

Sintonização — *com:*
"A sintonização *com* Buenos Aires dá melhor resultado durante a noite."

Sitiado — *de, por:*
"El-rei Joran, sitiado *de* Senaqueribe e *do* potentíssimo exército dos assírios, ameaçou que havia de tirar a cabeça a Eliseu, porque não fazia levantar o sítio com suas orações." (Vieira, *Sermões,* IX, 95.)
"Sitiados *por* tribos de gentios." (Alberto Rangel, *Fura-Mundo,* 50.) "Vira-se o pobre perdido, sitiado *por* todos os lados." (J. Lins do Rego, *Usina,* 59.)

Sito — *em, entre:*
"Hospedaram-se numa casinha sita *na* margem do rio."
"Capitania sita *entre* o Maranhão e o Pará." (Vieira, *apud* Morais.)

Situação — *em, para com:*
"Montículo coberto de relva e musgos, que, pela situação *no* lugar onde, provavelmente, ficava a divisão entre o pretório e a parte inferior do campo, dava indícios de ser o assento das aras dos deuses." (Herculano, *Eurico,* 232.) "Sua situação *no* seio do partido é pouco lisonjeira."
"Em conjunturas tais, o exemplo dos bons escritores autoriza por igual a posterioridade, ou a anterioridade, na situação do pronome objeto *para com* o verbo." (Rui, *Réplica,* 338.)

Situado — *a, em, entre:*
"As casas destes pagodes, todas ou a maior parte delas, estão situadas *à* borda do rio." (Fernão M. Pinto, *apud* Fr. D. Vieira.)
"Casa situada quase *no* extremo da praça principal." (E. da Cunha, *Os Sertões,* 157.) "Recanto sombrio e melancólico, já situado *nas* terras confinantes com as do Coronel Josias." (Gastão Cruls, *História Puxa História,* 35.)
"Na província de Trás-os-Montes tenho um casal, situado *entre* quatro montanhas." (Camilo, *Cenas da Foz,* 237.) "Tejucopapo era uma aldeola pernambucana, situada *entre* Itamaracá e Goiana." (*Maravilhas do Conhecimento Humano,* I, 159.)

Soberbo — *com, de, em:*
"Soberbos *com* a vitória." (Cf. Morais.) "É muito soberbo *com* os pobres e humildes."
"A escuna velejava, soberba *de* si, nas solidões sem horizonte." (Camilo, *Mistérios de Lisboa,* III, 193.) "Os orgulhosos de todas as épocas fitaram os olhos, soberbos *de* estultícia, no infinito." (Antero de Figueiredo, *Amor Supremo,* 157.)
"Encontrava (Suzana) apenas em Viena aquela fisionomia mais viçosa, menos arada pelas lágrimas, ... mais flexível na gentileza dos modos, e mais soberba *no* entono das palavras." (Camilo, *Livro Negro,* 84.)

Sobranceado — *por:*
"Ali estava a mesma passagem temerosa .... sobranceada em todo percurso *pel*as trincheiras alterosas." (E. da Cunha, *Os Sertões,* 282.)

Sobranceiro — *a, para com:*
"Outeiro sobranceiro *à* ribeira." (Morais.) "A Condessa de Santa Bárbara. na varanda sobranceira *ao* Tejo, levantou o véu negro para respirar uma coluna do ar, que até ali lhe fora cerceado entre quatro paredes sufocantes." (Camilo, *Mistérios de Lisboa,* I, 212.) "Sinto-me sobranceiro *a* todas as misérias." (Aulete.) "Encostada ao peitoril de uma janela, sobranceira *às* flores, fixava uma vista úmida nas pétalas das camélias que remoinhavam numa balsa de mármore." (Camilo, *Livro Negro,* 102.)
"À medida que se humilhava perante Deus, fazia-se cada vez mais altiva e sobranceira *para com* os homens." (Aluísio Azevedo, *O Homem,* 54.)

Sobrecarregado — *com, de:*
"Sobrecarregado *com* trabalhos." (L. Freire, voc. *apensionado.*) "Os poderosos imperadores romanos .... tão sobrecarregados ficavam *com* tal luxo, que mal podiam andar." (*Maravilhas do Conhecimento Humano,* I, 41.)
"Fica a pobrezinha sobrecarregada *de* funções." (Afrânio Peixoto, *A Esfinge,* 163.) "De chofre, o preso estacou, sobrecarregado *de* cuidados." (J. Américo de Almeida, *A Bagaceira,* 205.)

Sobreexcedente — *a:*
"Afastando-o do concurso de mancebos que malbaratavam cada mês fortuna sobreexcedente *à* dele." (Camilo, *Amor de Salvação,* 183.)

Sobrejacente — *a:*
"No dia seguinte, D. Soeiro foi para Miranda, e levava ainda uns parches de alvaiade na testa, e uns pontos nos tegumentos sobrejacentes *aos* ossos parietais." (Camilo, *O Bem e o Mal,* 164.)

Sobreposto — *a:*
"A classe sobreposta *à* plebe também refugava a influência da Companhia e mais a sua educação literária." (Camilo, *Livro Negro,* 49.)

Sobrescritado — *a:*
"O jornal apareceu em Vila Cova sobrescritado *a* Casimiro Betancur." (Camilo, *O Bem e o Mal,* 134.)

Sobressaltado — *com, de, por:*
"Então?!... — disse o feitor, já sobressaltado *com* a mímica do sobrinho." (Rebelo da Silva, *Contos e Lendas,* 74.) "Ficou sobressaltado *com* a inesperada e infausta notícia." (Constâncio.)
"Foi surgir a Ormuz, cujo rei, sobressaltado *da* inopinada vinda ...." (Filinto Elísio, *apud* Aulete.)
"Despertou sobressaltada *pela* toada plangente dos sinos." (Camilo, *Mistérios de Lisboa,* I, 231.)

Sobrevivente — *a:*
"Não nos cabe rastejar a história dessas vagas palavras, tidas como sobreviventes *ao* dilúvio lingüístico." (Júlio Nogueira, *O Exame de Português,* 46.)

Sobriedade — *em:*
"Não primavam as nossas antigas leis civis pela sobriedade *na* linguagem." (Rui, *Parecer sobre o Projeto de Código Civil Brasileiro,* 150.) "Sobriedade *no* beber, *no* comer."

Sóbrio — *de, em:*
"Sóbrio *de* palavras, *de* elogios."
"Grave no som, sóbria *na* tinta, gentil de linhas." (Antero de Figueiredo, *Jornadas em Portugal,* 46.) "Sóbrio *em* palavras." (Morais.)

Sócio — *de, em:*
"Olhavam inquietos para os novos sócios *de* infortúnio." (E. da Cunha, *Os Sertões,* 600.)
"Sócio *em* uma indústria, *em* alguma empresa."

Socorro — *a, de:*
"Os socorros *às* tropas auxiliares." (Dic. de Morais.)
"Em socorro *dos* mais fracos penitentes." (Antero de Figueiredo, *Jornadas em Portugal,* 73.)

Soerguido — *em, por:*
"Arcabouço denegrido e repugnante, mal soerguido *nas* longas pernas murchas." (E. da Cunha, *Os Sertões,* 567.)
"Levantou-se, como soerguido *pela* mareta que o atirasse de arrebate à praia desconhecida." (Alberto Rangel, *Fura-Mundo,* 385.)

Sôfrego — *de, por:*
"Meus olhos e meus ouvidos vinham tão sôfregos *de* almas francas, *de* feitios rasgados, *de* bondades prontas ...." (Antero de Figueiredo, *Jornadas em Portugal,* 37.) "Sôfrego *de* honras." (E. Carneiro Ribeiro, *Serões Gramaticais,* 674.) "Sôfregos *de* reaver o seu prestígio, correram sem detença Raul César e Albano." (Xavier Marques, *As Voltas da Estrada,* 65.)
"Os liberais haviam acolhido nas suas fileiras uma juventude fogosa e sôfrega *por* aparecer no cenário do país, realizando as grandes reformas por que se havia batido." (Luiz Viana Filho, *A Vida de Rui Barbosa,* 61.) "Passara o resto da noite e a manhã seguinte sôfrego *por* tornar a vê-la." (Ferreira de Castro, *A Selva,* 36.)

Sofreguidão — *em, por:*
"Quando nos dá o seu novo trabalho? Há sofreguidão *em* o ver!" (Eça, *O Primo Basílio,* 347.)
"Era visível em todos a sofreguidão *pelo* jantar."

Solicitado — *a, de, por:*
"Em entrevista solicitada *a* um grande jornal, pingava os pontos nos ii e tudo andava assim às conveniências." (Afrânio Peixoto, *A Esfinge,* 111.)
"E só se esquecia para o suplício maior, que era vê-la solicitada e querida *de* tantos, *de* toda a gente." (Afrânio Peixoto, *ob. cit.,* 53.)
"As línguas, como tudo, de contínuo se transformam com as necessidades crescentes solicitadas *pela* vida em movimento." (Antero de Figueiredo, *Jornadas em Portugal,* 48.)

Solícito — *com, de, em, para, para com, por:*
"O gerente não podia ter sido mais solícito *comigo.*"

"Parece que andam solícitos *da* sua perdição." (Dic. de Morais.)

"Sempre fora acatado na imprensa, solícita *em* publicá-lo, a pretexto do menor dos seus atos." (Afrânio Peixoto, *A Esfinge,* 101.) "Andar solícito *no* serviço da pátria." (Constâncio.)

"Sempre se mostrou solícito *para* os pobres e desvalidos."

"Solícito *para com* todos."

"Manuel, todo solícito *pelo* seu bom empregado, mandou-lhe lá o médico." (Aluísio Azevedo, *O Mulato,* 47.) "Continuava a freqüentar assiduamente a casa do compadre, sempre muito solícito *pela* saúde da sua afilhada." (Idem, *ibidem,* 340.) "Nada disse ao marido; nisso mostrava-se esposa solícita *pela* tranqüilidade conjugal; mas mostrava-se sobretudo mulher." (M. de Assis, *Contos Fluminenses,* 132.)

Solicitude — *com, de, em, para com, por:*

"Luís da Cunha era estranho às apressadas solicitudes da Viscondessa de Bacelar *com* o futuro de sua filha." (Camilo, *A Neta do Arcediago,* 46.)

"Solicitude *de* ajuntar riquezas." (Morais.)

"Não posso bem compreender a solicitude de um estranho *neste* objeto. Mas sei que ele existe." (Camilo, *Livro Negro,* 152.) "Portugal foi a grande nação assinalada na história universal pelo seu incansável empenho ou heróica solicitude *em* dilatar os breves horizontes do mundo conhecido." (Latino Coelho, *apud* Aulete.)

"Uma publicidade complacente com os seus erros e os seus excessos tem *para com* o delírio do seu poderio a solicitude piedosa dos bons filhos de Noé." (Rui, *Colunas de Fogo,* 198.)

"Paulo repetia as palavras do tio e nelas achava a solicitude carinhosa *pelas* suas precauções de arte e de vida." (Afrânio Peixoto, *A Esfinge,* 90.) "Dessas generosidades exercidas sob sigilo, ... com uma solicitude *pelas* obscuras misérias, fina e terna, está cheia Évora." (Fialho de Almeida, *Os Gatos,* 263.)

Solidariedade — *a, com, de, em, entre:*

"O Visconde Lima Duarte, ante a gravidade dos acontecimentos, propôs um voto de solidariedade *ao* regime monárquico." (Luiz Viana Filho, *A Vida de Rui Barbosa,* 135.)

"Mas, em seguida, escrevendo o seu comento, assume a solidariedade mais dedicada *com* o trabalho da comissão parlamentar." (Rui, *Réplica,* 29.) "Mesmo o papagaio não o hostiliza, certamente por solidariedade *com* a velha." (Ciro dos Anjos, *O Amanuense Belmiro,* 106.) "Se passara a olhar o capataz de soslaio, fora antes por um impulso de solidariedade *com* aquele companheiro de turma." (Guilhermino Cesar, *Sul,* 9.)

"Esta solidariedade *de* esforço evidencia-se melhor na vaquejada." (E. da Cunha, *Os Sertões,* 125.)

"Não há sinal mais expressivo da civilização de um povo, que a sua solidariedade *na* tradição e *no* desenvolvimento, *nas* aspirações e *nas* idéias, *nas* simpatias e *nos* dissabores." (Rui, *Queda do Império,* I, 183.)

"Impotente (o mestiço) para formar qualquer solidariedade *entre* as gerações opostas, de que resulta, reflete-lhes os vários aspectos predominantes num jogo permanente de antíteses." (E. da Cunha, *Os Sertões,* 109.)

Solidário — *com, em:*

"Em torno de todas as monarquias há, em geral, uma classe aristocrática, solidária *com* o trono." (Medeiros e Albuquerque, *Quando Eu Era Vivo,* 84.) "Os trabalhadores, em cada indústria, são solidários *com* os patrões." (Rui, *Campanha Presidencial,* 157.) "Sobretudo numa ocasião de infortúnio, o dever exigia-lhe ficar solidário *com* o pai." (Luiz Viana Filho, *A Vida de Rui Barbosa,* 26.)

"Solidários *no* culto de uma espécie de protocolo da rotina, eles exageravam o espírito de hierarquia, de simetria e de regularismo." (Alberto Rangel, *Fura-Mundo,* 46.)

Solto — *de, em:*

"Solto *das* peias morais que lhe tolhiam a liberdade." "Homem solto *de* língua, o que fala sem pejo, inconveniente no falar."

"Homem solto *na* língua e atado nas mãos." (Constâncio.)

Sombreado — *de, em, por:*

"Cinta de terrenos férteis sombreados *de* cerradões que prefiguram verdadeiras matas." (E. da Cunha, *Os Sertões,* 264.)

"Que insânia te sacode os miolos? vociferou Brás Bueno, céreo de raivecido, os olhos sombreados *num* verniz castanho e metálico." (Alberto Rangel, *Fura-Mundo,* 339.)

"Ipueiras rasas salpintando pequenas várzeas sombreadas *pelas* ramagens virentes dos icozeiros." (E. da Cunha, *Os Sertões,* 478.) "E sombreados *pela* asa da morte, ... recurvos a vencer a móvel areia, os trinta e cinco marítimos destroçaram." (Aquilino Ribeiro, *A Batalha sem Fim,* 3.)

Somenos — *a, em, para:*

"Um erudito filólogo .... considera somenos *aos* do 'acerca' os créditos filológicos do 'sobre'." (Rui, *Réplica,* 5.)

"Sabia, finalmente, que era ele o superior em renome, e o somenos *em* remuneração entre os letrados do Porto." (Camilo, *As Três Irmãs,* 47.)

"Áulico autêntico e ainda não desenganado, e também, o que é somenos *para* quem possuía tanto manganês, a fama e presunção de alguma fortuna." (Afrânio Peixoto, *A Esfinge,* 334.)

Sondagem — *de:*
"E essas sondagens sucessivas *da* tolerância popular são, virtualmente, outras tantas consultas ao ânimo da nação." (Rui, *Cartas de Inglaterra,* 325.)

Sonoro — *de:*
"Era uma noite evocativa, sonora *de* cantorias e tocatas, igual a muitas outras de antanho." (Xavier Marques, *As Voltas da Estrada,* 41.)

Sopeado — *de, em:*
"Sentado ao pé dela, apesar da minha desenvoltura, sentia-me sopeado *de* entendimento e falho de expressões." (Camilo, *Mistérios de Lisboa,* I, 164.)
"Vencidos e sopeados *nas* tentações." (Dic. de Morais.)

Sopitado — *sob:*
"A sua resposta ao brado do general foi o silêncio, e esse silêncio era a única resposta que poderia dar-lhe o moço de dezoito anos, sopitado *sob* a influência de uma esperança de terror santo." (Camilo, *Livro Negro,* 72.)

Sorte — *em:*
"Embora tivesse sorte *na* fabricação de bandeiras, era infeliz com maridos. Seu segundo esposo, tendo sido capturado pelos ingleses, morreu na prisão em 1787." (*Maravilhas do Conhecimento Humano,* I, 143.)

Suave — *a, em, para:*
"As estradas lisas, achanadas, tornaram-se suaves *aos* viajantes." (C. Neto, *Imortalidade,* 114.)
"Suave *nas* maneiras." (Fr. D. Vieira, voc. *afável.*)
"Este silêncio é suave *para* o coração." (Camilo, *Mistérios de Lisboa,* III, 131.)

Suavidade — *de, em, para:*
"Que doçura, que suavidade *de* voz!" "A suavidade *do* seu olhar." (Aulete.)
"Suavidade *no* escrever, *no* falar."
"O teu orgulho tem suavidades *para* mim." (Camilo, *Mistérios de Lisboa,* III, 142.)

Subalternidade — *de:*
"Perderíamos destarte uma velha amizade, e ficaríamos na subalternidade *de* outra." (Rui, *Colunas de Fogo,* 212.)

Subalterno — *a, de:*
"Umas e outras (fortificações) são subalternas *aos* meios de defesa semoventes, e deles exclusivamente dependem para ser eficazes." (Rui, *Cartas de Inglaterra,* 191.) "Se acha que os ministros são subalternos *a* governadores de Estados, rogo-lhe me alivie deste encargo." (Idem, *Cartas Políticas e Literárias,* 34.)
"Toda espécie é subalterna *de* seu genero." (Morais.)

Subdivisão — *em:*
"Divisão da classe em gêneros, e subdivisão dos gêneros *em* espécies."

Subida — *a, para:*
"Seria, porém, absolutamente injusto acusar Quintino de se ter tornado orgulhoso com a subida *ao* poder." (Medeiros e Albuquerque, *Quando Eu Era Vivo,* 101.)
"A subida *para* a igrejinha é aquela."

Subjacente — *a:*
"Subjacente *a* tudo, existia naquela alma a visão plástica da beleza." (Antero de Figueiredo, *Amor Supremo,* 95.)

Subjugado — *por:*
"Se lhe tivesse sido possível arrancar as estrelas dos céus, tê-las-ia amontoado no regaço de Cleópatra, tão completamente subjugado *pelo* seu mágico encanto estava ele." (*Maravilhas do Conhecimento Humano,* I, 136.)

Sublocação — *a:*
"Paga aluguel barato, mas não tem o direito de fazer sublocações *a* terceiros."

Submerso — *em:*
"Deste infeliz lutador, submerso *em* trevas quando as espancava com vertiginosa ânsia de luz, diz a princesa que «ele consumira a maior parte da mocidade em dissipações»."

Submetido — *a, por:*
"Submetido *a* muitos rigores." (E. Carneiro Ribeiro, *Serões Gramaticais,* 675.) "Lebrun, seu colega de ministério, foi submetido *a* julgamento, e se sentou na cadeira de ferro." (Rui, *Colunas de Fogo,* 68.)
"Só existe (a restrição), na legislação brasileira, para as sociedades secretas, judiciosamente submetidas *a* essa precaução *pelo* Código Criminal." (Rui, *Queda do Império,* I, 105.)

Submissão — *a, de, para com:*
"A docilidade natural de Maria assegurava-lhe a submissão *ao* esposo." (Camilo, *As Três Irmãs,* 46.) "Essa resignada submissão *às* necessidades de cada dia não era para ganhar a vida: era, apenas, para não perdê-la." (J. Américo de Almeida, *A Bagaceira,* 38.) "A tirania da lei tem, ao menos, a vantagem de exprimir apenas a submissão *a* um princípio geral e impessoal." (Rui, *Colunas de Fogo,* 146).
"Submissão *de* gênio, *de* caráter."
"Submissão *para com* os pais."

Submisso — *a, de:*
"Submisso *aos* seus superiores." (E. Carneiro Ribeiro, *Serões Gramaticais,* 675.) "Submissa, por um momento, *à* dor, logo se rebelara." (Veiga Miranda, *A Eterna Canção,* 64.)
"Quando ela estiver bem submissa *do* amor fraternal, o outro sentimento virá de si." (Camilo, *A Enjeitada,* 196.)

Subordinação — *a, para com:*

"Subordinação das causas e efeitos, dos meios *ao* fim." (Morais.) "Subordinação de uma cláusula *a* outra.

"Em nenhum desses exemplos a cláusula do infinito pode eximir-se à subordinação *para com* o verbo principal." (Rui, *Réplica,* 253.)

Subseqüente — *a:*

"Numa das refregas subseqüentes *ao* assalto ficara prisioneiro um curiboca ainda moço." (E. da Cunha, *Os Sertões,* 494.) "Dessas (vírgulas), duas vêm a ser a precedente e a subseqüente *à* cláusula." (Rui, *Réplica,* 440.)

Subserviência — *a, de:*

"O sentimento monárquico é incompatível com a sinceridade liberal, e vive de subserviência *à* corrupção das cortes." (Rui, *Queda do Império,* I, 402.) "Déspota de curta vista, ignoravas que o único predicado essencial ao funcionário, depois da subserviência *ao* patrão, é a incapacidade profissional." (Idem, *Cartas de Inglaterra,* 256.)

"Não houve despeitos pessoais: houve uma revolução luminosa nas praxes do direito canônico professado em Portugal e nas subserviências *do* poder real *ao* direito consuetudinário pontifício." (Camilo, *Boêmia do Espírito,* 295.)

Subsidiário — *a:*

"Faz-me V. Ex.ª a honra de me lembrar que o regimento do Senado é subsidiário *ao* regimento do Congresso." (Rui, *Cartas Políticas e Literárias,* 186.)

Subsídio — *a, em, para:*

"Nem essa inversão contraria os interesses essenciais da verdade. Antes pode vir a ser, em última análise, um subsídio *à* sua causa." (Rui, *Cartas de Inglaterra,* 80.) "Se o invoco, é apenas em argumento adminicular, subsídio *aos* outros que venho de expender." (Idem, *Réplica,* 362.)

"Estudo que é um grande subsídio *na* prática, *na* conversação e trato dos homens." (Dic. de Morais.)

"Esses apontamentos constituem subsídio valioso *para* a organização de um trabalho amplo sobre a matéria."

Substituição — *a, de, por:*

"Esse funcionário veio em substituição *ao* que foi demitido."

"A preposição emprega-se .... com os pronomes pessoais nos casos retos, em substituição *das* variações oblíquas correspondentes." (Augusto Moreno, *Lições de Linguagem,* II, 115.)

"A indevida substituição *do* 'j' *por* 'g' deriva, em grande parte, de uma praxe." (C. de Figueiredo, *Lições Práticas,* I, 43.)

Substituído — *a, com, em, por:*

"Ser substituído *a* outrem, ser sucessor de outrem." (Aulete, voc. *suceder.*)

"Medicamentos estrangeiros substituídos vantajosamente *com* produtos nacionais."

"Substituído *no* governo, *na* gerência de um estabelecimento."

"Os sons rudes, ásperos .... são substituídos *por* outros de mais fácil emissão." (Júlio Nogueira, *O Exame de Português,* 62.) "Tu já sabes que a parte que tens em minha alma não pode ser substituída *por* ninguém." (Camilo, *A Neta do Arcediago,* 124.) "Os velhos libertos de Roma haviam desaparecido. Tinham sido substituídos, de um lado, *pelos* opulentos nobres, e de outro, *pelos* paupérrimos lavradores." (*Maravilhas do Conhecimento Humano,* I, 42.)

Sucedâneo — *a, de:*

"Eu recomendo a expressão 'faculdades onímodas' aos parlamentares e constitucionalistas dos nossos dias como sucedâneo mais apropriado, mais claro, mais técnico *à* designação de 'faculdades extraordinárias', atualmente em voga." (Rui, *Cartas de Inglaterra,* 295.)

"Como sucedâneos portugueses *desse* adjetivo e *desse* advérbio enumerei .... não menos de dezessete vocábulos e locuções." (Rui, *Réplica,* 477.)

Sucedido — *com, em:*

"Não foi mais bem sucedido *com* o de sua construção esse notável erudito." (Rui, *Réplica,* 436.)

"Ser bem sucedido *em* algum negócio."

Sucessão — *em:*

"Dois meses depois, Sua Santidade e o rei das duas Sicílias concediam a Laura Josefina Rufo o perfilhamento, e a sucessão *na* opulenta herança do cardeal, seu pai." (Camilo, *Livro Negro,* 38.)

Sucesso — *de, em:*

"Quero ver o sucesso *disso.*" (Fr. D. Vieira.)

"Seu grande sucesso *na* imprensa deve-se principalmente à sua perspicácia na observação das pessoas e das coisas."

Sucessor — *de:*

"Oito anos depois da sua primeira viagem, regressa às montanhas mineiras o sucessor *daquele* príncipe." (Rui, *Colunas de Fogo,* 6.)

Suficiência — *para:*

"Pessoa de suficiência *para* o cargo." (Morais.)

Suficiente — *a, para:*

"Descobrir nascentes de água suficientes *ao* uso particular e ao uso público nesta grande cidade, ... eis a nossa aspiração vital." (Rui, *Queda do Império,* I, 447.)

"Os agressores recuaram por momentos, o suficiente *para* que o assalto trancasse rapidamente a porta." (E. da Cunha, *Os Sertões,* 156.) "Tardia adaptação, que não tem prestígio suficiente *para* se impor no conceito e no uso dos povos cultos.'' (João Ribeiro, *Curiosidades Verbais,* 177.) ''Por acaso, conseguiu (Goldsmith), emprestada, dum conhecido, pequenina soma, mas nunca teve dinheiro suficiente *para* pagar suas dívidas.'' (*Maravilhas do Conhecimento Humano,* II, 107.)

Sufocado — *de, em, por, sob:*

''O seio sufocado *de* soluços.'' (Fr. D. Vieira.) ''Os olhos meio fechados e a voz ainda sufocada *do* esforço.'' (Rebelo da Silva, *Contos e Lendas,* 80.) ''Amâncio retirou-se da varanda, sufocado *de* raiva. Preferia esperar no quarto.'' (Aluísio Azevedo, *Casa de Pensão,* 226.)

''Convulsa, sufocada *em* soluços, ... descaiu em aparente paralisia.'' (Camilo, *Mistérios de Lisboa,* I, 226.) ''Sua célebre condutora se sentara em uma pedra, sufocada *em* gemidos.'' (Idem, *ob. cit.,* II, 101.)

''Sufocados *pelas* mesmas saudades, unificados no mesmo sentimento de amor à independência.'' (Afonso Arinos, *Pelo Sertão,* 15.) ''Sufocada *pelos* soluços, cessou de clamar e caiu com o rosto contra o chão.'' (Camilo, *A Enjeitada,* 169.)

''Sufocada *sob* a pressão de um tirano, escondendo as lágrimas para não irritar a cólera do seu verdugo.'' (Camilo, *Cenas da Foz,* 159.)

Sufrágio — *para, por:*

''Preciso ser grata aos benfeitores mortos, e ao vivo: os sufrágios *para* os mortos, e a posse desta quinta, meu purgatório e paraíso, para o meu benfeitor.'' (Camilo, *A Neta do Arcediago,* 163.)

''Ninguém pode determinar que se consuma em sufrágios *por* sua alma mais do que o terço da terça dos bens que deixa.'' (*Cód. Civ. Português.*)

Sugestão — *a, para:*

''A sugestão *ao* professor trouxe conseqüências inesperadas.''

''Aquele ambiente calmo do engenho oferecia sugestões deliciosas *para* a constituição de um lar, de uma família.'' (Mário Sete, *Os Azevedos do Poço,* 23.)

Sujeição — *a:*

''A sujeição dos fortes *aos* fracos, dos espíritos grandes e bem formados aos mesquinhos e baixos.'' (Rui, *Cartas de Inglaterra,* 234.) ''Continha-se nelas (letras) não menos que a morte do rei, a perda da coroa imperial e a sujeição de toda a monarquia *a* seus inimigos.'' (Vieira, *Sermões,* IX, 165.)

Sujeito — *a:*

''A flexão do gênero está, como todos os fenômenos lingüísticos, sujeita *a* mudanças.'' (Júlio Nogueira, *O Exame de Português,* 131.) ''Encadeou a Satanás e o precipitou no abismo, purificou a terra, outrora sujeita *ao* seu império.'' (Mário Barreto, *Cartas Persas,* 196.)

Sujo — *de:*

''Iam e vinham grunhindo, babosos, hediondos, sujos *da* lama em que se deleitavam.'' (Júlia L. de Almeida, *Ânsia Eterna,* 34.) ''Não é literal a tradução; agalegou-se e ficou muito suja *de* erros de imprensa.'' (Garrett, *apud* Aulete.)

Sumido — *de, em, entre:*

''Homem sumido *de* rosto, o que é muito magro.'' (Morais.)

''Sumido *no* meio dos grandes impérios da terra, o seu nome retumbou por todo o globo.'' (Herculano, *O Bobo,* 13.) ''O mundo afogado e sumido *em* um dilúvio.'' (Vieira, *apud* Morais.)

''Era uma habitação mal reparada, sumida *entre* quatro montanhas.'' (Camilo, *Cenas da Foz,* 239.)

Superabundância — *de, para:*

''Superabundância *de* merecimentos.'' (Fr. D. Vieira.)

''Daí dois defeitos do nosso alfabeto: superabundância *para* a representação de certos fonemas, e deficiência para a representação de outros.'' (E. Carlos Pereira, *Gramática Expositiva,* 32.)

Superior — *a, em:*

''Superior *aos* seus companheiros.'' (E. Carneiro Ribeiro, *Serões Gramaticais,* 675.) ''Todos esses cimos onde a idéia liberal amanhece primeiro, estão superiores *à* injúria que passa por sobre a propaganda republicana.'' (Rui, *Queda do Império,* I, 168.)

''Sabia, finalmente, que era ele o superior *em* renome, e o somenos em remuneração.'' (Camilo, *As Três Irmãs,* 47.)

Superioridade — *a, de, em, sobre:*

''Desejo de assustar uma mulher, e de extasiá-la, mostrando a superioridade das minhas pernas *aos* galões e solavancos de um cavalo.'' (Camilo, *Mistérios de Lisboa,* I, 161.)

''Superioridade *de* graduação.'' (Constâncio.)

''Essas duas pretendentes ao mérito da superioridade *na* elaboração das convicções humanas.'' (Rui, *Cartas de Inglaterra,* 65.) ''Inculcavam-se outras tantas condições de superioridade *em* qualquer conflito.'' (Idem, *ibidem,* 205.)

''Reconhecendo-lhes franca superioridade *sobre* as suas vítimas.'' (Veiga Miranda, *A Eterna Canção,* 75.) ''E fica, assim, cercado de um halo misterioso, no seu meio de filistinos, usando de um trunfo que assinala sua superioridade *sobre* os companheiros de bridge e tênis.'' (Ciro dos Anjos, *O Amanuense Belmiro,* 66.) ''Eu tinha certa superioridade *sobre* o espírito de meu marido. O meu tom imperioso não admitia recusa; meu marido cedeu a despeito de tudo, e à noite fomos ao Teatro Lírico.'' (M. de Assis, *Contos Fluminenses,* 183.)

Supersticioso — *de, em:*

''Por uma parte tão supersticiosos *da* religião, e por outra tão presumidos da sabedoria.'' (Vieira, *Sermões,* IX, 157.)

''O homem honrado deve ser supersticioso *em* não afirmar senão o que vê.'' (Dic. de Morais.)

Suplente — *a, de:*

''Tomando assento na câmara alta, foi o bispo designado para suplente *à* presidência.'' (Latino Coelho, *apud* Aulete.)

''Foi nomeado suplente *de* juiz de paz.''

Súplica — *a:*

''O sol alto viu os dois amantes enlaçados, em súplicas ofegantes *ao* empedernido cabo da guarnição.'' (Alberto Rangel, *Fura-Mundo,* 220.)

Suplício — *de, para:*

''Que é o suplício *do* corpo, comparado com o *do* espírito?''

''As súplicas estavam sendo um novo suplício *para* o solitário pensador dos tormentosos conflitos da sua vida.'' (Camilo, *Mistérios de Lisboa,* II, 165.)

Supremacia — *em, entre, sobre:*

''Raro de sabor entre os sensaborões que por aí medram, e certamente fadado a uma supremacia qualquer *no* moderno romance português.'' (Fialho de Almeida, *Os Gatos,* 234.) ''Apresentai-vos com ela num bordel, e sereis admitida. As vossas companheiras hão de ceder-vos a supremacia *na* imoralidade.'' (Camilo, *Livro Negro,* 189.)

''É uma miniatura de convencional, ... na presunção eminentemente revolucionária da supremacia absoluta do corpo legislativo *entre* os poderes republicanos.'' (Rui, *Cartas de Inglaterra,* 336.)

''Este figurino importamo-lo das aljubetas lá de fora — luxo verbal na Itália vaidosa da herança representativa do Lácio e na França orgulhosa da sua supremacia *sobre* os povos de fala românica.'' (Ricardo Jorge, *Sermões dum Leigo,* 322.) ''Fundir o naturalismo e a ciência em uma espécie de supremacia comum *sobre* o pensamento e a consciência do gênero humano.'' (Rui, *Cartas de Inglaterra,* 64.)

Suprimento — *com, de:*

''Fez suprimento *com* gêneros de má qualidade.''

''Dinheiro para suprimento *de* alguma despesa.'' (Morais.) ''Suprimento *das* despesas, *das* necessidades.'' (Constâncio.)

Surdo — *a, de:*

''Vítimas de um poder surdo *aos* que imploram, cego aos que padecem.'' (Rui, *Cartas de Inglaterra,* 99.) ''E que se não perca em Coimbra como eu me perdi.... — continuou ele, surdo *às* interrupções incessantes de Luís.'' (Camilo, *A Neta do Arcediago,* 56.) ''Acompanhou-os o resto dos tropeiros, fugindo, surdos *às* intimativas feitas com revólveres engatilhados.'' (E. da Cunha, *Os Sertões,* 271.)

''Esse rapaz é meio surdo *de* um ouvido.''

Surgido — *de:*

''De acôrdo com os antigos, um poeta não era ser humano, mas uma criatura surgida *do* fogo e *da* tempestade, que acidentalmente caiu na terra para sofrer e para causar admiração.'' (*Maravilhas do Conhecimento Humano,* II, 98.)

Surpreendido — *com, de, em, por:*

''Surpreendido *com* um contrabando de casimiras, na alfândega.'' (Afrânio Peixoto, *A Esfinge,* 176.) ''Surpreendidos *com* o inopinado da manifestação, os sertanejos amorteceram e cessaram o tiroteio.'' (E. da Cunha, *Os Sertões,* 596.) ''Fiquei surpreendido *com* aquele título.'' (Camilo, *Mistérios de Lisboa,* I, 147.)

''O filho de Ângela, surpreendido *do* carinho, ou lisonjeado da familiaridade, ofereceu-lhe o braço, sem resistência ao convite.'' (Camilo, *Mistérios de Lisboa,* III, 169.)

''Duas cadeirinhas burguesas, surpreendidas *n*aquele bulício, se escaparam de medo a possíveis trambolhões.'' (Alberto Rangel, *Fura-Mundo,* 92.) ''Disse o brasileiro, como surpreendido *em* misterioso sentimento, qualquer que fosse: ....'' (Camilo, *Estrelas Propícias,* 135.) ''Fora surpreendido, outras muitas (vezes) *n*uma beatitude encantadora.'' (Afrânio Peixoto, *A Esfinge,* 259.)

''O próprio Rodolfo, surpreendido *pelo* revés, não tivera tempo de atendê-lo, como desejava, nas suas pretensões.'' (Luiz Viana Filho, *A Vida de Rui Barbosa,* 79.) ''A comoção não se diferençava nada de uma boa alma surpreendida *por* uma nova terrível.''

Surpresa — *de, para, por:*

''No mesmo ano, com alguma surpresa *dos* amigos, ... João Barbosa apareceu dirigindo 'O Século'.'' (Luiz Viana Filho, *A Vida de Rui Barbosa,* 4.)

''O encontro fora uma surpresa *para* mim.'' (Camilo, *Cenas da Foz,* 148.) ''Lembre-se, porém, que não é surpresa *para* mim a sua posição brilhante na República.'' (Afrânio Peixoto, *A Esfinge,* 82.)

''Exclamação familiar de admiração e surpresa *por* alguma coisa extraordinária.'' (Aulete, voc. *louvar.*) ''Restava-lhe grande surpresa *por* saber que tão facilmente, em três anos, pudera curar-se.'' (Afrânio Peixoto, *A Esfinge,* 371.)

Surpreso — *a, com, de:*

''Calígula tinha o hábito de dar longos passeios sozinho. As pessoas que o encontravam ficavam surpresas *ao* vê-lo conservar uma orelha erguida, de um jeito particular, como se estivesse escutando uma voz vinda do céu." (*Maravilhas do Conhecimento Humano*, I, 37.)

"Quase todos surpresos *com* a missão que lhes tocara." (Luiz Viana Filho, *A Vida de Rui Barbosa*, 138.) "Deveras surpreso *com* aquelas esquisitices da filha, ... puxou-a brandamente para junto de si." (Aluísio Azevedo, *O Homem*, 65.)

"Achou-o surpreso *de* todo aquele afã posto em agradar e servir a um moço." (Afrânio Peixoto, *A Esfinge*, 66.) "Ontem mostrou-se V. Ex.ª surpreso *de* que essa carta ainda não me tivesse chegado às mãos." (Rui, *Cartas Políticas e Literárias*, 40.)

Suscetibilidade — *para:*

"A mesma grosseria repassada de desprezo ao sexo fraco, a mesma suscetibilidade *para* desconfiar de qualquer pessoa." (Taunay, *Inocência*, 201.)

Suscetível — *a, de:*

"Hipersensibilidade que lhe fazia de todo o corpo um órgão sutilíssimo de receptividade, susceptível *à* mais ligeira vibração." (C. Neto, *A Cidade Maravilhosa*, 45.)

"Entretanto, suscetível *de* grandes ambições, ele jamais se deixava seduzir por vantagens mesquinhas." (Luiz Viana Filho, *A Vida de Rui Barbosa*, 246.) "Todas eram mulheres, vaidosas e fúteis, suscetíveis *de* igual embriaguez." (Afrânio Peixoto, *A Esfinge*, 119.) "Imagina-o suscetível *de* outro sentimento que não o desprezo." (Rui, *Colunas de Fogo*, 104.) "— É uma conjetura por que me não responsabilizo. A mulher, suscetível *de* uma falta, não é por isso indigna da minha estima." (Camilo, *Livro Negro*, 149.)

Suspeita — *de, sobre:*

"Declarou ter suspeitas *de* que em Vale não jogasse a alma heróica dum verdadeiro filho da república." (Fialho de Almeida, *Os Gatos*, 32.) "O documento ali reproduzido incute suspeitas *de* falso." (Camilo, *apud* Aulete.) "Há suspeita *de* roubo."

"Acrescia na reserva de Carlota o desconfiar-se da sinceridade de Flávia, efeito de lhe estar madame Jaquelina continuamente incutindo suspeitas *sobre* querer ela exaltar-se e abatê-la com a proposta de Hugo." (Camilo, *A Enjeitada*, 196.)

Suspeito — *a, de:*

"Prisões de generais e de políticos suspeitos *à* coroa." (C. Neto, *Miragem*, 198.) "Porventura já me fiz suspeito *aos* olhos de alguém?" (Camilo, *Cenas da Foz*, 155.) "Era a seção do exército brasileiro suspeita *aos* interesses de um governo impopular que ia ser atirada .... aos sertões de Mato Grosso." (Rui, *Queda do Império*, I, 148.) "A sua ausência do parlamento tornou-se suspeita *ao* partido popular." (Camilo, *Livro Negro*, 47.)

"Há um horror inexplicável diante de qualquer expressão suspeita *de* francesismo." (João Ribeiro, *Curiosidades Verbais*, 98.)

Suspeitoso — *a, de:*

"Homem suspeitoso assim *a* Deus como *à* coroa." (Dic. de Morais.)

"Repetiu, mais alto, a pergunta, e, suspeitoso *da* continuação do silêncio, abriu a porta." (Camilo, *Mistérios de Lisboa*, II, 33.) "Não suspeitosos *da* causa do seu mal." (Garrett, *apud* Aulete.)

Suspensão — *de:*

"Que suspensão *de* cachos! e tão à mão!" (Castilho, *apud* Aulete.) "Suspensão *de* armas, armistício, cessação de hostilidades." (Constâncio.)

Suspenso — *a, com, de, em, por, sobre:*

"Filhos encarapitados às costas, filhos suspensos *aos* peitos murchos." (E. da Cunha, *Os Sertões*, 607.) "Por baixo dum lampião suspenso *a* um ramo, um cantador sentado na tripeça mourisca faz gemer a guitarra." (Eça, *O Primo Basílio*, 58.)

"Os outros todos, suspensos *com* o silêncio que sucedera repentinamente ao ruído, olhavam-se sobressaltados." (Rebelo da Silva, *Contos e Lendas*, 313.)

"Custódia caiu como cadáver rijo que houvessem desatado de uma prisão suspensa *do* teto." (Camilo, *A Enjeitada*, 102.) "Cada partícula de areia, suspensa *do* solo gretado e duro, irradiava em todos os sentidos, feito um foco calorífico, a surda combustão da terra." (E. da Cunha, *Os Sertões*, 31.) "Ordenou que o corpo fosse suspenso *duma* árvore, perto da casa do tesouro, e disse aos guardas que levassem à sua presença quem quer que demonstrasse tristeza ao ver aquele morto." (*Maravilhas do Conhecimento Humano*, II, 44.)

"Suspenso *no* ar." (Constâncio.) "Eu era capaz de estar ali suspenso *naquele* silêncio, *naquele* mistério, longas horas, sem recordar-me que era caixeiro!" (Camilo, *Mistérios de Lisboa*, I, 8.)

"Todo o seu corpo fica suspenso *pelos* dedos grandes dos pés, sentado sobre os calcanhares." (E. da Cunha, *Os Sertões*, 115.) "Em padiolas, em redes, ou suspensos *pelos* braços entre os companheiros, ascendiam, exaustos, titubeantes." (Idem, *ibidem*, 601.)

"Como salvar o desgraçado suspenso *sobre* o abismo coberto de flores, sem apresentar a seus olhos a sorte horrível que o espera?" (Monte Alverne, *Obras*, I, 87.)

Suspiro — *de, por:*

"Solta da guitarra suspiros *de* amor e saudade." (Aulete.) "Rui de Nelas deu um grande suspiro *de* desabafo, e disse:

— Falas-me verdade?

— Como quem se confessa, fidalgo.'' (Camilo, *O Bem e o Mal,* 89.)

''Suspiros *pela* noiva ausente; suspiros *pela* pátria distante.''

Suspiroso — *por:*

''Reproduz a situação moral da pobre **Alda,** tão suspirosa *pelo* seu Fernão idolatrado.'' (Fialho de Almeida, *Os Gatos,* 211.)

Sustento — *com, de:*

''Nestes casos é aconselhável o sustento *com* frutas.''

''Vivia de esmolas, das quais recusava qualquer excesso, pedindo apenas o sustento *de* cada dia.'' (E. da Cunha, *Os Sertões,* 164.)

Sustido — *com, por:*

''Parede sustida *com* escoras de madeira.''

''Ribanceiras a se diluírem, sustidas *por* entretecimentos de raízes.'' (Gustavo Barroso, *Terra de Sol,* 36.)

Susto — *de:*

''Tomei susto *de* ser visto com o meu hábito, e fugi.'' (Camilo, *A Enjeitada,* 97.)

T

Tacanho — *de:*
"Tacanho *de* condição." (Constâncio.)

Tachado — *como, de:*
"O texto por mim tachado *como* sem gramática, nem sentido, era, de feito, ininteligível e irregível." (Rui, *Réplica* 42.)
"Tachado *de* mesquinho, tachado *de* ignorante." (Constâncio.)

Tachonado — *de:*
"Suponhamos que, durante toda nossa vida, só víssemos um pôr-de-sol ou um só céu noturno tachonado *de* estrêlas. Quão maravilhados ficaríamos diante do espetáculo!" (*Maravilhas do Conhecimento Humano,* I, *Prefácio.*)

Talento — *para:*
"Tem talento e préstimo *para* tudo." (Vieira, *apud* Morais.)

Talhado — *a, com, de, em, para:*
"Letras talhadas *ao* buril." (Fr. D. Vieira.)
"Inscrições talhadas *com* o cinzel."
"Bosques talhados *de* grandes lagos." (Morais.)
"Seres talhados *na* turgência da deformidade." (Fialho de Almeida, *Os Gatos,* 72.) "Desse colar pendia o diamante talhado *numa* parte da pedra bruta." (Alberto Rangel, *Fura-Mundo,* 93.)
"Martim Eicha era o homem talhado *para* o caso." (Herculano, *O Bobo,* 48.) "Ao indivíduo talhado *para* viver muito chamaríamos 'vivedouro'." (Rui, *Réplica,* 347.) "Mestre Antônio, além disso, reprovava o ousio de seu sobrinho em inquietar uma menina talhada *para* marido de outra linhagem e haveres." (Camilo, *O Bem e o Mal,* 87.)

Tangente — *a, entre:*
"Plano tangente *a* uma superfície." (Cf. Fr. D. Vieira.)
"Curvas tangentes *entre* si." (Aulete.)

Tapado — *a, com, por:*
"Salvo se o coração de um jurisconsulto é tapado *a* toda a casta de inspiração divina." (Camilo, *Estrelas Propícias,* 177.)
"A boca tapada *com* os mesmos vestidos." (Dic. de Fr. D. Vieira.)
"Os becos estavam tapados *por* festões de palmas." (Alberto Rangel, *Fura-Mundo,* 98.)

Tardança — *em:*
"Justificando a tardança da jurisprudência italiana *em* esposar a cláusula belga." (Rui, *Colunas de Fogo,* 220)

Tarde — *para:*
"Estão casados. Já me não poupo à vergonha de receber em minha casa a viúva do homem abjeto. É tarde *para* remédio. O sangue já não lava a nódoa." (Camilo, *O Bem e o Mal,* 113.)

Tardio — *em:*
"Tardio *em* resolver-se, *em* executar." (Morais.)

Tardo — *em:*
"Tardo *em* caminhar, *em* entender o que se explica." (E. Carneiro Ribeiro, *Serões Gramaticais,* 675.)

Tarefa — *para:*
"Deve ter sido uma fatigante tarefa *para* os rapazolas egípcios pôr por escrito as sábias sentenças de seus sacerdotes, em seus livros de cópia." (*Maravilhas do Conhecimento Humano,* II, 3.)

Taxado — *em:*
"A polícia não pode obstar senão aos ajuntamentos que apresentarem particularidades taxadas *em* lei." (Rui, *Queda do Império,* I, 95.)

Tecido — *contra, de, em, por:*
"Grande é o libelo tecido *contra* nós *pelo* ilustre amigo." (Rui, *Queda do Império,* I, 298.)
"Apareceu coroada, e não com coroa tecida *das* folhas murciais, senão de estrelas." (Vieira, *Sermões,* IX, 79.) "Verbo imaginativo — tecido *de* idéias — por exigências do seu temperamento plástico." (Antero de Figueiredo, *Amor Supremo,* 192.)
"Figura pintada ou tecida *nos* tapizes." (Vieira, *apud* Morais.)

Tédio — *de:*
"O homem .... sentirá tédio *da* vida, e tédio *da* esperança em melhor mundo." (Camilo, *As Três Irmãs,* 71.) "Quanto tédio *do* mundanismo frívolo e falso!" (Antero de Figueiredo, *Amor Supremo,* 143.)

Teima — *em:*
"Teima *em* fazer o que não deve."

Teimosia — *de, em:*

"Teimosia áspera *de* resistir à vista de um espetáculo incômodo." (Afrânio Peixoto, *A Esfinge,* 378.)

"Pois esse homem se desgraçou por causa de uma teimosia *em* trabalhar na sexta-feira santa." (Veiga Miranda, *A Eterna Canção,* 19.) "A teimosia da polícia *em* tornar o assassino cúmplice duma conspiração republicana." (Fialho de Almeida, *Os Gatos,* 39.)

Teimoso — *em:*

"O que muito lhe convinha .... era delir da memória e saudade da moça lembranças de sua ama, começando por lha figurar ingrata ao benfazer e teimosa *em* torná-la à indigência donde saíra." (Camilo, *A Enjeitada,* 118.)

Teiró — *a, com:*

"Participava do teiró do padrinho *a* Manuel Broca." (J. Américo de Almeida, *A Bagaceira,* 88.)

"Mais uma vez o teiró do mestre *com* a conjunção dessas duas partículas verbais." (Rui, *Réplica,* 394.) "Inimigo acérrimo de D. Luís Antônio, *com* quem vivia de teiró." (Alberto Rangel, *Fura-Mundo,* 65.)

Temente — *a, de:*

"Judite era temente *a* Deus, e Iria temente *a* Deus." (Vieira , *Sermões,* IX, 19.) "Homem temente *a* Deus." (Morais.)

"Se já não há tementes *de* Deus! já poucos são os que rezam!" (Aluísio Azevedo, *O Mulato,* 117.)

Temerário — *em, para:*

"Acho que fui temerário *em* aceitar o prazo que aceitei." (Rui, *Cartas Políticas e Literárias,* 210.)

"Nessa mesma noite resolveu Mendonça dar um golpe decisivo; resolveu escrever uma carta a Margarida. Era temerário *para* quem conhecesse o caráter da viúva; mas, com os precedentes já mencionados, era loucura." (M. de Assis, *Contos Fluminenses,* 26.)

Temeridade — *de, em:*

"Cometeu a temeridade *de* insultar o mensageiro do rei."

"Animei-me a alguns reparos, já quanto à escolha do codificador, já quanto a sua temeridade *em* ajustar para empenho tão difícil termo tão escasso." (Rui, *Réplica,* 51.)

Temeroso — *a, de, em:*

"Figura horrenda e temerosa *a* todos."

"Nada lhe digo, temerosa *de* o afligir." (Camilo, *As Três Irmãs,* 73.) "Cada um está alerta, temeroso *de* fazer coisas que redundem em desdoiro do seu partido." (Mário Barreto, *Cartas Persas,* 181.) "Finda a missa, a menina foi levada à casa do avô. As quatro tias deram inquietações à ama, temerosa *de* que lhe abafassem a criança com beijos." (Camilo, *O Bem e o Mal,* 139.)

"Temeroso *no* perigo."

Temido — *de, por:*

"Combate desigual, em que o bobo se cobria das armas mais temidas *de* um nobre cavaleiro — a proteção das formosas." (Herculano, *O Bobo,* 35.) "Átila era temido *de* seus súditos, mas não parece que fosse odiado por eles." (Mário Barreto, *Cartas Persas,* XXVII.) "Via-o belo, indispensável, grande na sua situação especial, conhecido das mulheres, temido e odiado *dos* homens, vivendo na curiosidade do público." (Aluísio Azevedo, *Casa de Pensão,* 294.)

"Reputava-se na Capitania a fama do primeiro má-língua de grulha incorrigível, temido *pelo* fio e tassalhos das tesouradas eméritas." (Alberto Rangel, *Fura-Mundo,* 65.)

Temível — *a, para:*

"É um homem perigoso, temível *a* todas as famílias."

"Se um governo, ...pedisse ao da Turquia levas de armênios, a Turquia tinha todo o interesse em dar os melhores e os mais válidos, precisamente porque *para* ela eram os mais temíveis." (Medeiros e Albuquerque, *Quando Eu Era Vivo,* 163.)

Temor — *a, de:*

"Temor *a* Deus." (C. Góis, *Sintaxe de Regência,* 100.) "Temor *aos* inimigos." (Mário Barreto, *Através do Dicionário e da Gramática,* 356.)

"O temor *de* Deus." (E. Carneiro Ribeiro, *Serões Gramaticais,* 67.) "O supremo pavor dos sertanejos era morrer a ferro frio, não pelo temor *da* morte senão pelas suas conseqüências, porque acreditavam que, por tal forma, não se lhes salvaria a alma." (E. da Cunha, *Os Sertões,* 565.) "Os primeiros colonos viviam num constante temor *dos* índios, que se abatiam subitamente sobre as colônias brancas e arrebatavam homens, mulheres e crianças." (*Maravilhas do Conhecimento Humano,* I, 108.)

Temperado — *com, de, em, por:*

"O comer temperado *com* especiarias." (Constâncio.)

"Nunca faltou a deixa ou o fecho a propósito, nem o humor temperado *do* sal da graça." (Ricardo Jorge, *Sermões dum Leigo,* 62.)

"Não se meta a querer escorraçar almas temperadas *na* luta." (Rui, *Colunas de Fogo,* 132.) "O sábio sempre temperado *nas* suas opiniões." (Idem, *Cartas de Inglaterra,* 228.) "Homem temperado *nos* desejos, despesas." (Morais.)

"O sucessor de D. João III encontraria a severidade temperada *pela* indulgência." (Rebelo da Silva, *apud* Aulete.)

Temperança — *em:*

"Temperança *nas* despesas." (Morais.)

Temperante — *em:*
"Temperante *no* comer, *no* beber; temperante *nos* desejos."

Tempo — *a, de, em, para:*
"Há sempre imprudentes, de réplica muito pronta, capazes de não darem tempo *à* resposta." (Afrânio Peixoto, *A Esfinge,* 100.) "O que não é raro é a graça, a simpatia, o indizível que vos encanta, sem vos dar tempo *à* estudar a irregularidade de um nariz, ou o defeito de uma testa." (Camilo, *A Neta do Arcediago,* 27.)
"Os emissários haviam tido tempo *de* voltar, prevenindo os moradores do contra-ataque." (E. da Cunha, *Os Sertões,* 231.) "Nunca tive tempo *de* ser artista, e ambicionar entre artistas a admiração." (Rui, *Colunas de Fogo,* 134.) "Seu marido mal teve tempo *de* despir um velho casacão." (Camilo, *Mistérios de Lisboa, II,* 184.)
"Mas para que é perder tempo *em* uma controvérsia já solenemente dirimida....?" (Rui, *Réplica,* 64.)
"Não temos ânimo nem tempo *para* ler os melhores gramáticos." (C. de Figueiredo, *Lições Práticas,* I, 7.) "Mas não havia tempo *para* estabelecer essa outra ordem de coisas." (Medeiros e Albuquerque, *Quando Eu Era Vivo,* 92.)

Temporização — *com:*
"Temporização *com* o inimigo quase sempre é prejudicial."

Tenacidade — *a, de, em:*
"Tenacidade *a*os bens do mundo." (Aulete.) "Tenacidade *à*s vaidades, *a*os conselhos, *a*os propósitos." (Constâncio.)
"Pensou que na absorção pela arte encontraria refúgio para escapar à tenacidade *do* desespero." (Afrânio Peixoto, *A Esfinge,* 204.) "É inquebrantável sua tenacidade *de* propósitos."
"Tenacidade *na* luta." (Gustavo Barroso, *Terra de Sol,* 177.) "Posto que sem conseqüências passasse esta circunstância, há manifesta relação entre ela e outras, que denunciam a tenacidade *num* sistema e o arrojo da irresponsabilidade que governa este país." (Rui, *Queda do Império,* I, 131.)

Tenaz — *de, em:*
"Avaro e tenaz *d*as suas coisas." (Dic. de Morais.)
"Rosas, tenaz *no* seu empenho, ... empregou todas as diligências para converter em aliança a oposição brasileira." (Rui, *Cartas de Inglaterra,* 317.) "Ao governo tenaz *no* seu abuso iríamos deixar a vantagem irrecuperável de todo o tempo que perdêssemos." (Idem, *Cartas Políticas e Literárias,* 159.)

Tenção — *de:*
"Quando fazia tenção *de* partir, D. Alzira pediu-me que ficasse, e, de tal modo, que não pude recusar." (Gastão Cruls, *Ao Embalo da Rede,* 166.) "Vem el-rei meu senhor com tenção firme *de* ajudar-nos." (Garrett, *apud* Aulete.)

Tendência — *a, de, em, para:*
"Tendência *à* embriaguez." (E. Carneiro Ribeiro, *Serões Gramaticais,* 671.) "Na argüição que me faz, de purismo e tendência *ao* gosto arcaico, há injustiça." (Rui, *Réplica,* 57.) "Estadeou então a sua única qualidade militar frisante: a tendência *a* enraizar-se nas posições conquistadas." (E. da Cunha, *Os Sertões,* 440.)
"Essa eterna tendência, *de* referirem tudo a si, que têm os homens." (Afrânio Peixoto, *A Esfinge,* 190.) "Opõe-se diametralmente à tendência, manifestada em outras nações, *de* conferir o ascendente .... à administração do serviço naval." (Rui, *Cartas de Inglaterra,* 199.)
"Pela natural tendência das crianças *em* contrariar o que se diz, todas descobriam a impossibilidade de ficar sem alimento até à hora da cerimônia." (Medeiros e Albuquerque, *Quando Eu Era Vivo,* 35.)
"Verifica-se, assim, a tendência *para* um aplainamento geral." (E. da Cunha, *Os Sertões,* 6.) "A tendência *para* evitar as expressões cruas, grosseiras ou obscenas." (João Ribeiro, *Curiosidades Verbais,* 53.) "A senhora respondeu pronta e redondamente que não tinha tendências *para* freira." (Camilo, *A Enjeitada,* 58.) "Mendonça era homem inteligente, instruído e dotado de bom-senso; tinha, além disso, grande tendência *para* as afeições românticas." (M. de Assis, *Contos Fluminenses,* 13.)

Tendente — *a:*
"Jantaram alegremente e de vontade. Os dizeres de Brásia, tendentes todos *ao* casamento, assazoavam as singelas iguarias do vigário." (Camilo, *O Bem e o Mal,* 67.)

Tensão — *entre:*
"Acentua-se a tensão *entre* a Rússia e a França."

Tentação — *a, contra, de, para:*
"Esses brinquedos são uma permanente tentação *às* crianças."
"Mas a força militar se converte, naqueles que a possuem, em tentação quase irresistível *contra* os vizinhos desapercebidos." (Rui, *Cartas de Inglaterra,* XI.)
"Tive a tentação *de* fugir do camarote, sob qualquer pretexto, e fugir." (Camilo, *Cenas da Foz,* 204.) "A tentação *de* apropriar-se do bem alheio só nasceu mais tarde." (Veiga Miranda, *A Eterna Canção,* 72.)
"Esse prato é uma tentação *para* comilões."

Tentativa — *contra, de, para, para com:*
"A tentativa de morticínio *contra* outro comício do mesmo caráter num teatro desta corte." (Rui, *Queda do Império,* I, 346.)

"As próprias autoridades envolvidas no plano vieram confessar a impossibilidade de acusarem a mínima tentativa *contra* a tranqüilidade pública." (Idem, *Discursos e Conferências*, 169.)

"Pesava já sobre ele o crime de rebelião às ordens régias, agravado pelas tentativas *de* segundo matrimônio." (Camilo, *As Três Irmãs*, 149.) "A tentativa *de* enobrecer a existência na terra, implicava de certo modo a indiferença pela felicidade sobrenatural." (E. da Cunha, *Os Sertões*, 191.)

"Todas as tentativas que fez aquele profissional *para* que pronunciassem bem o seu nome foram infrutíferas." (Júlio Nogueira, *O Exame de Português*, 100.) "Numerosas tentativas hão sido feitas, em diversos tempos, *para* legislar em tal matéria." (Rui, *Réplica*, 435.)

"Sabatina para mostrar as prendas do 'artista', boa execução aqui e além talvez, mas nenhuma fina tentativa *para com os* elementos tradicionais." (Fialho de Almeida, *Os Gatos*, 308.)

Teoria — *acerca de, a respeito de, de, sobre:*

"Realizava em toda a sua plenitude as teorias do portuense *acerca dos* tolos." (Camilo, *Mistérios de Lisboa*, II, 259.)

Essa engenhosa teoria *a respeito do* nascimento dos planetas persistiu por cerca de cem anos." (*Maravilhas do Conhecimento Humano*, I, 216.)

"Lembra-vos ainda a minha teoria *das* edições humanas?" (M. de Assis, *Memórias Póstumas de Brás Cubas*, 124.)

"Teoria *sobre* a formação das massas de água difundidas sobre o nosso globo." (L. Freire, voc. *hidrogenia*.)

Terminação — *em:*

"A terminação *em* 'n' apical repele o acento na última sílaba." (Augusto Moreno, *Lições de Linguagem*, II, VIII.)

Terminado — *em, por:*

"Palavras terminadas *em* consoante estranha ao gênio de nossa língua." (Júlio Nogueira, *O Exame de Português*, 113.) "Os nossos verbos terminados *em* 'er' não geram nunca adjetivos terminados *em* 'avel'." (Rui, *Réplica*, 479.)

"Verbos terminados *pelo* sufixo incoativo." (Júlio Nogueira, *O Exame de Português*, 181.) "Duas alas terminadas *por* torres fortificadas .... formavam os lados do espaçoso terreiro." (Rebelo da Silva, *Contos e Lendas*, 52.)

Terminante — *para:*

"A cooperação da esquadra foi terminante *para* o bom efeito das operações militares em terra." (Rui, *Cartas de Inglaterra*, 142.)

Terno — *com, para, para com:*

"É um pai muito afetuoso e terno *com* os filhos."

"Cada vez mais terna *para* a ausente, tornava-se mais ríspida para a Inez." (Júlia Lopes de Almeida, *Ânsia Eterna*, 28.) "Língua .... cândida para bucólicas, terna *para* lirismos, altiloqüente nas estrofes das epopéias." (Antero de Figueiredo, *Jornadas em Portugal*, 47.)

"Terno *para com* a família."

Ternura — *com, para, para com, por:*

"Ternura *com* os filhos." (C. Góis, *Sintaxe de Regência*, 100.)

"Ternura *para* os filhos." (C. Góis, *ob. cit.*, 100.)

"Ternura *para com* a família." (E. Carneiro Ribeiro, *Serões Gramaticais*, 671.) "O Evangelho, que é a lei das leis e a carta do gênero humano, prescreve-nos indulgência, ternura ainda *para com* os entes fracos e culpados." (Rui, *Queda do Império*, I, 357.)

"Experimento uma ternura grande *por* este soldadinho desconhecido." (Herman Lima, *Outros Céus, Outros Mares*, 312.) "Uma pouca de ternura *pelos* dois nobilíssimos velhos destronados." (Fialho de Almeida, *Os Gatos*, 78.)

Terrível — *com, contra, para:*

"Era terrível *com* os populares, mas com os poderosos arrogante." (L. Coelho, *apud* E. Carneiro Ribeiro, *Serões Gramaticais*, 653.) "Terrível *com* agressores e adversários." (Fialho de Almeida, *Os Gatos*, 27.)

"As leis da Europa são terríveis *contra* os que se matam a si mesmos." (Mário Barreto, *Cartas Persas*, 163.)

"Foi uma noite terrível *para* os viajantes." "— Este Paiva é terrível *para* um *menu!* observou o Simões em ar de troça." (Aluísio Azevedo, *Casa de Pensão*, 53.)

Terror — *de:*

"A filha do Visconde de Bacelar tiritava de frio, de susto, e até de terror *de* si mesma." (Camilo, *A Neta do Arcediago*, 60.)

Testemunho — *de:*

"Palavras .... veementes e rápidas davam testemunho *das* vivas comoções que agitavam a sua alma." (Herculano, *O Bobo*, 42.) "As feridas profundas assinadas nos cadáveres davam *disso* testemunho." (Idem, *Eurico*, 200.) "Juraram de espreitar os passos de Casimiro, e, em testemunho *de* sua probidade, ofereceram-se a quebrar-lhe as costelas, sendo necessário." (Camilo, *O Bem e o Mal*, 85.)

Tibieza — *de, em:*

"Tibieza *de* ânimo, *de* paixões."

"Tibieza *no* falar; tibieza *no* discurso."

Tíbio — *de, em:*

"Ficou a gente muito tíbia *do* alvoroço que até ali mostrava." (Dic. de Morais.)

"Mostrou-se tíbio *na* execução da projetada idéia." (Aulete.)

Tido — *como, em, por:*
"Daí a adoração que tinham a esses animais, tidos *como* sagrados." (João Ribeiro, *Curiosidades Verbais,* 124.)
"É homem respeitável, tido *em* muito boa conta."
"Só depois que um bateu a Espanha e o outro a Rússia, é que se incluíram no concerto europeu, tidos *por* civilizados." (Afrânio Peixoto, *A Esfinge,* 146.)

Timbre — *de, em:*
"E aqui está por que acertou, fazendo timbre *de* que a melhor parte da oração ficasse no que era: a boca tapada de um sumidouro." (Rui, *Colunas de Fogo,* 109.) "Contou por timbre *de* suas façanhas." (Dic. de Morais.)
"Faz timbre *em* ser gentil com todos." "A malquerença faz timbre *em* ser estúpida, quando não pode ser feroz." (Camilo, *O Bem e o Mal,* 143.)

Timidez — *em:*
"Timidez *em* falar; timidez *em* agir."

Tímido — *em:*
"Altivo, orgulhoso, mas tímido *n*os modos, não sofria seu orgulho que alguém o achasse ridículo." (Afonso Arinos, *Pelo Sertão,* 72.)

Tinto — *de, em, por:*
"Tinto *de* sangue." (Constâncio.) "Tinham tintas *de* sangue a face, as vestes." (G. Dias, *apud* Aulete.)
"Não o ouro, senão o ferro, tantas vezes tinto *n*o sangue cristão." (Vieira, *Sermões,* IX, 116.)
"Agrupavam-se, tintos *pel*os clarões dos braseiros, os heróis infelizes." (E. da Cunha, *Os Sertões,* 285.) "As imbaúbas abriam o leque de suas folhas, de longo pecíolo, tintas *por* uma pátina fosca de prata." (Afrânio Peixoto, *A Esfinge,* 45.)

Tirado — *por:*
"Às duas horas da madrugada do dia seguinte ao das cenas descritas no anterior capítulo, chegou à porta da hospedaria, chamada *Paço do Conde,* uma carruagem tirada *por* duas parelhas." (Camilo, *O Bem e o Mal,* 205.)

Tirania — *contra:*
"O partido liberal em peso levantou-se contra o governo, argüindo-o de tirania *contra* a farda brasileira." (Rui, *Colunas de Fogo,* 22.)

Tirante — *a:*
"Cor tirante *a* vermelho, *a* amarelo." (Aulete.)

Tirocínio — *de, para:*
"Para quem estava neste tirocínio *de* amarguras, aquela ordem de prisão era incidente mínimo." (E. da Cunha, *Os Sertões,* 166.)
"O capitão está fazendo tirocínio *para* major." (Aulete.)

Tisnado — *com, de:*
"Tisnado *com* o fogo da pólvora."
"Rosto tisnado *d*o sol." "Negro (o castelo), tisnado *d*o tempo, com os dentes das torres e das ameias cravados no céu." (C. Neto, *Imortalidade,* 14.)

Título — *a, de:*
"Não tenho, tão pouco, títulos *a* confidente." (Afrânio Peixoto, *A Esfinge,* 161.) "Ufanando-se da excelência do seu título *à* coroa." (Rui, *Queda do Império,* I, 116.)
"A condessa proferiu as últimas palavras já de pé, com o título *de* dívida aberto." (Camilo, *Mistérios de Lisboa,* I, 147.) "Imprimiu umas cartas em 1760 sob o título *de* 'Cartas sobre a Educação da Mocidade'." (Idem, *Perfil do Marquês de Pombal,* 88.)

Tocado — *de, em, por:*
"Entre os espectadores do patíbulo há, muitas vezes, corações tocados *de* compaixão." (Rui, *Cartas de Inglaterra,* 5.) "Não se explicam certos atos que divinizam a criatura, se a não considerarmos tocada *de* um magnetismo que mana de fonte sobrenatural." (Camilo, *A Neta do Arcediago,* 96.) "Achou-a triste e morosa na expressão, pronta a compreender palavras doloridas, curiosa de penetrar nos corações que sofrem, e tocada *d*o semblante sempre triste do misterioso cavalheiro." (Camilo, *Livro Negro,* 247.)
"Quem alguma vez escutou a 'Valsa dos Silfos', tocada *em* surdina, numa orquestra de mestres, não mais esquece a paisagem lunar." (Fialho de Almeida, *Os Gatos,* 50.)
"Exclamou minha mãe, tocada *por* um aflitivo pressentimento." (Camilo, *Mistérios de Lisboa,* I, 115.) "Como um pai estremoso ao pé de sua filha tocada *pel*a asa da morte." (Idem, *ibidem,* 212.) "Mas com o correr dos dias, ainda que sempre tocada *pel*a mais profunda saudade, fora-se habituando ao novo estado de coisas." (Abílio Barreto, *A Noiva do Tropeiro,* 47.)

Tocante — *a, para com:*
"No tocante *à* entrada em convento, disse que sua sobrinha nem ia professar nem abjurar dos gozos honestos da vida." (Camilo, *A Enjeitada,* 78.) "Excesso de severidade no tocante *a* certos senões." (Rui, *Réplica,* 58.)
"Não podia ser mais tocante *para com* ele o amor dos seus conterrâneos." (Rui, *Cartas de Inglaterra,* 312.)

Tolerância — *a, com, de, entre, para com:*
"Tolerância *a* certas faltas ou erros."
"Nenhuma mulher de fina educação pode ser feliz, como esposa, se não estiver possuída de tolerância *com* as faltas do marido." (Camilo, *A Neta do Arcediago,* 129.)
"Tolerância *de* abusos." (Constâncio.) "Tolerância *de* ritos, ou religiões diversas da do país." (Morais.)

"O de que necessitamos hoje é dum acordo, um reconhecimento da beleza de todas as religiões, uma mútua tolerância *entre* igreja, sinagoga e mesquita, uma irmandade de Fés, afinal." (*Maravilhas do Conhecimento Humano*, 326.)
"Increpava a federação de uma tolerância odiosa *para com* os regicidas." (Rui, *Colunas de Fogo*, 218.)

Tolerante — *com, para com:*
"Diz que é tolerante *com* as pessoas, mas não tolera as idéias, não transige com o erro." (Afrânio Peixoto, *Bugrinha*, 173.)
"Tolerante *para com* as pessoas bem intencionadas."

Tolerável — *a:*
"Esse alimento não é tolerável *a* qualquer estômago."

Tolhido — *de, em, para, por:*
"Algumas (seções) recuavam mesmo tolhidas *de* espanto." (E. da Cunha, *Os Sertões*, 272.) "Ficou perplexo e tolhido *de* assombro." (Aluísio Azevedo, *O Mulato*, 59.) "— Está tolhida *de* reumatismo; não é coisa de cuidado; mas enquanto não vier o estio, não pode sair da cama." (Camilo, *Livro Negro*, 253.)
"Nun'Álvares, tolhido *no* rapto de Alda, jura, pela durindana do pai, que espostejará quem se lhe achegue." (Fialho de Almeida, *Os Gatos*, 207.)
"Sentia-se embaraçado, tolhido *para* qualquer empreendimento."
"Tolhido *pel*as emoções da guerra." (E. da Cunha, *Os Sertões*, 27.) "Ficara, tolhido *pel*os ares do mar, com as mãos tão engadanhadas que nem o garrancho de pendurar as candeias." (Aquilino Ribeiro, *A Batalha sem Fim*, 50.)

Tolo — *de, em:*
"Ficou tolo *de* ver aquele grande espetáculo." (Aulete.)
"Era bem tola *em* se afligir." (Eça, *O Primo Basílio*, 179.) "Tolo *n*as ações e gestos." (Morais, voc. *atoleimado*.)

Tomado — *a, como, de, em, por:*
"Ainda mais curiosa é a formação da palavra francesa 'contrée' (italiana 'contrata', no inglês 'country', tomado *ao* francês), que deriva da preposição 'contra'." (João Ribeiro, *Curiosidades Verbais*, 103.)
"Tais palavras foram tomadas *como* severa advertência."
"Ficou então tomada *d*uma curiosidade que a alterava como uma febre." (Eça, *O Primo Basílio*, 96.) "Admito que, tomado *de* sagrado respeito tenha abaixado os olhos." (Mário Barreto, *Cartas Persas*, 42.) "E, só com pensar nisso, só com se lembrar de que já não estava ao alcance das garras do maldito Pires, o coração lhe saltava por dentro, tomado *de* uma alegria nervosa." (Aluísio Azevedo, *Casa de Pensão*, 33.)
"Gemas extraídas das rochas ou tomadas *n*as areias do mar." (C. Neto, *A Cidade Maravilhosa*, 74.)
"Estou agora tomado *por* uma desfalecida alegria de convalescente." (Erico Verissimo, *Saga*, 92.) "Orações improvisadas ao calor da crise que abalou a nação inteira, tomadas *por* um serviço taquigráfico mui insuficiente." (Rui, *Cartas Políticas e Literárias*, 251.)

Tonto — *a, com, de, por:*
"Fiquei tonto *ao* deparar-se-me semelhante espetáculo de carnificina." (Aulete.)
"Levantou-se sobressaltado, ainda tonto *com* sono."
"Tonto *de* pavor, o povo ingênuo perdeu, em momentos, as crenças que o haviam empolgado." (E. da Cunha, *Os Sertões*, 280.) "A manhã estava tonta *de* claridade." (J. Américo de Almeida, *A Bagaceira*, 136.)
"Está completamente tonto *pel*a vizinha."

Toque — *de, em:*
"A oca e aérea estrutura das ciências .... dissolve-se, sem deixar rastro, ao toque *de* tais teorias." (Rui, *Cartas de Inglaterra*, 85.) "O toque *de* suas mãos fez o milagre." (Vieira, *apud* Morais.)
"Teve medo de que Jandira voltasse para dar mais uns toques *no* cabelo." (Ciro dos Anjos, *O Amanuense Belmiro*, 150.) "Um toque *n*os chapéus e esporas nos cavalos; os cavaleiros se afastam para lados opostos." (Afonso Arinos, *Pelo Sertão*, 80.)

Torno — *a, de:*
"No seu oscilar em torno *ao* equador." (E. da Cunha, *Os Sertões*, 36.) "Uma batida brutal em torno *à* ceva monstruosa de Canudos." (Idem, *ibidem*, 262.)
"Ele pensou, sem amargura, que se agitava também, inquieto, em torno *d*a sua ilusão." (Afrânio Peixoto, *A Esfinge*, 12.) "Espíritos que se harmonizam em torno *de* uma conclusão tão importante." (Rui, *Cartas de Inglaterra*, 68.)

Torto — *de:*
"Indivíduo torto *d*as pernas." (L. Freire. voc. *cambembe*.)

Tortura — *de, para:*
"A tortura *d*o espírito é mais dolorosa que a *d*o corpo."
"O combate transformara-se em tortura inaturável *para* os dois antagonistas." (E. da Cunha, *Os Sertões*, 600.)

Torvo — *de:*
"Os olhos pretos dilatados flamejavam, e o semblante, rosado e jovial, empalidecia, torvo *de* severidade." (Rebelo da Silva, *Contos e Lendas*, 132.)

Toucado — *de:*
"As aldeias circunvizinhas vieram à festa com as suas pastoras, toucadas *de* flores,

com as violas enramalhetadas, com os seus arcos.''

Trabalho — *de:*

''Pobre como era e desesperadamente necessitado dos menores ganhos, sempre se dava ao trabalho *de* encontrar gente mais pobre e mais necessitada, que precisava mais de seu dinheiro que ele próprio.'' (*Maravilhas do Conhecimento Humano,* II, 105.)

Tradução — *em, para:*

''Ordenou a tradução, *em* língua vulgar, do Código de Justiniano.'' (Dic. de Fr. D. Vieira.)

''É uma obra notável, mas perdeu muito na tradução *para* o português.''

Traduzido — *a, em, para:*

''Poema traduzido *a* português.''

''Trecho traduzido *em* castelhano.'' ''Se este (poder), portanto, não existisse, real, vigoroso, imenso, traduzido *na* força militar de mar e terra, o ato diplomático de 1897 nunca se teria efetuado.'' (Rui, *Colunas de Fogo,* 211.)

''Romance traduzido *para* o alemão.'' ''Possuía (Tai-tsung) a Bíblia e o Corão já traduzidos *para* o chinês, lia-os cuidadosamente e julgava que seu próprio conterrâneo Confúcio havia ensinado a mesma religião essencial, cinco séculos antes de Cristo e doze antes de Maomé.'' (*Maravilhas do Conhecimento Humano,* I, 51.)

Traição — *a:*

''Não há traição *ao* país, de que me não acoimem.'' (*Apud* Rui, *Queda do Império,* I, 259.) ''A política .... tem sido quase sempre uma violação acintosa das nossas instituições representativas, uma traição sistemática *à* consciência pública.'' (Idem, *Coletânea Literária,* 31.)

Traidor — *a:*

''Infiel aos homens, traidora *à* sua profissão, e adúltera ao mesmo Deus.'' (Vieira, *Sermões,* IX, 9.) ''Um e outro eram traidores *à* América.'' (Rui, *Cartas de Inglaterra,* 313.)

Trama — *contra, para:*

''Uma carta, encontrada no cadáver do General Ramirez, descobriu a trama *contra* a vida do ditador.'' (Rui, *Cartas de Inglaterra,* 267.)

''Trama *para* dilatarmos.'' (Dic. de Morais.)

Tramado — *para:*

''Não percebes, meu Amâncio, que há aqui um plano velho, tramado *para* te fazer casar com Amelinha ....?'' (Aluísio Azevedo, *Casa de Pensão,* 184.)

Tranqüilidade — *de:*

''Tranqüilidade *de* espírito.'' (Aulete.)

Tranqüilo — *contra, de:*

''Não queremos dizer que a paz entre nós deva estar de todo em todo tranqüila *contra* a hipótese de tais maquinações.'' (Rui, *Colunas de Fogo,* 144.)

''É uma consciência tranqüila *de* remorsos, como a lâmina da sua espada está limpa de sangue.'' (Camilo, *A Neta do Arcediago,* 37.)

Transação — *acerca de, com, entre:*

''Transações *acerca de* interesses concernentes à fazenda nacional.'' (Rui, *Queda do Império,* I, 239.)

''Transação *com* firmas duvidosas traz embaraços.'' ''— Prejuízo para você? — Não, é transação *com* a firma, uma conta corrente.'' (Graciliano Ramos, *Caetés,* 191.)

''Não foi essa a única transação *entre* os bárbaros e os latinos.'' (João Ribeiro, *Curiosidades Verbais,* 103.)

Transcrição — *em:*

''A transcrição *no* registro das hipotecas ainda não foi feita.''

Transcrito — *em:*

''Ia ele deixando escorregar da lembrança (os episódios), como se os trouxesse a rol, transcritos *nas* folhas do caderno espesso de um diário de sua vida.'' (Alberto Rangel, *Fura-Mundo,* 257.)

Transferência — *a, de, para:*

''A sua transferência *das* ribeiras do Jaguaribe *às* margens do Tietê, aparentemente toda casual ....'' (Alberto Rangel, *Fura-Mundo,* 211.)

''Estive cavando transferência *para* um grupo da Capital. Mas é preciso muito pistolão.'' (Graciliano Ramos, *S. Bernardo,* 98.)

Transferido — *para:*

''Dias depois, quando Amâncio já estava transferido *para* o n.º 6 do segundo andar, chegaram-lhe às mãos duas cartas; uma de sua mãe, outra de seu pai.'' (Aluísio Azevedo, *Casa de Pensão,* 158.)

Transferível — *a:*

''Título transferível *a* terceiros, por meio de endosso.''

Transfigurado — *com, em, por:*

''Transfigurado e demudado *com* a doença.'' (Constâncio.)

''Alta e deslumbradora visão da autoridade real, transfigurada *no* espécime mais puro da beleza aperitiva e intangível.'' (Fialho de Almeida, *Os Gatos,* 86.) ''Pareceu-lhe como transfigurado *pela* cólera *em* um desses caprichosos tiranos que a pintura da Idade Média idealizou.'' (Camilo, *Mistérios de Lisboa,* III, 26.)

''Vimo-la, neste instante, pervertida pelo fanatismo. Vejamo-la transfigurada *pela* fé.'' (E. da Cunha, *Os Sertões,* 144.) ''Um soldado humilde, transfigurado *por* um raro lance de coragem, marcara a peripécia culminante da peleja.'' (Idem, *ibidem*, 365.)

Transformação — *de, em:*

''A partir de 1858 todos os seus atos denotam uma transformação *de* caráter.'' (E. da Cunha, *Os Sertões*, 160.)

''Leis que presidiram à transformação das palavras latinas *em* palavras espanholas.'' (Júlio Nogueira, *O Exame de Português*, 113.) ''Um salão de concerto .... raras vezes é anfiteatro atinente à transformação do fenômeno acústico *em* luminoso.'' (Fialho de Almeida, *Os Gatos*, 51.) ''Logo depois de sua transformação *em* jumento, a criada coloca-o na estrebaria e promete trazer-lhe algumas rosas pela manhã.'' (*Maravilhas do Conhecimento Humano*, II, 48.)

Transformado — *em:*

''Os exemplos são vulgaríssimos e assaz conhecidos, como os dos verbos transformados *em* substantivos.'' (João Ribeiro, *Curiosidades Verbais*, 94.) ''Assustava-os esse desapontamento provável; a campanha transformada *em* passeio militar penoso.'' (E. da Cunha, *Os Sertões*, 323.)

Transgressão — *de:*

''Transgressão *da* lei.'' ''Essas transgressões alvares *da* gramática e *do* léxico, só a má fé as poderia supor a quem quer que seja que tivesse algumas noções elementares do nosso idioma.'' (Rui, *Réplica*, 454.)

Transição — *de, entre, para:*

''A espécie de torpor moral em que uma rápida transição *de* hábitos e pensamentos o lançara, pareceu-lhe paz e repouso.'' (Herculano, *Eurico*, 20.)

''Retesando os arcos, que lembram uma transição *entre* as armas dos selvagens e a antiga besta de polé.'' (E. da Cunha, *Os Sertões*, 309.)

''Na sua transição *para* o terceiro reinado a monarquia orleanizada precisa de massas brutas, de forças passivas para arremessar contra o país.'' (Rui, *Colunas de Fogo*, 24.) ''Eram atribuladas essas horas de transição *para* o perpétuo infortúnio! A Providência dá-nos sempre a previsão confusa de uma grande calamidade!'' (Camilo, *Livro Negro*, 113.)

Transido — *de:*

''E largavam, transidos *de* susto, da vila, demandando a caatinga.'' (E. da Cunha, *Os Sertões*, 256.) ''Pois morreu?! — exclamou ela, transida *de* agonia.'' (Camilo, *As Três Irmãs*, 261.)

Transigência — *com:*

''Transigência *com* rebeldes é perigoso.''

Transigente — *com, para com:*

''Seja um pouco transigente *com* os alunos faltosos.''

''Transigente *para com* uns, severo demais para com outros.''

Trânsito — *de, para, por:*

''O trânsito *do* bem *para* o mal é fácil muitas vezes.'' (Aulete.)

''Estendo (a mentira) profanas mãos sobre os dias do seu trânsito *para* a eternidade.'' (Rui, *Campanha Presidencial*, 81.)

''Que importam, afinal, à humanidade mais três ou quatro anos de penosa fruição do globo, se, ao cabo do seu trânsito *pela* terra, não hão de sobreviver, aqui, ou além, senão restos fósseis, cal, substâncias inconscientes ....?'' (Rui, *Cartas de Inglaterra*, 74.)

Transmigração — *de, para:*

''Transmigração *de* uma região *para* outra.'' (Morais.) ''Transmigração das almas, *de* um corpo *para* outro vivo.'' (Constâncio.)

Transmissão — *a, para, por:*

''Transmissão de uma ordem *a* alguém.''

''A transmissão do domínio e posse da herança *para* os herdeiros, quer instituídos, quer legítimos, dá-se desde o momento da morte do autor dela.'' (*Cód. Civ. Português.*)

''A transmissão do calor *pelos* diversos metais.'' (Fr. D. Vieira.)

Transmissível — *a:*

''Essa doença é transmissível também *ao* homem.''

Transmitido — *a, por:*

''Patrimônio literário e artístico transmitido *à* posteridade.''

''Recebida a ordem do chefe, transmitida *pelo* secretário, o oficial .... dobrou o passo em acelerado e precipitou-se pelas escadas.'' (Alberto Rangel, *Fura-Mundo*, 16.)

Transmutação — *em:*

''Os antigos acreditavam na transmutação dos metais *em* ouro.''

Transparência — *em:*

''Se, de feito, imagina chegar à ordem, à nitidez, à transparência *na* enunciação da vontade legislativa, exprimindo-se em uma língua sem disciplina de sintaxe....'' (Rui, *Réplica*, 504.)

Transplantação — *de, para:*

''Transplantação *de* uma língua *para* outra.'' (Aulete.)

''Transplantação *de* uma planta *para* outro terreno.''

Transplantado — *a, de, para:*

''Adstrito a uns rudimentos de tática prussiana, transplantadas *às* nossas ordenanças, o chefe expedicionário, como se levasse o pequeno corpo de exército para algum campo esmoitado da Bélgica, dividiu-o em três colunas.'' (E. da Cunha, *Os Sertões*, 262.) ''Povo longínquo, transplantado e afeito *ao* nosso meio.'' (Afrânio Peixoto, *A Esfinge* 205.)

"Doutrina transplantada *do* Oriente *para* a Europa." (Dic. de Morais.)

Transportado — *a, de, em, para, por:*

"Sonho ou delírio, o caso é que me achei transportado *ao* vestíbulo de majestoso edifício." (C. Neto, *A Cidade Maravilhosa*, 118.)

"A condessa, como transportada *de* respeito e admiração, abraçou Antônia." (Camilo, *Mistérios de Lisboa*, II, 187.)

"Mercadoria transportada *em* avião." "Encontrei-o alheio a tudo, transportado *na* contemplação do soberbo panorama."

"Transportado *para* lugares ermos, desabitados."

"Indagou um tanto céptico o provedor, mas transportado também *pelo* interesse que pretendia levar ao juízo do outro." (Alberto Rangel, *Fura-Mundo*, 379.)

Transporte — *a, de, em, para, por:*

"Transporte de pessoas ou coisas *a* algum lugar."

"Já então o povo estrondeava em clamorosos transportes *de* alegria." (Camilo, *As Três Irmãs*, 248.) "Nunca pai algum beijou sua filha com tamanho transporte *de* ternura." (Idem, *Estrelas Propícias*, 78.)

"O transporte de cargas *em* navio é relativamente barato."

"O transporte de produtos brasileiros *para* a Europa tem sido muito intenso."

"Isso lhe cruciava a alma, espostejando-a entre a obrigação de certos deveres da consciência e aqueles transportes *pela* pupila do Governador." (Alberto Rangel, *Fura-Mundo*, 260.) "O transporte de malas postais *por* avião economiza muito tempo."

Transversal — *a:*

"Num outro caminho, transversal *ao* da igreja, casinhas de porta e janela, com calçadas altas." (Mário Sete, *Os Azevedos do Poço*, 66.)

Trapaça — *a, em:*

"Fazer trapaças *ao* jogo, ou *no* jogo."

Traquejo — *de, em:*

"Esse bloqueio não será possível senão encontrando uma população escassa e sem o traquejo *do* oceano." (Rui, *Cartas de Inglaterra*, 155.)

"É um homem de muito traquejo *em* agricultura."

Trasladado — *a, de, em, para:*

"As sementes intelectuais trasladadas *a* uma gleba, filhavam e produziam messes tão copiosas e sazonadas como nas ribas orientais do Atlântico." (Latino Coelho, *Páginas Escolhidas*, 131.)

"Trasladado *das* ribas do Riacho do Sangue, além da serra dos Orós, o cabra .... viera até o S. Francisco." (Alberto Rangel, *Fura-Mundo*, 210.)

"Obra trasladada *em* português." "Tinha trasladada *no* rosto a felicidade."

"A obra-prima de Taunay, 'Inocência', foi trasladada *para* vários idiomas."

Traspasse — *a:*

"O traspasse do armazém *ao* filho deu mau resultado."

Tratado — *com, de, entre, sobre:*

"O tratado comercial *com* a Argentina já entrou em vigor."

"Um tratado *de* zoologia."

"Foi anulado o tratado *entre* esses dois países europeus."

"Um erudito alemão, Franz Meyer, escreveu um tratado *sôbre* o seu apelido e achou cerca de mil derivações." (João Ribeiro, *Curiosidades Verbais*, 64.)

Tratamento — *com, de, para com:*

"Experimente o tratamento *com* penicilina."

"No tratamento *de* sua pessoa foi sempre grandioso e guapo." (Filinto Elísio, *apud* Aulete.) "O tratamento *de* 'excelência' é pouco usado na conversação ordinária."

"Havia melhorado o tratamento *para com* os fregueses." (Guilhermino Cesar, *Sul*, 118.)

Trato — *com, de:*

"O comércio, o trato *com* os bons." (E. Carneiro Ribeiro, *Serões Gramaticais*, 671.) "Trato familiar *com* os velhos monumentos de nossa língua." (Rui, *Réplica*, 412.) "O novo imperador amadureceu bem cedo, no trato *com* os mestres e com os livros. Sua vida toda terá o método e o cinzento rigor de um meticuloso e severo chefe de repartição." (*Maravilhas do Conhecimento Humano*, I, 172.)

"Foi tão pouco eficaz a companhia e trato *das* sábias, que tôdas ficaram tão néscias como dantes eram." (Vieira, *Sermões*, IX, 161.) "Meu trato *dos* antigos escritores portuguêses não me levou ao fetichismo da antiguidade vernácula." (Rui, *Réplica*, 57.)

Travado — *com, de, em, entre:*

"Os vaqueiros e o fazendeiro, ainda sujos e encarvoados da luta travada *com* o fogo, repousavam na fresca sombra do alpendre." (Gustavo Barroso, *Terra de Sol*, 172.)

"Mui prolongada era a jornada, ... e travada *de* muitas dificuldades." (Filinto Elísio, *apud* Aulete.) "Uma convivência não travada *de* perfídia — a da solidão." (Herculano, *Eurico*, 30.)

"Por andar aquele reino muito embaraçado, e travado *em* guerra *com* os vizinhos." (Dic. de Morais.) "Deus reprova homicidas, e lança de si com horror as preces de quem anda travado *com* seus irmãos *em* briga sanguinosa." (Camilo, *As Três Irmãs*, 268.)

"Guerra travada *entre* duas grandes nações."

Travessia — *de, para:*

"Tentou a travessia *do* canal da Mancha, a nado."

"Na travessia das côrtes *para* S. Domingos .... não se ouvia senão futurar coisas anárquicas." (Fialho de Almeida, *Os Gatos*, 102.)

Trazido — *a, com, de, para, por:*

"Os primeiros catequistas trazidos *ao* Brasil foram os padres José de Anchieta e Manuel da Nóbrega."

"Imagens belas trazidas *conosco* dessa correria luminosa." (Antero de Figueiredo, *Jornadas em Portugal*, 3.)

"Abria com um estilete de marfim a correspondência trazida *do* correio." (Mário Sete, *Os Azevedos do Poço*, 51.) "As aluviões trazidas *das* cabeceiras iam fazendo, de distância em distância, a alegria de deliciosos recantos." (Afrânio Peixoto, *A Esfinge*, 252.)

"Trazido *para* terra, o passageiro clandestino foi entregue às autoridades."

"Biró, trazido *pela* enxurrada, quando perdido à margem do rio, fora encontrado por algum devoto." (Gastão Cruls, *Ao Embalo da Rede*, 151.)

Tréguas — *a:*

"Aflige-me a certeza de que o seu drama espera o meu prefácio, e não me consterna menos o receio de que não chegue a hora de tréguas *aos* meus padecimentos para poder escrever a inútil apresentação que V. preocupadamente deseja." (Camilo, *Boêmia do Espírito*, 219.)

Treinado — *em:*

"Os molecotes cresciam à lei da natureza. Aos quinze anos, disciplinados pela grossa palmatória do feitor, já eram animais possantes, treinados *na* limpa do canavial." (Xavier Marques, *As Voltas da Estrada*, 12.)

Trêmulo — *de:*

"Aristides, como juiz, não podia dar senão a sentença que deu; mas assinou-a, trêmulo *de* emoção." (Medeiros e Albuquerque, *Quando Eu Era Vivo*, 85.) "Senhor! — bradou o besteiro, trêmulo *de* cólera e *de* ciúme." (Rebelo da Silva, *Contos e Lendas*, 119.)

Trescalante — *de:*

"O famoso cabelo ostentava-se, mais que nunca, em cachos acastelados e trescalantes *de* óleo de babosa." (Aluísio Azevedo, *O Mulato*, 157.)

Trespassado — *a, de, em, por:*

"Tinha o peito trespassado *a* sabre."

"O corpo do valente cavaleiro descera à sepultura trespassado *de* sete feridas." (Rebelo da Silva, *Contos e Lendas*, 23.) "Saiu corrido e trespassado *do* insulto o denunciante." (Camilo, *A Enjeitada*, 80.)

"Ficou trespassado *na* sua baioneta o jagunço que o abatera atravessando-o com o ferrão de vaqueiro." (E. da Cunha, *Os Sertões*, 276.)

"Foi um sicário e afinal acabou como devia acabar, com o coração trespassado *por* duas balas." (Alberto Rangel, *Fura-Mundo*, 114.)

Tributário — *de:*

"— Já por lá passei, senhor duque. Fui rapaz, grande tributário *da* loucura; mas não posso dar-me como exemplo na especialidade dos cabelos brancos, porque sinto dizer-vos que aos dezoito anos era calvo." (Camilo, *Livro Negro*, 152.)

Tributo — *a, sobre:*

"O tributo *à* natureza, cedo ou tarde todos pagamos."

"Somos também de parecer que os tributos *sobre* a renda de cabedais mobiliários entram igualmente na classe dos impostos diretos." (*Apud* Rui, *Cartas de Inglaterra*, 372.)

Triste — *com, de, em, por:*

"Ficou triste *com* o mau resultado do negócio." "Bembém andava triste *com* o resultado de seu caso." (J. Lins do Rego, *Pureza*, 294.)

"É (o sertanejo) triste *de* aspecto e *de* modos." (Gustavo Barroso, *Terra de Sol*, 168.) "Deixar-se morrer o triste *de* um doente assim ao desamparo?" (Castilho, *apud* Aulete.)

"Achou-se então face a face com Garcia Bermudes, tão triste *no* aspecto como nessa manhã o encontrara." (Herculano, *O Bobo*, 98.)

"Fiquei triste *por* ver que fui injusto." (Medeiros e Albuquerque, *Quando Eu Era Vivo*, 30.)

Tristeza — *com, por:*

"Teve grande tristeza *com* a morte do tio."

"Nada o distrai, sente tristeza *por* tudo que o cerca."

Triunfo — *em, para, sobre:*

"Benoit de Montfort, que parecia rejuvenescer, se lhe falavam dos seus triunfos *em* galanteria, não declinava de si a responsabilidade paterna que os seus íntimos amigos lhe impunham." (Camilo, *Livro Negro*, 45.)

"A representação da peça foi um triunfo *para* o autor." "A minha vergonha é um triunfo *para* o meu adversário." (Aulete.) "— Que triunfo *para* o espiritismo! E que baque para as outras religiões! ajuntou Pascoal." (Graciliano Ramos, *Caetés*, 95.)

"A nova do último triunfo *sobre* a expedição Febrônio .... destruíra as últimas vacilações dos crentes que até então tinham temido procurar o falanstério de Antônio Conselheiro." (E. da Cunha, *Os Sertões*, 305.) "Via lágrimas inúteis nas faces da que ele chamava a sua coroa de triunfo *sobre* os vícios da terra." (Camilo, *A Neta do Arcediago*, 85.)

Troca — *de, em, por:*

"Trocas *de* palavras, ligeiros desentendimentos eram comuns entre eles." "O virtuoso monge estava pronto a oferecer até a cabeça em troca *da* vida e salvação do cavalheiro.'' (Rebelo da Silva, *apud* Aulete.) ''E, por aquela redentora cruz, vos juro que aceitaria a minha prisão perpétua em troca *da* vida deste homem, que era vosso, assim como tinha sido o meu defensor.'' (Camilo, *O Bem e o Mal,* 202.)

''A troca do futuro *em* presente é ocorrência de vulgaridade tal em nosso idioma, que, para a ignorar, necessário seria não ter falado jamais o português.'' (Rui, *Réplica,* 208.)

''Troca do 'z' *por* 'g'.'' (Júlio Nogueira, *O Exame de Português,* 159.)

Trocado — *em, entre, por:*

''Trocada a justiça *em* misericórdia.'' (Vieira, *Sermões,* IX, 246.)

''Não tardaram em interceptar uma carta comprometedora trocada *entre* ele e o rei dos Medos.'' (Gastão Cruls, *Ao Embalo da Rede,* 176.) ''Há de lembrar-se o leitor do frio cumprimento trocado *entre* Adelaide e seu primo; também se há de lembrar que Soares disse ao amigo Pires ter sido amado por sua prima.'' (M. de Assis, *Contos Fluminenses,* 60.)

''Os cuidados se apaziguavam e adormeciam, trocados *pel*os desejos novos, até que um caso da vida o chamava para a realidade.'' (Afrânio Peixoto, *A Esfinge,* 218.)

Troco — *a, de:*

''*A* nenhuma pergunta deu troco.'' (Aulete.)

''Mais do que ela (vida), vai o nome, abocanhado sempre, no delírio dos interesses ofendidos, em troco *de* cada um desses atos de fidelidade.'' (Rui, *Colunas de Fogo,* 153.)

Tropeço — *a:*

''Não encontrava tropeço *à* sua liberdade.'' (Afonso Arinos, *Pelo Sertão,* 72.) ''Os únicos tropeços *à* escalada eram as asperezas do solo.'' (E. da Cunha, *Os Sertões,* 271.)

Trôpego — *de, por:*

''Trôpego *d*as pernas; trôpego *d*a língua.'' (Morais.) ''O bom do leigo, quase trôpego *de* velhice, erguia-se a custo do seu poial de pedra.'' (Rebelo da Silva, *Contos e Lendas,* 195.)

''Meio trôpego *pel*a doença que trouxera da ilha.'' (J. Lins do Rego, *Usina,* 43.)

Tufado — *de:*

''Tem um jardim com vasto portal gradeado para a rua, tufado *de* bosquetes de árvores exóticas.'' (Camilo, *Boêmia do Espírito,* 10.)

Túmido — *de:*

''Tubérculos túmidos *de* seiva.'' (E. da Cunha, *Os Sertões,* 39.) ''Entrei no quartel com o coração túmido *de* romances.'' (Camilo, *Cenas da Foz,* 158.)

Turbado — *com, de, em, por:*

''A consciência turbada *com* remorsos.''

''O ânimo turbado *d*as paixões.'' (Morais.) ''Turbado *do* sono.'' (Constâncio.)

''Turbado o ar, o mar *em* tormenta.'' (Fr. D. Vieira.)

''Parou hesitante, medroso, com o espírito turbado *por* idéias místicas.'' (C. Neto, *Imortalidade,* 51.)

Tutela — *contra, sobre:*

''Espécie de tutela *contra* este novo gênero de interditos.'' (Rui, *Colunas de Fogo,* 93.)

''Se ao governo não pode caber a tutela *sobre* a higiene moral das almas, tão pouco lhe pode tocar a inspeção da higiene física nos Estados.'' (Rui, *ob. cit.,* 44.)

U

Ufania — *de, por:*

"E o marquês, perdido o filho, luz da sua alma e ufania *de* suas cãs, não proferiu uma palavra, não derramou uma lágrima." (Rebelo da Silva, *Contos e Lendas,* 146.)

"Sente tanta ufania *pelos* triunfos do filho, como se fôssem seus."

Ufano — *com, de:*

"O mancebo, ... ufano *com* os ditos dos lisonjeiros, bate ao cavalo os acicates." (Filinto Elísio, *apud* Aulete.) "Ufanos *com* algumas flores de virtudes." (Dic. de Morais.)

"Se me queres a teus pés ajoelhado, ufano *de* me ver por ti rendido...." (G. Dias, *apud* Aulete.)

Ulterior — *a:*

"As fundações ulteriores *à* expulsão dos jesuítas calcaram-se no mesmo método." (E. da Cunha, *Os Sertões,* 104.)

Último — *a, de, em:*

"Foi o último *a* sair."

"Aquele foi o último *da* raça ilustre dos Albuquerques." (Aulete.) "É o último *da* classe."

"O que é último *na* distância se pode considerar como o derradeiro de todos os pontos." (Morais.) "Esse aluno foi o último *em* geometria."

Ultrajado — *com, em, por:*

"Sentir-te-ias ultrajada *com* a horrorosa ignomínia a que desceu o teu sexo." (Mário Barreto, *Cartas Persas,* 54.)

"Desagravava uma mulher ultrajada *na* sua honra, e assassinada na vida de seu irmão." (Camilo, *Mistérios de Lisboa,* III, 272.)

"Serei eu o restaurador da minha honra, ultrajada *por* um homem que me fará esquecer que sou um sacerdote." (Camilo, *Mistérios de Lisboa,* I, 119.)

Ultrajante — *a:*

"Defendia vossa irmã de uma calúnia ultrajante *à* sua honra, Sr. marquês." (Camilo, *Mistérios de Lisboa,* III, 156.)

Ultraje — *a, de:*

"Meditei suplícios, afrontas, humilhações ao seu amor-próprio, ultrajes *à* sua dignidade." (Camilo, *Mistérios de Lisboa,* I, 180.)

"Aqui, o ultraje, a rebencadas, *de* um médico militar; além, a arremetida a faca, felizmente tolhida a tempo, contra um oficial argentino." (E. da Cunha, *Os Sertões,* 297.)

Ultrajoso — *a:*

"Expressões ultrajosas *à* honra de alguém."

Úmido — *de:*

"Abraçou-se a ela com os olhos úmidos *das* lágrimas, que lhe arrancara seu irmão com as suas, lendo a carta." (Camilo, *A Neta do Arcediago,* 70.)

Unânime — *em:*

"Toda a crítica moderna da França é unânime *em* reconhecer que ele superou o seu ceticismo." (Ciro dos Anjos, *O Amanuense Belmiro,* 244.) "O Brasil é unânime *em* render justiça ao nome glorioso." (Afrânio Peixoto, *A Esfinge,* 109.) "Os velhos cronistas são unânimes *em* dizer que a certeza de que o marido ia colocar-se nobremente ao lado do alienista consolou grandemente a esposa do boticário." (M. de Assis, *Papéis Avulsos,* 58.)

Unanimidade — *de, em:*

"Unanimidade *de* pareceres, *de* opiniões."

"Unanimidade *nos* votos, *nos* pontos de vista."

Ungido — *com, de, por:*

"Ungido *com* os santos óleos."

"Ouviu-me com indulgência, e reanimou-me com palavras ungidas *de* um sincero amor de irmão." (Camilo, *Mistérios de Lisboa,* I, 101.)

"Sacerdote ungido *pelas* lágrimas de uma paixão eterna, gravada sempre naquela fisionomia macerada." (Camilo, *Mistérios de Lisboa,* II, 5.)

União — *a, com, de, entre:*

"A união de Deus *ao* homem em Cristo admite duas vontades distintas, uma humana, outra divina." (Vieira, *Sermões,* IX, 90.)

"Essa imensa avenida líquida .... é um prodigioso traço de união *com* o passado de tanto brilho." (Herman Lima, *Outros Céus, Outros Mares,* 125.) "Esta união da luz *com* o som, *com* a poesia, marca o caráter que pretendo pôr nos meus quadros." (Antero de Figueiredo, *Amor Supremo,* 223.)

"União *de* vontades; a união *das* tropas." (Morais.) "A união *de* dois domínios." (Fr. D. Vieira.)

"A união *entre* os dois partidos teve curta duração."

Único — *a, em, entre, sobre:*

"Impôs condições: ele seria o único *a* mandar." (Luiz Viana Filho, *A Vida de Rui Barbosa,* 15.)

"Vinte anos passará ele povoando com a sua humanidade de bronze a imensa extensão desse recanto que será único *no* mundo." (Herman Lima, *Outros Céus, Outros Mares,* 287.)

"Mas nisto mesmo consistiu aquela excelência que a fez singular e única *entre* todas, e *sobre* todas." (Vieira, *Sermões,* IX, 6.)

Unido — *a, com, contra, em, entre por:*

"O estudo do 'totem' está estreitamente unido *à* história da família, da 'gens', do 'clã' e da tribo." (João Ribeiro, *Curiosidades Verbais,* 126.) "Nenhuma outra apresenta tão abundante quantidade de acontecimentos unidos uns *aos* outros." (Mário Barreto, *Cartas Persas,* XIII.)

"Os meus inimigos, Senhor, unidos todos *com* Absalão já se começam a dividir em Jerusalém." (Vieira, *Sermões,* IX, 141.) "Enquanto a alma está unida *com* o corpo, este sem cessar a tiraniza." (Mário Barreto, *Cartas Persas,* 69.)

"As casas baixas, unidas umas *contra* as outras, feitas à feição dos acidentes do solo, têm todas a mesma forma." (E. da Cunha, *Os Sertões,* 255.)

"Portugal tem dois portugais distintos, que deviam viver separados — sobre si, embora unidos *numa* só força para as ações comuns." (Antero de Figueiredo, *Jornadas em Portugal,* 31.)

"Os três, que, alto e bom som, se haviam declarado indissoluvelmente unidos *entre* si, ... trabalham sorrateiramente cada qual pelo revés dos seus aliados." (Rui, *Queda do Império,* II, 402.)

"Unidos *pelos* laços da mais estreita amizade." (Constâncio.) "Estreitamente unidos *pela* retidão de seu coração." (Mário Barreto, *Cartas Persas,* 24.)

Unificado — *em, por:*

"Unificados *no* mesmo sentimento de amor à independência." (Afonso Arinos, *Pelo Sertão,* 15.)

"Unificados *pela* identidade de princípios, de ideais."

Uniforme — *em:*

"Uniforme *na* opinião, resolução, vontade." (Morais.)

Uniformidade — *com, de, em, entre:*

"A uniformidade das ações *com* as palavras."

"Pela uniformidade *das* ações era Elias, porque obrava como Elias." (Vieira, *apud* Morais.)

"As brigadas, entretanto, avançaram ainda. Mas incoerentemente, num dissipar improdutivo de valor e de balas, sem a retitude de um plano, sem uniformidade *na* marcha." (E. da Cunha, *Os Sertões,* 460.)

"Não existe uniformidade *entre* os volumes dessa coleção."

Uníssono — *com, em:*

"Ali, vibrando a primeira uníssona *com* o sentimento ambiente, difundido o segundo pelas almas todas que em torno se congregavam, se normalizaram." (E. da Cunha, *Os Sertões,* 153.)

"Quem cansou pelo mundo, e quem descansou nele, ambos estão uníssonos *na* morte." (Dic. de Morais.)

Urbano — *com, para com:*

"Mostrou-se muito urbano *com* todos." "*Com* a Câmara dos Deputados não fui ali menos urbano e indulgente que *com* a sua comissão especial." (Rui, *Réplica,* 38.)

"Benevolente e urbano *para com* os empregados."

Urgência — *de, em:*

"Tenho urgência *de* terminar esta obra."

"Foi solicitada urgência *na* discussão do projeto."

Urgente — *a:*

"Vendeu e hipotecou bens urgentes *à* sua sustentação para convertê-los em salas, tapetes, porcelanas." (Camilo, *Estrelas Propícias,* 15.)

Usado — *a, como, de, em, entre, por:*

"Usado *a* buscar nas fontes antigas os veios preciosos do ouro fino, ... amo e uso também a linguagem do meu tempo." (Rui, *Réplica,* 57.)

"A pimenta é usada *como* estimulante." (Augusto Moreno, *Lições de Linguagem,* II, 14.)

"A palavra ('tufão'), sabe-se hoje, era conhecida e usada *dos* gregos *nas* navegações mediterrâneas." (João Ribeiro, *Curiosidades Verbais,* 178.)

"Numerosos termos ainda hoje usados *em* nossa linguagem corrente." (Sousa da Silveira, *Lições de Português,* 25.)

"Taça para vinho, usada *entre* os gregos e os romanos." (C. de Figueiredo, voc. *acratóforo.*) "Estas elipses .... eram muito usadas *entre* os latinos." (Mário Barreto, *Através do Dicionário e da Gramática,* 259.)

"Os condutores das ondas estimulavam as alimárias, aos estalos miudeados das talas de couro sovado ou com as interjeições usadas *pelos* tropeiros." (Alberto Rangel, *Fura-Mundo,* 173.)

Useiro — *em:*
"Indivíduo useiro *em* ardis." (C. de Figueiredo, voc. *ardilão.)*

Uso — *de, em, entre:*
"Perdeu o uso *da* fala." (Aulete.) "O uso *do* chá, *de* tais medicamentos." (Morais.)
"É também de notar o emprego de construções reflexas como passivas, ... que se tornaram de largo uso *nas* línguas românicas." (Sousa da Silveira, *Lições de Português,* 57.)
"É antigo o uso do café *entre* os povos civilizados."

Usual — *entre:*
"A verdade é que ainda parece usual *entre* as crianças e as meninas de mau gênio."

Útil — *a, em, para:*
"Útil *à* saúde." (Augusto Moreno, *Lições de Linguagem,* II, 27.) "Pessoa útil *aos* seus semelhantes." (Aulete.)
"O 'et cetera' é palavra latina que eu conheço mais útil *nos* usos sociais." (Camilo, *A Neta do Arcediago,* 67.) "Noções indispensáveis que o presente estudo requer, e que também serão úteis *em* outros pontos do nosso programa." (Sousa da Silveira, *Lições de Português,* 59.)
"Não há coisa que mais gloriosa e mais útil seja *para* os homens, que ver outros sempre atentos à sua conversação." (Mário Barreto, *Cartas Persas,* 199.)

Utilidade — *a, em, para:*
"Passo o meu tempo a imaginar e executar o que será de mais utilidade *ao* Estado e grandeza dos Reais Domínios." (Alberto Rangel, *Fura-Mundo,* 123.) "A sua obra foi de pouca utilidade *a* Montesquieu." (Mário Barreto, *Cartas Persas,* XV.)
"Não utilidade *em* lhes dar cata (aos exemplos), estes bastarão para evidenciar quão benigno foi o meu primeiro exame." (Rui, *Réplica,* 35.)
"Adquirira as 'Flores Históricas' e as 'Flores Latinas' do Larousse, de tanta utilidade *para* mostra de erudição." (Afrânio Peixoto, *A Esfinge,* 100.) "Obras de grande utilidade *para* os que quiserem pôr-se ao corrente da reforma portuguesa e sair da nossa anarquia ortográfica." (Mário Barreto, *Através do Dicionário e da Gramática,* 401.)

Utilizado — *em:*
"Talvez seja a dinamite o explosivo mais largamente empregado, utilizada que é *em* vários fins industriais, tais como o rebentamento de minas, estradas e rochedos." *(Maravilhas do Conhecimento Humano,* I, 277.)

V

Vacilação — *a respeito de, diante de, em:*
"Os próprios portugueses tiveram *a* este *respeito* muitas vacilações." (João Ribeiro, *Curiosidades Verbais,* 87.)
"Tem algumas vacilações *diante de* certas dificuldades fonéticas." (João Ribeiro, *ob. cit.,* 146.)
"Não tenho vacilação *em* indicá-lo como apto para o cargo."

Vacilante — *em:*
"Assombrados ante aquela resistência inexplicável, vacilantes *no* assaltar a zargunchadas e a faca o pequeno grupo de valentes indomáveis." (E. da Cunha, *Os Sertões,* 352.)

Vagaroso — *em:*
"Vagaroso *no* falar; vagaroso *nos* gestos."

Vaidade — *de:*
"Podia não ter arte nem talento, representava, porém, fielmente, embora indiscretamente, todos quantos possuem ambição ou vaidade *de* glória." (Afrânio Peixoto, *A Esfinge,* 369.) "Eu não sabia que estavas em Lisboa, nem tinha a vaidade *de* supor que me conhecesses." (Camilo, *apud* Aulete.) "Cheio de vaidades *da* sua honra, apurado no timbre da sua dignidade." (Idem, *Mistérios de Lisboa,* I, 173.)

Vaidoso — *de, em:*
"Embebido de leituras filosóficas, e um tanto vaidoso *da* própria tolerância, o Imperador compreendia ter cada qual o direito de pensar livremente." (Luiz Viana Filho, *A Vida de Rui Barbosa,* 129.) "Lá estão ricas, respeitadas e vaidosas *de* seus filhos." (Camilo, *Estrelas Propícias,* 163.) "Somos todas vaidosas *da* nossa beleza e desejamos que o mundo inteiro nos admire. E' por isso que muitas vezes temos a indiscrição de admirar a corte mais ou menos arriscada de um homem." (M. de Assis, *Contos Fluminenses,* 185.)
"Por que também não punham no andor essa santinha toda vaidosa *no* tecido tabizado em que se empolava a elegância de uma sécia mimosa?" (Alberto Rangel, *Fura-Mundo,* 99.)

Valente — *em:*
"Os almanaques pitorescos citam até à saciedade mil excentricidades e senões dos grandes varões que a humanidade admira, já por instruídos nas letras, já por valentes *nas* armas." (M. de Assis, *Contos Fluminenses,* 14.)

Valia — *com, para:*
"A mesma sábia vencedora, pela grande valia que tem *com* Deus, alcance a todos os presentes esta fortaleza e constância." (Vieira, *Sermões,* IX, 166.)
"Quando o sentido está longe, nada junto tem valia *para* conter a gente." (Afrânio Peixoto, *Bugrinha,* 101.)

Valimento — *com, entre:*
"Ter valimento *com* o ministro, *com* o embaixador."
"*Entre* os freires era grande o seu valimento." (Gustavo Barroso, *A Ronda dos Séculos,* 180.)

Valor — *de, em, para:*
"Moeda francesa de prata, do valor aproximado *de* 60 centavos." (C. de Figueiredo, voc. *franco.)*
"Este princípio de fina observação tem dobrado valor *na* redação das leis." (Rui, *Réplica,* 531.)
"Teve valor e constância *para* cortar com os dentes a sua própria língua." (Dic. de Fr. D. Vieira.)

Vanglória — *de, por:*
"Tirar vanglória *de* leviandades alheias." (Dic. de Morais.)
"Não se justifica tal vanglória *por* uma coisa tão vulgar."

Vanglorioso — *de, por:*
"Sentir-se vanglorioso *de* ou *por* alguma coisa."

Vantagem — *a, contra, de, em, para, sobre:*
"Fazia vantagem *a* todas *na* formosura." (Morais.)
"Rareavam-se-lhes as fileiras sem vantagens *contra* adversários abrigados." (E. da Cunha, *Os Sertões,* 234.)
"Têm o prazer de não sofrer disto e até a vantagem *de* poder ter mulher formosa, boa, inteligente, para lhes encantar a vida." (Afrânio Peixoto, *A Esfinge,* 188.) "— Minha rica pequena, eu nasci com a grande vantagem *de* não ter coisa nenhuma dentro do pei-

to nem dentro da cabeça.'' (M. de Assis, *Contos Fluminenses*, 46.)

''Fazia-lhe vantagem *nos* anos, era mais velho.'' (Morais.) ''Mas de repente tudo se apaziguava por uma resolução, de abatimento na oferta, de vantagem *na* procura.'' (Afrânio Peixoto, *A Esfinge*, 294.)

''Naquela (frase), o que redunda não tem vantagem nenhuma *para* o encanto ou o vigor da expressão.'' (Rui, *Réplica*, 483.) ''Preciosa vantagem *para* o mancebo honesto, laborioso, instruído; justo motivo de temor para o indolente e o ignorante.'' (Idem, *Queda do Império*, I, 416.)

''As duas máquinas de guerra .... davam-lhes notáveis vantagens *sobre* a grosseira tática dos seus adversários.'' (Herculano, *O Bobo*, 17.) ''E esta proporção, que observam escrupulosamente os príncipes cristãos, dá-lhes infinita vantagem *sobre* os nossos sultões.'' (Mário Barreto, *Cartas Persas*, 213.)

Vantajoso — *a, para:*

''Vantajoso *a* todos.'' (E. Carneiro Ribeiro, *Serões Gramaticais*, 675.)

''O seu oferecimento é vantajoso *para* mim.'' (Graciliano Ramos, *S. Bernardo*, 115.)

Varado — *por:*

''Uma bela manhã, o coronel jesuíta passa-se para os espanhóis, a revelar o segredo da nossa fraqueza em petrechos de guerra; mas o Deus de Afonso Henriques castigou-o, porque o traidor morreu debaixo das nossas trincheiras varado *por* um pelouro português.'' (Camilo, *Boêmia do Espírito*, 51.)

Variabilidade — *de, em:*

''A variabilidade *de* temperatura às vezes produz distúrbios em certos organismos.'' ''Variabilidade *d*as espécies.'' (Fr. D. Vieira.)

''Desde que admitis a variabilidade *n*as acepções, não era intolerável à razão figurá-la nesta hipótese.'' (Rui, *Réplica*, 347.)

Variação — *de, em:*

''A variação *d*as formas *n*um verbo que se conjuga.'' (Fr. D. Vieira.) ''As grandes variações *do* sistema do mundo não são menos interessantes de conhecer que as revoluções dos impérios.'' (Idem.)

''Está hoje demonstrado à evidência que a morfologia da nossa língua é apenas uma variação *no* tipo da latina.'' (Latino Coelho, *apud* Aulete.) ''Não tem menos freqüência que essa a variação *d*os transitivos *em* intransitivos.'' (Rui, *Réplica*, 159.)

Variável — *em:*

''No português antigo devia juntar-se a tudo isso a flexão do particípio passado, não só variável *em* número, mas também *em* gênero.'' (Júlio Nogueira, *O Exame de Português*, 174.)

Variedade — *de, em:*

''Tamanha variedade *de* tons e vibrações deve corresponder a intenções imperceptíveis e imanentes ao uso da palavra.'' (João Ribeiro, *Curiosidades Verbais*, 114.)

''A providência não se esqueceu de conceder-lhe em grau infinito a variedade *na* dor.'' (Herculano, *O Bobo*, 72.)

Vário — *de, em, por:*

''Persas feroces, ... vários *de* gestos, vários *de* costumes, ... farão dos céus ao mundo vãos queixumes.'' (Camões, *Os Lusíadas*, X, 68.)

''Apareceram enfim os filósofos ...., não menos em número de cinqüenta, e tão vários cada um *nos* trajos, e *no* mesmo aspecto, como *n*as seitas.'' (Vieira, *Sermões*, IX, 118.)

''Sem recear mudanças da ventura, vária *por* gênio, vária *por* costume.'' (Bocage, *apud* Aulete.)

Vaticínio — *sobre:*

''Por que esse vaticínio *sobre* eventualidade impossível de realizar-se?'' (Luiz Viana Filho, *A Vida de Rui Barbosa*, 110.)

Vazio — *de:*

''A casa vazia *de* gente e móveis.'' (Morais.) ''Vazio *de* lisonjas, vazio *de* vaidades.'' (E. Carneiro Ribeiro, *Serões Gramaticais*, 673.) ''Alma vazia *de* toda a piedade e barbarizada pelo destemor da justiça providencial.'' (Camilo, *Perfil do Marquês de Pombal*, 108.) ''Eu sei a história desta existência perdida, senhores. Este moço era bom: derramou inutilmente os bálsamos do coração; achou-se vazio *de* amor; e repletou-se peçonha e ódio.'' (Camilo, *O Bem e o Mal*, 202.)

Vedado — *a, por:*

''Entrada vedada *a* estranhos.'' ''Foi vedada *à* mocidade militar a leitura das folhas liberais.'' (Rui, *Discursos e Conferências* 316.)

''A reunião popular foi vedada *pel*as autoridades.''

Velado — *a, de, por:*

''Visível à razão, velado *a*os olhos.'' (Dic. de Morais.)

''Pálido, ... mal alumiado por olhar mortiço velado *de* tristeza permanente.'' (E. da Cunha, *Os Sertões*, 295.) ''Interessante figurinha, tão finamente velada *de* modéstia.'' (Fialho de Almeida, *Os Gatos*, 175.)

''Mata que subia a encosta do morro, ... velada *pela* gaze azul da umidade.'' (Afrânio Peixoto, *A Esfinge*, 45.) ''Trazia a cabeça sempre velada *por* um manto de algodãozinho, cujas ourelas prendia aos alvos dentes.'' (Domingos Olímpio, *Luzia-Homem*, 7.)

Veleidade — *de:*

''Ninguém, estando em si, podia atribuir-me a veleidade insensata *de* banir da língua portuguesa as desinências em 'ão'." (Rui, *Réplica,* 96.)

Velho — *em, para:*

"Um belo dia, já velho *n*esse hábito e *n*essa reputação, eis que falto grosseiramente, membro de uma câmara, aos mais comezinhos deveres de cortesia para com a outra." (Rui, *Réplica,* 40.)

"Celebraram com alaridos e muitas risadas a pacholice do jogral, embora velha *para* todos como o castelo de Leiria." (Aquilino Ribeiro, *A Batalha sem Fim,* 22.)

Vencedor — *de:*

"Ficaram vencedores *d*os cortesãos ingleses." (Antero de Figueiredo, *Jornadas em Portugal,* 101.)

Vencido — *de, em, por:*

"À noite, recolhem-se a casa vencidos *de* cansaço, e deitam-se para poderem recomeçar no dia seguinte a sua penosa tarefa." (Mário Barreto, *Cartas Persas,* 186.) "Aquele grande dragão já duas vezes vencido *de* vós, agora enfurecido e contumaz levanta a cabeça, infesta e ameaça a vossa Polônia." (Vieira, *Sermões,* IX, 93.)

"Sentia-se vencida *n*a onda crespa dessas evocações, *n*o ritmo dos transes de perigo." (Alberto Rangel, *Fura-Mundo,* 255.) "— Barão, você estará vingado amanhã mesmo, quando ele se vir vencido *n*as carreiras, sem um prêmio para ofertar a quem quer que seja." (Xavier Marques, *As Voltas da Estrada,* 53.)

"Vencido *pel*as instantes lamúrias de Proença, quis ser árbitro na liberdade do preso." (Camilo, *A Neta do Arcediago,* 145.)

Vendido — *a, por:*

"O ouro recebido pelo produto vendido *a*o estrangeiro remunerou largamente ao agricultor na moeda nacional depreciada." (Afrânio Peixoto, *A Esfinge,* 395.)

"Suas bonecas de pano, umas bruxas vendidas *por* uma mulher do cortiço, tinham mais encanto do que as de louça." (Mário Sete, *Os Azevedos do Poço,* 32.)

Veneração — *a, de, para com, por:*

"Sempre tive grande veneração *a* esse incansável educador."

"Espalhando por este modo, de um lado, o terror e, de outro, a veneração *de* seu nome." (Mário Barreto, *Cartas Persas,* XVII.)

"Tem verdadeira veneração *para com* o vigário."

"A veneração que a Igreja tem *por* uma doutrina santa." (Fr. D. Vieira.)

Venerado — *por:*

"Seu nome (o de D. Pedro II), é hoje venerado *pel*os próprios republicanos e seu corpo repousa para a eternidade na cidade brasileira que tem o seu nome: Petrópolis." (*Maravilhas do Conhecimento Humano,* I, 173.)

Venerável — *a, por:*

"É um homem reto, íntegro, venerável *a* todos."

"E todos puseram os olhos num ancião venerável *pel*a idade e *pel*a constância da virtude." (Mário Barreto, *Cartas Persas,* 30.)

Veneta — *de:*

"Tinha venetas *de* espojar-se na relva, sujar-se de frutas machucadas, beber o orvalho em folhas." (J. Américo de Almeida, *A Bagaceira,* 134.) "O jarro vazio causou-lhe febre, sentiu venetas *de* arrojá-lo pela janela; ao tomar uma toalha do cabide, porque ela se não desprendesse logo, deu-lhe tal empuxão, que a fez em tiras." (Aluísio Azevedo, *Casa de Pensão,* 72.)

Ventura — *de:*

"Muita ventura tenho *de* ser esse o único mal que me podem fazer." (Mário Barreto, *Cartas Persas,* 13.)

Venturoso — *com, por:*

"S. João Batista foi desgraçado com reis; S. João Evangelista foi venturoso *com* príncipes." (Vieira, *Sermões,* IX, 199.)

"O barão reputava-se venturoso *por* ter arrancado estas sinceras gargalhadas." (Camilo, *Mistérios de Lisboa,* III, 63.)

Veracidade — *de, em:*

"Ninguém discute a veracidade *de* tuas asserções."

"O que ninguém poderá negar ao autor, é a veracidade *n*a exposição dos fatos relativos à instrução pública." (Rui, *Queda do Império,* I, 274.)

Verdade — *de, em, sobre:*

"A verdade *de* um fato." (Aulete.) "Afinal o governo nomeou uma comissão para averiguar a verdade *de* suas afirmações. Um dos membros dessa comissão era o nosso Benjamin Franklin." (*Maravilhas do Conhecimento Humano,* I, 248.)

"Não há verdade *n*essa afirmativa."

"A verdade integral *sobre* o assunto." (Rui, *Queda do Império,* I, 447.)

Vereador — *por:*

"Um dos vereadores *pel*a cidade teve a eleição impugnada."

Vergado — *a, com, de, para, por, sob:*

"Jacó .... entra em todas as casas, vergado *a*o peso daquela mala cinza que é um ninho de tentações." (Guilhermino Cesar, *Sul,* 5.)

"Vergada a árvore *com* o peso dos frutos."

"Animal vergado *d*as mãos, o que é curvo." (Aulete.)

"O corpo não me ajuda, vergado *para* o túmulo, como está." (C. Neto, *A Cidade Maravilhosa,* 50.) "Amâncio agradecia desfazendo-se em reverências e apertando as mãos de ambas, todo vergado *para* a frente, as faces incendidas pela comoção daquela primeira visita.'' (Aluísio Azevedo, *Casa de Pensão,* 92.)

''Uma preta velha, vergada *por* imenso tabuleiro de madeira, ... apregoava em tom muito arrastado e melancólico.'' (Aluísio Azevedo, *O Mulato,* 13.)

''Vergados *sob* fardos descomunais.'' (Aquilino Ribeiro, *A Batalha sem Fim,* 54.)

Vergonha — *de, para:*

''O preso agradeceu-lhos com aviltante submissão, não sentindo a vergonha *de* ser unicamente protegido por tal mulher.'' (Camilo, *A Neta do Arcediago,* 63.) ''Tinha vergonha *de* conversar com pessoas instruídas.'' (J. Lins do Rego, *Usina,* 70.)

''Aquilo era uma vergonha *para* a família.'' (J. Lins do Rego, *ob. cit.,* 100.)

Vergonhoso — *de, para:*

''É uma criança muito vergonhosa *de* qualquer pessoa estranha.''

''Rasgam da história as páginas dos sofrimentos cobardes, como vergonhosas *para* um país não afeito a vergonhas.'' (Camilo, *As Três Irmãs,* 266.)

Veridicidade — *de:*

''O Sr. Rodrigues, neste lance, franze a testa escantoada, corisca-me uns olhares de reprovação pelo insulto que eu fiz à veridicidade histórica *d*um fato de primeira ordem.'' (Camilo, *Boêmia do Espírito,* 344.)

Versado — *em:*

''Versado *n*as ciências naturais.'' (E. Carneiro Ribeiro, *Serões Gramaticais,* 675.) ''Os partidários mais convictos da reforma são filólogos e lingüistas, isto é, pessoas versadas *n*a história das línguas.'' (Mário Barreto, *Através do Dicionário e da Gramática,* 9.)

Versão — *para:*

''Versão de uma obra *para* línguas estrangeiras.''

Versátil — *em:*

''Versátil *em* suas opiniões: versátil *n*o amor.''

Versatilidade — *de, em:*

''Versatilidade *de* caráter.''

''Sua versatilidade *em* política é coisa sabida.''

Vertido — *por:*

''Foi o raio de sol nascente, vertido *pel*a fresta esguia da capela-mor, que de todo em todo aliciou Peregrina a olhar.'' (Camilo, *O Bem e o Mal,* 49.)

Vestido — *a, com, de, em, para, por:*

''A porta fora-lhe aberta por um homem alto, de figura repugnante, meio vestido *à* espanhola.'' (Camilo, *Mistérios de Lisboa,* I, 199.)

''Percebiam-se soldados esfrangalhados, ... calçando alpercatas velhas, vestidos *com* o mesmo uniforme do adversário.'' (E. da Cunha, *Os Sertões,* 584.) ''Homens vestidos *com* a túnica dos penitentes, a cabeça em elmos de viseiras cerradas.'' (Antero de Figueiredo, *Jornadas em Portugal,* 63.)

''Na sentença dirigem um cumprimento aos que vão vestidos *de* uma camisa de enxofre, dizendo-lhes que sentem muito que levem tão indecente trajo.'' (Mário Barreto, *Cartas Persas,* 63.) ''Palavra .... inspirada por altos pensamentos, e já vestida *de* formosura na polifonia dos belos ritmos.'' (Antero de Figueiredo, *Amor Supremo,* 97.)

''Quem mais dava nos olhos, pelo chorar ansioso, era uma senhora vestida *em* rigoroso luto, com véu preto descido.'' (Camilo, *A Neta do Arcediago,* 105.) ''Cristo vestido *em* nossa humanidade.'' (Dic. de Morais.)

''Atenienses vestidos *para* passear na Ágora.'' (Afrânio Peixoto, *A Esfinge,* 24.) ''Como que se empoeiravam mais ainda as maquetas, vestidas definitivamente *para* o abandono.'' (Idem, *ibidem,* 403.)

''Florestas silenciosas, galhos mal vestidos *pel*as folhas requeimadas ou murchas.'' (E. da Cunha, *Os Sertões,* 76.)

Veto — *a, contra:*

''Mais tarde, um jornal se lembrou de dizer que a minha oposição a Epitácio proviera daquele veto *à* minha nomeação.'' (Medeiros e Albuquerque, *Quando Eu Era Vivo,* 175.) ''Mostra a ingênua idéia .... de que as maiorias parlamentares podem, com o seu voto, impor veto *à* competência judiciária neste assunto.'' (Rui, *Cartas de Inglaterra,* 336.)

''O primeiro veto *contra* a 'Vila Isabel' se liquida no Senado aos 2 de dezembro de 1898.'' (Rui, *Colunas de Fogo,* 130.)

Vexação — *a, para:*

''Estas afrontosas vexações *a*o coração de minha pobre mãe arrancaram-lhe apenas um sorriso de aparente indiferentismo.'' (Camilo, *Mistérios de Lisboa,* I, 77.)

''Isso é uma vexação *para* toda a família.''

Vexado — *com, de, em, por:*

''Vexado o povo *com* impostos exorbitantes.'' ''Clementina sorriu, vexada *com* a desenvoltura da outra, e chamou D. Engrácia, que se meteu debaixo do guarda-chuva e marchou na frente.'' (Graciliano Ramos, *Caetés,* 229.)

''Ernesto saiu. Ia triste, ia vexado *d*a sua timidez.'' (Camilo, *A Enjeitada,* 193.)

''Sebastião José de Carvalho devia sentir-se vexado *n*a sua impotência.'' (Camilo, *Perfil do Marquês de Pombal,* 45.)

''Perguntou sorrindo-se, ao feitor, se ela passava por ser também vexada *pel*as almas do outro mundo.'' (Rebelo da Silva, *Contos e Lendas,* 87.) ''Sentiu-se ela desoprimida do remorso; mas ao mesmo tempo vexada e ferida *pel*a censura muda e humilhante do marido.'' (Camilo, *A Enjeitada,* 180.)

Vexame — *a, de, para:*

''Restringindo as grandes assembléias populares nas praças, onde podiam constituir embaraço e vexame *à* circulação pela via pública.'' (Rui, *Queda do Império,* I, 125.)

''Assim sucede sempre aos filhos educados à portuguesa, cujos pais como que sentem vexame *de* lhes patentear seu amor.'' (Aluísio Azevedo, *Casa de Pensão,* 161.)

''O exame de madureza .... não cria o mínimo vexame *para* os estudantes habilitados fora das sedes de Faculdades.'' (Rui, *ob cit.,* 439.)

Vezado — *a:*

''Longuras calcadas numa unidade traiçoeira, a légua, de estimativa exagerada pelo amor-próprio do matuto vezado *às* caminhadas longas.'' (E. da Cunha, *Os Sertões,* 303.) ''Lira espreitou, e viu-o, acendendo o cachimbo no charuto do amo, e gesticulando com aquele jeito das feras humanas vezadas *ao* trato da taverna, da feira, e da encruzilhada.'' (Camilo, *O Bem e o Mal,* 147.)

Vezeiro — *em:*

''Vezeiro *n*essas assomadas de lascivo desenfreado.'' (Alberto Rangel, *Fura-Mundo,* 57.)

Vezo — *de:*

''Desgraças de homens contam-se a homens, e eu, por maldito vezo *de* lamentar-me, associo sempre uma página de lamúrias infantis a cada página das minhas viagens.'' (Camilo, *Livro Negro,* 158.)

Viagem — *a, através de, em, por:*

''Uma intempestiva viagem *à* Europa, marcada da noite para o dia.'' (Gastão Cruls, *História Puxa História,* 65.) ''Não atendia Don'Ana Martins, firme numa idéia antiga, que nem mesmo uma viagem *ao* Recife abalara.'' (Afrânio Peixoto, *A Esfinge,* 114.)

''Desfez-se do seu cargo e deixou a França para empreender uma longa viagem *através de* vários países da Europa.'' (Mário Barreto, *Cartas Persas,* VII.)

''Mr. de Colomb falava nas suas recentes viagens *n*a Europa.'' (Camilo, *Mistérios de Lisboa,* III, 110.)

''Noticiam as folhas a projetada viagem *pelo* Brasil.'' (Veiga Miranda, *A Eterna Canção,* 93.) ''Certo padre espanhol, espécie de capelão que a acompanhara na sua viagem *por* Itália e Portugal, tinha embarcado em Marselha, para as missões do Japão.'' (Camilo, *Mistérios de Lisboa,* III, 61.)

Vibrante — *de:*

''E exclama com uma voz forte e vibrante *de* entusiasmo: ....'' (Camilo, *Mistérios de Lisboa,* I, 107.)

Vida — *com, de, em:*

''Sempre fora feliz, a sua vida *com* o Juca fora plena de felicidade.'' (J. Lins do Rego, *Usina,* 74.)

''Vida *de* médico *de* literato.'' (Aulete.) ''A vida *do* campo.'' (E. Carneiro Ribeiro, *Serões Gramaticais,* 671.)

''Há vida *n*aquele discurso.'' (Aulete.) ''A vida *no* campo é mais tranqüila.''

Vigilância — *contra, sobre:*

''A vigilância *contra* ela diminuíra consideravelmente.'' (Aluísio Azevedo, *O Mulato,* 333.)

''Exercendo-se a vigilância do Estado, a um tempo, *sobre* a capacidade dos alunos e a proficiência dos mestres.'' (Rui, *Queda do Império,* I, 438.) ''Ladislau, sempre atento aos passos do desertor, soube que chegara a Miranda D. Alexandre de Aguilar, de cujo infortúnio na ponte já estava informado por carta de Cristina, que incessantemente lhe pedia vigilância *sobre* o celerado.'' (Camilo, *O Bem e o Mal,* 145.)

Vigilante — *de, sobre:*

''Vigilante *do* procedimento de seus filhos.''

''O professor deve ser um eterno vigilante *sobre* a conduta dos alunos.''

Vigor — *de, em:*

''O vigor *dos* braços.'' (Constâncio.) ''Vigor *de* expressão.''

''Que vigor *n*as pernas!''

Vigoroso — *de, em:*

''As fibras da camada, vigorosa *de* nova seiva, passam por cima, e deixam como sinal uma cesura imperceptível.'' (Camilo, *A Neta do Arcediago,* 16.)

''Escorreito na frase, vigoroso *no* estilo.''

Vilipêndio — *contra, de:*

''O amigo será sempre sagrado aos nossos olhos, à nossa palavra, da qual nunca jamais cairá um vilipêndio ainda *contra* amigos de outro tempo.'' (Rui, *Queda do Império,* I, 408.)

''Obrou isso em vilipêndio *d*as leis.'' (Dic. de Morais.)

Vilipendioso — *a:*

''É não há afronta mais vilipendiosa *a* uma alma nobre!'' (Camilo, *Mistérios de Lisboa,* I, 62.) ''Obra atropelada é obra manca, desastrada, infiel ao pensamento do artista, vilipendiosa *ao* seu nome.'' (Rui, *Réplica,* 44.)

Vinculado — *a, com, por:*

''O coração fica vinculado *ao* túmulo .... cheio de saudades e de vida até à decrepitude.'' (Camilo, *Mistérios de Lisboa,* II, 10.)

''Presos e vinculados *com* o corpo mortal.'' (Dic. de Morais.) ''Vinculado *com* matrimônio.'' (Constâncio.)

''Vinculado *por* ajuste, pacto, contrato, convenção.'' (Morais.)

Vínculo — *a, com, de, entre:*

''Incessantemente laborava em desatar os vínculos de sua filha *à* enjeitada.'' (Camilo, *A Enjeitada,* 196.)

"Querer fazer do grêmio republicano um cenáculo de evangelistas sem o mínimo vínculo *com* as abominações do mundo .... seria fazer romance, poesia." (Rui, *Queda do Império*, I, 166.)

"Atados em vínculo *de* irmandade espiritual." (Dic. de Morais.)

"Os vínculos *entre* nós desatou-os a ingratidão."

Vinda — *a, de, para:*

"Explicadas as razões da sua vinda *ao* Rio, o meu amigo falou-me que desejava aproveitar a oportunidade para ouvir a opinião de algum bom médico a respeito da sua senhora." (Gastão Cruls, *Ao Embalo da Rede*, 142.)

"Sua vinda *da* Europa foi adiada."

"Não me aconselhou a vinda *para* esta casa?" (Camilo, *Mistérios de Lisboa*, II, 7.)

Vindita — *contra, de:*

"Não cogitava senão em cevar a sua vindita *contra* a altivez de um ministro rebelde ao domínio dos galões brancos." (Rui, *Queda do Império*, I, 179.)

"Nuno Álvares, satisfeito, inclinou a cabeça, certo de que, a contar deste instante, el-rei tomara a si a vindita *de* todos." (Rebelo da Silva, *Contos e Lendas*, 223.)

Vingado — *de, por:*

"Estou vingado *de* meus caluniadores."

"Apesar do incêndio de Moscou, mal vingado *pelo* de Paris, foi Alexandre I quem se opôs, em 1815, à mutilação da França." (Rui, *Colunas de Fogo*, 207.)

Vingança — *contra, de, sobre:*

"Fervendo-lhe nalma desejos de vingança atroz *contra* o mancebo e *contra* os barões de Portugal." (Herculano, *O Bôbo*, 74.) "E ele parecia saborear uma miserável vingança *contra* a raça." (J. Américo de Almeida, *O Boqueirão*, 189.)

"Os outros não atenderam. Tomavam vingança *do* silêncio a que os obrigara o Sales e o Macedo, detentores da palavra." (Afrânio Peixoto, *A Esfinge*, 329.) "Na vingança *da* morte de seu filho parece que queria beber o sangue ao Oriente todo." (J. Fr. de Andrade, *apud* Aulete.)

"As suas tenções eram exercer uma nobre vingança *sobre* o assassino da sua honra e de seu irmão." (Camilo, *Mistérios de Lisboa*, III, 207.)

Vingativo — *com:*

"Deus — o Deus de meus avós — foi vingativo *com* Caim." (Camilo, *Mistérios de Lisboa*, II, 178.)

Violação — *de:*

"Deu-lhe um pessoal que ultrapassava, de muito, o número regulamentar de praças, entre as quais — em manifesta violação *da* lei — dezenas de crianças que não podiam carregar as armas." (E. da Cunha, *Os Sertões*, 299.) "Testemunhou a nação inteira a violação *de* todas as nossas casas." (Rui, *Colunas de Fogo*, 170.)

Violência — *a, com, em:*

"Agora o infringe (ao direito) multiplamente, com abuso de autoridade, violência *à* liberdade pessoal, violência *à* inviolabilidade domiciliar." (Rui, *Colunas de Fogo*, 241.)

"Nem se poderia, a não ser mediante a ampliação mais arbitrária e a violência mais direta *ao* significado natural dos termos, confundir sob o designativo de 'obra' a 'gazeta', o 'jornal', a 'fôlha', a 'revista'." (Rui, *Réplica*, 514.)

"Violência *com* os prisioneiros, *com* os fracos."

"Há crimes que é necessário uma grande violência *no* arrancá-los do coração para os expormos na presença de um estranho." (Camilo, *Mistérios de Lisboa*, II, 199.)

Violentado — *a:*

"Amado, sim; mas, por minha causa, arrastado, violentado *a* arriscar-se na guerra, e talvez morto traiçoeiramente pelos seus próprios irmãos." (Camilo, *Livro Negro*, 131.)

Violento — *com, em:*

"Os próprios colegas consideravam-no pretensioso, irritante, violento demais *com* os adversários." (Luiz Viana Filho, *A Vida de Rui Barbosa*, 85.)

"Homem violento *em* paixões." (Morais.) "E foram desmedidos no gastar como eram violentos *no* mando." (Xavier Marques, *As Voltas da Estrada*, 15.)

Virado — *para:*

"Nesse tempo ela andava com a cabeça virada *para* o Mendonça Filho, que vale mais que eu."

Virgem — *de:*

"Selvas de terror e de crueza quase impenetráveis e, até hoje, absolutamente virgens *da* luz da civilização." (Rui, *Campanha Presidencial*, 138.) "As enxadas ronceiras tiniam na crosta endurecida, virgem *da* exploração mecânica." (J. Américo de Almeida, *A Bagaceira*, 35.)

Virtude — *de, para:*

"O pão que desceu do céu tem a virtude *de* preservar da morte e da corrupção os que se nutrem dele." (Monte Alverne, *apud* Aulete.)

"Diz que na terra dele há uma mulher que tem uma virtude *para* fazer casamentos, que é uma coisa milagrosa...." (Eça, *O Primo Basílio*, 218.)

Visita — *a:*

"No corredor encontramos a família do Azevedo que voltava de uma visita *a* um camarote conhecido." (M. de Assis, *Contos Fluminenses*, 186.)

Visível — *a:*
"Eclipse visível *a*os habitantes do sul do país." "Incógnita substância, visível *a*o sentido." (Dic. de Fr. D. Vieira.)

Visto — *a, de, em, entre, por:*
"Isso não pode ser visto *a* olho nu."
"Quando nos pode falar, assim de esguelha, às pressas, para não ser visto *d*os outros, não se furta." (Afrânio Peixoto, *A Esfinge,* 237.) "Custódia vinha subindo rente com umas ribanceiras, sem poder ser vista *d*a mãe arquejante." (Camilo, *A Enjeitada,* 64.)
"Bem visto *n*estas ciências." (Morais.) "É muito visto *n*estas questões." (Aulete.) "Gostava de ser visto *entre* gente austera." (Afrânio Peixoto, *A Esfinge,* 176.)
"É um indivíduo malvisto *por* todos."

Vítima — *de:*
"Foi vítima *de* tanta dedicação." (Aulete.)

Vitimado — *a, por:*
"Tem-se dito que o poeta Garção morrera na cadeia, vitimado *à* vingança rancorosa do ministro de D. José I." (Camilo, *Perfil do Marquês de Pombal,* 125.)
"Sempre foi pendor geral entre os príncipes de molde antigo regime entregarem-se à adulação das cortes, até acabarem vitimados *por* elas." (Rui, *Queda do Império,* I, 244.)

Vitória — *contra, de, para, sobre:*
"Ainda me cabe a dita, sem preço, de ver, no esboçar-se da vitória dos povos *contra* os déspotas, ... o amanhecer desses ideais de legalidade e de direito." (Rui, *Coletânea Literária,* 312.)
"Para ficar lembrança da grande vitória que alcançara *d*os mouros." (Dic. de Fr. D. Vieira.) "Alcançar vitória *d*as paixões." (Morais.)
"Podemos, pois, dizer que a primeira greve da história resultou em vitória *para* os trabalhadores." *(Maravilhas do Conhecimento Humano,* I, 9.)
"É que se preestabelecera a vitória inevitável *sobre* a rebeldia sertaneja insignificante." (E. da Cunha, *Os Sertões,* 245.) "Já entrado em anos, poderia recolher-se com os louros de suas vitórias *sobre* a terra ínvia, ingrata e bárbara." (Alberto Rangel, *Fura-Mundo,* 53.)

Vitorioso — *em, sobre:*
"Fora mesmo um furdunço quando o vaqueiro, vitorioso *n*esse serviço, ... entrara no curral da fazenda." (Gastão Cruls, *Ao Embalo da Rede,* 145.) "Vitoriosos *no* conflito com os elementos subalternos que os precederam." (Afrânio Peixoto, *A Esfinge,* 207.)
"Saiu vitorioso *sobre* o adversário."

Vivo — *para:*
"— Venho pedir-vos a presença de um camarada que deixei na África.
— Morto?
— Morto para a memória da França; mas vivo *para* a glória que nos vem da consciência." (Camilo, *Livro Negro,* 120.)

Viúvo — *de:*
"Ramos viúvos *d*as flores recém-abertas." (E. da Cunha, *Os Sertões,* 76.) "Viúva *d*os carinhos da filha." (E. Carneiro Ribeiro, *Serões Gramaticais,* 674.) "Igrejas viúvas *de* seus prelados." (Fr. D. Vieira.)

Vizinhança — *com, de:*
"E' horrível vizinhança *com* gente grosseira."
"Encontrei-o nas vizinhanças *d*a cidade." "A vizinhança *d*as espécies." (Aulete.)

Vizinho — *a, com, de:*
"O milagre consistia em que, estando o fogo tão vizinho *à* sarça, ela, contudo, sem o admitir em si, estivesse tão verde." (Vieira, *Sermões,* IX, 191.)
"Meu prédio é vizinho *com* o dele."
"No italiano temos sempre o modelo remoto do latim e mais vizinho *d*o português." (Rui, *Réplica,* 353.) "Costumava ela erguer-se antemanhã, quando ouvia os passos do irmão no sobrado vizinho *d*o seu quarto." (Camilo, *O Bem e o Mal,* 48.)

Vocação — *para:*
"O Rosa, que tem uma espantosa vocação *para* pai, ficou inconsolável com a partida desse filho de poucos dias." (Eça, *Correspondência,* 276.) "Tem uma vocação decidida *para* a pintura." (Fr. D. Vieira.) "— Pois lá vai. Eu era tipógrafo no Rio de Janeiro, um bom tipógrafo, mas naquele tempo a minha vocação era *para* militar." (Graciliano Ramos, *Caetés,* 94.)

Vociferação — *contra:*
"Suas vociferações *contra* o governo já se tornaram um hábito."

Volta — *a, com, de, para, por; a, em, por:*
"Magalhães deu a primeira volta *a*o mundo." (Dic. de Morais.) "É certo, porém, que Sebastião de Melo, na sua volta *a* Portugal, em fins de 1817, fortaleceu esses vínculos de amor." (Camilo, *Mistérios de Lisboa,* II, 152.)
"Uma noite, achava-se o feiticeiro às voltas *com* os seus abracalãs, quando foi procurado por dois estrangeiros." (C. Neto, *A Cidade Maravilhosa,* 49.)
"Sua volta *d*a França está marcada para janeiro." "O todo daquela iluminação terrível estendia-se em volta *d*a montanha." (Herculano, *Eurico,* 67.)
"Minha volta *para* o Brasil depende de ordens superiores."
"Quis então dar uma volta *pel*o jardim." (Eça, *O Primo Basílio,* 275.) "Dera uma volta *pelo* engenho, daí se passara à casa de fari-

nha.'' (J. Américo de Almeida, *A Bagaceira,* 197.) ''Deu uma volta *pela* sala, foi ao aparador, tomou alguns goles dágua e, procurando mudar de conversa, falou do baile que havia essa noite em casa do Melo.'' (Aluísio Azevedo, *Casa de Pensão,* 119.)

''Em 1824, *à* volta dos vinte e um anos.'' (Camilo, *apud* Aulete.)

''*Em* volta da risonha morada penduravam-se as vinhas pelas encostas das colinas até às margens de um ribeiro.'' (Rebelo da Silva, *apud* Aulete.) ''Responda *na* volta do correio.'' (Aulete.)

''Contam os antigos que, *por* volta de 44, um tal de Casusa Prado e seu escravo Pedro Ferreira vieram ao Mucugê.'' (Afrânio Peixoto, *Bugrinha,* 170.)

Voltado — *a, contra, de, para:*

''Estóica alma, toda voltada *à* esperança dum galardão compensador dos seus serviços.'' (Fialho de Almeida, *Os Gatos,* 180.) ''A serra da Estrela, ... sempre voltada *à* sul, até lá baixo.'' (Antero de Figueiredo, *Jornadas em Portugal,* 95.)

''A frente do edifício está voltada *contra* leste.''

''Os noivos, voltados *de* sua pequena excursão de núpcias, receberiam os seus amigos.'' (Afrânio Peixoto, *A Esfinge,* 338.)

''Braços largamente abertos, rosto voltado *para* os céus, *para* os sóis ardentes.'' (E. da Cunha, *Os Sertões,* 30.) ''Um ser privilegiado e singular que, de olhos voltados *para* o Azul, se comunica com o Invisível.'' (Gastão Cruls, *Ao Embalo da Rede,* 77.)

Voluntário — *de:*

''Quando Lincoln fez uma convocação de mais e mais rapazes para voluntários *do* Exército da União, marchavam eles para Washington, cantando canções como esta.'' (*Maravilhas do Conhecimento Humano,* I, 122.)

Volúpia — *de:*

''O cheiro do mel desprendia-se do enorme cortiço, embriagando os negros da volúpia *do* trabalho.'' (Xavier Marques, *As Voltas da Estrada,* 89.)

Volvido — *a, para, sobre:*

''História já muito velha e totalmente volvida *ao* esquecimento.'' (Gastão Cruls, *História Puxa História,* 70.)

''Face volvida *para* os céus.'' (E. da Cunha, *Os Sertões,* 29.) ''A mais perfeita conformidade de vistas, volvidas *para* um objetivo único: reagir à invasão iminente.'' (Idem, *ibidem,* 310.)

''Volvidos vinte e um anos .... *sobre* os famosos torneios e touradas da Junqueira....'' (Camilo, *Perfil do Marquês de Pombal,* 35.)

Vontade — *contra, de, para:*

''A Grã-Bretanha não se emenda na impertinência da sua má vontade *contra* as repúblicas sul-americanas.'' (Rui, *Cartas de Inglaterra,* 316.)

''Sentia uma vontade indefinida *de* ir de novo à vila do Rosário.'' (Aluísio Azevedo, *O Mulato,* 260.) ''Aquele movimento era comunicativo. Amâncio sentiu vontade *de* sair e andar à toa pelas ruas.'' (Aluísio Azevedo, *Casa de Pensão,* 116.)

''Tem manifesta má vontade *para* tudo que se refere ao sobrinho.''

Vôo — *a, para:*

''A oração é um vôo da alma *a* Deus.'' (Fr. D. Vieira.)

''Não há que pensar nesses vôos *para* o futuro.'' (Rui, *Colunas de Fogo,* 188.)

Votado — *a, por:*

''O ódio votado *aos* canhões, que dia a dia lhes demoliam os templos, arrebatara-os à façanha inverossímil.'' (E. da Cunha, *Os Sertões,* 439.) ''Sofreu de joelhos, silenciosa, humilde, e votada *ao* sacrifício com a santidade de mártir.'' (Camilo, *Mistérios de Lisboa,* I, 180.)

''Nessa fidelidade votada ainda hoje *por* alguns monarquistas *ao* seu ideal, não vejo senão motivos que os recomendem ao meu respeito.'' (Rui, *Cartas Políticas e Literárias,* 72.)

Voto — *a, contra, de, em, para, por, sobre:*

''Deixavam a gente votar e depois apareciam umas apurações fantásticas de dois, três mil votos *aos* candidatos da chapa.'' (Afrânio Peixoto, *A Esfinge,* 236.)

''Os grandes votos do Senado *contra* este ministério não são manifestações de uma divergência legislativa, nem tampouco moções de hostilidade política.'' (Rui, *Queda do Império,* II, 302.)

''Escravos da sua honra habitual, não quebrantaram os votos *de* neutralidade.'' (Camilo, *Mistérios de Lisboa,* I, 204.) ''Eu fiz um voto *de* andar sempre por mar.'' (Tolentino, *apud* Aulete.)

''A comissão dos cursos superiores, segundo os planos que concebemos, teria voto *nas* provas escritas e orais.'' (Rui, *Queda do Império,* I, 437.) ''Voto *em* candidatos avulsos quase sempre é perdido.''

''Obteve trezentos votos *para* deputado.'' (Aulete.)

''Aí está o meu voto dissidente, o meu voto *pela* federação no congresso liberal de 1889.'' (Rui, *Cartas de Inglaterra,* 403.) ''Por issofazia votos *pelas* vitórias incessantes de Napoleão.'' (Camilo, *A Enjeitada,* 21.)

''Emitir voto *sobre* uma sentença ou parecer.''

Vulgar — *a, em, entre:*

''O espírito conceituoso dos prolóquios, que é o pecúlio do tempo, vulgares *à* terra toda, revestia-se sob as formas mais pitorescas.'' (Alberto Rangel, *Fura-Mundo,* 234.)

''Esta rima é vulgaríssima *em* autores portugueses.'' (Júlio Nogueira, *O Exame de Português,* 92.)

''O sentimento de confiante dependência, vulgar *entre* as tribos primitivas.'' (Rui, *Cartas de Inglaterra,* 97.)

Vulgarizado — *em, por:*

''Creio que mui poucos a conhecem (a doutrina), apesar de muito vulgarizada *em* livros dos quais por diversas vezes eu tenho aqui dado conhecimento aos meus leitores.'' (Augusto Moreno, *Lições de Linguagem,* 99.)

''Um preceptista agudo de arte, ... vulgarizado *por* Joaquim de Vasconcelos.'' (Ricardo Jorge, *Sermões dum Leigo,* 195.)

Z

Zanga — *a, com:*

"Eu sempre tive zanga *a* esta gente." (Mário Barreto, *Através do Dicionário e da Gramática,* 356.) "Maria Eusébia valia tanto no ânimo de Frei Lázaro, que vingou convencê-lo da eficácia dos exorcismos na zanga endiabrada que Miquelina lhe tinha *a* ela." (Camilo, *A Enjeitada,* 53.)

"Não sei por que semelhante zanga *com* as crianças." "Tenho zanga *com* isto." (Morais.)

Zangado — *com, por, contra:*

"Está zangado *com* Duarte?" (Camilo, *As Três Irmãs,* 75.) "Eu pensei que devia estar zangada *com*igo." (Afrânio Peixoto, *Bugrinha,* 133.) "O pai um dia chegou zangado *com* a tia Firmina." (J. Lins do Rego, *Usina,* 102.)

"Morreu zangado *com* o Imperador *por* nunca ter merecido a sua preferência, embora figurasse em várias listas submetidas à escolha de Sua Majestade." (Luiz Viana Filho, *A Vida de Rui Barbosa,* 36.)

" — Falou com o meu papá! — exclamou ela. — Está muito zangado *contra* o meu pobre Casimiro?" (Camilo, *O Bem e o Mal,* 166.)

Zelador — *de:*

"Zeladores *da* honra de Deus." (Dic. de Morais.) "A zeladora *do* templo mostra-nos um presépio de oitocentos anos." (Herman Lima, *Outros Céus, Outros Mares,* 199.)

Zelo — *a, de, em, por:*

"Desejava que V. M., certo do meu profundo zelo *à* sua causa, me emprestasse aí dez tostões." (Fialho de Almeida, *Os Gatos,* 81.)

"O zelo *do* bem público." (E. Carneiro Ribeiro, *Serões Gramaticais,* 671.) "O zelo *da* sua reputação, a honra do seu magistério os obrigam a renovar diariamente os estudos." (Rui, *Réplica,* 44.)

"A mesma câmara nos acaba de ensinar, pelo exemplo, o zelo *nas* miudezas do apuro literário." (Rui, *Réplica,* 38.)

"De meu pai herdei o zelo *pelo* serviço do rei." (M. Pinheiro Chagas, *O Terremoto de Lisboa,* 113.) "O meu zelo *por* ti." (Mário Barreto, *Através do Dicionário e da Gramática,* 356.) "Tamanha indiferença a lucros pessoais e tão refinado zelo *pelos* haveres da nação." (Rui, *Cartas de Inglaterra,* 259.)

Zeloso — *de, em, por:*

"Zeloso *de* sua honra." (E. Carneiro Ribeiro, *Serões Gramaticais,* 674.) "Português zeloso *do* asseio e *da* limpeza da sua terra." (Camilo, *Perfil do Marquês de Pombal,* 134.) "Estas margens escarpadas são como que as defesas severas de um mundo zeloso *dos* seus tesouros." (Rui, *Cartas de Inglaterra,* 213.) "Espero que, no novo cargo, que é de maior responsabilidade, continue a mostrar-se tão zeloso *dos* seus deveres como até agora." (Ferreira de Castro, *A Tempestade,* 132.)

"*N*as coisas da religião foi zelosíssimo." (Dic. de Fr. D. Vieira.)

"Zeloso *pelo* futuro nacional." (Castilho, *apud* Rui, *Réplica,* 356.)

Zombaria — *com, de:*

"Tem muito lindas zombarias *com*igo, e eu sou feliz por ser o motivo delas." (Camilo, *Mistérios de Lisboa,* III, 93.)

"Pecadores calejados fazem zombaria e graça *dos* pecados." (Dic. de Morais.)

Zombeteiro — *em:*

"A fortuna, zombeteira *em* seus ludíbrios, hoje veste-lhe a púrpura recamada de três altos, amanhã o pobre saial dum porcariço." (Dic. de Morais.)

Zonzo — *de:*

"Noite alta regressava a casa, zonzo *do* tresnoite agitado." (Alberto Rangel, *Fura-Mundo,* 41.)

Zumbaia — *a:*

"O carregador, vestido de grande uniforme, desfez-se em zumbaias *aos* fidalgos." (Camilo, *Mistérios de Lisboa,* I, 179.)